옮긴이 **이희진**은 전남대 철학과를 졸업하고 같은 대학교 대학원에서 「생□□ 산주의의 가능성에 대한 연구」로 철학 박사학위를 취득했다. 전남대 철학과 강사를 거쳐 동아대 맑스엥겔스연구소 전임연구원으로 2021년 8월까지 있었으며, 2021년 9월부터 한국연구재단 인문학술연구교수(A형)로 마르크스 역사철학을 재구성하는 연구를 진행하고 있다. 주요 논문으로 「역사적 유물론의 원본으로서 마르크스 역사철학의 기원과 그 의미」, 「마르크스 역사철학의 이론적 기초로서 반철학과 비철학」, 「맑스의 인정 개념: 『경제학—철학 초고』와 MEGA② Ⅳ-2 「밀—발췌록」을 중심으로」, 「독일이데올로기 문헌 논쟁사와 MEGA② Ⅰ-5 출판의 의미」, 「자연과 코뮌 Ⅰ: 코뮌의 기초로서 맑스의 자연 개념」 등이 있다.

옮긴이 **최호영**은 고려대 심리학과를 졸업하고 독일 베를린 자유대학에서 구성주의에 대한 연구로 심리학 박사학위를 받았다. 현재 중앙대 중앙철학연구소 선임연구원으로 있다. 저서로 『인지와 자본: 인지, 주체—화, 자율성, 장치의 측면에서 본 생명과 자본』(공저, 갈무리, 2011), 『동서의 문화와 창조: 새로움이란 무엇인가?』(공저, 이학사, 2016) 등이 있으며, 역서로는 『앎의 나무』(갈무리, 2007), 『지혜의 탄생』(21세기북스, 2010), 『뇌의식과 과학』(시스테마, 2011), 『사회적 뇌: 인류 성공의 비밀』(시공사, 2015), 『옳고 그름: 분열과 갈등의 시대, 왜 다시 도덕인가』(시공사, 2017), 『감정은 어떻게 만들어지는가』(생각연구소, 2017), 『이성의 진화』(생각연구소, 2018), 『아들러 삶의 의미』(을유문화사, 2019) 등이 있다.

옮긴이 **서익진**은 1955년 부산에서 태어났으며, 서울대 경영학과를 졸업했다. 1998년 프랑스 그르노블 사회과학대학에서 경제학 박사학위를 받았다. 저서로 『개발독재와 박정희 시대』(공저, 창비, 2003), 『시장경제, 만능인가 기본인가』(경남대학교출판부, 2013), 『칵테일 경제학 입문』(경남대학교출판부, 2019) 등이 있으며, 역서로는 『금융의 세계화: 기원, 비용 및 노림』(한울, 2002), 『자본의 세계화』(한울, 2003), 『지식경제학』(한울, 2004), 『신자본주의』(경남대학교출판부, 2006), 『금융 세계화와 글로벌 불균형』(경남대학교출판부, 2009), 『세계 자본주의의 무질서』(공역, 도서출판 길, 2009), 『위기』(한울, 2009), 『조절이론 1: 기초』(공역, 뿌리와이파리, 2013), 『화폐의 비밀: 화폐를 바꾸면 세상이 바뀐다』(공역, 도서출판 길, 2021) 등이 있다. 경남대 경제금융학과 교수로 있었으며, 2021년 퇴직 이후 시민단체인 '화폐민주주의연대' 공동대표로 활동 중이다.

옮긴이 **강신준**은 1954년 경남 진해에서 태어났으며, 고려대 독어독문학과를 졸업했다. 같은 대학교 대학원에서 경제학 박사학위를 받았다. 독일 프랑크푸르트 대학에서 독일 노동운동사를 연구했으며, 저서로 『수정주의 연구 1』(이론과실천, 1991), 『자본의 이해』(이론과실천, 1994), 『노동의 임금교섭』(이론과실천, 1998), 『자본론의 세계』(풀빛, 2001), 『그들의 경제 우리들의 경제학』(도서출판 길, 2010), 『마르크스의 자본, 판도라의 상자를 열다』(사계절, 2012), 『오늘 '자본'을 읽다』(도서출판 길, 2014), 『수취인 자본주의 마르크스가 보낸 편지』(풀빛, 2016) 등이 있다. 역서로는 『자주관리제도』(풀빛, 1984), 『마르크스냐 베버냐』(공역, 홍성사, 1984), 『자본 2·3』(이론과실천, 1988), 『사회주의의 전제와 사민당의 과제』(한길사, 1999), 『프롤레타리아 독재』(한길사, 2006), 『자본』(전5권, 도서출판 길, 2008~10), 『데이비드 하비의 맑스 '자본' 강의 1·2』(창비, 2011/2016), 『마르크스의 『자본』 탄생의 역사』(도서출판 길, 2016), 『임금에 대하여』(도서출판 길, 2019), MEGA 제2부 제3권 제2분책인 『경제학 비판을 위하여 1861-63년 초고 제2분책, 잉여가치론 1』(도서출판 길, 2021) 등이 있다. 동아대 경제학과 교수로 있었으며, 같은 대학의 특임교수로 동아대 맑스엥겔스연구소 초대 소장을 맡았다.

MEGA

KARL MARX
FRIEDRICH ENGELS
GESAMTAUSGABE
(MEGA)
ERSTE ABTEILUNG
WERKE · ARTIKEL · ENTWÜRFE
BAND 10

Redaktionskommission der Gesamtausgabe:
Günter Heyden und Anatoli Jegorow (Leiter),
Erich Kundel und Alexander Malysch (Sekretäre),
Rolf Dlubek, Heinrich Gemkow, Lew Golman,
Sofia Lewiowa, Michail Mtschedlow, Richard Sperl.

Redaktionskommission der Ersten Abteilung:
Rolf Dlubek (Leiter),
Erich Kundel, Alexander Malysch, Richard Sperl, Inge Taubert.

Bearbeitung des Bandes:
Martin Hundt (Leiter),
Hans Bochinski und Heidi Wolf,
unter Mitarbeit von Ingrid Donner und Rosemarie Müller.
Gutachter: Rolf Dlubek und Sofia Lewiowa.

카를 마르크스와 프리드리히 엥겔스의 저작 · 기고문 · 초안
1849년 7월부터 1851년 6월까지

WERKE · ARTIKEL · ENTWÜRFE
JULI 1849 BIS JUNI 1851
TEXT

독일 제국헌법투쟁
1848년에서 1850년까지 프랑스 계급투쟁 | 독일 농민전쟁 외

카를 마르크스 · 프리드리히 엥겔스 지음 | 이회진 · 최호영 · 서익진 · 강신준 옮김

동아대학교 맑스 엥겔스 연구소

도서출판

카를 마르크스와 프리드리히 엥겔스의 저작·기고문·초안

독일 제국헌법투쟁 | 1848년에서 1850년까지 프랑스 계급투쟁 | 독일 농민전쟁 외

2024년 6월 10일 제1판 제1쇄 찍음
2024년 6월 20일 제1판 제1쇄 펴냄

지은이 | 카를 마르크스 · 프리드리히 엥겔스
옮긴이 | 이회진 · 최호영 · 서익진 · 강신준
펴낸이 | 박우정

기획 | 이승우
편집 | 이현숙
전산 | 최원석

펴낸곳 | 도서출판 길
주소 | 06032 서울 강남구 도산대로 25길 16 우리빌딩 201호
전화 | 02) 595-3153 팩스 | 02) 595-3165
등록 | 1997년 6월 17일 제113호

ISBN 978-89-6445-268-4 94900
ISBN 978-89-6445-267-7(전2권)

이 저서는 2018년 대한민국 교육부와 한국연구재단의 지원을 받아 수행된 연구임(NRF-2018S1A5B4060558).

차례

| 부록 |

마르크스와 엥겔스가 함께 작성하거나 서명한 조직의 문서. 연설문을 위한 보고서

| 찾아보기 |

| 삽화 목록 |

일러두기

1. 이 책은 『카를 마르크스 프리드리히 엥겔스 전집』(*Marx/Engels Gesamtausgabe*, 이하 MEGA), 제1부 제10권(Berlin: Dietz, 1977)을 번역한 것이다.

2. MEGA 편집자는 편집상 수정한 부분은 교정사항 목록으로, 마르크스·엥겔스가 고치거나 삭제하거나 위치를 바꾼 부분은 변경사항 목록으로 모아서 싣고, 설명이 필요한 부분은 해설을 달았다(자세한 내용은 편집자 일러두기에 있다). 이 모든 사항은 부속자료(별책)에 있다. 이 책에서는 교정사항은 (k), 변경사항은 (v), MEGA 편집자의 해설은 (e)로 표시하고, 각각의 목록별로 모아놓은 MEGA와 달리 해당 부분이 본문에 등장하는 순서대로 실었다.

3. 본문의 G1, G2, G3… 은 MEGA의 쪽수를 가리킨다.

4. 아래 부호들은 MEGA 편집자가 사용한 방식과 마찬가지로 이 책에서도 사용했으며(MEGA 편집자가 사용한 약호와 부호에 대해서는 부속자료의 "약어, 약호, 부호 목록" 참조), 그 의미는 각각 다음과 같다.

[ ]	MEGA 편집자가 보충한 부분
|1|	텍스트 원본 쪽수의 시작
|	텍스트 원본 쪽수의 마지막
/	자필 원고 쪽의 시작과 끝이 일치하지 않는 본문의 쪽수 변경을 표시
xxxx	알아볼 수 없는 글자

5. 한국어판의 강조 방식은 MEGA 원문과는 차이가 있다. 마르크스 · 엥겔스의 자필 원고 텍스트의 강조 방식 첫째는 굵은 글씨로(예: **반사회주의자**), 둘째는 방점의 굵은 글씨로(예: **카를 마르크스**) 표기했다. G588~G589쪽에서 본문과 다른 서체 부분은 굵은 바탕체로(예: **부르주아지**) 표기했다. 영문 대문자로 표기한 구절은 본문과 다른 바탕체로(예: 독일의), 영문 대문자와 이탤릭으로 표기한 구절은 본문과 다른 바탕체의 기울임체로 표기했다(예: *여러분의*). MEGA의 강조 방식은 편집자 일러두기에 설명되어 있다.

6. 인용된 원전에서 마르크스 · 엥겔스가 강조 표시를 한 것은 그대로 따랐으며 이 밖에 인용에 관계된 사항은 편집자 일러두기에 설명되어 있다.

7. MEGA는 마르크스 · 엥겔스가 독일어로 옮겨 쓴 인용문이나 언급한 문헌은 부속자료의 해설에서 원전의 해당 원문을 실었다. 이 책에서는 마르크스 · 엥겔스의 인용이 원문과 차이가 없으면 원문을 싣지 않고, 차이가 있을 경우에만 해당 원문의 번역을 실었다.

8. 저자가 같은 표현을 독일어와 그 외의 외국어로 반복해서 쓴 경우에 독일어는 번역하되 외국어는 원어만을 표기했다(예: "droit au travail" 노동의 권리).

9. 옮긴이의 주는 괄호 안에 작게 쓰고 '— 옮긴이'를 붙였다.

10. 인명과 지명 표기는 국립국어원 외래어 표기법을 원칙으로 하되 경우에 따라 마르크스 · 엥겔스가 표기한 방식을 그대로 따랐다. 저자의 표기 방식을 따라 같은 인명을 글마다 다르게 표기하기도 했다(예: 르드뤼 롤랭/르드뤼-롤랭).

서문

『카를 마르크스 프리드리히 엥겔스 전집』(Marx/Engels Gesamtausgabe, 이하 MEGA) 제1부 제10권인 이 책은 1849년 7월 중순부터 1851년 6월 말 사이에 카를 마르크스와 프리드리히 엥겔스가 쓴 저작, 기고문, 초안, 성명문과 문서를 담고 있다. 그러므로 이 책에는 유럽 혁명의 패배와 마르크스와 엥겔스가 독일에서 이주할 때부터 쾰른 중앙본부 성원들의 체포로 공산주의자동맹이 실질적으로 활동을 중단하게 되는 시기까지가 포함된다.

마르크스와 엥겔스는 이 2년 동안 1848/49년 혁명투쟁에 대한 이론적 평가에 중점을 두었다. 혁명이 발발하기 직전 마르크스의 논박서『철학의 빈곤』, 그리고『공산당 선언』에서 처음으로 성숙한 형태로 대중에게 제시한 노동자계급의 과학적 이론이 어떻게 혁명이라는 입증 시험을 통과했는지를 분석하는 것이 중요했다. 정치투쟁이라는 실질적 경험의 보고(寶庫)가 눈앞에 놓여 있었고, 그것은 과학적 공산주의를 계속해서 발전시키고 당의 전략적, 전술적 교훈의 무기고를 보강하는 데 이용해야 했던 것들이었다.

이러한 막중한 이론적 작업을 마르크스와 엥겔스는 매일매일의 정치적 삶 한가운데서 꿋꿋이 이루어냈다. 바로 이 1850년에 이들의 전체 업적에 내재된 이론적 활동과 실천적 활동의 통일, 이론가와 혁명가의 통일이라는 특징이 특별히 인상적인 방식으로 그 모습을 드러냈다. 이들은 공산주의자동맹을 선두에서 지도했을 뿐만 아니라 사회-민주주의 망명자위원회, 혁명적 공산주의자 세계 협회, 런던 노동자교육협회, 좌파 차티스트와 우애 민주주의자 등에서 강력한 이념적, 조직적 활동을 펼쳤으며, 동시에《노이에 라이니셰 차이퉁. 정치-경제 평론》의 발행인으로서 "겉으로 보기에 소강상태 G16* 인 시기를 … 혁명을 겪어온 시기와 정당들의 이전투구 양상과 이러한 정당들의 생존과 투쟁을 조건 짓는 사회적 관계들을 해명하는 데" 이용했고, "전체 정치운동의 토대를 형성하는 **경제적** 관계들을 … 과학적으로 다루는" 것을 목표로 했다(G17쪽).

《노이에 라이니셰 차이퉁. 정치-경제 평론》은 온전히 과학적 공산주의의 토대 위에 선 최초의 잡지였다. 반동적 정세에도 상관없이 이 잡지는 발행 부수 2,000~2,500부와 일련의 부분 재판을 통해서 동시대에 상당한 영향력을 행사했다. 이 책에 출간되는 자료의 상당 부분은 여섯 호의《노이에 라이니셰 차이퉁. 정치-경제 평론》에서 비롯된 것이다. 여러 군데 마르크스와 엥겔스가 자필로 교정한 전승된 원본 잡지 두 권을 처음으로 이용함으로써, 이번에 편집된 텍스트는 일련의 사항들이 개선되거나 변경사항들을 통해 풍부해질 수 있었다. 또한 짧은 편집 메모를 모두 처음으로 마르크스-엥겔스 저작물(Marx/Engels-Werkausgabe)로 수록함으로써, 이론지 발행인으로서 마르크스와 엥겔스의 활동 모습이 온전히 드러나게 되었다. 그 외에 이 책은 이 잡지의 수익성과 발행 부수에 관한 엥겔스의 계산서를 처음으로 수록한다. 부속자료의 "1849년 말부터 1851년 6월까지 마르크스와 엥겔스의 출판 활동"에《노이에 라이니셰 차이퉁. 정치-경제 평론》의 역사에 대한 최초의 자세한 서술이 실려 있다(G675~G696쪽).

이 책에서 출간된 기고문들, 그중에서도 「1848년에서 1850년까지 프랑스 계급투쟁」은 마르크스주의 역사에서 한 획을 긋는 것이었다. 이 기고문들은 근본적으로 역사적 유물론의 고차원적 발전과 구체화를 담고 있는데, 역사적 유물론은 여기서 처음으로 동시대의 역사, 즉 지금 막 끝나가는 혁명에 대한 분석뿐 아니라, 1525년 농민전쟁처럼 오래전에 끝난 역사적 사건을 철두철미하게 서술하는 데도 적용되었다. 이 기고문들은 혁명적 노동운동의 전체 전략과 전술에 대한 지속적인 교훈을 포함할 뿐 아니라 중요한 철학적 암시와 무엇보다 마르크스가 다시 집중적으로 시작한 경제학 연구의 초기 특징을 포함한다. 그는 이 연구를 통해 몇 년 후 잉여가치 법칙을 결정적으로 인식하게 된다.

1850년에 처음으로 마르크스는 프롤레타리아트 국가의 본질을 기술할 때, 더 자세히 말하면 과학적 공산주의와 노동자계급의 역사적 사명을 새롭게 정의할 때 프롤레타리아트 독재라는 개념을 직접 사용했다. 마르크스에 따르면 "**혁명의 영구-선포**이고, **계급 차별의 전면적 폐지**를 위한, 계급 차별에 기초한 생산관계 전체를 폐지하기 위한, 이러한 생산관계에 상응하는 사

G17*

16

회관계 전체를 폐지하기 위한, 이러한 사회관계에서 유래한 이념 전체를 전복하기 위한 필연적 통과점으로서 프롤레타리아트 **계급 독재**"(G192쪽)가 과학적 공산주의와 노동자계급의 역사적 사명이다.

이러한 압축적 인식이 이 시기의 이론적 주저 「프랑스 계급투쟁」에서 발견되는 것은 우연이 아니다. 마르크스는 이 저작에서 토대와 상부구조의 상호관계, 사회 발전에서의 계급투쟁, 정당 투쟁 및 이념 투쟁의 역할, 국가의 역할과 국가의 다양한 형태에 대한 역사적 유물론의 기본 원칙들 및 역사 속에서 혁명의 위대한 의미에 대한 기본 원칙들을 구체화하고 계속 발전시켜나갔다.

무엇보다도 《노이에 라이니셰 차이퉁. 정치-경제 평론》의 기조 논설의 한 결과인 "1848년에서 1849년까지"라는 제목으로 쓰인 이 저작을 마르크스는 혁명에 대한 결론의 핵심으로 삼았다. 엥겔스가 "혁명의 2년: 1848년과 1849년"이라는 제목으로 이 저작의 영어판을 즉각 만들기 시작한 것은 이 기고문이 지니는 의미를 보여준다. 이 번역본의 첫째 부분은 1850년 봄 런던의 《더 데모크라틱 리뷰》에 실렸다. 이 책은 이 번역본이자 개정본(G237~G250쪽)을 처음으로 다시 실었으며, 아울러 엥겔스가 번역자임을 보여주는 증거를 담고 있다.

「프랑스 계급투쟁」은 시간 순서상으로나 마르크스주의의 논리적 발전에서나 《노이에 라이니셰 차이퉁. 정치-경제 평론》에서 1848년 말에 시작된 혁명의 사건들을 분석한 것과 이 주제를 잠정적으로 결말지은 1852년 초에 집필한 「루이 보나파르트의 브뤼메르 18일」(Der achtzehnte Brumaire des Louis Bonaparte) 사이에 위치한다. 엥겔스가 1895년에 『1848년에서 1850년까지 프랑스 계급투쟁』이라는 잘 알려진 형태로 이 저작을 다시 출판했을 때, 그는 이 저작의 특징을 다음과 같이 설명했다. "(이 저작은 ─옮긴이) 자신의 유물론적 이해 방식을 통해 동시대 역사의 한 단면을 주어진 경제적 상황으로부터 설명하려는 마르크스의 첫 시도였다. 이 이론은 『공산당 선언』에서 개괄적으로 최근 역사 전체에 적용되었고, 《노이에 라이니셰 차이퉁》의 마르크스와 나의 기고문에서는 동시대 정치적 사건들을 해석하기 위해 계속 사용되었다. 반면 이 저작에서 중요한 것은 수년에 걸친 유럽 전체의 결정적이면서 전형적인 발전과정을 내적 인과관계에 따라 증명하는 것, 즉 저자가 의도한 바로 말하자면, 정치적 사건들의 결과를 경제적 원인으로 최종적으로 소급하는 것이었다."(엥겔스, 「서문」, 『카를 마르크스의

G18*

1848년에서 1850년까지 프랑스 계급투쟁Die Klassenkämpfe in Frankreich 1848 bis 1850. Von Karl Marx』, 베를린, 1895년, 3쪽.)

1848/49년 혁명을 다룬 수많은 다른 동시대 저자와는 달리 마르크스는 표면상의 정치적 사실들을 논평하는 데 만족하지 않고, 다양한 계급과 계급 분파들의 경제적 이해관계를 파고들기 시작했다. 그는 2월 혁명 후에 선포된 노동의 권리를 "프롤레타리아트의 혁명적 요구가 요약된" "최초의 어설픈 공식"(G147쪽)이라고 부르기는 했지만, 이어서 "노동의 권리 뒤에는 자본에 대한 지배 요구가 있다. 또한 자본에 대한 지배 요구의 뒤에는 생산수단의 자기화, 연합한 노동자계급으로 생산수단의 종속, 즉 임노동과 자본의 폐지 그리고 이 양자의 상호 관계 폐지가 있다. '**노동의 권리**' 뒤에는 6월 무장봉기가 있었다"(G147쪽)라고 언급했다. 바로 이런 이유로 프랑스 제헌국민의회의 부르주아 다수파는 노동의 권리를 헌법 초안에서 삭제했다. 그러나 이런 언급과 더불어 마르크스는 동시에 다음과 같은 공식을 최초로 말하기도 했다. "간결하게 요약하면 세계의 모든 나라의 노동자 정당이 전적으로 동의할 경제적 재편성에 대한 요구, 즉 사회를 통한 생산수단의 자기화. … 여기에서(「프랑스 계급투쟁」─옮긴이) 이 문구가 처음 작성되었고, 이 문구를 통해 근대의 노동자 사회주의는 다양한 색조의 봉건적, 부르주아적, 소부르주아적 등의 사회주의 및 유토피아적이면서 자생적인 노동자-공산주의의 혼란스러운 재산 공유제와 분명하게 구별되었다."(엥겔스, 「서문」, 앞의 책, 5쪽.)

「1850년 3월 중앙본부가 동맹에 보낸 연설」을 통해 보완된 「프랑스 계급투쟁」은 마르크스 혁명이론의 요강이라고 할 수 있다. 마르크스는 여기에서 유명한 문장을 남겼다. "**혁명은 역사의 기관차이다.**"(G187쪽.) 여기에서 부르주아-민주주의 혁명 초기 노동자계급의 임무와 그 혁명의 가속화를 위해 필요한 정치적 조치들이 다루어졌다. 그 외에 마르크스는 이다음에 이어질 프롤레타리아트 혁명의 내용을 일반화해서 최초로 제시했다.

마르크스와 엥겔스는 이미 수년 전부터 혁명들을 역사 진행 과정에서 생산력과 생산관계 사이의 강력한 충돌이 특히 급격하게 진행되는 계급 분화와 인민대중의 활발한 활동 속에서 치열한 계급투쟁으로 폭발하는 합법칙적 사건들로 보았다. 하지만 1848/49년 혁명 이후에 이제는 한편 16, 17, 18세기 혁명들과 다른 19세기 중반 부르주아 혁명들의 특징을 밝혀내 1848/49년 혁명의 패배를 우연적인 것으로 보이게 하는 요소들을 걷어내

G19*

고, 다른 한편 이러한 특징에서 도출한 노동자계급의 입장과 정치를 보다 정확하게 규정하는 것이 중요한 일이 되었다.

「루이 보나파르트의 18일」에 나타난 상향식과 하향식이라는 두 가지 유형의 부르주아 혁명에 대한 정의를 정확하게 사용하지 않았음에도 불구하고, 마르크스는 1848년 말 《노이에 라이니셰 차이퉁》에서의 생각을 계속 발전시켜 이미 「프랑스 계급투쟁」에서 부르주아지와 프롤레타리아트의 대립이 부르주아지의 입장을 결정적으로 규정하고, 노동자계급에 대한 두려움 때문에 부르주아지는 인민의 모든 힘을 손에 쥐고 봉건 잔재를 철저하게 청산해 부르주아-민주주의 혁명의 근본적인 역사적 임무를 실현하는 것에는 더는 아무런 관심도 없었다고 추정했다. 봉건 세력과 타협해 되도록 빨리 혁명을 종식하는 것이 부르주아지의 주된 관심사가 되었다. 반면 이러한 "합의"의 정치를 통해 배신당한 인민대중이 이들과는 정반대로 가진 주된 관심사는 혁명을 계속 진전시키는 것이었다.

1848/49년의 사건들은, 특히 독일 제국헌법투쟁과 1849년 6월 파리는 민주주의적 소시민층이 인민대중을 이끌고 이런 임무를 완수할 능력이 없다는 점을 가르쳐주었다. 이제 노동자계급만 남았으며, 노동자계급은 하나의 정치를 고안해내고 이것을 실천에 옮겨야만 하는데, 그것은 "소유의 많고 적음을 떠나 모든 유산계급을 지배에서 몰아내고 프롤레타리아트가 국가 권력을 장악하고, 프롤레타리아트 연합이 한 국가만이 아니라 세계의 지배적인 나라 전체에 계속 진행되어 이런 나라들에서 프롤레타리아트 경쟁이 중단되고, 그리고 적어도 결정적인 생산-력이 연합된 프롤레타리아트 수중에 집중될 때까지 **혁명을 영속화하는 것**"(G258쪽)을 가능하게 하는 것이다. 「3월 연설」의 이 문장에서 마르크스와 엥겔스가 노동자계급의 역사적 사명의 완수를 얼마나 길고도 복잡한 과정으로 보는지 분명히 구체적으로 드러난다.

변증론자인 마르크스와 엥겔스는 부르주아지의 뜻에 **반하여** 혁명을 영속화하고, 부르주아-민주주의 혁명을 대부르주아지에게 대항하는 투쟁으로 계속 진전시키면서 새로운 차원, 즉 본질적으로 부르주아 혁명에 직접적으로 대립되는 프롤레타리아트 혁명으로 전환할 가능성을 보았다. 하지만 그것은 오직 장기적인 역사적 과정에서만 생각해볼 수 있는 것이었다. 따라서 그들은 1848년 2월 혁명과 그에 뒤이어 여러 유럽 국가에서 일어난 사건들에서 장기 투쟁의 최초 발단만을, 즉 "거대한 혁명이 점차 형성되고 있고 집

G20*

중되고 있는 가운데 일어난 그 자체로는 매우 피상적인 첫 번째 폭발들"만을 관찰했을 뿐이고, 그들은 "지난 2년간 파리와 데브레첸, 베를린과 팔레르모에서 벌어진 … 얽히고설킨 모든 사회 투쟁은 최초의 산발적인 교전이었다"(G199쪽)라고 말했다. 하지만 그 당시 그들은 "위대한 최후의 전쟁이 시작할 것이고, 이 전쟁은 단 하나의 장기적이고 변화무쌍한 혁명의 시대 속에서 결판날 수밖에 없을 것이며, 단 프롤레타리아트의 최종 승리로 끝날 것이라는 점"(엥겔스, 「서문」, 앞의 책, 6쪽)을 추호도 의심하지 않았다.

그러면 이제 부르주아-민주주의 혁명을 계속 추진하기 위한 과정은 구체적으로 어떤 모습을 띠어야 하는가? 그다음 단계에 발발할 혁명은 어떻게 사회주의 혁명의 문턱에 이르기까지 전개될 수 있는가? 『공산당 선언』에서 일반적 형태로 예견했고, 1848년 3월 17개의 「독일 공산당의 요구들」에서 한 국가의 경우로 한정해, 구체적으로 제시한 이와 관련된 조치들은 혁명의 경험을 통해 상당히 보완되고 수정되고 더 발전할 수 있었다.

1848년 말에 이미 마르크스가 프로이센에서 일어난 사건들을 보고 독일에서 1648년이나 1789년과 같은 순수한 부르주아 혁명은 가능하지 않으며, 오직 **"사회-공화주의적 혁명"**만이 가능하다는 결론을 내렸다면(《노이에 라이니셰 차이퉁》, 쾰른, 제183호, 1848년 12월 31일), 「프랑스 계급투쟁」에서는 1848/49년의 프랑스 혁명, 특히 1848년 6월 무장봉기, 개인적으로는 자신과 관련이 있었던 1849년 6월 13일의 파리 사건 등과 관련된 훨씬 더 설득력 있고 중요한 자료에 근거해, 노동자계급이 "혁명적 이해관계의 주도자"(G165쪽)로서, **"혁명적 동맹의 수뇌부"**(G193쪽)로서 부르주아-민주주의 혁명을 계속 이끌기 위한 투쟁의 선봉에 서야 한다고, 1849년에서 1850년으로 해가 바뀔 무렵에는 더 성숙하고 일반적인 형태로 발전시켜나갔다.

과학적 공산주의가 이처럼 핵심이 되는 부분을 확립하면서 혁명이론을 제시한 것은 엄청난 진전을 의미했다. 1850년 초 마르크스가 부르주아-민주주의 혁명에서 확립한 노동자계급의 독립적이고 적극적인 역할에 관한 교의는 후에 블라디미르 일리치 레닌(Vladimir Ilyich Lenin)에게 다음과 같은 핵심적인 실마리를 제공했다. 레닌은 제국주의 시대에 이 교의를 노동자계급의 주도적 역할 이론으로 계속 발전시켰고, 그 후부터 이 이론은 여러 대륙의 수많은 나라에서 실천을 통해 옳은 것으로 입증되었다.

「프랑스 계급투쟁」에서 밝힌 혁명이론에 대한 마르크스의 생각은 당연히

G21*

프롤레타리아트의 동맹 정책과 연관되어 있었다. 프랑스 농민의 상태에 대한 분석과 1792년과 1848년 부르주아지가 취한 농민 정책의 대조를 통해서, 그는 다음과 같은 유명한 진술을 하기에 이른다. "자본의 몰락만이 농민을 일어서게 할 수 있으며, 반자본주의적 프롤레타리아트 정부만이 농민의 경제적 빈곤과 사회적 추락을 타파할 수 있다."(G187쪽.)

하지만 임금을 받는 농민뿐 아니라 부르주아지가 아닌 사회의 모든 계층도 자신들의 이해관계를 제대로 인식한다면 노동자계급과 동맹을 자연스럽게 맺을 수는 있다. 마르크스는 다음과 같이 1848년 6월 이후 프랑스에서 전개된 사례를 그 증거로 제시했다. "우리는 농민, 소부르주아지, 중간 신분 모두가 프롤레타리아트와 함께 공식적 공화국에 대항하여 공공연한 대립관계에 들어서고, 공화국의 적으로 간주되는 것을 조금씩 살펴보았다. **부르주아 독재에 대한 반항, 사회 변동에 대한 욕구, 그들의 운동기관으로서 민주공화적 제도의 고수, 결정적 혁명 세력인 프롤레타리아트 주변으로의 결집** — 이는 **이른바 사회-민주당, 적색 공화정의 당**의 공통된 특징이었다."(G190쪽.)

노동자계급의 동맹 파트너들이 "민주공화적 제도"를 고수한다는 설명과 "새로운 혁명의 당면 과제"(G196쪽)로서 헌법 준수 및 보통선거권을 둘러싼 투쟁의 의미에 대한 설명은 마르크스가 부르주아-민주주의 혁명의 지속이라는 문제에서 뛰어난 선견지명이 있는 것으로 입증되었다. 이 설명은 혁명을 계속 추진하는 데서 노동자계급이 이러한 동맹 파트너들과 함께 달성할 수 있는 객관적 단계의 목표를 정확하고 특징적으로 보여주었다.

하지만 마르크스와 엥겔스는 이러한 동맹을 결코 어떤 무정형의 형제애로 생각한 것은 아니었다. 오히려 그들은 혁명적 노동운동이 완전히 독립했을 때에만 가능하다는 설명을 분명하게 함으로써 당시 널리 퍼져 있던 이런 식의 오해에 대응했다.

마르크스가 이미 『공산당 선언』에서 밝힌 이런 독립성은 그 자신이 "혁명적 프롤레타리아트의 집결지, 즉 음모의 거처"라고 표현한 프랑스의 혁명적 클럽들이 대표한다고 보았다. 이것과 연관해서도 마르크스는 후에 부르주아-민주주의 혁명에서 노동자계급의 주도적 역할에 대해 레닌이 발전시킨 G22* 교의의 핵심적 실마리를 만들어냈다. 마르크스가 이렇게 물었을 때 말이다. "클럽, 그것이 전체 부르주아 계급에 대항하는 전체 노동자계급의 단결이자 부르주아 국가에 대항하는 노동자 국가의 건설이 아니면 무엇이겠는가? 그것들이 프롤레타리아트의 제헌의회들, 전투 준비를 갖춘 반란 부대가 아니면 무엇이겠는가?"(G159쪽.)

합법적 클럽이 금지되고 혁명이 후퇴하고 있던 반동의 시기에 하나의 비합법적인 조직 형태가 그 자리를 대신했다. "**공개 클럽들**이 존속하기 불가능해지는 만큼이나 **비밀 결사들**은 규모가 커지고 강해지기도 했다."(G176쪽.) 이러한 상황에서도 가장 진보적인 노동자 조직의 대중 결합은 확대되었다. "순전히 경제 단체로 허용되었고 경제적으로는 아무런 이득이 없는 산업 **노동자―조합**은 정치적으로 프롤레타리아트를 결속하는 수단이 되었다."(G176쪽.) 비슷한 종류의 중요한 조언들은 「1850년 6월 중앙본부가 동맹에 보낸 연설」에 실려 있다.

마르크스와 엥겔스는 그들의 혁명 구상의 당 조직적 측면을 무엇보다도 「3월 연설」에서 설명했다. 이 책은 「3월 연설」과 관련된 중요한 동시대의 모든 사본에 ― 그것이 전해진다면 ― 근거하여 신뢰할 만한 텍스트를 제공하고 모든 변경사항과 이본(異本)을 소개하고 있다. 부속자료에서는 이 「연설」이 1851년 봄까지 비밀 조직에서 얼마나 널리 퍼져 있었는지를 최초로 상세하게 서술했다.

1848/49년 혁명의 패배 이후 공산주의자동맹의 재조직을 위한 이론적 토대로서 작성된 「3월 연설」은 가장 중요한 당 문서 가운데 하나다. 이 「연설」은 노동자 정당의 소부르주아 민주주의에 대한 관계가 혁명의 진전에서 어떤 단계를 거쳐야 하는지를 세부적으로 밝히고 있다.

마르크스와 엥겔스는 모든 종파주의와 거리를 두었다. 그들은 바로 그 때문에 "공식적 민주주의자 옆에서 독립적이면서 비밀스럽고 공식적인 노동자당의 조직을 건설하고 지방자치 조직을 노동자 단합의 **중심**이자 핵심으로 만들어, 그 안에서 부르주아적 영향을 받지 않는 프롤레타리아트의 입장과 이해관계를 토론"(G259쪽)하는 것이 공산주의자들의 주요 과제라고 강조했다. 노동자 정당은 혁명에서 "되도록 조직적으로 똘똘 뭉쳐 독자 세력으로 등장해야" 한다고 마르크스와 엥겔스는 강조했다. 왜냐하면 "노동자당이 다시는 1848년처럼 부르주아지에게 이용당하고 끌려다니지"(G255쪽) 않게 하기 위해서였다.

G23*　　이미 봉건 세력에 대항하는 공동 투쟁 기간에, 노동자들은 부르주아 민주주의자들이 혁명 전에 들고 나오던 "위협적인 구호들"을 그들이 실제로 실행하도록 압박해야 한다. 게다가 노동자들은 "부르주아 민주주의자들의 지배가 처음부터 몰락의 씨앗을 자체 내에 품고 있고, 나중에 프롤레타리아트

의 지배를 통해 이들의 지배를 아주 쉽게 배제할 조건을 그들이 받아들일 수밖에 없게"(G259쪽) 해야 한다.

부르주아 민주주의의 성공적인 봉기 이후에도 이러한 정책을 계속 관철할 수 있기 위해서, 노동자계급 전체는 시민군 내에서든 "프롤레타리아트 정예 부대"로서든 어떻게든 무장하고 있어야 한다. "어떤 이유에서든 무기와 탄약을 놓아서는 안 되고, 무장을 해제하려는 모든 시도는 필요하면 무력으로 좌절시켜야 한다"(G260쪽)는 원칙은 어떤 경우에도 적용된다.

부르주아 민주주의자들이 승리한 다음 시기에는, 노동자들이 프랑스 클럽들과 비슷한 클럽들을 조직하고, 최소한 몇몇 지방에서는 이 클럽들을 서로 결합하는 것이 중요하다고 마르크스와 엥겔스는 「3월 연설」에서 일깨워주었다. 전국적인 선거에서 노동자들은 "자신의 독립성을 지키고, 자신의 세력을 믿고, 혁명적 입장과 당의 관점을 대중에게 보여주기 위해서"(G261쪽) 자신의 독자적 후보, 가능하다면 자신의 동맹원을 내세워 참가해야 한다.

노동자들은 중요한 모든 사안마다 부르주아-민주주의 정부 정책에 반대하는 독자적인 구상을 제시해야 한다. 즉 그들의 대농과의 동맹에 대해서는 농업 프롤레타리아트와의 동맹을, 그들의 연방주의에 대해서는 가장 강력한 중앙 집중화의 강조를, 그들의 대공장, 철도 등의 매입에 대해서는 무상 몰수를, 그들의 온건한 누진세에 대해서는 매우 급진적인 누진세를, 그들의 국가 부채 청산에 대해서는 국가 파산 선언 등을 제시해야 한다. 부르주아-민주주의 정부가 봉건 영지를 농민들에게 사적 소유물로 넘겨준다면, 노동자 정당은 다음을 요구해야 한다. "몰수한 봉건 토지를 국유지로 하여 농촌 촌락지로 사용하자고 해야 합니다. 그러면 연합한 농업 프롤레타리아트는 대규모 경작지의 모든 장점을 가지고 경작할 것이고, 이를 통해 부르주아적 소유관계가 흔들리고 있는 한가운데서 공동 소유의 원칙이 곧바로 확고한 기초를 갖게 될 것입니다."(G262쪽.) 이것은 농민 문제에 대한 마르크스와 엥겔스의 견해가 여러 조항에 걸쳐 설명된 1848년 3월 17개의 「독일 공산당의 요구들」 중에서 일곱째에 해당하는 것이다.

혁명의 특정 국면과 상황에 대해 「3월 연설」이 권장한 공산주의자들의 개별적 조치들은 결코 독일에만 한정된 것이 아니었다. 예를 들어 조세 정책의 실행에 대한 「3월 연설」 내용은 지라르댕에 대한 서평에서 이론적으로 중요하게 보완된다. "혁명 중에 엄청난 비율로 오른 세금은 사적 소유에 대한 일 G24*

종의 공격 형태로 작용할 수도 있다. 그러나 그럴 경우조차도 그렇게 오른 세금은 더 혁명적인 새로운 조치로 몰아붙여야지, 그러지 않으면 도리어 과거의 부르주아적 관계로 돌아가게 된다."(G295쪽.)

마르크스와 엥겔스의 혁명 개념 전체는 국제관계에 대한 그들의 관점과 밀접히 연관되어 있었다. 그들은 혁명을 당시 유럽의 발전된 국가들을 아우르는 장기적인 과정으로 보았기 때문에, 1850년경 노동운동 내에 비교적 널리 퍼져 있던, 독일은 말할 것도 없고 프랑스에서 조만간 사회주의 혁명이 일어나게 되리라는 과도한 희망을 항상 반대했다. 이 문제에 관해 그들은 유럽의 계급투쟁에서 영국의 역할을 특별히 강조했다. 마르크스는 이미 1849년 1월 1일 《노이에 라이니셰 차이퉁》에 다음과 같이 쓴 바 있다. "영국 없는 민족-경제 관계의 전복은 … 찻잔 속의 태풍에 불과하다." 이후에도 그가 얼마나 심도 있게 유럽 혁명, 즉 영국-공황-혁명이라는 문제에 초점을 맞춰 생각했는지는 1849년 7월 31일 페르디난트 프라일리그라트에게 쓴 편지, 1849년 12월 19일 요제프 바이데마이어(Joseph Weydemeyer)에게 쓴 편지, 그리고 1850년 3월에 썼다가 지면 부족으로 실리지 못한 「평론」에 "영국과 관련된"(G301쪽) 부분만 실었던 사실이 증명한다. 이 「평론」에는 다음과 같은 내용이 들어 있다. "영국은 처음으로 **산업 공황**과 **농업 공황**을 **동시에** 경험한다. 이러한 영국의 이중 공황은 동시에 일어나게 될 대륙의 격변을 통해 가속화하고 확대될 것이고 불이 더 잘 붙을 것이며, 대륙의 혁명은 세계 시장에 대한 영국 공황의 타격으로 인해 훨씬 명백하게 사회주의적 특성을 띠게 될 것이다. … 역사는 질서의 친구들 묘비명에 다음과 같은 말을 남기게 될 것이다. 노동자계급은 부족한 소비로 인해 폭동을 일으키는 동시에 상층 계급은 과잉 생산으로 인해 파산한다."(G302∼G303쪽.)

이러한 서술은 마르크스 혁명 개념을 이해하는 데 매우 중요하다. 그가 "부르주아 세계의 조물주"(G466쪽)라고 묘사한 영국의 역할에 대한 지적은 1850년 내내 계속된다. 「프랑스 계급투쟁」에서 마르크스는 사회주의 혁명이 영국에서 "그 조직적 출발점"을 찾게 될 것이며, 혁명의 프롤레타리아적 단계는 "세계 전쟁을 통해 프롤레타리아트가 세계 시장을 지배하는 인민의 선봉에, 영국의 선봉에 서는 순간"에 비로소 시작된다고 말할 수 있다고 썼다(G182쪽). 반년 후 「평론. 1850년 5월에서 10월까지」에서 "대륙 혁명들이 영국에 반향을 불러일으키는 정도는, 이 혁명들이 실제로 부르주아적 삶의 관계에 어느 정도로 의문을 제기하는지를 보여주는 … 온도계와 마찬

G25*

24

가지"(G466쪽)라고 썼다.

이 지점에서 마르크스는 마지막 단계에 이르렀던 부르주아-민주주의 혁명과 사회주의 혁명의 경계를 그었다. 이 경계를 결정하는 물음은 혁명이 자본주의적 생산관계 전체에 대한 공격을 목표로 하는가, 아니면 "정치적 구성체만"(G466쪽)을 겨냥하는 것을 목표로 하는가이다. 사회주의 혁명은 결코 "단명으로 끝나는" 혁명이 아니며, 그것의 공인된 목표는 **프롤레타리아트에 의한 이윤 폐지**이다(G182쪽). 결국 혁명이 진행되는 동안 부르주아 혁명의 과제와 소부르주아적 목표는 더는 노동자의 도움을 받아 달성되지 않고, 오히려 "노동자의 과제" 자체가 수행된다. 다시 말해 노동자계급의 정치적 지배 아래에서 사회의 경제적 토대 전체가 전복되며, 생산수단에 대한 모든 사적 소유가 폐지되고, 근본적으로 새로운 사회적 관계와 이념이 생겨나게 된다.

에두아르트 베른슈타인(Eduard Bernstein)의 수정주의가 등장한 이후, 마르크스와 엥겔스가 1850년에 발전시킨 혁명이론을 블랑키주의나 심지어 단순한 쿠데타주의로 해석하려는 시도들이 계속 있었다. 이보다 더 잘못된 것은 없을 것이다. 마르크스가 프롤레타리아트 독재와 노동자계급의 역사적 사명에 대한 자신의 정의를 당시 블랑키라는 이름과 연관시켰을 때(G192쪽), 그것은 한편으로 부르주아지에 반대하는 공통의 경계를 설정한 것이고, 다른 한편으로는 투옥된 "혁명적 공산주의의 고귀한 순교자"(G498쪽)에게 머리 숙여 일종의 예의를 갖춘 것이지, 결코 대중과 유리된 쿠데타 전술에 대한 지지는 아니었다. 특히 마르크스와 엥겔스가 1850년에 「프랑스 계급투쟁」, 공산주의자동맹의 「3월 연설」과 「6월 연설」, 「독일 농민전쟁」, 그리고 다른 저서들에서 설명한 동맹 정책에 관한 이론은 그때까지 노동자 정당이 도달하지 못한 광범위한 대중투쟁을 지향했으며, 모든 인민 계층에 대한 노동자 정당의 역할을 혁명의 추진자로 제시했다.

1851년 2월 블랑키의 「축사」에 대한 마르크스와 엥겔스의 입장이 보여주듯이, 그들은 혁명투쟁의 전략과 전술 문제와 관련해 블랑키에 반대하는 견해를 감추지 않으면서도, 노동운동의 자립투쟁 및 소부르주아적 구호와 의회주의적 환상을 철저히 극복하기 위한 투쟁이 정치투쟁의 공통점이라 G26* 고 강조했다. 블랑키의 「축사」를 번역하여 독일에서 공산주의자동맹 조직을 통해 최대한 널리 유포한 것은 이 시기 마르크스와 엥겔스의 공로 가운데 하나인데, 이에 관해서는 이 책의 부속자료에서 처음으로 자세하게 설명했다.

19세기 중엽, 더 정확히 말하면 1848년 6월 파리 전투와 이후 1871년 코뮌이 부르주아적 권력관계를 이미 문제 삼기는 했지만, 생산력의 발전이 여전히 자본주의적 생산관계를 넘어설 만큼 성장하지 못했다는 점에서, 혁명이 실현될 가능성이 없기는 했다. 그렇다고 해서 혁명의 영속성 이론의 원칙적인 올바름이 달라지는 것은 아니다. 마르크스와 엥겔스는 이 점을 나중에야 인식했으며, 엥겔스는 1895년에 매우 분명하게 언급했다.

부르주아-민주주의 혁명이 사회주의 혁명으로 전환되는 것은 프롤레타리아트가 더는 극단적인 반대 세력이 아니라 자신이 부르주아-민주주의 혁명의 패권자가 되는 제국주의 시대에서야 가능하다. 마르크스와 엥겔스의 저서에 직접 근거하여 이것을 입증하고 사회주의 혁명이론을 결정적으로 발전시킨 것은 레닌의 공로다. 레닌이 주도해 이 이론을 최초로 10월 사회주의 대혁명에서 실제로 성공적으로 실현한 러시아 공산당은 자본주의의 불균등한 발전과 모순을 보려고 하지 않은 정치적 모험주의자들이 혁명에 대항하는 무기가 될 수도 있는 "혁명의 영속"이라는 개념을 손에 쥐고 가지고 노는 것도 동시에 반대했다.

엥겔스의 기고문 「독일 제국헌법투쟁」도 마르크스와 엥겔스의 혁명 구상 중 하나에 해당한다. 이 저작에 대한 여러 종류의 사전 작업으로는 엥겔스의 입장 표명인 「정정을 위하여」(G3~G4쪽)와 이 책의 부속자료에 처음으로 공개된 짧은 메모들이 있다(G742쪽). 이 두 문건은 처음으로 마르크스-엥겔스 저작물에 편입했다.

「독일 제국헌법투쟁」에서 소부르주아 민주주의의 어중간함, 결연한 행동 대신 그들의 요란한 구호, 부르주아-민주주의 혁명을 계속 이끌어가지 못하는 그들의 무능력이 날카롭게 비판받았다. 동시대 역사 연구이자 대중에게 강력하게 영향력을 끼친 목격자 보고이면서, 경제적 전제들, 각각의 계급 입장, 각각의 정당 입장에 근거해 논쟁적으로 쓴 이 저작은 독일 혁명의 마지막 단계를 깊이 있게 분석하고, 또한 개별 에피소드 및 그것과 관련된 다양한 행동가들의 특징을 생생하게 묘사하고 있다. G27*

여기서 특히 중요한 것은 무장투쟁에서 공산주의자들의 역할에 대한 엥겔스의 평가다. 그는 전사한 당의 선구자 요제프 몰에게 경의를 표하면서, 여러 동맹원의 군사 행동을 이렇게 일반화했다. "가장 결연한 공산주의자들이 가장 용맹한 병사들이었다."(G106쪽.)

엥겔스는 제국헌법투쟁의 전사자와 추방된 자에 대한 평가도 계급과 관련될 수밖에 없다고 강조하면서 이렇게 썼다. "노동자 착취는 오래전부터 이어져온 너무나 익숙한 일이어서, 우리의 공식적인 '민주주의자들'은 노동자를 어떤 다른 것으로, 즉 쉽게 동요하고 착취하기 쉬우며 폭발성을 지닌 원료이자 순전히 총알받이로만 생각했다. 프롤레타리아트의 혁명적 지위와 노동자계급의 미래를 이해하기에 우리의 '민주주의자들'은 너무 무지하고 부르주아적이다. 그렇기에 그들에게 아첨하기에는 너무나 자존심 강하고 그들에게 이용당하기에는 너무나 사려 깊지만, 그럼에도 불구하고 기존 권력을 전복하는 일에는 언제나 손에 총을 들고 참가하며, 모든 혁명운동에서 프롤레타리아트당을 직접적으로 대표하는 진짜 프롤레타리아트의 특성을 그들은 매우 증오한다."(G105쪽.) 이러한 결론은 바로 그다음에 나온 「3월 연설」의 내용과 완전히 일치한다.

엥겔스의 견해에 따르면 제국헌법투쟁은 무엇보다 "다음번 무장봉기에서는 소부르주아지가 아닌 바로 **그들이** 권력을 쥐어야 한다"고 노동자와 농민을 격려하고 그들의 의지를 다지는 데 보탬이 되었다. 물론 엥겔스는 "무장봉기 경험이 장기간의 대공업 운영을 통해서만 얻을 수 있는 계급-발전을 대체할 수 없다"(G117쪽)고 곧바로 제한을 두기는 했지만 말이다.

제국헌법투쟁에 대한 엥겔스의 저서를 마르크스주의 창시자들의 혁명관의 발전으로 분류한 것은 1848년 3월 「독일 공산당의 요구들」의 몇몇 흥미로운 발상이 드러나 있기 때문이다(G58~G59쪽을 보라). 17개의 요구 중 이런 식의 간접 인용은 지라르댕에 대한 마르크스의 서평(G299~G300쪽을 보라)과 엥겔스의 「독일에서 온 편지 I」(G22쪽을 보라)에서도 발견된다.

「독일 제국헌법투쟁」은 또한 군사이론 문제에 관한 엥겔스 최초의 주요 기고문이다. 이 기고문은 바리케이드 전투와 야전을 구별하고 "소규모 전투"의 의미에 대해 언급하고 있다. 「3월 연설」에서 제안한 무장과 군사 조직에 대한 조치들과 더불어, 여기서는 프롤레타리아트의 군사 정책에 대한 최초의 기초가 마련되었다. 1849년 제국헌법투쟁의 경험을 계기로, 엥겔스는 2년 후 「혁명과 반혁명」(「독일의 혁명과 반혁명Revolution and Counter-Revolution in Germany」을 의미함 — 옮긴이)에서 "봉기의 기술"을 근본적으로 일반화했다. 이 점을 레닌은 분명하게 언급했다.

1905년 혁명 당시 레닌은 「독일 제국헌법투쟁」에도 관심을 기울였다. 1905년 4월~5월 사이에 알 수 없는 인물에게 보낸 편지에서 그는 이렇

G28*

게 쓰고 있다. "나는 당신에게 **반드시** 가능한 한 신속하게 번역되고 출판되어야 할 저작을 다시 한번 알려드리려고 합니다. … 그것은 바로 프리드리히 엥겔스의 「제국헌법투쟁」입니다. … 그것은 반드시 소책자로 출판되어야 할 개별적이고 독립적인 저작입니다. 현재의 시점에서 그것은 **특히 큰** 관심이 가는 저작입니다."(W. I. 레닌, 「***에게 보낸 편지An ***」, 『전집』, 제36권, 베를린, 1974년, 120쪽.) 이때는 러시아 사회민주노동당 제3차 당대회가 열리던 시기였는데, 거기서 레닌은 임시 혁명정부에 사회민주당이 참여하는 문제를 보고하면서, 엥겔스가 「독일 제국헌법투쟁」에서 이 문제에 관해 전달한 경험을 기초로 삼았다(레닌, 「러시아 사회민주노동당 제3차 당대회 Ⅲ. Parteitag der SDAPR」, 『전집』, 제8권, 베를린, 1975년, 390~392쪽을 보라).

엥겔스가 1849년 12월부터 1850년 7월 사이에 두 편의 연재 기고문 ─ 「프랑스에서 온 편지」와 「독일에서 온 편지」 ─ 으로 하니의 《더 데모크라틱 리뷰》를 위해 쓴 12개의 통신이 이번 마르크스-엥겔스 전집(MEGA ─ 옮긴이) 편집과정에서 새로 실리게 되었다. 우리는 「프랑스 계급투쟁」이나 세 편의 「평론」에서 유사한 방식으로 전개된 마르크스와 엥겔스의 견해를, 두 국가에서 일어난 사건들을 비교적 연대순으로 완결한 이 기고문들로 더 풍부하게 알 수 있다. 「프랑스 계급투쟁」 제3부에서 1850년 3월 10일 선거를 예로 들면서 혁명을 계속 추진하기 위해 설명한 인민 연합에 대한 견해는 무엇보다 「프랑스에서 온 편지 IV」에서 보완되는데, 거기서 엥겔스는 이 선거 연합과 1848년 2월의 선거 연합의 차이를 다음과 같이 정확하게 규정했다. "지금은, 그와 반대로, 노동자들이 운동을 주도하고, 노동자와 마찬가지로 자본에 억눌리고 … 파산한 소부르주아지가 프롤레타리아트의 혁명적 행진을 뒤따르고 있다. 시골 농민의 지위는 달라지지 않았다. 따라서 정부에 반대하는 … 이 농민계급 전체는 현재 프롤레타리아트 계급을 따르고, 자본의 억압에서 해방되기 위해서는 노동자 전체의 완전한 해방에 의지해야 함을 알고 있다."(G251~G252쪽.)

G29*   이 통신들은 새로운 상황에 대해 상당히 빠르게 반응했다는 특징이 있다. 4월 20일에 쓴 「프랑스에서 온 편지」에서 엥겔스는 이미 선거와 연계해서는 혁명을 계속 추진할 수 없다는 점을 공개적으로 설명하기 시작했다. 이런 분석은 「프랑스에서 온 편지 VII」에서 완료되었다. 여기서 엥겔스는 프랑스의 진보적 프롤레타리아트가 유토피아 사회주의의 다양한 체계를 극복한 후이

기는 하지만, 과학적 교의를 받아들이기 **전**의 상태에 있다는 과도기적 상황을 기술하면서, 혁명의 주체적 요인에 대해 다음과 같이 중요한 발언을 했다. "따라서 노동자계급의 운동 전체는 이제까지와는 달리 훨씬 혁명적인 양상을 띨 것이다."(G351쪽.)

엥겔스는 그날그날 쓴 이런 신문 기고문에서 때때로 혁명에 대한 조바심을 완전히 억제할 수 없었다. 예를 들어 그는 독일에서 새로운 혁명이 발발할 경우, 통일된 독일 공화국이 겨우 6개월 이내에 사회주의 단계로 진입할 것이라고 보았다(G363쪽을 보라). 하지만 전체적으로 보아 12편의 「편지」는 복잡한 문제에 대한 매우 분명한 설명과 역사적 안목을 탁월하게 보여주고 있다. 「독일에서 온 편지 I」에서처럼 1849년 12월에 이미 프로이센과 오스트리아 사이에 분쟁이 일어날 것이라고 그렇게 분명하게 예견할 수 있었던 사람은 엥겔스 말고는 거의 없었다.

마르크스와 엥겔스가 1848/49년 혁명에서 배운 주요 교의는 이전에 일부 진보적이었던 부르주아적 및 소부르주아적 이데올로기가 반동적인 호교론으로 전환했다는 사실을 증명하는 가운데 세워졌다. 정치에서 그러했던 것처럼 부르주아지는 이데올로기적으로도 혁명을 가능한 한 빨리 끝내려고 했다. 프롤레타리아트와 부르주아지 사이의 계급 적대가 6월 전투로 공공연하게 드러난 후에, 부르주아지는 봉건제에 맞서 싸울 때 인민대중을 고무했던 예전 자신들의 공로를 망각 속에 묻어두고, 자신들의 정치적 타협안들을 정당화하려고 했다. 마르크스와 엥겔스는 혁명가의 날카로운 눈길로 즉시 이러한 결정적인 전환점을 포착했다. 《노이에 라이니셰 차이퉁. 정치-경제 평론》의 서평들에서 그들은 1848/49년 유럽 혁명이 부르주아지가 야당이자 혁명 세력 진영에서 반동 세력과의 타협 진영 혹은 노골적인 반혁명 세력 진영으로 넘어간 것과 더불어, 부르주아지의 이론 및 이데올로기도 파산하는 결과를 초래했다고 증명했다. 따라서 소부르주아지 세력이 다가올 혁명에서 주도적 역할을 차지하게 되리라는 것은 이런 관점에서 볼 때도 생각조차 할 필요가 없었다. 이런 점에서 이 서평들은 혁명 경험에 대한 직접적인 평가이다. 이 서평들은 어느 정도는 『공산당 선언』 제3절의 간접적인 속 G30* 편이라고 할 수 있다.

마르크스와 엥겔스는 자신들의 서평을 위해 특히 1848년 이전에 값진 학문적 업적을 이룩하고, 부르주아적 입장에서 계급투쟁 이론을 대변하며, 봉건적-종교적 이데올로기를 논박해 일정 정도 반자본주의적 주장을 전개하거나 심지어 차티스트 운동에 우호적 견해를 밝힌 저자들의 책을 선택했다. 하지만 이 모든 이데올로그는 혁명의 체험, 특히 파리 6월 전투로 자신들의 예전 인식보다 훨씬 더 뒤처지는 철학적·정치적 입장으로의 반전을 완벽히 이루어냈다. 그들은 역사적 사건들을 현실적으로 평가하는 능력을 잃어버렸고, 혁명적 변혁에 두려움을 느끼면서 다양한 주관적-관념론적, 종교적, 개인주의적, 반민주적, 반(半)아나키즘적 문구들로 빠져들었다. "사실은 왕들뿐만 아니라 부르주아지의 능력도 영면했다."(G210쪽.)

마르크스와 엥겔스는 독일 속물들의 진부한 상투어의 잡동사니인 게오르크 프리드리히 다우머의 책 『새 시대의 종교』 서평에서, 혁명을 두려워한 소부르주아지의 "후안무치한 천박함"(G200쪽)과 "광적인 악랄함"(G202쪽)을 폭로했다. 마르크스는 다우머의 종교 비판적 저술들을 1847년 런던 노동자교육협회에서 선전했다. 다우머는 1848년 이후 인민대중의 모든 독자적 행동에 대한 반감을 단호하게 드러냈고, 이론과 실천, 사상과 혁명적 행동을 양립할 수 없는 대립관계로 설정해, 이런 태도를 호교론적으로 논증하려 한 자유주의 세력 및 소부르주아지 세력을 전형적으로 대표했다. 다우머의 이 책은 1850년대 초반 독일 고전철학 및 그것과 연관된 종교 비판의 몰락을 특징적으로 보여주었다. 다우머를 논박하는 과정에서 마르크스와 엥겔스는 기독교의 역사적 역할에 대해 유물론적 논증을 개진했다.

마르크스와 엥겔스는 루트비히 지몬의 소책자 「모든 제국헌법 투사를 위한 변론 한마디. 독일 배심원들에게」를 바탕으로 지몬의 "나중에 개종할 때와 마찬가지로 이전에 반대할 때의 비밀"(G202쪽)을 폭로했다. 그리고 그들은 "헤겔 변증법을 적용하는 것이 실러의 단시를 인용하는 것보다 여전히 좀 더 어렵다고 한다"(G203쪽)라고 지적하면서 이 소부르주아적 정치가를 비꼬았다. 마르크스와 엥겔스는 다음과 같은 지몬의 화해에 대한 병적인 G31* 집착을 반대했다. "그러나 이미 원칙적으로 모순되는 많은 것이 실제로 존립하고 있었고, 앞으로의 삶은 모순된 원칙들이 실제로 존립한다는 바로 이 사실에서 전개된다."(G203쪽.) 그것은 부르주아지의 배신적인 타협 정책과 그들의 이념적 대표자들이 헤겔 변증법 철학을 거부한 것 사이에 내적 연관성이 있다는 점을 분명히 암시한 것이다.

이 모든 서평에서 마르크스와 엥겔스가 아주 간명한 형태로 그들 이론의 다양한 측면을 긍정적으로 제시한 것처럼, 영국의 부르주아 혁명에 관한 프랑수아 기조의 책에 대한 서평은 17세기 영국 혁명과 이후 영국에서의 자본주의적 사회질서의 발전과정에 대한 고전적 특성을 담고 있다. 1840년에서 1848년까지 프랑스의 주요 정치인 가운데 한 사람으로서 자신의 활동을 정당화하고자 한 기조는, 마르크스와 엥겔스가 입증한 것처럼, 자신의 책에서 역사적 사건들을 계급적으로 분석하기를 포기했고, 근본적인 경제과정들에 대한 어떤 설명도 회피했다. 그 자신이 일반적인 역사 발전의 추동력으로서 계급투쟁을 처음으로 발견한 역사가들 가운데 한 사람이었으면서도 말이다.

게다가 마르크스와 엥겔스는 이 서평에서 과학성을 포기하는 것은 주관주의로 빠져든다는 점, 역사운동의 추동력으로서 계급투쟁을 부정하는 것은 역사를 공상적 문구와 통속적 잠언으로 서술하는 것으로 이어진다는 점을 보여주었다. 이것이 기조의 서술방식에도 크게 작용하고 있다고 보았다. 마르크스와 엥겔스가 이에 대해 "기조 씨는 자신의 양심 앞에서는 신을 통해 자신을 구원하며, 평범한 독자들 앞에서는 문체를 통해 구원한다"(G210쪽)라고 분명하게 밝혔을 때, 이것은 앞으로 수십 년 동안 점점 더 부르주아 이데올로기의 핵심이 되는 한 측면을, 즉 더는 사회의 실상을 고발하지 않고 그 실상을 은폐하거나 희석해, 가능하면 인민대중을 이데올로기 형성과정에서 고립시킨다는 측면을 예시(豫示)한 것이었다.

마르크스와 엥겔스는 영국의 정치 저술가 토머스 칼라일이 "부르주아지의 관점, 취향, 사상이 공식적인 영국 문학 전체를 완전히 지배하던 시기에 때로는 혁명적이기까지 한 방식으로 문학적으로 부르주아지에 반대한"(G265쪽) 공적을 명시적으로 인정했다. 하지만 1850년 초 그가 두 권의 소책자를 통해 혁명과 민주주의에 열렬한 적대자로 등장했을 때 마르크스와 엥겔스는 그의 견해를 가차 없이 비판했다.

칼라일의 초기 반자본주의적 주장들이 때때로 봉건적 사회주의와 비슷했다면, 이제 그는 부르주아지의 반혁명적 입장을 옹호하기 위해 천재와 "고귀한 사람" 또는 "영웅"의 엘리트 이론을 통해 특별한 형태의 개인 숭배를 발명했다. 마르크스와 엥겔스는 이른바 영웅 숭배가 인민대중을 억압하고 적극적으로 역사적 행동을 하려는 이들을 배제하는 부르주아 정치를 어떻게 정당화하는지를 보여주었다.

마르크스와 엥겔스가 마찬가지로 자신들의 서평 중의 하나로 할애한 두 명의 프랑스 경찰요원 셰뉘와 드 라 오드의 회고록은 여타 저작과는 다소 다른 위상을 차지한다. 그들은 이 서평에서 종파주의적 음모론자의 전술이

G32*

역사적으로 제약을 받을 뿐 아니라, 그런 전술이 시대에 완전히 뒤떨어졌음을 보여주었다. 노동자들의 조직을 계급으로 발전시키고 그들의 이론적 계급의식을 고양하는 것이 그 당시 객관적 과제였던 반면, 이 음모론자들은 혁명의 전개를 인위적으로 촉진하고 "조건들을 만들지 않은 채 즉흥적으로 혁명을 일으키"기 위해 애를 썼다. "이들에게 혁명의 유일한 조건은 음모를 충분히 조직하는 것이다."(G283쪽.) "혁명의 연금술사"로서, 즉 노동운동의 과학적 발전 이전 단계의 대표자로서 그들은 혁명이론과 특히 과학적 공산주의에 대해 허무주의적 태도를 보였다. 그들의 모든 행동은 사실상 경찰요원이 비밀 노동운동의 모든 문을 활짝 열어, 결국 모든 조직을 정부의 도구로 삼는 결과를 가져왔다.

이 서평이 이미 1850년 3/4월에 쓰였다는 것은, 공산주의자동맹 내의 모험주의적이고 종파주의적인 세력과 처음으로 거리를 두었다는 것을 의미한다. 이들은 런던의 망명지에서 특히 아우구스트 빌리히를 중심으로 모이기 시작해서 반년 후에는 중앙본부의 분열을 초래했다.

셰뉘와 드 라 오드에 대한 서평에는 노동운동 대표자들의 전기를 구성하는 데 여전히 현재성이 있는 방법론적 지침들이 몇 가지 들어 있다. "가장 바람직한 것은 운동-정당의 정점에 있는 사람들을, 이들이 혁명 전에 비밀 결사에 몸담았든 언론에 몸담았든 후에 공직에 있었든 있지 않았든 간에, 한번쯤은 렘브란트의 투박한 색채로 생생히 묘사하는 것이다. 이제까지는 이 인물들을 있는 그대로 묘사하지 않고, 발에 반장화를 신고 머리에 후광을 두른 공식적 모습만 그렸다. 라파엘의 찬미화 같은 이런 그림에는 묘사의 진실성이 없다."(G275~G276쪽.)

『공산당 선언』에서 시작된 부르주아 사회주의에 대한 비판은 지라르댕의 책『사회주의와 조세』에 대한 서평에서 특히 분명하게 계속된다. 프랑스 조세제도에 대한 지라르댕의 비판이 아무리 많은 부분에서 옳다고 할지라도, 여러 가지 점에서 프루동의 제안과 일맥상통하는 그가 폭넓게 묘사한 개혁 제안도 당연히 계급투쟁을 부정할 수는 없었다. 마르크스의 서평에 들어 있는 자본주의 조세제도에 대한 전반적인 분석과 그가 리카도를 참조한 것은, 마르크스가 경제학의 문제들과 다시 씨름한다는 첫 번째 신호였다. 자본주의 역사에서 토지 소유의 집중과 분산의 무의미한 순환에 대한 짧은 논평도 이에 해당한다(G299쪽을 보라).

그 밖에 지라르댕에 대한 비판은 이 당시 부르주아 아나키즘과의 논쟁의

G33*

단초를 담고 있다. 베를린에 있는 이데올로기 그룹의 대변자로서 슈티르너와 파우허가 언급되는데, 「국가 폐지라는 구호와 독일의 "아나키 친구들"에 대하여」(G330∼G335쪽)에서 엥겔스는 이 "국가 폐지"라는 구절을 베를린의 《아벤트-포스트》를 중심으로 모인, 일부는 옛날 청년헤겔학파였던 이 그룹과의 특별한 논쟁을 위한 출발점으로 사용했다. 이 신문이 또한 1850년 4월 런던 망명자위원회의 활동에 반대하는 입장을 표명했고, 이에 대항하여 마르크스와 엥겔스가 즉각 「성명」(G322∼G324쪽)을 통해 대응한 바 있었기 때문에, 이러한 부르주아 아나키즘과 근본적으로 논쟁을 벌이는 데는 충분한 이유가 있었다. 《노이에 라이니셰 차이퉁. 정치-경제 평론》 서평의 연재 기고문으로 계획한 엥겔스의 이 초고(「국가 폐지라는 구호와 독일의 "아나키 친구들"에 대하여」 — 옮긴이)는 단편으로 남아 있다.

베를린 이데올로그들의 "아나키즘"은 결국 자신들이 자유무역의 수호자로서 프로이센 국가의 보호관세 정책에 맞서 싸운다는 것을 그 밑바탕에 놓았을 뿐이었다. 그들은 혁명에 실망한 소부르주아지로서 민주주의에 반대하는 입장을 날카롭게 취했는데, 막스 슈티르너의 책 『유일자와 그의 소유』에서 아나키즘 사상을 재수용함으로써 이런 입장을 위장했다. 엥겔스는 자신의 서평-단편(「국가 폐지라는 구호와 독일의 "아나키 친구들"에 대하여」 — 옮긴이)에서 이런 식의 이데올로기적 발언과 실제 부르주아적 이데올로기의 차이가 순전히 피상적이라는 점을 폭로했다. 부르주아 사회에 반대하는 것처럼 보이면서 이 그룹이 "'앞으로 나아간다', '가장 앞으로 나아간다'는 가상"을 부여한 "낯선 종류의 형태"(G331쪽)는 부르주아적 사고가 몰락의 단계에 들어섰다는 사실을 은폐할 뿐이다. 이에 따르면 중요한 것은 한낱 철학적으로 보이는 그런 부지런함인데, 그것의 실제 기능은 인민대중을 아주 세련된 방식으로 혼란스럽게 하는 것뿐이다. "이런 혼란 속에서 철학적 기만은 실제 투쟁의 모사로서 기여했다."(G332쪽.)

끝으로 고트프리트 킹켈의 주장에 대한 마르크스와 엥겔스의 입장 표명(G318∼G320쪽)은 특별한 종류의 서평이다. 게다가 고트프리트 킹켈의 이 주장은 마찬가지로 《아벤트-포스트》에 실렸다. 루트비히 지몬을 반대할 때와 비슷한 방식으로, 특히 독일 민주주의 소시민계급 사이에서 당시 신격화된 이 영웅의 사례를 통해, 이런 운동 전체의 고루함 및 노동자 정당이 그 운동과 단호하게 선을 그어야 한다는 것을 설명하는 것은 중요한 문제였다. G34*

엥겔스의 「독일 농민전쟁」 또한 이 책에 실린 중요한 저작이다. 16세기를

19세기와 비교하는 것은 마르크스와 엥겔스의 여러 저서와 편지에서 나타난다. 그들은 16세기를 부르주아적 사회질서의 시작으로, 19세기를 그 종말로 보았다. 1848/49년 혁명의 패배 이후, 1525년의 위대한 독일 농민전쟁을 방금 일어난 사건들과 비교하는 것은 이론적으로 큰 관심사이면서 동시에 대중에게 영향력을 크게 끼치려는 과제였을 것이다.

엥겔스의 기고문 「독일 농민전쟁」이 중요한 것은 아주 오래전의 구체적인 역사 단계에 최초로 역사적 유물론을 적용했고, 당시 몇 년 전부터 다양한 역사학파의 의견 충돌의 중심에 있었으며, 청년헤겔학파도 열심히 천착했던 문제에 대해 공산주의적 입장을 독자적으로 표명한 점에만 있는 것은 아니었다. 엥겔스는 "위대한 농민전쟁의 강력하고 강인한 인물들", 즉 토마스 뮌처, 요스 프리츠, 미하엘 가이스마이어 등의 인민 지도자들에 대한 기억이 바로 "2년 동안의 투쟁 후에 … 일시적인 무기력함"이 지배하던 시대에 생기를 불어넣을 것이라는 또 다른 관점도 주장했다(G367쪽).

하지만 엥겔스는 다시 새롭게 각오를 다져 과거 투쟁의 성격과 미래 투쟁의 과제에 대한 새로운 통찰도 전해주었다. 엥겔스는 치머만의 농민전쟁에 대한 저작을 참고하여 인민대중의 역할, 혁명이론의 의미, 그리고 16세기의 이른바 순수한 종교 투쟁이 갖는 계급적 성격과 경제적 토대에 대해 질적으로 새로운 인식을 능숙하게 획득했다. 「독일 농민전쟁」은 역사 서술에서 마르크스주의적 방법론이 지닌 탁월함을 처음으로 증명했으며, 오늘날까지 그 고무적인 효과는 사라지지 않았다. 「독일 농민전쟁」은 이 저작의 수정과 증보를 위해 엥겔스가 나중에 작성한 자료들과 함께 종교개혁과 농민전쟁을 독일의 초기 부르주아 혁명으로 인식하기 위한 출발점이 되었다.

G35*　　3백 년 이전의 사례를 통해 엥겔스는 1848/49년 혁명의 실패 원인에 대해 다른 저작에서 얻은 교훈, 즉 부르주아지가 자신의 역사적 임무를 배신한 것이 보편타당하다는 점을 증명했다. 레닌이 밝힌 것처럼, 엥겔스는 두 운동(종교개혁과 농민전쟁 ─ 옮긴이)의 공통된 교훈을 "다음과 같이 특별히 역설했다. 소부르주아적 삶의 상황 때문에 생긴 억압당하는 대중의 분열된 행동, 부족한 중앙 집중화가 바로 그것이다."(레닌, 「헌법의 환상에 관하여 Über Verfassungsillusionen」,『전집』, 제25권, 베를린, 1974년, 201쪽.) 유사한 이 두 사례에서 무엇보다도 중요한 것은 단독으로는 자신의 투쟁을 성공적으로 끝낼 수 없는 농민의 혁명적 잠재력을 어떻게 이용할 것인가였다. 1525년의 농민과 도시 시민계급의 동맹처럼, 1848년 이후 농민과 프롤레타

리아트의 동맹은 객관적으로 필요한 일이었다.

마지막으로 엥겔스의 서술이 분명하게 밝히고 있는 것은 부르주아-민주주의 혁명의 완수, 통일된 독일 공화국의 수립, 농민과의 동맹 등과 같은 핵심 과제는 매우 장기적인 역사적 과정에서 이뤄진다는 것이다. 엥겔스는 자신의 저작 한 구절에서 분명히 종파주의적인 빌리히/샤퍼 분파와의 논쟁에 뛰어들었다. 더 정확히 말하면 엥겔스는 자신들이 대변하는 계급이 지배하기에는 아직 사회가 충분히 발전하지 못한 시기에, 지배 권력을 쥔 한 세력의 지도자가 빠진 진퇴양난의 상황을 다룬 부분에서 그 논쟁에 뛰어들었다 (G431쪽을 보라).

부르주아-자유주의적 영향력에서 완전히 자유롭고, 소부르주아 민주주의와 원칙적으로 거리를 두면서, 그 민주주의와 분리해, 독자적으로 프롤레타리아트 정당을 건설하기 위한 투쟁, 그 정당의 혁명 전술, 독자적 조직, 과학적으로 확립한 이론을 둘러싼 분투 등은 매우 선명하고 예리하게, 집중적으로 이루어졌으며, 1849년에서 1851년 사이 마르크스와 엥겔스의 이론 및 실천 활동의 핵심을 이루었다. 이 책에서 공개한 문서 모두 이러한 투쟁이 얼마나 복잡하고 포괄적이면서 밀접하게 연관되어 있는지 보여주고 있다. 마르크스와 엥겔스가 작성하거나 공동 서명한 공산주의자동맹과 여타 조직의 문서들, 당 기관지《노이에 라이니셰 차이퉁. 정치-경제 평론》의 발행, 그리고 소부르주아 민주주의 운동과 부르주아 이데올로기에 대한 일관된 비판 — 이 모든 것은 하나의 똑같은 운동, 즉 부르주아 민주주의와 원칙적으로 결별해 노동자계급의 역사적 사명을 완수할 수 있는 정당을 형성하려는 운동의 다른 표현 형태일 뿐이다.

이에 대해서는 마르크스와 엥겔스의 실질적인 정치 활동도 증언하고 있는데, 이 책에서 처음으로 공개한 문서들, 예컨대 마르크스가 작성한 「공산주의자동맹 중앙본부 위원 명단」, 엥겔스가 작성한 「사회-민주주의 망명자위원회 1850년 4월 8일 회의 의사록」, 「1850년 9월 9일 사회-민주주의 망명자위원회 영수증」, 「1850년 9월 20일 사회-민주주의 망명자위원회 영수증」, 마르크스와 엥겔스가 작성한 「런던 노동자교육협회의 자금에 관한 바우어와 펜더의 성명 초안」 등에서 드러난다. 여기에는 이 책의 부록에 1850년 이후 처음으로 다시 공개한 마르크스가 공동 서명한 「1849년 10월 16일 독일 정치 망명자 후원회 수령증」, 「1849년 11월 13일 독일 정치 망명자 후원회 수령증」, 엥겔스가 1850년 2월에서 12월 사이에 런던의 여러 모

G36*

임에서 행한 네 번의 연설에 대한 신문의 단신 보도, 그리고 "전하지 않는 저술 작업 목록"에 수록된 마르크스의 런던 노동자교육협회에서의 강연 활동 등도 포함된다.

이러한 다방면의 실천 활동 속에서 마르크스가 1849년 9월부터 1850년 9월까지 공산주의자동맹 중앙본부 의장으로서 이 최초의 프롤레타리아트 국제 정당 조직의 수뇌부에 속해 있으면서, 조직의 전체 활동에 결정적으로 영향을 끼쳤다는 사실은 매우 중요한 의미를 지닌다. 처음으로 공개된 17장의 스페인과 포르투갈의 해안선 스케치(G6~G12쪽)로 알 수 있는 항해를 마치고 1849년 11월 중순 런던에 도착한 후, 엥겔스 또한 다시 중앙본부 위원이 되었으며 한동안은 본부 서기 역할을 했다. 마르크스와 엥겔스는 1850년 9월까지 주요 당 문서들, 그중에서 무엇보다 「1850년 3월 중앙본부가 동맹에 보낸 연설」, 「1850년 6월 중앙본부가 동맹에 보낸 연설」을 작성했다.

이 두 개의 「연설」, 마르크스와 엥겔스가 1851년 2월 작성한 「블랑키 축사 머리말과 축사 번역」과 이것의 유인물 인쇄본 등은 전승된 수많은 사본과 인쇄본별로 이 책에서 자세하게 조사했다. 이것으로 이 문서들이 널리 보급됐으며 동시대에 영향력을 발휘했다는 점을 증명했다. 1851년 초 마르크스가 작업을 시작한 자신의 『논문 모음집』도 이것들과 비슷한 경우인데, 처음으로 이와 관련된 전승된 자료를 모두 온전히 제시했다.

차티스트 운동을 혁명적 토대 위에 재조직하려는 마르크스와 엥겔스의 노력 또한 노동자계급의 혁명 정당을 건설하기 위한 투쟁 가운데 하나였다. 1850년에 그들은 좌파 차티스트 조지 줄리언 하니와 어니스트 존스의 기관지에 정기적으로 기고했을 뿐만 아니라(「독일에서 온 편지」, 「프랑스에서 온 편지」, 「10시간 문제」, 「혁명의 2년」), 차티스트 신문에 중요한 자료들을 번역하거나 작성할 때 헬렌 맥팔레인, 게오르크 에카리우스, 어니스트 존스 및 그 외 다른 사람들도 도와주었는데, 부록에 있는 여러 문서가 이를 증명한다(「독일 공산당 선언」, 「부르주아 사회의 마지막 단계」, 그리고 존스가 보낸 편지 두 편).

G37*

마르크스와 엥겔스는 1851년에도 좌파 차티스트 기관지의 발행을 계속 도왔다. 이에 대해서는 특히 마르크스의 기고문 「1848년 11월 4일 채택된 프랑스 공화국 헌법」(G535~G548쪽)이 증언하고 있다. 이 기고문은 존스의 《노츠 투 더 피플》에 실렸으며, 거기서 마르크스는 헌법상의 민주적 권리

들과 실제로는 민주주의적 자유를 아무것도 아닌 것으로 돌려버리는 부르
주아적 관계의 유보 조항과 제한 사항 사이의 모순을 날카롭게 고발했다.

1850년 여름 한편으로 마르크스와 엥겔스의 혁명관은 한층 성숙했고, 다
른 한편으로 빌리히-샤퍼 분파의 모험주의적 경향은 결별이 불가피할 지
경에 이르렀다. 「1850년 9월 15일 공산주의자동맹 중앙본부 회의 의사록」
(G577~G580쪽) — 이것은 전승된 모든 이본을 포함해 마르크스/엥겔스
판본 사상 처음으로 공개한다. — 은 이 중요한 논쟁의 내용과 경과를 바람
직한 방식으로 아주 분명한 정보를 제공하고 있다.

마르크스의 발언은 혁명 경험에 대한 자신의 평가를 일관되게 이어나
가는 것이었다. 그는 자신이 이끄는 중앙본부의 다수파를 "『선언』의 옹호
자"(G578쪽)라고 분명하게 지칭하면서 「3월 연설」에서 밝힌 정책의 유효
성을 강조했다. 쾰른의 새 중앙본부는 1850년 말 이 두 의견을 채택했다. 같
은 시기 『공산당 선언』을 선전하는 새로운 물결도 일었는데, 마르크스와 엥
겔스는 이 『선언』의 일부를 《노이에 라이니셰 차이퉁. 정치-경제 평론》의
마지막 호에 실었고(G445쪽을 보라), 최초의 영어 번역(G605~G628쪽)
을 지원했다. 이 두 경우로 그들은 이제 공공연하게 (『공산당 선언』의 — 옮긴
이) 저자로서 모습을 드러냈다.

중앙본부 회의에서 마르크스가 언급한 것을 보면 그가 사회주의 혁명으
로의 이행과 국제적 규모로 사회주의가 승리하기까지 어느 정도나 오랜 시
간을 상정했는지가 분명하게 드러난다. 이미 반년 전에 그가 미래의 사회주
의 혁명과 관련하여 "지금의 종족은 모세가 사막을 지나면서 이끌었던 유
대인들과 비슷하다. 이 종족은 새로운 세계를 정복해야 할 뿐 아니라, 새로
운 세계를 감당할 만큼 성장한 인간들에게 자리를 내주기 위해 몰락해야만
한다"(G182쪽)고 서술했다면, 이제 그는 그것을 더욱 엄밀하게 규정하면
서 노동자계급에게 이렇게 예언하고 있다. "당신들이 관계를 바꾸기 위해,
당신들이 직접 지배할 수 있기 위해 15년, 20년, 50년 동안 내전과 국제전을
겪어야 한다."(G578쪽과 해당 구절 변경사항.) G38*

1850년 9월 15일의 중앙본부 회의는 이상주의적이고 민족주의적인 빌리
히/샤퍼 분파의 태도와 원칙 없이 소부르주아적 조직과 동맹을 맺으려는 그
들의 경향을 더는 잠자코 받아들일 수 없다는 점을 명시했다. "**의지**가 혁명
에서 주된 문제로 부각"(G578쪽)되어서는 안 된다는 마르크스의 지적은 의
견 차이의 핵심을 뚜렷이 보여주고, 공산주의자동맹의 전략과 전술에서 의

지주의와 모험주의에 맞서 명확한 전선 설정이 필요함을 분명히 보여준다. 이 분파는 이에 대해 모든 수단을 동원해 저항했다.

이러한 분명한 당 정책은 그 이론적 근거를 「평론. 1850년 5월에서 10월까지」에서 제시했다. 이와 관련하여 이 책에는 처음으로 마르크스가 작성한 부분적인 초안(「「평론. 1850년 5월에서 10월까지」를 위해 기록한 독일에 관한 메모」―옮긴이)도 싣고 있다. 이 「평론」의 그 유명한 요약은 다음과 같다. "이 전반적인 호황기를 맞이하여 부르주아 사회의 생산력은 부르주아적 관계 안에서 가능한 최대치까지 왕성하게 발전하고 있는데, 이런 상황에서 현실적 혁명의 가능성은 없다. 이런 혁명은 오직 이 **두 요인**이, 즉 **근대의 생산력**과 **부르주아 생산형태**가 서로 **모순**에 빠지는 시기에만 가능하다. 대륙의 질서당 소속의 여러 분파 의원들이 서로 절충하면서 벌이고 있는 다양한 말다툼은 새로운 혁명의 계기가 되기는커녕 오히려 정반대로 기존 질서의 토대가 현재 매우 안정적이기 때문에 그리고 반동주의자들의 견해와 달리 매우 **부르주아적**이기 때문에 가능한 것이다. 기존 질서의 토대와 충돌하는 것이라면 그것이 부르주아적 발전을 멈추려는 반동적 시도이든 아니면 민주주의자들의 도덕적 분개와 열광적 선언이든 가릴 것 없이 모두 바로 튕겨 나갈 것이다. **새로운 혁명은 새로운 공황의 결과로서만 가능하다. 그러나 이런 혁명은 이런 공황만큼이나 확실한 것이기도 하다.**"(G466~G467쪽.)

사회적 삶의 경제적 토대를 이렇게 강조했지만, 그렇다고 마르크스와 엥겔스가 속류경제학적 숙명론의 숭배자가 된 것은 결코 아니다. 그들은 역사 과정에서 의식적 행위, 즉 주관적 요인의 중요한 역할을 이미 자신들 사상의 기초로 삼고 있었다. 이 기초는 노동자계급의 의식화 및 조직 수준을 높이기 위한 마르크스와 엥겔스의 부단한 노력에 이미 표현되어 있었다.

한편으로 마르크스가 공산주의자동맹 중앙본부 다수파의 이름으로 주창한 정책은 다시 시작한 경제 연구의 결과였고, 다른 한편으로 중앙본부의 소재지를 쾰른으로 이전하기 위한 1850년 9월 15일의 결의는 그러한 연구에 집중하여 매달릴 수 있는 더 많은 가능성을 그에게 가져다주었다. 경제이론상의 발전 국면에서 새로운 단계가 여기서 시작했는데, 그것은 몇 년 후 이 학문을 완전히 전복하기에 이르렀다. 1857년경 성공적으로 이루어진 잉여가치 법칙의 발견은 이 학문을 확고한 과학적 토대 위에 세웠고, 자본주의 사회질서의 몰락에 대한 역사적 합법칙성의 매우 적확한 근거를 동시에 제공했다.

G39*

1850년 말 마르크스는 이 거대한 작업의 시작점에 서 있었다. 1847년 이후 『철학의 빈곤』(Misère de la philosophie), 『공산당 선언』, 『임노동과 자본』(Lohnarbeit und Kapital), 그리고 마지막으로 「평론. 1850년 5월에서 10월까지」를 포함한 여타 저서에 수록된 중요한 방법론적 기초와 주요 경제학적 지식에도 불구하고, 이때의 연구 결과는 프롤레타리아트 혁명이 아직 예정되지 않았다는 사실을 인식하기에 충분하지 않았다. 당시 마르크스와 엥겔스는 사회가 사회주의에 이를 정도로 이미 충분히 발전했다고 보았다. 이러한 평가는 나중에 수정되었다. 마르크스의 「프랑스 계급투쟁」에 대한 서문에서 다음과 같이 분명하게 설명한 사람은 엥겔스였다. "역사는 우리와 비슷하게 생각하는 모든 사람이 틀렸음을 증명했다. 역사는 당시 대륙에서의 경제 발전 수준이 자본주의적 생산을 철폐할 만큼 성숙하기에는 아직 한참 멀었다는 것을 분명히 보여주었다. 1848년 이후 대륙 전체를 사로잡고 프랑스, 오스트리아, 헝가리, 폴란드의 대공업, 그리고 최근에는 러시아의 대공업도 실제 처음으로 길들였으며, 독일을 일류 산업국가로 만든 경제 혁명을 통해서 역사는 이것을 증명했다. 그리고 이 모든 것은 자본주의적 토대 위에서, 1848년에는 아직 훨씬 더 많이 확장될 수 있는 그런 토대 위에서 이루어졌다."(엥겔스, 「서문」, 앞의 책, 8쪽.)

10시간 노동 문제에 관한 엥겔스의 논문 두 편에서도 임박한 혁명투쟁에 대한 기대가 상당 정도 드러난다(G225~G230쪽, G305~G314쪽). 마르크스와 엥겔스는 물론 노동시간을 10시간 또는 그보다 더 줄이는 것에 반대하지 않았고, 엥겔스는 심지어 이러한 조치를 노동자계급을 위한 "육체적 필연성"(G312쪽)이라고 표현하기도 했다. 하지만 그는 1850년 초 해당 문제를 법적 규정으로 제정하는 것이 반동적이라는 사실을 강하게 강조하면서, 모든 노동자에게 **정치적** 영역에서의 투쟁, "정치권력의 정복"에 온전히 집중할 것을 요청했다(G313쪽). 이 특정한 문제에도 나타난 경제적 계급투쟁과 정치적 계급투쟁의 변증법에 대한 완전히 균형 잡힌 판단은 1864년 마르크스가 집필한 「국제노동자협회 창립 연설」(Inauguraladresse der Internationalen Arbeiter-Assoziation)에 들어 있는데, 거기에는 『자본』(Das Kapital)으로 이어질 마르크스의 연구 결과가 이미 나타나 있었다. G40*

자본주의에 대한 여전히 불충분한 분석과 결합한 혁명투쟁에 대한 열렬한 기대 때문에, 마르크스와 엥겔스는 한때 역사적 흐름, 특히 새로운 공황과 혁명에 이르기까지의 기간을 잘못 예측했다. 이에 대해 레닌은 "하지만 전 세계 프롤레타리아트를 일상의 자잘한 일들로부터 고양하려 했고 그렇게 고양한 혁명적 사상의 거인들의 **그러한** 실수는, 혁명적 자만의 허영심에 대해, 혁명투쟁의 무익함에 대해, 반혁명적 '입헌주의적' 망상의 마술에 대해 열변을 토하고, 한탄하고, 떠들썩하게 외치고, 신탁을 내리는 고루한 자유주의자의 상투적인 지혜보다 천배나 더 고귀하고 숭고하고 **역사적으로 가치 있고 진실된 것**"이라고 평가했다. (W. I. 레닌, 「『요한 필리프 베커, 요제프 디츠겐, 프리드리히 엥겔스, 카를 마르크스 등이 F. A. 조르게와 다른 사람에게 보낸 편지와 발췌문』의 러시아 번역본 서언Vorwort zur russischen Übersetzung des Buches "Briefe und Auszüge aus Briefen von Joh. Phil. Becker, Jos. Dietzgen, Friedrich Engels, Karl Marx u. a. an F. A. Sorge und andere」, 『전집』, 제12권, 베를린, 1975년, 376쪽.)

경제학 분야에서 지식이 얼마나 부족했는지는 마르크스 자신이 가장 잘 알고 있었다. 1850년 9월 말 그는 부르주아 고전경제학 저서들과 화폐이론, 가격이론, 은행법, 국가 예산의 역사와 기타 여러 분야에 관한 다양한 서적과 소책자를 열정적으로 파고들기 시작했다. 1850년 9월부터 1851년 6월까지에만 10권의 노트를 발췌로 채웠는데, 거기에는 최초의 독자적인 입장도 들어 있었다(이 발췌 노트는 MEGA 제4부로 출판될 것이다). 특히 부르주아 경제학의 최고점인 데이비드 리카도를 비판하는 형태로 마르크스는 새로운 연구의 첫 결과들을 제시하고, 단계적으로 자신의 가치이론을 만들어 갔다. 예를 들어 1851년 1월에 이미 마르크스는 리카도 지대이론의 모순을 밝혀내고, 무엇보다 과학과 농업 기술을 더 적극적으로 응용한 결과로 나타난 농업의 진보를 기초로, 차액지대에 관한 이론적 단초를 세워나갔다. 그것은 동시에 마르크스가 당시 발췌한 맬서스(Thomas R. Malthus)의 견해를 이론적으로 극복하는 데 근본적으로 중요했다. 이러한 마르크스의 새로운 인식은 영국의 예를 통해 자본 집중과 경작지의 연관성을 설명한 1850년 4월 지라르댕에 대한 서평에서 이미 암시되어 있다(G298~G299쪽을 보라).

G41*   불과 몇 주 후에 이미 마르크스는 리카도처럼 가치법칙과 더는 모순되지 않는 화폐유통에 관한 이론을 발견하는 데 성공했다. 발췌 노트 하나에 포함되었던 것을 완전히 분리하여 이 책에 처음으로 공개한 1851년 4월 마르크스의 기고문 「성찰」은 그의 경제이론이 특히 급속하게 발전하던 단계에 속한다.

마르크스가 애덤 스미스와 그 외 다른 사람들을 논박하면서 세계 시장에 관계되는 것으로 분류한 공황 문제와 관련해서, 그는 「성찰」에서 당시 특별히 관심을 가졌던 화폐유통에 관한 이론에 이르게 되었다. 아직 완전히 발전된 자신의 화폐이론이 없었으면서도 그는 1851년 봄, 프루동과 버밍엄 자유무역 학파가 서로 완전히 다른 입장에서 시도한 것과 같은 이른바 완벽하고 새로운 화폐 체계의 발명이 문제가 아니라는 사실, 그리고 공황 때의 "현실적 어려움"은 명목화폐 부족이 아니라 "**상품의**, 즉 **현실 자본의**, 금과 은행권의 **태환 불능**"이라는 사실을 증명했다(G505쪽). 그러나 이러한 통찰은 자본주의적 재생산이 계급의 특징을 승인한다는 것과 결부되어 있었다. 마르크스는 이에 대해 「성찰」의 결론 부분에서 노동자계급의 교육 수준과 그들의 정치투쟁의 물질적 전제조건들도 모두 고려해 이런 생각을 흥미롭게 진술했다.

마지막으로 마르크스 경제학의 발전에 관한 우리의 이해를 넓혀주는 것은 이 책의 부록에서 출간된 에카리우스와 존스의 기고문들인데, 마르크스는 그들이 기본 생각을 정리하는 데 도움을 주었다. 이 기고문들은 예컨대 협동조합처럼 당시 마르크스가 직접 발언하지 않았던 주제들을 포함한다.

엥겔스는 1850년 11월 맨체스터로 이사한 이후 군사 문제를 연구하는 데 일정 시간을 활용했다. 그는 이미 같은 해 2월 「독일에서 온 편지 III」에서 유럽 군대의 병력을 논하면서 이 분야에 대해 지속적인 관심을 드러냈다. 그의 연구는 「1852년의 혁명 프랑스에 반대하는 신성동맹 전쟁의 조건과 전망」이라는 저술에서 처음으로 정점에 도달했다. 그것은 출판을 위해서가 아니라 마르크스와 생각을 교환하기 위해 쓴 것이었다. 엥겔스는 여기서 역사적 유물론을 전쟁사와 전쟁 방식이라는 기본 문제에 처음으로 더 자세하게 적용했다. 그는 생산력 및 사회적 관계의 발전과 전쟁 방식의 연관성을 처음으로 파헤쳤으며, 나폴레옹이 확립한 전쟁 방식이 자본주의 발전의 필연적 산물임을 보여주었다.

엥겔스는 프롤레타리아트 혁명이 군제에도 근본적인 변화를 끌어낼 수 G42* 밖에 없다고 추론해 프롤레타리아트 군사학이 필요함을 증명했으며, 이미 1851년 봄에 무적의 노동자계급이 우월한 군사 조직과 전쟁 기술을 산출할 것이라는 결론을 내렸다. 사회주의적 군제는 대규모 대중이 결집하는 것을 그 특징으로 할 것이며, 동시에 이들의 기동성은 운송 수단과 통신 수단의 급격한 발전을 통해 현저하게 확대될 것이라고 했다. 그러나 무엇보다 교육 수준이 전반적으로 향상되고, 앞으로 있을지도 모르는 전쟁의 목표가 혁명이라는 것을 잘 이해할 때, 개별 병사나 장교의 전투력은 비교할 수 없을 만큼 향상될 것이라고 했다.

이 책의 다양한 저술은 모두 풍부한 가치가 있고 여전히 그 영향력이 상당한 인식을 포함하는데, 단 2년 안에 집필한 것들이다. 게다가 이 시기는 조용히 학문 연구를 하기에는 그다지 적당하지 않았고, 마르크스 가족은 처음으로 물질적 궁핍의 심한 압박을 엄청나게 받았다. 극심한 자금 부족에 시달리고, 매우 어수선한 이주 분위기와 경찰요원들에게 둘러싸여 영국에서도 추방 위협을 당하면서도(1850년 6월 중순 언론 보도, G343~G349쪽을 보라), 마르크스와 엥겔스는 전혀 동요하지 않고 국제적인 노동자계급이 다가올 전투에 더 잘 대비하는 데 필요한 모든 교훈을 혁명에서 얻었다.

편집자 일러두기

이 책에는 1849년 7월 중순에서 1851년 6월 말까지 마르크스와 엥겔스의 모든 저서가 엄밀히 연대순으로 들어 있다. 중요한 기준은 집필 시작 내지는 집필을 시작했다고 추정되는 시점이다. 연재물로 출판된 기고문은 전체로 묶어서 제시하며, 첫 번째 기고문이 생성된 시점을 기준으로 했다. 개별 작업에 대한 정확한 정보가 없이 장기간에 걸쳐 만들어진 기고문은(「독일 제국헌법투쟁」, 「독일 농민전쟁」) 추정컨대 중요한 마지막 편집 작업이 이루어진 시점으로 정리했다.

부록은 각각 연대순으로 정리된 두 부분으로 나뉘는데, 하나는 마르크스와 엥겔스가 같이 작업했거나 함께 서명한 조직의 문서들과 엥겔스의 네 번의 연설에 대한 짤막한 신문 기사들이고, 다른 한 부분은 마르크스 또는 엥겔스의 도움으로 만들어진 제삼자(요한 게오르크 에카리우스, 어니스트 존스, 헬렌 맥팔레인)의 논문과 번역물이다.

전승되고 저자가 검인한 모든 텍스트 원문은 이 책 본문의 토대가 되었거나, 상이한 부분들만 축약해서 변경사항(부속자료에서 (v)로 시작됨 — 옮긴이) 목록에 표기되었다. 개별 기고문에 대한 편집자 설명에는 어떤 텍스트 원문이 본문의 바탕이 되었는지 밝히고 변경사항 목록에서 그 텍스트 원문을 밝혀놓았다. 저자가 원문에 쓴 텍스트 전개도 전부 재현했다. 저자가 검인한 텍스트 원본이 없거나, 문서의 생성 이후 35년이 지나서 상태가 매우 좋지 않은 판에 근거하여 저자가 검인한 경우, 즉 1850년 3월과 6월 공산주의자동맹 중앙본부의 두 연설은 당시 동맹 자체에 의해 만들어진 부분 사본과 경찰 보고서의 당시 사본에 의지할 수밖에 없었다. 편집이 어떤 식으로 이루어졌는지 여기서 자세하게 설명할 것이다.

본문은 확정된 텍스트 원본을 따랐다. 맞춤법을 통일하거나 원문을 현대식으로 고쳐 쓰지는 않았지만 명백한 잘못을 없애기 위한 본문의 수정은 있었다.

명백히 틀리게 쓴 부분과 인쇄오류는 바로잡아 고쳐 썼고 교정사항 목록(부속자료에서 (k)로 시작됨 — 옮긴이)에는 수록하지 않았다. 여기에는 인쇄용 원고, 재발행 원고, 인쇄오류 정정에 저자가 수정한 것으로 밝혀진 인쇄오류도 해당한다. 이에 대해서는 텍스트를 비판적으로 검토하는 부속자료에 밝혀놓았다. 의미가 달라지는 편집상의 수정은 교정사항 목록에 모두 수록했다. 틀리게 쓴 부분이나 인쇄오류 중 여러 가지 방식으로 수정할 수 있거나 명백한 오류라고 확정할 수 없는 부분은 많은 사람이 하나의 정해진 의미로 읽는 경우에만 수정하고 그것이 명확하지 않은 경우에는 수정하지 않았다. 이 두 가지 처리 방법은 모두 교정사항 목록에 표기했다.

사실에 대한 기술이 잘못되었거나 이름을 잘못 쓴 것이 확실하면 수정하고, 이를 모두 교정사항 목록에 표기했다. 사정이 분명하지 않으면 수정하지 않았다. 주석이 필요하다고 생각되는 부분은 해설(부속자료에서 (e)로 시작됨 — 옮긴이)을 달았다.

본문의 바탕이 되는 자필 원고 또는 인쇄본의 구두법은 그대로 두었다. 단지 명백한 구두법 오류는 의미 변화가 없다는 전제하에 별도의 표시 없이 본문에서 수정했다. 큰따옴표와 작은따옴표의 사용은 각각의 텍스트 원본과 다르더라도 통일적으로 사용했다.

약어는 별도의 표기 없이 모두 완전한 표기로 풀어 썼는데 그렇게 풀어 쓸 필요가 없는 것들(예를 들어z. B., 즉d. h., 등등usw., 기타etc., 혹은bzw., 특히 u. a.)은 예외로 했다. 인명이나 참고문헌 인용에서 사용된 약칭(마르크스와 엥겔스의 인용 방식과 서지 방식)은 그대로 두었다.

자필 원고의 텍스트 원본과 인쇄된 텍스트 원본의 다양한 수준의 강조 방식은 본문에서 다음과 같이 통일적으로 나타냈다. 첫째 강조 방식은 이탤릭체로(한국어판에서는 굵은 글씨 — 옮긴이), 둘째 강조 방식은 자간 간격을 띄워서(한국어판에서는 굵은 글씨＋방점 — 옮긴이), 셋째 강조 방식은 이탤릭체로 자간을 띄워서(한국어판에서는 굵은 글씨＋방점＋기울임체 — 옮긴이) 표기했다. 일부 영어 텍스트에서의 강조 문구는 대문자로 그냥 두었는데, 어떤 강조 방식에 해당되는지 명확하게 정하기가 어려웠기 때문이다(한국어판에서는 본문과 다른 바탕체 — 옮긴이). 그 외 본문의 바탕이 되는 원문의 서체나

G45*

44

인쇄체(서체 종류나 크기 등)는 별도로 고려하지 않았다. 이와 관련하여 필요한 사항은 모두 "원문자료에 대한 기록"에 있다.

자필 원고의 텍스트 원본과 인쇄된 텍스트 원본에서 한 쪽의 시작과 끝을 모두 본문에 표기하고, 쪽수 표기가 있으면 그대로 옮겼다(부속자료의 "약어, 약호, 부호 목록"을 보라). 자필 원고에 쪽수를 편집상 삽입한 경우 그 번호를 꺾쇠괄호([ ] — 옮긴이) 안에 표기했다. 신문이 원본인 경우 쪽수나 단의 변화는 표기하지 않았으며, 본문 첫머리에 신문의 날짜와 호수를 명기했다.

이 책에 수록된 모든 저술은 학술적 부속자료가 있다. 부속자료는 집필과정과 전승과정(원문자료에 대한 기록과 편집 방식의 근거 포함), 변경사항 목록, 교정사항 목록, 해설로 구성되어 있다(MEGA 제1부 제1권에 있는 전집 편찬에 대한 서언의 VIII과 IX절을 보라). 머리 부분에 본문의 집필 시기와 본문의 해당 쪽수를 표기했다.

그 밖에 기고문 중의 일부에 대해서는 집필과정과 당시의 영향력 그리고 전승과정의 종합적인 서술이 있다. 부속자료의 "1849년 말부터 1851년 6월까지 마르크스와 엥겔스의 출판 활동"이 이에 해당되는데, 거기에서는《노이에 라이니셰 차이퉁. 정치-경제 평론》의 발행과 마르크스와 엥겔스가 협력한 차티스트 기관지인《더 데모크라틱 리뷰》,《더 레드 리퍼블리컨》,《더 프렌드 오브 더 피플》,《노츠 투 더 피플》등과 함께, 해당 잡지에 실린 모든 기고문에 많건 적건 해당되는 사항들을 다루고 있다.

학술적 부속자료는 개별 기고문마다 그 기고문의 집필과정과 전승과정에 대한 설명으로 시작한다. 각각의 영향사에 대해서는 동시대의 직접적인 반향만을 기록했다. 마르크스와 엥겔스의 생존 시기에 아직 출판되지 않았던 자필 원고는 초판을 표기하고, 이 책에 처음 출간되는 경우 이에 대해 언급해두었다.

"원문자료에 대한 기록"은 텍스트 전개에 중요한 모든 전승된 원문에 특별한 약호 표기를 했으며("약어, 약호, 부호 목록"을 보라), 추가로 숫자를 표기했다. 이 숫자 표기는 개별 원문의 성격과 상관없이 그 원문의 생성 순서대로 이루어졌다(예를 들어 J^1, K^2, D^3). 검인되지 않은 원문은 소문자로 표기했다(예를 들어 j^1, d^4). 몇몇의 경우 계통적인 순서에 중요해서 기록할 수밖에 없었던 전하지 않는 원문은 별도로 X 또는 x로 표기하고 별개의 순

G46*

서로 숫자를 표기했다(예를 들어 X^1, x^2, J^1, K^2, D^3, X^3). 마르크스나 엥겔스에게서 유래하지 않은 텍스트 원문의 저자가 알려진 경우(예를 들어 예니 마르크스), 숫자 표기 앞에 문자 표기를 한다(예를 들어 H^{j1}).

변경사항 목록에는 마르크스와 엥겔스가 본문을 내용 면에서 혹은 집필 방식에서 계속 발전시켜나가면서 변경한 내용을 모두 담았다. 이 변경사항에는 텍스트의 축약(본문의 원형을 해치지 않는 삭제), 텍스트의 보충(삽입, 추가), 텍스트의 대체와 위치 변경이 담겨 있다. 따라서 다음의 텍스트 변경 사항들은 여기에 수록하지 않았다. 즉 마르크스나 엥겔스가 수정한 오자 내지 인쇄오류, 마르크스나 엥겔스가 의미에 영향을 주지 않는 한에서 철자법 또는 구두법을 변경한 것(이것들은 원문자료에 대한 기록에서 통괄해서 언급했다), 아예 알아볼 수 없거나 필자의 원래 의도를 대강이라도 도저히 읽어낼 수 없는 필적, 초고를 쓰면서 그때그때 문법이나 문체에서의 실수를 바로잡은 것으로서 내용상 본문의 서술을 바꾸는 것이 아닐 뿐 아니라 전체 서술의 문체에서도 전혀 변화를 수반하지 않는 즉시 수정이 바로 그런 것들이다.

변경사항 목록은 해당 위치가 계속 바뀐 곳을 표시하면서, 하나 또는 여러 개의 텍스트 원문들에서 전승된 텍스트 구절의 변경된 내용을 (본문의) 문제가 되는 단어를 기준으로 모두 담았다. 해당 위치에서 이루어진 초고 집필 중의 변경사항은 구별할 수 있는 형태로 뒷부분에 붙이거나 행을 바꾸어 나란히 병기하는 방식으로 수록했다(한국어판에서는 이렇게 하지 않고 변경 내용이 있는 곳마다 주를 달아서 표기했다. ─ 옮긴이). 변경사항 목록은 본질적으로 논증적(추론적) 방식을 사용했다. 다시 말해 텍스트 변경은 해당 부분의 내용에 맞춰 이루어졌고 그것의 형태에 따르지는 않았다.

다양한 변경사항은 구별될 수 있는 기호들을 사용하여 표기했다("약어, 약호, 부호 목록"을 보라). 집필 중 곧바로 변경한 것은 '쓰다 만 것' 형태로 나타나는데, 이는 저자가 생각을 멈추고 글을 새로 (대개 단어나 단어의 일부를 삭제하거나 바꾸고 활용어미를 바꾸거나 삽입하는 방식으로) 시작하는 형태의 텍스트 변경에 해당한다. 초고에서 쓰다 만 것이 완전히 삭제된 부분은 다음과 같은 형태로 표기했다. 즉 본문의 해당 부분에서 삭제된 부분을 홑화살괄호로 묶고 쓰다 만 부분이라는 것을 부호로 표기했다(MEGA의 변경사항 목록에서 쓰인 〈 〉/ 부호를 말한다. 한국어판에서는 부호를 쓰지 않고 문장으로 풀어 썼다. ─ 옮긴이). 본문에서는 이 부분을 이어 붙여 새로운 문장으로 만들어놓았다.

여러 곳에 걸친 텍스트 변형, 특히 텍스트를 대폭 대체한 것은 행을 나란히 배치하는 방법으로 표기했다. 이때 해당 위치의 변경된 부분들은 각각 시간 순서에 따라 오선지 악보와 비슷한 형태로 차례대로 행을 바꾸어 나란히 표기했는데, 왼쪽에 숫자가 표기된 각 층은 다음 층으로 대체된 것임을 나타낸다. 제일 마지막 층이 본문과 일치한다. 바뀌지 않은 단어는 반복해서 쓰지 않고 중복 기호(")로 표기했다. 가로로 그은 직선은 앞의 층의 텍스트 축소를 나타내거나 다음 층에서 텍스트를 연장하기 위한 여백을 만들기 위해 그은 연장선일 뿐이다. 각 층은 서로 관련된 것으로 (수평으로) 읽을 수도 있고 해당 부분이 어떻게 변경되어갔는지 층과 층을 통해 (수직으로) 개괄할 수도 있다. 한 층 내에서의 부분적인 텍스트 변경은 a, b 등으로 분리하여 표기했다(한국어판에서는 이러한 방식을 쓰는 것이 번역상 불가능하여 ←를 써서 나타내거나 문장으로 풀어 설명했다. ― 옮긴이). 텍스트를 대폭 축소하거나 대체, 확장하면서 이루어진 텍스트의 작은 변화는 나란히 배치해서 나타냈는데, 이를 통해 "내부적인" 변경사항의 영역을 추가 표시 없이 알아볼 수 있다.

한 기고문의 여러 가지 텍스트 원문의 변경사항을 표기할 때, 우선 본문(문제가 되는 구절을 교체하거나 축소할 때)에서 변경된 부분을 표기했다. 경계 표시의 표제(MEGA의 변경사항 목록에서 쓰인] 부호를 말한다. 한국어판에서는 삭제했다. ― 옮긴이) 다음에 약호가 달린 다른 텍스트 원문들을 쓰고 문제가 되는 구절의 변경된 부분과 반복된 부분을 표기했다.

「3월 연설」과 「6월 연설」은 당시에 저자가 검인한 텍스트 원고가 존재하지 않아서 이 두 문서에는 엥겔스의 1885년 변경사항 외에도 이본 변경사항을 기재했다. 다시 말해 본문과 다른 부분은 저자가 검인하지 않은 원고에 있는 것인데, 이 원고는 텍스트 비판적 분석을 위해서 사용할 수밖에 없었다.

「1848년에서 1850년까지 프랑스 계급투쟁」의 변경사항 목록에는, 마르크스의 1850년판에는 없었고 엥겔스가 1895년 「평론. 1850년 5월에서 10월까지」에서 뽑아낸 제4절이 마지막으로 1895년 판본에 다시 온전히 인쇄되어 있다. 이것은 독자로 하여금 이 중요한 저작의 1895년 이후 널리 퍼져 있던 판본을 어렵지 않게 재구성할 수 있게 해줄 것이다.

부속자료의 "집필과정과 전승과정"에서 다루어지지 않는 경우, 해설은 본문(이본을 포함한)을 이해하는 데 필요한 모든 설명과 관련 사항을 제공한다. 그리스어와 라틴어 구절의 번역본도 해설에 수록했다. 해설은 마르크스 G48*

와 엥겔스가 사용한 문헌에 대한 중요한 정보로 구성되어 있다. 저자들의 인용이 원전과 다를 경우에는, 그것이 내용상 논란의 여지가 있을 때 혹은 (이미 완료되었거나 이후 있을지도 모르는) 본문의 수정과 관련하여 중요하다고 판단되면 모두 표기했다. 그 외에 인용된 원전과 다르게 저자들이 강조한 부분도 표기했다. 세계문학 저작을 인용한 경우에는 특정 판본을 밝히지 않았다.

제1부 제1권, 제2부 제3권 제2분책, 제3부 제1권에 대한 참조 지시는 약호 목록에서 설명한 약호를 사용했다. 그 외의 경우 마르크스와 엥겔스 저작에서 인용한 것은 제1쇄나 자필 원고 초고에서 직접 참조했다.

그 밖에 학술적 부속자료에는 전하지 않는 저술 작업 목록이 포함되어 있다.

찾아보기는 본문과 이본, 그리고 경우에 따라(예를 들어 「독일 제국헌법 투쟁」) 그것이 마르크스나 엥겔스에게서 비롯된 것이라면 "집필과정과 전승과정"의 일부 구절도 포괄한다.

문헌 찾아보기는 본문에서 직접 인용 또는 간접 인용되고 언급된 모든 문헌(도서, 소책자, 잡지, 신문 기사, 기록물, 연설 등)을 수록했다. 익명으로 출판된 자료의 제목은 관사를 뺀 첫 글자의 알파벳순으로 배열했다(한국어판에서는 가나다순—옮긴이). 제목이 없는 문헌은 예외적으로 제목을 임의로 붙였지만 통상 그 글의 처음 몇 개의 단어를 줄임표와 함께 적었다. 신문의 통신문은 목차에 제목이 있으면 괄호 안에 표기했다. 본문이 쓰일 당시 출판되지 않았거나 일부는 지금도 출판되지 않은 계약서나 헌법, 그리고 초고, 아카이브 자료와 편지 등에 대한 일반적인 언급은 찾아보기에 수록하지 않았다.

인명 찾아보기는 본문에서 직접 또는 간접으로 거명된 사람들의 이름을 수록했으며, 문학 작품이나 신화에 나오는 이름도 포함했다. 본문에서 직접 거명되지는 않았더라도 그 저작이 직접 또는 간접으로 거명되거나 인용된 해당 문헌의 저자도 함께 수록했다. 이름은 알파벳순(한국어판에서는 가나다순—옮긴이)으로 배열했는데 실제 표기 방식에 따랐고, 그리스 문자나 키릴 문자는 변환철자법에 따랐다. 실제 표기와 다르게 본문에 표기된 것은 찾아보기에서 모두 둥근 괄호 안에 필자의 표기를 덧붙이되, 필요한 경우 특별히 분류하여 표기했다. 부호로 된 이름은 해설 부분에서 설명을 덧붙였다.

지명 찾아보기는 본문(이본을 포함한)에서 언급된 지명을 실제 표기법과 알파벳순에 따라 실었다(한국어판에서는 가나다순 — 옮긴이). 실제 표기법은 현재 해당 장소를 표기하는 방법을 의미한다(예를 들어 *Mailand*가 아니라 *Milano*). 의심스러운 경우에는 이에 대해 표기했다. 지명, 특히 마르크스와 엥겔스 사망 이후 바뀐 도시 이름은 현재 이름으로 기재했다. 과거 이름에는 현재 이름으로 바뀌었음을 밝혔다(예를 들어 **슈테틴***Stettin*은 **슈체친***Szczecin*을 보라). 해당 국가의 실제 이름으로 적는 예외는 역사적 장소의 이름인데, 편집 언어(여기서는 독일어 — 옮긴이)로 적었다. 이것은 여러 나라에 걸쳐 있고 따라서 실제로 쓰는 방식도 여러 가지인 지리적 개념(예를 들어 바다, 강, 산맥 등)에도 똑같이 해당된다. 그 외에 불확실한 경우는 모두 그에 대해 명시했다. 대륙 이름과 지방 이름은 옛 독일 국가들을 포함하여 찾아보기에 넣지 않고, 특정한 사정이 있는 경우 사항 찾아보기에서 다루었다. 키릴 문자로 쓰인 것과 본문에서 실제 쓰는 방식을 벗어난 것들은 인명 찾아보기에 준하여 인명 찾아보기와 비슷하게 다루었다.

　사항 찾아보기는 1849년 7월부터 1851년 6월 사이에 마르크스와 엥겔스 기고문의 중요한 내용 및 그들의 사고의 발전을 반영하는 개념들이 포함되었다. 원칙적으로 편집 언어와 현대 철자법을 따랐다. 표제어들은 직접 본문에서 뽑아내거나 그에 의거했다. 따라서 어떤 경우에는 단어들이 각 텍스트에 있는 그대로 제시되거나, 원본 언어의 개념이 편집된 표제어 뒤로 괄호 안에 들어가게 된다.

　이 책은 마르틴 훈트(Martin Hundt, 책임자), 한스-위르겐 보친스키(Hans-Jürgen Bochinski), 하이디 볼프(Heidi Wolf)가 작업했다. 이 책의 준비 작업에는 잉그리트 도너(Ingrid Donner)와 로제마리 뮐러(Rosemarie Müller)가 참여했다. 학술적-기술적 작업은 우르줄라 베르츠(Ursula Bertz), 발트라우트 슐체(Waltraud Schulze), 에리카 바우케(Erika Bauke)가 담당했다. 문헌 찾아보기는 하이디 볼프, 인명 찾아보기는 발트라우트 슐체, 지명 찾아보기는 잉그리트 도너, 사항 찾아보기는 한스-위르겐 보친스키가 작업했다.

　이 책은 편집위원회에서 관리하고 롤프 들루베크(Rolf Dlubek)가 감수했다. 소련 공산당 중앙위원회 부속 마르크스주의-레닌주의연구소의 감수자는 소피아 레비오바(Sofia Lewiowa)였다. 개별 기고문에 대한 부분적인 감

G50*

수와 특정 사항에 대한 입장은 동독 마르크스엥겔스연구학술위원회와 마리 아슈라프(Mary Ashraf, 베를린), 고(故) 헤르비히 푀르더(Herwig Förder), 자크 그랑종(Jacques Grandjonc, 엑상프로방스), 지크프리트 호이어(Sigfried Hoyer, 라이프치히), 볼프강 얀(Wolfgang Jahn, 할레), 브루노 카이저(Bruno Kaiser, 베를린), 게르하르트 마르쿠제(Gerhard Markuse, 베를린), 브루노 마이어(Bruno Meyer, 함부르크) 그리고 앨런 위닝턴(Alan Winnington, 베를린)을 통해 이루어졌다.

편집자들은 이 책을 준비하는 데 도움을 준 모든 학술기관에 감사한다. 마르크스와 엥겔스의 원본 열람은 암스테르담 국제사회사연구소와 스위스 연방 베른 아카이브의 도움을 받았다. 보충을 위한 원문은 드레스덴 국립 아카이브와 함부르크 국립 아카이브의 도움을 받았다. 그 외에 여러 가지 아카이브 자료들을 제공한 기관들은 다음과 같다. 메르제부르크 국립 중앙 아카이브, 포츠담 국립 아카이브, 라이프치히 독일도서관, 브라운슈바이크 시립 아카이브, 뒤셀도르프 주립 아카이브, 쾰른 시립 역사 아카이브, 루트비히스부르크 국립 아카이브. 또한 베를린 국립도서관, 라이프치히 대학도서관, 함부르크 국립도서관과 대학도서관, 그리고 쾰른 대학도서관과 시립도서관에 감사드린다.

카를 마르크스와 프리드리히 엥겔스의 저작 · 기고문 · 초안

1849년 7월부터 1851년 6월까지

KARL MARX/FRIEDRICH ENGELS: WERKE, ARTIKEL, ENTWÜRFE

JULI 1849 BIS JUNI 1851

정정을 위하여
Zur Berichtigung

| 정정을 위하여.

───────

빌리히 의용군의 팔츠-바덴 출정 당시 함께한 아래의 서명자들은[1] 이 의용군[2]이 다음과 같은 비난을 받는다는 것을 알았다.

1) 빌리히 의용군이 베커 의용군을 슈바르츠발트에서 내버려뒀다.

2) 빌리히 의용군은 베커의 지휘권을 인정하지 않았다.[3]

3) 베커 의용군이 아직 8마일[4]이나 뒤떨어져 있는 동안 빌리히 의용군은 스위스 지역으로 들어갔다.

첫 번째 비난과 관련해서는 다음의 사실이 진실을 말해줄 것이다. 빌리히는 휠렌탈 건너편의 지몬스발트 계곡과 협로를 사수하라는 명령을 받고 푸르트방겐에 주둔했다. 부대는 반 이상의 부대원을 지몬스발트와 장크트메르겐 건너편 산까지 파견했다.[5] 베커 부대는 빌리히 부대의 오른쪽 트리베르크와 장크트게오르겐에 주둔해 있었다. 매우 경악스럽게도 베커는 한 번에 부대 전체를 이끌고 푸르트방겐에 들어왔다.[6] 베커는 빌리히에게 이 이상한 작전에 대해 설명하기를, 트리베르크에 주둔 중인 부대가 자신들의 부대 장교들의 뜻을 거슬러 주둔지를 떠났고, 이들을 다시 트리베르크로 돌아가도록 하기 위해, 그 자신이 부대를 따라 장크트게오르겐에서부터 따라왔다는 것이다.[7] 실제로 베커는 자신의 부대와 함께 저녁 무렵 다시 떠났다.[8]

그사이 빌리히는 사정을 개인적으로 알아보기 위해 사령부가 있는 도나우에싱겐으로 떠났다. 뷔르템베르크를 가로질러[9] 빌링겐으로 침입한 적은 이미 거리를 순찰하고 있었다. 도나우에싱겐에서는 한 시간 거리 후방으로 휘핑겐에 자리를 잡기로 우선 정했으나, 나중에 스위스 국경으로의 후퇴와 부타흐 계곡의 사수를 결정했다. 이 결정이 내려지자마자[10] 빌리히는 전령 두 명을 푸르트방겐으로 보냈다.[11] 여기로부터 **우선** 베커에게, 그리고 나중에[12] 전진해 있던 빌리히의 중대에 소식이 전해졌는데, 통행할 수 없는 산길에 있던 후자는 나중에야 소식을 들을 수 있었다. 빌리히 부대가 푸르트방겐에 집결할 때까지 베커 역시 거기에 올 수 있었다.[13] 빌리히 자신이 노이슈타트까지 자기 부대를 마중하러 갔고, 베커 부대의 2개 중대가 도착할 때까지 거기서 후퇴하지 않고 기다렸다. 본도르프로부터 그는 다시 한 번 전령을 베커에게 파견하여, 적이 이미 본도르프[14] 가까이 진격해 왔으며 따라서 렌츠키르히를 지나오는 길이 나을 것이라는 전갈을 보냈다. 실제로 베커는 이 길을 취해 자신의 전체 부대를 이끌고 공격받지 않고 팅겐으로 왔으며, 그사이 빌리히는 먼저[15] 슈틸링겐에서[16] 1개 중대와 대포 4문을 가지고 후위를,[17] 나중에 오프터링겐과 부퇴싱겐에서 우측을 구축했다.[18] "내버려뒀다"는 것은 결코 말이 되지 않음을 알 수 있다.[19]

두 번째[20] 비난은 푸르트방겐에 주둔 중이던 빌리히 중대의 한 중대장이 빌리히가 지시한 주둔지를 떠나서 베커와 함께 진군하라는 명령을 거부했다는 것과 관련된[21] 것이다. 이것은 사실이다. 빌리히 부대는 자발적으로 모였으며, 자발적으로 빌리히의 지휘권 아래로 들어온 것이다. 이 부대원 거의 모두는 왜 싸우는지 알고 있는 사람들로 구성되었다.[22] ‖그런 부대가 만일 분열되고 흩어지면 아무것도 아니라는 것은 자명한 일이다. 이 외에 빌리히는 자신의 부대에 현 위치를 고수하라는 명령을 내렸고, 만일 문제의 중대가 이동했더라면 그의 모든 계획은 어긋나는 꼴이었던 것이다.

세 번째 비난은 더욱이나 변명할 필요도 없다. 마지막에 예슈테텐에서 열린 작전 회의[23]에서 베커는 스위스 땅으로의 이동을, 빌리히는 전투의 계속을 옹호했다는 것은 다 알려진 사실이다. 빌리히가 병사 350명과 대포 4문을 가지고 에르칭겐에서 이 후퇴를 엄호할 때, 베커는 본대를 이끌고 팅겐에서 발터스바일로 행군했고, 빌리히가 발터스바일에서 군대가 포기한 진지를 접수했을 때, 베커는 발터스바일에서 예슈테텐으로 이동했다는 것도 다 알려진 사실이다. 지겔이 라프츠에서, 몇 시간 후에 베커가 라이나우에서 스

54

위스로 넘어가는[24] 동안,[25] 빌리히는 24시간 더 자신의 군대와 함께 포병대가 이미 떠난 이 진지에 머물러 있었고, 우리가 몇 시간 동안 공격을 받지 않은 채 적의 전진 기지에 맞선 다음에서야 야영지를 떠났다는[26] 것, 우리가 그[27]밤을 독일 땅에서 야영하고[28] 다음 날 아침에서야[29] 마지막으로 스위스 땅에 발을 들여놓았다는 것은[30] 모두 다 알려진 사실이다.[31]

우리는 바덴 군대의 여러 지휘관 사이에 벌어진 결코 유쾌하지 않은 다툼에 말려들고 싶지 않다. 우리는 단지 우리 부대와 우리 지휘관에 대한 그릇된 보도를 퍼뜨리지 말 것을 요구한다.

스위스 바트(보Vaud, 스위스 남서부에 있는 주 — 옮긴이), 1849년 7월 26일

카를 마르크스
《라 프레스》 편집자에게 보내는 성명
Déclaration au rédacteur de "La Presse"

《라 프레스》

1849년 7월 30일

편집자에게.

당신은 7월 26일 자 《라 프레스》에 저의 파리 체류에 관한 기사[1]를 실었고, 이 기사는 다른 신문들에도 그대로 전재되었습니다. 이 기사는 너무나 잘못된 사실을 포함하고 있어서 짧은 글로나마 지적해두지 않을 수 없습니다.

먼저 제가 소유주이고 편집장인 《노이에 라이니셰 차이퉁》은 폐간된 적이 아예 없습니다.[2] 이 신문은 계엄령으로 인해 닷새 동안만 발행할 수 없었을 뿐입니다. 계엄이 해제된 후 신문은 다시 발행되었고, 그 후 7개월 동안 계속 발행되었습니다. 이 신문을 합법적으로 폐지할 방법이 없다고 생각한 프로이센 정부는 기발한 술책을 찾아냈습니다. 그 소유자를 폐지하는 것, 다시 말해 저의 프로이센 체류를 금지하는 것입니다.[3] 이러한 조치의 합법 여부는 곧 개회할 예정인 프로이센 의회[4]가 결정할 것입니다.

프로이센 체류를 금지당한 후에 저는 먼저 헤센 대공국으로 갔는데, 거기서는 독일의 다른 지역에서와 마찬가지로 체류 금지를 당하지 않았습니다. 저는 귀지가 주장하듯이 파리에[5] 망명자 자격이 아니라 자발적으로, 정식 여권을 가지고 왔습니다. 그 유일한 목적은 이미 5년 전에 시작한 경제학의 역사에 관한 저작에 필요한 자료를 보충하는 것입니다.[6]

그리고 저는 파리를 **즉시** 떠나라는 명령을 받지도 않았습니다.[7] 오히려 내무장관에게 이의 신청서를 제출할 시간을 허락받았습니다. 저는 이의 신청서를 제출했고, 그 결과를 기다리는 중입니다.[8]

안녕히 계십시오.

CH. 마르크스 박사.

마르크스는 이 글을 프랑스어로 썼다. — 옮긴이

Küste von Murcia

½

Sierra de Villaricos

von C. del Cope bis C.

II

3

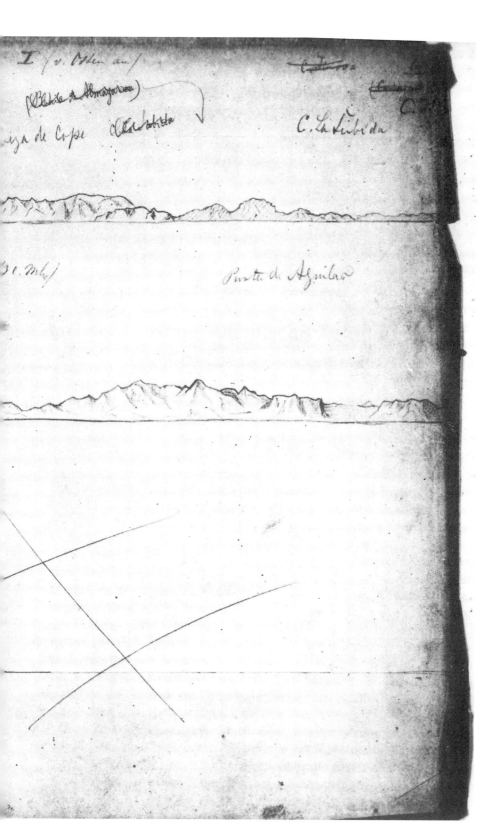

프리드리히 엥겔스

스페인과 포르투갈의 해안선 스케치

Zeichnungen der spanischen und portugiesischen Küste

|[1]| 10월 16일 화요일　미노르카(동남쪽에서)

(토로 산)

|[2]| 마요르카(동쪽에서) ― 남쪽 절반

10월 17일

살리나스 [곶]

마요르카(동쪽에서) ― 북쪽 절반　　　　　　6~7영국마일 거리

베르메호 곶　12영국마일

아메르 갑岬　　　　　　　칼[라] 라차다　　페라 [곶]

산타 폰 데 라 칼라

아르타 만(灣) |

(안개에 싸인) 무르시아 해안 I (동쪽에서)

10월 19일 금요일

코페 정상   C. 라 수비다[1]

II

(코페 정상에서 티뇨소 곶까지 $19^1/_3$ 영국마일)

비야리코스 산맥   아킬라스 갑

|[4]| 10월 20일 토요일 오전   무르시아 해안 III[2]

비야리코스 산맥[3]

엘 페뇬

10월 20일 토요일 오전

무르시아 해안 IV(2영국마일 거리)

로스 프라글레스[4]

로보 언덕(섬)   라 메사 데 롤단[5]

|[5]|10월 20일 토요일(오후)   무르시아 해안 V

로보 언덕   메사 데 롤단[6]

α

10월 20일 토요일 오후   무르시아 해안 VI

가타 곶 방향[7]

　　로스 프라글레스   펠리페 성채 ― 마호메트 아라에스 만

칼라 망루

　　피게라   α

← 사크라티프 곶 방향   가타 곶과
                                                              알메리아 만[8] 방향 →

                    알하미야 정상[9]
            과르디아스 비에하스 성채   센티나스 갑[10]
                    (모로 갑)

                            알메리아 평원

        아드라 시(市)와 강

아드라 포구 북북서(NNW)의 동쪽에 가장 먼 갑(岬)이 있다면, 시에라 네바
다 산맥의 두 봉우리는 같은 방향에 있을 것이다. 모트릴 시가 동쪽으로 치우쳐
북동쪽(북쪽으로 치우쳐 북동쪽이 맞다)에 있다면, 시에라 네바다 산맥의
최고봉은 동쪽으로 $^1/_2$포인트 더 가서, 다시 말해 거의 북동쪽 위치에 있을
것이다.[11] |

| [6] | 10월 21일 일요일 오후   그라나다 해안과 시에라 네바다 산맥 I b.
                            사크라티프 곶에서 가타 곶까지
            라비다 보루   알메리아 만과 평원[12]

                                                가타 곶

    사크라티프 곶   아드라 계곡   과르디아스 비에하스 성채   로스 프라글레스[13]
            알하미야 정상   센티나스 갑[14]

|[7]|10월 22일 월요일 점심   그라나다 해안 II(a)

사크라티프 곶   알메리아 만의 북서쪽 산[15]과

(코르체라 갑)   괄초스 마을[16]   과르다[17] 비에하스

성채 북쪽 산

시에라 네바다

그라나다 해안 II (b)

모트릴 시

알무녜카르 마을   살로브레냐 마을

레돈도 언덕

칼라 모랄 갑[18]

수에브라다 갑[19]

말라가 만

/[6]/ 그라나다 해안과 시에라 네바다 산맥 III

10월 22일 월요일 저녁 　　　　　　　　　　시에라 네바다 산맥

알무네카르　살로브레냐[20]　모트릴|

|[8]| 그라나다 해안 III a

10월 23일 화요일 저녁

　　　　　　　　　　말라가 만　　　　　시에라 네바다 산맥
　　　　　　　　　　지브롤터

그라나다 해안 III b

지브롤터

|[9]|10월 25일 목요일　　알가르베 해안

상비센테 곶

수도원과 등대 포함

　　　　　　　M. 시곤[21]　　　　　　　　　사그레스 곶과 요새

프리드리히 엥겔스
독일 사회민주주의자와 《더 타임스》
The German Social Democrats and the "Times"

《더 노던 스타》

제632호, 1849년 12월 1일

독일 사회민주주의자와 《더 타임스》.

———

《더 노던 스타》 편집자에게.

편집자님, 지난 금요일[1] 《더 타임스》에는 "**반사회주의자**"(*Anti-Socialist*)라고 서명하고 영국 독자와 영국 내무장관을 향해 "**독일 사회민주주의 정당의 눈부신 빛**"으로 묘사된 찰스 하인첸이라는 사람이 《**런던 저먼 뉴스페이퍼**》에서 주장한 몇 가지 "섬뜩한 교리"를 비난하는 편지가 실렸습니다. 이 "섬뜩한 교리"는 주로 다음에 있을 대륙의 혁명에서 "수백만의 반동분자들"을 죽이자는 자애로운 제안으로 이루어져 있습니다.[2][3]

《더 타임스》의 편집자가 자신들의 칼럼을 정치적 문제에 대한 경찰의 직접적인 정보와 비난의 도구로 사용되도록 허락한 행동이 적절한지를 판단하는 것은 당신께 맡기는 것이 좋으리라 생각합니다. 하지만 우리는 "**유럽의 주도적인 신문**"이 하인첸 씨를 "독일 사회민주주의 정당의 눈부신 빛"으로 묘사하는 것을 보고 적잖이 놀랐습니다. "유럽의 주도적인 신문"은 문제의 당의 눈부신 빛으로 지금까지 봉사하고 있는 하인첸 씨가 사실은 그 반대로 1842년 이래 성공적이지 않았지만 맹렬하게 사회주의나 공산주의 같은 모든 것에 반대해왔다는 것을 분명히 알고 있을 것입니다.[4] 따라서 "독일 **사회민주주의 정당**"은 찰스 하인첸 씨가 말하거나 쓴 그 어떤 것도 책임진 적이 없고 책임질 일도 없습니다.

앞서 말한 "섬뜩한 교리"가 야기할 수 있는 위험과 관련하여 《더 타임스》는 하인첸 씨가 지난 18개월간 독일에서의 혁명적 격변 시기에 이 교리를 실천에 옮기려 시도하기는커녕, 그 시기에 독일 땅에 발을 내디딘 적도 없고 그 혁명에서 그 어떤 역할도 한 적이 없음을 알고 있을 것입니다.[5]

편집자님, 독일 제후들 중 가장 보잘것없는 누구에게도 아무런 해를 끼치지 못한 사람이 거대한 대영제국에 해를 끼칠 수 있다는 생각은 우리가 보기에는 영국 국민에 대한 모욕이 될 것입니다. 따라서 우리는 《더 타임스》가 찰스 하인첸 씨에게 그가 사회주의와 공산주의에 맞서 싸운 **불운한 용기** (*courage malheureux*)에 대해 감사 인사를 전함으로써 이 모든 일을 마무리 짓도록 내버려두실 것을 부탁합니다.

당신의 충실한 독자,

독일의 한 사회민주주의자.

런던, 1849년 11월 28일.

엥겔스는 이 글을 영어로 썼다. ― 옮긴이

프리드리히 엥겔스

《노이에 라이니셰 차이퉁. 정치−경제 평론》의 수익성과 발행 부수에 대한 계산서

Berechnungen zur Rentabilität und Auflagenhöhe der
"Neuen Rheinischen Zeitung. Politisch-ökonomische Revue"

| **2000부**

$1500 \times 12^1/_2 = {}^5/_{12}$ 탈러 $= - \cdots$ 　　　　625.- 탈러

　500×25　　$= {}^5/_6$　$=$　　　　$416\,{}^2/_3$　〃　　　　　　1041.20탈러

빼기

인쇄비 3호당 $\times$ 70탈러 $=$　　　　210.- 탈러

운송비(500부) $= 20\%$　　　　83.10　〃

우편 및 기타 비용 $=$　　　　50.-　〃　　　　343.10[1] 〃

　　　　　　100파운드스털링. - 혹은　　698.10[2]탈러

　2500부

$2000 \times 12^1/_2$ 실버그로셴. $\cdots$　　833 ${}^1/_3$ 탈러

　$500 \times {}^2/_3$ 탈러　　　　333 ${}^1/_3$　〃　　　　1166.20탈러

빼기 인쇄비 3호당 $\times$ 85탈러 -　　255.- 탈러

우편 및 기타 비용. $\cdots$　　　65.-　〃　　　　320.- 탈러

　　　　　　120파운드스털링. - 혹은　　846.20탈러

　3000부

$2500 \times {}^5/_{12}$. $\cdots$　　　1041.20탈러

　$500 \times {}^2/_3$. $\cdots$　　　333.10　〃　　　1375.-[3] 탈러

빼기 인쇄비 3호 $\times$ 100탈러　　300.- 탈러

우편 및 기타 비[용]		80.- 〃	380.- 탈러
		150파운드스털링. - 혹은	995.-[4] 탈러

G16

300 × 25실버그로셴 …	———	250.- 탈러	
운송. 운임. 우편 비용	———	25.- 〃	225.- 탈러

50 × 25실버그로셴		41.20탈러	
운송. 운임. 우편 비용	———	5.20 〃	36.- 〃

100 × 25실버그로셴	———	83.10탈러	
운송. 운임. 우편 비용	———	23.10 〃	60.- 〃
		47파운드스털링. -	321.- 탈러

70

카를 마르크스/프리드리히 엥겔스
《노이에 라이니셰 차이퉁. 정치-경제 평론》 예고
Ankündigung der "Neuen Rheinischen Zeitung. Politisch-ökonomische Revue"

《노이에 도이체 차이퉁》

제14호, 1850년 1월 16일

1850년 1월[1] 발행:

《노이에 라이니셰 차이퉁.
정치-경제 평론》

카를 마르크스 편집.

이 잡지는 먼젓번 신문의 제목을 그대로 쓰는데, 그것의 **속편**[2]이라고 보면 된다. 잡지의 과제 중 하나는 《노이에 라이니셰 차이퉁》 탄압 이후 흘러간 시대[3]를 사후적인 서술을 통해 되짚어 보는 것이다.

신문의 가장 큰[4] 관심사인 운동에 대한 매일매일의[5] 개입과 운동으로부터 직접적으로 말하기, 그날의 역사를 있는 그대로 다 보여주는 것, 인민과 인민의 일간지[6] 사이의 계속되는 열정적인 상호작용 — 이러한 관심사가 평론에서는 불가피하게 사라지게 된다.[7] 반면[8] 평론은 사건들을 커다란 윤곽 속에서 파악하고[9] 오직 더 중요한 일들[10]만 오래 다룬다는 장점이 있다. 평론은 전체 정치운동의 토대를 형성하는 **경제적** 관계들을[11] 자세하고 과학적으로[12] 다룰 수 있게 해준다.[13]

지금과 같은, 겉으로 보기에 소강상태인 시기는 혁명을 겪어온 시기와 정당들의 이전투구 양상과 이러한 정당들의 생존과 투쟁을 조건 짓는 사회적 관계들을 해명하는 데 바로[14] 이용되어야 한다.[15]

G18   평론은 매달 최소 전지[16] **다섯**[17] 장으로 발행하고, 3개월 정기구독료는 25실버그로셴[18]이며, 첫 호를 배달[19]받고 납부할 수 있다. 개별 호는 10실버그로셴[20]이다.[21] [22]함부르크[23]에 있는 **슈베르트사**가 **서적** 판매[24]를 담당한다.[25]

《노이에 라이니셰 차이퉁》의 친구들에게는 정기구독자 명단을 각각의 지역에서 회람할 수 있도록 할 것이며, 정기구독 신청서를 아래에 서명한 사람에게[26] 발송을 위해 신속히 보내주실 것을[27] 부탁한다. 기고문[28]과 평론에서의 서평을 위한 신간 서적[29]은 우편요금 선불로 접수한다.[30]

런던, 1849년 12월 15일.[31]

C. **슈람**,
《노이에 라이니셰 차이퉁》 발행인.[32]
첼시[33] 킹스 로드 앤더슨 스트리트 4.

Neue
Rheinische Zeitung.

Politisch=ökonomische Revue,

redigirt von

Karl Marx.

Zweites Heft. — Februar 1850.

Inhalt:

1848—1849. — II. Der 13. Juni 1849. Von Karl Marx.
Die deutsche Reichsverfassungs=Campagne. III. Die Pfalz. Von Friedrich Engels.
Literatur. I. Daumer, die Religion des neuen Weltalters. — II. L. Simon (von Trier), ein Wort des Rechts für alle Reichsverfassungskämpfer. — III. Guizot, Pourquoi la Révolution d'Angleterre a-t-elle réussi?
Revue.

London,

C. Schramm, Gerant.

Hamburg und New=York.

In Commission bei Schuberth & Co.

1850.

《노이에 라이니셰 차이퉁. 정치-경제 평론》, 함부르크, 제2호, 1850년, 표지

프리드리히 엥겔스

독일에서 온 편지 I

독일의 정치적 상황 ── 프로이센과 오스트리아의 패권 다툼

Letter from Germany I
The political situation in Germany ──
The quarrel for supremacy between Prussia and Austria

《더 데모크라틱 리뷰》

1850년 1월

|317| 독일에서 온 편지.

(우리의 통신원으로부터)

퀼른, 1849년 12월 18일.

"질서가 독일을 다스리고 있다." 이것이 제후이든, 귀족이든, **부르주아지**든, 또는 여러분이 영어로 **질서 장사꾼**(*Order-mongers*) 정당이라고 부르는 것이 적당할 최근에 새로 결성된 정당의 그 어떤 분파든 간에, 우리 지배자들의 최근의 위대한 구호이다. "질서가 독일을 다스리고 있다." 하지만 질서는 온 적이 없었고, 심지어 옛날의 "신성로마제국" 아래에서도 오지 않았다. "질서"의 지배 아래 현재 독일에 있는 것은 혼란이다.

1848년 혁명 이전 구체제하에서 우리는 최소한 누가 우리를 다스리는지 알고 있었다. 구 프랑크푸르트 연방의회[1]는 스스로 언론의 자유에 반대하는 법률과 예외적인 법정과 탄압을 통해 특정 독일 인구를 기만하는 가짜 헌법을 만들었다. 그러나 지금은! 우리는 이 나라에 중앙정부가 얼마나 많이 있는지 거의 모르고 있다. 먼저 해산된 국민의회[2]에 의해 제도화되고 아무런 권력도 없지만 대단한 아집으로 자기 자리를 고수하고 있는 제국의 교구 목사[3]가 있다. 둘째로는 **"과도정부"**[4]가 있는데, 그것은 —— 누구도 정확히는 모르지만 —— 일종의 옛날 의회의 부활 같은 것으로, 과거 프로이센의 일반적인 영향력 아래에서 생겨났으며, 그 "과도정부"는 (어느 정도 오스트리아의 이해를 대변하는) 늙은 교구 목사를 쿡쿡 찌르며 그의 자리를 자기네 손아귀에 넘겨주고 물러나기를 요구하고 있다.* 그동안 아무도 가장 작은 권력조차 가져본 적이 없다. 셋째로는 국민의회의 마지막 시기에 ‖318‖ 슈투트가르트에서 선출된 "제국 섭정"[5]이 있고, 그 의회의 잔존물로 "결연한 좌파"와 "극단적 좌파"[6]가 있는데, 이 두 좌파는 "섭정"과 함께 독일의 "온건하고 철학적인" 민주주의자와 소시민(shopocrats)을 대변한다. 이 "제국" 정부는 스위스 베른에 있는 한 선술집[7]에 그 권좌를 틀고 있으며, 앞서 언급한 두 가지와 같은 정도의 권력을 가지고 있다. 넷째로 삼제연맹(Three-Kings'-League), 또는 "제한된(또는 고상한, 어떤 것인지 나는 모르겠다) 연방국가"라고 불리는 것이 있는데, 프로이센 왕을 독일의 다른 모든 작은 국가들 **위의** 황제로 만들려는 목적으로 생겨났다. "삼제연맹"이라고 불리는 것은 프로이센 왕만 제외하고 모든 왕이 그에 반대하기 **때문**이고, 스스로를 "제한된 연방국가"라고 부르는 것은, 지난 5월 28일 이후 산통을 겪고 있음에도 불구하고 생존 가능성이 있는 그 어떤 것이라도 만들어낼 희망이 보이지 않기 때문이다!![8] 다섯째로는 하노버, 작센, 바이에른, 뷔르템베르크의 군주 네 명이 있는데, 이들은 위에 언급한 "중앙 무기력자들"(Central Impotencies) 중 어느 누구에게도 굴복하지 않고 자기들 마음대로 하기로 결심했다. 마지막으로 오스트리아가 있는데, 독일에서의 패권을 지키기 위해 모든 수단을 동원하면서, 따라서 프로이센의 주도권으로부터 독립하기 위해 애쓰는 군주 네 명을 지원하고 있다. 이러는 가운데 권력을 가진 **진짜** 정부는 오스트리아와 프로이센이다. 그들은 군사 압제로 독일을 지배하면서 자기들 마음대로 법을 만들기도 하고 폐기하기도 한다. 그들의 지배 영역과 종속국 사이에 **유사** 중립지대처럼 네 개의 왕국이 놓여 있는데, 이 영

G22

---

* 위의 편지로 알 수 있듯이, 이들 지역에서는 "교구 목사"를 포기하고 그 권한(?)을 오스트리아와 프로이센의 지방 행정관에게 넘겨주었다. 이렇게 프랑크푸르트 어릿광대 극은 끝이 났다. ——《더 데모크라틱 리뷰》 편집자 주

역 위에서, 특히 작센에서 두 열강의 허세가 부딪치게 될 것이다. 하지만 그들 사이에 심각한 갈등의 가능성은 없다. 오스트리아와 프로이센 양국은 독일과 헝가리, 그리고 해당 열강에 속하는 폴란드 지역을 휩쓸고 있는 혁명 정신을 억누르고자 한다면 자신들의 힘을 합해야 한다는 사실을 너무나 잘 알고 있다. 그 외에 필요한 경우에는 "우리의 사랑하는 매형" 러시아의 정통 차르[9]가 개입해서 자신의 주지사 격인 오스트리아와 프로이센이 자기들끼리 싸우지 못하게 할 것이다.

그러나 정부와 허세와 주장들과 독일 연방 법의 이러한 전대미문의 혼란은 한 가지 커다란 이점이 있다. 독일 공화주의자들은 최근까지 연방주의자와 통일주의자로 나뉘어 있었다. 전자는 남부에 그 기본 세력을 가지고 있다. 독일을 다시 연방국가로 만들려는 모든 시도에 뒤따르는 혼란은 그러한 계획이 헛되고 실현 불가능하며 어리석은 짓이라는 것과, 독일은 문명이 너무나 발전해서 **하나이자 나눌 수 없는 민주주의적이며 사회적인 독일 공화국** 이외의 체제하에서는 다스릴 수 없다는 것을 명백하게 해줄 것이다.

발데크와 야코비의 무죄 선고에 대해 몇 마디 이야기하는 것이 좋겠지만 지면 관계상 접어둔다.[10] 앞으로 다가올 최소한 몇 개월간은 프로이센 정부가 얼스터의 오렌지당원[11]만큼이나 광신적인 재판관 계급이 있는 몇몇 먼 곳을 제외하고는 정치 재판에서 유죄 판결을 얻어내기가 거의 불가능하리라는 점을 말하는 것으로 족하다.

G23

엥겔스는 이 글을 영어로 썼다. — 옮긴이

프랑스에서 온 편지 I
주류 소비세
Letter from France I
The excise on potable liquors

《더 데모크라틱 리뷰》

1850년 1월

|315| **프랑스에서 온 편지.**

———

(우리의 통신원으로부터.)

파리, 1849년 12월 20일.

최근의 가장 큰 문제는 현재 입법의회에서 논의되고 있는 "주류" 소비세 부과 문제이다. 이 문제는 매우 중요하며 정말로 그 자체로 현재 상황의 아주 많은 것을 포함하고 있기에 편지 전체를 이 문제에 할애해도 크게 나쁘지 않을 것이다.

주류세는 아주 오래된 것이다. 그것은 18세기 왕정 재정 체계의 중요한 특징 중의 하나였고, 첫 번째 혁명(1789년 혁명 — 옮긴이) 당시 사람들의 주된 불만 중의 하나였다. 그것은 혁명과 함께 사라졌다. 하지만 나폴레옹이 이것을 1808년경 보다 완화된 형태로 복구했는데, 이 시기는 그가 그의 혁명적 기원을 잊은 채 오래된 유럽의 왕족들 사이에서 자신의 왕조[1]를 건설하는 것을 주된 목표로 삼은 때였다. 그 세금은 사람들에게 너무나 기분 나

THE
DEMOCRATIC REVIEW

OF

BRITISH AND FOREIGN

POLITICS, HISTORY, & LITERATURE,

EDITED BY

G. JULIAN HARNEY.

VOL. I.

JUNE, 1849—MAY, 1850.

London:

J. WATSON, 3, QUEEN'S HEAD PASSAGE, PATERNOSTER ROW.

1850.

《더 데모크라틱 리뷰》, 런던, 1850년, 표지

(315)

LETTER FROM FRANCE.

(From our own Correspondent.)

Paris, December 20th, 1849.

The great question of the day is the excise upon "potable liquors," now under discussion in the National Legislative Assembly. This question is of such importance, and contains, in fact, in itself, so much of the whole present situation, that it will not be amiss to devote to it the whole of this letter.

The tax on potable liquors is of very old date. It formed one of the principal features of the financial system under the monarchy of the eighteenth century, and one of the main grievances of the people at the time of the first revolution. It was done away with by that revolution. But Napoleon restored it in a somewhat modified shape about the year 1808, at a time when, forgetting his revolutionary origin, he made the establishment of his dynasty in the midst of the ancient European royal families, his principal aim. The tax was so exceedingly obnoxious to the people, that at the downfall of Napoleon, the Bourbon family promised its immediate repeal, and Napoleon himself, at St. Helena, declared it had been that tax more than anything else which caused his fall, by setting against him the whole of the South of France. The Bourbons, however, never thought of redeeming their promise, and the tax remained as before up to the revolution of 1830, when, again, its abolition was held out to the country. This promise was no more fulfilled than the preceding one; and thus the excise existed when the revolution of 1848 broke out. The provisional government, instead of immediately repealing it and substituting for it a heavy income-tax upon the large capitalists and landed proprietors, only promised either its repeal, or at least its revision; the Constituent Assembly even went so far as to continue the tax altogether. It was only in the last days of its existence, when royalism was rifer than ever, that the "honest" and "moderate" members of that assembly voted the repeal of the tax on potable liquors, to take effect from the 1st of January, 1850.

It is clear that the tax in question belongs essentially to the monarchical traditions of France. Repealed as soon as the mass of the people got the upper hand, it was restored as soon as either the aristocracy or the *Bourgeoisie*, represented by a Louis XVIII. or a Louis Philippe, held the reins of government. Even Napoleon, though in many points opposed to both aristocracy and Bourgeoisie, and overthrown by the conspiracy of both—even the great Emperor thought himself obliged to re-establish this feature of the ancient traditions of Monarchical France.

The tax in itself weighs very unequally upon the different classes of the nation. It is a grievous burden upon the poor, while upon the rich the pressure is exceedingly light. There are about twelve millions of wine producers in France; these pay nothing upon their consumption of wine, it being of their own growing: there are, further, eighteen millions of people inhabiting villages and towns under 4,000 inhabitants, and paying a tax from 66 centimes to 1 fr. 32 centimes per 100 litres of wine; and there are, finally, some five millions inhabiting towns of more than 4,000 inhabitants, and paying upon their wine the *droit d'octroi*, levied at the gate of the town, and varying in the different localities, but at all events incomparably higher than what is paid by the preceding class. The tax, further, falls quite as heavy upon the most inferior as upon the hither-priced wines; the hectolitre which

1849년 12월 20일의 기고문 「프랑스에서 온 편지」 시작 부분.

《더 데모크라틱 리뷰》, 런던, 1850년 1월

뻔 것이어서 나폴레옹이 몰락하자 부르봉 왕가가 그것을 즉각 폐지하겠다고 약속하고, 나폴레옹 본인도 세인트헬레나 섬에서 그의 몰락을 재촉한 것은 다른 무엇보다 프랑스 남부 전체가 그를 적대시한 바로 그 세금이었노라고 선언할 정도였다.[2] 하지만 부르봉 왕가는 결코 이 약속을 이행할 생각을 하지 않았고, 세금은 이전처럼 1830년 혁명까지 지속되다가, 또다시 나라 전체에서 그 세금을 폐지하겠다고 제안했다. 이 약속은 이전의 약속처럼 지켜지지 않았다. 그래서 1848년 혁명이 발발했을 때 세금은 여전히 존재하고 있었다. 임시정부는 즉각 그것을 폐지하고 대자본가와 토지 소유자에게 무거운 소득세를 도입하는 대신, 그것의 폐지나 적어도 개정만을 약속했을 뿐이었다. 제헌의회는 심지어 그 세금을 통째로 지속시키기까지 했다. 왕당파(Royalism)가 어느 때보다 널리 퍼진 제헌의회 마지막 시기에 가서야 "정직하고" "온건한" 제헌의회 의원들이 주류세 폐지를 결의하고 1850년 1월 1일부터 그 효력을 발휘하게 되었다.

문제의 세금이 본질적으로 프랑스의 왕조적 전통에 속한다는 것은 분명하다. 그것이 인민이 우위를 점하게 되자마자 폐지되었다면, 루이 18세 또는 루이 필리프로 대표되는 귀족이나 **부르주아지** 중 어느 하나가 정부 권력을 장악하자마자 그것은 다시 복구되었다. 많은 점에서 귀족과 부르주아지 양측과 대립했고 양자의 음모에 의해 타도된 위대한 황제 나폴레옹조차 스스로 프랑스 왕정의 오래된 전통의 이 특징을 재정립해야 한다고 생각할 정도였다.

세금은 그 자체가 국민의 여러 계급에 대해 매우 불공평하게 매겨진다. 그것은 가난한 사람들에게는 극심한 부담이고 반면 부유한 사람들에게 이 압박은 극도로 가벼운 것이다. 프랑스에는 대략 1200만 명의 포도주 생산자들이 있다. 이들은 자신들이 만들어낸 포도주의 소비에 대해 한 푼도 내지 않았다. 게다가 인구 4천 명 이하의 마을이나 도시에 사는 사람들이 1800만 명인데, 포도주 100리터당 66상팀(centime: 프랑스 화폐의 작은 단위로 100분의 1프랑 — 옮긴이)에서 1프랑 32상팀의 세금을 냈다. 마지막으로 4천 명 이상의 도시에 거주하는 500만 명의 사람들은 그들이 마시는 포도주에 대해 지역에 따라 다르지만 도시 입구에서 부과되는 **입시세**(入市稅, *droit d'octroi*)를 내야 했는데, 어떤 경우이든 앞의 다른 계급들이 내던 것보다 비교할 수 없을 정도로 많은 세금을 내야만 했다. 더욱이 세금은 질 낮은 포도주에 대해서도 고가의 포도주와 마찬가지로 부과되었다. 100리터당 ||316| 2, 3, 4프

랑에 팔리는 포도주나 12프랑에서 1,500프랑까지 하는 포도주나 똑같은 세금을 매겼다. 그리하여 값비싼 샴페인이나 클라레, 버건디를 소비하는 부유한 소비자가 거의 아무것도 내지 않는 반면, 노동자는 자신의 질 낮은 포도주로 원래의 가격에 대해 50, 100퍼센트, 경우에 따라서는 500이나 1000퍼센트의 세금을 정부에 내고 있는 것이다. 이 세금으로 걷은 세입 중 5100만 프랑은 가난한 계급이 낸 것이고, 2500만 프랑만 부유한 시민들이 낸 것이다. 이런 상황에서 이 세금이 프랑스 포도주 생산에 매우 해롭다는 데는 조금도 의심의 여지가 없다. 이 생산물의 주된 시장인 도시는 포도주 생산자들에게 외국과도 같은 곳이어서 생산품을 판매하기 전에 **가격에 따라**(ad valorem) 50퍼센트에서 1,000퍼센트까지 일반 관세를 내야만 한다. 시장의 다른 부분인 농촌 지역에서는 원래 가격의 최소한 20에서 50퍼센트까지 세금을 내야 한다. 이것의 불가피한 결과는 포도 재배 지역의 황폐화이다. 세금에도 불구하고 포도주 생산량이 늘었다는 것은 사실이지만, 인구는 이 증가율보다 훨씬 빠른 속도로 늘어난 것이다.

그렇다면 왜 중간계급 정부 아래서 이렇게 불쾌한 세금이 유지될 수 있었던 걸까? 여러분은 영국에서라면 코브던과 브라이트가 이미 오래전에 그것을 쓸어버렸을 것이라고 말할 것이다. 그리고 그들은 그렇게 할 것이다. 하지만 프랑스에서는 생산자들이 **코브던**이나 **브라이트**처럼 자신들의 이해를 아무도 꺾을 수 없는 고집으로 대변하는 사람도, **필**처럼 그들의 주장에 양보하는 사람도 결코 찾지 못했다. 의회 다수가 그토록 과시하는 프랑스의 재정 체계는 상상할 수 있는 것 중에 가장 혼란스럽고 인위적인 **잡탕**(mixtum compositum)이다. 1842년 이래 영국에서 실행된 개혁 중에 아무것도 루이 필리프 치하 프랑스에서 시도되지 않았다.[3] 우편요금 개혁은 기조의 축복받은 시대에 거의 신성 모독으로 취급되었다. 관세는 자유무역도 단순한 수입도 아니고, 보호관세도 금지 관세도 아니면서, 자유무역을 제외한 모든 것의 성격을 어느 정도 가지고 있었고 지금도 그러하다. 오래도록 아무 쓸모가 없었던, 그러기는커녕 무역에 몹시 해로웠던 금지 관세와 고율 관세적 특성이 이 관세의 모든 부분에서 발견된다. 하지만 아직 누구도 감히 그것에 손대려 하지 않는다. 주민 1천 명 이상의 모든 도시에서 그곳으로 들어오는 생산품에 대해 지역 관세가 간접적으로 매겨진다. 따라서 무역의 자유는 심지어 국내에서조차 10마일 또는 15마일마다 일종의 내국 관세청에 의해 교란되고 있는 것이다.

중간계급 정부에도 마땅치 않은 이런 사정은 다른 이유에 의해서 방치되어왔다. 이 모든 억압적 세금에도 불구하고, 14억 또는 15억 프랑의 수입에도 불구하고, 매년 적자가 발생하고 5년 중에 넷째 해마다 대출을 받아야 했다. 파리 증권거래소의 주식 투기꾼들은 이러한 열악한 공공 재정 상태에서 마르지 않는 이윤의 원천을 발견했다. 그들과 그들의 협력자들은 양원에서 다수파를 형성하고 있었으며, 따라서 국가의 실질적인 지배자들이었고 언제나 신선한 화폐의 공급을 요구했다. 게다가 재정 개혁은 예산을 균형 상태로 만들어줄 조치들을 쓸어버리지 않고는 효과를 발휘하지 못했을 것이며, 세금 분담을 변화시키고 이 주식 투기꾼들에게 세금을 매기는 것 외에 중간계급의 다른 분파에게 더 큰 정치적 힘을 실어줄 것이었다. 그러한 변화가 루이 필리프의 좀먹은 정부 아래서 어떤 결과를 가져올지는 2월 혁명에 이르게 한 비교적 사소한 구실에서 여러분이 판단할 수 있을 것이다.[4]

그 혁명은 프랑스의 재정 체계를 개혁할 능력이 있는 사람을 아무도 권좌에 올려놓지 못했다. 재정부를 장악한 **의회**의 신사분들은 적자의 무게로 인하여 스스로 압도당했다고 느꼈다. ||317| 여러 시도가 하나하나 이루어졌다. 소금에 대한 과세 폐지와 우편요금 개혁을 제외한 모든 시도가 수포로 돌아갔다. 마침내 절망한 나머지 제헌의회가 포도주세의 폐지를 의결했고, 이제 현재의 소중한 의회의 "정직하고" "온건한" 질서의 사람들이 그것을 부활시킨다! 아니, 그것 이상이다. 장관[5]은 소금세를 부활시키고 우편요금을 다시 올릴 생각이다. 그래서 영속적인 적자와 어려움, 그리고 그로 인한 파리 증권거래소의 절대적인 출렁임, 이 일 저 일, 사고팔기, 이익 챙기기 등을 동반하는 옛 재정 체계가 머지않아 곧 프랑스에서 부활할 것이다.

하지만 사람들이 가난한 사람들의 긴요한 필수품에 대해 무거운 세금을 물리면서 부자들은 거의 면제해주는 조치를 그냥 조용히 받아들일 것 같지는 않다. 사회민주주의는 프랑스의 농업 지역에 놀랍게도 널리 퍼져 있다. 그리고 이러한 조치는 12개월 전 야심만만한 고집쟁이 루이 나폴레옹에게 투표한 수백만의 사람들을 변화시킬 것이다. 이 나라에서 사회민주주의가 일단 승리하면 불과 몇 달, 아니 몇 주 지나지 않아 튈르리에서 엘리제 궁까지 붉은 깃발이 넘실댈 것이다. 오직 그때에만 단번에 국가 부채를 일소하고, 직접세와 누진세 체계를 도입하고, 활기 넘치는 유사한 성격의 다른 조치들을 통해서 옛날의 억압적인 재정 체계를 급진적으로 뒤엎는 것이 가능

G29

할 것이다.

엥겔스는 이 글을 영어로 썼다. ─ 옮긴이

프리드리히 엥겔스

독일에서 온 편지 II

독일 전제군주에 관한 이상한 폭로 —

프랑스와의 예정된 전쟁 — 다가오는 혁명

Letter from Germany II

Curious revelations concerning the despots of Germany —

Intended war against France — The coming revolution

《더 데모크라틱 리뷰》

1850년 2월

|356| 독일에서 온 편지.

————

(우리의 통신원으로부터.)

독일의 전제군주에 관한 이상한 폭로 —

프랑스와의 예정된 전쟁 — 다가오는 혁명.

쾰른, 1850년 1월 20일.

지난번 편지를[1] 보내고 난 다음 날 누가 독일 전체를 다스릴 것인가 하는 "문제의 해결"에 대한 소식이 도착했다. 오스트리아 대표 2명과 프로이센 대표 2명으로 구성된 "과도정부"가 마침내 우세한 세력을 얻으면서 늙은 요한 대공을 물러나게 했다. 그 결과로 그들이 통치권을 얻었지만, 그것이 오래가지는 않을 것이다. 다음 5월에 임기가 만료되지만, 그 이전이라도 어떤 "뜻밖의 일"로 인해 독일의 임시 지배자들인 이 4명이 쓸려가버릴 수 있다고 기대할 만한 충분한 이유가 있다. 이 군사독재의 네 위성의 이름이 의

미심장하다. 오스트리아는 **메테르니히 치하**에서 재무장관을 지낸 퀴베크와 도살자 라데츠키의 오른팔 쉰할스 장군을 파견했다. 프로이센을 대표한 것은 예수회 회원이고 왕의 총애를 받으며, 프로이센이 독일 혁명을 진압하는 데 성공한 그 모든 음모를 꾸며낸 주요 인물인 라도비츠 장군과 혁명 이전 동프로이센 주지사로서 그곳에서 공공 집회의 "진압자"이자 스파이 체계의 설립자로 애틋하게(?) 기억되는 ||357| 뵈티허였다. 그런 악당들이 무엇을 하는지는 굳이 말하지 않아도 될 것이다. 한 가지 사례만을 언급하고자 한다. 뷔르템베르크 정부는 혁명의 강요로 투른 운트 탁시스 왕자(Prince of Thurn and Taxis)와 계약을 맺었는데, 그는 여러분이 알다시피 독일의 많은 지역에서 우편과 승객 수송[2]의 독점권을 가진 사람이었다. 뷔르템베르크 정부는 이 강도와 전국적인 차원에서 상당한 금액을 받고 정부에 유리한 방향으로 그의 독점권을 포기하기로 계약을 맺었다. 시간이 흘러 나라를 등쳐 먹고사는 이런 사람들에게 좋은 시절이 오자 투른 운트 탁시스 왕자는 자신의 독점권을 계약에 명시된 것보다 높게 평가하면서 포기하려 하지 않았다. 압력을 벗어난 뷔르템베르크 정부는 이러한 의견 변화를 합리적이라고 생각했고, 양자는 — 왕자는 공공연히, 앞에 언급한 정부는 비밀리에 — "과도정부"에 해결을 의뢰했는데, 과도정부는 1815년 구법의 한 조항을 구실로 삼아 그 계약이 무효이며 적법하지 않다고 선언했다.[3] 이것은 괜찮다. 투른 운트 탁시스 씨가 몇 개월 더 그의 특권을 유지하는 것은 더 잘된 일이다. 인민은 그들이 그 많은 특권을 끝장내게 되면 그에게 한 푼도 주지 않으면서 그에게서 특권을 빼앗을 뿐만 아니라, 그 반대로 그때까지 인민에게서 그가 빼앗아온 돈조차도 포기하게 만들 것이다.

오스트리아의 군사독재는 날이 갈수록 더 견딜 수 없는 상태가 되고 있다. 언론은 거의 소멸해버렸고, 공적 자유는 파괴되었으며, 온 나라는 스파이들로 — 나라 어느 곳에서든 투옥, 군사법원, 태형이 — 우글거린다. 이것이 정부가 가끔씩 공포하는, 그리고 공포하는 순간에 침해에 관하여 조금도 신경 쓰지 않는 주 헌법(provincial constitution)의 실질적 의미다.[4] 하지만 모든 것에는 끝이 있게 마련이고, 계엄령이나 칼의 지배라도 마찬가지다. 군대는 돈이 들고, 돈은 아무리 막강한 황제라 하더라도 자기 마음대로 만들어낼 수는 없는 것이다. 오스트리아 정부는 지금까지는 엄청난 양의 지폐를 발행함으로써 재정을 간신히 유지해왔다. 하지만 이것에도 역시 끝은 오게 마련이다. 언젠가 내가 왕이나 황제라 하더라도 자기가 원하는 만큼 지폐를 만들어낼 수 없다고 말했다는[5] 이유로 내게 결투를 신청하려 한 프로이센 중위까지 있었음에도 불구하고 — 그렇게 심오한 경제학자가 있었음에도 불구하고, 오스트리아 황제는 불태환 지폐이긴 하지만, 자신이 발행한 지폐의 가치가 은 대비 20에서 30퍼센트, 금 대비 거의 50퍼센트 절하된 것을 바라보고 있다. 그가 의도한 해외 차관은 코브던 씨의 노력을 통해 실패로 돌아갔다. 해외 자본가들은 단지 50만 파운드스털링의 금액에만 동의했고, 황제는 그것의 15배를 원했다. 반면 힘에 겨운 그의 나라는 그에게 아무것도 빌려줄 것이 없다. 작년 9월 말 1550만 파운드스털링에 달하던 적자가 이번에는 2000만에서 2400만 파운드스털링에 달하게 되었고,[6] 헝가리 전쟁 비용 중 절반 이상은 1849년 마지막 4분기에 지불해야 한다. 따라서 오스트리아는 오직 한 가지 대안이 있을 뿐이다. 파산하거나, 아니면 해외 전쟁을 일으켜 군대로 하여금 비용을 스스로 지불하게 하고, 전투 승리와 지역 정복 그리고 전쟁 분담금의 부과를 통해 상업 신용을 다시 회복하는 것이다. 그래서 코브던 씨는 평화 유지를 구실로 오스트리아와 러시아에 차관을 제공하는 것에 반대하면서, 프랑스 공화국을 상대로 어떤 상황에서도 더는 미룰 수 없는 연합 작전을 서두르도록 하는 데 그 누구보다 기여했던 것이다.[7] 왜냐하면 러시아는 오스트리아만큼 어려운 상태에 있었기 때문이다.

프로이센에서 우리는 또 다른 "왕의 양심"적 행위를 돕고 있다.[8] 여러분은 자기 약속을 절대 깨지 않았던 사람인 프리드리히 빌헬름 4세가 1848년 11월 국민의회를 강제로 해산하고 자기 백성에게 ||358| 자기 뜻대로 헌법을 강요했다는 사실을 알고 있다. 또한 그가 이 멋진 작품을 처음 소집될 의회에서 수정하기로 동의했다는 것을 알고 있다. 또한 이 의회에서 하원(House of Commons)은 수정 작업을 시작하기도 전에 해산되었으며, 보통 선거권이 멋지게 사라지고 토지귀족, 정부 관료, 그리고 **부르주아지**의 다수파가 보증한 또 다른 선거법 개혁이 인민에게 강요되었다는 사실을 알고 있다.[9] 이 하원의 선거에 모든 민주주의자가 투표하기를 거부함에 따라 전체 유권자의 5분의 1에서 6분의 1에 의해 선출된 바로 이 하원은 구 상원과 함께 헌법 수정에 착수했고, 당연하게도 본인이 원래 스스로 만들었던 것보다 더 왕의 마음에 들게 만들었다. 이제 그들은 그 일을 거의 다 끝냈다. 이제 여러분은 폐하께서 개정된 헌법을 받아들이고 거기에 서술된 대로 선서를 할 것이라고 생각하는가? 실은 그렇지 않다. 그는 충직한 그의 의회에 왕의 메시지를 보내,[10] 양원이 그의 헌법을 가지고 만든 일에 매우 기뻐한다

고 말하고서는, 하지만 그의 "왕의 양심"이 앞서 말한 선서를 하도록 허락하기 전에 약 10여 개의 항목에서 헌법이 수정되어야 한다고 말한다. 그 항목들은 무엇인가? 폐하께서는 충분히 온건하셔서 다음의 사소한 것 이상은 요구하지 않으신다. 1. 현재 대토지 소유자와 자본가가 선출하는 상원은 왕족, 폐하가 선택하신 약 100여 명의 세습 귀족, 대토지 소유자가 선출하는 60명의 귀족, 대자본가가 선출하는 30명, 그리고 대학이 선출하는 6명으로 구성되는 온전한 상원이 되어야 한다. 2. 장관은 국왕과 국가에 책임을 지고, 의회에 책임을 지지 않는다. 3. 예산상의 모든 세금은 의회의 거부권 없이 계속 부과된다. 4. 정치적 범죄를 심리할 — 배심원이 아니라 — "성법원"(Star Chamber) 또는 최고법원의 설립. 5. 하원의 권한을 규정하고 제한하는 특별법 등등. 자, 이제 여러분은 이것을 어떻게 생각하는가? 폐하께서는 착한 프로이센 사람들에게 의회가 개정해야 할 새 헌법을 강요하신다. 그의 의회는 인민의 권리 같은 모든 것을 지움으로써 헌법을 개정한다. 그리고 왕은 그것에 만족하지 못하고, "왕의 양심"이 자기 뜻에 따라 개정된 그 자신의 헌법을 위에 언급한 또 다른 수정 없이는 받아들이지 못하도록 막노라고 선언한다. 정말이지 이것은 참으로 "왕다운" 양심이 아닐 수 없다! 심지어 현재의 가짜 의회마저 그 뻔뻔스러움 앞에는 고개 숙이지 못할 지경이다. 그 결과는 G33 해산이고 프로이센에서 당분간 모든 의회의 종언을 의미한다. 이 모든 것의 비밀은 앞에 언급한 대동맹 전쟁의 예상이었다. 프로이센 왕좌에 앉은 "양심적인" 신사분은 반란을 일으킨 자기 나라가 3월이나 4월경까지는 백만의 아시아 야만인들로 가득 차고 "그 자신의 영광스러운 군대"와 함께 그가 마음으로 아끼는 샴페인을 생산하는 그 좋은 나라를 정복하기 위해 파리로 행진해 갈 것을 기대하고 있다. 그리고 일단 공화국이 사라지고, 성 루이의 자손이 프랑스의 권좌에 복귀하게 되면, 국내에서 헌법이며 의회가 다 무슨 쓸모가 있겠는가?

그사이 혁명 정신이 독일 전역에서 다시 신속하게 부활하고 있다. 1848년 3월 이후 인민을 쳐부수기 위해 국왕 편에 가담한 가장 뿌리 깊은 옛 자유주의자는 — 독일 속담에서처럼 — 악마에게 새끼손가락 끝만을 주었으나 이제 그 악마가 손 전체를 붙들고 있는 것을 보고 있다. 정치 재판에서 판사에 의한 끊임없는 무죄 선고가 이것의 가장 좋은 예다. 매일 이에 관한 새로운 소식이 들려온다. 1849년 5월에 반란을 일으켜 ||359| 엘버펠트로 파견된 군대를 막기 위해 철로를 끊어버린 밀하임 노동자들이 며칠 전 여기 쾰

른에서 무죄 선고를 받았다.[11] 독일 남부에서는 재정적 어려움과 세금의 증가로 인해 지금 상태가 오래 지속되지 못하리라는 것이 모든 부르주아지에게 분명해지고 있다. 바덴에서는 지난번 봉기를 배반하고 프로이센 군인들의 도착에 환호하던 바로 그 **부르주아지**가 이제 그들을 망하게 하고 절망으로 몰아가는 바로 그 프로이센인과 정부에 의해 벌을 받고 미칠 지경이 되고 있다. 노동자와 소작농은 곳곳에서 프롤레타리아트의 정치적 지배와 사회적 진보가 확보될 때까지 이번에는 쉽게 굴복하지 않을 봉기의 신호를 기다리며 **바짝 경계하고**(*qui vive*) 있다. 그리고 **이 혁명은 가까이 다가오고 있다.**

엥겔스는 이 글을 영어로 썼다. ─ 옮긴이

프랑스에서 온 편지 II
붉은 공화주의의 위대한 진보에 대한 결정적 증거!
Letter from France II
Striking proofs of the glorious progress of Red Republicanism!

《더 데모크라틱 리뷰》

1850년 2월

|355| 프랑스에서 온 편지.

(우리의 통신원으로부터.)

붉은 공화주의의 위대한 진보에 대한 결정적 증거!

파리, 1850년 1월 21일.

지난 편지[1] 이후로 아주 중요한 일들이 여럿 일어났지만, 일반 독자 여러분은 일간지와 주간지에서 그에 관한 정보를 얻었을 것이기에, 같은 일을 처음부터 끝까지 반복하는 것은 자제하고, 대신 이 편지를 국가의 상태에 관한 몇 가지 일반적인 관찰로 제한하고자 한다.

지난 12개월에서 15개월 동안 프랑스 전역에 걸쳐 혁명 정신이 굉장한 진보를 이루었다. 그 사회적 위치에 의해 문명화된 사회에서 가능한 최대한도로 공적인 일에 대한 관심에서 멀리 떨어져 있는 계급, 옛날 왕정 시대의 입법에 의해 모든 정치적 권리와 단절된 계급, 신문을 결코 읽지 않는 계급, 그럼에도 불구하고 프랑스인의 대다수를 구성하고 있는 계급, 이 계급이 마침내 신속하게 제정신을 차리고 있다. 이 계급은 소농인데, 2800만 명의 남자와 여자, 그리고 아이들이며, 그 계급 중에는 800만에서 900만에 달하는 소토지 자작농을 셀 수 있는데, 이들은 자유보유권(freehold property)의 형태로 프랑스 토지의 적어도 ⁴/₅를 보유하고 있다. 이 계급은 1815년 이래 모든 정부에게 탄압을 받아왔는데, 프랑스에서 매우 무거운 편에 속하는 토지세 1프랑당 45상팀의 세금을 추가로 이 계급에 부과한 임시정부도 예외는 아니다. 또한 일단의 고리대금업자 무리에 자신들의 재산을 거의 예외 없이 엄청나게 높은 이율로 저당 잡힌 이 계급은 마침내 도시 노동자의 이해를 위해 행동하는 하나의 예외를 제외하고는, 토지 분배에도 불구하고 매일 점점 더 깊이 빠져들어가는 궁핍과 기아에서 그들을 구해줄 수 있는 정부는 없다는 것을 보기 시작했다. 대규모로 1789년 혁명을 추동했고, 나폴레옹의 거대한 제국이 일어선 토대를 만든 이 계급이, 이제 그 절대다수가 파리와 리옹과 루앙 그리고 프랑스의 다른 대도시들의 혁명 정당과 노동자 편에 가담하고 있다. 토지 경작자들은 이제 그들이 최소 600만 표로 대통령으로 당선되는 것을 도왔고, 그들에게 포도주와 브랜디 세금의 재부과[2]로 보답한 루이 나폴레옹에게 어떻게 속았는지를 충분히 분명하게 보고 있다. 그래서 프랑스 인민 대다수는 적당한 때가 오기만 하면, 2월의 폭풍에 내동댕이쳐졌으나 다시 정부를 손아귀에 쥐고 그들의 총애를 받았던 루이 필리프 치하에서, 보다 훨씬 거만한 지배를 행사하는 자본가계급의 건방진 지배를 타도하고자 뭉쳤다.

지난 몇 달간의 역사는 이 아주 중요한 사실에 대한 수많은 증거를 제공하고 있다. 도풀 장관의 **헌병대**(*gendarmerie*)에 대한 회람을 보라. 그것에 따르면 아주 한적한 시골 마을에까지 정탐이 이루어지고 있다.[3] 교사들에 대한 법을 보라. 그들은 프랑스 촌락에서 일반적으로 그 지역의 여론을 가장 잘 보여주는 사람들이며, 이제 그들 대부분이 사회-민주적 견해를 표명한다는 이유로 정부의 자비에 맡겨지게 되었다.[4] 이 외에도 많은 사실이 있다. 하지만 가장 두드러진 증거 하나는 **가르** 주에서 방금 실시된 선거에서 찾을 수 있다. 이 구역은 "백색파"(Whites), 즉 정통 왕조파의 가장 오래된 본거지로 알려져 있다. 그곳은 1794년과 1795년 ||356| 로베스피에르의 몰락 후 공화주의자들에게 행해진 가장 끔찍한 잔악 행위의 무대였다. 그곳은 1815년 "백색 테러"의 중심 무대였는데, 그때 개신교도와 자유주의자가 공공연히

살해되었고, 악명 높은 트레스타용을 그 우두머리로 하고 정통성 있는 루이 18세 정부의 비호를 받은 정통 왕조파 폭도들이 희생자들의 부인과 딸들과 자매들에게 가장 끔찍한 성격의 잔악 행위를 저질렀다. 이 구역에서 사망한 정통 왕조파 자리에 보궐선거를 실시했는데, 그 결과 철두철미한 붉은 후보자가 압도적 다수표를 얻었고, 반면 정통 왕조파 후보 두 명은 미미한 지지를 받았을 뿐이다.[5]

　도시 노동자와 농촌 소농 사이의 급속한 연대의 발전을 보여주는 또 다른 증거는 공교육에 관한 새 법이다.[6] 부르주아지 중에서 가장 뿌리 깊은 볼테르주의자인 M. 티에르조차 그들의 오랜 이론과 실천을 포기하고, 성직자들의 발아래 공교육을 엎드리게 하는 것 말고는 이러한 진전에 반대할 수 있는 방법이 아무것도 남지 않았음을 간파하고 있다!

　다시 보자. 이제 아주 반동적이지는 않은 공공 신문들과 명망 있는 인물들이 모두 한때는 경멸받던 "사회주의자"라는 명칭을 자기 것이라고 주장하고 있다. 사회주의의 가장 오래된 적들이 이제는 그 스스로 사회주의자라고 선언하고 있다. 《르 나시오날》과 루이 필리프 치하에서 왕정주의적이었던 《르 시에클》조차 그들이 사회주의자라고 선언한다. 악명 높은 1848년의 배반자 마라스트도 헛되긴 하지만 자신을 사회주의자라고 선언함으로써 선거에서 이기기를 희망하고 있다. 하지만 인민은 속지 않을 것이며 그 부랑자를 목매달 밧줄은 준비되었고 오직 때가 오기만을 기다리고 있다.

　오늘 입법의회에서는 6월 봉기의 남은 죄수 468명을 알제리의 가장 엉망인 곳으로 보내어 노동을 시킴으로써 죽이기 위한 법안을 논의하고 있다.[7] 의심할 바 없이 그 법안은 압도적 다수로 통과될 것이다. 그러나 저 위대한 노동 전투의 불운한 영웅들이 그들이 묻힐 해안가에 도착하기 전에, 또 다른 인민의 폭풍이 살인의 법에 투표한 사람들을 쓸어버리고, 더 신속하고 더 급진적이고 가장 올바른 인민의 복수를 피한 지금의 다수파를 아마도 저 유형의 땅으로 데려갈 것이라는 사실에는 의심의 여지가 없다.|

엥겔스는 이 글을 영어로 썼다. ── 옮긴이

프리드리히 엥겔스

독일 제국헌법투쟁

Die deutsche Reichsverfassungskampagne

《노이에 라이니셰 차이퉁. 정치-경제 평론》

제1호, 1850년 1월

|35| 독일 제국헌법투쟁.

"헤커, 슈트루베, 블렝커, 치츠 그리고 블룸이여,
독일 제후들[1]을 죽여라!"[2]

　남독일 "국민방위군"에 의해 팔츠에서 스위스 국경에 이르기까지 모든 대로와 주점에서 울려 퍼지는, 반은 찬송가, 반은 손풍금 곡인 저 유명한 슐레스비히-홀스타인 연방 노래의 멜로디[3]의 이 후렴구에 "제국헌법을 위한 위대한 봉기"[4]의 전체 성격이 요약되어 있다. 당신들은 이 두 줄에서 그들의 위대한 인물들, 그들의 최후 목표, 그들의 용감한 신념, "전제자"들에 대한 그들의 우아한 적의, 그리고 동시에 사회적 · 정치적 관계에 대한 그들의 온전한 통찰을 보고 있다.

　독일에서 2월 혁명과 이후의 사태 진전이 야기한 그 모든 운동과 격변 중에서 제국헌법투쟁은 고전적이고 독일적인 성격이 두드러지게 나타난다. 그것의 동기, 등장, 태도, 전체 진행과정이 완전히 독일적이다. 1848년 6월 사건들이 프랑스의 사회적 · 정치적 발전 정도를 보여주는 것처럼, 제국헌

법투쟁은 독일, 특히 남독일의 사회적·정치적 발전 정도를 보여준다.|

|36| 전체 운동의 영혼은 **소부르주아** 계급, 특히 이른바 **시민계층** (*Bürgerstand*)에 있었는데, 이 계급이 바로 지금 독일에서, 특히 남부에서 세력을 떨치고 있다. "3월 연합들"[5]에서, 즉 민주-입헌주의 연합들, 조국 연합들,[6] 여러 이른바 민주주의 연합들 그리고 거의 전체 민주적 언론들에서 제국헌법에 대해 대중적이고 해롭지 않은 그뤼틀리 맹세(Grütlischwüre)[7]를 하고 "반항적인" 제후들[8]을 상대로 투쟁을 이끈 것이 바로 소시민층이었는데, 그것의 유일한 결과는 우선은 그저 시민의 의무를 다했다는 자신의 의식을 고양하는 것이었다. 프랑크푸르트 국민의회의 결연한, 즉 슈투트가르트 의회와 "제국 섭정"으로 대변되는 이른바 극단적 좌파를 통해서, 전체 운동에서 공식적으로 선두에 나선 것이 소시민층이었다.[9] 소시민층은 마침내 작센과 라인과 남독일에서 제국헌법의 획득에 크고 작은 공을 세운 지역의 영방위원회(Landesausschüsse), 공안위원회, 임시정부와 입헌기관을 장악했다. _{G38}

그 자신에게 달려 있긴 하지만, 소부르주아지는 합법적이고 평화적이고 고결한 투쟁의 법적 토대를 떠나서 이른바 정신의 무기 대신 장총과 포석(鋪石)을 손에 쥐기가 매우 어려울 것이다. 1830년 이래 독일과 프랑스, 영국의 모든 정치운동의 역사가 우리에게 보여주듯, 이 계급은 아무런 위험도 보이지 않을 동안은 언제나 호언장담하고 큰 소리로 맹세하며 심지어 때로는 극단적인 언사까지도 내뱉지만, 털끝만 한 위험이라도 닥치면 겁을 집어먹고, 뒤로 물러나, 이리저리 머리를 굴리곤 한다. 자기가 일으킨 운동에 다른 계급이 적극적으로 가담하고 진지하게 추진하기만 하면 이들은 기겁해서 걱정에 휩싸여 동요한다. 손에 무기를 들어야 하는 투쟁이 닥치면 이들은 자신들의 소시민적 생존을 위해 운동 전체를 배반하고, 마지막에 반동 세력이 승리하면 자신들의 우유부단함의 결과로 늘 무시당하고 학대받는다.|

|37| 하지만 소부르주아지 뒤에는, 소부르주아지와 소부르주아지의 이익을 부추기는 운동을 수용하고, 소부르주아지에게 더 특징적이고, 더 활기찬 성격을 불어넣으면서, 할 수만 있다면 소부르주아지를 장악하려고 하는 다른 계급들이 어디에나 있다. 그것은 바로 **프롤레타리아트**와 대부분의 **농민**인데, 게다가 소시민층을 선도하는 분파가 한동안 그들과 결합하곤 한다.

대도시의 프롤레타리아트를 필두로 한 이 계급들은 제국의회와 관련해서 소부르주아 선동가들이 소리 높여 맹세했던 약속들을 그 선동가들이 원하는 것보다 훨씬 더 진지하게 받아들였다. 매 순간 맹세했던 것처럼 소부르주

아지가 제국의회를 위해 "모든 것을 희생"하려고 했다면, 노동자들과 여러 지역의 농민들 또한 같은 일을 할 준비가 되어 있었다. 말은 하지 않았지만, 그러나 모든 세력이 완전히 알고 있었던 조건, 즉 승리한 이후에 소시민층은 바로 똑같은 프롤레타리아트와 농민들로부터 똑같은 제국의회를 방어해야 할지도 모른다는 조건 아래에서 말이다. 이 계급들은 소부르주아지가 기존 국가 권력과 공개적으로 단절할 때까지 몰아붙였다. 비록 그들이 투쟁 중에 비열한 동맹자들에게 배신당하는 것을 막지 못했을지라도, 최소한 그들은 이런 배신이 반혁명 이후에 반혁명가 자신에 의해 처벌받게 되었다는 점에 만족할 수는 있었다.

다른 한편 운동 초반 대부르주아지와 중부르주아지의 더 단호한 분파들 또한 소시민층과 결합했는데, 이것은 우리가 과거 영국과 프랑스의 모든 소부르주아 운동에서 보았던 것이다. 부르주아지는 결코 전체로서 지배한 적이 없다. 아직 정치권력의 일부를 유지하고 있는 봉건제의 잔당들[10]을 예외로 한다면, 봉건제에 승리를 거두자마자 대부르주아지는 스스로 통치하는 편과 이에 반대하는 세력으로 분열하는데, 통상 한편은 은행으로, 다른 한편은 공장주로 대변된다. 대부르주아지와 중부르주아지에 ‖38‖ 반대하는 진보적 분파는 지배 분파에 대항하여 소시민층과 공동의 이해를 갖게 되고 공동의 투쟁을 위해 그들과 결합한다. 무장한 반혁명파가 군대, 관료, 봉건귀족으로 이루어진 배타적 지배를 되살려놓았고, 아직 유효한 입헌적 형태에도 불구하고 부르주아지가 그저 아주 부차적이고 보잘것없는 역할만을 하고 있는 독일에서는, 이러한 동맹을 위한 동기는 여전히 훨씬 많이 존재하고 있다. 그러나 그렇기에 독일 부르주아지는 영국이나 프랑스 부르주아지에 비해 너무나 소심하고, 다시 돌아올, 무정부 상태 즉 진짜 결정적인 싸움의 아주 작은 가능성이 보이자마자 그들은 벌벌 떨면서 무대에서 물러난다. 이번에도 마찬가지다.

그런데 그 시점이 투쟁을 위해 결코 불리한 것은 아니었다. 프랑스는 선거를 앞두고 있었다.[11] 선거는 왕당파나 붉은 공화주의자들이 다수가 될 수도 있고, 의회의 중도파를 몰아내고 극단주의자들을 강화하여 점점 더 시급해지는 의회 투쟁을 인민운동을 통해 신속하게 결판내야 했는데, 한마디로 말해 "하루 동안"(journée)에 일을 결판내야 했다. 이탈리아에서는 로마의 성벽 아래에서 공방을 벌이며 로마 공화국이 프랑스 침략군에 맞서 버티고 있었다.[12] 헝가리에서는 마자르족이 쉴 새 없이 밀고 들어왔다. 황제군은 바

크 강과 라이타 강 너머로 추격을 당했다. 매일 포성이 들린다고 믿었던 빈에서는 헝가리 혁명군이 언제라도 들이닥칠 수 있었다. 갈리치엔에서는 폴란드-마자르 군대를 대동한 뎀빈스키의 도착이 임박했고, 러시아의 개입은 마자르족에게 위협이 되기보다는 헝가리의 싸움을 유럽의 싸움으로 전환할 것으로 보였다.[13] 독일은 마침내 굉장한 흥분 상태에 빠져들었다. 반혁명의 대두, 무자비한 병사들과 관료와 귀족의 점증하는 파렴치함, 내각에 있는 구자유주의자들의 지속적인 새로운 배신, 제후들의 연이은 약속 위반은 ||39| 운동 세력 가운데 이때까지의 질서당 사람들에 속한 모든 계급을 군대로 내던져버렸다.

G40

이런 상황에서 우리가 앞으로 단편적으로 묘사하게 될 투쟁이 발발했다.

자료 전반에 퍼진 불완전성과 혼동, 거의 모두 구두로 취합한 소식들의 총체적인 불확실성, 지금까지 이 투쟁과 관련해 출판된 모든 글의 바탕을 이루는 순전히 개인적인 목적은 전체 흐름을 비판적으로 서술할 수 없게 한다. 이런 상황에서 우리 자신이 보고 들은 것만을 순수하게 이야기하는 것 외에는 달리 방법이 없다. 다행스럽게도 이것은 전체 투쟁의 성격을 드러내기에 충분하다. 그리고 작센에서 우리가 직접 목격한 운동과 네카어 강에서 미에로스와프스키가 출정한 것이 여기에서 빠져 있기는 하지만, 후자는 적어도 《노이에 라이니셰 차이퉁》(《노이에 라이니셰 차이퉁. 정치-경제 평론》을 의미함—옮긴이)에서 필요한 설명을 할 기회가 있을 것이다.[14]

제국헌법투쟁 참가자들 중 많은 사람이 여전히 감옥에 있다. 감옥에 있지 않은 사람들은 집으로 돌아갈 기회를 얻었거나, 또 다른 사람들은 외국에서 매일 돌아갈 날만을 기다리고 있다. 그리고 이들 가운데는 좋은 사람도 있다. 우리가 이야기하지 않은 많은 부분은, 우리가 같이 싸운 사람들에게 마땅히 베풀어야 할 배려 때문이라는 것을 당연히 알 수 있을 것이다. 현재 다시 조용히 고향에 머무르고 있는 사람들은, 우리가 그들이 진정으로 빛나는 용기를 보여준 그 사건들을 이야기하면서 그들의 명예를 훼손하려 한다고 곡해하지는 않을 것이다.

I. 라인프로이센.

사람들은 어떻게 제국헌법을 위한 무장봉기가 5월 초 먼저 **드레스덴**에서 발발하게 되었는지 기억하고 있다. 사람들은 어떻게 드레스덴의 바리케이드 전사들이 시골 사람들의 지지를 받으면서 라이프치히의 ‖40‖속물 시민들에게 배신당해 엿새 동안의 전투 끝에 강력한 군대에 굴복당하게 되었는지 알고 있다. 그들이 가졌던 것은 여러 잡다한 무기를 가진 병사 2,500명과 2~3문의 작은 포를 가진 포병대뿐이었다. 왕의 군대는 작센의 대대 외에 2개 프로이센 연대로 구성되었다. 그들은 기병대, 포병대, 소총부대 그리고 드라이제 니들 소총(Zündnadelgewehre)으로 무장한 대대를 갖고 있었다. 왕의 군대는 다른 어느 곳에서보다 드레스덴에서 더 비열하게[15] 행동한 것

G41 으로 보인다. 동시에 드레스덴의 투사들은 제국헌법투쟁의 다른 어느 곳에서보다 이 강력한 군대에 맞서 더 용감하게 싸웠음이 분명하다.[16] 하지만 시가전은 당연히 열린 평원에서의 교전과는 전혀 다른 것이었다.

베를린은 포위와 무장 해제 상태 아래 조용했다. 이미 베를린 근교에 있었던 프로이센 증원군을 저지하기 위한 철도 파손은 단 한 번도 일어나지 않았다. 브레슬라우는 미약한 바리케이드 전투를 시도했지만, 정부는 이미 오래전부터 그것에 대비하고 있었고, 결국 이를 통해 더 분명하게 칼의 독재에 처하게 되었다.[17] 다른 북독일 지역은 혁명의 구심점 없이 무력했다. 라인프로이센 지역과 남독일에서만 아직 뭔가를 기대할 수 있었고, 남독일에서 조금 전에 이미 팔츠가 움직이고 있었다.

라인프로이센은 1815년 이래 독일에서 가장 발전한 지방의 하나로 여겨졌고 실제로 그랬다. 라인프로이센은 독일 어디에서도 볼 수 없는 두 가지 특징을 하나로 통합한 곳이었다.

라인프로이센은 룩셈부르크 대공국, 라인헤센, 팔츠와 함께 1795년 이래 나폴레옹 아래서 프랑스 혁명과 그것의 사회적, 행정적, 법적 공고화를 성공적으로 같이 수행했다는 이점을 갖고 있었다. 파리에서 혁명 세력이 무너지자 군대가 혁명을 국경 너머로 가져왔다. 거의 해방되지 못한 이들 농민의 자식들 앞에서 신성로마제국의 군대뿐 아니라 귀족과 성직자의 봉건 지배층도 뿔뿔이 흩어졌다. 두 세대 전부터 라인 강 좌안은 봉건제도를 알지 못했다. 귀족은 특권을 상실‖41‖했고, 토지 소유는 그들과 교회의 수중에서 농민의 수중으로 넘어갔다. 토지는 분할되었고 농민은 프랑스에서와 마찬가지로 자유로운 토지 소유자였다. 도시에서는 길드와 가부장적 귀족의 지배가 자유 경쟁 앞에서 독일의 다른 지역에서보다 10년 일찍 사라졌고, 나폴레옹 법전은 전체 혁명적 제도들을 종합하여 이 모든 변화된 상태를 최종

적으로 인준했다.[18]

둘째로 라인프로이센은 독일에서 가장 잘 훈련되고 가장 다양한 산업을 보유하고, 여기에 라인 강 좌안의 여타 영방보다 앞서는 주된 강점이 있었다. 아헨, 쾰른, 뒤셀도르프 세 행정구역에는 거의 모든 산업 분야가 들어서 있었다. 온갖 종류의 면직·모직·견직 산업이 그와 연관된 표백·날염· 염색업, 주물업과 기계 제작업, 나아가 광산과 무기 제조업, 기타 금속 산업과 함께 불과 몇 제곱마일이 안 되는 공간에 집중되었고, 독일에서 유례가 없는 밀도로 주민을 고용하고 있었다. 라인 지방에는 거기에 일정 부분 원료 G42 를 공급하면서 산업적으로 그에 속한 변경 지역의 철강 및 탄광 지대가 인접해서 이어져 있다. 독일 최고의 수로,[19] 바다에 인접한 점, 지역의 풍부한 광물 등이 게다가 수많은 철로를 생산하고 철도망을 매일 완비해가는 산업에 유리하게 작용한다. 독일에서 세계의 모든 곳으로 확장된 수출 및 수입 교역, 세계 시장의 거대한 화물 집결지 전체와의 의미 있는 직접 교류, 그리고 원료 생산과 철도 주식에 대한 균형 있는 투자 등이 산업과 상호 작용을 하고 있다. 요컨대 라인 지방의 산업적, 상업적 발전 정도는 세계 시장에서는 두드러진 것이 아닐지라도 독일에서는 유일무이한 것이다.

혁명 프랑스의 지배 아래 꽃핀 이러한 산업과 그것과 연관된 라인프로이센 교역의 결과는 ||42| 강력한 산업 및 상업의 대**부르주아지**와 그에 맞서는 수많은 산업 **프롤레타리아트**라는 두 계급의 출현이었는데, 이것은 여타 독일 지역에서는 산발적이고 맹아적으로만 존재하는 것이었고, 라인 지방의 특별한 정치적 발전을 거의 전적으로 규정하는 것이었다.

라인프로이센은 프랑스인에 의해 혁명화된 독일의 여타 지역에 앞서 산업을, 여타 독일의 산업 지역(작센과 슐레지엔)에 앞서 **프랑스 혁명**을 선취했다. 그곳은 사회 발전이 근대 부르주아 사회 수준에 거의 근접한 독일의 유일한 지역이었다. 즉 잘 형성된 산업, 확장된 교역, 자본의 축적, 토지 소유의 자유, 도시의 강력한 부르주아지와 대규모 프롤레타리아트, 농촌에 일반적인 부채를 지닌 분할지 농민(Parzellenbauer), 부르주아지의 임금관계를 통한 프롤레타리아트 지배, 저당권을 통한 농민 지배, 경쟁을 통한 소부르주아지 지배, 그리고 끝으로 상업 법원, 공장 법원, 부르주아지 배심원과 물질과 관련된 전반적인 입법을 통한 부르주아지 지배의 승인을 통한 소부르주아지 지배가 존재했다.

이제 프로이센적이라고 불리는 모든 것에 대한 라인란트 사람들의 적의를 이해하겠는가? 프로이센은 프랑스 혁명을 라인 지방을 포함해 개별 국가들에 주입했고 라인란트 사람들을 피정복민이나 이방인으로 취급했을 뿐 아니라, 심지어 진압된 반란자들로 취급했다. 계속해서 발전해가는 근대 부르주아 사회를 육성하는 의미를 담고 있는 라인 지방의 입법을 멀리한 채, 심지어 힌터포메른에는 결코 들어맞지 않는 옹졸하고-봉건적이며-속물적인 프로이센 주법의 잡탕을 라인란트 사람들에게 부과하려고 했다.[20]

G43 1848년 2월 이후의 격변은 라인 지방의 예외적 위상을 분명하게 보여준다. 프로이센뿐 아니라 전 독일 부르주아지의 고전적 대변인인 **캄프하우젠**과 **한제만**이 생겨난 곳이 바로 그곳이며, 단순히 구호나 선한 의시만이 아니라 실질적인 이해관계에 따라 독일 ||43|프롤레타리아트를 대변했던 유일한 기관지《**노이에 라이니셰 차이퉁**》이 생겨난 곳도 그곳이다.

하지만 라인프로이센이 그 모든 것에도 불구하고 독일의 혁명운동에 거의 참여하지 않은 것은 어찌 된 일인가?

말뿐인 입헌주의(Phrasenkonstitutionalismus)와 법률가 입헌주의(Advokatenkonstitutionalismus)의 이해관계에 들어맞았던 1830년대의 운동은 훨씬 실제적이고 산업적인 활동에 몰두하고 있던 독일의 라인 지방 부르주아지에게 아무런 이해관계가 없었다는 것, 독일의 소국들에서 여전히 독일 제국을 꿈꾸고 있는 동안 라인프로이센에서는 프롤레타리아트가 공공연히 부르주아지에게 대항하여 일어나기 시작했다는 것, 1840~1847년의 부르주아적이고 진정으로 입헌적인 운동의 시기에 라인 지방 부르주아지가 선봉에 섰으며, 1848년 3월 베를린에서 결정적인 추를 저울판에 놓았다는 사실 등을 잊지 말아야 할 것이다. 하지만 왜 라인프로이센이 공공연한 무장봉기에서 아무것도 관철하지 못했으며, 왜 라인프로이센 전역에 걸친 전면 무장봉기가 단 한 번도 일어나지 못했는지는 라인 지방의 제국헌법투쟁에 대한 간단한 서술이 최선의 해답을 줄 것이다. ―

드레스덴에서는 투쟁이 막 폭발했고, 팔츠에서는 언제든 터져 나올 것이었다. 바덴과 뷔르템베르크, 프랑켄에서는 대규모 집회가 시작되었고, 무기를 써서라도 결정을 내리게 할 결연한 준비가 되었다는 것을 숨기지 않았다. 남독일 전역에서 군대가 동요하고 있었다. 프로이센이라고 덜하지는 않았다. 프롤레타리아트는 1848년 3월에 획득했다고 믿었던 유리한 점들이 날아가버린 것에 대해 보복할 기회만을 노리고 있었다. 소시민층은 모든 불만 요소를 하나의 거대한 제국헌법당으로 결집하고 그 주도권을 자신들이 갖기를 희망하는 활동을 도처에서 하고 있었다. 프랑크푸르트 국민│ │44│의회와 함께하고 따르며, 제국헌법을 위해 모든 것을 희생하겠다는 맹세가 온갖 신문에 넘쳐났고, 온갖 클럽 강당과 선술집에 울려 퍼졌다.

이에 프로이센 정부는 베스트팔렌과 라인에서 대규모 예비군을 소집함으로써 적대감을 드러냈다. 평화 시에 소집 명령은 불법이었으며, 소부르주아지뿐 아니라 대부르주아지도 그에 반대했다.[21]

쾰른 시 참사회는 라인 지역 참사회 대표자 회의를 소집했다. 정부는 이를 금지했다. 사람들은 형식을 버리고 금지령에도 불구하고 회의를 개최했다. 중·대 부르주아지를 대표하는 시 참사회원, 대표자는 제국헌법 승인을 선포했고, 프로이센 정부가 이를 수용할 것과 내각을 해산하고 예비군 동원령을 철회할 것을 요구했으며, 이를 거절한다면 라인 지역이 프로이센에서 떨어져 나갈 것이라고 아주 분명한 어조로 위협했다.

"프로이센 정부가 동년 3월 28일 독일 헌법의 무조건적 승인을 결의한 하원을 해산함으로써 현재의 결정적인 순간에 인민의 대표권과 목소리를 박탈했기 때문에, 아래에 서명한 라인 지역 도시와 자치단체(Gemeinde)의 대표자들은 조국을 위하여 긴급하게 무엇을 해야 할지 논의하기 위해 한자리에 모였다.

본 회의는 트리어 시의원 첼과 코블렌츠 시의원 베르너를 의장으로 하고 쾰른 시의원 뵈커와 뒤셀도르프 시의원 블룀 2세를 회의록 작성자로 하여

다음과 같이 결의한다:

1) 본 회의는 동년 3월 28일 제국의회에서 공포된 독일 제국의 헌법을 최종적인 법으로서 승인하며 프로이센 정부가 야기한 갈등에서 독일 제국의회 편에 설 것을 선언한다.│

│45│2) 본 회의는 라인란트의 모든 인민과 특히 무기를 들 수 있는 모든 남성에게 크고 작은 무리별로 집단-선언을 함으로써, 독일 제국헌법을 고수하고 제국헌법의 지시를 따르겠다는 의무와 굳은 의지를 표명할 것을 요구한다.

3) 본 회의는 개별 독일 국가와 특히 라인 지역 인민의 저항에 잘 조직된 반혁명에 유일하게 수치를 안겨줄 수 있는 통일성과 힘을 불어넣기 위해, 독일 제국의회가 최대한 신속하게 더 강한 노력을 기울일 것을 요구한다.

4) 본 회의는 제국 군대가 신속하게 헌법에 충성을 서약하도록 하고 군대의 집결을 명령하도록 제국 당국(Reichs-Gewalt)에 요구한다.

5) 아래 서명자들은 자신의 권한 안에 있는 모든 수단을 동원하여 제국헌법이 자신들의 자치단체 안에서 발효되도록 할 의무가 있다.

6) 본 회의는 브란덴부르크-만토이펠 장관의 해임과 기존 선거 방식의 변경 없이 의회를 소집하는 것이 절대적으로 긴요하다고 판단한다.

7) 본 회의는 특히 최근 진행된 예비군의 부분 소집이 불필요하고, 내부의 평화를 심각하게 위협하는 조치라고 보며 즉각 철회할 것을 기대한다.

8) 아래 서명자들은 이 선언의 내용이 지켜지지 않을 경우, 현재 상태로 프로이센이 존립하기가 위태로워질 수 있는 커다란 위험이 조국에 닥칠 것이라는 확신을 마지막으로 표명한다.

1849년 5월 8일 쾰른에서 결의."

(다음 서명.)[22]

우리가 여기서 덧붙일 것은 이 회의를 주재한 첼 씨가 몇 주 후에 프랑크푸르트 제국 내각의 특사(Reichskommissar)로 그곳을 안정시키기 위해서뿐만 아니라[23] 나중에 만하임과 카를스루에에서 발발한 반혁명적 ||46| 습격에 관한 약정을 그곳의 반동 세력과 맺기 위해 바덴으로 갔다는 사실이다. 또한 동시에 그가 제국 장군 포이커를 위해 군사 첩자 활동을 했다는 것은 최소한 개연성이 높은 사실이다.

우리는 이 사실을 확인하고자 한다. 3월 혁명 전 라인 지역 자유주의의 꽃이었던 대부르주아지는 처음부터 라인프로이센에서 제국헌법을 위한 운동의 선봉에 서고자 했다. 그들은 나중에 일어날 일들을 위해 자신들의 연설, 결의, 모든 행동에서 일치단결했다. 시 참사회 대표자들의 구호, 즉 라인 지역이 탈퇴할 수 있다는 위협을 진지하게 받아들인 사람들은 충분히 많이 있었다. 대부르주아지가 함께했다면 이미 처음부터 이긴 것이나 마찬가지였고, 주민의 모든 계급이 함께했을 것이며 뭔가 위험도 어느 정도 감수할 수 있었을 것이다. 소부르주아지는 이렇게 계산했으며 서둘러 영웅적 태도를 취했다. 분명한 것은 자신들의 명목상의 동맹자(Associé), 즉 대부르주아지가 처음에 자기들을 배반하고 나중에, 즉 모든 일이 매우 비참하게 끝났을 때, 자기들의 어리석음을 추가로 비웃는 것을 막지 못했다는 점이다.

그사이 소란은 점점 더 커졌다. 독일 전역에서 들려오는 소식은 전쟁을 시사하는 것이었다. 마침내 예비군에 군복을 지급할 때가 된 것이다. 예비군 대대들은 소집되어 자신들은 군복을 입지 않겠노라고 확실하게 선언했다.

소령들은 충분한 군사적 지원이 없는 상태에서 아무것도 할 수 없었으며 위협과 실질적인 공격을 받지 않고 빠져나온 것을 기뻐할 뿐이었다. 그들은 예비군을 해산하고 군복 지급을 위한 새 기일을 확정했다.

예비군 장교들에게 손쉽게 필요한 지원을 해줄 수 있었을 정부는 일부러 일이 그렇게까지 되도록 내버려두었다. 그리고 이제 정부는 즉시 폭력을 행사했다.

반항적인 예비군들은 무엇보다도 베르크-마르크의 공업지대에 속했다. G46 엘버펠트와 ||47| 이절론, 졸링겐, 에네퍼 가도가 저항의 중심지였다. 즉시 앞의 두 도시로 군대가 투입되었다.

엘버펠트로 제16대대와 창기병 소대, 그리고 대포 2문이 진입했다. 도시는 극심한 혼란에 빠졌다. 곰곰이 생각한 끝에 예비군은 자신들이 도발적인 일을 벌이고 있음을 알았다. 많은 농민과 노동자는 정치적으로 무관심했으며 단지 정부의 기분에 따라 기약할 수 없는 시간 동안 집에서 멀리 떨어져 있고 싶지 않을 뿐이었다. 반항의 결과는 그들의 마음을 괴롭게 했다. 사건 보고(Species facti),[24] 전시법, 쇠사슬형, 그리고 어쩌면 총살까지도! 무장한 예비군 — 그들은 무기를 갖고 있었다 — 의 숫자는 점점 줄어들어 마지막에는 40여 명만이 남았다. 그들은 도시 근교 술집에 지휘부를 설치하고 그곳에서 프로이센인들을 기다렸다. 시청 주위에는 시민군과 시민 소총 2개 부대가 때로 동요하기도 하고 예비군과 교섭하기도 하면서 어찌 되었건 결연히 자신들의 재산을 지키기 위해 주둔했다. 거리에는 주민, 정치 클럽에서 제국헌법에 충성을 맹세한 소부르주아지와 결연한 혁명적 노동자부터 슈납스(독일식 독주의 일종 — 옮긴이)에 취한 수레꾼[25]에 이르기까지 온갖 부류의 프롤레타리아트가 넘쳐났다. 무엇을 해야 할지 아무도 몰랐고 무엇이 닥쳐올지 몰랐다.

시 참사회는 군대와 협상하고자 했다. 사령관은 모든 것을 거부하고 도시로 행군했다. 군대는 거리를 따라 행군하여 시민군 맞은편 시청 앞에 주둔했다. 사람들은 교섭을 벌였다. 군중으로부터 군대로 돌이 날아들었다. 앞서 얘기한 약 40명 정도 규모의 예비군도 도시 반대편에서 이동하여 오랜 상의를 거친 후 군대와 대치했다.

갑자기 군중 속의 한 사람이 체포된 사람들을 석방하라고 소리쳤다. 시청 가까이에 ||48| 있는 구치소에는 1년 전부터 졸링겐 노동자들 69명이 성(城)에 위치한 제련 공장을 파손한 혐의로 구금되어 있었다. 그들에 대한 심

리가 며칠 후 진행될 것이었다. 이들을 석방하기 위해 군중이 구치소를 습격했다. 문이 열리고 군중이 들이닥치고 수감된 자들이 풀려났다. 동시에 군대가 진격해 들어와 일제 사격을 가했고 막 서둘러 문을 나서던 마지막 죄수가 머리가 깨진 채 쓰러졌다.

군중은 뒤로 물러섰다가 외침과 함께 바리케이드를 구축했다. 한순간에 도시 안으로 통하는 진입로에 진이 쳐졌다. 비무장 노동자들은 넘쳐났고, 무장한 사람들은 기껏해야 바리케이드 뒤편에 50여 명 정도였다.

G47 　포병대가 진격해 들어왔다. 이전의 보병대처럼 너무 높게 발포했는데, 아마도 의도적이었을 것이다. 두 부대는 라인란트나 베스트팔렌 사람들로 구성되었고 착했다. 결국 16연대 8중대의 폰 우텐호벤 대위가 선두에 서서 진격해 왔다.

첫 바리케이드 뒤에는 무장병 3명이 있었다. "우리를 쏘지 마라. 우리는 장교만 쏜다"라고 그들은 소리쳤다. 대위는 멈추라고 명령했다. "준비 명령을 하면 당신은 쓰러지게 될 것이다"라고 바리케이드 뒤편의 한 사수가 말했다. "준비 — 발사!" 일제 사격 소리가 났고 바로 그 순간 대위가 고꾸라졌다. 총알이 그의 심장에 명중했다.

대오는 급히 물러섰다. 대위의 주검조차 거두지 못했다. 총격 몇 발이 더 가해지고 몇몇 병사가 부상을 입었다. 분노한 도시에서 밤을 보내고 싶지 않았던 부대장은 도시 앞 한 시간 거리에서 야영하기 위해 군대를 다시 철수했다. 병사들 뒤편에선 즉시 바리케이드가 모든 측면에 세워졌다.

같은 날 저녁 프로이센 군대가 뒤셀도르프로 철수했다는 소식이 전해졌다. 거리에 수많은 무리가 모여들었다. 소부르주아지와 노동자는 매우 흥분한 상태였다. ||49| 새 군대가 엘버펠트로 파견될 것이라는 소문이 신호탄이 되었다. 무기의 부족과 — 시민군은 1848년 11월부터 무장 해제 상태였다 — 비교적 강력한 수비대와 유리하지 않은 작은 구거주지의 넓고 쭉 뻗은 도로에도 개의치 않고 몇몇 노동자들이 바리케이드를 쌓자고 호소했다. 노이슈트라세, 볼커슈트라세에는 참호 몇 개가 생겨났다. 도시의 다른 곳은 일부는 이미 사전에 대기 명령을 받은 군대를 통해서, 일부는 대부르주아 · 소부르주아 계층의 두려움으로 인해 비워져 있었다.

저녁 무렵 전투가 시작되었다. 바리케이드 전사들은 어디에서나 그런 것처럼 여기에서도 숫자가 많지 않았다. 어디서 무기와 탄약을 조달한단 말인가? 그들은 훨씬 강력한 힘에 대항해 길고도 용감한 저항을 충분히 보여주었으며, 포병의 광범위한 포격 이후 아침 무렵에야 방어하고 있던 바리케이드 대여섯 곳이 프로이센 수중에 떨어졌다. 우리는 이 신중한 영웅들이 그다음 날 가정부, 노인 그리고 평화로운 사람들에게 피비린내 나는 보복을 했음을 알게 되었다.

프로이센군이 엘버펠트에서 격퇴된 그날, 우리가 착각한 것이 아니라면, 원래 13연대 소속의 1개 대대가 이절론으로 진입해서 그곳의 예비군들과 전투를 벌이기로 되어 있었다. 하지만 여기서도 계획이 수포로 돌아갔다. 군대가 접근하고 있다는 소식이 전해지자 예비군과 인민이 도시의 모든 진입 G48 로를 봉쇄하고 총을 장전한 채 적을 기다리고 있었던 것이다. 그 대대는 감히 공격할 엄두를 내지 못하고 철수했다.

엘버펠트와 뒤셀도르프에서의 전투와 이절론의 바리케이드 설치는 베르크-마르크 공업지대 대부분의 봉기를 알리는 신호였다. 졸링겐 사람들은 그레프라트의 무기고를 습격하여 거기서 얻은 총과 탄약으로 무장했다. 하겐 사람들은 대규모로 운동에 가담하여 스스로 무장하고 루르 지역으로 가는 진입로를 점거하고 순찰대를 파견했으며, 졸링겐, 론스도르프, 렘샤이트, 바르멘 등은 ||50| 그들 몫의 분담 병력을 엘버펠트로 보냈다. 그 나머지 지역에서는 예비군이 운동을 지지한다고 선언하고 프랑크푸르트 국민의회의 뜻을 따를 태세를 갖추었다. 엘버펠트, 졸링겐, 하겐, 이절론은 추방당한 지역 및 지방 관청 자리에 공안위원회를 설치했다.

이 사건에 대한 보도는 물론 훨씬 과장되었다. 전체 부퍼 지역과 루르 지역이 하나의 거대한 조직된 봉기의 중심인 양 묘사되었고, 엘버펠트의 무장한 사람들이 15,000명이며 이절론과 하겐도 그 정도라고 얘기되었다. 가장 충직한 지역의 봉기에 직면하여, 단번에 모든 활동이 마비되어버린 정부가 보인 갑작스러운 경악의 태도는 이러한 과장을 사람들이 믿도록 하는 데 적잖이 기여했다.

과장된 것으로 보이는 것들을 합리적으로 제거하고 보면 부정할 수 없는 한 가지 사실이 남는데, 그것은 베르크-마르크 지역 공업지대의 핵심부가 공개적이면서 그때까지는 성공적인 봉기를 진행하고 있다는 것이다. 거기에 부정할 수 없는 사실이 있다. 거기에 드레스덴이 아직 버티고 있으며, 슐레지엔이 들끓고 팔츠의 운동이 공고해지고 있고, 바덴에서는 성공적인 군사 반란이 일어나 대공이 도망갔으며, 야블룬코프와 라이타의 마자르인들이 봉기하리라는 소식들이 전해졌다. 간단히 말해 1848년 3월 이래 민주 세력과 노동자 세력에게 주어진 모든 혁명적 기회 중에 이번이 단연코 가장 유리한 기회이며 당연히 거머쥐어야 하는 것이었다. 라인 강 좌안 지역은 우안 지역을 내버려두어서는 안 되었다.

그렇다면 무엇을 해야 했는가?

라인 지역의 모든 대도시는 쾰른이나 코블렌츠처럼 강력한 내성(內城)과 보루가 있는 요새들이거나 아헨, 뒤셀도르프, 트리어처럼 수많은 수비대를 갖고 있다. 그 외에 이 지역은 베젤, 윌리히, 룩셈부르크, 자를루이 같은 요새들과 마인츠와 민덴을 통해 통제되고 있다. 이 요새들과 수비대에는 합해서 최소 3만 명이 있었다. 결정적으로 쾰른, 뒤셀도르프, 아헨, 트리어는 일마 전부터 ||51| 무장 해제 상태였다.[26] 지역의 혁명 중심지들 또한 마비되었다. 이곳에서의 어떤 봉기 시도도 이미 뒤셀도르프에서 나타났듯이 군대의 승리로 귀결될 것이었다.[27] 예를 들어 쾰른 같은 곳에서 그러한 승리가 다시 일어난다면, 베르크-마르크 지역의 봉기는 여타 유리한 소식들에도 불구하고 사기가 뚝 떨어지고 말 것이다. 라인 강 좌안에서는 모젤과 아이펠, 크레펠트 공업지대에서 운동이 일어나는 것이 가능했다. 하지만 이 지역은 요새 6개와 위수도시 3개로 둘러싸여 있었다.[28] 반면에 라인 강 우안은 이미 언급한 무장봉기를 일으킨 지역에 인구가 촘촘하고 땅이 광활하고 숲과 산맥으로 인해 마치 반란 전쟁에 맞춘 듯한 지형이 펼쳐져 있었다.

봉기를 일으킨 지역들을 지원하고자 한다면 오직 한 가지만이 가능했다.

무엇보다 요새와 수비대 도시들에서 그 어떤 불필요한 소요도 피하는 것,

라인 강 좌안의 소도시와 공장 지역 그리고 농촌에서 라인 지역 주둔군을 묶어두기 위해 분열 책동을 하는 것,

마지막으로 동원 가능한 모든 병력을 라인 강 우안의 무장봉기를 일으킨 지역에 투입하고, 무장봉기를 계속 확산시키며 예비군을 통해 혁명군의 핵심을 조직하도록 시도하는 것.

새로운 프로이센의 폭로 영웅들은 여기서 폭로된 배반의 음모에 너무 일찍 기뻐하지 마시길. 유감스럽게도 음모는 존재하지 않았다. 위에 언급한 세 가지 방침은 모반 계획이 아니라, 이 글의 저자가 셋째 방침을 실행하기 위하여 직접 엘버펠트로 떠났던 순간에[29] 제기한 단순한 제안에 불과하다. 민주 정당과 노동자-당[30] 조직의 와해 때문에, 대부분이 소부르주아지 출신인 지역 지도자들의 망설임과 교활한 신중함 때문에, 그리고 시간 부족 때문에

음모를 전혀 짜지 못했던 것이다. 따라서 초기에 라인 강 좌안에서 어떤 분열 책동이 일어났을 때, 즉 ||52|켐펜과 노이스와 그 주변에서 소요가 발발하고 프림에서 무기고가 습격받았을 때,[31] 이것들은 결코 공동 계획의 산물이 아니라 오직 주민의 혁명적 본능을 통해서 나타난 것이었다.

그사이 봉기를 일으킨 지역은 여타 지방에서 추측한 것과는 상황이 전혀 달라졌다. 엘버펠트는 ── 매우 무계획적이고 성급하게 긁어모은 ── 바리케이드가 있고 수많은 감시 초소와 순찰대와 기타 무장 병력을 보유했으며, 대부르주아지를 제외한 전 주민이 거리에 쏟아져 나왔고, 적기와 삼색기[32]가 휘날린다는 점에서 전혀 나쁘지 않았지만, 여타 지역의 도시에서는 심각한 혼란 상태를 보이고 있었다. 소부르주아지는 이미 초창기에 구성된 공안위원회를 통해 상황의 주도권을 손에 넣었다.[33] 그러자마자 그들은 그 권력이 아무리 사소한 것일지라도 자기들의 권력을 이미 무서워했다. 그들의 첫 번째 행동은 시 참사회를 통해, 즉 대부르주아지를 통해 자신의 정당성을 인정받았고 자기 구성원 5명을 공안위원회에 받아들여준 시 참사회의 호의에 감사를 표했다. 이렇게 강화된 공안위원회는 외부 경계 임무를 군사위원회에 이첩하고, 자신은 이 위원회를 온건하게 억제하는 감독권을 보유함으로써 모든 위험한 일들을 즉각 모면했다. 도시의 대표자들을 통해서 자신을 법적 지반으로 옮기면서, 봉기와 관련된 모든 접촉을 안정적으로 피한, 공안위원회에서 떨고 있는 소부르주아지는 사람들의 기분을 안정시키고 일상적인 업무들을 돌보며, "오해"를 해명하고 진정시키고 일을 지체했으며, 우선은 베를린과 프랑크푸르트로 파견한 사절단의 답변을 기다려야 한다는 핑계로, 열정적인 활동을 모두 마비시키는 일에 자신들의 임무를 한정할 수 있었다. 나머지 소시민층은 손에 손을 잡고 공안위원회와 함께 가면서, 모든 곳에서 상황을 진정시키고, 방어 조치와 무장이 계속되는 것을 가능한 한 저지하고, ||53|봉기에 어느 정도까지 가담할 것인가를 놓고 계속해서 흔들리고 있었다. 오직 이 계급의 일부만이 도시가 공격당할 경우 손에 잡은 무기를 갖고 스스로를 방어하기로 결의한 상태였다. 대부분은 엘버펠트에 대한 포격을 거의 피할 수 없다는 자신들의 공허한 협박과 소심함이 정부의 양보를 받아낼 것이라고 스스로에게 설득하려고 애쓰고 있었다. 그 외에는 모든 경우에 대해 자신의 안전을 도모하고 있었다.

대부르주아지는 전투 이후 그 순간에는 마치 벼락을 맞은 듯했다. 그들은 방화, 살인, 약탈을 목격했다. 그들의 공포에 찬 상상력 앞에서 어떤 만

행이 이 땅에서 자라나고 있는지를 그 누가 알았겠는가. 시 참사회 의원, 변호사, 검사, 명망가가 대다수인 공안위원회가 갑자기 그들에게 생명과 재산을 보장해주는 것처럼 보이자, 그들은 미친 듯이 열광하며 위원회 구성을 완수했다. 이제까지 카를 헤커, 리오테, 회히스터 등을 피에 굶주린 테러리스트라고 욕하던 바로 그 대상인들과 터키 적색 염직업자,[34] 공장주 등이 이제는 떼를 지어 시청으로 몰려와서 이른바 바로 그 흡혈귀들을 열정적인 친밀함으로 부둥켜안고는, 공안위원회 탁자 위에 수천 탈러를 기탁했다. 공안위원회에 감명을 받은 찬미자와 후원자였던 이 사람들이 운동이 종결된 이후에 운동 자체뿐만 아니라 공안위원회와 그 위원들에 대해 매우 상스럽고 비열한 거짓말을 퍼뜨리고, 존재한 적도 없었던 테러리즘에서 벗어나게 해준 프로이센에 진심으로 감사했던 것은 너무나 당연한 일이다. 헤커, 회히스터, 검사 하인츠만 같은 무고한 입헌주의자 시민들은 다시 로베스피에르나 당통과의 유사성이 그 얼굴에 쓰인 공포정치가, 식인종으로 묘사되었다. 우리는 이 정직한 사람들을 고소한 것에 대해 무죄라고 선언하는 것이 우리의 의무라고 생각한다. 그 외에 대부분의 고위 부르주아지들은 가능한 한 신속하게 부인과 아이를 데리고 ||54| 뒤셀도르프 계엄령의 보호를 누리기 위해 이동했으며, 일부 용감한 사람들은 남아서 무슨 일이 있든지 자신의 재산을 지키려 하고 있었다. 시장은 봉기가 진행되는 동안 오물로 뒤덮인 뒤집힌 마차 안에 숨어 있었다. 투쟁의 순간에 단결했던 프롤레타리아트는 공안위원회와 소시민층의 동요가 나타나자 분열했다. 수공업자, 원래의 공장노동자, 일부 견직공은 운동에 결연히 찬성했다. 하지만 프롤레타리아트의 핵심을 이루었던 그들은 거의 아무런 무기도 갖고 있지 않았다. 기술보다는 육체적 힘이 중요한 업종에 종사하는 모든 노동자 집단과 마찬가지로, 거칠고 그래서 반동적인 강건하고 보수가 좋은 적색 염색공(Rothfaerber)들은 이미 처음 며칠이 지나는 동안 완전히 무관심해졌다. 전체 산업노동자들 중 그들만이 바리케이드가 쳐진 동안 아무 상관 없이 계속 일을 했다. 끝으로 룸펜 프롤레타리아트는 어디에서나 그렇듯이 운동이 시작된 지 이틀째부터 쉽게 매수할 수 있는 존재였는데, 아침에는 공안위원회에 무기와 급료를 요구하고, 오후에는 그들의 건물을 보호하며, 저녁 무렵에는 바리케이드를 철거하도록 대부르주아지에게 자신을 팔아넘겼다. 전체적으로 봐서 그들은 가장 후하게 지불하는 부르주아지 편에 섰으며 그 돈을 갖고 운동이 진행되는 동안 태평스러운 시간을 보냈다.

공안위원회의 태만과 비겁함, 무행동파가 초기에 다수를 차지한 군사위원회의 분열이 처음부터 모든 결연한 대응을 가로막았다. 둘째 날부터 반동이 시작되었다. 엘버펠트에서는 오직 제국헌법의 깃발 아래에서만, 소부르주아지와의 합의하에서만 성공을 기약할 수 있다는 것이 처음부터 드러났다. 프롤레타리아트는 한편으로 자신의 해방을 위한 조건을 최소한이나마 인식해 대중에게 파고들 수 있기에는 슈납스와 경건주의의 늪에서 깨어난 지 이제 겨우 얼마 되지 않았고, 다른 한편 그들이 동일한 삼색의 이해관계에 열광하기에는 부르주아지에 대한 본능적인 ||55| 증오가 너무 심해서 제국헌법의 부르주아적 문제에 대해 너무 무관심했다. 방어를 진지하게 고민하는 결정적이고 유일한 당파가 그로 인해 비뚤어진 위치에 서게 되었다. 그 당파는 제국헌법에 찬성을 표했다. 하지만 소부르주아지는 그들을 신뢰하지 않았고, 어떤 식으로든 인민에게 그들을 비방했으며 무장과 방어를 위한 그들의 조치를 모두 방해했다. 도시를 실질적인 방어 상태로 전환하는 데 도움이 되었을 모든 명령은 공안위원회의 가장 우수한 선임 위원에 의해 즉각 철회되었다. 자기 문 앞에 바리케이드가 설치된 속물 시민들은 곧바로 시청으로 달려가서 철회 명령을 받아낼 수 있었다. 바리케이드 노동자들에게 지불할 돈은 ── 노동자들은 굶어 죽지 않을 정도의 최소한도만 요구했음에도 불구하고 ── 아주 힘겹게 그리고 쥐꼬리만큼만 공안위원회로부터 겨우 얻어낼 수 있었다. 무장병들의 급료와 식사는 불규칙하게 주어졌고 충분치 않을 때가 많았다. 오륙일 동안 무장병들에 대한 열병이나 점호가 이루어지지 않아서 위급할 때 몇 명이나 동원할 수 있는지 아무도 몰랐다. 닷새째에야 무장병들을 분류하고자 했지만 결코 실행되지 않았고 전투력에 대해 전혀 알지 못하는 상태였다. 공안위원회 위원들은 각자 마음대로 행동했다. 매우 상반되는 명령들이 난무했고, 그 명령들 대부분은 심정적 혼란을 가중하고 힘찬 전진을 모두 가로막는다는 점에서만 일치했다. 그런 것들 때문에 프롤레타리아트는 운동에 완전히 싫증을 냈고, 며칠이 지나지 않아 대부르주아지와 소부르주아지는 가능한 한 노동자들을 무관심하게 만들려는 그들의 목적을 달성할 수 있었다.

5월 11일에 내가 엘버펠트에 왔을 때, 최소한 2,500~3,000명의 무장병이 있었다. 하지만 이 무장병들 중 외부에서 온 지원병과 얼마 안 되는 무장한 엘버펠트 노동자들만이 믿을 ||56| 만했다. 예비군은 동요하고 있었다. 다수는 쇠사슬형을 몹시 두려워했다. 처음에 그들은 숫자가 얼마 되지 않았지만,

다른 지역 파견대의 우유부단한 사람들과 겁 많은 사람들이 유입되면서 숫자가 늘어났다. 처음부터 반동적이었고 노동자들을 억압하기 위해 설립된 시민군은 마침내 중립을 선언하면서 단지 자기 재산을 지키고자 했다. 이 모든 것은 그다음 며칠 동안 분명해졌다. 그사이 외부에서 온 지원병과 노동자 일부가 떠나면서, 진짜 전투 병력 수는 운동이 정체됨에 따라서 줄어들었다. 반면 시민군은 더 강하게 결속하면서 날이 갈수록 그들의 반동적 욕망을 더 노골적으로 드러냈다. 그들은 마지막 며칠 밤 동안 다수의 바리케이드를 철거했다. 처음에 확실히 1,000명이 넘던 무장한 지원병은 12일 또는 13일째에 이미 반으로 줄어들었고, 마침내 전체 점호를 실시하자 셀 수 있는 전체 무장 병력이 최대 700~800명에 불과하다는 것이 드러났다. 예비군과 시민군은 점호에 참가하기를 거부했다.

G53

그뿐이 아니다. 봉기를 일으킨 엘버펠트는 이른바 "중립적" 지역들로 둘러싸여 있었다. 바르멘, 크로넨베르크, 레네프, 뤼트링하우젠 등의 도시들은 운동에 참가하지 않았다. 이 지역의 혁명적 노동자들은 무기를 갖고 있는 한 엘버펠트로 진격해 갔다. 이 도시들에서 노동자들을 억누르기 위해 공장주, 그들의 공장 감독관, 공장주에게 전적으로 의존하는 소매상인으로 구성된 공장주 수중의 도구였던 시민군이 "질서"와 공장주의 이익을 위하여 이 지역을 지배하고 있었다. 노동자들은 그들이 농촌에 흩어져 있었기에 정치 운동과 상당히 거리를 두고 있었는데, 악명 높은 강압 수단과 엘버펠트 운동의 성격에 대한 중상모략을 통해 일부는 공장주 편으로 돌아섰다. 농민에게 중상‖57‖모략은 확실하게 작용했다. 거기에 더해 운동이 15개월간의 생업 위기 후에 마침내 공장주들이 다시 굉장히 많은 주문을 받던 시점에 일어났다는 점, 그리고 잘 알려졌듯이 고용 상황이 아주 좋은 노동자들로는 어떤 혁명도 불가능하다는 점, 이 상황은 엘버펠트에서도 매우 중요하게 작용했다. 이 모든 상황에서 "중립적"인 이웃 도시들이 원래는 숨은 적이라는 점은 분명하다.

그것만이 아니다. 봉기를 일으킨 여타 지구와의 연계는 결코 이루어지지 않았다. 어쩌다가 몇 사람이 하겐으로부터 건너왔다. 이절론에 대해서는 사람들이 거의 알지 못했다. 몇 사람이 밀사[35]로 나섰지만 누구도 신뢰할 수 없었다. 엘버펠트와 하겐 사이의 전령 여러 명이 바르멘과 그 주변 사이에서 시민군에 체포되었음이 분명했다. 유일하게 연계가 이루어진 곳은 졸링겐이었는데, 그곳의 상황은 엘버펠트의 그것과 똑같았다. 그곳의 상황이 더 나

쓰지 않았던 것은 400~500명 정도의 무장병을 엘버펠트로 보냈으며 그럼에도 불구하고 진정으로 그곳의 부르주아지와 그들의 시민군과 균형을 유지할 만큼 강력했던 졸링겐 노동자들의 훌륭한 조직과 결연함 덕분이었다. 만약 엘버펠트 노동자들이 졸링겐처럼 그렇게 발전하고 조직될 수 있었더라면 기회는 전혀 달라졌을 것이다.

이런 상황에서 오직 한 가지만이 가능했다. 즉 운동에 다시 생명을 불어넣고, 새로운 병력을 확보하며, 내부의 적을 무력화하고, 전체 베르크-마르크 지역의 공업지대에서 노동자들을 가능한 한 강력하게 조직할 수 있는 신속하고 강력한 조치를 취하는 것이다. 첫 번째 조치는 엘버펠트 시민군을 무장 해제하고 무기를 노동자들에게 배분하며 무장 노동자들을 유지하기 위해 강제로 세금을 올리는 것이었다. 이 조치는 결정적으로 그때까지의 공안위원회의 느슨함을 깨뜨리고 프롤레타리아트에게는 새로운 생명력을 부여했으며 "중립적" 구역의 저항력을 무력화했다. 이 구역들로부터 ||58| 무기를 얻기 위해 그 이후 취해야 할 조치, 즉 무장봉기를 더욱 확산시키고 전체 지구의 방어를 정기적으로 조직하는 것은 이 첫 번째 조치의 성공 여부에 달려 있었다. 공안위원회의 결의와 졸링겐 병사들 400명만으로도 엘버펠트 시민군은 즉시 무장 해제될 수 있었을 것이다. 그들의 용맹함은 군이 말할 필요도 없다.

나는 5월에 기소되어 구치소에 감금되어 있던 엘버펠트 사람들의 안전에 대해 설명할 의무가 있는데, 이 모든 제안은 오로지 내게서 비롯되었기 때문이다. 나는 공안위원회의 자금이 사라지기 시작한 첫 순간부터 시민군의 무장 해제를 주장했다.

하지만 기특한 공안위원회는 그런 식의 "테러적 조치"를 취하는 것을 전혀 달가워하지 않았다. 내가 유일하게 관철한 것, 달리 말해 몇몇 지휘관—그들은 모두 운 좋게 도주하여 일부는 이미 아메리카에 있다—과 함께 스스로 알아서 실행하도록 한 것은, 크로넨베르크 시민군의 총기 약 80정을 가져오도록 한 것인데, 그것은 그곳의 시청에 보관되어 있었다. 그런데 이 총기들은 너무 경솔하게 배분되어 대부분 슈납스를 즐겨 마시는 룸펜 프롤레타리아트의 손에 들어가서, 같은 날 저녁 부르주아지에게 팔려버렸다. 이 부르주아지 신사 양반들은 되도록 많이 총기를 사재기하기 위해 중개인들을 인민 속으로 보내서 값을 후하게 쳐주었다. 이런 식으로 엘버펠트의 룸펜 프롤레타리아트는 즉흥적으로 만들어진 집행부의 태만과 무질서로 인해 그들의 수중에 들어온 총기 수백 정을 부르주아지에게 넘겨주었다. 이 총기들을 갖고 공장 감독관, 믿을 만한 염색공 등이 무장했고, "고결한" 시민군 진영은 날이 갈수록 강화되었다.

공안위원회 신사분들은 도시를 더 잘 방어하기 위한 모든 제안에 대해 그것은 아무짝에도 쓸모없다는 둥, 프로이센인들은 도시에 들어오는 것을 매우 조심스러워할 것이며 산악 지역으로는 감히 뛰어들지 않으리라는 둥, 아무렇지도 않게 대답했다. 그들 자신은 이렇게 대답함으로써 자신들이 ||59| 아주 어설픈 소문을 퍼뜨리고 있다는 점, 도시는 높은 곳 어디에서나 야포로도 공격받을 수 있다는 점, 심지어 약간이라도 본격적인 방어 조치를 전혀 취하지 않았다는 점, 무장봉기가 잠시 멈추거나 프로이센의 엄청난 군사력이라는 이례적인 사건만이 엘버펠트의 봉기를 막을 수 있을 것이라는 점을 매우 잘 알고 있었다.

G55 프로이센 장군들은 어떻게든 압도적인 전력을 구축하기 전에는 전혀 모르는 곳이나 다름없는 곳으로 출정할 흥미가 전혀 없어 보였다. 엘버펠트, 하겐, 이절론, 졸링겐 이 네 도시는 프로이센의 신중한 전쟁 영웅들에게 얼마나 강력한 인상을 남겼는지, 베젤과 베스트팔렌, 그리고 동부 지역으로부터 수많은 기병대와 포병대 외에 2만 명의 온전한 군대는 단 한 번도 공격을 감행하지 않고, 철도를 타고 오게 하고, 루르 지역 배후에 제대로 된 전략적 대형을 구축하도록 했던 것이다. 형편없이 무장하고 지도부도 없이 그들에게 무기를 손에 쥐어 준 사람들이 등 뒤에서 배신하는 조직되지 않은 노동자 수백 명과 대항해서 싸우는 것이 아니라, 마치 엄청난 적과 대치하고 있는 것인 양, 뱀이나 뎀빈스키와 전투를 치르는 것인 양 최고사령부와 참모본부, 우측 진영, 중앙 진영 등 모든 것이 제대로 갖추어져 있었다!

무장봉기가 어떻게 끝났는지 우리는 알고 있다. 소시민층의 끝도 없는 꾸물거림, 우물쭈물하는 비겁함, 음험한 어물거림에 진저리가 난 노동자들이 결국에는 어떻게 엘버펠트에서 철수해 제국헌법이 그들에게 어떤 피난처를 제공한다고 했던 첫 번째 좋은 땅으로 가기 위해 싸웠는지 우리는 알고 있다. 프로이센 창기병대와 선동된 농민이 그들을 어떻게 박해했는지 우리는 알고 있다. 노동자들이 철수한 이후 대부르주아지가 어떻게 즉시 다시 기어나와 바리케이드를 철거하고 다가오는 프로이센의 영웅들을 위한 개선문을 세웠는지를 우리는 알고 있다. 하겐과 졸링겐이 ||60| 부르주아지의 직접적인 배신을 통해 어떻게 프로이센의 손아귀에서 놓아나게 되었는지, 오직 이

절론만이 이미 전리품을 가득 실은 드레스덴의 승자, 제24연대와 어떻게 두 시간 동안 일방적인 전투를 치렀는지를 우리는 알고 있다.

엘버펠트와 졸링겐, 뮐하임 노동자들의 일부가 운 좋게 팔츠로 이동했다. 여기서 그들은 동향 사람들인 프륌 무기고 습격 사건의 도망자들을 만났다. 이들과 함께 그들은 거의 라인란트 출신으로만 이루어진 빌리히 의용군의 중대를 구성했다. 그들의 모든 전우는 그들이 불속에 뛰어들어 최후의 결정적인 전투인 무르크 강 전투에서 용맹하게 싸웠음을 증언할 것이다. ─

엘버펠트의 무장봉기는 바로 거기서 제국헌법-투쟁의 다양한 계급들의 입장이 가장 분명하게 드러나고 가장 멀리 발전했다는 점 때문에 더욱 상세하게 묘사할 필요가 있다. 베르크-마르크의 여타 도시들에서 운동은 엘버펠트와 전적으로 유사했지만, 다만 그곳에서는 다양한 계급들의 참여 또는 불참이 훨씬 어지럽게 진행되었는데, 거기에서는 그 지역 산업 중심지에서처럼 계급 자체가 분명하게 나뉘지 않았기 때문이었다. 집중된 대공업, 그것과 함께 발전한 대부르주아지가 거의 존재하지 않았으며, 계급관계가 훨씬 평온하고 가부장적으로 뒤섞여 부유하고 있던 팔츠와 바덴에서는 운동의 담지자인 계급들의 혼재가 훨씬 복잡했다. 우리는 이것을 뒤에서 살펴볼 것인데, 동시에 봉기의 이 모든 혼종성이 결국에는 전체 제국헌법-통치권의 결정체의 핵으로서 소시민층을 둘러싸고 어떻게 조직화되는지 보게 될 것이다. _{G56}

지난해 5월 라인프로이센의 봉기 시도는 이 지역이 독일 혁명운동에서 어떤 위상을 차지할 수 있는지 분명히 보여주었다. 7개 요새로 둘러싸여 있는데 그중 3개는 독일 최고 수준이고, 프로이센 전체 군대의 거의 3분의 1이 계속해서 주둔하고 있으며,[36] 모든 방향으로 가는 철도가 교차하고, ||61| 전체 증기 운송 선단을 군이 마음대로 사용할 수 있는 상황에 있는 라인 지역의 봉기는 아주 특별한 조건에서만 성공 가능성이 있다. 내성이 인민의 손에 있을 때에만 라인란트 사람들은 무기를 손에 들고 뭔가 해볼 수 있는 것이다. 그리고 이러한 상황은 오직 군 당국이 엄청난 외부적 사건으로 인해 겁을 집어먹고 당황하거나 군대의 전부 또는 일부가 운동의 편에 설 때에만 가능하다. 그 외 다른 어떤 상황에서도 라인 지역의 봉기는 처음부터 실패한 것이나 다름없다. 바덴 사람들이 프랑크푸르트로, 팔츠 사람들이 트리어로 신속하게 진격했더라면 모젤, 아이펠, 나사우, 그리고 두 헤센에서 즉시 봉기가 발발하고, 당시 잘 조율된 중부 라인 국가들의 군대가 운동에 결합하는

효과를 가져올 수도 있었을 것이다. 전체 라인 지역 군대와 제7, 제8 포병 여단 전체가 프로이센 장군들을 허둥대도록 만들기 위해 최소한 자기들의 신념을 공표했더라면 이들이 본보기로 삼았을 것이라는 데는 의심의 여지가 없다. 아마도 요새 여러 곳이 인민의 손에 들어왔을 것이며, 엘버펠트가 아니더라도 어쨌든 라인 강 좌안의 상당 부분을 구출할 수 있었을 것이다. 이 모든 것이, 그리고 어쩌면 그보다 더 많은 것이 영리한 척하는 바덴 영방위원회의 좀스럽고 속물적이고 비겁한 정책에 의해 사라져버렸다.[37]

라인 지역 노동자들의 패배와 함께 유일하게 노동자들의 이해관계를 공공연히 결연하게 대변하는 신문,《노이에 라이니셰 차이퉁》도 몰락했다. 편집장은 라인프로이센 출신임에도 불구하고 프로이센에서 추방되었으며, 다른 편집자들 중 하나는 즉시 체포가, 다른 이는 즉각 추방이 임박해 있었다. 쾰른 경찰은 아주 순진하게 이를 공표하면서 어떤 식으로든 개입할 수 있을 만큼 충분한 사실을 알고 있다고 아주 자세하게 증명했다. 이로써 전례 없이 신속한 성장을 통해 그 존립이 ‖62‖ 너무나 분명했던 신문은 이 순간에 발행을 중지할 수밖에 없게 되었다. 편집자들은 봉기가 일어났거나 앞으로 일어날 독일의 여러 지역으로 흩어졌다. 여러 명은 또 한 번의 전환점이 임박한 파리로 향했다. 이번 여름의 운동 중에 또는 그 이후 체포되거나 추방되지 않은 사람은 그들 중 아무도 없었으며, 그리하여 쾰른 경찰이 안겨다 준 자애로운 운명을 맞지 않은 사람은 없었다. 식자공 일부는 팔츠로 가서 군대에 입대했다.[38]

라인 지역의 무장봉기도 비극적으로 결말을 맺어야 했다. 라인 지역 4분의 3에 계엄령이 선포된 후, 수백 명이 투옥된 후, **호엔촐레른가의 프리드리히 빌헬름 4세 생일 전야에 프륌 무기고 습격자 3명의 총살**과 함께 봉기는 막을 내렸다.[39] 패자에겐 비애뿐![40]

II. 카를스루에.

바덴에서의 봉기는 분명히 일종의 무장봉기로 볼 수 있는 유리한 상황에서 일어났다. 전체 인민은 약속을 어기고 기회주의적이며 무자비하게 탄압하는 정부를 증오한다는 점에서 일치되어 있었다. 반동 계급들, 즉 귀족, 관료, 대부르주아지는 숫자가 얼마 되지 않았다. 대부르주아지는 바덴에서 이

제 배아기에 있었을 뿐이다. 이 얼마 안 되는 귀족과 관리와 부르주아지를 예외로 하면, 카를스루에와 바덴-바덴의 궁정과 부유한 이방인들 덕에 먹고사는 소상인들을 예외로 하면, 하이델베르크의 몇몇 교수들과 카를스루에 주변의 예닐곱 농촌 마을을 예외로 하면, 전체 주는 일치하여 운동 편이었다. 다른 봉기에서는 먼저 제압당해야 했고, 다른 어떤 곳보다 귀족 장교에게 괴롭힘을 당했으며 1년 전부터 민주적 당파의 ||63| 작업을 거쳐 얼마 전부터 일종의 국민개병제를 도입함으로써, 반란의 요소가 더 많아지게 된 군대는 이곳에서 운동의 선봉에 섰으며 심지어 오펜부르크 집회의 부르주아 지도자들이 원한 것보다 더 운동을 밀고 나가기도 했다. 라슈타트와 카를스루에에서 "운동"을 일종의 무장봉기로 전환한 것은 바로 군대였다.[41]

반란정부가 들어섰을 때, 그들에게는 잘 준비된 군대와 충분히 공급할 수 있는 무기고, 완전히 잘 조직된 국가 기구, 꽉 찬 국고, 그리고 거의 만장일치로 단결한 것과 마찬가지인 주민이 있었다. 나아가 라인 강 좌안의 팔츠에서는 이미 무장봉기가 성공하여 카를스루에에 좌측을 엄호하고 있었고, 라인프로이센에서는 무장봉기가 위협을 받고 있긴 했지만 아직 패배하지는 않았으며, 뷔르템베르크, 프랑켄, 두 헤센과 나사우에서는 일반인들과 심지어 군대 내부도 동요하고 있어서, 불꽃 하나만 있으면 바덴의 봉기를 전체 남독일과 중부 독일로 확산시키고 최소한 5만에서 6만 정도의 정규군이 거사를 일으킬 수 있는 상태였다.

이런 상황에서 해야 할 일은 너무도 간단하고 명료한 것이어서, 봉기가 진압되고 난 후에는 누구나 그것을 알고 누구나 애초부터 그것을 말하고 싶었을 것이다. 여기서 중요한 것은 즉각 단 한 순간도 망설임 없이 헤센, 다름슈타트, 프랑크푸르트, 나사우와 뷔르템베르크로 봉기를 확산시키는 것이다. 그리고 동원 가능한 8천에서 1만 명 정도의 정규군을 그러모으자마자 — 그것은 철도로 이틀이면 할 수 있었다 — "국민의회를 수호"하기 위해 프랑크푸르트로 파견하는 것이다. 헤센 정부는 연이은 타격으로 봉기가 발전함에 따라 마치 마법에 걸려 정신을 잃은 듯했다. 그들의 군대는 잘 알려졌듯이 바덴 편에 호의적이었고, 프랑크푸르트 시 정부[42]처럼 최소한의 저항도 거의 하지 못했다. 프랑크푸르트에 주둔하고 있던 헤센 제후국, 뷔르템베르크, 다름슈타트 군대는 운동 편이었다. 그곳에 있던 프로이센 사람들 — 대부분은 라인란트 사람들||64| — 은 동요하고 있었다. 오스트리아 사람들은 수가 적었다. 바덴 사람들이 도착하면 사람들이 일단은 저지하려고 하겠지만,

무장봉기를 두 헤센과 나사우의 심장부까지 가져올 것이며, 프로이센과 오스트리아를 마인츠까지 후퇴시키고, 떨고 있는 이른바 독일 국민의회를 봉기한 국민과 군대의 가공할 영향력 아래 두게 될 것이었다. 모젤과 아이펠, 뷔르템베르크, 프랑켄에서 봉기가 즉각 발생하지 않는다 해도 이 지방에 봉기를 갖고 갈 수단은 충분했다.

사람들은 우선 무장봉기의 힘을 집중하고 무장봉기에 필요한 자금을 확보하며, 모든 봉건적 부담을 즉각 폐지함으로써 농업에 종사하는 주민 다수가 무장봉기에 관심을 갖게 해야 한다. 전쟁 분야와 우선 바덴과 팔츠에서 G59 지폐*를 발행할 전권을 가진 재정 분야 공동의 중앙 권력을 수립하고, 바덴과 무장봉기군이 점령한 모든 지구에서 봉건적 부담을 폐지하면 얼마 동안은 봉기에 전혀 다른 활동적 성격을 충분히 불어넣을 수 있었을 것이다.

하지만 이 모든 것은 성공을 유일하게 보장할 수 있는 신속함으로 실행될 수 있도록 제일 처음에 일어나야 했다. 영방위원회 구성 8일 후는 이미 너무 늦었다. 라인의 무장봉기는 진압되었고, 뷔르템베르크와 헤센은 움직이지 않았으며, 애초에 우호적이었던 군대는 불확실해졌고, 마침내 그들은 다시 반동적인 장교들을 따랐다. 봉기는 전 독일적 성격을 상실하고 순전히 바덴의 또는 바덴-팔츠의 지역적 봉기가 되어버렸다.

전투가 끝나고 내가 알게 되었듯이, 전직 바덴 준위 F. 지겔은 봉기가 진행되는 동안 "대령"으로, 나중에는 ‖65｜ "상급 장군"(Obergeneral)으로 다소 모호한 작은 월계관을 썼는데, 그는 처음에 영방위원회에 공세를 취해야 한다는 계획을 제출했다. 이 계획은 어떤 상황에서라도 공격을 해야 한다는 올바른 생각을 갖고 있다는 공적은 있다. 그 외에 그는 있을 수 있는 가장 무모한 사람이었다. 지겔은 바덴 군단을 이끌고 먼저 호엔촐레른으로 가서 호엔촐레른 공화국을 선포하고, 그다음에는 슈투트가르트를 접수하여, 거기로부터 봉기를 일으키고 있는 뷔르템베르크를 거쳐 뉘른베르크로 진격하고 역시 봉기를 일으킨 프랑켄의 심장부에 대규모 진을 치고자 했다. 우리는 그곳을 점령하는 것이 무장봉기에 전 독일적 성격을 부여하는 프랑크푸르트의 도덕적 중요성, 마인 강 전선의 전략적 중요성을 이 계획이 전혀 고려하지 않았다는 점을 안다. 우리는 그가 실제로 동원 가능한 것과는 전혀 다른

---

* 바덴 의회는 이미 전에 2백만 지폐 발행을 허가했지만, 아직 단 한 푼의 크로이처(Kreuzer)도 발행되지 않았다. — 엥겔스의 주.

114

전력을 전제로 했다는 것과 완전히 돈키호테 혹은 실(Schill)과 같이 무작정 유랑한 다음에[43] 마침내 남독일의 모든 군대 중 유일하게 진짜 적대적인 **바이에른** 군대로 하여금, 헤센과 나사우 군대가 합류함으로써 봉기가 강화되기 이전에, 봉기를 바짝 뒤쫓도록 만들어버렸음을 안다.

새 정부는 병사들이 거의 전부 흩어졌으며 고향으로 돌아갔다는 핑계로 아무런 공세도 취하려 들지 않았다. 이것이 단지 일부 군대, 즉 친위대의 경우였다는 것을 논외로 하더라도, 뿔뿔이 흩어진 이 병사들조차 사흘 만에 거의 전원이 그들의 깃발 아래 다시 모였다.

어찌 되었든 정부가 어떤 공세에도 곤두선 데는 전혀 다른 이유가 있었다. 바덴 전체의 제국헌법-선동의 선두에는 **브렌타노** 씨가 있었는데, 그는 변호사로서 언제나 독일 소국가의 대중적 인물이 보이는 다소 보잘것없는 공명심과 남독일에서 인기에 가장 중요한 조건인 그럴듯한 고지식한 재주를 일종의 외교적 약삭빠름과 뒤섞은 인물이었는데, 그 약삭빠름은 오직 하나를 제외하고는 그의 ‖66│주변을 완전히 장악하기에 충분한 것이었다. 브렌타노 씨 ── 이제는 사소한 것이 되어버렸지만 그럼에도 불구하고 그것은 옳다 ── 와 그 주에서 가장 강력한 그의 당파는 오펜부르크 의회에서 대공의 정책 변화만을 요구했는데, 그 변화는 **브렌타노 내각**으로만 가능한 것이었다. 일반적인 선동이 라슈타트의 군사 반란[44]을 가져왔다는 대공의 대답은 브렌타노의 의지와 의도에 반대되는 것이었다. 브렌타노가 영방위원회 위원장에 임명된 순간, 운동은 이미 그를 추월했으며, 그는 운동을 제지할 길을 찾아야만 했다. 거기에 카를스루에의 소요가 더해졌다. 대공[45]은 도망가고, 브렌타노를 행정부 수반에 앉히고 그에게 이른바 독재 권력을 안겨준 바로 그 동일한 상황이 그의 모든 계획을 좌절시키고, 그에게 힘을 안겨준 바로 그 운동에 반하여 그가 그 힘을 사용하게 만들었다. 인민이 대공의 제거에 환호하는 동안 브렌타노와 그의 충직한 영방위원회는 안절부절못하는 상황이었다.[46]

거의 전적으로 가장 재능 있는 신조와 가장 모호한 머리를 가진 바덴의 우직한 인사들로 구성되었고, 공화국을 선포한다는 생각에 벌벌 떨면서 아주 작은 열정적인 조치에도 성호를 긋는 “순수 공화주의자”로 구성된 이 영방위원회, 이 진짜 속물 위원회는 물론 완전히 브렌타노에게 종속되어 있었다. 엘버펠트에서 변호사 회히스터가 수행하던 바로 그 역할을 여기서는 조금 더 커다란 지형 위에서 변호사 브렌타노가 넘겨받았다. 감옥에서 영방위원

회로 온 블린트, 피클러, 슈트루베 이 세 명[47]의 이질적 인사 중 혼자 고립되어 있던 블린트는 브렌타노의 음모에 너무나 휘둘려서 바덴의 대표자라는 직함으로 파리로 망명을 떠나는 것 외에는 다른 방법이 없었다. 피클러는 슈투트가르트로 가는 위험한 임무를 맡아야만 했다.[48] 슈트루베는 브렌타노에게 별로 위험하게 여겨지지 않아서, 브렌타노는 그를 그냥 영방위원회에 남아 있게 하면서 감시하고 인기 없는 ||67| 사람으로 만들려고 애썼고, 그것은 완전히 성공했다. 우리는 어떻게 슈트루베가 다른 많은 사람과 함께 "결정적 (아니 그보다는 신중한) 진보 클럽"을 만들고 시위가 실패한 이후 해산되었는지 알고 있다.[49] 며칠 후 슈트루베는 다소간은 "망명자"처럼 팔츠로 가서 다시 한번 자신의 《도이처 추샤우어》를 발행하려 했다. 프로이센이 진격해 오자 시험판은 제대로 발행되지 못했다.

G61   처음부터 순전히 브렌타노의 도구였던 영방위원회는 집행위원회 (Executivecomité)를 선출하여 그 위원장 자리에 브렌타노가 다시 앉았다. 이 집행위원회는 곧 영방위원회를 거의 대체하여 기껏해야 신임과 취해진 조치를 승인하는 임무나 하도록 했고, 다소 믿을 만하지 못한 대위원회 성원들을 지방이나 군대의 잡다한 하위직 임무에 보냄으로써 제거했다. 마침내 집행위원회는 전적으로 브렌타노의 영향력 아래 선출된 "제헌의회"를 통해 영방위원회를 완전히 제거했고, 그 자체는 "임시정부"로 변모하여 그 수반은 당연히 다시 브렌타노가 되었다. 그 장관들을 임명한 사람이 바로 그였다. 어떤 장관들인가 하면 바로 플로리안 뫼르데스와 마이어호퍼였던 것이다![50]

브렌타노는 바덴 소시민계급의 완벽한 대표자였다. 그가 다수의 소부르주아지와 그들의 다른 대표자들과 구별되는 것은 그들의 모든 환상을 공유하기에는 너무 똑똑했다는 것뿐이었다. 브렌타노는 바덴 무장봉기를 첫 순간부터 배신했는데, 그것은 바로 그가 상황을 처음부터 바덴의 어떤 다른 공식적 인물보다 정확하게 인식했기 **때문**이며, 소시민층이 지배권을 유지할 수 있는 유일한 조치를 취하고 바로 그것을 위해 전체 무장봉기를 망쳐야만 했기 때문이었다. 이것이 바로 당시 브렌타노의 끝없는 인기의 비결이며, 동시에 7월 이후 옛 숭배자들이 그에게 쏟아낸 욕설의 비밀이다. 바덴의 소부르주아지 다수는 또한 ||68| 브렌타노와 같은 배신자들이었다. 동시에 그들은 속았지만 그는 아니었다. 그들은 비겁함 때문에 배신했고, 어리석음 때문에 속았다.

116

바덴에는 다른 남독일에서와 마찬가지로 대부르주아지가 거의 존재하지 않았다. 그 지역의 공업과 상업은 미미했다. 따라서 수적으로 얼마 되지 않고 뿔뿔이 흩어져 있으며 거의 발전하지 못한 프롤레타리아트가 있었을 뿐이었다. 주민 대다수는 농민(대부분), 소부르주아지, 수공업 직인으로 나뉘었다. 도시 노동자이고 소도시에 흩어져 있으며 독자적인 노동자당을 건설할 수 있는 거대한 중심지도 전혀 없었던 수공업 직인은 최소한 지금까지 주로 소부르주아지의 사회적, 정치적 영향력 아래에 있거나 있어왔다. 지방 곳곳에 흩어져 있고 교육 수단이 없었던 농민은 원래 소부르주아지와 일부는 완전히 똑같거나 일부는 이른바 비슷한 이해관계를 갖고 있었고, 그래서 역시 그들의 정치적 후원 아래 있었다. 법률가, 의사, 교사, 개별 상인, 서적 판매상으로 대표되던 소부르주아지는 일부는 직접적으로, 일부는 그들의 대표자들을 통해 1848년 3월 이후 바덴에서의 전체 정치운동을 지배했다.

부르주아지와 프롤레타리아트 사이의 대립 부재, 그리고 거기에서 기인 |G62| 하는 소시민층의 정치적 우세로 인해 사회주의적 선동이 바덴에 존재하지 않았던 것이다. 선진 국가들에 살았던 노동자들을 통해서든, 프랑스나 독일의 사회주의적 · 공산주의적 문헌들을 통해서든, 외부에서 유입된 사회주의적 요소들은 결코 활로를 개척할 수 없었다. 붉은 리본과 붉은 깃발은 바덴에서는 부르주아 공화국을 의미할 뿐이었으며, 기껏해야 소소한 테러리즘이 새로 발생한 것, 그리고 부르주아지 편에서 보면 아무런 책임이 없다는 슈트루베가 발견한 "인류의 여섯 가지 재앙"[51]은 대중에게 여전히 호응을 얻을 수 있는 가장 극단적인 것이었다. 바덴 소부르주아지와 농민||69|의 최고 이상은 언제나 스위스에서 1830년 이래 존재해온 것과 같은 자그마한 부르주아-농민 공화국이었다.[52] 왜소하고 검소한 사람들의 자그마한 활동 영역이란 규모가 확대된 지방자치단체와 같은 국가, 즉 "주"(州); 규모가 작고 안정적이고 수공업에 기초한 산업, 그것과 똑같은 정도로 영향을 받은 안정적이고 무기력한 사회 상태; 얼마 안 되는 부, 얼마 안 되는 가난, 목소리 큰 중간 신분, 크지도 작지도 않은 중간 정도; 제후도 없고 왕실도 없고 상비군도 없고 세금도 거의 없는 상태; 역사에 적극적으로 참여하지 않고, 외교정책도 없으며, 소란스러운 국내의 지방적 왁자지껄함, 가족들이 벌이는 싸움; 대공업도 철도도 없고, 국제무역도 없으며, 백만장자와 프롤레타리아트 사이의 사회적 충돌 대신, 신에게 귀의해 정직함 속에 사는 조용하고 느긋한 삶, 자그마한 몰역사적 수수함에 만족하는 영혼들 ── 이것들이 바로 스

위스 대부분의 지역에 존재하면서 바덴의 소부르주아지와 농민이 몇 년 전부터 그 도입에 열광하는 온화한 목가적 이상향이다. 그리고 더 대담하게 열광하고 있는 이 순간에 바덴의, 이를테면 남독일 소부르주아지의 생각이 대체로 전체 독일에 대한 상상으로 확대된다면, 독일의 미래 이상은 확대된 스위스 형태로, 연방 공화국 형태로 그들 눈앞에 어른거릴 것이다. 슈트루베도 한 소책자에서 이미 독일을 24개 주와 그만큼의 주지사[53]와 크고 작은 위원회로 나눈 뒤, 심지어 완성된 분할 지도까지 소책자에 첨부했다.[54] 독일이 언젠가 그런 목가적 이상향으로 전환할 수 있게 된다면 그것은 가장 치욕스러운 때에조차 생각할 수 없었던 굴욕의 단계에 들어서는 것이나 다름없을 것이다.

남독일의 소부르주아지는 그사이 그들도 부르주아-공화주의 깃발을 들고 참여하려 했던 혁명이 진짜 계급투쟁이라는 가공할 갈등의 격랑 속에서 그들이 좋아하는 한가로운 목가적 이상향을 쉽사리 휩쓸어 갈 수 있음을 이미 여러 번 경험했다. 그래서 소부르주아지는 혁명적 ||70| 격변뿐만 아니라 담배 및 맥주 연방 공화국이라는 그들 자신의 이상에도 공포를 갖고 있다. 그래서 최소한 그들 바로 앞의 이해관계를 만족시키고 그들에게 희망을 주는 제국헌법에는 환호했지만, 적당한 시기에 합법적 방법으로 공화국을 도입하는 것은 연기하고자 하는 황제의 거부권[55]이 있었다. 그래서 바덴 군대가 아무런 예고 없이 완결된 무장봉기를 그릇에 담아 공손히 넘겨주었을 때 놀랐던 것이며, 그래서 무장봉기가 미래의 바덴 주 경계를 넘어서 확산되는 것을 두려워했던 것이다. 물론 거대한 불길은 대부르주아지와 다수의 프롤레타리아트가 존재했던 곳, 프롤레타리아트에게 권력을 쥐여 주었던 그곳을 덮쳤을 수도 있었을 것인데 그렇게 하지 않았다. 소유여, 운이 좋은 줄이나 알아라!

이런 상황에서 브렌타노는 무엇을 했는가?

라인프로이센의 소시민층이 의식적으로 한 일을 브렌타노는 소시민층을 **위해** 바덴에서 했다. 즉 그는 무장봉기를 배신했지만 소시민층을 구했다.

브렌타노가 무장봉기를 배신한 것은 마침내 실망한 바덴 소시민들이 상상하는 것처럼 결코 그의 마지막 행동, 즉 무르크 강에서의 패배 이후 도주함으로써 그랬던 것이 아니라 처음 순간부터 그랬다. 바덴의 속물 시민과 일부 농민, 그리고 수공업자가 가장 환호한 바로 그 조치들이 운동을 프로이센에 팔아넘긴 것이다. 배신했다는 바로 그 사실 때문에 브렌타노는 그렇게 인기가 있었으며, 속물 시민의 광신적 열정을 자신의 발뒤꿈치에 묶어둘 수 있었던 것이다. 소부르주아지는 운동에 대한 배반을 신속한 질서와 안전의 회복 때문에 간과했으며, 운동 자체가 당장 지체됨으로 인해 간과했던 것이다. 때가 너무 늦었을 때, 즉 그들이 운동에서 체면을 잃고 운동과 자신이 실패했음을 보았을 때, 그들은 배신에 대해 소리치며 속아 넘어간 우직한 사람의 분노로 자신들의 충직한 공복에게 덤벼들었던 것이다.

브렌타노도 당연히 속임을 당했다. 그는 운동에서 "온건한" 정당||71|, 즉 소시민층의 위대한 인물로 떠오르기를 희망했으나, 그들에게 갑자기 끔찍한 불빛이 떠오르자 자기 자신의 정당과 친구들로부터 치욕적으로 야반도주를 해야만 했다. 그는 심지어 대공국의 장관직을 자신에게 열어놓을 가능성이 있기를 바랐고, 모든 정당을 발길질할 그 불가능성에 언젠가는 또한 어떤 식의 역할을 할 수 있을 자신의 똑똑함에 감사를 표했다. 그러나 두말할 것도 없이 사람들은 어떤 독일의 약탈 국가의 모든 소부르주아지보다 더 그를 꺼릴 것이고, 바로 이 때문에 그의 매우 아름다운 희망은 꺾이고, 그의 매우 아름다운 의도에 오물이 던져지게 되는 것을 볼 수 있을 것이다!

브렌타노는 자기 정부 첫날부터 운동을 결코 뛰어넘을 시도조차 하지 않았던 속물들의 침대로 운동이 못 들어가도록 모든 일을 했다. 하루 전 운동을 공격한, 대공에게 충직한 바로 그 카를스루에 시민군의 보호 아래, 그는 의사당에 가서 그곳에서부터 운동의 고삐를 죄고자 했다. 탈영한 병사들의 소환은 할 수 있는 한 늦게 이루어졌다. 대대의 재조직은 신속하게 이루어지지 않았다. 그에 반해 만하임의 무장 해제된 속물 시민들은 즉각 무장되었는데, 누구나 그들이 싸우지 않을 것이며, 바크호이젤 전투[56] 후 기병 연대에 의한 만하임의 배반에 대부분 가담하기까지 했음을 알고 있었다. 프랑크푸르트 또는 슈투트가르트 진격이나 나사우 또는 헤센으로의 무장봉기 확산은 생각지도 못할 일이었다. 만일 그런 제안이 이뤄졌다면 지겔의 제안[57]처럼 즉각 무시되었을 것이다. 지폐 발행을 말한다면 국가 범죄이자 공산주의적인 것으로 여겨졌을 것이다. 팔츠는 사절을 계속 보냈는데, 그들은 무장하지 않았으며 총도 없었고 포대는 말할 것도 없고 탄약도 없다는 것을 전했다. 그들은 무장봉기의 실행과 란다우와 게르메스하임을 접수하기 위해 필요한 것은 하나도 갖고 있지 않았다. 하지만 브렌타노에게서는 아무것도 얻을 수 없었다. 팔츠는 단일 정부하에 즉각 공동 ||72|군사령부를 설치할 것과 양 영방이 통합할 것도 제안했다. 모든 것은 지연되고 지체되었다. 내 생

각에 팔츠가 유일하게 얻을 수 있었던 것은 약간의 지원금이었다. 나중에 너무 늦었을 때에야, 조작할 수 있는 사람과 우마 없이 약간의 탄약과 함께 대포 8문이 도착했으며, 마침내 미에로스와프스키의 직접 명령으로 1개 바덴 대대와 화포 2문이 왔는데, 내 기억이 정확하다면, 한 화포당 한 발씩 발사했다.

무장봉기를 주도할 수 있었을 필수 불가결한 조치를 이렇게 지연하고 제거했다는 것은, 운동 전체를 이미 배신한 것이었다. 내부의 일도 똑같이 태만하게 진행되었다. 봉건적 부담의 폐지는 문제 되지도 않았다. 브렌타노는 농민 속에 특히 오버란트에 그가 바라던 것보다 더 많은 혁명적 요소가 들어 있다는 것, 따라서 그들을 더 깊이 운동 속으로 내던지기보다는 오히려 잡아두어야 함을 잘 알고 있었다. 새 관료들은 대부분 브렌타노의 꼭두각시였으며 완전히 무능했다. 지난 12개월 동안의 반동기에 너무 직접적으로 명예가 실추되고 스스로 도망친 일부 예외를 제외한 옛 관료들은 조용한 시민 모두가 감격할 정도로 온전히 그들의 자리를 유지했다. 심지어 슈트루베조차 5월의 마지막 며칠 동안 "혁명"에서 모든 것이 아주 평온하게 진행되었으며, 거의 모든 관료가 그들의 자리를 지킬 수 있었음을 칭송해 마지않았다.[58] 그 외의 것에서 브렌타노와 그의 대리인들은 가능한 한 모든 것이 옛 궤도로 돌아오고, 불안과 소요를 되도록 최소화하고 영방의 혁명적 외관이 신속하게 사라지게 하는 데 열중했다.

군사 조직에서도 똑같은 구습이 지배했다. 어쩔 수 없이 해야만 하는 것 외에는 아무것도 하지 않았다. 군대는 지휘관도 없이, 할 일도 없이, 질서도 없이 방치되었다. 무능력한 "전쟁장관" 아이히펠트와 그의 후임자, 배신자 마이어호퍼는 군대를 나누어 배치하는 것조차 몰랐다. 군대 수송은 아무 목적도 없고 아무 결과도 없이 철도 위에서 오락가락했다. 대대는 ||73| 오늘은 이쪽으로 보내졌다가 내일은 다시 복귀하고, 왜 그러는지는 아무도 몰랐다. 주둔지에서는 이 숙소에서 저 숙소로 옮아 다녔는데, 달리 할 일이 없었기 때문이었다. 그것은 마치 일부러 그들의 사기를 떨어뜨리고 정부가 그들의 마지막 남은 규율조차 없애려는 것처럼 보였다. 이른바 국민방위군, 즉 싸울 능력이 있는 30세까지의 모든 남자의 최초 투입을 조직하는 일은 귀화한 스위스인이자 스위스 연방의 장교로서 잘 알려진 요한 필리프 베커에게 맡겨졌다. 베커가 자신의 임무를 수행하면서 얼마나 브렌타노에게 방해를 받았는지 나는 모른다.[59] 하지만 팔츠 군대가 바덴 영토로 후퇴하고 난 후,

볼품없이 차려입고 무장한 팔츠인들의 영토에 대한 요구를 더는 거절할 수 없었던 그 당시 브렌타노가 다음과 같은 말로 자신은 죄가 없다고 발뺌했다는 것은 알고 있다. "나로서는 너희들이 원하는 것을 주었다. 하지만 대공이 다시 돌아온다면 누가 그의 곳간을 낭비했는지는 최소한 알아야 할 것이다!" 만약 바덴 국민방위군이 일부는 엉망이었고, 일부는 전혀 조직되지 않았다면 그 주된 책임이 역시 브렌타노와 개별 지구에 있는 그의 대리인들의 불량한 의지와 서투름에 있다는 것은 의심할 여지가 없다.

마르크스와 내가 《노이에 라이니셰 차이퉁》이 탄압받은 후 처음 바덴 지역으로 왔을 때—5월 20일이나 21일, 즉 대공[60]이 도망치고 여드레 이상 지난 후일 것이다—우리는 국경을 지키는, 아니 그보다는 지키지 않는 그 엄청난 태평함에 놀랐다. 프랑크푸르트로부터 헤펜하임에 이르기까지 전체 철도를 뷔르템베르크와 헤센의 제국 군대가 점거하고 있었다. 프랑크푸르트와 다름슈타트 자체는 군대로 가득 찼다. 모든 역과 읍면은 강력한 파견부대가 점령했다. 규칙적으로 설치된 감시 초소는 국경까지 전진되어 있었다. 하지만 그에 반해 바인하임까지의 국경에서는 단 한 사람도 볼 수가 없었다. 바인하임 내에서도 그랬다. 유일한 예방 조치는 헤펜하임과 바인하임 사이의 짧은 ||74| 철도 노선을 파괴한 것이었다. 우리가 거기 있는 동안 처음으로 최대 25명으로 이루어진 친위대의 빈약한 파견대가 바인하임에 도착했다. 바인하임에서 만하임까지 다시 깊은 정적이 감돌았다. 기껏해야 임무 중이기보다는 낙오되거나 탈영한 개별 국민방위군 병사들을 여기저기서 볼 수 있을 뿐이었다. 물론 국경 통제는 당초부터 문제도 되지 않았다. 사람들은 마음대로 들어가거나 나올 수 있었다.

만하임에서는 뭔가 더욱 군인다운 면모가 보였다. 몇몇 병사들이 길거리에 서 있거나 숙소에 앉아 있었다. 국민방위군과 시민군이 공원에서 훈련하고 있었는데, 대부분 아직도 아주 서툴고 제대로 된 지휘자가 없었다. 시청에는 몇몇 위원들과 늙은 장교와 젊은 장교, 제복 입은 사람과 점퍼 입은 사람들이 앉아 있었다. 사람들이 병사와 의용대 사이에 끼어들어서, 많이 마시고 웃고 서로를 다독였다. 하지만 동시에 첫 번째 물결이 지나가고, 많은 사람이 실망했음이 눈에 띄었다. 병사들은 불평을 늘어놓았다. 우리가 무장봉기를 일으켰는데, 이제 시민들 차례가 되고 지휘권을 넘겨받자 그들은 모든 것을 정체시키고 엉망진창으로 만들고 있다! 병사들은 새 장교들에게도 만족하지 못했다. 새 장교들은 아직도 여럿이 남아 있던 옛 대공의 사람들과

G66

긴장 관계에 있었고 매일 여러 명이 탈영했다. 옛 장교들은 마지못해 어정쩡한 위치에 놓여서는 거기에서 어떻게 빠져나올지 모르는 상태였다. 정력적이고 유능한 지휘부의 결여에 대해 마침내 모든 곳에서 불만이 터져 나왔다.

라인 강의 다른 편, 루트비히스하펜에서는 운동이 훨씬 활기찬 모습으로 우리에게 다가왔다. 만하임에서는 아마도 맨 처음 투입된 일군의 젊은이들이 마치 아무 일도 없었다는 듯 조용히 생업에 전념하는 동안, 여기서는 모든 것이 무장하고 있는 상태였다. 물론 나중에 드러나듯 팔츠가 전부 그랬던 것은 아니다. 루트비히스하펜에서는 의용대와 ||75| 군대 사이에 커다란 동질감이 지배하고 있었다. 여기서도 만원이었던 숙소에서는 프랑스 혁명가 라 마르세예즈나 그 비슷한 노래들이 울려 퍼졌다. 사람들은 불만을 터뜨리지 않았고, 투덜대지 않았으며, 웃고, 혼신을 다해 운동에 임했으며, 특히 보병과 의용대 사이에서 자신들은 결코 패배하지 않는다는, 당시 아직은 용서할 만한 순진한 환상이 퍼져 있었다.

카를스루에에서는 사태가 이미 훨씬 격식을 차리는 양상을 띠었다. 카를스루에의 파리 식당(Pariser Hof)에서는 1시에 연회(Table d'hôte)가 예정되어 있었으나, "영방위원회 위원"들이 도착할 때까지 시작되지 않고 있었다. 그와 같은 소소한 배려들이 운동에 일종의 선행을 베푸는 관료주의적 분위기를 연출했다.

G67 　우리는 영방위원회의 여러 위원과 맞서서 위에 언급한 견해, 즉 초기에 바로 프랑크푸르트로 진격해서 무장봉기를 더욱 확산시켜야 했고,[61] 이제는 다분히 너무 늦어버렸으며, 헝가리에서의 결정적 전투나 파리에서의 새로운 혁명이 없이는 전체 운동은 이제 실패한 것이나 마찬가지라는 견해를 표명했다. 그런 이단적인 주장이 영방위원회 시민들 사이에 일으킨 분노를 사람들은 상상할 수 없을 것이다. 블린트와 괴크 두 사람만이 우리와 견해를 같이했다. 상황이 우리가 옳다는 것을 밝혀준 지금도, 예전부터 그랬듯이 이 위원들은 공세를 취하고 있다.

카를스루에에서는 거의 초창기에 "독일의 모든 민주 세력의 집중"이라는 바로 이 거대한 이름 아래 조국을 구한다고 뻐기던 대규모 자리다툼이 이미 나타났다. 언젠가 어떤 클럽에서 두서없이 떠들어댄 사람, 멀리 떨어진 어떤 작은 신문에 독재에 대한 증오를 호소한 사람, 그런 사람들이 위대한 사람이 되고자 카를스루에나 카이저슬라우테른으로 서둘러 몰려들었다. 그들의 능력이 여기 집중된 힘에 완벽하게 걸맞은지는 처음에는 분명하게 확인할 수

없었다. 그렇게 해서 이른바 철학자 아타 ||76| 트롤 ─ 전직 프랑크푸르트 국민의회 의원이자, 또한 자신이 직접 나섰음에도 불구하고 만토이펠에게 탄압받았던 이른바 민주적 신문의 편집자로 알려진 ─ 이 카를스루에로 오게 되었다. 아타 트롤은 매우 부지런히 파리 주재 바덴 공사 자리를 사냥했는데, 그는 한때 파리에 2년간 있었으며 거기서 프랑스어를 배우지 않았기 때문에[62] 자신이 적임자라고 생각하고 있었다. 그는 브렌타노에게서 신임장을 얻어내서 정말 행복해했는데, 브렌타노가 갑자기 그를 불러 주머니에서 신임장을 다시 빼앗자 바로 짐을 쌌다. 아타 트롤이 브렌타노의 뜻을 거역하고 파리로 떠난 것은 당연한 일이었다.[63] ─ 몇 년 전부터 독일을 혁명화하고 공화국화하겠다고 위협한 또 다른 고지식한 시민 하인첸도 카를스루에로 왔다. 이 우직한 인물은 잘 알려졌다시피 2월 혁명 전 온갖 곳에서 "간섭을 하라"고 호소했지만, 혁명 후에는 중립적인 스위스 고산지대에서 독일의 여러 무장봉기를 그저 지켜보기만 하는 것이 더 잘된 일이라고 생각했다. 이제 마침내 그도 한번은 "압제자"[64]를 간섭할 생각이 들었던 모양이다. "코슈트는 위대한 사람이지만 뇌은(雷銀)을 잊어버렸다"[65]라고 그가 이전에 했던 말에서 기대할 수 있는 것은 그가 프로이센에 대항하는 엄청난, 지금까지도 예상하지 못한 파괴력을 **즉각** 조직할 것이라는 점이었다. 조직은 무슨 조직. 더 높이 세운 계획이 실현 불가능해 보이자, 우리의 압제 증오자는 공화주의적 엘리트 부대를 건설하는 데 만족하고, 그사이 브렌타노에게 유리한 글을 《카를스루어 차이퉁》에 기고했으며, 결정적 진보 클럽[66]을 방문했다. 그 클럽은 해산되었고 공화주의적 엘리트들은 오지 않았으며, 하인첸은 자신조차 브렌타노의 정책을 더는 방어할 수 없음을 마침내 인식했다. 오해하고 지치고 화가 난 채 그는 먼저 바덴의 고원지대로 갔다가 거기에서 스위스로 갔다. 단 한 명의 "압제자"도 치지 못한 채 말이다. 그는 지금 런던에서 상징적으로[67] 많은 이의 목을 단두대에서 자름으로써 그들에게 복수하고 있다.[68]|

|77| 우리는 팔츠를 방문하기 위해 그다음 날 아침 카를스루에를 떠났다.[69]

바덴 무장봉기의 이후 진행에 대해서는 일반 정치와 시민 행정의 지도라는 관점에서 나는 별로 말할 것이 없다. 자신이 충분히 강하다고 느낄 때 브렌타노는 결정적 진보 클럽이 그에게 제기했던 온순한 반대를 일격에 분쇄했다. 브렌타노의 엄청난 인기와 모든 것을 다스리는 소시민층의 영향하에

G68

선출된 "제헌의회"는 그의 모든 조치에 대해 예스와 아멘을 외쳤다. "독재 권력을 가진 임시정부"(이른바 국민공회하의 독재!)는 완전히 그의 지도하에 있었다.[70] 그렇게 그는 계속 다스렸고, 무장봉기의 혁명적이고 군사적인 발전을 가로막았으며, 일상사가 그럭저럭 굴러가도록(tant bien que mal) 신경 쓰고, 그가 계속해서 신의 은총을 받은 정통 주권자로 생각하는 대공의 비축물과 사유재산을 시샘하며 감시했다. 《카를스루어 차이퉁》에 그는 대공이 언제라도 돌아올 수 있다는 성명을 발표했는데,[71] 실제로 성은 거주자가 그저 어디 여행이라도 간 듯이 그 기간 내내 닫혀 있었다. 그는 팔츠의 사절단에게 모호한 대답을 하며 시간을 질질 끌었다. 최대로 성취할 수 있었던 것은 미에로스와프스키 휘하의 공동 군사령부와, 그동안 브렌타노가 만하임 측에서 계속 통행세를 걷는 것을 막지 않은, 만하임-루트비히스하펜 교량 통행세 폐지를 위한 협약이 전부였다.[72]

미에로스와프스키가 마침내 바크호이젤과 움슈타트 전투 후 자신의 잔여 군대를 산악을 거쳐 무르크 강 너머로 철수시켜야만 하게 되자, 상당량의 비축물과 함께 카를스루에를 포기해야만 하자, 무르크 강에서의 패배가 운동의 운명을 결정하게 되자, 바덴 시민과 농민과 병사의 환상은 사라졌고, 브렌타노가 배반했다는 외침이 한목소리로 울리기 시작했다. ‖78‖ 소시민의 비겁함과 농민의 의존성과 집중된 노동자의 부재를 통해 유지되던 브렌타노의 인기라는 건물 전체가 일격에 파괴되었다. 브렌타노는 스위스로 야반도주했고, 그 자신의 "제헌의회"가 그에게 갖다 붙인 인민 배신이라는 비난에 쫓기며 취리히 주 포이어탈렌에[73] 몸을 숨겼다.

사람들은 브렌타노가 자신의 정치적 지위를 완전히 망쳤다는 것과 그의 배신을 모든 정당이 전반적으로 경멸한다는 것을 통해 이미 충분히 벌을 받았다는 것으로 위안을 삼을 수 있을 것이다. 바덴 운동의 몰락은 그렇게 중요하지 않다. 파리의 6월 13일과 괴르게이가 빈으로 진군하기를 거부한 것이 운동을 헤센, 뷔르템베르크, 프랑켄으로 이전하는 데 성공했다고 볼 수 있을지라도, 바덴과 팔츠가 여전히 갖고 있던 희망을 모두 파괴해버렸다. 사람들은 더 명예롭게 전사할 수도 있었지만, 그냥 전사했다. 혁명 세력이 브렌타노에게서 절대 잊지 않을 것은, 그를 부양했던 비겁한 바덴 소시민들에게서 절대 잊지 않을 것은, 바로 그들이 카를스루에와 프라이부르크와 라슈타트에서 총살당한 사람들의 죽음과, 프로이센이 라슈타트 포루(砲樓)에서 티푸스로 소리 없이 처형한 이름 없는 수많은 희생자들의 죽음에 직접적인

G69

124

책임이 있다는 사실이다.

이 평론의 제2호에서 나는 팔츠의 상황과 마지막으로 바덴과 팔츠의 투쟁에 대해 서술할 것이다.|

《노이에 라이니셰 차이퉁. 정치-경제 평론》
제2호, 1850년 2월

|37| III. 팔츠.

우리는 카를스루에에서 팔츠로 향했는데, 우선 데스터와 임시정부가 있다는 슈파이어로 갔다. 하지만 그들은 카이저슬라우테른으로 이미 떠났고, 정부는 "팔츠의 가장 전략적인 지점"인 그곳을 최종 입지로 정했다. 슈파이어에서 우리는 그들 대신 빌리히와 그의 의용대를 만났다. 그는 몇백 명의 병사로 이루어진 부대와 함께 4천 명이 넘는 란다우와 게르머스하임의 주둔군을 꼼짝 못 하게 통제하고 그들에게 가는 보급 물자를 차단한 채, 가능한 모든 방법으로 그들을 괴롭혔다. 같은 날 그는 약 80명의 병사들을 데리고 게르머스하임 주둔군의 2개 중대를 공격해서, 단 한 발의 총격도 없이 그들을 다시 요새로 몰아냈다. 다음 날 아침 우리는 빌리히와 함께 카이저슬라우테른으로 가서, 데스터와 임시정부 그리고 독일 민주주의의 만개를 마주했다. 우리 당과는 매우 거리가 먼 운동에 공식적으로 참가한다는 것은 물론 당면한 문제가 아니었다. 우리는 며칠 후에 빙겐으로 돌아갔는데, 가는 길에 여러 명의 친구와 함께했고, 헤센 부대는 우리가 봉기에 참여한 것으로 의심해 체포한 다음에 다름슈타트로, 다시 거기서 프랑크푸르트로 이송했다가 여기에서 마침내 다시 우리를 풀어주었다.

얼마 안 되어 우리는 빙겐을 떠났고, 마르크스는 프랑스 사회민주주의자들에게 독일 혁명당을 대변하기 위해 민주주의 중앙위원회의 위임을 받아서 하나의 결정적 사건이 거의 임박했던 파리에 갔다.[74] 나는 카이저슬||38|라우테른으로 돌아갔는데, 거기서 당분간 단순한 정치 망명자로 살면서 나중에 투쟁의 발발과 같은 적합한 기회가 주어진다면 이 운동에서《노이에 라이니셰 차이퉁》이 취할 수 있었던 유일한 입장, 즉 병사들의 입장을 취하

G70

기 위해서였다.

　팔츠를 한 번이라도 본 사람이라면, 와인이 풍부하고 와인으로 행복한 이 땅에서 운동이 일어난다면 아주 쾌활한 성격을 띨 것이 틀림없다는 것을 이해할 것이다. 사람들은 마침내 답답하고 옹졸한 옛날 바이에른식 맥주쟁이(Bierseele)를 벗어났고, 그 자리에 명랑한 팔츠의 와인쟁이(Schoppenstecher)를 관리로 임명했다. 사람들은 마침내 《플리겐데 블레터》에서 재미있게 풍자되고 다른 무엇보다 세련된 팔츠 사람들에게 무겁게 다가왔던 심오한 바이에른 경찰의 전횡을 벗어났다. 선술집의 자유를 만들어낸 것이 팔츠 인민의 첫 번째 혁명적 행동이었다. 팔츠 전체가 하나의 거대한 선술집으로 변모했고, 이 6주 동안 "팔츠 인민의 이름으로" 마셔댄 대중의 정신적 음료 양은 모든 예상을 넘어선 것이었다. 바덴에 비해 팔츠의 적극적인 운동 참여는 그리 크지 않았고 여기에는 여러 반동 지역이 있었음에도 불구하고, 전체 주민은 전반적으로 와인 마시기에서는 일치했으며, 가장 반동적인 속물 시민과 농민조차 와자지껄함에 전반적으로 휩쓸렸다.

　몇 주 내로 프로이센 군대가 이 유쾌한 팔츠 사람들에게 어떤 불쾌한 실망을 가져다줄지 인식하는 데는 특별히 날카로운 눈이 필요하지 않았다. 하지만 팔츠에는 정말로 안전하게 포식할 수 없었던 사람은 셀 수 있을 정도였다. 프로이센이 올 것이라고 믿었던 극소수는 그들이 오면 아주 손쉽게 다시 내쫓을 수 있을 거라고 모두 다 믿었다. 저 고지식한 암담함, 이것의 모토는 "진지한 사람"이었다. 이 모토는 모든 국민방위군 장교들의 이마에 쓰여 있었지만, 그럼에도 불구하고 내가 나중에 설명하게 될 불가사의한 일을 결코 막지 못했다. 운동의 속물‖39│적 특성이 바덴의 운동에 참여한 대다수에게 영향을 미친 저 우직한 장엄함은 여기에서는 실제로 존재하지 않았다. 팔츠에서는 사람들이 부수적으로만 "진지했다". 여기서 "열광"과 "진지함"은 일반적인 명랑함을 미화하는 데만 기여할 뿐이었다. 하지만 사람들은 세상의 모든 권력에 맞서, 특히 프로이센 군대에 맞서 패배하지 않으리라 믿을 만큼 언제나 "진지"하고 "열광적"이었다. 혼자서 생각을 한번 정리하면서 아주 사소한 의심이 생기면, 그 의심은 반박할 수 없는 논거를 통해서 제거되었다. 설사 의심이 들더라도, 사람들은 그것을 말하면 안 되었다. 운동이 점점 더 오래 이상하게 전개될수록, 프로이센 대대가 자르브뤼켄에서 크로이츠나흐까지 점점 더 부인할 수 없고 점점 더 거대하게 결집할수록, 당연히 이러한 의심은 더욱 잦아지고, 동시에 팔츠 사람들을 가리키는 "자유에 열광하는 인민"의 불패라는 호언장담 또한 특히 의심하는 사람들과 겁먹은 사람들 사이에서 더욱 커져갔다. 이 호언장담은 곧 일종의 마취 기제로 발전해서 방어 조치를 위한 모든 활동을 느슨하게 만들고, 이에 반대하는 사람은 누구라도 반동분자로 체포될 위험에 처하도록 만드는 데 일조했다.

이런 안전함, 즉 "열광"과 안전함의 만능을 통한 이런 호언장담은 얼마 안 되는 물질적 수단과 그것이 통용되는 조그마한 땅덩어리와 결합해 팔츠적 "의기양양함"의 희극적 측면을 만들어냈고, 더 똑똑하고 독자적인 입장을 갖고 자유롭게 생각할 수 있는 소수에게 웃음거리를 가득 안겨주었다.

팔츠 운동의 전체적인 외형은 즐겁고 걱정 없으며 거리낌 없는 성격을 띠고 있었다. 바덴에서 새로 임명된 준위는 모두 전선에서나 국민방위군에서나 무거운 제복을 동여매고, 전투가 일어나면 즉각 주머니 속으로 이동하는 은빛 견장을 달고 행군을 하는 반면, 팔츠에서 사람들은 훨씬 더 합리적이었다. 6월 초의 엄청난 더위를 느끼자 모든 군복 상의와 조끼와 넥타이가 사라지고 가벼운 점퍼가 그 자리를 대신했다. 낡은 관료제와 더불어 사람들은 또한 사교적이지 않은 모든 ||40| 낡은 강박에서 벗어난 것처럼 보였다. 사람들은 완전히 거리낌없이, 그저 편안하고 계절에 맞는 옷을 입었다. 그리고 복장의 차이와 함께 사교에서의 다른 모든 차이가 잠깐 동안 사라졌다. 사회의 모든 계급이 같은 공공장소에 모였고, 사회주의적 몽상가라면 이런 속박 없는 관계에서 보편적인 형제애의 서광을 보았을지도 모른다.

팔츠 사람들처럼 팔츠 임시정부도 그랬다. 임시정부는 거의 느긋한 와인 쟁이들로만 구성되었는데, 그들은 바쿠스 신이 사랑한 조국의 임시정부를 갑작스레 생각해야 한다는 것 말고는 어떤 것에도 더는 놀라지 않았다. 하지만 이 웃음 짓는 통치자들이 "고지식한" 브렌타노 휘하의 이웃 바덴 사람들보다 훨씬 몽롱했지만 비교적 더 많은 것을 성취했다는 것은 부정할 수 없다. 그들은 최소한 선의가 있었으며, 와인쟁이였지만 속물 시민적이고 근엄한 카를스루에 신사 양반들보다는 멀쩡한 이성을 갖고 있었고, 사람들이 그들의 편안한 혁명 방식과 무능한 작은 조치들을 놀려댈 때 극소수만 격분했을 뿐이었다.

팔츠 임시정부는 바덴 정부가 그들을 곤경에 처하게 하는 한 아무것도 할 수가 없었다. 그리고 바덴에 관한 한 그들은 온전히 그들의 책무를 다했다. 그들은 계속해서 사절을 보냈고 합의를 이루기 위해 계속해서 양보했다. 하지만 모두 헛된 것이었으니, 브렌타노는 결국 아무것도 하려 하지 않았다.

G72

바덴 정부는 모든 것을 갖고 있었지만, 팔츠는 아무것도 없었다. 팔츠는 돈이 없었고, 무기도 없었으며, 여러 반동 지역이 있었고, 적대적 요새 두 곳이 있었다. 프랑스는 바덴과 팔츠로 무기 수출을 즉각 금지하고, 프로이센과 헤센은 그곳으로 보내진 모든 무기를 압수했다. 팔츠 정부는 무기를 구매해 들여오기 위해 곧바로 중개인을 프랑스와 벨기에로 보냈다. 무기는 구매했지만 들어오지는 않았다. 정부가 밀수업자들과 함께 국경에서 ||41| 무기 밀수를 조직하지 않은 것과 같이, 충분히 열정적으로 일하지 않았다고 비난할 수는 있다. 하지만 더 많은 책임은 중개인들의 몫이었는데, 그들은 열심히 일하지 않았고, 프랑스 무기들을 최소한 자르게뮌트나 라우터부르크로 들여오는 대신 공허한 약속을 믿고 기다리고만 있었다.

자금에 관한 한 소규모의 팔츠에서는 지폐로 할 수 있는 일이 별로 없었다. 정부가 재정적 어려움을 겪었을 때, 그들은 최소한 비록 누진적인 저금리로 강제 공채를 발행해서라도 출구를 찾으려는 용기가 있었다.[75]

팔츠 정부를 비난할 수 있다면, 정부가 무능력을 감지하는 데 너무나 태평했다는 점과 그와 연관된 자신의 안전에 관한 환상에 감염되었다는 점에 한정된다. 정부는 당연히 제한된 수단을 영방 방어를 위해 사력을 다해 투입하기보다는, 파리에서 산악당이 승리하기를 바라거나, 헝가리가 빈을 점령한다거나 심지어는 어디선가 팔츠의 구원을 위해 진짜 기적 ― 프로이센 군대 안에서 일어나는 봉기 같은 ― 이 일어나길 기대하고 있었다. 그래서 이미 사용 가능한 장총 1천 정이 있고, 프로이센이 진격해 오던 날 처음이자 마지막인 대포 40문이 외국, 즉 스위스로부터 들어왔던 그 나라에서 무기를 조달하는 데 너무 태만했던 것이다. 그러니까 대부분 능력 없고 정신없는 몽상가들로 이루어진 시민 및 군사위원의 선발에 너무나 경솔했고, 그 많은 옛 관료와 전체 판사를 그냥 놔두었던 것이다. 그래서 마침내 너무 귀찮아서 모든 것, 심지어 바로 옆에 있는 수단을, 즉 내가 나중에 다시 언급하게 될 린다우로부터의 수입을 등한시했다.

임시정부 뒤에는 일종의 비밀 사무총장, 또는 브렌타노가 일컬었듯이 "온건한 카이저슬라우테른의 정부를 둘러싸고 있는 붉은 도당(rothe Camarilla)"[76]으로서 데스터가 있었다. 이 "붉은 도당"에는 다른 독일 민주주의자들, 즉 드레스덴의 망명자들도 있었다. 팔츠의 통치자들은 데스터에게서 그들에게는 ||42| 없는 앞에서 말한 행정적 통찰과, 동시에 그가 언제나 긴급한 일, 명백히 가능한 일에만 집중하며 그리하여 결코 세부적인 조치

들에 얽매이지 않음으로써 그들에게 깊은 인상을 보여준 혁명적 이성을 보았다. 데스터는 이를 통해 상당한 영향력과 정부의 절대적인 신임을 얻었다. 그가 가끔 운동을 너무 진지하게 받아들이고, 그래서 예를 들어 당장은 전혀 맞지 않는 지방 조례를 도입함으로써[77] 뭔가 중요한 것을 이룰 수 있다고 믿는다 할지라도, 데스터가 상당히 열정적인 모든 조치로 임시정부를 추동하고, 세부적인 갈등에서 언제나 적합한 해결책을 손에 쥐고 있었다는 것은 분명하다.

라인프로이센에서는 반동 계급과 혁명 계급이 처음부터 대립하고 있었다면, 그리고 바덴에서는 처음에 운동에 열광했던 계급, 소시민층이 위험이 닥쳐옴에 따라 점차 처음에는 무관심으로, 나중에는 그들 자신이 선동한 운동에 적대적으로 변해갔다면, 팔츠에서는 주민 각자의 계급보다는 지역 이해관계에 따라 행동했던 개별 지역들이 일부는 처음부터, 일부는 나중에 점점 더 운동에 적대적임을 나타냈다. 물론 슈파이어에서는 시민층이 처음부터 반동적이었으며, 시간이 지남에 따라 카이저슬라우테른과 노이슈타트, 츠바이브뤼켄 등에서도 그러했다. 하지만 반동 세력의 주된 힘은 전체 팔츠에 퍼져 있던 농업 지역에 있었다. 세력들의 이런 혼란한 상태는 오직 한 가지 조치, 즉 부채를 짊어지고 고리대금업자에게 피를 빨리는 농민에게 유리하도록, 저당권자와 고리대금업자의 수중에 있는 사유재산을 직접 공격함으로써 제거할 수도 있었을 것이다. 전체 농촌 주민이 즉각 봉기에 관심을 갖도록 했을 이 조치는 당시 팔츠보다는 훨씬 넓은 지형과 훨씬 발전한 도시에서의 사회 상태를 전제로 했다. 그 조치는 농촌에 동일한 상태가 존재했고 라인 도시들의 산업 발전에서 조금 더 보충된 지역인 모젤과 아이펠로 봉기를 동시에 확대함으로써 무장봉기의 시초에만 가능한 것이었다. 그리고 바덴에서 그런 것처럼 ‖43 | 팔츠에서도 운동이 거의 외부로 확대되지 못했다.

이런 상황에서 정부는 반동 지역들을 제압할 수 있는 수단이 별로 없었다. 그것은 저항하는 지역에 대한 군사 원정, 체포, 특히 저항의 선두에 선 가톨릭 사제들의 체포 같은 것이었다. 그리고 실행력이 있는 민간 및 군사위원의 임명과 마지막으로 선전이었다. 대부분 이상한 성격을 띠었던 군사 원정은 잠시 동안만 효과가 있었다. 선전은 아무 효과도 없었으며, 위원들은 대부분 점잔을 빼면서 서툴러 실수에 실수를 연발하거나, 빠질 수 없는 술집에서의 호언장담과 함께 팔츠 와인을 엄청나게 소비하기만 했다.

선동가들, 위원들, 중앙 행정 부처 관료들 중에는 바덴보다 팔츠에 더 많이 모여 있던 민주주의자들이 매우 중요한 위치를 차지하고 있었다. 여기에는 드레스덴과 라인프로이센의 망명자들뿐만 아니라 그 외에 조국을 위한 봉사에 자신을 바치려는 상당수의 열정적인 "인민 투사들"이 포함된다. 카를스루에 정부와 달리 자신의 능력만으로는 이 운동의 부담을 감당할 수 없음을 정확히 파악한 팔츠 정부는 이들을 기쁘게 받아들였다. 두 시간이 채 되기 전에 이들은 다양하고 전체로 봐서 매우 명예로운 여러 가지 자리를 제안받았다. 팔츠와 바덴의 운동에서 단지 일상적인, 지역적이고 별로 중요하지 않은 지역 봉기가 아니라 전체 독일 민주주의의 영광스러운 고양의 영광스러운 서광을 보았던, 그리고 운동에서 **자신의**, 다소간 소부르주아적 경향이 주도적임을 보았던 이 민주주의자들은 흔쾌히 일을 맡아서 열심히 노력했다. 동시에 전체 독일 운동에서 매우 높은 기대치를 헛되게 하지 않을 사람만 그런 자리를 받아야 한다고 생각했다. 처음에는 그런대로 굴러갔다. 신고하는 사람은 누구나 즉시 사무소장, 정부 위원, 소령 또는 대위가 되었다. 하지만 점차 경쟁자가 늘어나면서 자리는 ||44| 부족해지고, 거기에 참가하지 않는 구경꾼들에게는 몹시 흥미로운 연극을 보는 것 같은 일종의 자잘하고 속물 시민적인 자리 쟁탈전이 전개되었다. 독일 민주주의에서《노이에 라이니셰 차이퉁》을 그토록 자주 놀라게 한 산업주의와 혼란, 추근거림과 무능력의 흔치 않은 혼합의 경우에서, 팔츠의 관료들과 선동가들이 이 유쾌하지 않은 혼전의 충실한 모방자였다는 사실을 굳이 내가 명시적으로 확증할 필요는 없을 것이다.

물론 나도 프롤레타리아트 운동에서라면 잠시도 머뭇거리지 않고 받아들였을 여러 민간 및 군사 분야의 자리들을 제안받았다. 나는 이러한 상황에서 그것들을 모두 거절했다. 내가 받아들인 유일한 제안은 임시정부가 팔츠에서 대량으로 유포하는 작은 신문을 위해서 몇 가지 흥미로운 기사를 쓰는 것이었다. 나는 그것도 아니라고 생각했지만, 데스터와 여러 정부 인사들의 강력한 요청에 따라 최소한 선의를 보여주기 위해 받아들였다. 나는 당연히 거의 주저하지 않았기에, 이미 두 번째 기사가 너무 "선동적"이라는 반응을 얻었고, 나는 한마디도 말하지 않고 기사를 철회해 데스터가 있는 앞에서 그것을 찢어버렸고 그 일은 막을 내렸다.[78]

팔츠에 있던 외부 민주 인사들 중에는 방금 그들의 고향에서 투쟁하다 온 사람들이 가장 괜찮았다. 작센과 라인프로이센 사람들이 그러했다. 얼마 되지 않는 작센 사람들은 대부분 중앙 부처에서 근무했으며 열심히 일했고, 행정 지식과 차분하고 분명한 이성이 있으며 어떤 요구나 환상이 없는 점에서 뛰어났다. 대부분 노동자였던 라인 사람들은 대규모로 군에 들어갔는데, 처음에 사무실에서 일했던 몇몇 사람들도 나중에는 총을 들었다.

카이저슬라우테른의 프루흐트할레에 있는 중앙 행정 사무소는 매우 평온하게 돌아갔다. 모든 일을 되는대로 그냥 두고, 전혀 운동에 적극적으로 개입하지 않으며, 상당수의 비범한 관료들이 있었지만, 전체적으로 할 일이 별로 없었다. 거의 전적으로 통상적인 행정 사무만 돌보고 있었으며, ‖45│ 그럭저럭(tant bien que mal) 돌아갔다. 파발마가 오거나, 어떤 애국 시민이 조국을 구원하기 위해 심오한 제안을 하거나, 농민이 민원을 제기하거나, 자치 단체가 대표단을 보내거나 하는 것이 아닌 이상, 대부분의 사무소들은 할 일이 아무것도 없었다. 사람들은 하품을 하거나, 잡담하거나, 일화를 얘기하거나, 저질 유머나 전략 계획을 얘기하거나, 사무실을 이리저리 왔다 갔다 하며 거의 시간을 때우고 있었다. 주된 얘깃거리는 당연히 매우 모순된 소문들이 돌아다니던 정치적 사건들이었다. 정보를 수집하는 것은 매우 등한시되었다. 옛 우체국 직원들은 거의 예외 없이 자리를 보전했으며, 당연히 전혀 믿을 만하지 못했다. 그들 옆에는 "야전 초소"가 설치되었는데, 귀순한 팔츠 경기병들이 담당했다. 국경 지역의 사령관들과 위원들은 국경 너머에서 무슨 일이 벌어지고 있는지 조금도 신경 쓰지 않았다. 정부는 《프랑크푸르터 주르날》과 《카를스루어 차이퉁》만 보고 있었으며, 나는 이들이 내가 장교 회관에서 벌써 며칠 전 도착한 《쾰니셰 차이퉁》을 통해 27개 프로이센 대대와 9개 포병 중대, 9개 기병 연대가 집결하여 자르브뤼켄과 크로이츠나흐 사이에 정확히 분산 배치되어 있다는 것을 알고 있다는 사실에 대해 놀라워하던 것을 여전히 기억하고 있다.[79]

나는 이제 마침내 핵심, 즉 군사 조직 문제를 다루고자 한다. 대략 3천 명 정도의 팔츠인들이 바이에른 군대에서 가진 것을 다 챙겨 가지고 넘어왔다. 동시에 한 무리의 의용병과 팔츠인, 비팔츠인이 무장했다. 그에 덧붙여 임시 정부는 우선 18세에서 30세까지의 모든 미혼 남성에 대한 일차 동원 징병을 명령했다. 하지만 이 징병 계획은 서류상으로만 진행되었는데, 일부는 군사 위원들의 무능과 태만 때문에, 일부는 무기 부족 때문에, 그리고 일부는 정부 자체가 무관심했기 때문이었다. 팔츠에서처럼 무기 부족이 방어의 주된 장애물인 곳에서는 무기를 조달하기 위해 모든 수단을 동원해야만 한다. 외

국에서 가져올 수 없다면 ||46| 팔츠에서 조달할 수 있는 모든 장총, 소총, 사냥총을 수거해서 활동적인 투사들의 손에 쥐여 주어야 한다. 하지만 개인 소유 무기가 얼마 없었을 뿐만 아니라, 카빈총을 제외하고 최소한 1,500에서 2,000정의 총이 다양한 시민군의 수중에 있었다. 일차 동원의 의무가 없거나 의용병으로 입대할 뜻이 없는 시민군에게서 개인 무기와 총을 회수하도록 최소한 요구할 수는 있었을 것이다. 하지만 그런 일은 이루어지지 않았다. 많은 압박을 받은 후에 마침내 시민군 무기와 관련한 결의안[80]이 만들어졌지만 결코 실행되지 않았다. 300명이 넘는 카이저슬라우테른 시민군은 군복에 무기를 들고 프루흐트할레의 수비대로서 매일 시가행진을 했으며, 프로이센이 진격해 왔을 때 이들은 무장 해제 당하는 기쁨을 누렸다. 어디서나 마찬가지였다.

정부는 공보를 통해 산림 관리 공무원들과 산림지기들에게 사격 부대를 설립하기 위해 카이저슬라우테른에 신고하도록 요구했다.[81] 여기에 응하지 않은 사람들은 산림 관리 공무원들이었다.

정부는 영토 전체에 대형 낫을 만들도록 시켰으며, 최소한 그런 요구를 하기는 했다. 몇 개의 대형 낫이 실제로 만들어졌다. 키르히하임볼란덴에 있는 라인헤센 부대에서 나는 대형 낫이 부딪히는 소리가 들리는 통 여러 개가 카이저슬라우테른으로 가는 것을 목격했다. 대략 7~8시간 떨어진 거리였다. 나흘 뒤에 정부는 카이저슬라우테른을 프로이센에 넘겨주어야만 했고, 대형 낫은 아직도 오지 않았다. 만일 이 낫을 기동력이 없는 이른바 이차 동원된 시민군에게 그들이 내놓는 총알의 대용품으로 주었더라면 상황이 나았을 것이다. 그 대신 게으른 속물 시민들은 격발 총알을 그대로 갖고 있었고, 젊은 신병들은 대형 낫을 들고 프로이센의 대포와 드라이제 니들 소총-장총에 맞서 진격해야 했다.

총이 전반적으로 부족한 반면 장검은 의아하게도 남아돌았다. 총을 얻지 못한 자는 달그락거리는 큰 칼을 열심히 둘러메고 다녔는데, 마치 그것 하나만으로도 장교의 징표를 받았다고 믿는 듯했다. 카이저슬라우테른||47|에서는 이렇게 장교 행세를 하는 사람들이 셀 수도 없을 정도였고, 거리에는 밤이고 낮이고 그들의 끔찍한 무기에서 나는 쩔거덩 소리가 울려 퍼졌다. 이렇게 새로운 방식으로 적에게 겁을 줌으로써, 그리고 걷기만 했는데도 시끄러운 대학생 군단의 기병대를 만들었다는 참칭으로써, 조국을 구했다는 흔치 않은 공로를 얻고자 한 것은 바로 대학생들이었다.

그 밖에 얼마 되지 않는 귀순한 기병 소대 경기병이 있었는데, 이 경기병들은 야전 초소 근무 등으로 나뉘어서 결코 전투력이 있는 부대를 구성하지 못했다. 아네케 "대위" 휘하의 포병대는 3파운드 포와 구포(臼砲) 몇 문으로 구성되었는데, 내 기억으로는 이 포를 끌 우마를 본 적이 없다. 카이저슬라우테른의 프루흐트할레 앞에는 사람들이 바랄 수 있는 가장 멋진 구식 철구포를 모아놓은 것이 있었다. 그 대부분은 사용되지 않은 채였다. 가장 큰 두 개는 특별히 만들어진 거대한 포가(砲架)에 달아 옮겨졌다. 바덴 정부는 팔츠에 마침내 6파운드 포대를 탄약과 함께 판매했다. 하지만 우마와 조작할 수 있는 사람이 없었고, 탄약은 충분하지 않았다. 탄약은 가능한 한 많이 만들어냈다. 포를 끌 짐승은 그럭저럭(tant bien que mal) 징집된 농부와 말이 담당했다. 조작을 위해 나이 먹은 바이에른 포병 몇 명을 모아서 답답하고 복잡한 바이에른식 방식으로 훈련했다.

군사 분야의 최고 지휘권은 최악의 수중에 있었다. 임시정부에서 군사 분야를 넘겨받은 라이하르트가 책임지고 있었는데, 그는 열정도 전문 지식도 없었다. 팔츠군 제1사령관이었던 근면한 페너 폰 페네베르크는 분명치 못한 처신으로 곧바로 좌천되고, 그 자리에 폴란드 장교 라키예가 잠시 임명되었다. 마침내 사람들은 미에로스와프스키가 바덴과 팔츠의 최고사령관직을 넘겨받을 것이며, 팔츠 군대의 명령권은 또 다른 폴란드인 슈나이데 "장군"에게 맡겨지리라는 것을 알게 되었다.│

│48│슈나이데 장군이 도착했다. 그는 "메넬라오스 전투의 지휘자(Rufer)"[82]라기보다는 나이 먹은 한량으로 보이는 작고 뚱뚱한 사람이었다. 슈나이데 장군은 위엄 있게 명령권을 넘겨받았으며 상황 보고를 받고 즉시 일련의 일일 명령[83]을 내렸다. 대부분은 복장 문제 —상의— 에 관련된 것, 장교 표식 —삼색 완장 또는 견장— 에 관련된 것, 기병이나 사수로 근무한 사람들은 자발적으로 신고하라는 것 등등 이미 열 번도 넘게 아무 성과 없이 내려진 명령들이었다. 본인도 군대에 존중감을 불어넣기 위해 삼색 견장이 달린 군복을 갖춤으로써 모범을 보였다. 그가 내린 일일 명령 중에 정말 실제적이고 중요한 것은 이미 내려진 명령의 반복과 얼마 안 되는 좋은 장교들이 이전에 내놓았지만 결코 실행되지는 않았으며 이제 사령관의 권위를 통해 실행되어야 할 제안들에 한정될 수밖에 없었다.[84] 그 밖에 슈나이데 "장군"은 신과 미에로스와프스키에게 의지하고 있었으며, 그토록 무능한 개인이 할 수 있는 가장 이성적인 것, 즉 연회의 즐거움으로 살았다.

그 밖에 카이저슬라우테른의 장교들 중에 유일하게 재능 있는 사람은 테코프였는데, 그는 베를린 무기고 습격에서 프로이센 중위로서 나츠머와 함께 무기고를 인민에게 넘겨주고 15년 형을 선고받았다가 마그데부르크에서 탈주한 바로 그 사람이었다.[85] 팔츠 참모 본부의 수장으로서 테코프는 모든 면에서 지식이 풍부하고 사려 깊으며 침착하다는 것을 보여주었는데, 때로는 전쟁터에서 모든 것을 결정하는 결단력 있는 민첩함을 신뢰하기에는 너무 침착한 면도 있었다. 아네케 "대위"는 실험실에서는 좋은 역량을 보여주었지만, 포병을 조직하는 데는 무능하고 무관심했다는 것이 드러났다. 웁슈타트에서 그는 야전사령관으로서 아무런 영예도 얻지 못했으며,[86] 포위 공격을 위해 미에로스와프스키가 그에게 물자에 대한 명령권을 맡겼던 라슈타트에서는 기이하게도 자신의 말을 남겨둔 채 포위를 하기 전에 라인을 건너 도망쳐 왔다.|

|49| 개별 지구에 있는 장교들과 관련해서도 크게 기대할 것이 없었다. 폴란드인 여러 명이 일부는 슈나이데 이전에, 일부는 그와 함께 왔다. 폴란드 이민자들 중 최고의 사람들은 헝가리에 있었기 때문에, 이 폴란드 장교들은 상당히 여러 가지가 섞인 부류의 사람들이라는 것을 짐작할 수 있다. 대부분은 딸린 기마 몇 마리를 보살피고 두어 가지 명령을 내리는 데 신경을 쏟고는 막상 그것들이 제대로 실행되는지는 별로 챙기지도 않았다. 그들은 상당히 고압적인 태도를 보였으며, 팔츠 농민을 폴란드의 예속 농노 대하듯 괴롭혔고, 지역도, 언어도, 명령도 몰랐으며, 따라서 군사위원으로서, 즉 대대를 조직하는 사람으로서 거의 또는 아무것도 달성하지 못했다. 출정 중에 그들은 곧 슈나이데 참모진 속으로 흩어졌다가 슈나이데가 자신의 병사들에게 공격을 받고 학대당하자 곧바로 모두 사라졌다. 그들 중에 좀 나은 사람들이 왔지만, 뭔가 조직하기에는 너무 늦었다.

독일 장교들 중에서도 머리가 쓸 만한 사람들은 얼마 되지 않았다. 군사적-교육적으로 능력 있는 요소들을 갖고 있었던 라인헤센 부대는 완전히 쓸모없는 인간인 호이스너라는 사람과, 나중에 카를스루에에서 그토록 영광스럽게 추문에서 벗어난 두 영웅 치츠와 밤베르거의 도덕적이고 정치적인 영향력 아래에 있었다.[87] 힌터팔츠에서는 전직 프로이센 장교였던 시멜페니히가 한 부대를 조직했다.

프로이센이 침공해 오기 전 이미 실제 업무에 뛰어났던 장교는 오로지 빌리히와 블렝커 두 사람뿐이었다.

134

빌리히는 소규모 의용군을 거느리고 감시 임무를 맡았고 나중에 란다우와 게르머스하임의 포위를 맡았다. 1개 대학생 중대, 그와 함께 브장송에서 함께 지냈던 1개 노동자 중대,[88] 란다우·노이슈타트·카이저슬라우테른 출신으로 이루어진 3개의 빈약한 체조인(Turner) 중대, 주변 지역의 의용병으로 구성된 2개 중대, 그리고 마지막으로 대부분이 프룀과 엘버펠트 봉기[89] 때 도망쳐 나온 사람들로 구성되고 대형 낫으로 무장한 라인프로이센 중대, 이들이 점차 그의 지휘하에 모여들었다. 또한 마지막으로 700에서 800명 사이의 장정들이 있었는데, 어떤 경우이든 ‖50‖ 팔츠 전체에서 가장 믿을 만한 병사들이었으며, 하사관들은 대부분 제대했고 일부는 알제리에서 게릴라전[90]에 익숙해진 사람들이었다. 이 소규모 전력으로 빌리히는 란다우와 게르머스하임 사이 한가운데 진을 쳤으며, 마을들에 시민군을 조직해서 이들을 도로 감시와 전초 근무에 이용하고, 두 개의 요새에서, 특히 그중에 전력이 우세한 게르머스하임 주둔군의 출격을 모두 격퇴했으며, 거의 모든 진입로가 차단될 정도로 란다우를 철저하게 포위하고, 상수도를 끊고, 콰이히 강을 둑으로 막고 요새의 모든 지하실에 물이 넘치게 하고 식수에 문제가 생기게 했다. 또한 매일 밤 정찰을 통해 주둔군을 불안하게 만들고, 정찰대는 사람이 없는 요새 성벽을 약탈해 거기서 발견한 위병-난로를 개당 5굴덴에 팔았을 뿐만 아니라, 요새 지하까지 밀고 들어가서 주둔군으로 하여금 자기편 상병과 두 민간인에게 위력적이면서 쓸모없는 24파운드짜리 포를 발사하도록 만들었다. 이 시기가 빌리히 의용군이 존재하는 동안 단연코 가장 빛나는 시기였다. 당시 빌리히 의용군이 유탄포를 사용할 수 있었다면, 그리고 야포만 있었더라도, 매일 란다우로 들어갔다 나오던 첩자의 보고에 따르면 사기를 잃고 취약해진 주둔군과 반란 성향이 있는 주민들 때문에 요새를 며칠 만에 점령했을 것이다. 포병이 없었다 하더라도 포위를 지속하면 여드레 안에 항복을 받았을 것이다. 카이저슬라우테른에서는 7파운드 유탄포가 2문 있었는데, 그것이면 밤에 란다우의 주택들을 불태우기에 충분했다. 이 무기들이 있어야 할 곳에 있었다면, 란다우 같은 요새가 몇 문의 야포로 점령되는 전례 없는 일이 일어났을 것이다. 나는 매일 카이저슬라우테른에 있는 참모 본부에 최소한 시도는 해보자고 설득했지만 아무 소용도 없었다. 유탄포 하나는 카이저슬라우테른에 남았고, 다른 하나는 홈부르크로 옮겨져 하마터면 프로이센의 손에 들어갈 뻔했다. 둘 다 한 발도 쏘아보지 못한 채 라인 강을 넘어왔다.

G80

블렝커 "대령"은 빌리히보다 더 뛰어났다. 예전에는 와인 출장 판매인으로서 그리스에서 그리스 독립운동 지지자였고 ||51| 나중에는 보름스에 와인 중개상으로 자리를 잡았던 블렝커 "대령"은 전체 영광스러운 투쟁에서 가장 뛰어난 군인다운 인물 중 한 명이었다. 언제나 위풍당당하고, 수많은 참모로 둘러싸여 있고, 크고, 강하고, 강인한 용모를 풍겼으며, 강한 인상을 주는 팔자수염이 있었고, 목소리가 힘찼으며, 남독일의 "인기인"으로 만들어준 그 밖의 다른 특성이 있었으며, 잘 알려졌다시피 이 특성 가운데 똑똑한 측면은 없었는데, 이것들이 블렝커 "대령"을 한눈에 보더라도 나폴레옹이 그 앞에서 주눅 들게 할 수 있었고, 우리가 이 글 서두에 적은 저 후렴구에 등장할 법한 사나이라는 인상을 주었다. 블렝커 "대령"은 "헤커, 슈트루베, 치츠, 블룸" 없이도 독일 제후들을 쓰러뜨릴 수 있다는 자신감을 느끼고 즉시 그 일에 착수했다. 그는 병사로서가 아니라 와인 판매인으로서 전쟁을 치러야 한다고 생각했으며, 이 목적을 위해 란다우를 정복하기로 마음먹었다. 빌리히는 당시 아직 그곳에 없었다. 그는 상비군과 국민방위군 등 팔츠에서 동원할 수 있는 것은 모두 다 그러모았으며, 혼란스럽게 우왕좌왕하는 부대와 기병, 포병을 조직해서[91] 란다우로 진격해 갔다. 요새 앞에서 작전 회의를 열고 공격 대형을 구성하고 포대 위치를 정했다. 포대는 구경이 $1/2$파운드에서 $1 3/8$ 파운드까지 다양한 구포들로 이루어져 있었으며, 탄약차로도 이용되는 건초 운반차에 실려 이동했다. 구경이 다양한 구포의 탄약은 한 가지였는데 24파운드짜리 포환이었으며, 화약은 말할 것도 없었다. 모든 것이 정렬된 후 그들은 죽음을 두려워하지 않고 진격해 갔다. 그들은 아무런 저항도 받지 않고 요새 앞의 경사지대까지 갔으며, 요새 입구에 이르기까지 계속 진격해 들어갔다. 선두에는 란다우에서 귀순한 병사들이 앞장섰다. 성벽에서 몇몇 병사들이 군사 사절단으로서 모습을 드러냈다. 그들에게 성문을 열라고 소리쳤다. 우호적인 대화가 오가며 긴장이 풀리고, 모든 것이 바라는 대로 되는 것처럼 보였다. 갑자기 성벽에서 포탄 소리가 울리면서 공격하는 병사들 머리 위로 굉음을 내며 지나갔고, 한순간에 용맹한 군대 전체가 그들의 팔츠 왕자 오이겐과 함께 흩어졌다.[92] 모든 것이 억제할 수 없는 엄청난 속도로 진행되었고, ||52| 뒤이어 성벽에서 발사된 포탄 몇 개가 도망가는 병사들의 머리 위가 아니라 그들이 버리고 간 총과 탄약통과 배낭 위에서 굉음을 냈다. 란다우에서의 몇 시간이 마침내 끝났고 군대가 다시 집합하여 블렝커 "대령"의 인솔로 귀환했다. 란다우 요새의 열쇠는 빼앗지 못했

G81

136

지만, 그렇다고 자긍심이 덜한 것은 아니었다. 이것이 구포 3문과 단 한 개의 24파운드 포환을 갖고 이룬, 전례가 없는 란다우의 정복 이야기였다.

성벽에서의 대포 발사는 성문을 열어주려는 병사들을 보고 몇몇 바이에른 장교들이 급하게 벌인 일이었다. 병사들이 대포의 방향을 돌렸기 때문에 아무도 다치지 않게 되었다. 란다우의 점령군이 이러한 무작정 발사가 어떤 효과를 냈는지를 보았을 때, 투항은 당연히 말도 안 되는 것이었다.

영웅 블렝커는 이런 불운을 그냥 넘길 사람이 아니었다. 그는 이제 보름스를 정복하기로 마음먹었다. 그는 1개 대대를 지휘하고 있던 프랑켄탈에서 진격해 갔다. 보름스에 남았던 몇몇 헤센 병사들이 문을 열어주었고, 영웅 블렝커는 나팔을 울리며 고향 도시로 진입했다. 보름스의 해방을 장엄한 아침 식사로 축하하고 난 뒤, 병들어 남아 있던 20명의 헤센 병사들이 제국 헌법에 맹세하는 주요 축하 행사가 이어졌다. 하지만 이 굉장한 성과를 올린 날 밤에 포이커의 제국 군대가 라인 강 우안에 대포를 정렬하고, 승리에 취한 정복자들을 때 이른 요란한 포성으로 매우 거칠게 깨웠다. 그것은 오해가 아니었다. 제국 군대는 포탄과 유탄을 쏘아댔다. 한마디 말도 없이 영웅 블렝커는 용감한 병사들을 소집해서 조용히 보름스에서 프랑켄탈로 다시 철수했다. 이후 그의 영웅적 행위에 대해서는 적당한 곳에서 상세히 다루게 될 것이다.

여러 지역에서 온갖 다양한 인물들이 각자의 방식으로 떠들어대는 동안, 그리고 병사들과 국민방위군이 훈련 대신 술집에 앉아 노래하는 동안, 카이 G82 저슬라우테른의 장교들은 심오한 ||53| 전략 계획을 만들어내느라 애쓰고 있었다. 여기서 문제가 된 것은, 팔츠처럼 여러 곳에서 접근할 수 있는 소규모 지역이 거의 전부 상상에 불과한 병력을 가지고 병사 3만 명과 대포 60문을 가진 실질적인 군대를 어떻게 저지할 수 있을 것인가 하는 가능성의 문제였다. 여기서는 어떤 프로젝트도 전혀 소용없고 어처구니없는 것이었기에, 그 어떤 전략 계획도 그 조건이 충족되지 않기에, 바로 그 때문에 심오한 군사 전문가, 즉 팔츠 군대의 머리가 있는 전략가들은 우선 프로이센이 팔츠로 들어오는 길을 차단하는 전략적 기적을 짜내는 데 골몰했다. 갓 임용된 소위도, 슈나이데 휘하의 기병 장교도, 모든 부대원이 마침내 소위 계급에 오르게 된 학생 부대도, 사무실 서기도 모두가 전략적인 현자의 돌을 발견할 수 있으리라는 희망으로 팔츠 지도를 고민하며 응시하고 있었다. 그로부터 어떤 재미있는 결론이 나왔는지는 누구나 쉽게 생각할 수 있을 것이다. 특별

히 헝가리식 전쟁 수행 방식이 매우 선호되었다. 슈나이데 "장군"부터 그 아래 진가를 인정받지 못한 군대의 나폴레옹에 이르기까지 모든 사람이 매시간 다음과 같은 말을 듣고 있었다. "우리는 코슈트처럼 해야 한다. 우리는 우리 영토의 일부를 포기하고 — 이쪽이든 저쪽이든, 산악으로든 평지로든, 상황에 따라 — 후퇴해야 한다." "우리는 코슈트처럼 해야 한다"는 소리가 모든 음식점에서 들려왔고, "우리는 코슈트처럼 해야 한다"고 하사도 사병도 부랑아도 반복했다. "우리는 코슈트처럼 해야 한다"고, 이런 일에 개입하지 말아야 한다는 것을 누구보다 잘 알고 결국에 어떻게 하든 아무 상관도 하지 않았던 온건한 임시정부도 계속 반복했다. "우리는 코슈트처럼 해야 한다. 그러지 않으면 우리는 진다." — 팔츠와 코슈트가 결국 그렇게 패했다!

출정에 대한 서술로 넘어가기 전, 여러 신문에서 언급된 문제, 즉 내가 키르히하임에서 체포된 일을 짧게 언급해야겠다.[93] 프로이센이 진격해 오기 며칠 전 나는 한 가지 임무를 맡은 내 친구 몰을 따라 국경인 키르히하임볼란덴까지 동행한 적이 있었다. 거기에 라인헤센의 한 부대가 있었는데, 그중에는 우리가 아는 사람이 있었다.[94] 우리는 저녁에 이들과 ||54| 그리고 그 부대의 다른 의용병들과 함께 같이 여관에 앉아 있었다. 이들 의용병 중에는 이미 여러 번 언급한 바 있고, 무기는 얼마 안 되지만 열정에 넘쳐 이 세상 어떤 군대라도 물리치는 데 아무 어려움도 느끼지 않는, 진지하고 열정적인 "행동하는 사내들" 몇몇이 있었다. 이들은 군대라고는 기껏해야 위병 사열 정도를 보았을 뿐이고, 어떤 목적을 이루기 위한 물질적 수단에 관심을 가져본 적이 없으며, 내가 나중에 여러 번 목격할 기회가 있었던 것처럼, 대부분 첫 번째 전투에서 너무나 큰 충격과 실망을 겪고 재빠르게 줄행랑을 놓는 그런 사람들이었다. 나는 이 영웅들 중의 한 명에게 진정으로 팔츠에 있는 기병검 3만 개와 녹슨 카빈총이 여러 개 섞인 3만 5천 정의 소총으로 프로이센을 물리칠 계획인지 물었고, 한참 고매한 열정에 상처를 입은 행동하는 사내의 성스러운 분노에 재미를 느끼던 차에 경비병이 들어와 나를 체포한다고 선언했다. 그와 동시에 분노에 찬 두 명이 뒤에서 내게 덤벼드는 것을 보았다. 한 사람은 민간위원 뮐러라고 밝혔고, 다른 한 사람은 정부의 일원이었던 그라이너였는데, 나는 카이저슬라우테른에서 그의 잦은 부재와 — 그는 자기 재산을 남몰래 갖고 다녔다 — 의심스럽고 징징대고[95]-음울한 외모 때문에 가까이하지 않았다. 동시에 내가 아는 지인인 라인헤센 부대의 대위[96]가 내 앞에 서서, 내가 체포된다면 그와 최고의 병사들 상당수는 즉시

G83

138

부대를 떠날 것이라고 선언했다. 몰과 다른 사람들은 힘을 써서 나를 보호하려 했다. 거기 있던 사람들은 두 진영으로 갈라져서 상황이 재미있게 돌아가고 있었고, 나는 기꺼이 체포되겠다고, 사람들은 팔츠의 운동이 어떤 색을 띠게 될지 결국은 보게 될 것이라고 외쳤다. 나는 경비병을 따라갔다.

다음 날 아침 치츠가 강요한 웃기는 조사를 마친 후에 나는 민간위원에게, 그다음은 헌병에게 넘겨졌다. 나를 **첩자**로 간주하라는 엄명을 받은 헌병은 내 두 손을 묶고 도보로 ||55| 카이저슬라우테른으로 나를 데려가서는, 팔츠 인민봉기 비방과 반정부 선동 혐의로 기소했고, 나는 그에 대해 아무 말도 하지 않았다. 도중에 나는 마차를 달라고 요구하여 관철했다. 몰이 나보다 앞서 가 있던 카이저슬라우테른에서 나는 당연히 정부 관계자를 만났고, 그들은 용감한 그라이너의 실수에 당황했으며, 내가 받은 부당한 대우에 더욱 당황했다. 사람들은 내가 헌병이 있는 앞에서 일종의 연극을 한다고 생각했다. 아직 그라이너의 보고서가 도착하지 않았기에 그들은 내게 맹세를 하면 석방하겠다고 제안했다. 나는 맹세하기를 거부하고 데스터의 제안에 따라 호위병 없이 지구 형무소로 갔다. 데스터는 동지를 그렇게 대우하면 더 머무를 수 없다고 선언했다. 방금 도착한 치르너도 결연히 나섰다. 이 일은 그날 저녁 온 도시에 알려졌고, 결연한 노선에 속한 이들은 모두 즉시 내 편을 들었다. 거기에 더해 라인헤센 부대에서 이 일로 인해 소동이 일어났으며, 부대 상당 부분이 해산하려고 한다는 소식이 전해졌다.[97] 내가 매일 함께 있었던 임시 수반에게 내 명예 회복의 필요성을 보여주는 데는 이보다 적은 일로도 충분했을 것이다. 내가 감옥에서 24시간을 아주 잘 즐기고 난 후 데스터와 슈미트가 내게 왔다. 슈미트는 내가 아무 조건 없이 자유로운 몸이며, 정부는 내가 멈추지 않고 계속해서 운동에 참여하기를 희망한다고 말했다. 그 외에 지금부터 어떤 정치적 포로도 감금된 채 이송되어서는 안 되며 불명예스러운 대우를 한 사람의 조사와 체포 및 그 원인을 조사해야 한다는 명령이 내려졌다고도 했다. 그라이너가 아직도 보고서를 보내지 않았고, 정부로서는 내게 당장 가능한 모든 명예 회복의 조치를 취한 후, 양측은 모두 엄숙한 표정을 풀고 도너스베르크에서 같이 와인을 한잔했다. 치르너는 다음 날 아침 부대를 진정하기 위해 라인헤센 부대로 떠났고, 나는 그에게 글 몇 줄을 써서 주었다. 그라이너가 돌아왔을 때 그는 끔찍하게 징징댔는데, 자기는 ||56| 동료들에게 심하게 욕을 얻어먹었다는 것이다. 이때 홈부르크에서 프로이센이 진격해 옴에 따라 일이 흥미로운 전환을 맞게 되었고, 나는

실전을 경험할 수 있는 기회를 놓치고 싶지 않았기에, 또한 마침내《노이에 라이니셰 차이퉁》이 팔츠-바덴 군대에서도 명예롭게(honoris causa) 대표되어야 했기에 장검을 차고 빌리히에게 갔다.

《노이에 라이니셰 차이퉁. 정치-경제 평론》
제3호, 1850년 3월

|38| Ⅳ. 공화국을 위해 죽자!

"서른여섯 개의 왕좌가 몰락할 때에만
독일 공화국은 번영할 수 있다네.
그리하여 형제들이여, 가차 없이 그들을 타도하라,
재산과 피와 생명을 걸라.
공화국을 위해 죽는 것,
명예롭고 위대한 운명, 우리 용맹함의 목표라네!"[98]

내가 빌리히의 임시 사령부를 물어보기 위해 노이슈타트로 향했을 때 열차에 탄 의용병들은 이런 노래를 불렀다.

공화국을 위해 죽는 것, 그것은 이제 나의 용맹함의 목표가 되었고, 또는 G85 최소한 그래야 했다. 이 새로운 목표는 내게 특별하게 다가왔다. 나는 젊고 아름답고 경쾌한 젊은이들인 의용병들을 바라보았다. 그들은 공화국을 위한 죽음이 당장 그들의 용맹함의 목표인 것처럼 전혀 보이지 않았다.

나는 징발된 농민 마차를 타고 노이슈타트에서 빌리히가 아직 있는 란다우와 게르머스하임 사이의 오펜바흐로 향했다. 에덴코벤 바로 뒤에서 나는 그의 명령에 따라 농민들이 세운 첫 번째 경비 초소를 만났는데, 그 초소들은 거기서부터 모든 마을의 진출입로와 모든 교차로에 세워졌고, 무장봉기 지도부의 서면 허가증이 없이는 아무도 통과할 수 없었다. 전쟁 상황이 어느 정도 가까워졌음을 알 수 있었다. 저녁 늦게 오펜바흐에 도착해서 곧바로 빌리히의 부관 임무를 맡았다.

이날 ─6월 13일이었다 ─ 빌리히 부대의 한 분대가 빛나는 전투를 승리로 이끌었다. 빌리히는 그 며칠 전 자신의 의용군에 바덴의 국민방위군 대대인 ||39|드레어-오버뮐러 대대를 지원군으로 받았는데, 이 대대의 병사약 50명을 게르머스하임 맞은편인 벨하임으로 전진시켰다. 그들 뒤에는 크니텔스하임에 의용군 일개 중대가 대형 낫을 든 몇몇 병사들과 함께 있었다. 대포 2문과 경기병 1개 소대를 대동한 바이에른 대대가 출격했다. 바덴인들은 저항 없이 도주했다. 그들 중 1명만이 기마 헌병 3명에 따라잡힌 후 격렬하게 저항하다가 기마병의 검에 찢겨 쓰러진 후 공격자들에게 완전히 죽임을 당했다. 도망병들이 크니텔스하임에 도착했을 때 거기에 주둔하고 있던 대위는 50명이 채 안 되는 병사들과 대형 낫을 든 몇 명을 데리고 바이에른인들과 맞서고 있었다. 그는 자신의 병사들을 요령 있게 여러 개의 분대로 분산하고 산병 대형으로 결연히 진격하여 열 배나 많은 바이에른인들을 두 시간의 전투 끝에 바덴인들이 버렸던 마을로 몰아냈다. 그리고 마침내 빌리히 부대에서 몇몇 지원 병력이 도착하자 그 마을에서도 쫓아내버렸다. 그들은 약 20여 명의 사상자를 내는 손실을 입고 게르머스하임으로 퇴각했다. 아마도 아직 안전한 곳에 있지 못하기에 그 용감하고 재능 있는 젊은 장교의 이름을 말하지 못하는 것이 유감스럽다.[99] 그의 병사들은 단지 5명만이 부상을 입었고, 그들 중에 위중한 중상을 입은 자는 없었다. 그들 5명 중 1명은 프랑스 출신 의용병으로 자신이 총을 쏘기 전에 위팔에 총상을 입었다. 그럼에도 불구하고 그는 자신이 가진 총알 16발을 모두 쏘았으며, 부상으로 인해 장전이 힘들어지자 총을 발사할 수 있도록 대형 낫을 든 병사로 하여금 자신의 총에 장전하게 했다. 그다음 날 우리는 전투 장소를 보고 새로 배치를 하기 위해 벨하임으로 향했다. 바이에른인은 우리의 산병들을 향해 대포를 쏘았지만 나뭇가지들이 전체 도로를 덮고 있고 나무 뒤에 대위가 서 있었는데 아무것도 맞히지 못했다.

G86

드레어-오버뮐러 대대는 오늘 벨하임과 그 주변에 주둔하기 위해 한 명도 빠짐없이 소집되었다. 그 대대는 멋지고 잘 무장한 대대였으며, ||40|팔자수염과 구릿빛 얼굴을 한 장교들은 매우 진지하고 열정적이어서 진지한 생각을 가진 식인종처럼 보였다. 다행히도 그들은 우리가 앞으로 점점 보게 되는 것처럼 그렇게 위험하지는 않았다.

놀랍게도 탄약이 거의 없어서 사람들은 대부분 대여섯 발, 몇 명은 탄약 20발을 소지하고 있었으며, 탄약 재고는 어제 전투에 참가한 병사들의 빈

탄약 주머니를 채우기에도 충분치 않다는 것을 나는 알았다. 나는 탄약을 가져오기 위해 즉시 카이저슬라우테른으로 가게 해달라고 요청했고, 그날 밤 바로 길을 나섰다.

농민 마차는 잘 달리지 못했다. 중간중간 새 마차를 징발하고 길을 잘 알지 못한다는 이유 따위로 또다시 지체되었다. 내가 노이슈타트까지의 중간 정도 되는 마이카머에 도착한 것은 동이 틀 무렵이었다. 여기서 나는 홈부르크로 보내진 대포 4문을 가진 피르마젠스 국민방위군의 한 분대를 만났는데, 카이저슬라우테른에서는 이 대포들을 분실한 것으로 생각하고 있었다. 그들은 험난한 산악길인 츠바이브뤼켄과 피르마젠스를 넘어 마침내 평지로 갈 수 있는 이곳까지 오는 데 성공했던 것이다. 프로이센 군대는 우리의 피르마젠스 병사들이 과로와 야간 행군 그리고 와인으로 흥분하여 바로 그들의 발꿈치까지 따라왔다고 생각한 것과는 달리 그렇게 추격을 서두르지는 않았다.

몇 시간 후 —6월 15일이었다 — 나는 노이슈타트에 도착했다. 전체 주민이 길거리에 나와 있었고 그 사이사이에 팔츠에서 사람들이 점퍼를 입은 국민방위군을 일괄해서 모두 병사와 의용병이라고 부르는 이들이 있었다. 마차와 대포와 말이 진입로를 막고 있었다. 짧게 말해 나는 전체 팔츠 군대의 퇴각 행렬에 들어간 것이었다. 임시정부, 슈나이데 장군, 참모들, 사무원들 등등 모든 것이 다 거기 있었다. 프루흐트할레, "도너스베르크", 맥줏집 등과 함께 "팔츠에서 전략적으로 가장 요충지"인 카이저슬라우테른은 포기되었으며, 그 순간에는 노이슈타트가 전투가 시작된 지금 이 순간 그 최고조에 다다른 팔츠 혼란의 중심지가 되었다. 나는 모든 상황을 파악한 후, 최대한 많은 화약통과 납과 이미 만들어진 탄약을 — ‖41‖ 한 번의 전투도 없이 폐허가 된 군대에 탄약이 무슨 소용이겠는가? — 갖고 수많은 시도 끝에 간신히 이웃 마을에서 마차를 얻는 데 성공해서 이것들과 몇몇 엄호하는 병사들과 함께 저녁에 다시 길을 떠났다.

G87   그 전에 나는 슈나이데에게 가서 빌리히를 위해 뭔가 해줄 것이 없는지를 물었다. 이 늙은 미식가는 아무 내용도 없는 몇 가지를 얘기한 후 뭔가 중요하다는 표정으로 덧붙였다. "보시오. 우리는 이제 코슈트처럼 할 것입니다."

팔츠인들이 어떻게 코슈트가 한 것처럼 그렇게 하게 되었는지는 다음에 서술하는 것과 관련이 있다. 팔츠는 "봉기"의 가장 찬란한 시절, 즉 프로이센이 진격하기 전날에 온갖 종류의 무기로 무장한 병사들 약

5,000~6,000명과 대형 낫으로 무장한 병사들 1,000~1,500명을 보유하고 있었다. 이 5,000~6,000명의 전투병들은 일차적으로 빌리히와 라인헤센 의용군으로, 이차적으로는 이른바 국민방위군으로 이루어졌다. 모든 관구마다 일개 대대를 조직할 임무를 가진 군사위원이 있었다. 그 핵심이자 교관으로 기능한 것은 각 지구 소속의 귀순 병사들이었다. 정규군과 새로 징집된 신병이 혼합된 이 시스템은 실전에서 엄격한 규율과 지속적인 무기 훈련을 통해 최고의 결과를 가져올 수 있는 것이었지만, 여기서는 모든 것이 엉망이 되었다. 대대는 무기 부족으로 제대로 작동하지 못했다. 아무것도 할일이 없던 병사들은 모든 규율과 전쟁에서의 태도를 잊어버리고 헛되이 시간을 보냈으며 대부분은 흩어져버렸다. 마침내 몇몇 지구에서 일종의 대대가 구성되었지만, 다른 곳에서는 그저 무장한 떼거리가 있었을 뿐이었다. 대형 낫을 든 병사들을 갖고서는 아무것도 할 수가 없었다. 어디서나 방해만될 뿐 결코 도움이 되지 않았던 그들은 일부는 그들을 위한 무기를 조달할 때까지 각각의 대대에 부속물로 그냥 내버려두거나, 일부는 반쯤 바보 같은 친(Zinn) 대위 휘하의 특별 부대로 조직되었다. 완벽한 셰익스피어적 피스톨을 가진 시민 친은 영웅 블렝커 휘하 란다우에서 도망칠 때 자기의 장검에 걸려 넘어지면서 권총이 부서졌는데, 나중에 ∥42∣ 열정적으로 맹세하며 말하기를 "24파운드짜리 이글거리는 포환"[100]이 그것을 둘로 갈라버렸다는 것인데, 이 무적의 피스톨은 지금까지 반동적인 마을을 처단할 때 사용되었다. 그는 이 일을 아주 열심히 수행했는데, 농민은 그와 그의 부대를 매우 무서워하긴 했지만, 그가 혼자 있게 될 때는 언제나 흠씬 두들겨 패주곤 했다. 그런 일을 하고 돌아가는 길에 대형 낫을 든 병사들은 구멍이 생기고 갈라지도록 낫을 두들겨야만 했고, 카이저슬라우테른에 도착했을 때 그는 농민과의 격렬한 전투에 대해 폴스타프 식의 허풍[101]을 늘어놓았다. 당연히 그런 전력을 갖고서는 아무것도 할 수 없었기에, 10일에야 바덴 본부에 도착한 미에로스와프스키는 팔츠 군대는 싸우면서 라인으로 철수하여 가능하면 만하임의 라인 강 건널목을 점령하되, 안 되면 슈파이어나 크닐링겐에서 라인강 우안으로 가서 바덴에서 라인 강 건널목을 방어하라는 명령을 내렸다.[102]   G88
이 명령과 동시에 프로이센이 자르브뤼켄에서 팔츠로 진격해 들어왔으며 국경에 배치된 얼마 안 되는 우리 병사들이 몇 번 총을 쏜 후 카이저슬라우테른 쪽으로 쫓겨났다는 소식이 전해졌다. 동시에 거의 모든 조직된 단위 부대들이 카이저슬라우테른과 노이슈타트 방향으로 집결하고 있다는 것이었다. 끝없는 혼란이 일어났고 상당수 신병들이 흩어져버렸다. 1848년 슐레스비히-홀슈타인 의용병의 젊은 장교였던 라코프가 병사 30명을 이끌고 탈영병들을 다시 모으러 나가서 이틀 만에 1,400명을 규합했으며, 이들을 "카이저슬라우테른 대대"로 구성해 전쟁이 끝날 때까지 지휘했다.

팔츠는 전략적 관점에서 아주 단순한 지형이어서 프로이센조차 실수할 수 없는 곳이었다. 라인 강을 따라 4~5시간 거리의 넓은 계곡이 아무런 지형적 장애물 없이 놓여 있다. 사흘 동안 편안하게 주간 행군을 해서 프로이센은 크로이츠나흐와 보름스에서 란다우와 게르머스하임까지 왔다. 산악지대 힌터팔츠 너머로는 "카이저슈트라세"(Kaiserstraße)가 자르게뮌트에서 마인츠로 이어지는데, 대부분 산등성이나 얕은 개울이 있는 넓은 계곡을 가로지른다. 여기에도 수적으로 얼마 안 되고 전술적으로 훈련되지 않은 병력이 약간 머무를 수 있는 어떤 지형적 ||43| 장애물도 없는 것이나 마찬가지였다. 마침내 홈부르크 근처 프로이센 국경의 카이저슈트라세에서 하나의 훌륭한 도로가 갈라져 나오는데, 일부는 계곡을 가로지르고 일부는 포게젠 산등성이로 츠바이브뤼켄과 피르마젠스를 넘어 란다우로 직접 이어진다. 이 도로는 말할 것도 없이 훨씬 큰 어려움을 드러내는데, 약간의 병사와 포병이 없이는 봉쇄할 수 없는 곳이었다. 특히 적의 부대가 평지에서 작전하면서 란다우와 베르크차베른을 통해 퇴각로를 놓을 때 그러했다.

이에 따르면 프로이센의 공격은 매우 쉬운 것이었다. 첫 번째 침공은 자르브뤼켄에서 홈부르크 쪽으로 이루어졌다. 거기에서 한 무리가 직접 카이저슬라우테른으로 행군해 들어갔고, 다른 무리는 피르마젠스를 경유해서 란다우로 들어갔다. 곧바로 그 뒤를 이어 둘째 부대가 라인탈에서 공격을 가했다. 이 부대는 키르히하임-볼란덴에서 거기 주둔하는 라인헤센 부대의 격렬한 첫 번째 저항에 부딪혔다. 마인츠 사수대는 상당한 손실에도 불구하고 완강하게 슐로스가르텐을 방어했다. 결국 그들은 우회해 철수했다. 17명이 프로이센군에 포로로 잡혔다. 그들은 곧바로 나무에 묶여 슈납스에 취한 "영광스러운 대원수"[103]에 의해 즉결 총살되었다. 이 비열한 행동과 함께 프로이센은 팔츠에서의 "짧지만 영광스러운 전쟁"[104]을 개시했다.

G89   이렇게 해서 프로이센군은 팔츠의 북쪽 절반 전체를 획득하고 두 주력 부대를 연결했다. 그들은 이제 평지에서 전진하여 란다우와 게르머스하임을 접수해 팔츠의 나머지를 확보하고 아직 산악지대에 주둔하고 있는 부대를 포로로 잡기만 하면 되었다.

팔츠에는 상당수의 기병과 포병을 갖춘 약 3만 명의 프로이센군이 있었다. 프로이센 왕자[105]와 히르슈펠트가 가장 강력한 부대와 함께 쳐들어오고 있었던 평지에서 이들 프로이센군과 노이슈타트 사이에는 저항 능력을 상실하고 이미 반쯤 해체된 약간의 국민방위군 분대와 라인헤센 부대 일부밖에 없었다. 슈파이어와 게르머스하임으로 신속하게 행군해서 노이슈타트와 란다우에 모두 집결하여 서로 뒤엉켜 ||44| 우왕좌왕하고 있던 사오천 명의 팔츠 병사들은 패배해 쫓기고 흩어지고 해산된 채 사로잡혔다. 하지만 프로이센 군대는 무방비한 포로들을 총살하는 데는 열심이면서, 전투에서는 몹시 소극적이었고 추격에서는 몹시 게을렀다.

내가 이 전쟁의 전체 과정에서 최대 6배, 대체로 최소한 3배 적고, 제대로 조직되지 않았으며 때로는 지휘가 엉망이었던 군대에 대해, 공격과 추격에서 프로이센과 기타 제국 군대가 보여준 아주 기이한 소심함에 대해 다시 얘기해야 한다면, 나는 그 상황을 프로이센 병사들의 특별한 나약함 탓으로 돌리지 않으며, 내가 우리 군대의 특별한 용맹함에 대해 전혀 아무런 환상도 갖고 있지 않음을 이미 다들 알고 있기에 더욱 그렇다. 또한 나는 반동 인사들이 그러하듯 그 상황을 일종의 아량이나 너무 많은 포로로 인해 곤란해지고 싶지 않은 희망 탓으로 돌리지도 않는다. 프로이센의 민간 및 군사 관료들은 예로부터 약자를 상대로 큰 소동을 벌이면서 승리하고 포로들을 피에 굶주린 쾌락으로 보복하는 것으로 유명했다. 그들은 바덴과 팔츠에서도 마찬가지였다. ─ 증거가 있다. 키르히하임의 총살, 카를스루에 꿩 사육장에서의 야간 총살, 모든 전장에서 벌어진 수많은 부상자와 투항자 학살, 포로로 잡힌 일부 사람들에게 저지른 가혹 행위, 프라이부르크와 라슈타트에서 즉결 재판에 의한 살인, 그리고 마지막으로 가혹 행위와 굶주림, 습하고 숨 막히는 조그만 구멍에 사람들을 집어넣기, 그리고 이 모든 것으로 인해 발생한 티푸스로 천천히 비밀스럽게 그리고 끔찍하게 라슈타트의 포로들을 죽인 행위, 이것들이 그 증거이다. 프로이센의 소심한 전쟁 수행은 그들의 비겁함에, 더 구체적으로 말하면 지휘관들의 비겁함에 그 원인이 있다. 그 어떤 대담한 진격도 신속한 결정도 불가능하게 만드는 우리 프로이센 각반 영웅들과 작전 영웅들의 느리고 소심한 정밀함은 별도로 하고, 그리고 수많은 G90 굴욕적인 패배가 반복되는 것을 간접적으로 막기 위한 성가신 복무 규정은 별도로 하고 ─ ||45| 그들이 상대한 적이 그들 자신의 나라 사람들이 분명할진대, 프로이센인들은 어떻게 우리에게는 참을 수 없이 지루하고 그들에

게는 창피스럽기 이를 데 없는 방식으로 전쟁을 치를 수 있었단 말인가? 하지만 바로 거기에 원인이 있다. 장군 양반들은 군대의 3분의 1이 다루기 까다로운 예비군 연대로 구성되어 있고, 그들은 반란군의 첫 번째 승리 후에는 자신들을 공격할 것이며 곧이어 상비군과 특히 모든 포병의 절반이 그 뒤를 이을 것임을 알고 있었다. 그러고 나서는 호엔촐레른가와 약해지지 않은 왕좌가 어떻게 될지는 아주 분명한 일이다.[106]

내가 16일 아침까지 새 마차와 호위병을 기다려야 했던 마이카머에 있을 때, 아침 일찍 노이슈타트에서 떠난 군대를 다시 만나게 되었다. 며칠 전만 해도 슈파이어를 향해 진군하는 것을 얘기했지만, 이 계획은 포기하고 크닐링겐 다리로 곧장 직행한 것이다. 힌터팔츠 원시림에서 온 미개한 피르마젠스 젊은 농민 15명과 나는 행군해 갔다. 오펜바흐 근처에 가서야 나는 빌리히가 자신의 전체 부대와 함께 란다우 북서쪽에[107] 위치한 프랑크바일러로 이동했다는 것을 알았다. 나는 방향을 돌려 정오 무렵 프랑크바일러에 도착했다. 여기서 나는 빌리히뿐 아니라, 란다우와 게르머스하임 사이를 지나지 않기 위해 란다우 서쪽에서[108] 온 팔츠군 전체 선봉대를 다시 만났다. 여관에는 임시정부와 정부 관료 및 참모 본부, 양쪽에 속한 여러 민주주의 방랑자들이 머물고 있었다. 슈나이데 장군은 아침 식사를 하고 있었다. 모든 것이 엉망이었다. 음식점에는 통치자와 사령관, 방랑자들이, 거리에는 병사들이 있었다. 점차 군대 본진이 들어왔다. 블렝커, 트로친스키, 슈트라서, 그리고 그 외 여럿이 선두에 서서 위풍당당하게 들어왔다. 혼란은 점차 더 커졌다. 점차 개별 부대를 임플링겐과 칸델 방향으로 계속 보낼 수 있었다.

군대의 이런 모습이 퇴각하고 있었기 때문은 아니었다. 무질서는 원래 처음부터 있었고, 젊은 전사들이 ‖46‖익숙지 않은 행군을 불평한다고 해서 이들이 음식점에서 마음껏 마시고 떠들고 프로이센을 바로 괴멸하겠다고 큰소리치는 것을 막을 수는 없었다. 이런 승리의 확신에도 불구하고 기마 사수가 있는 기병 1개 연대면 이 흥겨운 집단을 사방에서 덮쳐서 "라인팔츠 자유군대"를 완전히 해산하기에 충분했을 것이다. 필요한 것은 다름 아닌 신속한 결정과 약간의 대담함이었다. 하지만 그 두 가지 모두 프로이센 진영에는 없었다.

G91 다음 날 아침 우리는 길을 떠났다. 도망가는 본진이 크닐링겐 다리로 철수하는 동안 빌리히는 자신의 부대와 드레어 대대를 이끌고 프로이센에 맞서 산속으로 행군해 갔다. 약 50여 명의 란다우 체조인으로 구성된 우리 중대

하나는 가장 높은 산악지대인 요하니스크로이츠로 갔다. 시멜페니히도 자기 부대를 이끌고 피르마젠스에서 란다우로 가는 도로에 있었다. 프로이센을 저지하고 베르크차베른과 라우터탈로 가는 도로를 힌터바이덴탈[109]에서 차단하는 것이 긴요한 일이었다.

시멜페니히는 그사이 힌터바이덴탈[110]을 이미 포기하고 린탈[111]과 안바일러에 있었다. 여기서 도로가 구부러지는데, 바로 이 굽이 안에 콰이히 계곡을 안고 있는 산이 일종의 협로(Defilé)를 만들고, 그 뒤에 린탈[112] 마을이 자리했다. 이 협로에 일종의 초소를 설치했다. 밤중에 그의 순찰대가 총격을 당했다고 보고했다. 아침 일찍 츠바이브뤼켄의 전직 시민위원 바이스와 젊은 라인란트인 베커(M. J. Becker)가 프로이센이 다가오고 있다는 소식을 전하면서 정찰대를 파견할 것을 요구했다. 하지만 정찰도 나가지 않고 협로 양측의 고지대를 점거하지도 않자, 바이스와 베커는 스스로 정찰을 나가기로 결정했다. 적이 다가오고 있다는 보고가 늘어나자 시멜페니히의 병사들은 협로에 바리케이드를 치기 시작했다. 빌리히가 와서 진지를 순찰한 후 고지대를 점령하도록 몇 가지 명령을 내리고 쓸모없는 바리케이드는 다시 치우도록 했다. 그리고 나서 그는 신속하게 안바일러로 말을 몰아 자신의 군대를 데려왔다.|

|47| 우리가 린탈[113]을 가로질러 행군할 때 처음으로 총성이 들렸다. 우리는 서둘러 마을을 가로질러 가서 시멜페니히의 병사들이 대로변에 배치된 것을 보았는데, 대형 낫을 든 여러 병사와 소수의 소총수가 있었고 일부는 이미 전투에 임하고 있었다. 프로이센 군대는 흩어져서 고지대까지 전진해 왔다. 시멜페니히는 원래 그가 점령했어야 할 지점까지 그들이 다가오도록 내버려두었다. 우리 진영에는 탄환이 아직 한 발도 떨어지지 않았다. 탄환은 모두 우리 머리 위로 날아갔다. 탄환이 대형 낫을 든 병사들 위로 피웅 소리를 내며 날아가면 전체 대열이 동요하며[114] 모든 것이 혼란스러워졌다.

거의 모든 길을 가로막고, 모든 것을 엉망으로 만들면서 아무짝에도 쓸모없는 대형 낫을 들고 있는 이 병사들을 헤치며 우리는 힘겹게 지나갔다. 중대장과 소위들도 병사들처럼 어찌할 바를 모르고 혼란스러운 상태였다. 우리는 사수들을 고지대 오른쪽과 왼쪽에 나누어 배치하고, 그 왼편으로는 사수들을 지원하고 프로이센을 우회하기 위해 2개 중대를 배치했다. 주력 부대는 계곡에 남았다. 몇몇 사수들은 도로가 굽은 곳에 있는 바리케이드의 잔해 뒤편에 자리 잡고 몇백 걸음 뒤에 있는 프로이센 행렬을 사격했다. 나는

몇몇 사람들과 함께 산 왼쪽으로 올라갔다.

덤불이 있는 비탈을 기어오르자마자 넓은 평지가 나타났는데, 그 반대편에 있는 숲이 우거진 끝 쪽에서 프로이센 사수들이 우리를 사격해 왔다. 나는 어쩔 줄 모르며 겁먹은 채 비탈을 기어오르는 의용병 몇을 데리고 올라와 가능한 한 엄폐하게 한 후 지형을 자세히 살펴보았다. 한참 더 왼쪽으로 보낸 우회 파견대가 프로이센의 측면에 도달하지 않는 한, 200에서 250보 정도 넓이의 개활지를 몇 사람을 이끌고 전진할 수는 없었다. 엄폐할 수 있는 것이 별로 없었기에 일단 멈추는 것이 최선이었다. 프로이센군은 좋은 총을 갖고도 사격 솜씨는 형편없었다. 우리는 반 시간이 넘도록 거의 아무런 엄폐물도 없이 산개병에게 매우 강한 사격을 받고 있었지만, 적 저격수는 겨우 총신과 점퍼 깃을 맞혔을 뿐이었다.

나는 결국 빌리히가 어디에 있는지 알아야만 했다. 내 동행인들은 멈추어 있기로 약속했고 나는 다시 비탈을 기어 ||48| 내려갔다. 아래쪽은 모든 것이 평온했다. 도로 위와 도로 우측에 있는 우리 측 사수들의 공격을 받던 프로이센 본대는 멀찌감치 후퇴해야 했다. 갑자기 내가 서 있던 곳 좌측에서 우리 측 의용병들이 급하게 비탈을 뛰어 내려왔고 자신들의 진지를 포기했다. 수많은 사수를 뒤에 남겨둬 약해진 상태였던 가장 왼쪽에서 진격하던 중대들은 드넓게 펼쳐진 수풀을 가로지르는 길이 너무 길다고 판단했다. 벨하임 전투에서 승리한 대위를 선두로 하여 그들은 평지를 가로질러 갔다.[115] 그들은 격렬한 사격을 받았다. 대위와 여러 다른 병사들이 쓰러지고, 지휘관이 없는 나머지는 우세한 적을 피해 물러났다. 프로이센군은 이제 전진하면서 우리 측 산개병들을 측면에 두고 위쪽에서 그들을 사격하면서 그들을 후퇴하도록 만들었다. 전체 고지가 곧 프로이센의 수중에 들어갔다. 그들은 위쪽에서 우리 측 본대를 사격했다. 더는 어쩔 수가 없었으므로 우리는 후퇴했다. 거리는 시멜페니히의 병사들과 드레어-오버뮐러 대대에 의해 차단되었는데, 그 대대는 칭찬할 만한 바덴의 전통에 따라 4~6명의 분대가 아니라 12~15명의 소대로 앞으로 전진해서 큰 도로 전체를 접수했다. 질퍽한 초원을 가로질러 우리 병사들은 마을로 행군해야 했다. 나는 후방을 엄호하던 사수들 곁에 남았다.

전투는 패배했다. 한편으로 시멜페니히가 빌리히의 명령을 어기고 고지를 점령하지 않았기 때문인데, 그 고지를 얼마 안 되는 우리 측의 쓸 만한 병사들을 데리고 프로이센군에게서 다시 빼앗을 수는 없었다. 다른 한편으로 시멜페니히의 병사들과 드레어의 대대가 완전히 무용지물이었기 때문이다. 또 다른 한편으로 결국 프로이센군을 우회하라는 명령을 받은 대위의 조급함 때문이었는데, 하마터면 자기 목숨을 잃을 뻔했을 뿐만 아니라 우리 편 좌측을 노출했다. 어찌 되었든 우리가 패배한 것은 우리에게 행운이기도 했다. 프로이센 1개 부대가 이미 베르크차베른으로 가면서 란다우의 포위망 G93을 뚫었는데, 그렇다면 우리는 힌터바이덴탈[116]에서 사방으로 포위당했을 것이다.

퇴각 중에 우리는 전투에서보다 더 많은 병사를 잃었다. 가끔씩 프로이센의 총알이 우리의 촘촘한 대열에 쏟아졌는데, 대열은 못 봐줄 무질서 속에 비명을 지르며 시끄럽게 앞으로 나아갔다. 우리는 ||49| 약 15명이 부상을 입었는데, 그중에는 전투 초기에 무릎에 총상을 입은 시멜페니히도 있었다. 프로이센군은 다시 우리를 아주 소극적으로 추격하더니 금방 사격을 멈추었다. 우리를 따라온 것은 고지 비탈에 있던 몇몇 산개병뿐이었다. 전투가 있던 곳에서 반 시간쯤 떨어진 안바일러에서 우리는 아주 조용히 휴식을 취한 후 알버스바일러로 행군했다. 중요한 것은 이미 안바일러에서 마련한 강제 공채의 매입 자금을 위한 3천 굴덴이 입금되었다는 사실이다.[117] 프로이센은 나중에 그것을 은행 강도라고 불렀다. 그들은 또한 승리에 도취해서 베를린에 있는 만토이펠의 명예[118] 사촌이자 귀순한 프로이센 하사관이었던 우리 부대의 만토이펠 대위를 린탈[119]에서 사살했노라고 주장했다. 만토이펠 대위는 죽기는커녕 그 이후 취리히에서 체조상을 받기까지 했다.

미에로스와프스키가 보낸 지원병의 일부인 바덴 사격병 2명이 알버스바일러에서 우리에게 왔다. 우리는 가까운 곳에 다시 한번 주둔하기 위해 그들을 이용하고자 했다. 하지만 프로이센군이 이미 란다우에 있다는 소식이 전해졌기에 우리는 여기에서 곧장 랑겐칸델로 행군할 수밖에 없었다.

알버스바일러에서 우리는 다행스럽게도 우리와 함께 행군해 온 쓸모없는 부대와 헤어지게 되었다. 시멜페니히 군단은 지휘관을 잃은 후 일부는 이미 해체되었고, 나머지는 스스로의 힘으로 옆길로 칸델을 향해 행군해 갔다. 행군 불가능한 자와 낙오자는 언제든 여관에 남겨두었다. 드레어 대대는 알버스바일러에서 폭동의 기미를 보이기 시작했다. 빌리히와 내가 그들에게 가서 무엇을 원하는지 물었다. 아무 얘기도 없었다. 마침내 상당히 나이 든 의용병이 소리 질렀다. "우리를 도살대로 끌고 가고 있지 않소!" 단 한 번도 전투에 임한 적이 없고 퇴각 중에 두 명, 최대 세 명의 부상병밖에 없는 부대에

서 이 외침은 몹시 기이한 것이었다. 빌리히는 그 사람을 앞으로 나오게 하여 무기를 내놓게 했다. 약간 술이 취한 흰 수염이 난 노인 병사는 그대로 따르더니 희비극적인 장면을 연출하며 울면서 장광설을 늘어놓았다. 그 요지는, 그에게 그런 일이 전에는 없었다는 것이었다. 그사이 분위기는 좋지만 ||50| 규율이 엉망인 이 전사들 사이에 분노가 전반적으로 높아지자 빌리히는 중대 전체에게 즉시 행군할 것을 명령하면서, 그는 이 모든 수다와 불평에 질렸고 그런 병사들을 한 순간도 지휘하고 싶지 않다고 말했다. 중대는 두 번 다시 말할 필요도 없이 우향우를 한 후 행군해 갔다. 5분 후 그 뒤를 대대의 나머지가 따랐으며 빌리히는 그들에게 대포 2문을 붙여주었다. 그들에게는 "도살대로 끌려가면서" 규율을 지켜야 한다는 것이 너무나 기분 나쁜 일이었다. 우리는 기꺼이 그들이 가도록 내버려두었다.

우리는 오른쪽으로 방향을 틀어 임플링겐 방향 산으로 향했다. 곧 우리는 프로이센군 근처에 도착했다. 우리 측 사수들이 그들과 사격을 몇 발 주고받았다. 저녁 내내 간헐적으로 사격이 이어졌다. 첫 번째 마을에서 나는 우리 측 란다우 체조인 중대에 전령을 통해 소식을 전하기 위해 남았다. 그들이 소식을 들었는지는 알 수 없지만, 다행스럽게도 그들은 프랑스로 갔다가 거기서 바덴으로 돌아왔다. 그곳에 머무르면서 나는 부대와 떨어지게 되었고, 혼자서 칸델로 가는 길을 찾아야 했다. 길은 군대의 낙오병들로 가득 찼다. 모든 여관이 꽉 찼다. 장엄함은 사라진 것처럼 보였다. 장교는 사병 없이 여기에, 사병은 장교 없이 저기에, 온갖 부대의 의용병은 뒤섞여 서둘러 걷고 마차를 타며 칸델로 향했다. 그리고 프로이센군은 진지한 추격은 생각도 하지 않고 있었다! 임플링겐은 란다우에서 한 시간 거리였으며, (크닐링겐 다리 앞에 있는) 뵈르트는 게르머스하임에서 네다섯 시간 거리였다. 프로이센군은 여기서는 낙오병들을 저기서는 전체 군대를 차단할 수 있었던 군대를 어디로도 보내지 않았다. 실로 프로이센 군주의 월계관은 자기만의 독특한 방식으로 얻어졌다!

칸델에서 나는 빌리히를 만났지만, 계속 뒤에서 숙영하고 있는 그의 군대는 만나지 못했다. 대신 나는 다시 임시정부와 참모 본부 그리고 어슬렁거리는 수많은 수행원을 만났다. 똑같은 부대가 넘쳐났지만, 어제 프랑크바일러에서보다 더 질서가 없고 혼란스러웠다. 매 순간 자기 부대를 묻는 장교들이 오고, 자기 지휘관을 묻는 ||51| 사병들이 왔다. 아무도 그들에게 대답을 해주지 못했다. 완벽한 혼란이었다.

그다음 날 아침, 6월 18일에 전체 진영이 뵈르트를 거쳐 크닐링겐 다리를 지나 줄지어 갔다. 흩어지고 집으로 돌아간 사람들이 많았는데도 군대는 바덴에서 온 지원군을 합쳐 여전히 오륙천에 달했다. 그들은 너무나 자랑스럽게 뵈르트를 행군해 지나가서, 마치 그들이 방금 그 마을을 정복이라도 하고 새로운 승리를 향해 가는 것만 같았다. 그들은 여전히 코슈트처럼 행동하고 있었다. 하나의 바덴 상비군 대대만이 군대의 자세를 유지하고 한 명의 병사도 선술집에 뛰어들지 않고 행군할 수 있는 유일한 부대였다. 마침내 우리 부대가 왔다. 우리는 엄호를 위해 다리를 다 건널 때까지 뒤에 남았다. 모든 것이 제대로 되고 난 후 우리는 바덴을 향해 행군했고 교각 받침대[120]를 빼는 것을 도왔다.

바덴 정부는 6월 6일[121] 공화주의자와 맞서 용맹하게 버틴 용감한 카를스루에 속물 시민들을 보호하기 위해 전체 팔츠 일행을 인근에 숙영하도록 했다. 우리는 방금 우리 부대와 함께 카를스루에로 가겠다고 주장했던 터였다. 우리는 상당수를 수선해야 했고 의복이 많이 필요했으며, 그 외에 믿을 만한 혁명적 군대가 카를스루에에 있는 것이 매우 바람직하다고 생각하고 있었다. 하지만 브렌타노는 우리를 배려했다. 그는 우리를 카를스루에에서 한 시간 반 떨어져 있고 우리에게 진정한 엘도라도라고 묘사한 닥슬란덴으로 가도록 지휘했다. 우리는 그곳으로 행군했고, 그 지역 전체에서 가장 반동적인 둥지를 마주했다. 먹을 것도 마실 것도 전혀 없고 지푸라기 같은 것도 거의 없었다. 부대 절반이 딱딱한 마룻바닥에서 자야 했다. 모든 집의 문과 창문에는 화난 얼굴들이 보였다. 우리는 일을 단순하게 만들었다. 우리에게 다른 더 나은 숙영지가 주어지지 않으면 다음 날 6월 19일 아침에 카를스루에로 들어가겠다고 브렌타노에게 통보했다. 말한 대로 했다. 아침 9시 우리는 출발했다. 마을 앞에서 사격을 받지 않은 채 브렌타노가 참모 장교를 대동하고 우리에게 다가와서는 온갖 아첨과 달변으로 우리를 카를스루에에서 떨어트려놓으려 했다. 도시에는 이미 5천 명이 숙박하고 있으며, 부자 계급은 이미 떠났고, ‖52‖중간 계급 집에는 숙영 군인들로 꽉 찼다는 것이다. 그는 칭찬이 자자한 용맹한 빌리히 부대가 형편없는 곳에 묵는 것을 용납할 수 없다고 했다. 아무 소용도 없는 말이었다. 빌리히는 떠난 귀족들의 빈 저택을 몇 채 요구했고, 브렌타노가 주려 하지 않자 우리는 카를스루에의 숙영지로 갔다.

카를스루에에서 우리는 대형 낫 중대를 위한 총기와 외투에 덮을 천을 약간 얻었다. 우리는 가능한 한 신속하게 신발과 의복을 수선하도록 했다. 또한 새로운 사람들이 우리와 합류했는데, 내가 엘버펠트 봉기[122] 때 알던 여러 노동자들과, 근위 기병으로 브장송 노동자 중대[123]에 입대한 킹켈, 또한 드레스덴 봉기 때 사령관의 부관이자 반란군이 후퇴할 때 후위를 지휘한 치힐린스키도 있었다. 그는 사수로 대학생 중대에 입대했다.

장비를 점검하고 완비하는 외에 전술 훈련도 잊지 않았다. 훈련을 열심히 진행했으며 카를스루에에 들어온 지 이틀째에는 성 광장에서 카를스루에를 공격하는 모의 훈련도 실시했다. 속물 시민들은 위협을 완전히 이해했다는 것을 이 훈련에 대한 그들의 전반적이고 진심 어린 분노를 통해 보여주었다.

마침내 그동안 무슨 성물이라도 되는 것처럼 손도 대지 않던 대공의 무기들을 징발하기로 한 대담한 결정이 내려졌다. 프로이센군이 게르머스하임에서 라인 강을 건너서 그라벤과 브루흐잘에 있다는 소식이 전해졌을 때, 우리는 막 징발된 소총 20정으로 무장하기로 했다.

G96 6월 20일 저녁 우리는 팔츠 대포 2문과 함께 즉각 행군했다. 카를스루에에서 브루흐잘 쪽으로 한 시간 반 떨어진 블랑켄로흐에 도착했을 때 클레멘트와 그의 대대를 만났고, 프로이센군의 전진 기지가 블랑켄로흐에서 한 시간 떨어진 곳까지 전진 배치되었음을 알았다. 병사들이 총을 휴대한 채 저녁 식사를 하는 동안 우리는 참모 회의를 열었다. 빌리히는 즉각 프로이센을 공격하자고 제안했다. 클레멘트는 훈련되지 않은 자신의 군대로는 야간 공격을 할 수 없다고 설명했다. 그리하여 즉각 카를스도르프로 가서 동이 트기 전 공격을 개시하고 프로이센의 전선을 돌파하기로 ||53| 결정했다. 만약 그것이 성공한다면 우리는 브루흐잘로 행군해서 가능한 곳에서 습격해 들어가기로 했다. 클레멘트는 동이 틀 때 프리드리히스탈을 넘어 공격하고 우리의 좌익을 엄호하기로 했다.

대략 자정 무렵 우리는 출정했다. 우리의 시도는 적당히 대담한 것이었다. 우리는 대포 2문에 700명도 되지 않았다. 우리 부대는 팔츠의 잔여 부대보다 더 잘 훈련되었고 믿을 만했으며 또한 포화에 상당히 익숙해 있었다. 우리는 이들과 함께 우리보다 훈련을 더 많이 하고 잘 훈련된 하급 장교를 더 많이 가진 적군을 공격하려는 것이었다. 그 장교들 중 중대장 몇 명은 시민군에 있은 적이 거의 없었다. 그 군대가 얼마나 강한지 우리가 정확히 알지는 못했지만, 4,000명 이하는 아니었다. 우리 군대는 그사이 이미 더 불균등한 전투를 이겨본 적이 있었고, 이 전투에서 수적으로 열세인 것이 중요하지는 않았다.

우리는 대학생 10명을 전위병으로 100여 보 앞으로 보냈다. 그 뒤를 기마 전령으로 우리에게 배속된 대여섯 명의 바덴 기마병을 앞세운 본대 제1진이 따르고, 그 뒤를 3개 중대가 따랐다. 나머지 3개 중대와 대포는 한참 뒤에 머물렀고 제일 후미는 사수들이 맡았다. 어떤 경우에도 발사하지 말 것이며 아주 조용히 전진할 것, 그리고 적이 나타나면 총검을 꽂고 돌진하라는 명령이 내려졌다.

곧 우리는 멀리 프로이센 초소의 불빛을 보았다. 우리는 방해를 받지 않고 슈푀크까지 갔다. 본대가 멈추었다. 전위병들만이 앞으로 나아갔다. 갑자기 총성이 울렸다. 마을 입구에 있는 도로 위에 짚더미가 밝게 타올랐고, 종이 요란하게 울렸다. 우리 산병들이 마을을 둘러싸고 왼쪽과 오른쪽으로 전진했고, 본진이 진입했다. 마을 안쪽에도 큰불이 타오르고 있었다. 모퉁이마다 우리는 일제 사격이 있으리라 기대했다. 하지만 모든 것이 고요했고, 일종의 농민 보초가 시청 앞에 야영하고 있었다. 프로이센 초소는 이미 떠난 뒤였다.

우리가 여기서 보듯이 프로이센 양반들은 그들의 융통성 없는 전진 기지 규정을 지루하기 ‖54∣ 짝이 없는 세세한 사항까지 지키지 않으면, 그들의 막강한 수적 우세에도 불구하고 안전하다고 생각하지 않는 모양이다. 이 최전방 초소는 그들의 진영에서 한 시간 거리에 떨어져 세워져 있었다. 전쟁의 혹사에 익숙하지 않은 우리 병사들을 그들과 같은 방식으로 전진 초소 임무로 괴롭히려 했다면 수많은 낙오자가 생겼을 것이다. 우리는 프로이센의 소심함을 믿기로 했고, 우리가 그들에게 겁먹는 것보다 그들이 우리에게 더 많이 겁먹고 있으리라 생각했다. 그리고 그것은 옳았다. 우리의 전진 초소는 멀리 스위스 국경에 이르기까지 한 번도 공격당하지 않았고, 숙영지는 한 번도 습격당하지 않았다.

어찌 되었건 프로이센 군대는 이제 알고 있다. 우리는 회군해야 할까? 우리는 그럴 생각이 아니었고, 계속 전진했다.

노이타르트[124]에서 다시 종이 요란하게 울렸다. 하지만 이번에는 봉화나 총격이 없었다. 우리는 더욱 결집된 대형으로 마을을 가로질러 카를스도르프 근처의 고지대로 행군했다. 30보 정도 전방에 있는 우리 전위병이 고지대에 채 이르지도 않았을 때, 그들은 바로 앞에 프로이센의 야전 초소가 촘촘히 세워진 것을 보았고 그들이 부르는 것을 들었다. 나는 누구냐 하는 수하를 들었고 앞으로 뛰쳐나갔다. 나의 전우 중 한 명이 그는 이미 늦었으며 다시 볼 수 없을 것이라고 말했다. 하지만 바로 내가 앞으로 뛰쳐나간 것이 내 목숨을 구했다.

바로 그 순간 적 야전 초소는 일제 사격을 가해 왔고, 우리 전위병은 총검을 들고 무리에 뛰어드는 대신 응사했다. 내가 옆에 붙어 따라가고 있던 기병들은 평소 그랬던 것처럼 무서워서 즉시 기수를 돌려 아주 빠르게 본진으로 뛰어들어서, 여러 병사들을 짓밟고 앞줄의 넷에서 여섯 개의 분대를 완전히 엉망으로 휘젓고는 빠르게 달아났다. 동시에 들판의 좌측과 우측에 배치된 적의 기마 초병이 우리에게 총격을 가했고, 혼란을 극에 달하게 하려 했는지, 몇몇 바보 같은 놈들이 우리 대형 안에서 우리 측에 총질을 가하고 다른 바보들도 똑같이 그러고 있었다. 한순간에 대형의 절반이 분산되어 일부는 들판에 흩어지고, 일부는 도망가고, 일부는 길거리에 혼란스럽게 뒤엉켜 뭉쳐 있었다. 부상자, 배낭, 모자, 소총이 덜 자란 밀밭에 어지럽게 놓여 있었다. 그사이에 거칠고 혼란스러운 비명과 총소리, 피융 하는 총알 소리가 사방에서 들려왔다. 소음이 어느 정도 가라앉자 우리 측 대포가 뒤쪽에서 ||55| 급하게 도망가려고 굴러가는 소리가 들려왔다. 그 대포들은 기병이 대형의 절반을 엉망으로 만든 것처럼 나머지를 엉망으로 만들어버렸다.

그 순간 우리 병사들을 덮친 어린아이 같은 공포심에 내가 분노한 것처럼, 우리가 오는 것을 알고 있었던 프로이센군이 몇 번의 총격 후에 똑같이 신속하게 도망가버린 것도 내게는 가련하게 보였다. 우리의 전위병은 여전히 자기 위치에 서 있었고 전혀 공격을 당하지 않았다. 만일 1개 기마 소대나 어느 정도 살아 있던 산개병의 총격이 있었다면 우리는 죽어라 도망치는 와중에 와해되고 말았을 것이다.

빌리히가 전위에서 서둘러 뛰어 들어왔다. 브장송 중대가 우선 다시 구성되었다. 다른 중대도 다소 창피한 듯 그에 가담했다. 곧 날이 밝았다. 우리의 손실은 여섯 명이 부상을 당한 것인데, 그중에는 내가 전위병 쪽으로 가기 위해 서둘러 떠났던 바로 그 자리에서 기마병의 말에 짓밟힌 참모 장교도 있었다. 다른 여러 명은 분명히 우리 측 총탄에 맞은 사람들이었다. 우리는 버려진 장비들을 모두 신중하게 주워 모았는데, 프로이센에 전리품을 조금도 남겨두지 않기 위해서였다. 그리고 천천히 노이타르트[125]로 퇴각했다. 사수들은 엄호를 위해 첫째 가옥들 뒤편에 자리 잡았다. 하지만 프로이센군은 한 명도 오지 않았다. 치힐린스키가 다시 한번 정찰을 나갔을 때 그는 고

154

지대 뒤편에 그들이 아직 있는 것을 보았고, 그들이 총탄 몇 발을 발사했지만 아무것도 맞히지 못했다.

우리 측 대포를 끌고 갔던 팔츠의 농민들은 그중 하나를 마을을 가로지르는 데까지 끌고 갔다. 나머지 하나는 뒤집혔고, 마부들은 줄을 끊어서 말 다섯 필의 고삐를 쥔 채 떠나버렸다. 우리는 그 대포를 다시 일으켜 세우고 끌채에 매인 말 한 마리를 끌고 가야만 했다.

슈퍼크 근처에 왔을 때, 우리는 오른쪽 프리드리히스탈 쪽으로 점점 커지는 사격 소리를 들었다. 클레멘트가 약속보다 한 시간 늦게 마침내 공격에 나선 것이다. 나는 일어난 실패를 만회하기 위해 그를 측면 공격으로 지원하자고 제안했다. 빌리히도 같은 의견이었고 첫째 도로 우측으로 공격할 것을 명령했다. 부대 일부가 이미 방향을 돌렸을 때, ‖56‖클레멘트 부대의 연락장교가 와서 부대가 퇴각한다고 알려왔다. 그래서 우리는 블랑켄로흐로 갔다. 곧 우리는 참모 본부의 보이스트를 만났는데, 그는 우리가 아직 살아 있고 부대가 온전한 것에 적잖이 놀라워했다. 비겁한 기병들이 카를스루에까지 도망갔고 빌리히가 죽었으며 장교들도 모두 죽었고 부대는 사방으로 흩어져 사라져버렸다고 여기저기서 떠들어댔던 것이다. 그들이 소총과 "불타오르는 포탄으로" 우리를 쏘았다는 것이다.

블랑켄로흐 앞에서 팔츠와 바덴의 군대가 우리 쪽으로 다가왔고, 마침내 슈나이데도 참모들을 대동하고 왔다. 아마도 밤에 침대에서 아주 편안하게 자고 일어났을 이 늙은 올빼미는 뻔뻔스럽게 우리에게 소리쳤다. "여러분, 어디로 갑니까? 그쪽은 적이 있습니다!" 우리는 당연히 그에게 적당히 대답하고 그를 지나쳐 행군한 후 블랑켄로흐에서 조금 쉬면서 원기를 회복했다. 두 시간 후 슈나이데가 당연히 적은 보지도 못한 채 군대를 데리고 돌아와서는 아침 식사를 했다.

슈나이데는 현재 카를스루에와 그 주변에서 얻은 지원 병력 약 8,000∼9,000명을 휘하에 두고 있었는데, 그중에는 바덴 상비군 3개 대대와 2개 포병대가 있었다. 대포는 전부 합해 25문이 될 것이다. 다소 불분명한 미에로스와프스키의 명령과 그보다 더한 슈나이데의 완벽한 무능의 결과, 프로이센군이 게르머스하임 교두보의 보호 아래 라인 강을 건널 때까지 전체 팔츠 병력은 카를스루에 근처에 그냥 지켜보고만 있었다. 미에로스와프스키는 (바덴 전투에 대한 그의 보고서를 보라) 팔츠에서 철수한 뒤 슈파이어에서 크닐링겐에 이르기까지 라인 강 건널목을 사수하라는 일반 명령과, 카를스 G99

루에를 엄호하고 크닐링겐 다리를 전군의 집결지로 만들라는 특별 명령을 내렸다.[126] 슈나이데는 이 명령을 우선은 카를스루에와 크닐링겐에 머물러 있으라는 뜻으로 해석했다. 만약 그가 미에로스와프스키의 일반 명령이 의미하듯이 포대를 가진 강한 부대를 게르머스하임 교두보 쪽으로 보냈다면, 므니에프스키[127] 소령에게 대포도 없는 신병 450명을 이끌고 교두보를 탈환하라는 어처구니없는 명령을 내리지 않았을 것이며, ||57| 프로이센 군대 3만 명이 아무런 제지도 받지 않고 라인 강을 건너오지도 못했을 것이고, 미에로스와프스키와 연결이 끊어지지도 않았을 것이며, 팔츠 군대가 바크호이젤 전투에 제때 나타날 수 있었을 것이다. 그 대신 그들은 바크호이젤 전투가 있던 6월 21일, 어쩔 줄 모르고 프리드리히스탈과 바인가르텐, 브루흐잘 사이를 돌아다니면서 적을 시야에서 놓치고 이리저리 행군하면서 시간을 낭비한 것이다.

우리는 우익을 돌파한 후 산 주변의 바인가르텐을 넘어 전진하라는 명령을 받았다. 우리는 같은 날 6월 21일 낮 블랑켄로흐에서 출발하고, 저녁 5시경에는 바인가르텐을 출발했다. 팔츠 군대는 마침내 불안해지기 시작했다. 그들은 마주한 적이 수적으로 얼마나 우위인지를 알게 되었고, 최소한 전투 **이전**에는 갖고 있던 허풍스러운 자신감을 잃어버렸다. 그때부터 팔츠와 바덴 국민방위군 사이에, 그리고 점차 상비군과 포병 사이에서도 모든 것을 혼란스럽게 만들고 우스꽝스러운 장면을 연출하게 하는 바로 그 프로이센인 냄새 맡기(Preußenriecherei), 눈에 보이지 않는 바로 그 일상적 소음의 반복이 시작되었다. 곧바로 바인가르텐 뒤편 첫째 고지에서 정찰대와 농민들이 "프로이센군이 저기 있다!"라고 외치며 우리에게 달려왔다. 우리 부대는 전투 대형을 형성하고 앞으로 나아갔다. 나는 경보를 울리게 하려고 도시로 돌아갔고, 그 때문에 부대와 헤어졌다. 그 모든 소란은 아무 근거 없는 것이었다. 프로이센군은 바크호이젤 근처로 철수했고, 빌리히는 같은 날 저녁 브루흐잘에 진입했다.

G100 나는 오스발트와 그의 팔츠 대대와 함께 오버그롬바흐에서 밤을 보내고 다음 날 아침 그들과 함께 브루흐잘로 행군했다. 도시 앞에서 낙오병들을 태운 마차가 우리 쪽으로 다가왔다. 프로이센군이 저기 있다! 곧바로 전 대대가 동요하기 시작하여 힘겹게 겨우 앞으로 나가도록 할 수 있었다. 또다시 근거 없는 소란이었다. 브루흐잘에는 빌리히와 팔츠 전위병 나머지가 있었다. 나머지 병사들은 차례로 진입했으며 프로이센군의 흔적은 전혀 없었다.

군대와 그 지휘관 외에 데스터와 팔츠의 전 정부, 그리고 괴크가 거기 있었는데, 그는 브렌타노의 저항할 수 없는 독재가 시작된 이래 거의 전적으로 ||58| 군대에 머물면서 통상적인 민간 업무를 돕고 있었다. 급식은 형편없었고, 혼란은 컸다. 늘 그렇듯 오직 사령부에서만 지낼 만했다.

우리는 다시 카를스루에 무기고에서 나온 상당량의 탄약을 얻었고, 저녁에 전체 전위 부대와 함께 행군했다. 전위 부대가 움슈타트에 숙영지를 짓는 동안, 우리는 산악에서 측면을 엄호하기 위해 운터-외비스하임을 향해 오른쪽으로 철수했다.

우리는 이제 외양상으로는 상당히 훌륭한 군대였다. 우리 부대는 2개 부대가 새로 보충되면서 강화되었다. 첫째는 랑겐칸델 대대인데, 고향에서 크닐링겐 다리에 이르는 동안 흩어졌다가 제일 괜찮은 나머지가 우리와 합류한 것이었다. 그들은 대위 1명, 소위 1명, 기수 1명, 야전 상사 1명, 하사관 1명, 사병 2명으로 이루어졌다. 둘째는 병사 약 60명으로 구성된 붉은 깃발을 든 "로베르트 블룸 부대"였는데, 식인종처럼 야만적으로 보이면서도 조달에서 상당히 영웅적으로 행동한 적이 있었다. 그 외에 바덴 대포 4문과, 크니어리(Kniery), 크뷔리(Knüry) 아니면 크니림(Knierim)(정확히 이름을 어떻게 읽는지 알 수 없었다) 대로 불리는 바덴 방위군이 배속되었다. 크니림 부대는 지휘관을 존경했고, 크니림도 그의 부대를 존중했다. 양쪽 모두 고지식하고, 터무니없는 허풍쟁이인 데다 시끄럽고 늘 취해 있었다. 그 유명한 "열정"이 그들의 심장을 뛰게 했으며, 우리가 앞으로 보게 되듯이, 엄청난 영웅적 행동으로 이어졌다.

23일 아침 빌리히는 움슈타트에 있는 팔츠 전위병을 지휘하는 아네케에게 쪽지를 받았다. 적이 다가오고 있으며, 참모 회의를 열어 철수하기로 결정했다는 내용이었다. 이 기이한 소식에 매우 놀란 빌리히는 즉시 말을 타고 가서 아네케와 장교들에게 움슈타트에서 전투를 치를 것을 설득하고, 진지를 직접 정찰한 후 대포의 정렬 위치를 알려주었다. 그다음에 그는 돌아와 병사들이 무기를 갖고 집합하도록 했다. 군대가 정렬하고 있을 때 우리는 브루흐잘에 있는 사령부에서 테코프가 서명한 명령을 받았다. 군대 본진은 도로를 따라 하이델베르크로 전진할 ||59| 것이고, 같은 날 밍골츠하임까지 갈 수 있기를 희망하며, 우리는 동시에 오덴하임을 거쳐 발트앙겔로호로 행군하여 그곳에서 머물라는 내용이었다. 주력 부대의 성공에 관한 또 다른 소식과 우리가 그다음 할 일에 대한 명령은 그곳에서 받게 될 것이었다.

G101

슈트루베는 자신의 모험적인 『세 번의 바덴 인민봉기의 역사』 311~317쪽에서 6월 20~26일 팔츠 군대의 작전을 공개했는데, 그것은 무능한 슈나이데에 대한 변명이자 오류와 왜곡으로 가득 찬 것이었다. 하지만 그가 써놓은 것에서도 이미 다음 사항들이 분명히 드러난다. 1) 슈나이데는 결코 "(22일에) 브루흐잘 진입 몇 시간 후 바크호이젤 전투와 그 결과에 대해 확실한 소식을 받은 것"이 아니었다. 2) 따라서 "이를 통해 자신의 계획이 바뀐 것"이 결코 아니었으며, "그가 원래 계획대로 밍골츠하임으로 행군하는 대신", 이미 22일에 "자기 사단의 본진과 함께 브루흐잘에 남아 있기로 결정한 것"이 결코 아니었다(위에 언급한 테코프의 쪽지는 22일에서 23일로 넘어가는 밤에 쓰인 것이다). 3) "23일 아침 대대적인 정찰이 이루어져야 했던 것"이 아니라 밍골츠하임으로 행군했어야 했다. 4) "모든 파견대는 총소리를 들으면 그 소리가 나는 쪽으로 행군하라는 명령을 받았으며" 5) "우익을 맡은 파견대(빌리히)가 웁슈타트 전투에 나타나지 않은 것에 대해 총소리를 듣지 못했다고 사과했다"[128]는 것은, 앞으로 보겠지만, 뻔한 거짓말이다.

우리는 곧바로 떠났다. 오덴하임에서 아침 식사를 할 것이었다. 기마 전령으로 우리에게 배속된 몇몇 바이에른 기마병들이 적군이 있는지를 정찰하기 위해 마을을 왼쪽으로 돌았다. 프로이센 경기병들이 마을 안에 있었으며, 나중에 가져갈 생각으로 군량을 징발해놓았다. 우리가 이 군량을 몰수하고 무장한 우리 병사들에게 와인과 먹을 것을 나눠 주고 있을 때, 기마병 한 명이 뛰어들며 프로이센군이 저기 있다고 소리쳤다. 제일 앞에 서 있던 크니림 대대는 순식간에 대열이 무너지며 우르르 몰려 난마처럼 얽히면서 소리치고 욕하며 소란스럽게 사방으로 흩어졌고, 겁먹은 ||60| 말 위에 있던 소령은 병사들을 돌볼 겨를도 없었다. 빌리히가 말을 타고 들어와 다시 질서를 잡고, 우리는 떠났다. 프로이센군은 당연히 거기 없었다.

오덴하임 뒤편의 고지에서 우리는 웁슈타트에서 오는 포성을 들었다. 포격은 곧 더 격렬해졌다. 훈련된 귀라면 포성과 총성을 구별할 수 있다. 우리는 계속 행군해야 할지 아니면 포성이 나는 곳으로 방향을 바꿔야 할지 상의했다. 우리에게 내려진 명령이 분명했기 때문에, 그리고 포성이 밍골츠하임 쪽으로 이동하는 것처럼 들렸기 때문에, 즉 포성이 우리 쪽으로 다가오는 것을 의미했기 때문에, 우리는 더 위험한 곳, 즉 발트앙겔로흐 쪽으로 행군하기로 결정했다. 팔츠 군대가 웁슈타트에서 패했다면, 우리는 산속에서 고

G102

158

립된 것이나 마찬가지였고 상당히 위험한 상황에 놓였을 것이다.

슈트루베는 "측면 파견대가 적절한 순간에 공격해 들어갔다면" 욉슈타트 전투가 "빛나는 결과를 가져왔을 것"이라고 주장했다(314쪽).[129] 포격은 한 시간도 채 지속되지 않았으며, 우리가 슈테트펠트[130]와 욉슈타트 사이에 있는 전장에 모습을 나타내기까지는 두 시간에서 두 시간 반이 걸렸을 것이다. 그것은 그가 이미 포기하고 나서 한 시간 반이 더 지났음을 의미한다. 슈트루베는 『역사』를 그런 식으로 쓴다.

티펜바흐 근처에서 잠시 멈추었다. 우리 군대가 원기를 회복하는 동안 빌리히는 몇 가지 급보를 보냈다. 크니림 대대는 티펜바흐에서 일종의 마을 창고를 발견하고는 그것을 압수하여 와인통을 끌어내어 한 시간 안에 몽땅 비우고 취해버렸다. 아침에 있었던 프로이센 군대에 놀란 것에 대한 분노, 욉슈타트에서의 포성, 이 영웅들의 서로 간의 그리고 장교들에 대한 불신, 이 모든 것이 와인으로 상승 작용을 일으켜 갑자기 명백한 폭동이 일어났다. 그들은 당장 후퇴할 것을 요구했다. 적 앞에서 산속으로 끊임없이 행군하는 것이 마음에 들지 않는다는 것이다. 상황상 당연히 아무것도 할 수 없게 되자 그들은 길을 돌려 스스로 알아서 출발했다. 사람을 잡아먹는 "로버트 블룸 부대"도 거기에 가담했다. 우리는 그들이 가도록 내버려두고 발트앙겔로흐로 행군했다.

여기 계곡의 깊은 분지에서 안전하게 숙영하는 것은 불가능한 일이었다. 그래서 잠시 멈추고 ‖61‖ 주변의 지형 상황과 적의 위치 정보를 수집했다. 그사이 네카어 군대가 철수했다는 분명치 않은 소문이 농민들을 통해 퍼졌다. 우리는 진스하임과 에핑겐을 넘어 중요한 바덴 부대가 브레텐에 진군했는지, 미에로스와프스키가 완전히 익명으로 잠입했다가 진스하임에서 체포되었는지 따위를 알고자 했다. 포병은 불안해졌으며 우리의 대학생들조차 투덜대기 시작했다. 그리하여 포병은 돌려보내고, 우리는 힐스바흐로 향했다. 여기서 우리는 48시간 전 네카어 군대의 철수와 여기서 한 시간 반 거리 떨어진 진스하임에 있다는 바이에른 군대에 관해 자세한 사항을 알게 되었다. 그들의 숫자는 7천이라고 알려졌지만, 나중에 우리가 알게 되었듯이 실제는 약 1만 명이었다. 우리는 최대로 잡아야 7백에 불과했다. 우리 병사들은 더 행군할 수가 없었다. 병사들을 할 수 있는 한[131] 한데 묶어놓아야 할 때면 언제나 그랬듯이, 우리는 그들을 헛간에 숙영시키고 건장한 야전 경계병을 세운 후 잠을 청했다. 다음 날 아침 24일에 출발할 때 우리는 바이에른군

G103

이 들판을 행군하는 소리를 분명히 들었다. 우리가 떠나고 15분 쯤 뒤에 바이에른군이 힐스바흐에 들어왔다.

미에로스와프스키는 이틀 전인 22일에 진스하임에서 숙박하고 우리가 힐스바흐에 진입했을 때는 이미 자기 군대와 함께 브레텐에 있었다. 후위를 지휘하는 베커도 이미 지나간 뒤였다. 따라서 그는 슈트루베가 308쪽에서 주장하듯 23일에서 24일로 이어지는 밤을 진스하임에서 보낼 수가 없었던 것이다.[132] 왜냐하면 저녁 8시에는 이미, 아마 그보다 더 일찍이었겠지만, 그 전인 저녁에 미에로스와프스키와 소규모 전투를 치른 바이에른군이 거기에 있었기 때문이다. 바크호이젤에서 하이델베르크를 거쳐 브레텐에 이르는 미에로스와프스키의 후퇴는 관련된 사람들에 의해 아주 위험한 작전으로 묘사되었다. 6월 20일에서 24일 사이 미에로스와프스키의 작전, 즉 하이델베르크에서 신속하게 부대를 모으고 그 부대로 프로이센군에 돌격한 것, 그리고 바크호이젤 전투에서 패배한 후 신속하게 후퇴한 것, 이것이 바덴에서의 그의 전체 활동에서 가장 찬란한 부분을 이룬다. 하지만 그토록 무기력한 적을 상대로 한 그 작전이 그렇게 위험한 것이 아니었음은, ||62|24시간 후 힐스바흐에서 소규모 부대를 이끌고 아무 문제 없이 우리가 철수한 것이 증명해준다. 미에로스와프스키가 23일에 공격이 있을 것이라고 생각했던 플레잉겐의 협로에서도 우리는 아무 공격도 받지 않고 뷔히히로 행군해 갔던 것이다. 우리는 거기서 미에로스와프스키가 브레텐에 설치한 야영지를 처음 공격할 때 엄호하기 위해 머물고자 했다.

이미 네카어 부대와 후위대도 모두 지나간 뒤였기 때문에 에핑겐, 차이젠하우젠, 플레잉겐[133]으로 이어지는 행군을 하는 모든 곳에서 우리는 사람들을 놀라게 했다. 우리가 뷔히히에 진입해서 나팔수가 나팔을 울렸을 때 프로이센군이라는 공포를 사람들에게 불러일으켰다. 미에로스와프스키의 야영지에 생필품을 조달한 브레텐의 시민군 지휘관은 우리를 프로이센군이라고 생각하고 가장 전형적인 놀라움을 보였는데, 우리가 모퉁이를 돌아 우리 점퍼를 보이자 그들은 안도했다. 우리가 생필품을 즉각 몰수해서 아직 거의 먹지도 못했을 때, 미에로스와프스키가 모든 군대를 이끌고 브레텐을 출발했다는 소식이 전해졌고, 우리는 브레텐으로 철수했다.

브레텐에서 우리가 밤을 지내는 사이 시민군이 전진 초소를 세웠다. 다음 날 아침을 위해 전 부대를 에틀링겐으로 이동시킬 마차를 조달해놓았다. 브루흐잘이 이미 24일에 프로이센군에 점령되었고, 디델스하임을 넘어 두를라흐로 가는 길을 적이 점령했다면(나중에 알게 되었지만 실제로 그러했다) 우리는 어떤 전투도 치를 수 없는 상태였기 때문에, 우리에게 본대로 가는 다른 방법은 남아 있지 않았다.

브레텐에서 대학생 대표가 우리에게 와서, 적 앞에서 끝없이 행군하는 것이 마음에 들지 않으며, 제대를 요청한다고 말했다. 당연한 말이지만, 적 앞에서 아무도 제대할 수는 없다. 하지만 그럼에도 탈영하고 싶다면 그것은 자유라고 대답했다. 그 후 약 절반 정도의 중대 인원이 가버렸다. 나머지도 곧 개별적으로 탈영해 줄어들었고 오직 사수들만이 남게 되었다. 대체로 대학생들은 출정 기간 내내 출정이 ||63| 휴가 여행 같은 편안함을 주지 않으면 언제나 모든 작전 계획을 털어놓고 싶어 하고 상처 난 발을 탄식하고 투덜대는 겁 많은 젊은 도련님처럼 굴었다. 이 "지성의 대변자들" 중에 예외적으로 진정한 혁명적 성격과 빛나는 용기를 갖춘 이는 단지 몇 명에 불과했다.

우리가 떠나고 반 시간이 지나서 적이 브레텐에 진입했다는 소식이 우리에게 늦게 전해졌다. 우리는 에틀링겐에 도착했는데, 거기서 코르빈-비어스비츠키는 우리에게 베커가 적을 저지하고 있을 두를라흐로 진격해달라고 요청했다. 빌리히는 기마병을 베커에게 보내서 그가 몇 시간이나 더 버틸 수 있는지 물었다. 기마병은 15분 후 전원 후퇴하고 있는 베커의 군대를 도중에 만났다는 소식을 갖고 돌아왔다. 우리는 그래서 모든 병력이 집결하기로 되어 있는 라슈타트로 행군했다.

라슈타트로 가는 길은 혼란의 극치를 보여주었다. 상당수의 다양한 부대들이 뒤섞여 행군하거나 야영을 하고, 우리는 불타는 태양의 열기와 전반적인 혼란 속에서 우리 병사들을 힘겹게 결집하고 있었다. 라슈타트 요새 앞의 방어 지대에는 팔츠 군대와 몇몇 바덴 대대들이 야영하고 있었다. 팔츠 군대는 상당히 왜소해져 있었다. 최고의 부대인 라인헤센 부대는 읍슈타트 전투 전에 치츠와 밤베르거에 의해서 카를스루에로 소환되었다. 이 용감한 자유 투사들은 부대에 이렇게 전했다. 모든 것을 잃었으며, 적은 너무 강하고, 아직은 모두 안전하게 귀향할 수 있다는 것이었다. 이들 큰소리치는 의원 나리 치츠와 용감한 밤베르거는 무고하게 흘린 피와 그 밖의 참사에 대해 양심의 가책을 받고 싶어 하지 않았으며, 그래서 부대는 해산되었다고 선언했다. 라인헤센 부대는 이 비열한 뻔뻔함에 대해 당연하게도 너무나 분노했으며, 그 두 배신자들을 체포하여 총살하려고 했다. 데스터와 팔츠 정부도 그들을 체포하려고 추적했다. 하지만 이 명예로운 시민들은 이미 도주했고, 용감한 치

츠께서는 안전한 바젤에 있으면서 제국헌법투쟁의 진행을 지켜보고 있었다. 치츠는 1848년 9월에 "강단 있는 연설"[134]을 한 것처럼 1849년 5월에도 인민이 봉기하는 데 가장 큰 자극을 준 의회 명사에 속했는데, 그는 봉기가 일어났을 때 인민을 내버려둔 이 명사들 가운데서 영광스러운 자리를 두 번 차지했다. 키르히하임-||64|볼란덴에서도 치츠는 자신의 사수들이 사로잡혀 총살형을 받을 때 제일 먼저 도망간 사람 중에 하나였다. 다른 모든 부대처럼 그러지 않아도 탈영으로 약화된 라인헤센 부대는 바덴으로 퇴각함으로써 사기를 잃고 당시 모든 결집력을 상실했다. 일부분은 해산하고 귀향했다. 나머지는 새로이 편성해서 전투 마지막까지 같이 싸웠다. 다른 팔츠 병사들은 7월 5일까지 귀향하는 사람들은 모두 사면될 것이라는 라슈타트에서의 소식에 사기를 잃어버렸다. 반 이상이 흩어지고, 대대는 중대로 축소되었으며, 하급 장교들은 대부분 가버리고, 아직 남아 있는 약 1,200명의 병사들은 더는 아무 의미도 없었다. 우리 부대도 사기를 상실한 것은 아니더라도 패배와 질병, 대학생들의 탈영으로 인해 500여 명으로 줄어들었다.

우리는 이미 다른 군대가 와 있던 쿠펜하임으로 가서 숙영했다. 다음 날 아침 나는 빌리히와 함께 라슈타트로 가서 몰을 다시 만났다.

어느 정도 교육받은 바덴 봉기의 희생자들은 언론, 민주주의 연합, 시와 산문의 추모글 등 모든 곳에서 기려진다. 전투를 치르고, 전쟁터에서 쓰러지고, 라슈타트 포루에서 산 채로 썩어가고, 지금은 해외에서 모든 망명자와 떨어져 홀로 비참함이 효모가 될 때까지 망명 생활을 감내해야 하는 수백 수천의 노동자들은 아무도 말하지 않는다. 노동자 착취는 오래전부터 이어져온 너무나 익숙한 일이어서, 우리의 공식적인 "민주주의자들"은 노동자를 어떤 다른 것으로, 즉 쉽게 동요하고 착취하기 쉬우며 폭발성을 지닌 원료이자 순전히 총알받이로만 생각했다. 프롤레타리아트의 혁명적 지위와 노동자계급의 미래를 이해하기에 우리의 "민주주의자들"은 너무 무지하고 부르주아적이다. 그렇기에 그들에게 아첨하기에는 너무나 자존심 강하고 그들에게 이용당하기에는 너무나 사려 깊지만, 그럼에도 불구하고 기존 권력을 전복하는 일에는 언제나 손에 총을 들고 참가하며, 모든 혁명운동에서 프롤레타리아트당을 직접적으로 대변하는 진짜 프롤레타리아트의 특성을 그들은 매우 증오한다. ||65|그런 노동자들을 인정하는 것이 이른바 민주주의자들의 이해에 부합하지 않는다면, 그에 걸맞게 그들이 마땅히 받아야 할 대접을 하는 것이 프롤레타리아트당의 의무인 것이다. 그리고 이런 노

162

동자 중 최고의 한 사람이 바로 **퀼른 출신의 요제프 몰**이다.

몰은 시계 제조공이었다. 그는 독일을 몇 년 전에 떠나 있으면서 프랑스, 벨기에, 영국 등에서 혁명적이고 공개적이고 비밀스러운 여러 협회에 참가해왔다. 그는 1840년 런던에서 독일 노동자협회의 창설을 도왔다.[135] 2월 혁명 이후 독일로 돌아와서 곧바로 친구 샤퍼와 함께 퀼른 노동자협회의 지도권을 넘겨받았다. 그는 1848년 9월 퀼른 폭동[136] 이후 런던으로 망명했다가 다시 가명으로 독일로 돌아와서 여러 지역에서 선전 활동을 하며 그 위험성 때문에 다른 사람들을 겁먹게 한 임무들을 맡았다. 나는 카이저슬라우테른에서 그를 다시 만났다. 여기서도 그는 프로이센으로 가는 임무를 맡았는데, 만약 발각된다면 즉각 탄약의 은혜를 받았을 것이었다. 두 번째 임무에서 돌아오면서 그는 적진을 운 좋게 지나 라슈타트까지 오게 되었고, 거기에서 우리 부대의 브장송 노동자 중대[137]에 입대했다. 사흘 후 그는 전사했다. 나는 오랜 친구를 잃었고, 당으로서는 지칠 줄 모르고 용맹하고 가장 믿을 만한 전사를 잃었다.

G106

프롤레타리아트당은 바덴-팔츠 군대 내에서 상당히 강력한 세력을 이루고 있었는데, 특히 우리 부대와 같은 의용군과 망명자 군단 등에서 그랬고, 그 당은 소속원 어느 누구에게도 질책할 만한 것이 가장 적다는 점에서 다른 당들을 조용히 도발했다. 가장 결연한 공산주의자들이 가장 용맹한 병사들이었다.[138]

다음 날 27일 우리는 산속 조금 더 깊은 곳 로텐펠스로 이동했다. 군대의 구획과 여러 부대의 배치가 점차 완료되었다. 우리는 우익을 맡은 사단에 배속되었는데, 그 사단은 미에로스와프스키를 메케스하임에서 체포하려 했고,[139] 유치하게 자신의 지휘권을 방기한 토메(Thome) 대령이, 27일 이후로는 메르지가 지휘했다. 지겔이 제안한 팔츠 군대 사령관직을 거절한 빌리히는 ||66| 사단 참모장 역할을 맡았다. 그 사단은 게른스바흐에서 뷔르템베르크 국경을 거쳐 로텐펠스 너머에 주둔하면서 좌측으로 쿠펜하임 근처에 집결하고 있는 오보르스키 사단에 이웃해 있었다. 전위병은 국경까지, 그리고 줄츠바흐와 미헬바흐와 빙켈 쪽으로 전진 배치되었다. 처음에 불규칙적이고 엉망이던 급식은 27일 이후로 나아졌다. 우리 사단은 서너 개의 바덴 상비군 대대, 영웅 블렝커의 팔츠 부대, 우리 부대, 하나 또는 하나 반 정도의 포병 중대로 구성되어 있었다. 팔츠 부대는 게른스바흐와 그 근처에 주둔하고, 상비군과 우리 부대는 로텐펠스와 그 주변에 주둔했다. 사령부는 로텐펠

스 건너에 있는 엘리자베텐크벨레 호텔이었다.

미헬바흐에 있는 우리 선발대가 프로이센군의 공격을 받았다는 소식이 전해진 28일 우리 ─ 사단 참모들과 몰, 킹켈 그리고 다른 의용병들과 우리 부대 ─ 는 식사 후에 커피를 마시며 이 호텔에 앉아 있었다. 우리는 적들이 단지 정찰을 목적으로 한 것이라고 그 원인을 추측했지만 즉시 길을 나섰다. 실제로 별다른 것은 없었다. 프로이센군이 잠시 점령했던, 계곡 밑에 있는 미헬바흐 마을은 우리가 도착했을 때 이미 떠나고 없는 상태였다. 산비탈 양측에서 계곡 건너로 서로 총격을 가하며 아무 소득 없이 탄약만 낭비했던 것이다. 내가 본 것은 전사자 한 명과 부상자 한 명이었다. 상비군이 600~800보 정도 떨어진 곳에 별 이유 없이 탄약을 쏘아대는 동안, 빌리히는 우리 병사들로 하여금 침착하게 무기를 정렬하고 마치 전투원인 듯이 그렇게 가까이 붙어서 총격전을 치르는 것처럼 하게 하면서 휴식을 취하도록 했다. 사수들만이 숲이 우거진 비탈을 내려가면서 몇몇 상비군의 지원을 받으며 프로이센군을 건너편 고지로 몰아냈다. 우리 사수 중 한 명이 진짜 휴대용 대포인 거대한 스탄트로어(Standrohr)로 약 900보 떨어진 곳에 있는 말 탄 프로이센 장교에게 발포했다. 그 장교의 중대는 모두 즉시 오른쪽으로 돌아서 숲속으로 후퇴했다. 프로이센 병사 몇 명이 죽고 부상을 당했으며 두 명이 우리 측에 포로로 잡혔다.

다음 날 전선 전체에 전면 공격이 벌어졌다. 이번에는 프로이센 양반들이 점심시간에 우리를 괴롭혔다. 우리에게 보고된 첫 번째 공격은 비슈바이어 근처, 즉 오보르스키 사단과 ‖67‖ 우리 사단 사이의 연결 지점이었다. 빌리히는 로텐펠스에 있는 우리 군대가 가능한 한 언제든 동원될 준비를 하고 있어야 한다고 주장했는데, 주공격이 언제든 반대 방향, 즉 게른스바흐 쪽으로 이루어질 수 있기 때문이었다. 하지만 메르지는 어떻게 해야 하는지 안다고 대답했다. 우리 대대 중 하나가 공격을 당하고 나머지가 즉각 대대적으로 지원하러 오지 않는다면 배신의 외침이 터져 모두가 탈영할 것이라고 했다. 그래서 비슈바이어 쪽으로 행군해 갔다.

빌리히와 나는 사수 중대와 함께 비슈바이어로 가는 무르크 강 우안의 길을 지나 전진했다. 로텐펠스에서 반 시간 정도 거리에서 우리는 적과 마주쳤다. 사수들은 산병 대형으로 흩어져 정렬하고 빌리히는 얼마간 뒤처진 부대를 데려오기 위해 뒤로 말을 달렸다. 한동안 우리 사수들은 과수와 포도원 뒤에 몸을 숨긴 채 격렬한 총격을 견디면서 역시나 격렬한 대응 사격을 가

164

했다. 하지만 강력한 적군이 산병을 지원하기 위해 길에서 전진해 오자 우리 측 사수의 좌익이 물러났는데 아무리 소리쳐도 멈추게 할 수가 없었다. 우익은 고지를 향해 앞으로 더 전진했고 나중에 우리 부대와 합류했다.

나는 사수들을 어찌할 수 없다는 것을 알고 그들을 운명에 맡긴 채 고지를 향해 나아가 우리 부대의 깃발을 보았다. 1개 중대가 뒤처져 있었는데 재단사인 중대장은 용감한 사람이긴 했지만 어찌할 바를 모르고 있었다. 나는 그들을 접수해 다른 병사들과 합류시키고 빌리히를 만났는데, 그는 방금 브장송 중대를 산병 대형으로 흩어놓은 채 전진시키고 그 뒤의 나머지는 둘로 나누어 그중 하나를 산 쪽으로 전진시킨 중대의 우익을 엄호하도록 배치했다. G108

우리 측 산병들은 격렬한 총격을 받았다. 그것은 우리 반대편에 있던 프로이센군 사수들이었는데, 우리 노동자들은 끝이 뾰족한 탄환에 장총으로만 대응하고 있었다. 하지만 그들은 그들과 합류한 우리 측 사수 우익의 지원을 받으며 결연하게 전진하여, 질 나쁜 무기의 단점을 상쇄할 정도로 오른쪽으로 가까이 다가가서 ||68| 프로이센군을 사격했다. 양쪽의 엄호 부대는 산병 뒤에 가까이 붙어 있었다. 그사이 바덴 대포 2문이 우리 왼편 무르크 계곡으로 올라가 길 위에 있던 프로이센 보병과 포병을 향해 포문을 열었다.

프로이센 병사들이 지원군을 얻으면서 대대를 전진시킬 때까지 전투는 맹렬한 장총 사격과 소총 사격과 함께, 프로이센 병사들이 계속 후퇴하면서 대략 한 시간 정도 지속되었다 — 우리 측 사수 일부는 이미 비슈바이어까지 전진했다. 우리 산병들은 후퇴했다. 첫 번째 소전투는 소대 사격을 가하고 두 번째 소전투는 왼쪽 숲길로 일정한 거리를 후퇴한 후 역시 총격을 가했다. 하지만 프로이센군은 밀집 대형을 이루고 전선 전체를 압박해 왔다. 우리 측 좌익을 엄호하던 바덴 대포 2문은 이미 후퇴했고, 오른쪽에서 프로이센군이 산 위에서 아래로 몰고 들어왔다. 우리는 후퇴할 수밖에 없었다.

적의 십자포화를 빠져나오자마자 우리는 산 가장자리에 새로이 전열을 정비했다. 지금까지 우리가 라인 평지와 비슈바이어, 니더바이어 방향으로 전선을 구축했다면, 이제는 프로이센군이 오버바이어 쪽으로부터 점령하고 있는 산악을 향해 전선을 구축했다. 마침내 상비군 대대가 전선에 합류했고, 또다시 산병으로 전진 배치된 우리 부대의 2개 중대와 힘을 합쳐 전투를 개시했다.

우리는 큰 손실을 입었다. 대략 30여 명이 보이지 않았는데, 그중에는 킹켈과 몰도 있었고, 낙오한 사수는 계산하지 않은 것이다. 그 2명은 중대의 우익과 몇몇 사수들과 함께 너무 멀리 전진했다. 라인프로이센 트로네켄 출신의 산림 감독관이자 사수 중대장인 에머만은 프로이센군 쪽으로 행군하다가 토끼 사냥을 나갔는데 총격을 가하자 토끼가 프로이센 포대 행렬로 뛰어들어 어쩔 수 없이 서둘러 후퇴해야 했다. 하지만 프로이센군 1개 중대가 즉시 숲길에 출몰해 그들에게 총격을 가했다. 킹켈은 머리에 총상을 입고 쓰러졌고 다시 그가 일어나 제 발로 걸을 수 있을 때까지 동료들이 끌고 갔다. ‖69‖ 하지만 곧 그들은 십자포화에 빠져들었고 어떻게 빠져나올 수 있을지 살펴보아야만 했다. 킹켈은 같이 갈 수 없었고 농가로 들어가 거기서 프로이센군에 포로로 잡히고 학대를 당했다. 몰은 하복부에 관통상을 입고 역시 포로로 잡혀 나중에 부상으로 인해 사망했다. 치힐린스키 역시 목덜미에 총상을 입었지만 그사이 계속 부대에 머물렀다.

주력 부대는 그대로 남아 있고 빌리히가 전장의 다른 지역으로 말을 몰고 간 사이 나는 일종의 집결지가 된 로텐펠스 아래 무르크 다리로 서둘러 갔다. 나는 게른스바흐 소식을 듣고 싶었다. 하지만 도착하기도 전에 나는 불타고 있는 게른스바흐에서 연기가 솟아오르는 것을 보았고, 다리에 도착해서는 사람들이 그쪽에서 포성을 들었다는 것을 알게 되었다. 나중에 나는 몇 차례 더 그 다리로 갔다. 갈 때마다 게른스바흐에 관해 더 나쁜 소식들을 듣고, 갈 때마다 포화 속에 거의 있지 않으면서 이미 사기를 잃어버린 바덴 상비군 부대가 다리 뒤편에 더 많이 모여들었다. 마지막에 나는 적이 이미 가게나우에 있다는 것을 알았다. 이제 적을 칠 절호의 기회였다. 빌리히는 부대와 함께 로텐펠스 건너편에 자리를 잡기 위해 무르크 강을 건너 행군했고 뜻밖에 마주친 대포 4문도 가져갔다. 나는 그사이 멀리 전진한 두 산병 중대를 데려오기 위해 갔다. 도처에서 대부분 장교가 없이 내 쪽으로 오는 상비군 부대를 볼 수 있었다. 한 파견대는 의사가 이끌고 있었는데, 그는 기회를 잡아 이렇게 자기소개를 했다. "당신은 나를 알 겁니다. 튀링겐 운동의 대장 노이하우스입니다!"[140] 이 멋진 사람들은 곳곳에서 프로이센군을 물리치고 이제 돌아오는 중이었는데, 더는 적을 볼 수 없었기 때문이었다. 나는 우리 중대를 찾을 수가 없어서 — 그들은 같은 이유로 로텐펠스를 지나 후퇴했던 것이다 — 다시 다리로 돌아갔다. 거기서 나는 메르지와 그의 참모와 부대를 만났다. 나는 그에게 빌리히를 지원하기 위해 최소한 몇몇 중대를 달라고 요청했다. "뭔가 할 수 있다면 전체 부대를 데려가라"고 그는 대답했

166

다. 모든 곳에서 적을 몰아낸 그 병사들은 다섯 시간 동안 행군했고 지금은 흩어져 사기를 잃고 누워 있는 터라 지금 들판에 나가서는 아무 데도 쓸모가 없었다. 게른스바흐를 ||70| 우회해야 한다는 소식은 그들의 넋을 놓게 만들었다. 나는 나의 길을 가기로 했다. 내가 만났던 미헬바흐에서 돌아온 중대도 역시 아무것도 할 수 없었다. 내가 우리 측의 옛 사령부에서 그 부대를 다시 보았을 때 가게나우에서 도망쳐 온 팔츠 병사들 ─ 그나저나 지금은 장총으로 무장한 자기 부대와 함께 있는 피스톨 친[141] ─ 이 들이닥쳤다. 빌리히가 대포를 정렬할 위치를 찾다가 마침내 무르크 계곡을 내려다보면서 동시에 산병을 이용해 전투를 할 수 있는 좋은 위치를 찾아내는 사이, 중대장이 제지할 틈도 없이 포병들은 대포를 갖고 그냥 지나쳐 가버렸다. 그들은 다리에 있는 메르지에게 이미 가 있었다. 동시에 빌리히는 내게 메르지가 보내온 쪽지를 보여주었는데, 모든 것을 잃었으며 자기는 오스로 철수할 것이라는 내용이었다. 우리도 그러는 수밖에 달리 방도가 없었고, 즉시 산으로 행군했다. 대략 7시경이었다.

게른스바흐 주변에서 일어난 일은 대략 다음과 같다. 뷔르템베르크 영토의 헤렌알프 주변에서 우리 측 정찰대를 하루 전에 목격한 포이커의 제국 군대는 국경에 배치된 뷔르템베르크 부대를 이끌고 우리를 배신하고 우리 측 전진 초소를 퇴각시킨 후 29일 오후 게른스바흐를 공격했는데, 그들은 사격을 가하는 대신 우리는 형제라고 소리치며 다가가서는 80보 전방에서 일제 사격을 가했다. 그 후 그들은 게른스바흐를 포격해서 불태웠으며, 더는 화염을 잠재울 방도가 없자 어떤 희생을 치르더라도 전진 초소를 **사수하라고** 미에로스와프스키를 보냈던 지겔은 **스스로** 블렝커가 자신의 군대를 데리고 싸우면서 후퇴하라는 명령을 내렸다. 지겔은 베른에서 블렝커의 부관이 지겔과 빌리히가 있는 앞에서 이 기묘한 이야기를 했을 때 부인한 것처럼 그렇게 부인하지는 못할 것이다. 무르크의 핵심적인 거점을 "싸우면서"(!) 포기하라는 이 명령과 함께 전체 전선에서의 전투와 바덴군의 마지막 거점을 잃어버렸다.

어찌 되었든 프로이센은 라슈타트의 소규모 전투 승리로 특별한 명성을 얻지는 못했다. 우리에게는 대부분 사기가 저하되고 소수를 빼면 형편없는 지휘를 받는 군대 13,000명밖에 없었다. 그들의 군대는 ||71| 게른스바흐로 전진한 제국 군대를 포함해 최소 6만에 달했다. 이러한 엄청난 수적 우세에도 불구하고 그들은 전면 공격을 제대로 하지 못했고, 우리에게 빗장을 건

중립적인 뷔르템베르크 지역을 해치는 비열한 배신을 통해서 우리를 공격했을 뿐이었다. 그리고 만일 게른스바흐가 그토록 어처구니없이 점령되지 않고 지겔이 위에 언급한 감동적인 명령을 내리지 않았더라면, 그런 배반조차도 적어도 처음에는 별 도움이 되지 않았을 것이며 결정적인 전면 공격을 피할 수도 없었을 것이다. 그러지 않아도 별것 아닌 거점은 우리가 바로 다음 날 버렸을 것이고 그것은 의심의 여지가 없는 것이었다. 하지만 우리가 승리했더라면 프로이센은 전혀 다른 희생을 치러야 했을 것이고, 그들의 군사적 명성을 엄청나게 손상했을 것이다. 그렇기에 그들은 뷔르템베르크의 중립성을 해치는 것을 선호했고, 뷔르템베르크는 그런 일이 벌어지도록 가만히 내버려두었다.

G111　　450명이 채 되지 않는 우리는 산을 통해 오스로 퇴각했다. 그곳의 거리는 혼란에 빠진 군대와 마차, 대포 따위로 뒤덮여 있었다. 우리는 그곳을 지나 행군했고 진츠하임에서 휴식을 취했다. 다음 날 아침 우리는 뷜 너머에서 일군의 도망병들을 모아서 오버아헤른에서 밤을 보냈다. 이날 마지막 전투가 벌어졌다. 베커 사단의 몇몇 다른 부대와 함께 독일-폴란드 부대는 오스에서 제국 군대를 격퇴하고 (메클렌부르크) 유탄포를 노획하여 스위스까지 가져갔다.

　　군대는 완전히 해산되었다. 미에로스와프스키와 나머지 폴란드인들은 그들의 지휘권을 내려놓았다. 오보르스키 대령은 이미 29일 저녁 전장에서 직책을 그만두었다. 하지만 이러한 일시적 해산이 그렇게 크게 중요하지 않았다. 팔츠군은 이미 서너 번 해산되었다가 매번 그럭저럭(tant bien que mal) 다시 조직되곤 했다. 포기하려는 지역에서 모든 투입 인원을 결집한 채 천천히 후퇴하는 것, 그리고 고지대 투입 인원들을 프라이부르크와 도나우에싱겐에서 신속하게 재결집하는 것, 이 두 가지가 아직 시도할 수 있는 조치였다. 그들은 질서와 규율을 신속하게 웬만한 수준으로 회복하고, 프라이부르크 앞에 있는 카이저슈툴이나 도나우‖72‖에싱겐에서 큰 희망은 없지만 명예로운 최후의 일전을 벌일 수 있었을 것이다. 하지만 군사 지휘관들과 마찬가지로 민간 지휘관들은 병사들보다 더 사기가 꺾여 있었다. 그들은 군대와 전체 운동을 그저 운명에 맡겨놓은 채, 의기소침하고 어찌할 바를 모르고 낙담하여 계속 후퇴하기만 했다.

　　게른스바흐에 대한 공격 이후 뷔르템베르크 지역을 가로질러 우회하는 것에 대한 공포가 전반적으로 뿌리내렸고 이것은 전반적인 사기 저하에 크게 기여했다. 빌리히 부대는 뷔르템베르크 국경을 수비하기 위해 산악 유탄포 2문 —우리에게 배정된 다른 대포 몇 문은 카펠에서 더는 같이 가지 못했다 —을 가지고 카펠 계곡을 거쳐 산으로 들어갔다. 적이라곤 보이지 않은 슈바르츠발트를 지나 행군한 것은 진정 즐거운 여행이었다. 우리는 알러하일리겐을 지나 7월 1일 오페나우에, 7월 2일에는 훈츠코프를 지나 볼파흐에 도착했다. 7월 3일 이곳에서 우리는 프라이부르크에 있는 정부가 이 도시도 포기할 것을 고려하고 있음을 알았다. 이 소식은 우리로 하여금 즉시 그리로 가도록 만들었다. 우리는 통치자와 현재 지겔이라는 영웅이 이끌고 있던 최고사령부로 하여금 싸우지도 않고 프라이부르크를 포기하지 말라고 강제할 생각이었다. 우리가 볼파흐에서 출발했을 때는 이미 늦은 시간이었고 저녁 늦게야 발트키르히에 도착했다. 여기서 우리는 프라이부르크는 이미 포기되었고 정부와 사령부는 도나우에싱겐으로 옮겼다는 소식을 들었다. 동시에 우리는 지몬스발트 계곡을 점령해서 보루를 쌓으며, 푸르트방겐에 우리 사령부를 세우라는 긍정적인 명령을 받았다. 따라서 우리는 블라이바흐로 돌아가야 했다.

지겔은 이제 자신의 군대를 슈바르츠발트 산등성이 뒤편에 배치했다. 방 ^{G112} 어선은 뢰어라흐에서 토트나우와 푸르트방겐을 지나 슈람베르크 방향 뷔르템베르크 국경 쪽으로 구축되어야 한다고 했다. 라인탈을 지나 뢰어라흐로 이동한 메르지와 블렝커가 좌익을 맡고, 그 뒤를 돌이 따랐는데, 그는 전직 행상인으로서 헤커 부대의 장군 중 한 명이라는 이유로 사단장에 임명되어 횔렌탈 근처에 주둔하고 있었다. 그다음은 푸르트방겐과 지몬스발트 계곡에 있는 우리 부대였고, 마지막 우익에는 장크트게오르겐과 트리베르크에 있는 베커가 맡았다. 산 뒤편에는 지겔이 예비군을 ||73| 데리고 도나우에싱겐에 있었다. 전투력은 탈영으로 상당히 약해지고 보충병이 투입되지는 않았지만 여전히 병사 9천과 대포 40문을 갖고 있었다.

사령부에서 프라이부르크, 부타흐에 있는 노이슈타트, 도나우에싱겐에 차례대로 전해진 명령은 죽음을 두려워하지 않는 결의를 내뿜는 것이었다. 적이 언젠가는 뷔르템베르크를 지나 로트바일과 빌링겐을 넘어 우리 배후를 칠 것으로 예상되었지만, "적의 동태에 전혀 동요하지 말라"는 이 명령 가운데 하나처럼 적을 결연하게 격퇴하고 어떤 상황에서도 슈바르츠발트의 능선을 사수해야 했다. 이것은 지겔이 도나우에싱겐에서 네 시간이면 다다를 수 있는 스위스 영토로 영광스럽게 후퇴하는 것을 보장하기 위한 것이었다. 산속에 포위된 우리에게 무슨 일이 일어날지 지겔은 샤프하우젠에서 느긋하게 기다릴 뿐이었다. 죽음을 두려워하지 않는 이런 행동이 어떤 우스꽝스러운 결말을 보게 될지는 곧 드러날 것이었다.

4일에 우리는 2개 중대(160명)와 함께 푸르트방겐으로 왔고, 나머지는 지몬스발트 계곡과 귀텐바흐와 장크트메르겐 통로를 점령하는 데 투입되었다. 우리는 장크트메르겐을 통해 돌의 부대와 연결되고, 쉰발트를 통해 베커의 부대와 연결되어 있었다. 모든 통로에는 바리케이드가 설치되었다. 우리는 5일에 푸르트방겐에 머물렀다. 6일에 프로이센군이 빌링겐으로 이동하고 있으며, 지겔의 작전을 지원하기 위해 푀렌바흐를 거쳐 그들을 공격하라는 요구를 담은 소식이 베커로부터 전해졌다.[142] 동시에 자신의 주력 부대가 트리베르크에 충분히 보루를 쌓고 대기하고 있는데, 지겔이 빌링겐을 점령하는 대로 자기도 트리베르크로 가겠다는 소식을 우리에게 알려왔다.

우리 측에서 공격하는 것은 생각할 수 없는 일이었다. 450명이 안 되는 병력으로 3제곱마일을 지켜야 했기에 한 사람도 없어서는 안 되었다. 우리는 멈춰 있을 수밖에 없었고 베커에게 이를 알렸다. 곧 사령부로부터 급보가 날아들었다. 빌리히는 즉각 도나우에싱겐으로 와서 전체 포병 지휘권을 넘겨받으라는 것이었다. 우리는 즉시 그쪽으로 갈 준비를 하고 있었는데, 국민방위군 한 무리가 포병과 여러 다른 국민방위군 대대를 따라서 푸르트방겐 쪽으로 ||74| 행군해 왔다. 그것은 베커와 그의 부대였다. 사람들이 폭동을 일으킬 것 같았다고 했다. 나는 친분이 있던 참모 장교 네를링거 "소령"에게서 다음과 같은 사실을 들었다. 그는 트리베르크 근처에 진지를 구축하라는 명령을 내렸고 막 보루를 설치하려고 했을 때 장교단이 그에게 모든 장교가 서명한 서면 포고문을 건넸다. 사람들이 폭동을 일으킬 것 같으니, 즉각 행군하라는 명령을 받지 못했다면 모든 군대와 함께 즉시 행군하라는 것이었다. 나는 서명을 살펴보았다. 그것은 역시나 용감한 드레어-오버뮐러 대대였다! 네를링거는 베커에게 이 사실을 알리고 푸르트방겐으로 행군하는 것말고는 달리 할 일이 없었다. 베커는 그들을 따라잡기 위해 즉시 출발하여 그렇게 자기 군대를 모두 이끌고 푸르트방겐으로 갔고, 거기서 겁에 질려 있던 우리 의용대의 장교와 병사들의 영접을 받으며 크게 웃었다. 그들은 부끄러워했고 베커는 저녁에 그들을 다시 그들의 진지로 돌려보냈다.

하지만 우리는 브장송 중대[143]를 따라서 도나우에싱겐으로 갔다. 프로이센군은 이미 바로 큰길까지 우글대고 있었다. 빌링겐은 그들에게 점령당했

G113

170

다. 그래도 우리는 무사히 지나쳐 왔고 저녁 10시경에는 브장송 중대도 도착했다. 도나우에싱겐에서 나는 데스터를 만났고, 슈트루베가 프라이부르크의 제헌의회에서 모든 것을 잃었으니 모두 즉시 스위스로 가야 한다고 요구했으며, 영웅 블렝커가 이 충고를 따라 이미 오늘 아침 바젤에서 스위스 영토 안으로 건너갔다는 이야기를 전해 들었다. 둘 다 사실이었다. 영웅 블렝커는 적과 가장 멀리 떨어져 있었음에도 불구하고 7월 6일 바젤로 **갔다**. 그는 몇 가지 징발을 시행하기 위해 시간을 냈는데, 이 징발은 후에 그와 지겔 사이에, 나중에는 스위스 당국 사이에 일부 역겨운 냄새를 일으켰다. 그리고 6월 29일 브렌타노 및 적과 협상하고 싶어 한 사람들을 배신자라고 선언한 바로 그 영웅 슈트루베는 사흘 후인 7월 2일 완전히 초토화된 채로 부끄러움도 없이 바덴 제헌의회 비밀회의에서 다음과 같이 제안했다.[144] 오버란트가 운터란트처럼 전쟁의 참혹함을 겪지 않고 수많은 소중한 피를 흘리지 않도록 하기 위해, 그리고 ‖75‖ 아직 구할 수 있는 것은 구해야 하기 때문에(!), 영방의회처럼 혁명에 참여한 모든 사람에게 7월 10일까지 여행 경비를 포함해 급료 혹은 봉급을 지급하고 모든 금고와 비축품, 무기를 가지고 스위스 영토로 후퇴해야 한다는 것이다![145] 용감한 슈트루베가 이 깨끗한 제안을 한 것은 7월 2일인데, 그때는 우리가 프라이부르크에서 10시간, 스위스 국경에서 20시간 떨어진 슈바르츠발트 위쪽 볼파흐에 있을 때였다! 슈트루베는 어찌나 순진한지 자신의 『역사』 237쪽에서 이 사건을 언급하며 자랑을 하고 있다. 그런 제안이 받아들여졌을 때 일어날 수 있는 유일한 결과는 프로이센군이 "구할 수 있는 것은 구하기 위해", 금고와 대포와 비축품을 사냥하기 위해 할 수 있는 한 기꺼이 우리를 밀어붙이는 것이었다. 왜냐하면 그러한 결의 이후 맹렬히 추격하는 것이 위험하지 않았기 때문이다. 그리고 실제로 그랬던 것처럼 우리 군대는 즉각 대규모로 이탈했고, 모든 부대는 각자 판단에 따라 스위스로 도망갔다. 우리 부대는 12일까지 바덴 영토 안에 머물렀으며 봉급이 지급된 것은 17일이었는데, 그냥 거기 있었더라면 최악의 상황을 맞았을 것이다.

G114

지겔은 빌링겐을 다시 접수하는 대신 일단 도나우에싱겐 뒤에 있는 휘핑겐에 진을 치고 적을 기다리기로 결정했다. 하지만 같은 날 저녁 스위스 국경 바로 가까이에 있는 슈틸링겐으로 행군하기로 결정했다. 우리는 우리 부대와 베커 부대에 통지해주기 위해 급하게 푸르트방겐으로 기마 파발을 보냈다. 두 부대 모두 노이슈타트와 본도르프를 거쳐 슈틸링겐으로 가야 할 것이었다. 빌리히는 부대를 만나기 위해 노이슈타트로 가고 나는 브장송 중대에 남았다. 우리는 리트뵈링겐에서 밤을 보내고 다음 날 오후, 7월 7일에 슈틸링겐에 도착했다. 7월 8일 지겔은 반쯤 흩어져버린 군대를 열병한 후 앞으로는 말을 타지 말고 걸어서 (국경으로!) 행군하라고 권하고는 가버렸다. 그는 우리에게 포병 중대 절반과 빌리히에 대한 명령을 남기고 가버렸다.

그사이 전면 철수 소식이 푸르트방겐으로부터 먼저 베커 부대에, 그다음 전진 배치된 우리 중대에 전해졌다. 우리 부대는 먼저 푸르트방겐에 모인 후 노이슈타트에서 빌리히[146]와 만났다. 전진 부대로 푸르트방겐에 가까이 있었던 베커는 ||76| 뒤늦게 그곳에 도착해서 역시 같은 길을 따랐다. 그는 행군하는 길에 참호를 만나 지체했는데, 나중에 스위스 신문은 그것이 우리 부대가 설치한 것이라고 보도했다. 그것은 사실이 아니다. 우리 부대는 슈바르츠발트의 능선 너머를 차단했지, 전혀 점령한 적이 없는 트리베르크에서 푸르트방겐으로 가는 길을 차단하지는 않았다. 그 외에 우리 측 의용병들은 베커의 전위 부대가 그곳에 도착했을 때에야 푸르트방겐에서 행군을 시작하고 있었다.

도나우에싱겐에서 합의한 바에 따르면 전체 군대의 잔여 병력은 부타흐 뒤편 에깅겐에서 팅겐에 이르는 길에 모여서 적의 접근을 기다리기로 되어 있었다. 측면을 스위스 영토에 둔 채 여기서 우리는 꽤 괜찮은 포병과 함께 마지막 전투를 시도해볼 수 있었다. 심지어 프로이센이 스위스 영토를 침범하고 그래서 스위스가 전쟁에 개입할지도 모른다는 기대를 할 수도 있었다. 하지만 빌리히 부대가 도착하고 용감한 지겔의 명령을 읽었을 때 우리는 얼마나 경악했던가. "본진은 팅겐과 발츠후트로 가서 확고한 위치를 점하라 (!!). 가급적 오랫동안 (슈틸링겐과 에깅겐에 있는) 위치를 사수하도록 노력하라." 라인 강을 뒤로하고 적이 접근할 수 있는 고지를 전면에 둔 팅겐과 발츠후트의 "확고한 위치"라니! 그 말은 자기들이 제킹겐 다리를 건너 스위스로 가겠다는 것 말고 다른 뜻이 아니었다. 그럼에도 불구하고 영웅 지겔은 슈트루베의 요청에 대해 이렇게 말했던 것이다. 만일 이 요구가 받아들여진다면 지겔 자신이 제일 먼저 반란을 일으킬 것이다.[147]

우리는 부타흐 뒤편으로 위치를 옮기고 우리 측 사령부가 있는 에깅겐과 부퇴싱겐 사이에 병력을 배치했다. 여기서 우리는 다음과 같은 지겔의 감동적인 명령서를 받았다. "명령. 팅겐 사령부. 1849년 7월 8일. 에깅겐에 있는 빌리히 대령 수신. 샤프하우젠 주(州)가 본인에게 적대적 태도를 취하므로

172

우리가 협의한 위치를 접수하는 것이 불가능하게 되었음. 귀관은 그곳으로 방향을 잡고 그리센, 라우흐링겐, 팅겐 쪽으로 움직일 것. 나는 내일 ||77| 발츠후트나 알프 뒤편(즉 제킹겐 방향)으로 가기 위해 아침에 출발할 것임. … **지겔** 중장."[148]

그것은 모든 예상을 넘어서는 것이었다. 빌리히와 나는 저녁에 팅겐으로 향했는데, 거기서 "선임 부관" 슐링케는 제킹겐으로 가서 거기서 라인 강을 건너가는 게 옳다고 인정했다. 지겔은 애초 "중장"의 권위를 내세우려 했지만, 빌리히는 이에 굴하지 않고 결국 지겔로 하여금 방향을 바꿔 그리센으로 가라는 명령을 내리도록 만들었다. 제킹겐으로 행군하라는 명령의 구실은 그곳에 이미 진군했다는 돌과 합류해 이른바 중요한 거점을 지키는 것이었다. 그 거점은 1800년에 모로가 전투를 치른 바로 그곳이었는데, 그곳은 오직 약점만 있는 곳으로서 적이 **우리 측으로** 다가오는 방향이 아닌, 전혀 다른 쪽으로 전선을 형성하게 되어 있었다. 그리고 우아한 돌에 관해 말하자면, 그 역시 지겔 없이 스위스로 갈 수 있음을 증명하는 것을 주저하지 않았다.

취리히와 샤프하우젠 주 사이에는 예슈테텐과 로트슈테텐 마을을 포함한 바덴 영토의 자그마한 국경선이 있는데, 발터스바일에 스위스로 완전히 둘러싸인, 협소한 진입로가 있다. 마지막 진지는 여기에 세워지도록 되어 있었다. 길 양편 발터스바일 뒤편의 고지는 우리 측 포대를 위한 천혜의 위치를 제공하고, 만일의 경우 그들이 스위스 영토로 도피할 때까지 그들을 엄호할 만큼 우리 측 보병은 아직 숫자가 충분했다. 여기서 우리는 프로이센군이 우리를 공격할지 아니면 포위하고 보급을 차단할지 지켜보기로 합의했다. 베커가 속한 본진은 여기에 막사를 설치했다. 빌리히는 대포를 설치할 자리를 찾았다(나중에 우리는 대포의 전투 위치가 되어야 할 곳에서 포의 무기고를 발견했다). 우리는 후위를 맡으면서 천천히 본진을 뒤따랐다. 우리는 9일 저녁 에르칭겐으로, 10일에는 리데른으로 갔다. 이날 막사에서 전체 참모 회의가 열렸다. 오직 빌리히만이 계속 방어할 것을 주장했다. 지겔, 베커, 그리고 나머지 다른 사람들은 스위스 영토로 후퇴할 것을 주장했다. 스위스 대표자 한 명이 거기 있었는데, 내 생각에는 쿠르츠 대령이었다, 그는 다시 전투가 벌어진다면 스위스는 망명을 허용하지 않을 것이라고 밝혔다. 표결에서 빌리히는 두세 명의 장교들과 함께 고립되었다. 우리 부대에서는 그 말고 아무도 회의에 참석하지 못했다.|

|78| 빌리히가 아직 막사에 있을 때, 우리 부대와 함께 있던 반쪽 포병대

G116

가 행군 명령을 받고 우리에게 아무 말도 없이 떠나버렸다. 우리를 제외한 다른 모든 부대도 막사로 집결하라는 명령을 받았다. 밤에 나는 빌리히와 함께 또다시 로트슈테텐에 있는 사령부로 향했다. 새벽녘에 돌아가는 길에 막사를 이탈해 혼란스럽게 국경으로 몰려가는 일군의 사람들을 만났다. 같은 날, 11일 이른 아침, 지겔은 자기 부대와 함께 라프츠에서, 베커는 자기 부대와 함께 라이나우에서 스위스 영토로 넘어갔다. 우리는 부대를 집결하고 막사로 가서 거기에서 예슈테텐으로 갔다. 여기에서 우리는 정오경 연락 장교를 통해 에글리자우에서 온 지겔의 편지를 받았는데, 그는 이미 운이 좋게도 스위스에 있으며 장교들은 검을 차고 있고, 우리도 가능한 한 신속하게 뒤따라오라는 내용이었다. 그들은 중립지대에 이미 들어가고 나서야 우리를 생각했던 것이다!

우리는 로트슈테텐을 지나 국경으로 가서 독일 땅에서 하룻밤을 더 보내고, 12일 아침 소총을 발사하고 난 후 바덴-팔츠 군대의 마지막 부대로서 스위스 땅에 발을 디뎠다. 같은 날 우리와 동시에 콘스탄츠에 있는 부대가 그곳을 떠났다. 일주일 후 라슈타트가 배신을 통해 함락되고, 반혁명이 독일 구석구석을 장악했다.

———————

제국헌법투쟁은 그 자체의 불완전함과 내적 비참함으로 인해 실패했다. 1848년 6월 패배 이후 유럽 대륙의 문명화된 지역의 문제는 다음과 같은 것이었다. 혁명적 프롤레타리아트의 지배냐 아니면 2월 이전에 지배적이었던 계급들의 지배냐. 그 중간은 이제 더는 가능하지 않다. 특히 독일에서는 부르주아지가 지배할 능력이 없음을 보여주었다. 그들은 자기들의 지배력을 귀족과 관료에게 다시 양도함으로써만 인민에 대한 지배력을 유지할 수 있었다. 소시민층은 독일 이데올로기로 무장한 채 최후의 일전을 연기하려는 불가능한 타협책을 제국헌법에서 시도했다. 그러한 시도는 실패할 수밖에 없었다. ||79| 운동을 진지하게 받아들인 사람들[149]에게 제국헌법은 진지한 것이 아니었고, 제국헌법에 진지했던 사람들은 운동에 진지하지 않았다.

제국헌법투쟁은 그럼에도 불구하고 그것 때문에 의미 없는 결과를 가져온 것은 아니었다. 제국헌법투쟁은 무엇보다 상황을 단순화했다. 즉 투쟁은 일련의 끝없는 중재 노력을 단절했다. 투쟁이 실패한 이후에는 오로지 제헌

봉건 관료 왕정이 승리하거나 아니면 진정한 혁명만이 승리할 수 있게 되었다. 그리고 혁명은 독일에서 프롤레타리아트의 완전한 지배로만 완결될 수 있다.

나아가 제국헌법투쟁은 아직 계급 대립이 첨예하게 발전하지 않은 독일 영방 내에서 그 발전에 상당히 기여했다. 단적으로 바덴이 그렇다. 우리가 본 것처럼 바덴에서는 무장봉기가 일어나기 전 계급 대립이 거의 존재하지 않았다. 그래서 모든 반대 계급에 대한 소부르주아지의 지배가 인정되었으며, 그래서 겉으로 보기에 전 주민의 뜻이 일치한 것처럼 보였고, 그래서 빈 사람들처럼 바덴 사람들이 그토록 신속하게 반대파에서 무장봉기로 전환하고 기회가 있을 때마다 봉기를 시도하고 심지어 정규군과의 전면전도 피하지 않았던 것이다. 하지만 무장봉기가 일어나자마자 계급이 분명히 돌출했고, 소부르주아지는 자신을 노동자, 농민과 구분했다. 그들의 대표자였던 브렌타노를 통해 그들은 영원히 웃음거리가 되었다. 그들 스스로는 프로이센의 무단 통치를 겪으며 너무나 절망을 겪게 된 나머지 어떤 체제라도, 심지어 노동자 체제라 하더라도 지금의 압박이 낫다고 생각한다. 그들은 앞으로의 운동에서 지금까지의 어떤 운동에서보다 더 활발한 역할을 하게 될 것이다. 하지만 다행스럽게도 브렌타노 독재하에서처럼 독립적이고 지배적인 역할은 다시는 수행하지 못할 것이다. 지금의 무단 통치하에서 소부르주아지와 마찬가지로 고통받는 노동자와 농민은 지난 봉기의 경험을 헛되이 만들지 않았다. 전사하고 살해당한 형제들의 복수를 해야 하는 그들은 다음번 무장봉기에서는 소부르주아지가 아닌 바로 **그들이** 권력을 쥐어야 한다는 것을 이미 알고 있다. ║80│ 무장봉기 경험이 장기간의 대공업 운영을 통해서만 얻을 수 있는 계급-발전을 대체할 수 없다 할지라도, 바덴은 지난번 봉기와 그 결과를 통해 곧 다가올 혁명에서 중요한 위치를 차지하게 될 **그러한** 독일 지역의 반열에 들어서게 되었다.

정치적으로 볼 때, 제국헌법투쟁은 애초부터 잘못되었다. 군사적으로 볼 때도 마찬가지였다. 그들이 성공할 수 있는 유일한 기회는 독일 외부, 즉 파리에서 공화주의자들이 6월 13일에[150] 성공하는 것에 달려 있었다. 그리고 6월 13일은 실패했다. 그 일이 있고 난 후 투쟁은 유혈 소극밖에는 달리 될 것이 없었다. 투쟁은 그뿐이었다. 어리석음과 배신이 투쟁을 완전히 망쳐놓았다. 몇 명을 제외하면 군사 지도자들은 배신자이거나 자격 없고 무지하고 비겁한 출세주의자였으며, 얼마 안 되는 예외자들은 브렌타노 정부가 그랬

G118

던 것처럼 나머지 사람들에 의해 방치되었다. 다가올 격변에서 헤커 부대의 장군이나 제국헌법투쟁의 장교라는 직함 말고는 내세울 것이 없는 사람은 즉시 퇴장하도록 해야 한다. 지휘관이거나 사병이거나 마찬가지이다. 바덴 인민은 최고의 군사적 요소들을 그 안에 갖고 있다. 무장봉기에서 이 요소들은 처음부터 너무나 손상되고 무시되어서 그로부터 우리가 자세히 서술한 것과 같은 참담한 일이 일어나게 되었다. 전체 "혁명"은 진짜 희극으로 변질되고 말았고, 여섯 배나 강력했던 적 자신이 여섯 배나 적은 용기를 냈다는 점이 그나마 위안일 뿐이었다.

하지만 이 희극은 피에 굶주린 반혁명으로 인해 비극적인 결말을 맺게 되었다. 행군 중에나 전장에서 한 번 이상 가공할 만한 공포에 휩싸였던 바로 그 병사들은 영웅으로서 라슈타트 포루에 누워 있다. 어느 누구도 구걸하지 않았으며, 어느 누구도 떨지 않았다. 독일 인민은 라슈타트의 총살과 참호에서 있었던 일을 결코 잊지 않을 것이다. 이런 파렴치한 일을 명령한 인사들을 잊지 않을 것이며, 또한 비겁함으로 인해 희생자들에게 책임을 져야 하는 배신자들, 즉 카를스루에와 **프랑크푸르트**에 있는 브렌타노류의 배신자들도 잊지 않을 것이다.

프리드리히 엥겔스

———— |

1848년에서 1850년까지 프랑스 계급투쟁
Die Klassenkämpfe in Frankreich 1848 bis 1850

《노이에 라이니셰 차이퉁. 정치-경제 평론》

제1호, 1850년 1월

|5| 1848년에서 1849년까지.[1]

몇몇 소소한 장(章)을 예외로 한다면, 1848년에서 1849년까지 혁명 연대기의 더 중요한 모든 절(節)은 **혁명의 패배!**라는 표제를 달고 있다.

이 패배에서 쓰러진 것은 혁명이 아니었다. 쓰러진 것은 아직 첨예한 계급 대립에까지는 이르지 못한 사회적 관계들의 결과, 즉 혁명 이전의 전통적 유제였다. 그것은 인물, 환상, 관념, 기획으로서, 2월 혁명 이전의 혁명 정당들은 그로부터 자유롭지 못했으며, **2월의 승리**가 아니라 일련의 **패배**를 통해서만 그로부터 해방될 수 있었다.

그것을 한[2]마디로 말하자면, 혁명적 진보는 혁명의 직접적인 희비극적 성과를 통해서 그 기반을 구축했던 것이 아니라, 반대로 강력하게 결속된 반혁명과 적들을 만들어내고, 적을 극복함으로써 비로소 전복 세력은 하나의 현실적인 혁명 정당으로 성장했던 것이다.

이것을 입증하는 것이 이 글의 과제이다.

I. 1848년 6월의 패배.

7월 혁명 후 자유주의적 은행가 라피트는 의기양양하게 자신의 대부 (compère) 오를레앙 공을 시청[3]으로 안내하면서 "**이제부터 은행가들이 다스릴 것이다**"라고 말했다. 라피트는 혁명의 비밀을 누설했다.

|6| 루이 필리프 치하의 지배자들은 프랑스 부르주아지가 아니라, 이들의 **한 분파**인 은행가, 증권왕, 철도왕, 탄광·철광·산림 소유자, 이들과 결탁한 일부 지주, 이른바 **금융귀족**이었다. 그들이 왕좌에 앉았고, 법을 만들라고 의회에 지시했으며, 내각에서 전매청까지 국가 요식을 나눠 주었다.

본래의 **산업 부르주아지**는 제도권 야당의 일부를 형성하고 있었는데, 즉 그들은 의회에서 단지 소수파로 존재했다. 금융귀족의 독재가 점점 더 배타적으로 전개될수록, 그리고 이 독재 자체가 1832년, 1834년과 1839년의 피로 초토화된 폭동[4] 이후 노동자계급에 대한 지배가 안정되었다고 점점 더 망상에 빠져들수록, 산업 부르주아지의 반대는 더욱 뚜렷하게 표출되었다. 제헌의회에서나 입법국민의회에서 부르주아적 반동의 가장 광신적인 대변자였던 루앙의 공장주 **그랑댕**은 하원에서 기조의 가장 강력한 적수였다. 프랑스 반혁명에서 자기가 기조가 되려고 아무런 힘도 발휘하지 못했던 노력을 기울인 것으로 나중에 유명해진 **레옹 포셰**는 루이 필리프 말기에 투기와 투기 조장자인 정부에 맞서 산업을 옹호하는 논전을 벌였다. **바스티아**는 보르도와 프랑스 전체 포도주 생산자의 이름으로 지배체제에 반대하는 선동을 펼쳤다.

모든 부류의 **소부르주아지**와 **농민계급**은 정치권력에서 완전히 배제되었다. 이들 계급의 **이데올로기** 대표자와 대변자, 즉 학자·변호사·의사 등 한마디로 이른바 **능력 있는 사람들**은 제도권 야당에 속하거나 아예 정치적 권리를 가진 주민(pay légal) 외부에 있었다.

재정 궁핍으로 인해 7월 왕정은 애초부터 상층 부르주아지에 의존했고, 상층 부르주아지에 대한 의존은 재정 궁핍이 심해지는 끊임없는 원천이었다. 국가의 지출과 수입의 균형을 맞추는 |7| 예산상의 균형이 없이는 국가 행정을 국민 생산의 이익에 종속시키기가 불가능했다. 국가의 경비를 제한하지 않고, 즉 지배체제의 수많은 버팀목이던 이익들을 침해하지 않은 채, 그리고 조세 분담을 새로이 조정하지 않고, 즉 상층 부르주아지의 어깨에 상당한 양의 조세 부담을 부과하지 않은 채 어떻게 이러한 균형을 취할 수 있

178

겠는가?

국가 부채는 오히려 의회를 통해 지배하고 법을 만들던 부르주아 분파의 **이해에 직접** 결부된 일이었다. **국가 적자**야말로 그들의 본래 투기 대상이자 치부의 주요 원천이었다. 매년 새로 적자가 생겨났다. 4~5년이 지나고 나면 새로 차입금을 들여야 했다. 그리고 매번 새로운 차입금은 파산 문턱에서 인위적으로 유지되던 국가를 사취할 수 있는 새로운 기회를 금융귀족에게 안겨주었다. ── 국가는 불리한 조건으로 은행가들과 계약을 맺어야만 했던 것이다. 매번 새로운 차입금은 국가연금에 자산을 투자한 대중을 증권시장에서의 작전을 통해 약탈할 수 있는 두 번째 기회를 제공했는데, 그 작전의 비밀을 정부와 의회 다수파는 알고 있었다. 국채의 불안정한 상태와 국가 기밀을 가진 덕분에 은행가와 의회 및 궁정에 있는 그들의 동조자들은 국채증권의 시세를 엄청나고 갑작스럽게 변동시킬 수 있었고, 그 결과 다수의 소자본가들은 항상 파산할 수밖에 없었던 반면 큰손들은 매우 빠른 속도로 치부할 수 있었다. 국가 적자가 지배 부르주아 분파의 이해관계에 직접 결부된 것이라면, 루이 필리프 정부 말기 어떻게 국가 **임시** 지출이 나폴레옹 시대의 두 배가 되었는지, 즉 프랑스의 연평균 수출액이 7억 5천만 프랑에 이른 적이 거의 없었던 반면 임시 지출이 매년 4억 프랑에 이르렀는지 설명된다. 이런 식으로 국가의 손을 통해 흘러나온 엄청난 금액은 온갖 종류의 사기적 납품 계약, 뇌||8|물, 공금 횡령, 사기 등의 기회가 되었다. 차입금을 통해 대규모로 이루어진 국가에 대한 사취는 국가 업무의 세부 영역에서 반복되었다. 의회와 정부의 관계는 개별 행정 부서와 개별 기업가의 관계로 배가되었다.

국가 지출 및 국가 차입금과 마찬가지로 지배계급은 **철도 건설**도 착취했다. 의회가 국가에 주요 부담을 지운 반면 투기적 금융귀족에게는 황금 열매를 보장해주었다. 사람들은 하원에서 일어난 스캔들을 기억하고 있는데, 일부 각료를 포함하여 다수파 의원 전체가 주주로서 철도 건설에 참여하면서 나중에 입법자로서 그 건설 비용을 국가에 떠넘긴 것이 드러난 것이다.[5]

반면 아주 미미한 금융 개혁조차도 은행가의 영향력으로 인해 좌절되었다. 예를 들어 **우정 개혁**을 보라.[6] 로트실트는 국가가 지속적으로 증가하는 부채 이자를 지불하기 위한 수입원을 축소해도 되느냐면서 저항했다.

7월 왕정은 프랑스의 국부를 착취하기 위한 일개 주식회사에 지나지 않았으며, 그 배당금은 각료, 은행가,[7] 24만 명의 유권자, 그리고 그들의 추종자에게 배분되었다. 루이 필리프는 이 회사의 사장이자 왕좌에 앉아 있는 로베르 마케르[8] 같은 인물이었다. 상업, 공업, 농업, 해운과 같은 산업 부르주아지의 이익은 이러한 체제하에서 지속적으로 위협을 받고 침해되지 않을 수 없었다. 그들은 7월 혁명 기간에 그들의 깃발에 싸구려 정부, gouvernement à bon marché라고 써넣었다.

G122

금융귀족이 법률을 제정하고 국가 행정을 이끌며 조직된 전체 공권력을 통솔하고 사실과 언론을 통해 여론을 지배하는 동안, 궁정에서 보르뉴 카페[9]에 이르기까지 모든 영역에서 바로 그 매춘과 바로 그 파렴치한 사기, 생산을 통해서가 아니라 다른 사람들이 이미 ‖9‖ 이루어놓은 부를 가로챔으로써 치부하려는 바로 그 병적 욕망이 반복되었다. 특히 부르주아 사회의 상층에서는 부르주아 법률과 언제나 충돌하는 건전하지 못하고 방탕한 욕망이 무절제하게 터져 나왔는데, 원래 투기에서 유래한 부는 퇴폐적 쾌락과 돈과 오물과 피가 뒤섞여 흐르는 곳에서 만족을 찾는 법이다. 금융귀족은 돈을 버는 방식에서나 향락을 추구하는 방식에서나 **부르주아 사회의 상층에서 룸펜 프롤레타리아트가 다시 태어난 것**에 지나지 않는다.

프랑스 부르주아지 가운데 지배 권력을 갖지 못한 분파는 **"부패다!"**라고 소리 높이 외쳤다. 1847년에 부르주아 사회의 가장 고상한 무대에서 룸펜 프롤레타리아트를 정기적으로 사창가와 구빈원, 정신병원, 판사의 앞, 지하 감옥과 교수대로 이끌었던 똑같은 장면이 공개적으로 상연되었을 때[10] 인민은 **"큰 도적들을 타도하라! 살인자들을 타도하라!"**(*à bas les grands voleurs! à bas les assassins!*)고 소리 높이 외쳤다. 산업 부르주아지는 그들의 이익이 위협받고 있다고 생각했고, 소부르주아지는 도덕적으로 격분했으며, 인민의 환상은 분노했고, 파리는 「로트실트의 왕조」(la dynastie Rothschild), 「우리 시대의 유대인 왕」(les Juifs rois de l'époque) 같은 온갖 소책자로 넘쳐났다. 그 소책자들은 금융귀족의 지배를 다소간 재치 있게 비난하고 낙인찍었다.

명예를 위해서는 어떤 대가도 치르지 말라!(Rien pour la gloire!) 명성은 아무것도 가져다주지 않는다! 언제 어디서나 평화를!(la paix partout et toujours!) 전쟁은 증권시장 지수를 3∼4퍼센트 하락시킨다![11] 증권시장 유대인들의 프랑스는 자신의 깃발에 이렇게 적었다. 프랑스의 외교 정책은 민족 감정이 몇 차례에 걸쳐 상처 입으면서 실패했다. 오스트리아가 크라카우 합병과 함께 폴란드 강탈을 끝냈을 때, 그리고 기조가 스위스 통일전쟁(Sonderbundskrieg)에 신성동맹 편에 서서 적극적으로 개입했을 때 민족 감정은 들끓어 올랐다. 이 위장 전쟁에서 스위스 자유주의자들의 승리는 프랑스 부르주아 야당의 자신감을 높였고, 팔레르모 인민의 유혈 봉기는 마비된 인민대중에게 마치 전기 충격과도 같은 영향을 미쳤으며, 그들의 위대한 혁명적 기억과 열정을 생생하게 불러일으켰다.[12]

|10| 두 가지 세계적인 경제적 사건으로 인해 마침내 전반적인 불만의 폭발이 가속화하고, 봉기에 이를 정도로 분노가 무르익었다.

1845년과 1846년의 **감자병**과 **흉작**이 인민의 전반적인 분노를 끌어올렸 G123
다. 1847년의 물가 폭등은 대륙의 나머지 지역에서와 마찬가지로 프랑스에서 유혈 갈등을 촉발했다. 파렴치한 금융귀족의 방탕한 생활에 비해 인민들은 생필품을 얻기 위해 투쟁을 해야만 했다! 뷔장세에서 배고픈 반란자들은 처형되었고,[13] 파리에서는 배부른 사기꾼들이 왕족을 통해 법의 심판을 피해 갔다!

혁명의 발발을 가속화한 둘째로 엄청난 경제적 사건은 **영국에서 일어난 전반적인 상업 및 산업 공황**이었다. 이미 1845년 가을 철도 주식 투기꾼들의 대규모 실패로 그 조짐이 나타나더니, 1846년 조만간 있을 곡물 관세의 폐지와 같은 일련의 우연적 사건들로 지체되었다가 마침내 1847년 가을 거대한 런던 식민지 상품 거래상의 파산으로 공황이 폭발했고, 토지 저당 은행의 파산과 영국 공업 지역에서의 공장 폐쇄가 그 뒤를 이었다. 이 공황의 후폭풍이 대륙에서 아직 다 지나가지 않았을 때 2월 혁명이 발발했다.[14]

경제적 전염병에 의한 상업과 산업의 황폐화는 금융귀족의 독재를 더 참기 어렵게 만들었다. 프랑스 전역에서 부르주아 야당은 **선거법 개정**을 위한 **연회 선동**을 일으켰고, 선거법 개정을 통해 그들은 의회 내 다수파 지위를 확보하고 증권거래소 내각을 붕괴시키려 했다.[15] 파리의 산업 위기는 특별한 결과를 더 가져왔는데, 그것은 당시 상황에서 더는 해외 시장에서 사업을 벌일 수 없었던 수많은 공장주와 대상인을 국내 시장으로 향하게 하는 것이었다. 그들은 거대한 상점들을 설립했고, 그들과의 경쟁으로 식료품상과 소상점주가 대량 파산했다. 그리하여 이 부문에서 파리 부르주아지의 대량 파산이 일어나고, 그들의 혁명적 |11| 등장이 2월에 이루어졌던 것이다. 잘 알려진 대로 기조와 의회는 개혁안에 대해 명백한 도전으로 응답했고, 루이 필리프는 바로 내각의 임명을 너무 늦게 결정했으며, 인민과 군대 사이에 충돌이 벌어졌고, 군대는 국민방위군[16]의 소극적 태도로 인해 무장 해제되었으며, 7월 왕정은 임시정부에 자리를 내주어야만 했다.

2월의 바리케이드 위에서 수립된 **임시정부**는 당연히 승리에 기여한 다양한 당파를 포함하여 구성되었다. 임시정부는 힘을 합쳐 7월 왕정을 전복했지만 그 이해관계는 적대적인 **다양한 계급들의 타협**일 수밖에 없었다. 임시정부의 **대다수**는 부르주아지의 대표자들로 이루어졌다. 르드뤼 롤랭과 플로콩은 공화파 소시민계급을,《르 나시오날》의 인사들은 공화파 부르주아지를, 크레미외, 뒤퐁 드 뢰르 등은 반정부 왕당파를 대표했다.[17] 노동자계급의 대표자는 루이 블랑과 알베르 단 두 사람뿐이었다. 마지막으로 임시정부의 라마르틴은 현실적 이해관계나 특정 계급을 대표한 것이 아니라, 2월 혁명 자체이자 혁명의 환상과 서정시와 공상적 내용과 문구를 포괄한 공동의 용솟음이었다. 덧붙이자면 이 2월 혁명의 대변자는 그 지위나 견해로 보았을 때 **부르주아지**에 속했다.

정치적 중앙 집권화의 결과로 파리가 프랑스를 지배한다면, 노동자들이 목전의 혁명적 격변에서 파리를 지배할 것이다. 임시정부가 취한 첫 번째 조치는 도취된 파리보다 냉정한 프랑스에 호소함으로써 이러한 압도적인 노동자들의 영향력에서 벗어나려는 시도였다.[18] 라마르틴은 바리케이드 투사들에게 공화국을 선포할 권리가 없다고 주장하면서, 그러한 권리는 오직 프랑스인 다수에게 있으며, 그들의 투표는 아직 더 기다려야 하고, 파리 프롤레타리아트는 정권 찬탈로 자신들의 승리에 오점을 남겨서는 안 된다고 했다.[19] 부르주아지는 프롤레타리아트에게 오직 한 가지 찬탈만을 허락했다─투쟁의 찬탈.

|12|2월 25일 정오까지도 공화국은 선포되지 않았는데, 반면에 전체 각료직은 이미 임시정부의 부르주아적 분자들과《르 나시오날》의 장군, 은행가, 변호사에게 배분되었다. 하지만 노동자들은 이번에는 1830년 7월[20]과 같은 어떤 유사한 속임수에도 넘어가지 않기로 결심했다. 그들은 이미 새롭게 투쟁을 시작하고 무력으로 공화국을 강제할 준비가 되어 있었다. 이러한 메시지를 가지고 **라스파유**는 시청으로 향했다. 파리 프롤레타리아트의 이름으로 그는 임시정부에 공화정을 선포할 것을 **명령했다**. 인민의 이러한 명령이 두 시간 이내에 실행되지 않는다면 그는 20만 명의 선봉으로 돌아올 것이라고 말했다. 전사자들의 시신은 아직 식지 않았고, 바리케이드는 철거되지 않았으며, 노동자들은 무장 해제되지 않았고, 노동자들에게 대항할 유일한 힘은 국민방위군이었다. 이러한 상황에서 임시정부의 정략적 고려도 법률적 양심의 가책도 갑자기 사라졌다. 두 시간의 시한이 지나기도 전에 파리

의 모든 담벼락에는 이미 다음과 같은 역사적 문구가 찬란히 빛났다.

프랑스 공화국!(*République française!*) **자유, 평등, 박애!**(*Liberté, Egalité, Faternité!*)

보통선거권에 기초한 공화정 선포와 함께 부르주아지를 2월 혁명에서 내쫓았던[21] 제한된 목표와 동기에 대한 기억들도 사라졌다. 시민계급의 일부 분파 대신 프랑스 사회의 모든 계급이 갑작스레 정치권력의 장으로 휩쓸려 들어가서는, 극장의 특별석, 일층석, 회랑석을 떠나 스스로 혁명의 무대에서 직접 등장인물로 공연하지 않을 수 없게 되었던 것이다! 입헌군주정이 사라짐과 함께 부르주아 사회와 대립되는 독립적인 국가 권력이라는 가상도 사라졌으며, 이러한 가상 권력에 도전했던 부수적 투쟁 전체도 사라졌다!

임시정부에, 그리고 임시정부를 통해 프랑∥13∣스 전체에 공화정을 강요한 프롤레타리아트는 즉각 독자 세력으로 전면에 나서면서 동시에 자신을 반대하는 부르주아적 프랑스 전체에 도전했다. 프롤레타리아트가 쟁취한 것은 해방 자체가 아니라 혁명적 해방을 위한 투쟁의 장이었다.

2월 공화정은 무엇보다 금융귀족과 함께 **전체 유산계급**을 정치권력의 장으로 편입함으로써 **부르주아지의 지배를 완성**해야만 했다. 대다수 대토지 소유자들인 정통 왕조파는 7월 왕정이 유죄 판결을 내린 정치적 무기력에서 해방되었다.《라 가제트 드 프랑스》가 아무 이유 없이 반정부파 신문과 공동으로 선동한 것이 아니고, 라로슈자클랭이 2월 24일 하원 회의에서 아무 이유 없이 혁명 정당의 편에 선 것도 아니었다.[22] 보통선거권으로 프랑스인 대다수를 차지하는 명목상의 소유자들, 즉 **농민**이 프랑스의 운명을 심판하는 자로 투입되었다. 2월 공화정은 그 뒤에 자본을 숨기고 있던 왕관을 타도함으로써 마침내 부르주아지의 지배를 순수하게 드러냈다.

노동자들은 (1830년 — 옮긴이) 7월에 **부르주아 왕정**을 쟁취한 것처럼 (1848년 — 옮긴이) 2월에는 **부르주아 공화정**을 쟁취했다. 7월 왕정이 자신을 **공화주의적 제도로 둘러싸인 군주정**으로 선포해야만 했던 것처럼, 2월 공화정은 **사회적 제도들로 둘러싸인 공화국**으로 선포할 수밖에 없었다. 파리 프롤레타리아트가 이러한 양보를 **강요했다.**

마르슈라는 한 노동자가[23] 막 구성된 임시정부가 지켜야 할 명령을 하달했는데, 거기에는 노동을 통한 노동자의 생존을 보장할 것, 모든 시민에게 일자리를 마련할 것 등의 내용이 담겨 있었다.[24] 그리고 며칠 후 임시정부가 자신의 약속을 잊어버리고 프롤레타리아트는 안중에도 없는 것처럼 보이자

2만 명의 노동자가 **"노동을 조직하라! 독자적인 노동부를** ││14│**설립하라!"** 는 구호를 외치며 시청으로 행진했다. 오랜 논의 후에 마지못해 임시정부는 상설 특별위원회를 임명하고, 노동자계급의 개선[25]을 위한 수단을 **찾아내는** 임무를 부과했다! 이 위원회는 파리 수공업자조합의 대표자들로 구성되었으며, 루이 블랑과 알베르가 의장을 맡았다. 뤽상부르 궁이 위원회의 회합 장소로 정해졌다.[26] 이렇게 해서 노동자계급의 대표자들은 임시정부의 자리에서 쫓겨났으며, 임시정부의 부르주아 분파가 실제 국가 권력과 행정의 전권을 독점적으로 장악했다. 재무부, 통상부, 공공사업부 **옆에**, 그리고 은행과 증권거래소 **옆에 사회주의 회당**이 솟아났으며, 그 회당의 고위 성직자인 루이 블랑과 알베르는 약속의 땅을 발견하고 새로운 복음을 선포하며 파리 프롤레타리아트에게 일자리를 주는 임무를 맡았다. 여느 세속적인 국가 권력과 달리 그들에게는 예산도, 집행력도 주어지지 않았다. 그들은 머리로 부르주아 사회의 기둥에 돌진해야만 했다. 뤽상부르 궁이 현자의 돌을 찾고 있는 동안 시청에서는 통화를 주조했다.

그럼에도 불구하고 파리 프롤레타리아트의 요구사항들은 그것이 부르주아 공화국의 한계를 넘어서는 한, 안개 낀 뤽상부르 궁과 같은 존재 말고는 다른 어떤 것도 얻을 수 없었다.

노동자들은 부르주아지와 공동으로 2월 혁명을 수행했으며, 임시정부 내에서 부르주아 다수파와 나란히 노동자 한 사람[27]을 입각시킨 것처럼 부르주아지 **옆에서** 자신들의 이익을 관철하고자 했다. **노동을 조직하라!** 하지만 임노동은 현존하는 노동이고, 부르주아적으로[28] 조직된 노동이다. 그것 없이는 자본도 없으며, 부르주아지도 없고, 부르주아 사회도 없다. **독자적인 노동부!** 하지만 재무부, 통상부, 공공사업부는 **부르주아** 노동[29]부가 아니던가. 그 옆에 있는 **프롤레타리아트** 노동[30]부는 무기력의 부서, 경건한 소망의 부서, 뤽상부르 ││15│위원회일 수밖에 없다. 부르주아지와 함께 스스로 해방된다고[31] 노동자들이 믿었던 것처럼, 그들은 다른 부르주아지 국가들과 함께 프랑스의 국가적 성벽 안에서 프롤레타리아트 혁명을 완수할 수 있다고 생각했다. 그러나 프랑스의 생산관계는 프랑스의 대외무역과 세계 시장에서 프랑스의 지위와 그[32] 법칙에 제약되는데, 어떻게 프랑스가 결국 세계 시장의 지배자인 영국을 격퇴할 유럽 차원의 혁명전쟁 없이 그 생산관계를 분쇄할 수 있단 말인가?

봉기하자마자 사회의 혁명적 이해관계가 그 한 몸에 집중되는 계급은 자신이 처한 상황에서 적을 타도하고 투쟁의 필요에 의해 주어진 조처들을 실행하는 데 필요한 혁명적 활동[33]의 내용과 수단을 직접 발견하게 된다. 자신의 그러한 행동의 결과들이 이 계급을 더 앞으로 나아가게 추동한다. 이 계급은 자신의 임무에 대한 어떤 이론적 검사도 하지 않는다. 프랑스의 노동자 계급은 이러한 위치에 있지 않으며, 자신의 혁명을 수행하기에는 아직 능력을 갖추지 못했다.

G127

산업 프롤레타리아트의 발전은 일반적으로 산업 부르주아지의 발전에 제약된다. 산업 부르주아지 지배하에서 산업 프롤레타리아트는 먼저 자신의 혁명을 국민적 혁명으로 고양할 수 있는 광범한 국민적 존재가 되고, 최초로 근대적 생산수단을 스스로 창출하게 되는데, 그것은 그대로 자신의 혁명적 해방을 위한 수단이 된다. 산업 부르주아지의 지배는 비로소 봉건 사회의 물질적 뿌리를 뽑아내고, 프롤레타리아트 혁명이 가능한 토대를 닦게 된다. 프랑스 산업은 유럽 대륙 어느 곳보다 발전했고 부르주아지는 어느 나라의 부르주아지보다 더 혁명적이다. 그러나 2월 혁명은 금융귀족을 직접 겨냥한 것이 아니었던가? 이러한 사실은 산업 부르주아지가 프랑스를 지배했던 것이 아님을 입증한다. 산업 부르주아지는 근대 산업이 모든 소유관계를 자신에게 적합하게 만들어내는 곳에서만 지배할 수 있으며, 산업은 세계 시장을 정복했을 때에만 그러한 힘을 얻을 수 있다. 왜냐하면 국가적 경계는 근대 산업의 발전에 충분치 않기 때문이다. 그러나 프랑||16|스 산업은 대부분 다소 변형된 보호무역 제도를 통해서만 국내 시장에서 통할 수 있었다. 따라서 프랑스 프롤레타리아트가 파리에서 혁명의 순간에 자신이 가진 수단을 넘어서서 혁명을 계속 몰고 갈 수 있는 실질적인 힘과 영향력을 갖고 있었던 반면, 프랑스의 나머지 지역에서 프롤레타리아트는 개별적으로 분산된 산업 중심지에 몰려 있어서 압도적 다수의 농민과 소부르주아지 가운데서 거의 눈에 띄지 않을 정도였다. 도약점에 있는, 근대적으로 발전한 형태의 자본에 대한 투쟁, 즉 산업 부르주아지와 맞선 산업 임노동자의 투쟁은 프랑스에서 부분적으로 사실이지만, 2월 혁명 이후 혁명의 전국적 성격은 훨씬 줄어든 반면 자본의 저급한 착취 방식에 대한 투쟁, 즉 고리대금과 저당에 대한 농민의[34] 투쟁, 대상인 · 은행가 · 공장주에 대한 소부르주아지의 투쟁, 한마디로 말해 파산에 대항한 투쟁은 여전히 금융귀족[35]에 반대하는 전면 봉기 속에 감춰져 있었다. 그래서 파리 프롤레타리아트가 자신의 이해를 사회의 혁명적 이해로서 스스로 관철하는 대신 부르주아지의 이해와

함께 관철하려 했다는 사실, 그리고 그들이 **삼색기** 앞에서 **붉은** 기를 내렸다는 사실은[36] 너무나 쉽게 설명된다. 혁명의 경과가 프롤레타리아트와 부르주아지 사이에 있는 국민 대중, 즉 부르주아 질서와 자본의 지배에 분노하지 않던 농민과 소부르주아지를 프롤레타리아트의 전위대로서 프롤레타리아트와 동맹하지 않을 수 없게 만들었을 때까지, 프랑스 노동자들은 한 발도 앞으로 나아갈 수 없었으며, 부르주아 질서의 털끝만큼도 건드릴 수 없었다.

G128 노동자들은 오직 6월의 대참패를 통해서 이러한 승리를 얻을 수 있었다.

노동자들의 창조물인 뤽상부르 위원회는 19세기 혁명의 비밀, 즉 **프롤레타리아트의 해방**을 유럽이라는 무대에서 폭로했다는 공적이 있다. 지금까지 사회주의자의 외전(外典)에 묻혀 있다가 가끔씩만 반은 무시무시하고 반은 우스운 저 아득한 말씀을 부르주아지의 귀에 울려주던 "광포한 몽상"을 공식적으로 선전||17|해야만 했을 때,《르 모니퇴르 위니베르셀》[37]은 얼굴을 붉힐[38] 수밖에 없었다. 유럽은 깜짝 놀라 부르주아적 선잠에서 깨어 벌떡 일어났다. 금융귀족을 부르주아지 일반과 혼동했던 프롤레타리아트의 생각 속에서, 계급의 존재 자체를 부정하거나 기껏해야 입헌군주제의 결과로서만 인정했던 공화주의 속물들의 공상 속에서, 이제까지 지배권에서 배제되었던 부르주아 분파의 위선적인 문구들 속에서, **부르주아지의 지배**는 공화국의 도입과 함께 폐지되었다. 당시 모든 왕당파는 공화주의자로, 파리의 모든 백만장자는 노동자로 변신했다. 이러한 계급관계의 공상적 폐지에 상응하는 구호가 바로 **박애**(fraternité), 즉 보편적인 우애와 형제애였다. 계급 대립의 이러한 유쾌한 추상, 상호 모순되는 계급 이익의 이러한 감상적 완충, 계급투쟁에 대한 이러한 몽상적 초월인 박애, 이것이 2월 혁명의 본래 표어였다. 계급들은 단순한 **오해**로 인해 분열된 것이며, 라마르틴은 2월 24일 임시정부를 **"서로 다른 계급들 간에 존재하는 이런 지독한 오해를 불식한 정부"**(un gouvernement qui suspende *ce malentendu terrible qui existe entre les différentes classes*)라고 세례를 베풀었다.[39] 파리 프롤레타리아트는 이러한 아량이 가득한 박애라는 황홀경에 빠졌다.

임시정부는 그들의 입장에서 공화정을 선포하지 않을 수 없게 되었을 때, 부르주아지와 각 지방이 공화정을 받아들이도록 모든 조치를 취했다. 프랑스 제1공화정은 정치 범죄에 대한 사형제도를 폐지함으로써 유혈에 대한 공포를 부인했고, 언론은 모든 의견을 자유롭게 풀어주었으며, 군대·법원·행정은 일부 예외를 제외하고 과거 고관들의 수중에 남았고, 7월 왕정

186

에 큰 책임이 있는 사람들 중 누구도 문책당하지 않았다. 《르 나시오날》의 부르주아 공화주의자들은 ||18| 군주정 시대의 이름과 의복을 옛 공화주의 시대의 것으로 바꾸며 즐거워했다. 그들에게 공화국은 낡은 부르주아 사회를 위한 새 연회복에 불과했다. 신생 공화국은 자신의 주된 공적을, 두려움을 주지 않고 오히려 스스로 지속력이 있는 것처럼 보일 수 있게[40] 하며, 자기 존재는 유연하게 관용을 베풀며 저항이 없다는 점을 통해서 존재를 확보하면서 저항을 무력화하는 것에서 찾았다. 국내의 특권 계급과 해외의 전제적 열강들에게 공화국은 평화를 사랑한다고 큰 소리로 선포했다. 더불어 사는 것이 공화국의 좌우명이라고 했다. 게다가 2월 혁명 직후 독일인, 폴란드인, 오스트리아인, 헝가리인, 이탈리아인 등 각 민족들이 자신들의 직접적인 상황에 맞게 봉기를 일으켰다. 러시아와 영국 — 후자는 스스로가 격동의 와중에 있었고 전자는 겁먹었다 — 은 준비되어 있지 않았다. 즉 공화국 앞에는 어떤 **민족적** 적도 없었다. 다시 말해 추진력에 불을 붙이고, 혁명 과정을 점점 **빠르게** 하며, 임시정부를 몰아세우거나 무시할 수도 있는 커다란 국제 분쟁이 없었던 것이다. 공화국이 자신의 창조물이라고 보았던[41] 파리 프롤레타리아트는 당연히 임시정부의 모든 행위에 갈채를 보냈는데, 그러한 행위는 임시정부가 부르주아 사회에 좀 더 쉽게 자리를 잡게 하는 것이었다. 파리 프롤레타리아트는 노동자와 장인의 급료 분쟁[42]을 루이 블랑으로 하여금 중재하도록 용인한 것처럼, 코시디에르로 하여금 자신들을 파리의 재산을 보호하기 위한 경찰 업무에 투입하도록 기꺼이 용인했다.[43] 유럽의 눈앞에서 공화국의 부르주아적 명예를 건드리지 않고 보존하는 것은 그들의 명예(d'Honneur)에 관한 일이었던 것이다.

공화국은 안팎으로 아무런 저항도 받지 않았다. 그래서 공화국은 무장하지 않았다. 공화국의 임무는 더는 세계를 혁명적으로 변혁하는 데 있지 않고, 오로지 자신을 부르주아 사회의 관계들에 적응시키는 데 있을 뿐이었다. 임시정부가 얼마나 열광적으로 이 임무에 헌신했는지 보여주는 뚜렷한 증거로 **금융 조치**보다 좋은 것이 없다.

공적 신용과 사적 신용은 당연히 충격을 받았다. **공적 신용**은 국가가 ||19| 금융계 유대인으로 하여금 자신을 착취하도록 내버려둔다는 믿음에 기초한다. 그러나 옛 국가는 사라졌고, 혁명은 무엇보다 금융귀족에게 대항했다. 지난번 유럽 상업 공황의 여진은 아직 끝나지 않았다. 파산에 파산이 이어졌다.

그리하여 2월 혁명이 발발하기 전에 **사적 신용**은 마비되고 유통은 지체되었으며 생산은 정체되었다. 혁명의 위기는 상업의 위기를 고조했다. 사적 신용이라는 것이 제반 관계의 모든 영역에서 부르주아적 생산과 부르주아적 질서가 침해되지 않으며 침해될 수도 없다는 믿음에 근거한다면, 부르주아적 생산의 기초인 프롤레타리아트의 경제적 노예 상태를 의문시하고 증권거래소에 대항하여 뢰상부르의 스핑크스를 세우고자 하는 혁명이란 어떻게 작용해야 했던 것인가? 프롤레타리아트의 봉기란 부르주아적 신용의 철폐이다. 왜냐하면 그것은 부르주아적 생산과 그 질서의 철폐이기 때문이다.

G130 공적 신용과 사적 신용은 혁명의 강도를 가늠할 수 있는 경제적 온도계이다. **공적·사적 신용이 추락하는 정도만큼 혁명의 열기와 번식력은 상승한다.**

임시정부는 공화국에서 반부르주아적 외양을 없애고자 했다. 따라서 임시정부는 무엇보다 이 새로운 국가 형태의 **교환가치**와 증권거래소의 **시세**를 안정시키기 위해 애써야만 했다. 증권거래소에서 공화국이 갖는 현재 시가와 함께 사적 신용은 필연적으로 다시 올라갔다.

임시정부는 자신들이 왕정으로부터 넘겨받은 의무 사항들을 이행하지 않으려 한다거나 이행하지 않을 수도 있다는 **의심**을 스스로 털어내기 위해, 그리고 공화국의 부르주아적 도덕과 지불 능력을 신뢰하도록 만들기 위해, 품위 없고 유치한 허세를 자신의 도피처로 삼았다. 임시정부는 법정 지급 기일 **이전에** 국채 소유자에게 5퍼센트, 4.5퍼센트, 4퍼센트의 이자를 지불했던 것이다.[44] 자본가들이 자신들의 신뢰를 얻기 위해 애쓰는 임시정부의 소심한 조급함을 보았을 때 ||20| 부르주아지의 대담함, 즉 자본가들의 자부심이 갑작스레 깨어났다.

당연하게도 임시정부의 재정난은 보유 현금을 앗아 가버린 그 한 번의 반전을 통해 줄어들지 않았다. 재정 궁핍은 오래 숨길 수 없게 되었으며, 국채 소유자들을 뜻하지 않게 즐겁게 해준 대가는 **소부르주아지, 하인, 노동자**가 치러야 했다.[45]

100프랑이 넘는 **저축은행 통장**은 더는 현금화할 수 없다고 선포되었다. 저축은행에 예금된 금액은 몰수되었고, 포고령을 통해 상환될 수 없는 국가 부채로 바뀌어버렸다.[46] 이 때문에 그러지 않아도 억눌려 있던 **소부르주아지**는 공화국에 분노했다. 저축은행 통장 대신 국채 증서를 받아든 소부르주아지는 어쩔 수 없이 이 증권을 팔기 위해 증권거래소로 가야 했으며 2월 혁명을 통해 적대했던 증권거래소 유대인들의 손아귀에 떨어지는 신세가 되고 말았다.

7월 왕정의 지배 세력이었던 금융귀족의 아성은 **은행**이었다. 증권거래소가 국가 신용을 지배한 것처럼 은행은 **상업 신용**을 지배한다.

2월 혁명을 통해 자신들의 지배력뿐 아니라 생존에 직접 위협을 겪은 은행은 전반적으로 대출을 해주지 않음으로써 처음부터 공화국의 신용을 떨어뜨리려고 했다. 은행은 은행가, 공장주, 상인의 대출을 해약한다고 통보했다. 이러한 책략은 그것이 반혁명을 곧바로 불러일으키지는 않았기 때문에 당연히 은행 자체에 타격이 되어 돌아왔다. 자본가들은 은행 지하에 예치되어 있던 자신들의 돈을 인출해 갔다. 은행권 소지자들은 은행권을 금과 은으로 교환하기 위해 창구로 몰려갔다.

임시정부는 강압적인 간섭 없이도 합법적인 방식으로 은행을 **파산**시킬 수 있었다. 정부는 그저 ||21| 수동적인 태도를 취하고 은행을 운명에 맡겨 놓는 것이었다. **은행의 파산**, 이것이야말로 공화국의 가장 강력하고 위험한 적이자 7월 왕정의 황금 받침대인 금융귀족을 프랑스 땅에서 한순간에 쓸어내버리는 대홍수였다. 그리고 은행이 일단 파산하고 정부가 국립 은행을 설립하여 국가의 신용을 국가의 통제하에 두었을 때, 부르주아지 자신은 그것을 최후의 필사적인 구제책으로 간주할 수밖에 없었다.

임시정부는 이와 반대로 은행권에 **강제통용권**(*Zwangskurs*)을 부여했다.[47] 임시정부는 거기에서 더 나아갔다. 임시정부는 모든 지방은행을 프랑스은행의 지점으로 전환하고 프랑스 전역으로 그 망을 넓히도록 했다. 임시정부는 나중에 프랑스은행과 계약한 차관에 대한 담보로 은행에 **국유림**을 저당 잡혔다.[48] 이러한 방식으로 2월 혁명은 자신이 타도했어야 할 은행 지배(*Bankokratie*)를 강화하고 확대했다.

그러는 사이 임시정부는 늘어나는 적자에 가위눌려 허우적거리고 있었다. 임시정부는 애국적 희생을 애원했지만 헛된 일이었다. 오직 노동자들만이 푼돈을 내놓을 뿐이었다. **새로운 세금**의 부과라는 특단의 조치를 취할 수밖에 없었다. 하지만 누구에게 세금을 부과할 것인가? 증권거래소의 늑대들, 은행왕, 국채 소유자, 연금생활자, 산업가에게? 그것은 공화국이 부르주아지의 환심을 살 수 있는 방법이 아니었다. 그것은 한편으로 엄청난 희생과 굴욕을 감수하고 국가 신용과 상업 신용을 얻으려고 애를 쓰면서 다른 한편으로 그것을 위험에 빠트리는 것과 같았다. 그러나 누군가는 돈을 지불해야만 했다. 부르주아지의 신용을 위해 희생된 것은 누구였는가? 그것은 촌

놈,[49] 즉 **농민**이었다.

임시정부는 직접세 네 종류에 1프랑당[50] 45상팀의 부가세를 부과했다.[51] 정부 측 신문은 파리 프롤레타리아트로 하여금 이 세금이 대토지 소유자들과 왕정복고가 부당하게 취득한 10억 프랑의 소유자들[52]에게 주로 부과되는 것처럼 믿게 만들었다. 하지만 실제로 그것은 프랑스 인민의 대다수인 **농민계급**에게 부과되는 것이었다. 그들은 ||22| **2월 혁명의 비용을 지불해야 했으며** 반혁명은 그들에게서 주요 자원을 얻었다. 세금 45상팀은 프랑스 농민에게는 생사의 문제였으며, 농민은 그것을 공화국의 생사의 문제로 만들었다. 그 순간부터 프랑스 농민에게 **공화국**은 **45상팀세**를 의미했으며, 농민은 파리 프롤레타리아트에게서 자신들의 비용으로 안락하게 사는 낭비자의 모습을 보았다.

1789년 혁명이 농민의 봉건적 부담을 떨쳐내는 것에서 시작한 반면, 1848년 혁명은 자본을 위태롭게 하지 않고 국가 기구를 계속 유지하기 위하여 농촌 주민에게 새로운 세금을 부과하는 것과 함께 시작했다.

오직 한 가지 수단을 통해서만 임시정부는 이 모든 난맥상을 제거하고 국가를 낡은 궤도에서 벗어나게 할 수 있었는데, 그것은 **국가 파산을 선포하는** 것이었다. 사람들은 르드뤼 롤랭이 나중에 국민의회에서 현 프랑스 재무장관인 증권거래소 유대인 풀드의 이런 부당한 요구를 거부하면서 선량한 분노를 어떻게 읊어댔는지를 기억한다.[53] 풀드는 지혜의 나무에서 사과를 따서 롤랭에게 건네주었던 것이다.

임시정부는 옛 부르주아 사회가 국가 앞으로 발행한 어음을 인정해줌으로써 그들에게 굴복하고 말았다. 임시정부는 수년에 걸친 혁명이라는 채권을 징수해야 하는 위협적인 채권자로서 부르주아 사회에 맞서는[54] 대신, 부르주아 사회의 쪼들리는 채무자가 되고 말았다. 임시정부는 흔들리는 부르주아적 관계를 강화해야만 했는데, 그것은 오직 그러한 관계에서만 이행될 수 있는 의무를 다하기 위해서였다. 신용은 임시정부의 생존 조건이 되었고[55] 프롤레타리아트에 대한 양보와 그들에게 한 약속은 끊어버려**야만** 하는 수많은 **족쇄가 되었다.** 그저 **문구**일 뿐인 노동자 해방조차 새로운 공화국에는 견딜 수 없는 위험이 되어버렸는데, 그 이유는 노동자 해방이 기존의 경제||23| 적 계급관계에 대한 분명한 인정을 토대로 하는 신용 회복에 지속적으로 이의를 제기했기 때문이었다. 따라서 **노동자를 끝장내야만 했다.**

2월 혁명은 군대를 파리에서 쫓아냈다. 국민방위군, 즉 다양한 부류의 부르주아지가 유일한 권력을 구성했다. 하지만 그들은 그들만으로는 프롤레타리아트에 필적하지 못한다고 느끼고 있었다. 게다가 수많은 장애에 직면해 완강하게 버텼는데도 불구하고 그들은 서서히 그리고 단편적으로 자신의 대열을 개방하고, 무장한 프롤레타리아트가 대열에 합류하도록 허용할 수밖에 없었다. 그리하여 오직 한 가지 해결책밖에 없었는데, 그것은 **프롤레타리아트의 한 부분을 다른 부분과 서로 대립하게 만드는 것이었다.**

이러한 목적을 위해 임시정부는 24개 대대의 기동국민군을 창설했는데, 각 대대는 15~20세 청년 1천 명으로 구성되었다.[56] 그들 대부분은 **룸펜 프롤레타리아트**였는데, 룸펜 프롤레타리아트는 모든 대도시에서 산업 프롤레타리아트와 엄격히 구별되는 집단을 형성했다. 그들은 사회의 쓰레기로 사는 온갖 종류의 도둑, 범죄자, 일정한 직업이 없는 사람, 부랑자, 집도 절도 없는(gens sans feu et sans aveu) 어중이떠중이로 채워졌다. 그들은 자신이 속한 국가의 문명화 정도에 따라 차이가 있지만, 그들의 나사로적 특성(Lazaronicharakter.『신약성서』에 나오는 비참한 생활로 연명한 나사로의 특성을 의미한다. —옮긴이)은 부인할 수 없다. 임시정부가 그들을 소집할 당시에 그들은 청소년기였는데, 이 시기는 가장 비열한 강도 짓과 가장 추악한 매수와 같이 아주 결정적인 위대한 영웅 행위와 열광적인 헌신을 할 수 있는 시기이다. 임시정부는 그들에게 1프랑 50상팀의 일당[57]을 지불했다. 즉 그들은 돈으로 매수되었던 것이다. 임시정부는 그들에게 제복을 지급했으며, 외관상 노동자들의 작업복과 구별되도록 했다. 지휘관으로 일부는 정규군 장교가 할당되고 일부는 그들 스스로가 부르주아지의 젊은 자식들을 선발했다. 조국을 위한 죽음이니 공화국을 위한 헌신이니 하는 허풍[58]이 그들을 사로잡았던 것이다.

그리하여 파리 프롤레타리아트는 자신들 중에서 충원된 2만 4천 명의 젊고 힘 있고 무모한 사람들의 군대와 대립하게 되었다. 프롤레타리아트는 기동국민군이 파리를 행진할 때 "**만세!**"를 외쳤다. 프롤레타리아트는 그들을 바리케이드의 전사로, ||24| 부르주아적 국민방위군에게 대항하는 **프롤레타리아트**의 근위대로 생각했다. 프롤레타리아트의 오해가 허무맹랑한 것은 아니었다.

기동국민군 외에도 임시정부는 산업노동자 군대 자체를 자기 주위에 모집하기로 결정했다. 마리 장관은 공황이나 혁명 기간에 거리로 뛰쳐나온 10만의 노동자들을 이른바 국립 작업장에 등록했다.[59] 이러한 휘황찬란한 이름 뒤에 감춰진 것은 단지 23수(sou)의 임금으로 싫증 나고 단조로우며 비생산적인 **토목 공사**에 노동자를 고용한다는 것뿐이었다. **영국의 구빈원**,[60] 그것이 바로 이러한 국립 작업장이었던 것이다. 임시정부는 국립 작업장이 **노동자들 자체에 대항하는 제2의 프롤레타리아트 군대**를 편성한 것이라고 믿었다. 이때 부르주아지는 노동자들이 기동국민군을 오판한 것처럼 국립 작업장을 오판했다. 부르주아지는 **폭동을 위한 군대**를 만들어낸 것이었다.

하지만 하나의 목적은 이루어졌다.

국립 작업장 — 이것은 루이 블랑이 뤽상부르 위원회에서 설파한 인민 작업장의 이름이었다. 뤽상부르 위원회에 대한 직접적인 **적대감**에서 고안된 마리의[61] 작업장은 똑같은 이름 때문에 스페인 하인 희극[62]에 어울리는 비틀린 음모의 기회를 제공했다. 임시정부 스스로 비밀리에 이러한 국립 작업장이 루이 블랑의 발상이었다는 소문을 퍼뜨렸으며, 이것이 좀 더 그럴듯하게 들린 이유는 국립 작업장의 예언가 루이 블랑이 임시정부의 각료였기 때문이다. 파리 부르주아지의 반쯤은 단순하고 반쯤은 고의적인 착각으로, 또 프랑스와 유럽의 교묘하게 손질된 여론으로, 이러한 작업장들이 최초의 사회주의의 실현이었다고 했으며 사회주의는 그들과 함께 조소의 대상이 되었다.

내용은 그렇지 않다 하더라도 명칭으로 볼 때 **국립 작업장**은 부르주아 산업, 부르주아 신용 체계 및 부르주아 공화정에 대한 프롤레타리아트의 구체화된 저항이었다. 따라서 부르주아지의 온갖 증오가 갑자기 국립 작업장에 뒤집어씌워졌다. 동시에 부르주아지는 2월의 환상들을 공공연히 깨뜨릴 수 있을 만큼 충분히 강력해지자마자 ||25| 공격을 퍼부을 수 있는 목표 지점을 국립 작업장에서 발견했다. 동시에 **소부르주아지**의 모든 불만, 모든 푸념이 공동의 표적인 이 국립 작업장을 향했다. 그들은 분노에 가득 차 프롤레타리아트 게으름뱅이들이 게걸스럽게 처먹은 총액을 계산했다. 한편 그들 자신의 상황은 날이 갈수록 더 견딜 수 없게 되었다. 가짜 노동에 국가가 수당을 주는 것, 그것이 사회주의다! 그들은 이렇게 불평했다. 그들은 자신들이 빈곤(Misère)한 이유를 국립 작업장에서, 뤽상부르 위원회의 선언에서, 노동자들의 파리 행진에서 찾았다. 그리고 파산의 지옥에서 구원받을 길 없이 배회하고 있던 소부르주아지보다 이른바[63] 공산주의자들의 음모에 반대하느라 열을 올린 사람은 없었다.[64]

이처럼 부르주아지와 프롤레타리아트의 임박한 난투에서 모든 이점, 모든 중요한 자리, 사회의 모든 중간층은 부르주아지의 수중에 있었다. 그와

G134

똑같은 시기에 2월 혁명의 파도는 유럽 전체를 거세게 덮쳤고, 매일매일 새 우편물은 때로는 이탈리아, 때로는 독일, 때로는 남동부 유럽의 가장 멀리 떨어진 곳에서 새로운 혁명의 소식을 가져왔고, 이미 잃어버린 승리의 증거 들을 끊임없이 보여주면서 인민을 전반적으로 도취된 상태에 빠지게 했다.

3월 17일, 4월 16일은 거대한 계급투쟁에서 최초로 소규모 전투가 일어난 날이었지만, 사실 계급투쟁은 부르주아 공화국의 날개 밑에 감춰져 있었다.

3월 17일은 어떤 결정적인 행동도 취할 수 없었던 프롤레타리아트의 애매 한 상황을 드러냈다. 프롤레타리아트 시위가 원래 겨냥한 것은 임시정부를 혁명의 궤도로 되돌려놓는 것이고, 상황 여하에 따라서 그 정부의 부르주아 구성원들을 내쫓고, 국민의회와 국민방위군의 선거일을 강제로 연기하는 것이었다. 그러나 3월 16일 국민방위군을 대표하는 부르주아지가 임시정부 에 적대적인 시위를 일으켰다. "르드뤼 롤랭 타도!"(à bas Ledru Rollin!)라 는 구호를 외치며 부르주아지는 시청으로 몰려갔다. 그리고 ‖26‖3월 17일 인민은 "르드뤼 롤랭 만세, 임시정부 만세!"를 외쳐야만 했다. 인민은 시민 계급**을 반대하는** 부르주아 공화국의 정당을 지지할 수밖에 없었는데, 이 정 당은 인민에게 의심스럽게 보였다. 인민은 임시정부를 정복하는 대신 임시 정부를 강화했다. 멜로드라마의 한 장면이었던 3월 17일은 불발로 끝났다. 그리고 만일 이날 파리 프롤레타리아트가 자신의 압도적인 몸집을 과시했 더라면 임시정부 안팎의 부르주아지는 프롤레타리아트를 타도하려고 더 결 연하게 결의했을 것이다.[65]

4월 16일은 임시정부와 부르주아지가 조작한 **오해**였다. 노동자들이 국민 방위군의 참모 선출을 준비하기 위해서 마르스 광장과 경마장에 수없이 모 여들었다. 갑자기 파리 전역에 이쪽 끝에서 저쪽 끝까지 노동자들이 루이 블 랑,[66] 블랑키, 카베, 라스파유의 통솔 아래 무장을 한 채 모였으며, 그곳에서 시청으로 행진해 임시정부를 전복하고 공산주의 정부를 선포할 것이라는 소문이 번개처럼 빠르게 퍼져나갔다. 긴급 경보가 울리고 — 르드뤼 롤랭, 마라스트, 라마르틴은 나중에 이것을 자기가 주도했다고 명예를 걸고 다퉜 다 — 한 시간 안에 10만 명이 무장하고 시청의 모든 지점은 국민방위군이 점거했다. 공산주의자들을 타도하자! 루이 블랑, 블랑키, 라스파유와 카베를 타도하자! 이러한 구호가 파리 전역에 울려 퍼졌다. 셀 수 없을 만큼 많은 대 표단이 임시정부에 충성을 맹세하며 조국과 사회를 구할 준비가 되어 있었 다. 마지막으로 노동자들이 시청 앞에 나타나서 마르스 광장에서 모금한 애

G135

국 헌금을 임시정부에 넘겨주려 했을 때, 그들은 매우 신중하게 연출된 위장
전투에서 부르주아 파리가 자신들의 그림자에 총격을 가했다는 것을 알고
깜짝 놀랐다. 4월[67] 16일의 이 무시무시한 저격은 **파리에 군대를 다시 불러들
이는** 구실이 되었으며 ||27| ─ 사실은 이것이 서투르게 구성된 희극의 본
래[68] 목적이었다 ─ 여러 지방에서 반동적 연방주의[69] 시위를 일으키기 위
한 구실이 되었다.

　　직접 보통선거의 결과인 **국민의회**가 5월 4일 소집되었다. 보통선거권은
구공화파가 믿었던 것과 같은 마력을 갖고 있지 않았다. 그들은 프랑스 전
체, 아니 최소한 대다수 프랑스인을 동일한 이해관계와 견해를 가진 **시민**
(*Citoyen*)으로 보았다. 이것이 그들의 **인민 숭배**였다. 그러나 **상상 속의** 인민
대신에 선거는 **실제** 인민들, 즉 인민 각자가 소속된 상이한 계급의 대표자들
을 드러냈다. 우리는 농민과 소부르주아지가 호전적인 부르주아지와 왕정
복고에 열을 올리는 대지주의 지도하에 투표할 수밖에 없었던 이유를 살펴
보았다. 그러나 보통선거권이 바보 같은 공화주의자들이 생각한 것처럼 기
적을 일으키는 마법 지팡이는 아니었다고 하더라도, 보통선거권은 계급투
쟁을 분출하고, 부르주아 사회의 다양한 중간층이 환상과 환멸을 빠르게 경
험하게 하고, 착취 계급의 모든 분파를 단번에 국가의 요직으로 올려놓아 그
들의 기만적인 가면을 뜯어내는 등의 비할 바 없이 뛰어난 공적을 가지고
있었다. 반면 왕정은 재산에 의한 법적 선거 자격 제도를 통해 부르주아지의
특정한 분파를 웃음거리로 만들었고, 다른 분파를 무대 뒤에 숨겼으며, 이들
모두를 반대파라는 공통의 후광으로 둘러쌌다.

G136　　5월 4일 소집된 제헌국민의회에서는 **부르주아 공화파**, 즉《르 나시오날》
의 공화파가 우위를 차지했다. 정통 왕조파와 오를레앙파조차 처음에는 부
르주아 공화주의 가면을 쓰고 자신들을 드러내야 했다. 오직 공화정의 이름
만으로 프롤레타리아트에 대한 투쟁을 시작할 수 있었다.

　　공화정,[70] 즉 프랑스 국민이 승인한 **공화정은 2월 25일부터가 아니라 5월
4일부터 시작한다.** 그 공화정은 ||28| 파리 프롤레타리아트가 임시정부에
강요했던 공화정이 아니고, 사회제도를 보유한 공화정도 아니며 바리케이
드의 전사들이 떠올리던 꿈속의 모습도 아니다. 국민의회가 선포한 공화정,
다시 말해 유일하게 정통성을 가진 공화정은 한마디로 **부르주아 공화정**으로
서, 부르주아 질서에 대항한 혁명적 무기가 결코 아니라 오히려 부르주아지
의 정치적 재건과 부르주아 사회의 정치적 재확립을 위한 공화정이다. 국민

의회 단상에서 이러한 주장이 울려 퍼졌고, 공화파든 반공화파든 간에 모든 부르주아 신문에서 이러한 주장은 반향을 일으켰다.

이상에서 우리가 살펴본 것은 다음과 같다. 즉 2월 공화정은 사실상 **부르주아** 공화정 이외에 다른 것이 아니며 다른 것이 될 수도 없었다는 것, 그럼에도 불구하고 임시정부는 프롤레타리아트의 압박을 직접 받아서 **사회제도를 갖춘 공화정**을 선포하지 않을 수 없었다는 것, 파리 프롤레타리아트는 아직 **상상**이나 **공상** 이외의 다른 방법으로는 부르주아 공화정을 넘어설 수 없었으며, 또한 프롤레타리아트가 실제로 행동했던 모든 곳에서 부르주아 공화정에 봉사하는 행동을 하게 되었다는 것, 프롤레타리아트에게 보증된 약속이 새 공화국에는 참을 수 없는 위험이 되었고, 임시정부 전 기간이 프롤레타리아트의 요구들에 반대하는 투쟁을 계속했다는 점을 반영한다는 것이다.

프랑스 전체가 국민의회에서 파리 프롤레타리아트를 심판했다. 국민의회는 2월 혁명의 사회적 환상들과 즉시 결별하고 **부르주아 공화정**을 단도직입적으로 선포했으며, 부르주아 공화정 이외에 아무것도 선언하지 않았다. 국민의회는 지체하지 않고 자기들이 임명한 집행위원회에서 프롤레타리아트의 대표자들인 루이 블랑과 알베르를 제명했다. 국민의회는 특별 노동부를 설치하자는 발의안을 부결하고, 우레와 같은 갈채를 보냄으로써 트렐라 장관의 발언 — "중요한 것은 오로지 **노동을 과거의 조건들로 환원하는 것이다**" — 을 받아들였다.[71]

|29| 그러나 이 모든 것은 충분하지 않았다. 2월 공화정은 부르주아지의 소극적인 지원을 받아서 노동자들이 쟁취한 것이었다. 프롤레타리아트는 당연히 자신들을 2월의 승리자로 간주했으며, 승리자로서 당당한 요구를 했다. 그런데 부르주아지는 공식적으로 프롤레타리아트를 제압할 수밖에 없었고, 프롤레타리아트는 부르주아지와 **함께** 싸우지 않고 부르주아지에게 **대항**할 때면 그들에게 압도당했다는 점을 보여줄 수밖에 없었다. 2월 공화정이 사회주의자의 양보를 제시하면서 부르주아지와 연합하여 군주정에 맞서는 프롤레타리아트의 전투를 요구한 것과 같이, 또다른 전투는 사회주의자의 양보로부터 공화정을 분리하기 위해, 그리고 **부르주아 공화정**을 우세한 것으로 공식적으로 완성하기 위해서도 필연적인 것이었다. 부르주아지는 무력으로 프롤레타리아트의 요구들을 반박해야만 했다. 부르주아 공화정의 실제 출생지는 **2월의 승리**가 아니라 **6월의 패배**이다.

프롤레타리아트는 5월 15일 국민의회에 몰려 들어가 결정을 서둘렀다. 이 때 자신들의 혁명적 영향력을 재탈환하려고 노력했지만 성과가 없었으며 자신들의 열정적인 지도자들을 부르주아지의 교도관에게 데려다주었을 뿐이다.[72] **우리가 끝장낼 것이다!**(*Il faut en finir!*) 이런 상황은 종식되어야 한다! 이러한 외침 속에서 국민의회는 프롤레타리아트가 급진적인 투쟁을 하지 않을 수 없도록 자신들의 결의를 떠들어댔다. 집행위원회는 인민의 집회를 금지하는 것과 같은 일련의 도발적인 법령을 공포했다.[73] 제헌국민의회의 단상에서 노동자들은 직접적으로 도발당했으며 모욕을 받거나 조롱당했다.[74] 그러나 본래 공격 목표는 우리가 살펴본 것처럼 **국립 작업장**이었다. 제헌국민의회는 명령조로 집행위원회가 국립 작업장에 주의를 기울이도록 지시했으며, 집행위원회는 자신의 계획이 국민의회의 명령으로 발표되기만 기다리고 있었다.

집행위원회는 국립 작업장에 출입하는 것을 어렵게 만들고 일당을 도급으로 바꾸고, 파리 태생이 아닌 ||30| 노동자들을 토목 공사를 한다는 명목으로 솔로뉴로 추방함으로써 행동을 개시했다.[75] 이러한 토목 공사는 그곳에서 환멸을 느끼고 돌아온 노동자들이 동료들에게 말한 것처럼, 단지 그럴듯한 외관만을 갖춘 허울 좋은 이름뿐이고 실제로는 노동자를 추방하는 것을 미화했을 뿐이다. 마지막으로 6월 21일 《르 모니퇴르 위니베르셀》에 법령이 공포되었는데, 그것은 모든 미혼 노동자를 국립 작업장에서 강제 추방하거나 군에 입대하도록 명령하는 것이었다.[76]

노동자들에게 선택권은 없었다. 그들은 굶어 죽거나 싸우는 수밖에 없었다. 6월 22일 그들은 거대한 봉기로 응답했으며 그것은 근대 사회를 갈라놓은 두 계급 사이에 벌어진 최초의 대규모 교전이었다. 그것은 **부르주아** 질서의 보존이나 파기냐를 둘러싼 투쟁이었다. 공화정을 둘러싸고 있던 장막은 갈기갈기 찢어졌다.

노동자들이 유례없는 용감함과 기발함으로 지도자도 공동의 계획도 없이 그리고 대부분 무기도 충분치 않으면서 닷새간이나 기동국민군, 파리 국민방위군, 지방에서 차출된 국민방위군 같은 군대를 어떻게 저지했는지 우리는 잘 알고 있다. 부르주아지가 자신들이 견뎌낸 극도의 공포를 어떻게 매우 잔인하게 앙갚음하고 3천 명이 넘는 포로를 어떻게 학살했는지 우리는 잘 알고 있다.[77]

프랑스 민주주의의 공식적인 대표자들이 공화주의적 이데올로기에 사로

잡혀 있었던 만큼, 그들은 몇 주가 지나서야 6월 투쟁의 의미를 알아차리기 시작했다. 그들은 공화국에 대한 자기들의 환상이 날아간 화약 연기에 넋이 나간 것 같았다.

독자들이 양해한다면 6월 패배의 소식이 우리에게 준 직접적인 인상을 《노이에 라이니셰 차이퉁》에 기고된 기사를 인용해 살펴볼 것이다.

"2월 혁명 최후의 공식적 잔재인 집행위원회는 사태의 심각성 앞에서 안개 낀 경치처럼 희미해졌다. 라마르틴의 조명탄은 ||31| 카베냐크의 소이탄으로 변했다. 박애(Fraternité), 한 계급이 다른 계급을 착취하는[78] 적대 계급 간의 형제애, 2월에 선포된 이러한 박애는 파리 정면에, 모든 감옥과 병영 막사에 큼지막하게 쓰여 있었다. ― 그것의 진정하고 순수한 산문적 표현은 **내전**이다. 그리고 내전은 가장 가공할 형태, 즉 자본과 노동 간의 전쟁이었다. 이러한 형제애는 6월 25일 저녁에 파리의 모든 창 앞에서 불타버렸으며, 그때 부르주아지의 파리는 밝게 빛나는 반면, 프롤레타리아트의 파리는 불타버리고 피 흘리고 신음했다. 형제애는 부르주아지의 이해가 프롤레타리아트의 이해와 일치하는 동안에만 지속되었다. ― 1793년의 낡은 혁명의 전통에 얽매인 사람들, 즉 사회주의적 조직가들은 인민을 위해 부르주아지에게 구걸하고, 부르주아지에게 허락을 받아 프롤레타리아트 사자를 잠재우기 위해서 그렇게 오랫동안 자기가 하고 싶은 말과는 다르게 설교를 했다. 공화주의자들은 왕을 제거하고 낡은 부르주아 질서 전체를 요구했으며, 왕조를 지지하는 반대파는 내각 교체 대신 왕조가 몰락한 책임을 우연에 떠넘겼다. 정통파는 하인의 옷을 벗어 던지는 대신 재단을 다르게 하기를 원했다. 이들 모두가 인민이 2월 혁명을 만들었을 때의 동지들이었다. ― 2월 혁명은 **아름다운** 혁명이었고 일반적으로 공감을 얻은 혁명이었다. 혁명하면서 군주정에 대항할 때 그 최고조에 도달했던 대립들은 **아직 발전하지 않은 채** 서로 평화롭게 졸고 있었고, 혁명의 배경을 이루었던 사회적 투쟁은 말이나 문구와 같은 가벼운 존재에 지나지 않았기 때문이다. **6월 혁명은 추하고 혐오스러운 혁명**이었는데, 왜냐하면 문구 대신에 일이 벌어졌기 때문이며, 공화정이 두둔하고 은닉한 왕관을 날려버림으로써 괴물의 머리 자체를 발가벗겼기 때문이다. ― **질서!** 그것은 기조의 전투 구호였다. 기조의 추종자 세바스티아니는 바르샤바가 러시아에 넘어갔을 때 **질서!**라고 외쳤다. ||32| 프랑스 국민의회와 공화주의적 부르주아지의 무자비한 대변인 카베냐크도 **질서!**라고 소리쳤다. 그의 산탄이 프롤레타리아트의 몸을 갈기갈기 찢을 때

G139

도 **질서!**라는 말이 천둥처럼 울려 퍼졌다. 1789년 이래 다수의 프랑스 부르주아지의 혁명들 중 어느 것도 기존 **질서**를 저격하지 않았다. 왜냐하면 그들은 계급의 지배, 노동자의 노예 상태, **부르주아** 질서를 유지했기 때문이었고, 이런 지배와 노예 상태의 정치적 형식이 종종 변했다고 해도 마찬가지였다. 6월 혁명은 바로 이 질서를 공격한 것이었다. 6월 혁명에 저주가 내리기를!"

《노이에 라이니셰 차이퉁》, 1848년[79] 6월 29일.)[80]

 6월 혁명에 저주가 내리기를! 이 말은 유럽에 울려 퍼졌다.
 부르주아지는 파리 프롤레타리아트가 6월 무장봉기를 일으킬 것을 **강요했다.** 여기에서 이미 프롤레타리아트는 유죄 선고를 받을 운명에 놓였다. 프롤레타리아트가 즉각 밝힌 요구사항은 폭력적으로 부르주아지의 전복을 쟁취하려는 것으로 몰아세우지도 않았고, 이 과제를 감당할 수도 없는 것이었다. 《르 모니퇴르 위니베르셀》이 공식적으로 프롤레타리아트에게 알려야 했던 것은 이것이었다. 즉 공화국이 프롤레타리아트의 환상을 존중하는 어떤 사례를 보였던 것은 이미 과거의 일이며, 패배로 인하여 프롤레타리아트가 처음으로 확실하게 알게 된 사실은 아주 미미하게 자신의 처지를 개선하려는 것이 부르주아 공화국 **내에서는** 하나의 **유토피아**이며, 그런 유토피아를 현실화하려고 하자마자 그 유토피아는 범죄가 된다는 점이다. 프롤레타리아트가 제2공화정에서 억지로 **빼앗아서** 양보받으려고 했던, 형식상으로는 과도하지만 내용상으로는 사소하고 심지어는 부르주아적이었던 그런 요구들 대신에 대담한 혁명투쟁 구호가 나타났다. **부르주아지 전복! 노동자계급의 독재!**
 프롤레타리아트는 자신의 시체 공시소를 **부르주아 공화정**의 출생지로 만듦으로써, 즉시 부르주아 공화정이 자본의 지배 및 노동의 노예화를 영속시키는 것을 노골적으로 공인된 목적으로 삼는 국가로 등장하지 않을 수 없게 했다. 계속해서 상처 입고 화해할 ||33| 수 없으며 정복될 수 없는 적 —프롤레타리아트의 실존이 부르주아지 자신의 삶의 조건이므로 정복될 수 없는 것이다 — 으로 인해서 모든 속박에서 자유로웠던 부르주아 지배는 즉각 **부르주아 공포 정치**로 전환할 수밖에 없었다. 프롤레타리아트는 당분간 무대에서 쫓겨났으며, 공식적으로 부르주아 독재가 인정되면서 부르주아 사회의 중간계층인 소부르주아지와 농민계급은 자신들의 처지를 더 견딜 수

없게 되고, 부르주아지와의 대립이 더욱 날카로워질수록 점점 더 프롤레타리아트에 합류할 수밖에 없었다. 전에 그들이 자신들의 빈곤(Misère)의 원인을 프롤레타리아트의 대두에서 찾았던 것처럼, 이제 그들은 프롤레타리아트의 패배에서 비참함의 원인을 찾아야 했다.

6월 무장봉기가 유럽 전역에서 부르주아지의 자신감을 세워주고 부르주 G140아지가 인민에게 대항하여 봉건 왕조와 공공연하게 어떤 동맹을 가동했을 때, 이러한 동맹의 첫 희생자는 누구였는가? 바로 대륙 부르주아지 자신이었다. 6월의 패배는 부르주아지가 자신의 지배를 공고히 하는 것을 저지했고, 부르주아 혁명의 가장 낮은 단계에 있던 인민을 반쯤 만족하고 반쯤 불만족한 채 그렇게 있도록 만들었다.

결국 6월의 패배는 유럽의 전제주의 열강에게 프랑스가 대내적으로 내전을 수행할 수 있으려면 어떤 조건에서든 대외적으로 평화를 유지해야만 한다는 비밀을 폭로했다. 따라서 자기 민족의 독립을 위해 투쟁하기 시작했던 사람들은 러시아, 오스트리아, 프로이센의 우세한 힘에 정복당했지만, 동시에 이러한 여러 민족 혁명의 운명은 프롤레타리아트 혁명의 운명에 종속되었으며, 거대한 사회 변혁이 겉으로 보이는 이런 민족 혁명들의 자립성, 독립성을 빼앗아 가버렸다. 헝가리인도 폴란드인도 이탈리아인도 노동자들이 노예로 남아 있는 한 자유롭지 못할 것이다!

마지막으로 유럽은 신성동맹의 승리로 하나의 양상을 띠게 되었는데,[81] 이것은 프랑스의 새로운 모든 프롤레타리아트 봉기가 즉시 하나의 **세계 전쟁**으로 발생한다는 것이다. 새로운 프랑스 혁명||34|은 국가적 기반을 넘어서야 했으며 **유럽의 지반을 장악**하지 않으면 안 되었다. 그리고 그러한 기반 위에서만 19세기의 사회 혁명은 완수될 수 있었다.

그러므로 6월의 패배를 통해서야 프랑스가 유럽 혁명의 **주도권**을 잡을 수 있는 모든 조건이 갖춰졌다. 삼색기가 6월 봉기자의 **피**[82]에 잠기고서야 유럽 혁명의 깃발이 ─ **붉은 깃발**이 되었다!

그리고 우리는 외친다. **혁명은 죽었다!─혁명 만세!**[83]|

| 1 | II. 1849년 6월 13일.[84]

1848년 2월 25일은 프랑스에 **공화정**을 선사했지만 6월 25일은 **혁명**을 강요했다. 그리고 혁명은 2월 이전에는 **국가 형태의 전복**을 의미했지만 6월 이후에는 **부르주아 사회의 전복**을 의미했다.

G141　6월 투쟁은 부르주아지의 **공화주의적** 분파가 선도했으며, 승리와 너불어 국가 권력은 당연히 그들이 차지했다. 계엄 상태는 재갈 물린 파리를 아무런 저항 없이 그 분파의 발밑에 놓아주었고, 지방에서는 도덕적인 계엄 상태가, 즉 부르주아지의 위협적이고 잔인한 오만한 승리와 농민의 고삐 풀린 광적인 소유욕이 지배했다. 따라서 **밑**으로부터의 위험은 없었다!

동시에 **민주주의 공화파**, 즉 집행위원회에서는 르드뤼 롤랭이, 제헌국민의회에서는 산악당[85]이, 언론에서는《라 레포름》이 대표하던 **소시민적** 의미에서 공화파의 정치적 영향력은 노동자의 혁명적 힘으로 분쇄되었다. 그들은 부르주아 공화파와 함께 4월 16일에 프롤레타리아트에 대한 음모를 꾸몄고, 프롤레타리아트는 6월 사건 동안 이들과 교전했다. 이렇게 그들 스스로가 자신의 당을 하나의 세력으로 두드러지게 만든 그 배경을 파괴했다. 왜냐하면 || 2 | 프롤레타리아트가 자기 뒤에 서 있는 한에서만 이 소시민계급은 부르주아지와 맞서는 혁명적 지위를 주장할 수 있었기 때문이었다. 그들은 해고되었다. 부르주아 공화파는 임시정부와 집행위원회 기간에 억지로, 그렇지만 음흉하게 그들과 맺었던 가짜 동맹을 공공연히 파기했다. 동맹자라고 하기에는 소심해서 퇴짜를 맞은 그들은 삼색기[86]의 부차적인 하인으로 전락했다. 그들은 삼색기에서 어떤 양보도 얻어낼 수 없었지만, 삼색기와 자기들이 생각하는 공화정이 반공화주의적 부르주아 분파들에게 의심스럽게 보일 때마다 매번 삼색기의 지배를 지지하지 않으면 안 되었다. 끝으로 이러한 반공화주의적 분파들, 즉 오를레앙파와 정통 왕조파는 제헌국민의회에서 원래부터 소수였다. 6월 사건 이전에 그들은 심지어 부르주아 공화주의의 가면을 쓰고서만 대응할 엄두를 냈다. 6월 승리는 잠시 동안 부르주아 프랑스 전체가 카베냐크를 그 구원자로 환영하도록 했다. 그리고 6월 사건이 끝나고 얼마 안 되어 반공화파 정당이 다시 독립했을 때는, 군사독재와 파리

의 계엄 상태 때문에 그 정당은 매우 소심하고 조심스럽게 촉수를 뻗었다.

1830년 이후로, **부르주아 공화주의** 분파는 그들 편에 선 작가, 대변인, 재능과 야망을 지닌 사람들, 대의원, 장군, 은행가 및 변호사와 함께, 파리의 신문 《르 나시오날》을 중심으로 집결했다. 이 신문은 지방판 신문도 갖고 있었다. 《르 나시오날》의 패거리, 이것이 **삼색기 공화국의 왕조**였다. 이들은 장관직, 파리 시 경찰국장, 체신국장, 지사 등 모든 국가 관직과 당시 공석이던 군의 고위 요직을 즉시 차지했다. 행정권의 수반에 《르 나시오날》파의 장군 **카베냐크**가 자리했고, 《르 나시오날》의[87] 편집장 마라스트는 제헌국민의회 상임의장이 되었다. 동시에 의전관으로서 그는 자신의 살롱에서 예의 바른 공화국의 손님들을 맞이했다. G142

프랑스의 혁명적 작가들조차도 공화주의 전통에 대한 일종의 경외심에서 제헌국민의회를 왕당파가 지배하고 있다는 오판에 붙들려 있었다. 반대로 6월 사건 이후에 제헌의회는 **오직 ‖3‖부르주아-공화주의의 대변자**로서만 남아 있었다. 삼색기 공화주의자들의 영향력이 원외에서 와해될수록 제헌의회는 이러한 면모를 더 과감하게 드러냈다. 부르주아 공화국의 **형식**을 고수하는 것이 중요할 때 제헌의회는 민주주의 공화주의자들의 표를 마음대로 처리했고, **내용**이 중요할 때 제헌의회는 그 말투조차도 더는 부르주아 왕당파와 차이를 보여주지 않았다. 왜냐하면 부르주아지의 이해관계, 그들의 계급 지배와 계급 착취의 물질적 조건들이 바로 부르주아 공화국의 내용을 이루기 때문이다.

따라서 결국에는 죽은 것도 아니고 그렇다고 살해된 것도 아닌 부패한 제헌의회의 삶과 행위에서 현실화된 것은 왕정주의가 아니라 부르주아 공화주의였다.

그들이 지배하는 기간 내내, 그들이 무대에서 환상적 모험극을 연기하는 동안, 무대 뒤에서는 봉헌식이 끊임없이 거행되었다. ─ 포로가 된 6월 봉기자들을 잇따라 즉결 처형 판결을 내리고 재판 없이 추방했다. 제헌의회는 6월 봉기자들을 범죄자로 재판한 것이 아니라 적으로 짓밟는 것이라고 변명을 늘어놓아야 했다.

제헌국민의회의 첫 번째 행동은 6월과 5월 15일 사건들과 사회주의적 및 민주주의적 정당 지도자가 이 기간에 참여했는지를 다루는 **조사위원회**를 설치하는 것이었다. 조사는 루이 블랑, 르드뤼 롤랭, 코시디에르를 곧바로 겨냥했다. 부르주아 공화파는 이 경쟁자들을 해치우려고 안달이 났다. 그들은

오딜롱 바로보다 더 적합하지 않은 인물에게 자신들의 앙심(Rancune)을 해소할 수 있는 일을 맡길 수가 없었다. 그는 이전에 반왕당파의 우두머리였고, 자유주의의 화신이었으며, 왕조에 대해 복수를 해야 했을 뿐만 아니라, 심지어 수상직을 수포로 만든 혁명가들에게 책임을 물으려고 했던 무능하고 근엄한 사람(nullité grave)이자 매우 얄팍한 사람이었다. 그의 무자비함이 확실한 보증이었다. 그러므로 이러한 바로가 조사위원회 위원장으로 임명되었으며, 그는 ||4|2월 혁명 전체에 대한 소송을 심리했다.[88] 이 소송은 다음과 같이 요약할 수 있다. 3월 17일 **시위**, 4월 16일 **음모**, 5월 15일 **저격**, 6월 23일 **내전!**[89] 왜 그는 자신의 해박한 형법 조사를 2월 24일까지 확대하지 않았을까?《주르날 데 데바》는 이렇게 대답했다. 2월 24일은 **로마 건국일**이다.[90] 국가의 기원은 신화 속으로 사라져가는 것이며 신화는 우리가 믿을 수는 있지만 논의할 수는 없는 것이다. 루이 블랑과 코시디에르는 재판에 넘겨졌다. 국민의회는 5월 15일에 시작한 자체 숙청 작업을 완수했다.

G143

임시정부가 입안하고 구쇼가 다시 제안한 저당세 형태의 자본 과세안은 제헌의회에서 부결되었다. 노동시간을 10시간으로 제한하는 법률은 폐기되었으며, 채무 계약 불이행자의 투옥 제도가 다시 도입되었다. 읽지도 쓰지도 못하는 대부분의 프랑스 주민은 배심원직에서 배제되었다. 선거권도 그러지 않았겠는가? 출판물에 대한 공탁금 제도가 다시 도입되고 결사권은 제한되었다. —[91]

그러나 부르주아 공화파는 조급하게 과거의 부르주아적 관계에서 자신들의 낡은 담보들을 원상 복구하여 혁명의 파도가 남겨둔 모든 흔적을 없애버리려고 했을 때 예기치 않은 위험이 몰고 온 저항에 부딪혔다.

6월 사건 동안 재산의 구제와 신용의 회복을 위해 파리의 소부르주아지보다 더 열광적으로 투쟁한 사람들은 없었다![92] — 이들은 카페와 레스토랑의 주인, 포도주 상인(marchands de vin), 소상인, 소매상인, 수공업자 등으로 이루어졌다. 궐기한 소상점주들은 바리케이드로 행진해 거리에서 상점에 이르는 통로를 뚫어놓으려 했다. 그러나 바리케이드 뒤에는 고객과 채무자가 있었고 그 앞에는 상점의 채권자가 있었다. 그리고 바리케이드가 진압되고 노동자들이 짓밟힌 후 소상점주들이 승리에 취해 자신들의 상점으로 급히 되돌아갔을 때, 재산 구제자, 즉 신용의 공식 관리인이 상점 입구를 막고 서 있었으며, 상점주에게 위협적인 협박장을 ||5| 제시했다. 지불 기한이 지난 환어음! 밀린 집세! 지불 기한이 지난 채무 증서! 파산한 상점! 파산한 상

202

점주!

재산의 구제! 그러나 그들이 살던 집은 그들의 재산이 아니었다. 그들이 지킨 가게도 그들의 재산이 아니었다. 그들이 취급한 상품들도 그들의 재산이 아니었다. 그들의 상점이나 그들이 음식을 담아 먹는 접시 그리고 그들이 누워 자는 침대도 이제 더는 그들의 재산이 아니었다. 반대로 **이러한 재산은** 바로 그들의 반대편인 그들에게 집을 세준 집주인이나 어음을 할인해준 은행가 또는 현금을 선불해준 자본가, 이들 소매상에게 상품 판매를 위탁한 공장주나 원료를 이들 수공업 장인에게 선대해준 도매상을 위해 **구제되어야** 했다. **신용의 회복!** 그러나 신용은 힘을 회복한 후에는 활기차고 시기심 많은 신이라는 것이 입증되었다. 즉 그것은 집세 지불 능력이 없는 채무자를 아내와 아이들과 함께 집에서 쫓아내고, 그가 자신의 재산이라고 생각했던 G144 것을 자본의 손에 넘겨주게 했으며, 채무자 자신을 6월 봉기자 시체 위에서 부활했던 위협적인 채무자 감옥으로 보냈다.

소부르주아지가 두려움과 함께 깨달은 사실은 노동자들을 진압함으로써 자신들은 저항하지도 못하고 스스로를 채권자의 수중에 놓이게 만들었다는 것이다. 2월 이후 만성적으로 질질 이어져오고 겉으로는 모른 체했던 그들의 파산은 6월 이후에는 공공연히 선고되었다.

그들의 **명목상 재산**이 침해되지 않고 남아 있었던 것은 **재산의 이름을 걸**고 소부르주아지가 전쟁터로 나아갔던 한에서 가능했다. 이제 프롤레타리아트와의 큰 문제가 처리되었으므로 식료품 상인(Epicier)의 작은 문제도 다시 처리될 수 있었다. 파리에서 부도 어음 총액은 2100만 프랑이 넘었고, 지방에서는 1100만 프랑이 넘었다. 7천 명 이상의 파리 상점주가 2월 이후 집세를 내지 못했다.

국민의회는 2월 이후 시작된 **정치 범죄**에 대한 조사(Enquête)에 착수한 반면, 소부르주아지는 그들 편에서 이제 2월 24일까지의 **부르주아 부채**에 대한 조사(Enquête)를 요구했다. 그들은 대거 증권‖6‖거래소에 집결했다. 그리고 파산이 오로지 혁명으로 인한 불황 때문이며, 자신의 사업이 2월 24일까지는 잘되고 있었다는 것을 증명할 수 있는 모든 상인에게 상업 재판의 판결에 따라 지불 기한을 연장해줄 것과, 적당한 비율로 대금을 받고 요구를 철회하도록 채권자에게 강요할 것을 위협적으로 요구했다. 이러한 문제는 "**화해 협약**"(concordats à l'amiable)[93] 형태의 법안으로 국민의회에서 심의되었다. 의회는 망설였다. 그때 갑자기 생드니 개선문 앞에서 봉기자의 처

자식들 수천 명이 동시에 사면 청원을 준비하고 있다는 사실이 의회에 알려졌다.

부활한 6월의 망령 앞에서 소부르주아지는 전율했고 국민의회는 다시 냉정을 되찾았다. 채무자와 채권자 간의 우호적 합의, 즉 화해 협약의 가장 근본적인 몇 가지 조항이 부결되었다.

따라서 소부르주아 민주파 의원들이 국민의회 내에서 부르주아 공화파 의원들에게 오래전에 논박당한 후, 채무자인 소부르주아지가 채권자인 부르주아지에게 넘겨졌을 때, 이러한 의회의 결렬은 국민의회의 부르주아적인, 사실상 경제적인 의미를 나타내는 것이었다. 대부분의 소부르주아지는 완전히 파산했으며, 살아남은 사람들도 오직 자본의 절대적 노예가 되는 조건에서만 사업을 계속할 수 있었다. 1848년 8월 22일 국민의회는 '화해 협약'을 부결했다. 1848년 9월 19일 계엄 상태에서 루이 보나파르트 공과 뱅센에 투옥된 공산주의자 라스파유가 파리 대표자로 선출되었다. 그러나 부르주아지는 유대인 어음 중개상이자 오를레앙파인 풀드를 선출했다. 이에 따라 모든 곳에서 한꺼번에 제헌국민의회와 부르주아 공화주의와 카베냐크에게 대항하는 전쟁이 공공연히 선포되었다.

파리 소부르주아지의 대규모 파산이 직접적으로 관련 있는 자들을 훨씬 뛰어넘어 그 여파가 계속해서 이어지고 부르주아적 거래를 다시 흔들리게 할 수밖에 없었다는 것을 설명할 필요는 없다. 그러는 동안 국가 적자는 6월 무장봉기를 대가로 새로이 ||7| 증대했으며, 국가 수입은 생산 정체와 소비 제한, 수입 감소로 인해서 계속해서 줄어들었다. 카베냐크와 국민의회는 새 차입금 말고는 도피처로 삼을 수 있는 수단이 아무것도 없었다. 이러한 차입금은 그들을 금융귀족의 멍에에 훨씬 깊이 쑤셔 넣었다.

소부르주아지가 6월 승리의 결실로서 파산과 법적 청산을 수확했다면, 카베냐크의 친위병과 **기동국민군**은 매춘부의 부드러운 팔에 안겨 보답받았고, 그들은 예의 바른 공화국의 암피트리온과 음유시인의 역할을 동시에 수행하던 삼색기의 신사 마라스트의 살롱에서 "사회의 젊은 구원자들"로서 온갖 숭배를 받았다.[94] 한편 이러한 사회적 편애와 기동국민군의 불공평하게 높은 보수에 **군대**는 분개했다. 동시에 다른 한편으로 이러한 모든 국민적 환상, 즉 부르주아 공화주의가 그 기관지 《**르 나시오날**》을 통하여 루이 필리프 치하의 일부 군대와 농민계급을 자신에게 묶어두었다고 알았던 환상은 사라졌다. 카베냐크와 국민의회가 **북부 이탈리아**에서 영국과 함께,

북부 이탈리아를 오스트리아에 넘겨주기 위해서 음모를 꾸민 중재자의 역할,[95] — 하루[96] 동안의 통치는《르 나시오날》의 18년 동안의 반정부 운동을 파괴했다. 어떤 정부도《르 나시오날》의 정부보다 덜 민족적이지 않았으며, 어떤 정부도 영국에 그렇게 의존하지 않았다. 그리고 루이 필리프 치하에서 《르 나시오날》은 "카르타고는 망해야 한다"(Carthaginem esse delendam)는 카토의 말[97]을 매일 우회적으로 표현함으로써 연명할 수 있었던 것이다. 어떤 정부도 신성동맹에 그 이상 비굴하지 않았다. 그런데 이전에는《르 나시오날》이 기조 같은 사람에게 빈 조약 파기를 요구한 바 있다. 역사의 아이러니 때문에《르 나시오날》의 외교 문제 전 편집자였던 바스티드는 프랑스 외무장관이 되었고, 그래서 그는 해외 사절에게 보내는 급송 공문서에서 자신이 썼던 기사들을 모두 부인했다고 한다.

잠시 동안 군대와 농민계급은 군사독재와 동시에 대외 전쟁과 "영광"(gloire)이 프랑스의 의사일정에 올라올 것이라고 믿고 있었다. 그러나 카베냐크는 부르주아 사회를 지배하는 무단 통치의 독재가 아니라 무단 통치를 통한 부르주아지의 독재였다. 그들은 이제 군인에게 헌병의 역할만을 요구했다. 카베냐크는 ‖8‖고대 공화주의를 체념하는 듯한 준엄한 표정으로 자신이 지닌 부르주아 공직의 모욕적인 조건들에 대하여 무기력하게 복종하고 있다는 것을 숨겼다. L'argent n'a pas de maître! 즉 돈에는 주인이 없다! 그는 제헌의회가 했던 것처럼, 이러한 제3신분(tiers état)의 과거 선거 구호를 정치적 어휘로 변화시킴으로써 이상화했다. 부르주아지에게는 왕이 없으며, 부르주아 지배의 진정한 형태는 공화정이다. G146

그리고 이러한 **형식**을 마무리 짓는 제헌국민의회의 "위대한 유기적 작업"은 공화국 **헌법**을 제정하는 것이었다. 기독교력을 공화력으로 개칭[98]하고 성 바르톨로메오를 성 로베스피에르로 개명하는 것이 바람과 날씨를 바꾸지 못하는 것처럼, 헌법도 부르주아 사회를 변화시키지 못하고 변화시킨다고 볼 수도 없다. **의복 착용**에 대한 조문(테르미도르파가 제정한 1795년 8월 22일의 프랑스 헌법 제165조의 의복 착용에 대한 조문. — 옮긴이)에서도, 헌법은 **기존** 사실을 기록했다. 이와 같이 헌법은 공화국이라는 사실, 보통선거권이라는 사실, 두 개의 제한된 양원제 입법의회 대신에[99] 단일한 주권의 국민의회라는 사실을 엄숙하게 기록했다. 이와 같이 헌법은 고정적이며 무책임한 세습 군주제를 4년 임기의 대통령을 갖춘 유동적이고 책임 있는 선거 군주제로 대체함으로써 카베냐크의 독재라는 사실을 기록하고 법제화했다. 이렇게 해서 헌법은 그 조문에 비상권이라는 사실도 끌어 올렸는데, 국민의회는 5월 15일과 6월 25일의 충격[100] 이후에 자신의 안전을 위하여 대통령에게 이러한 비상권을 조심스럽게 부여했다. 헌법의 나머지 부분은 전문 용어상의 문제였다. 옛 군주정의 톱니바퀴 장치에서 왕조 꼬리표는 뜯겨 나가고 공화주의 꼬리표가 붙었다. 전에는《르 나시오날》의 편집장이었고 지금은 헌법의 편집장인 마라스트는 뛰어난 재능으로 이러한 학술적 작업을 해치웠다.

제헌의회는 지하의 천둥이 땅 자체를 ||9| 자기 발아래로 쓸어버릴 화산 폭발을 예고했던 바로 그 순간에 토지 측량으로 토지 소유 관계를 더 확실하게 규정하려고 한 칠레의[101] 관리를 닮았다. 이 의회는 이론상으로는 정확히 형식들을 측정하고 그 형식들 속에서 부르주아 지배를 공화주의적으로 표현하는 한편, 현실에서는 오직 모든 공식의 폐지와 노골적인 무력 그리고 **계엄 상태**를 통해서 자신을 유지했다. 이 의회는 헌법 제정 작업을 시작하기 이틀 전 계엄 상태 연장을 포고했다.[102] 사회의 혁명 과정이 휴식기에 이르고 새로 형성된 계급관계가 확립되고, 지배계급 안에서 맞붙은 분파들이 서로 간의 투쟁을 지속하면서 동시에 탈진한 대중을 이런 투쟁에서 배제하기 위해서 타협을 서두르자마자, 이미 전에 작성된 헌법은 채택되었다. 한편 이러한 헌법은 어떠한 사회 혁명도 재가하지 않았다. 이 헌법은 혁명에 대한 구사회의 일시적 승리를 재가했다.

6월 사건 이전에 기초된 최초의 헌법 초안은 아직 최초의 어설픈 공식 즉 프롤레타리아트의 혁명적 요구가 요약된 "*droit au travail*" 즉 노동의 권리를 포함하고 있었다.[103] 노동의 권리는 *droit à l'assistance*, 즉 공적 부조를 받을 권리로 변형되었다. 그러나 어떤 근대 국가가 어떤 형태로든 빈민을 부양하지 않을 수 있겠는가? 노동의 권리는 부르주아적 의미에서는 터무니없는 것이며, 비참하고 경건한 소망이다. 그러나 노동의 권리 뒤에는 자본에 대한 지배 요구가 있다. 또한 자본에 대한 지배 요구의 뒤에는 생산수단의 자기화, 연합한 노동자계급으로 생산수단의 종속, 즉 임노동과 자본의 폐지 그리고 이 양자의 상호 관계 폐지가 있다. "**노동의 권리**" 뒤에는 6월 무장봉기가 있었다. 혁명적 프롤레타리아트를 실제로 hors de la[104] loi, 즉 법률 밖에 세웠던 제헌의회는 **프롤레타리아트의** 공식을 법 중의 법인 헌법에서 원칙적으로 내던지고, "노동의 권리"를 파문해야만 했다. 그러나 의회는 거기서 멈추지 않았다. 플라톤이 자신의 공화국에서 시인을 추방했던 것처럼[105] 의회는

G147

공화국에서 **누진세**를 영원히 추방했다. 그러나 누진세는 그 발전 단계가 어찌 되었든 기존 생산관계 내||10|에서 시행 가능했던 하나의 부르주아적 조치만이 아니라, 부르주아 사회의 중간층을 "예의 바른" 공화국에 묶어두거나 국가 부채를 감소시키고 다수의 반공화파 부르주아지에게 제동을 거는 유일한 수단이었다.[106] 화해 협약(concordats à l'amiable)의 경우에 삼색기 공화주의자들은 사실상 대부르주아지를 위해 소부르주아지를 희생했다.[107]

그들은 누진세를 법적으로 금지함으로써 이러한 파편화된 사실을 하나의 원리로 격상했다. 그들은 부르주아적 개혁을 프롤레타리아트 혁명과 같은 단계에 올려놓았다. 그렇다면 어떤 계급이 그들 공화국의 발판으로 남게 되었는가? 대부르주아지다. 그렇지만 그들의[108] 대다수는 반공화파였다. 그들이 《르 나시오날》의 공화파를 이용하여 과거의 경제적 삶의 관계를 재건하려 했다면, 다른 한편으로는 재건된 사회관계를 이용하여 그에 상응하는 정치 형태를 복구하려고 했다. 심지어 10월 초에 카베냐크는 과거 루이 필리프의 각료였던 뒤포르와 비비앵을 공화국의 각료로 임명하지 않을 수 없음을 알았다. 비록 자기 당의 어리석은 청교도들이 투덜거리고 고함을 질렀지만 말이다. G148

삼색기 헌법은 소부르주아지와 타협하기를 일절 거부하고 어떤 새로운 사회적 요소를 새로운 국가 형태에 접목할지를 알지 못했던 반면, 삼색기 헌법은 가장 완고하고 광신적인 옛 국가의 옹호자였던 무리에게 전통적인 불가침권을 성급히 돌려주었다. 삼색기 헌법은 임시정부가 의문을 제기한 **판사의 종신직**을 헌법 조문으로 끌어 올렸다. 삼색기 헌법이 폐위했던 한 명의 왕은 합법적으로 이와 같은 다수의 종신 종교재판관으로 부활했다.

프랑스 신문은 다각적으로 마라스트 헌법의 모순들, 예를 들면 두 군주, 즉 국민의회와 대통령의 병존 같은 모순들을 분석했다.

그러나 이 헌법의 가장 포괄적인 모순은 다음과 같은 점에 있었다. 이 헌법이 사회적 노예 상태를 영속화하려고 했던 계급들, 즉 프롤레타리아트, 농민, 소부르주아지에게 보통선거권을 부여함으로써 이들은 정치||11|권력을 소유하게 되었다. 이 헌법이 낡은 사회적 권력을 재가해준 계급, 즉 부르주아지에게서는 그 사회적 권력의 정치적 보증들을 빼앗았다. 이 헌법은 자신의 정치적 지배 권력을 민주주의 조건들이라고 강압적으로 행사했는데, 이 조건들로 매 순간 적대 계급의 승리를 돕거나 부르주아 사회의 근간 자체를 위태롭게 하기도 했다. 이 헌법은 전자에게 정치적 해방은 사회적 해방

으로 나아가면 안 된다고 요구하고, 후자에게 사회적 복고는 정치적 복고로 후퇴하면 안 된다고 요구했다.

이러한 모순들은 부르주아 공화파에게는 걱정거리가 아니었다. 이러한 모순들이 더는 **불가피한** 것이 아니게 되었을 때, 즉 이 모순들이 혁명적 프롤레타리아트에게 대항하는 낡은 사회의 전위 투사에게만 불가피했을 때, 그들은 승리한 지 몇 주 만에 **정당**의 지위에서 **패거리**의 지위로 전락했다. 그리고 그들은 헌법을 하나의 거대한 **음모**로 치부했다. 헌법에서 제정돼야 했던 것은 무엇보다도 패거리의 지배였다. 대통령은 카베냐크의 연장이어야만 했고, 입법의회는 제헌의회의 연장이어야만 했다. 그들은 인민대중의 정치권력을 허구적 권력으로 격하하고 싶어 했으며, 이러한 허구적 권력 자체로 충분히 연극을 할 수 있기를 희망하고, 계속해서 부르주아지 다수파를 6월 사건의 딜레마, 즉《르 **나시오날》파의 제국**이냐 **아나키의 제국**이냐를 선택해야만 하는 딜레마에 잡아두고자 했다.

9월 4일에 시작된 헌법 작업은 10월 23일에 끝났다. 9월 2일 제헌의회는 헌법을 보완하는 기본법이 공포될 때까지 해산하지 않기로 결의했다. 그럼에도 불구하고 제헌의회는 활동 기간이 마감되기 오래전인 12월 10일 자신의 매우 독특한 창작품인 대통령을 창시할 것을 결정했다. 제헌의회는 헌법의 호문쿨루스, 즉 어머니를 닮은 아들이 환영받으리라 확신하고 있었다. 하나의 예비 조항으로 제헌의회가 추가한 것은, 만일 후보자 중 누구도 200만 표를 얻지 못하면 선거는 국민의 손을 떠나 제헌의회로 넘어와야 한다는 것이었다.

예방책은 쓸모가 없었다! 헌법 시행 첫날이 제헌의회 지배 최후의 날이었다. 투표함 바닥에 제헌의회의 ||12| 사형 선고장이 놓여 있었다. 제헌의회는 "어머니를 닮은 아들"을 구했으나 얻은 것은 "숙부의 조카"였다. 사울 카베냐크는 1$^{1/2}$00만 표를 얻었으나 다윗 나폴레옹은 600만 표를 얻었다. 카베냐크는 여섯 배 이상의 차이로 패배했다.[110]

1848년 12월 10일은 **농민 무장봉기**의 날이었다. 이날부터 비로소 프랑스 농민의 2월이 시작된다. 혁명운동에 농민이 입장했다는 것을 표현한 상징은 서투르지만 교활하고, 파렴치하지만 소박하며, 우둔하지만 숭고한 하나의 계획된 맹신, 격앙된 익살극, 천재적이지만 어리석은 시대착오, 세계사적인 해학이다. ─ 문명인의 이해력으로는 해독할 수 없는 상형문자인 이 상징은 문명 속의 야만을 대변하는 그 계급의 면상을 분명하게 담고 있었다. 공화정은 농민계급에 자신을 **세금 징수자**로 통보했고, 농민계급은 공화정에 자신을 **황제**라고 통보했다. 나폴레옹은 1789년에 새로 창조된 농민계급의 이익과 공상을 전적으로 대변했던 유일한 인물이었다. 나폴레옹의 이름을 공화정의 첫 페이지에 기록함으로써, 농민계급은 대외적으로는 전쟁을 선포했고 대내적으로는 자기 계급의 이익을 시행한다고 선포했다. 농민에게 나폴레옹은 인격체가 아니라 하나의 강령이었다. 깃발을 앞세우고, 북을 치고 나팔을 불면서, 그들은 이렇게 외치며 투표소를 행진했다. plus d'impôts, à bas les riches, à bas la république, vive l'Empereur. 세금 반대, 부자 타도, 공화정 타도, 황제 만세! 황제 뒤에 농민전쟁이 숨어 있었다. 그들이 선거로 타도한 공화정은 **부자의 공화정**이었다.

12월 10일은 기존의 정부를 전복한 농민의 쿠데타였다. 그리고 그들이 프랑스에서 정부를 탈취하여 새 정부를 세운 이날부터 그들의 눈은 확고하게 파리를 향했다. 잠시 동안 혁명극의 주역이었던 그들은 이제 더는 소극적이고 줏대 없는 합창단 역할로 되돌아갈 수 없었다.

다른 계급들도 농민이 선거에서 승리를 완수하도록 도와주었다. 나폴레옹의 선출은 **프롤레타리아트**에게는 카베냐크의 폐위와 제헌의회의 ∥13∣ 전복, 부르주아 공화주의의 퇴위, 6월 승리의 무효를 의미했다. **소부르주아지** G150에게 나폴레옹은 채권자에 대한 채무자의 지배를 의미했다. 대다수의 **대부르주아지**에게 나폴레옹의 선출은 부르주아 분파와의 공공연한 결별을 의미했다. 즉 대부르주아지는 혁명에 대항하기 위하여 잠시 동안 부르주아 분파를 이용할 수밖에 없었지만, 이들이 일시적인 지위를 헌법상의 지위로 확립하려고 하자마자 대부르주아지는 이 분파를 용납할 수 없게 되었다. 카베냐크를 대신한 나폴레옹은 대부르주아지에게 공화정을 대신한 군주정을, 왕정복고의 시작을, 오를레앙가에 대한 조심스러운 암시를, 제비꽃 밑에 숨은 백합을 의미했다.[111] 마지막으로 **군대**는 기동국민군에 반대하여 나폴레옹에게 투표했으며, 평화 시의 단조로움에 반대하여 전쟁에 투표했다.

이와 같이《노이에 라이니셰 차이퉁》에 쓰인 대로, 프랑스에서 가장 단순한 인물이 가장 다양한 의미를 획득하는 일이 벌어졌다.[112] 그는 바로 아무것도 아니었기 때문에 자신을 제외한 모든 것을 의미할 수 있었다. 나폴레옹이라는 이름의 의미가 다양한 계급들의 말 속에서 달랐다고 할지라도, 모든 계급은 투표용지에 이 이름을 썼다.《르 나시오날》파를 타도하라, 카베냐크를 타도하라, 제헌의회를 타도하라, 부르주아 공화정을 타도하라. 뒤포르 장

관은 제헌의회에서 공공연히 이렇게 선포했다. 12월 10일은 제2의 2월 24일이다.[113]

소시민층과 프롤레타리아트는 카베냐크에게 **반대표**를 행사하고 제헌의회로부터 최종 결정권을 탈취하기 위해 하나로 뭉쳐서 나폴레옹에게 **찬성표**를 던졌다. 그러나 두 계급의 가장 진보적인 집단들은 자신들의 후보자를 내세웠다. 나폴레옹은 부르주아 공화국에 대항하여 동맹을 맺은 모든 당파의 **집합명사**였고 르드뤼 롤랭은 민주파 소시민층의, 그리고 **라스파유**는 혁명적 프롤레타리아트의 **고유명사**였다. 라스파유에 대한 투표[114] ─ 프롤레타리아트와 그들의 사회주의적 대변자들은 이것을 크게 선전했다 ─ 는 대통령제, 즉 헌법 자체에 항의하는 것, 르드뤼 롤랭을 반대해 투표하는 것과 똑같은 일종의 단순한 시위에 지나지 않았지만, 프롤레타리아트가 하나의 독립된 정당으로 ‖14‖민주주의 세력과 결별을 선언한 최초의 행위였다. 이에 반해 민주파 소부르주아지와 그들의 원내 대변인인 산악당은 르드뤼 롤랭의 입후보를 매우[115] 진지하게 다루었으며, 이러한 진지함은 그들이 자신들을 엄숙하게 속이는 습관이었다. 그 밖에도 이것은 프롤레타리아트에게 대항하여 자신들을 독립 정당으로 내세우기 위한 그들의 마지막 시도였다. 공화주의적 부르주아지 당파뿐만 아니라 민주적 소시민층과 그들의 산악당도 12월 10일에 패배했던 것이다.

프랑스는 이제 **산악당**과 더불어 **나폴레옹**이라는 자를 가졌다. 이 사실은 이 양자가 그 이름이 담고 있는 위대한 실상의 무기력한 희화에 지나지 않는다는 것을 증명한다. 루이 나폴레옹이 황제의 모자와 독수리를 가지고 과거의 나폴레옹을 흉내 낸 것처럼, 산악당은 1793년 당시에서 빌려 온 문구와 대중 선동적 태도로 옛 산악당을 흉내 냈다. 따라서 1793년에 대한 전통적인 미신은 나폴레옹에 대한 전통적인 미신과 동시에 발가벗겨졌다. 혁명은 **고유한 본래의** 이름을 싸워서 얻었을 때 처음으로 혁명의 본령에 도달했다. 그리고 근대 혁명 계급인 산업 프롤레타리아트가 전면에 우세하게 등장할 때에만 혁명은 본령에 도달할 수 있었다. 12월 10일 사건은 농민의 모욕적인 기지로 인하여 과거 혁명과의 고전적인 유사성을 우습게 끊어버려서, 산악당을 아연할 수밖에 없게 만들었고 혼란에 빠뜨리게 되었다고 말할 수 있다.

12월 20일 카베냐크가 사임하고 제헌의회는 루이 보나파르트를 공화국 대통령으로 선포했다. 12월 19일, 제헌의회의 전제정치 마지막 날에, 제헌의회는 6월 봉기자들에 대한 사면 동의안을 부결했다.[116] 제헌의회가 15,000명의 봉기자들을 사법적 재판을 무시하고 유죄 판결하여 추방했던 6월 27일의 명령[117]을 취소하는 것, 그것은 6월 전투 자체의 무효를 선고하는 것이 아니었겠는가?

루이 필리프의 마지막 재상 오딜롱 바로는 루이 나폴레옹의 최초 각료가 되었다. 루이 나폴레옹이 자신의 지배의 날을 12월 10일부터가 아니라 1804년 상원의 결의[118]로부터 잡은 것처럼, 그는 자신의 각료 취임을 12월 20일부터가 아니라 2월 24일 왕의 ||15| 칙령으로부터 날짜를 잡는 내각 수상을 찾아냈던 것이다. 루이 필리프의 정통 계승자로서 루이 나폴레옹은 옛 내각을 유지함으로써 완만하게 정권 교체를 했는데, 옛 내각은 더욱이 구성될 시간도 없었기 때문에 망할 시간도 없었다.

왕당파 부르주아 분파의 지도자들은 그에게 이런 선택을 하도록 조언했다. 무의식적으로 《르 나시오날》파의 공화주의자로 넘어간 구왕조 반대파의 우두머리는 충분히 의식적으로 부르주아 공화정을 왕정으로 전환하는 데 훨씬 적합했다.

오딜롱 바로는 유일한 옛 반대파의 우두머리였고, 언제나 헛되이 각료직을 얻으려 고군분투했지만 아직은 쓸모가 있었다. 혁명은 모든 옛 반대파를 차례대로 급격하게 국가 요직으로 내던졌고, 그래서 그들은 행위에서뿐만 아니라 말 자체에서도 과거의 상투적인 말들을 부인하거나 철회해야만 했다. 그들은 인민이 역겨운 혼합물로 모두 뭉쳐서 역사의 똥 무더기로 내던져야 할 사람들이었다. 그리고 이런 부르주아 자유주의의 화신인 바로는 배반을 서슴지 않았는데, 그는 18년 동안[119] 자기 육체의 엄숙한 행동거지 뒤에 정신의 비열한 천박함을 숨겨왔다.[120] 어떤 순간에 현재의 엉겅퀴와 과거의 월계수의 신랄한 대조가[121] 그 자신을 놀라게 해서 일으켜 세웠을 때, 거울을 보는 눈빛은 각료다운 침착함과 인간적인 자기 경탄을 그에게 돌려주었다. 거울에 비친 그의 모습은 그가 늘 부러워하고 언제나 그를 지배한 기조였는데, 그러나 그 기조는 오딜롱의 올림포스 산과 같은 이마를 가진 기조였다. 오딜롱이 간과했던 것은 미다스의 귀였다.[122]

2월 24일의 바로는 12월 20일의 바로라는 점이 비로소 분명해졌다. 오를레앙파이자 볼테르주의자인 그에게 정통 왕조파이자 예수회 회원인 팔루가 문교부장관으로 합류했다.

며칠 뒤 내무부장관직은 맬서스주의자 레옹 포셰에게 맡겨졌다. 법, 종교,

G152

경제학! 바로 내각은 이 모든 것을, 게다가 ||16| 정통 왕조파와 오를레앙파의 연합을 포함했다. 단지 보나파르트주의자들만이 없었다. 보나파르트는 아직 나폴레옹이 되고자 하는 자신의 야망을 숨기고 있었다. 왜냐하면 **술루크**[123]는 아직 투생 루베르튀르의 역할을 할 수 없었기 때문이었다.

《르 나시오날》파는 그들이 둥지를 틀었던 모든 고위직에서 곧바로 해임되었다. 파리 시 경찰국장, 체신청장, 검찰총장, 파리 시장의 지위는 모두 구왕정의 인물들로 채워졌다. 정통 왕조파 샹가르니에는 센 관구의 국민방위군과 기동국민군 그리고 상비군 1사단의 통합 지휘권을 부여받았다. 오를레앙파 뷔고는 알프스 방면 군 총사령관으로 임명되었다. 이러한 관리의 교체가 바로 내각에서 끊임없이 계속되었다. 바로 내각이 처음 한 일은 구왕당파 행정부의 복원이었다. 공직의 무대는 한[124]순간에 변했다. 즉 배경, 의상, 대사, 배우, 단역, 엑스트라, 대사 읽어주는 사람, 각 팀의 위치, 연극의 주제, 갈등의 내용, 모든 상황이 변했던 것이다. 오직 태곳적 제헌의회만이 여전히 자기 자리에 있었다. 그러나 국민의회가 보나파르트를, 보나파르트가 바로를, 바로가 샹가르니에를 임명했을 때부터, 프랑스는 공화국을 구성하는 시기를 지나 구성된 공화국의 시기로 접어들었다. 그러면 구성된 공화국에서 제헌의회는 어떤 위치에 있었는가? 지구를 창조한 후에 창조주는 하늘로 도망친 것 말고는 아무것도 하지 않았다. 제헌의회는 그런 선례를 따르지 않겠다고 결심했다. 국민의회는 부르주아 공화파 정당을 위한 마지막 피난처였다. 국민의회가 행정 권력의 칼자루들을 빼앗겼다고 해도, 국민의회는 헌법을 제정할 막강한 힘이 남아 있지 않았던가? 국민의회의 첫 번째 생각은 어떠한 상황에서도 자신이 소유하고 있던 주권자적 지위를 고수하는 것이었고 그러고 나서 잃어버린 진지를 탈환하는 것이었다. 바로 내각이 《르 나시오날》파 내각에 의해 쫓겨나고, 왕조파 인물이 행정부의 왕궁을 즉각 떠날 수밖에 없었을 때, 삼색기 인물들이 다시 의기양양하게 들어왔다. 국민의회는 내각 ||17| 전복을 결의했으며, 내각이 직접 공격 기회를 제공했는데, 제헌의회는 그 기회를 더 좋게 만들어낼 수 없었다.

기억하다시피 루이 보나파르트가 농민에게 의미하는 것은 다음과 같다. 세금은 더는 없을 것이다! 그가 대통령 집무실에 앉은 지 엿새가 지나고 이레째가 되던 12월 27일, 그의 내각은 임시정부가 폐지를 결정한 **소금세 유지**를 발의했다. 특히 시골 사람의 눈으로 볼 때 소금세는 포도주세와 같이 옛 프랑스 재정제도의 속죄양이라는 특권을 공유하고 있었다. 바로 내각은 농민이 선출한 의원의 입으로 그의 유권자들에게 다음과 같은 쓰라린 경구를 발표했다. **소금세의 부활!** 소금세와 함께 보나파르트는 그의 혁명적 소금을 잃었다 — 즉 농민 무장봉기의 나폴레옹은 희미한 상처럼 사라졌고, 정체 모를 거대한 왕당파 부르주아지의 음모를 제외하면 남은 것은 아무것도 없었다. 그리고 바로 내각이 이렇게 서투르고 거칠고 환멸스러운 행위를 대통령이 실시한 최초의 정부 행위로 만들었던 것은 어느 정도 고의적이었다.

제헌의회 측에서는 내각을 전복하고 농민이 선출한 의원과 맞서 자신들을 농민 이익의 대표자로 내세울 수 있는 이중의 기회를 몹시 잡고 싶어 했다. 제헌의회는 재무장관의 발의안을 거부하고 소금세를 이전의 3분의 1[125]로 인하했으며 따라서 5억 6천만 프랑의 재정 적자를 6천만 프랑 더 증가시켰다. 그리고 이 **불신임 투표**를 한 후에 내각의 사퇴를 조용히 기다렸다. 제헌의회는 자신의 변화된 위치와 자신을 둘러싸고 있던 새로운 세계를 거의 이해할 수 없었다. 내각의 배후에는 대통령이 있었고, 제헌의회에 불신임 표를 던진 6백만 유권자가 대통령의 배후에 있었다. 제헌의회는 국민에게 불신임 투표를 되돌려주었다. 터무니없는 교환이었다! 의회는 자신들의 투표가 강제 통용력을 상실했다는 사실을 잊고 있었다. 소금세를 거부한 것은 보나파르트와 그의 내각이 제헌의회를 "**끝장내겠다**"는 결심을 굳혀주었을 뿐이다. 제헌의회 ‖18‖ 후반기 전체를 가득 채웠던 앞에서 말한 기나긴 결전이 시작됐다. **1월 29일**, 3월 21일, 5월 8일[126]은 결정적인 위기의 날이었으며, **6월 13일**의 전조가 되는 날이었다.[127]

루이 블랑과 같은 프랑스인들은 1월 29일을 헌법상의 모순, 즉 보통선거에 의해 탄생되었으며 국민주권을 지니고 해체할 수 없는 국민의회와 대통령 간의 모순이 드러난 날로 받아들였다. 대통령은 국민의회에 대해 문서상으로는 책임을 지지만 실제로는 국민의회처럼 보통선거에 의해서 재가받았으며, 더욱이 국민의회의 개별 의원들 사이에서 수없이 분열되고 분산된 표를 모두 자신에게 결집했을 뿐만 아니라, 국민의회로서는 도덕적 힘으로서만 그것의 우위에 설 수 있었던 행정권을 완전히 장악했다는 것이다. 이와 같은 1월 29일에 관한 해석은 연단, 언론, 클럽에서의 투쟁의 언어를 투쟁의 실제 내용과 혼동하는 것이다. 루이 보나파르트 대 제헌국민의회, 그것은 한편의 헌법상 권력과 다른 한편의 헌법상 권력의 대립이 아니었다. 또한 행정권 대 입법권의 대립도 아니었으며, 부르주아 입헌공화국 자체와 그 공화국을 구성하기 위한 도구들, 즉 혁명적 부르주아 분파의 야심적인 음모와 이데

G154

올로기적 요구들과의 대립이었다. 그 분파는 공화국을 수립했고 자신들의 구성된 공화국이 복고 왕정처럼 보인다는 것을 알고 놀랐으며, 이런 상황에서 입헌 기간을 자신들의 조건들, 환상들, 언어들, 인물들로 강압적으로 장악해서 성숙한 부르주아 공화국이 완벽하고 본래적인 형태로 등장하는 것을 방해하려고 했다. 제헌국민의회가 그 의회로 돌아온 카베냐크를 대표하듯이, 보나파르트는 아직은 그와 결별하지 않았던 입법국민의회, 즉 부르주아 입헌공화국의 국민의회를 대표했다.

보나파르트의 당선은, 그 당선이 하나의 이름 대신에 그 이름의 다양한 의미를 부여함으로써, 그리고 다시 새 국민의회 선출에서 그 당선이 되풀이됨으로써 비로소 해석할 수 있었다. 구 국민의회의 위임 통치는 ||19|12월 10일에 무효화되었다. 그러므로 1월 29일에 서로 맞서고 있었던 것은 **동일한** 공화국의 대통령과 국민의회가 아니라 형성 중인 공화국의 국민의회와 이미 형성된 공화국의 대통령이었다. 즉 공화국의 생애 과정에서 전혀 다른 시기를 체현한 두 개의 권력이었는데, 하나는 소수의 부르주아 공화파로서 홀로 공화국을 선포하고 가두 투쟁과 공포 정치를 통해 혁명적 프롤레타리아트에게서 공화국을 빼앗을 수 있었으며, 공화국의 이상적 특징들을 헌법에 넣을 수 있었다. 다른 하나는 왕당파 부르주아지의 집단 전부를 가리키는 것으로 그들은 홀로 부르주아 입헌공화국에서 통치하고, 헌법에서 그 이데올로기적 장식들을 떼어내고, 공화국의 입법과 행정을 통해 프롤레타리아트를 억압하기 위해 반드시 필요한 조건들을 현실화할 수 있었다.

G155   1월 29일에 밀어닥친 폭풍우에는 1월 내내 그것을 예견케 하는 여러 조짐이 있었다. 제헌의회는 불신임 투표를 실시하여 바로 내각을 사퇴시키고 싶어 했다. 이에 반해 바로 내각도 제헌의회가 스스로에 대해 결정적인 불신임 투표를 실시하여 자폭을 결의하고, 의회 **스스로 해산**을 포고하라고 제안했다. 전혀 알려지지 않은 의원들 가운데 한 사람인 라토는 내각의 지시를 받아 1월 6일 이 동의안을 제헌의회에 제출했다. 이 제헌의회는 헌법을 보완하는 일련의 기본법을 공포할[128] 때까지 해산하지 않는다고 지난 8월에 이미 결의한 바 있었다. 내각 측의 풀드는 **"실추된 신용을 회복하기 위해서는"** 제헌의회 해산이 불가피하다고 솔직하게 제헌의회에 공언했다.[129] 그러면 제헌의회는 임시 상태를 연장하여 바로를 통해 보나파르트를, 보나파르트를 통해 구성된 공화국을 다시 의심했을 때 신용을 실추하지 않았던가? 올림포스 산과 같은 바로는 공화파 때문에 10개월 동안 기다렸다가 간신히 수

상이 되었으나, 그 즐거움을 겨우 2주도 누리지 못하고 다시 빼앗길지도 모른다고 생각하자 광란의 오를란도[130]처럼 되어버렸다. 바로는 ‖20‖ 폭군에게 대항하는 이 가엾은 제헌의회에 초강압적인 전횡을 휘둘렀다. 그가 한 가장 온건한 말은 "제헌의회에는 아무런 미래도 없다"는 것이었다. 그리고 실제로 제헌의회는 과거를 대표할 뿐이었다. 그는 역설적으로 "제헌의회는 공화국을 공고히 하는 데 필요한 제도들로 공화국을 둘러쌀 수 없을 것이다"라고 덧붙였다.[131] 그리고 그것은 사실이었다! 프롤레타리아트를 배타적으로 대립시킴과 동시에 그 의회의 부르주아적 에너지는 중단되었으며, 왕당파와 대립함으로써 그 의회의 공화주의적 열기는 다시 생기를 얻었다. 이렇게 제헌의회가 자신이 더는 포용하지 못하는 부르주아 공화국을 그에 부합하는 제도들로써 공고히 하기는 이중의 의미에서 불가능했다.

라토의 동의안 제출과 동시에 내각은 전국에서 **청원이 쇄도**하도록 유도했으며, 프랑스 전역에서 제헌의회 의장에게 다소 단호하게 의회를 자진 **해산**하고 유언장을 쓰도록 요구하는 연애편지 다발이 매일 날아들었다. 의회는 스스로 살아남을 것을 촉구하는 반대 청원을 유도했다. 보나파르트와 카베냐크 간의 선거전은 국민의회 해산의 찬반에 관한 청원 투쟁으로 재개되었다. 이 청원서들은 12월 10일에 대한 후속 평가였다고 볼 수 있다. 1월 내내 이런 선전 활동은 지속되었다.

제헌의회와 대통령 간의 갈등에서 제헌의회는 자신의 기원이었던 보통선거로 되돌아갈 수 없었다. 왜냐하면 상대방도 보통선거권에 호소했기 때문이었다. 제헌의회는 어떤 법규상의 권력에 의지할 수 없었다. 왜냐하면 합법 권력과의 투쟁이 문제가 되었기 때문이었다. 제헌의회는 1월 6일과 26일에 재차 시도한 바와 같이 불신임 투표로는 내각을 전복할 수 없었다. 그것은 내각이 제헌의회의 신임을 요구하지 않았기 때문이다. 단 한[132] 가지 가능성, 즉 **무장봉기**의 가능성만이 남아 있었다. 무장봉기의 병력은 **국민방위군**[133]**의 공화파 지지 부대, 기동국민군,**[134] 그리고 혁명적 프롤레타리아트의 중심인 **클럽들**이었다. 6월 사건의 영웅이었던 기동국민군은 6월 전에 **국립 작업장**[135]이 혁명적 프롤레타리아트의 조직적 병력을 형성했던 것과 마찬가지로 12월에 공화주의적 부르주아 분파의 조직적 병력을 형성했다. 제헌 ‖21‖ 의회의 집행위원회가 더 참을 수 없는 프롤레타리아트의 주장을 종식하지 않으면 안 되자 국립 작업장을 가차 없이 공격하도록 명령한 것처럼, 보나파르트 내각은 참을 수 없게 된 공화주의적 부르주아 분파의 주장을 종

G156

식하지 않으면 안 되자 기동국민군 공격을 명했다. 내각은 **기동국민군을 해산**하라고 명령한 것이었다. 기동국민군의 반은 해고되어 거리로 쫓겨났고, 반은 민주주의 노선 대신 군주주의 노선에 따라 조직되었으며, 그들의 급료는 상비군의 평상시 급료 수준으로 감봉되었다. 기동국민군은 자신이 6월 봉기자들의 처지와 같음을 깨달았고, 신문 지상에서는 6월에 대한 책임을 인정하며[136] 프롤레타리아트에게 용서를 빈다는[137] 기동국민군의 **공개 고백**이 날마다 실렸다.

   그러면 **클럽**은 어떻게 되었는가? 구성 중인 의회가 바로의 이름을 빌려 대통령을 문제 삼고, 대통령의 이름을 빌려 구성된 부르주아 공화정을 문제 삼고, 구성된 부르주아 공화정의 이름을 빌려 부르주아 공화정 전체를 문제 삼았던 순간부터, 2월 공화정을 구성 중인 모든 요소는 필연적으로 그 주위에 다닥다닥 늘어섰으며, 현 공화정을 타도하고 강압적인 퇴행 과정을 통해 자신의 계급적 이해관계와 원칙을 지닌 공화정으로서 재편하고자 하는 모든 정당도 그 주위에 다닥다닥 늘어섰다. 한번 일어난 것은 다시 일어나지 않듯이, 혁명운동의 결정체는 다시 유동적이 되었다. 정당들이 싸워 쟁취하려 한 공화정은 다시 2월 당시의 불분명한 공화정이었으며, 각 정당은 그 공화국에 대한 결정권을 갖고 있었다. 잠시 동안 정당들은 2월 당시의 자기 입장을 다시 받아들였지만 2월의 환상을 공유하지는 않았다. 《르 나시오날》의 삼색기 공화파는 다시 《라 레포름》의 민주주의 공화파에게 의지했으며, 그들을[138] 전위대로서 의회 투쟁의 선봉에 내세웠다. 민주주의 공화파는 다시 사회주의 공화파들에게 의지했으며 ── 1월 27일 공개 선언을 통해 그들의 화해와 동맹을 알린 바 있었다 ── 클럽에서는 그들의 무장봉기 배경을 마련했다. 내각 측 언론은 당연히 《르 나시오날》의 삼색기 공화파를 ||22| 부활한 6월의 봉기자들로 다뤘다.[139] 내각 측 언론은 부르주아 공화정의 선봉에 계속 서 있기 위해서 부르주아 공화정 자체를 문제 삼았다. 1월 26일 각료 포셰는 결사권에 관한 법안을 발의했으며, 그 첫 구절은 "**클럽들은 금지된다**"라고 되어 있었다.[140] 그는 이 법안을 즉시 긴급히 논의해야 한다고 동의안을 제출했다. 제헌의회는 긴급 동의안을 거부했으며, 1월 27일 르드뤼롤랭은 내각이 헌법을 위반했다고 탄핵하는 의안을 230명의 서명을 받아서 내놓았다. 그러한 행위가 재판관[141] 즉 의회 다수파의 무능함을 경솔하게 드러낸 짓이거나,[142] 이들 다수파 자체에 대한 고소인의 무능한 항의에 불과한 때에[143] 내각을 탄핵하는 것은[144] 유복자로 태어난 산악당[145]이 이때부터

극적인 위기 때마다 연출한 위대한 혁명적 비책이었다. 가엾은 산악당이여! 그들은 자기 이름의 무게만큼이나 짓눌렸다!

5월 15일 블랑키, 바르베스, 라스파유 등은 파리 프롤레타리아트의 선봉에 서서 의사당에 침입함으로써 구성 중인 의회를 무너뜨리려 했다.[146] 바로는, 의회의 자진 해산을 강요하고 의사당의 문을 닫고자 함으로써, 동일한 의회에 하나의 도덕적인 5월 15일을 마련해주었다. 동일한 의회에서는 바로에게 5월의 피고인들에 대한 공식 조사[147]를 위임했고,[148] 이제 그는 의회 앞에 왕당파의 블랑키로서 나타나고, 의회가 그에게 대항하는 동맹군을 혁명적 프롤레타리아트, 즉 클럽이나 블랑키파에서 찾은 순간, 바로 이 순간에 무자비한 바로는 5월의 죄수들을 배심 재판에서 빼내서 《르 나시오날》파가 고안해낸 고등법원, haute cour로 넘기자는 제안으로 의회를 괴롭히고 있었다. 각료직을 들쑤신 두려움이 바로와 같은 머리에서 보마르셰에 필적할 만한 그런 점들을 뿜어낼 수 있었던 것이 얼마나 놀라운가! 국민의회에서는 오랜 망설임 끝에 그의 제안을 받아들였다. 5월 사건의 저격범들에게 등을 돌림으로써 국민의회는 자신의 정상적인 성격으로 돌아갔다.

|23| 제헌의회가 대통령과 각료들에 대해 **무장봉기**를 일으켰다면, 대통령과 내각은 제헌의회에 대해 쿠데타를 일으켜야 했다. 그 이유는 그들이 제헌의회를 해산할 합법적 수단이 없었기 때문이다. 그러나 제헌의회는 헌법의 모체였으며, 헌법은 대통령의 모체였다. 대통령은 쿠데타를 통해 헌법을 찢어버렸고 자신의 공화주의적인 법적 칭호를 지워버렸다. 그다음에 그는 황제라는 법적 칭호를 끄집어내려고 했다. 이 황제라는 법적 칭호는 오를레앙파의 법적 칭호를 상기시켰고, 이 두 법적 칭호는 정통 왕조파의 법적 칭호 앞에서 창백해졌다. 합법적 공화정의 몰락은 그 공화정의 가장 극단적인 상대인 정통 왕조파의 군주정을 높이 밀어 올렸을 뿐이다. 이때 오를레앙파는 2월의 패배자, 보나파르트는 12월 10일의 승리자에 불과했고, 공화주의를 찬탈한 이 양자는 마찬가지로 자신들이 찬탈한 군주정이라는 칭호만을 내밀 수 있었을 때였다. 정통 왕조파는 절호의 시기임을 알고 공공연히 음모를 꾸몄다. 그들은 샹가르니에 장군에게서 자신들의 **멍크** 장군을 찾을 수 있었다. **백색 군주정**의 도래는, **적색 공화정**의 도래가 프롤레타리아트의 클럽에서 예견된 바와 같이, 그들의 클럽에서 공공연히 예견되었다.

내각은 폭동을 운 좋게 진압함으로써 모든 난관을 극복하려고 했다. "합법성이 우리를 죽인다"라고 오딜롱 바로가 외쳤다. 폭동이 일어나면 공공의

G158

안녕(salut public)을 구실로 제헌의회를 해산하고, 헌법 자체를 위해 헌법을 위반하는 것이 허용될 것이었다. 국민의회에서 행한 오딜롱 바로의 잔인한 행위, 즉 클럽 해산 동의안, 50명의 삼색기파 지사들을 요란하게 파면하고 이들을 왕당파로 교체한 것, 기동국민군 해체와 그들의 지도자에 대한 샹가르니에의 학대, 기조 치하에서는 가르칠 수 없었던 레르미니에[149] 교수의 복직, 정통 왕조파의 호언장담에 대한 묵인 등 — 이 모든 조치는 폭동을 도발하는 것이었다. 그러나 폭동은 침묵을 지켰다. 폭동은 제헌의회의 신호를 기대했지 내각의 신호를 기다린 것은 아니었다.|

|24| 드디어 1월 29일이 왔다. 그날은 라토의 동의안을 무조건 거부하는 마티외(드 라 드롬)의 동의안이 결정되는 날이었다.[150] 정통 왕조파, 오를레앙파, 보나파르트파, 기동국민군, 산악당, 클럽 등 모두가 각기 표면상의 적들이자 표면상의 동맹자들에 대해 음모를 꾸몄다. 보나파르트는 말을 타고 콩코르드 광장에서 일부 부대를 열병하고, 샹가르니에는 대규모로 전략적 기동 훈련을 하는 척했으며, 제헌의회는 군대가 의사당을 점령했음을 알았다. 모든 희망, 두려움, 기대감, 흥분, 긴장, 음모가 교차하고 있던 중심지인 이 의회, 이 용맹한 의회는 자신이 어느 때보다도 세계정신에 가장 가까이 다가갔을 때 잠시도 머뭇거리지 않았다. 의회는 마치 자신의 무기 사용을 무서워할 뿐만 아니라 적의 무기도 손상하지 않고 보존해야 한다고 느낀 투사와 같았다. 의회는 죽음을 두려워하지 않으며 자신의 사형 선고에 서명하고 라토의 동의안에 대한 무조건적 거부안을 부결했다. 심지어 계엄 상태에서도 의회는 계엄 상태의 파리를 필수 범위로 설정했던 제헌 활동에 제한을 가했다. 의회는 다음 날 내각이 1월 29일에 불어 넣은 공포를 조사(enquêt)함으로써 자기 수준에 걸맞게 복수했다. 산악당은 이러한 대음모의 희극에서 싸움을 알리는 경고자로서《르 나시오날》파에게 이용당함으로써 혁명적 에너지와 정치적 이해가 부족하다는 것을 입증했다.《르 나시오날》파는 부르주아 공화정이 수립되는 동안 누렸던 독점적 통치를 구성된 공화국에서도 계속 유지하기 위해 최후의 시도를 한 것이었다. 그러나 그 시도는 실패했다.

1월 위기에서는 제헌의회의 존속이 문제였다면, 3월 21일의 위기에서는 헌법의 존속이 문제였다. 1월 위기는《르 나시오날》파 사람들이 문제였으며, 3월 위기는 그들의 이상이 문제였다. 말할 필요도 없이, 예의 바른 공화주의자들은 그들의 이데올로기에 대한 찬양을 통치권의 세속적 향유보다 더 값

싸게 포기했다.|

|25|3월 21일 국민의회 의사일정에는 포셰의 결사권 금지안, 즉 **클럽 폐쇄안**이 상정되어 있었다.[151] 헌법 제8조는 모든 프랑스인의 결사권을 보장하고 있다.[152] 그러므로 클럽 금지는 명백히 위헌이었으며, 제헌의회가 직접 자신의 신성 모독을 성인 명부에 올린 것이었다. 그러나 클럽, 이곳은 혁명적 프롤레타리아트의 집결지, 즉 음모의 거처였다. 국민의회 자신은 자신의 부르주아지에게 대항하는 노동자의 단결을 금지했다. 그리고 클럽, 그것이 전체 부르주아 계급에 대항하는 전체 노동자계급의 단결이자 부르주아 국가에 대항하는 노동자 국가의 건설이 아니면 무엇이겠는가? 그것이 프롤레타리아트의 제헌의회들, 전투 준비를 갖춘 반란 부대가 아니면 무엇이겠는가? 헌법이 무엇보다도 먼저 제정해야 할 것은 부르주아지의 통치였다. 그러므로 헌법은 분명하게 결사권을 부르주아지의 통치, 즉 부르주아 질서에 부합하는 결사로만 이해했을 것이다. 헌법이 이론적 품위에 맞게 포괄적으로 표현한 것이었다면, 정부와 국민의회는 특별한 경우에 그 헌법을 해석하고 적용하기 위해 존재했던 것은 아니겠는가? 그리고 공화정 초창기에 클럽들이 실제로 계엄령을 통해서 금지되었다면, 그 클럽들은 법제화된 입헌공화정에서는 법률을 통해서 금지해야 하지 않겠는가? 삼색기 공화파는 헌법에 대한 이런 단조로운 해석에 대항해 헌법의 과장된 구절들만을 내세웠다. 그들 가운데 파뉴르, 뒤클레르 등 일부는 내각에 표를 던졌고,[153] 그로써 과반수를 이루게 했다. 대천사 카베냐크와 교부 마라스트를 선두로 한 나머지 사람들은 클럽 금지 조항이 통과된 후, 르드뤼 롤랭 및 산악당과 함께 특별위원회 회의실로 물러나[154] "거기서 협의를 했다". 국민의회는 이제 의결 정족수가 모자랐으므로 마비 상태에 이르렀다. 바로 그때 크레미외는 특별위원회 회의실에서 이제부터 방법은 거리로 직접 나가는 ||26| 것이며, 지금은 1848년 2월이 아니고 1849년 3월임을 일깨웠다.《르 나시오날》파는 갑자기 사태를 깨닫고 국민의회 의사당으로, 그 뒤를 이어서 재차 속임수에 넘어간 산악당이 국민의회 의사당으로 돌아갔다. 산악당은 혁명적 열망에 사로잡혀 끊임없이 괴로워하면서도 입헌적인 가능성에 끊임없이 집착했고 여전히 혁명적 프롤레타리아트의 전위보다 부르주아 공화파의 후위가 자기에게 더 적절한 자리라고 느꼈다. 이렇게 희극이 연출되었던 것이다. 그리고 제헌의회 자신은 헌법 조문을 위반하는 것이 글자 그대로의 의미에 맞게 헌법을 유일하게 실현하는 것이라고 포고했다.

해결되지 않은 것은 오직 하나, 구성된 공화국과 유럽의[155] 혁명과의 관계, 즉 **대외 정책**의 문제만이 남아 있었다. 1849년 5월 8일 수일 내로 회기가 끝나기로 되어 있던 제헌의회는 평소와 달리 긴장된 분위기가 지배했다. 프랑스군의 로마 침공, 로마군의 프랑스군 격퇴, 프랑스 공화국의 정치적 불명예와 군사적 수치, 프랑스 공화국의 로마 공화국 암살, 제2보나파르트의 1차 이탈리아 원정 등의 문제가 의사일정에 올라 있었다. 산악당은 한 번 더 큰 승부수를 던졌다. 르드뤼 롤랭은 불가피하게 헌법 위반을 이유로 내각에 대한, 그리고 이번에는 보나파르트까지도 포함한 탄핵 소추안을 의장의 탁자 위에 내놓았다.[156]

5월 8일의 주제는 후에 다시 6월 13일의 주제가 되었다. 로마 원정에 관하여 상세히 살펴보기로 하자.

1848년 11월 중순에 카베냐크는 이미 치비타베키아에 함대를 파견하여 교황을 보호하고, 그를 배에 태워 프랑스로 인도해 오려 했다. 교황은 예의 바른 공화국을 축복하고 카베냐크의 대통령 당선을 보장한다고 했다. 카베냐크는 교황으로 성직자를, 성직자로 농민을, 농민으로 대통령직을 낚아채려고 했다. 선거운동이 직접적인 목적이었던 카베냐크의 원정은 동시에 로마 혁명의 저지와 위협이었다. 이 원정은 교황을 위한 프랑스 개입을 맹아적 형태로 담고 있었다.

|27| 오스트리아 및 나폴리와 연합하여 교황 편에 선 이러한 로마 공화국에 대한 간섭은 12월 23일 처음 소집된 보나파르트의 국무회의에서 결정되었다. 팔루가 내각에 있다는 것, 그것은 로마, 그것도 교황청 로마의 교황이 거기에 있다는 것을 의미했다 —.[157] 보나파르트는 농민의 대통령이 되기 위해서라면 더는 교황이 필요하지 않았으나, 농민의 대통령을 보존하기 위해서는 교황의 보존이 필요했다. 농민의 쉽게 믿는 성향이 그를 대통령으로 만들었던 것이다. 농민은 신앙을 통해서 쉽게 믿는 성향을 잃어버렸고, 교황을 통해서 신앙을 잃어버렸다. 그래서 오를레앙파와 정통 왕조파 연합이 보나파르트의 이름을 빌려 통치하지 않았는가! 왕이 복귀하기 전에, 왕들을 신성화해주는 권력이 복고되어야만 했다. 그들의 왕정주의를 별도로 하더라도, 교황의 세속적 통치에 예속된 과거의 로마가 없으면 교황도 없고, 교황이 없으면 가톨릭도 없으며, 가톨릭이 없으면 프랑스의 종교도 없는데, 종교가 없으면 과거의 프랑스 사회는 어찌 되었겠는가? 농민이 천상의 재산에 대해 지니는 저당권은 부르주아지가 농민의 재산에 대해 지니는 저당권

을 보장하는 것이다. 로마 혁명은 그 때문에 6월 혁명처럼 소유물과 부르주아 질서에 대한 매서운 저격이었다. 프랑스에서 복구된 부르주아 지배는 로마에서 교황 지배의 복고를 필요로 했다. 결국 로마 혁명가들에게 타격을 가하는 것은 프랑스 혁명가들의 동맹 세력에게 타격을 가하는 것이었으며,[158] 이미 구성된 프랑스 공화국의 반혁명 계급 동맹은 당연히 프랑스 공화국과 신성동맹, 즉 나폴리와 오스트리아의 동맹을 보충했다. 12월 23일 국무회의 결정 사항은 제헌의회에 비밀이 아니었다. 1월 8일에 르드뤼 롤랭은 이미 그와 관련하여 내각에 질의를 했으나, 내각은 이를 부인했으므로 국민의회는 원래의 의사일정대로 넘어갔다. 국민의회는 내각의 말을 믿었는가? 주지하다시피 국민의회는 1월 한 달을 내각 불신임 투표건[159]으로 소모했다. 그러나 거짓말을 하는 것이 내각의 역할이었다면, 그 내각의 거짓말을 믿는 체하면서 동시에 공화주의적 체면을 살리는 것이 국민의회의 역할이었다.|

|28| 한편 피에몬테는 점령당했고, 카를 알베르트 왕은 퇴위했으며, 오스트리아군은 프랑스의 문을 노크했다. 르드뤼 롤랭은 거세게 질의했다. 내각은 북부 이탈리아에서[160] 카베냐크의 정책을 지속하는 것뿐이며, 카베냐크는 임시정부의 정책, 즉 르드뤼 롤랭의 정책을 지속한 것뿐이라고 해명했다. 이때는 내각이 심지어 국민의회로부터 신임 투표를 거쳐 신임을 획득했고, 사르데냐 영토 보전과 로마 문제에 관한 오스트리아와의 강화 협상을 지원하기 위해 북부 이탈리아의 적임지를 일시적으로 점령하도록 위임받았던 때였다.[161] 주지하다시피 이탈리아의 운명은 북부 이탈리아의 전쟁터에 좌우된다. 그러므로 롬바르디아와 피에몬테가 함락됨으로써 로마도 함락되든지 아니면 프랑스가 오스트리아에, 따라서 유럽의 반혁명에 선전 포고를 해야 했다. 국민의회는 갑자기 바로 내각을 예전의 공안위원회로 생각했는가? 아니면 자신을 국민공회로 생각했는가? 그렇다면 왜 북부 이탈리아의 한 지점을 군사적으로 점령했는가? 로마 원정은 이렇듯 속이 비치는 베일에 싸여 있었다.

4월 14일 1만 4천 명이 우디노 지휘하에 치비타베키아로 항해했고, 4월 16일 국민의회는 내각에 3개월간의 지중해 개입 함대 유지비 명목으로 120만 프랑의 채권을 발행하도록 승인했다. 이렇게 국민의회는 내각이 오스트리아에 개입하게 하는 척하면서 로마에 개입할 수 있는 온갖 수단을 내각에 주었다. 국민의회는 내각이 한 짓을 보지는 못했고, 내각이 말한 것을 들었을 뿐이었다. 그러한 신앙은 이스라엘에서도 찾아볼 수 없는 것이었다.

G162

제헌의회는 구성된 공화국이 해야만 하는 것을 알면 안 되는 처지로 전락하고 말았다.

마침내 5월 8일에 희극의 마지막 장이 공연되었다. 제헌의회는 이탈리아 원정이 본래의 목표로 되돌아오게끔 즉각 조치를 취하라고 내각에 촉구했다. 보나파르트는 그날 저녁 《르 모니퇴르 위니베르셀》에 우디노에게 최대의 찬사를 아끼지 않는 편지를 발표했다.[162] 5월 11일 국민의회는 바로 그 보나파르트와 그의 내각에 대한 탄핵 소추안을 부결했다. 그리고 이런[163] 속임수의 올가미를 찢어버리는 대신 그 스스로 의회에서 푸키에-탱빌[164]의 역할을 맡기 위해 의회의 ||29| 희극을 비극적으로 받아들인 산악당은 국민공회라는 빌려온 사자 가죽[165] 밑에서 타고난 소부르주아적 송아지 가죽을 드러내 보인 것이 아니겠는가![166]

제헌의회의 회기 후반은 다음과 같이 요약할 수 있다. 1월 29일 의회는 왕당파의 부르주아 분파가 그들이 구성한 공화국의 상석에 있음을 당연한 것으로 인정했으며, 3월 21일에는 헌법 위반이 헌법의 실현임을 인정했고, 5월 11일에는 프랑스 공화국과 민족 해방투쟁 중인 민족들 간의 과대 선전된 소극적 동맹이 유럽의 반혁명 세력과의 적극적 동맹을 의미한다고 인정했다.[167]

이 가엾은 의회는 6월 봉기자들의 사면 동의안을 부결한 뒤 스스로 만족한 채 의회 발족 기념일인 5월 4일 이틀 전에 무대를 떠났다. 의회 세력은 파괴되었고, 인민에게 끔찍이 혐오받았으며, 의회를 자신의 도구로 사용하던 부르주아지에게는 거절당하고 학대받고 경멸적으로 버림받았다. 또한 과거의 거창한 업적도 없이, 미래에 대한 희망도 없이, 그리고 자신의 생명체가 조금씩 소멸되는 가운데 회기 후반기에 전반기를 부정해야 했고, 공화주의적 환상들[168]을 빼앗겼다. 의회 세력은 6월의 승리를 부단히 소환한 다음에 다시[169] 그 승리에 생명을 불어넣고, 단죄된 것들을 끊임없이 다시 단죄함으로써 자신을 확증하는 동안 자신의 시체에 단지 전기 충격만을 준다는 것을 알았다. 6월 봉기자들의 피를 빨아먹었던 흡혈귀!

6월 무장봉기 비용, 소금세 결손,[170] 흑인 노예제를 폐지한 대가로 농장주들에게 할당한 보상금, 로마 원정 비용, 임종 때 누워 있으면서 폐지를 결정한 포도주세의 결손 등으로 늘어난 국가 적자를 유산으로 남긴 의회 세력은 웃고 있는 상속인에게 망신스러운 노름빚을 지워서 다행이라면서 고소해하는 늙은이와 같았다.

222

3월 초부터 **입법국민의회**를 위한 선거운동이 시작되었다. 양대 주요 집단인 **질서**||30|**당**과 민주-**사회주의당** 또는 **적색당**이 서로 반목했고,[171] 그 중간적 위치에 **헌법의 벗들**이 있었으며, 그[172] 이름으로《르 나시오날》의 삼색기 공화파가 창당하려 했다. **질서당**은 6월 사건 직후에 결성되었고, 12월 10일 이후에야 비로소《르 나시오날》, 즉 부르주아 공화파 패거리와 결별하고, 자신이 **오를레앙파**와 **정통 왕조파**가 하나의[173] **당**으로 **연합**한 존재라는 비밀을 드러냈다. 부르주아 계급은 양대 분파로 갈라섰으며, 왕정복고하의 **대토지 소유자**와 **7월 왕정**하의 **금융귀족** 및 **산업 부르주아지**가 번갈아서 지배권의 독점을 유지했다. **부르봉!**은 전자의 이해에 결정적인 영향력을 행사하는 왕가의 명칭이며,[174] **오를레앙!**은[175] 후자의 이해에 결정적인 영향력을 행사하는 왕가의 명칭이다. **이름 없는 공화정 왕국**은 두 파가 동등한 세력으로 상호 간의 경쟁을 포기하지 않은 채 공통된 계급 이해를 유지할 수 있었던 유일한[176] 장소였다. 만일 부르주아 공화정이 전체 부르주아 계급의 완벽하고 명시적인 지배임이 틀림없다면, 그것은 정통 왕조파로 충원된 오를레앙파의 지배이자, 오를레앙파로 충원된 정통 왕조파의 지배, 즉 **왕정복고와 7월 왕정**[177]의 종합이 아니고 무엇이겠는가?《르 나시오날》의 부르주아 공화파는 경제적 기반에 입각한 그들 계급의 어느 대파벌도 대변하지 않았다. 그들은 단지 자신들의 **특수한** 체제를 장악했을 뿐인 양대 부르주아 분파에 대항함으로써, 왕정 치하에서 부르주아 계급 전반에 걸친 체제, 즉 **이름 없는 공화정 왕국**을 주장했다는 점에서만 그 의미와 역사적 칭호를 지닐 뿐이었다. 이 공화정은 그들이 이상화하고 고대 아라베스크식으로 꾸민 것이지만 그들은 거기서 무엇보다 자기 패거리의 지배를 환영했다.《르 나시오날》파가 자신이 건립한 공화국의 정상에 연합 왕당파가 있음을 파악하고 나서 정신적 혼란이 가중되었다면, 이들 왕당파 자신도 마찬가지로 연||31|합 통치라는 사실로 자신을 기만하고 있었던 것이다. 이들은 이 분파들 각자가 따로 분리해서 살펴보면 왕당주의적이었고, 이 분파들의 화학적 결합의 산물은 당연히 **공화주의적**일 수밖에 없었으며, 백색 군주정과 청색 군주정은 삼색기 공화정에서 중화될 수밖에 없다는 점을 파악하지 못했다. 혁명적 프롤레타리아트와의 대립과 이 계급을 중심으로 해서 그 주위로 점점 쇄도하는 과도적인 계급들[178] 때문에 어쩔 수 없이[179] 자신들의 연합된 힘을 모으고, 이 연합된 힘을 지닌 조직을 보존하기 위해 질서당의 각 분파는 다른 분파의 왕정복고와 월권의 욕망을 반대하면서 공동 지배, 즉 **공화주의적 형태**

G164

의 부르주아 지배를 주장해야만 했다. 이렇게 우리는 이들 왕당파가 처음에는 즉각적인 왕정복고를 믿으며, 나중에는 공화주의적 형태에 입으로는 노발대발하면서 끔찍한 욕설을 퍼부으면서도 그것을 보존하고, 결국에는 그들이 공화정에서만 화합할 수 있고 왕정복고를 무기한 연기한다고 고백했음을 알고 있다. 연합 지배 자체를 누리면서 두 분파는 각기 강해졌지만, 왕정을 복고하기 위해 각각 다른 분파 밑으로 들어갈 능력도 의지도 없었다.

질서당은 선거 강령에서 부르주아 계급 지배, 즉 그들 지배의 존립[180] 조건인 **재산, 가족, 종교, 질서** 등의 유지를 선언했다! 질서당은 자신들의 계급 지배와 계급 지배의 조건들을 당연히 문명의 지배와 물질적 생산의 필수 조건들 및 이로부터 유래하는 사회적 교류 관계들로 내세웠다. 질서당은 막대한 자금을 장악했고, 프랑스 전역에 지부를 조직했으며, 과거 사회의 모든 이데올로그에게 보수를 지급했고, 현 정권의 영향력을 마음대로 사용했으며, 혁명운동과 한참 떨어져 있으면서 자기들의 소규모 재산과 그 재산에 대한 소소한 편견을 지닌 자연적 대변자가 재산이 많은 고관들이라고 생각한 소부르주아지와 농민 대중 전체를 무보수 가신들의 군대로 보유했다. 나라 전체에 무수한 군소 군||32|주들을 대변하는 질서당은, 그들의 후보자를 배척하면 반란죄로 처벌할 수 있었고, 반역적인 노동자, 반항적인 소작농, 하인, 점원, 철도 직원, 서기, 그리고 시민 생활에서 질서당에 예속된 모든 직원을 해고할 수 있었다. 결국 질서당은 공화주의적 제헌의회가 12월 10일 경이적인 힘을 보여준 보나파르트를 저지했다고 하는 착각을 곳곳에서 유지할 수 있었다. 우리는 질서당에서 보나파르트주의자를 상상하지 않았다. 보나파르트주의자는 부르주아 계급의 주요 분파는 아니었고, 오히려 늙고 미신에 빠진 상이군인들과 젊고 신앙심이 없는 모험가들의 집합이었다. ─ 질서당은 선거에서 승리했고, 대다수를 입법의회에 보냈다.[181]

연합된[182] 반혁명적 부르주아 계급에 반대하면서 이미 혁명화된 소부르주아지와 농민계급의 일부는 당연히 혁명적 이해관계의 주도자인 혁명적 프롤레타리아트와 합세해야만 했다. 우리는 앞서 원내 소시민층 민주파의 대변자들, 즉 산악당이 의회에서 패배하여 어떻게 프롤레타리아트의 사회주의적 대변자들로, 그리고 원외에서 실제의 소시민층이 화해 협약(concordats à l'amiable)을 통해, 부르주아지 이해를 잔인하게 관철하는 것을 통해, 파산을 통해 어떻게 실제의 프롤레타리아트로 내몰렸는지 살펴보았다.[183] 1월 27일 산악당과 사회주의자들은 그들의 화해를 축하했으며, 1849년 2월의 대연회에서 그들은 연합 행위를 되풀이했다. 사회당과 민주당, 즉 노동자당과 소부르주아지당은 **사회-민주당**, 즉 **적색당**으로 통합되었다.[184]

6월 사건에 뒤이은 단말마로 잠시 마비되었던 프랑스 공화정은 계엄 상태가 해제된 10월 14일 이후 끊임없이 정신없이 일어나는 소동들을 경험했다. 처음에는 대통령직을 둘러싼 투쟁,[185] 그다음에는 대통령과 제헌의회 간의 투쟁,[186] 클럽을 둘러싼 투쟁, 뷔르주의 재판 등이 있었다. 특히 이 재판은 대통령, 연합 왕당파, 예의 바른 공화파, 민주파 산악당, 프롤레타리아트의 사회주의적 ‖33‖ 공론가들 등의 사소한 인물과는 대조적으로 실제 프롤레타리아트 혁명가를, 사회-표면에 대홍수만을 남겼거나 그 사회적 대홍수를 앞장서서 이끌 수 있는 원시 시대의 괴물로 보이게 했다.[187] 또한 선거운동, 브레아 장군 살해범의 처형,[188] 끊임없는 언론 소송, 정부의 경찰력을 동원한 연회에 대한 폭력적 개입, 왕당파의 뻔뻔한 도발, 형틀을[189] 쓴 루이 블랑과 코시디에르의 초상화 전시, 구성된 공화국과 제헌의회 간의 끊임없는 투쟁 등으로 인해 매 순간 혁명은 원점으로 돌아갔고, 매 순간 승자는 패자로 패자는 승자로 바뀌었으며, 순식간에 정당과 계급의 위치, 이것들의 분열과 결합이 뒤바뀌었다. 그리고 유럽 반혁명의 신속한 행진, 헝가리인의 찬란한 투쟁, 독일의 무장봉기, 로마 원정, 로마 앞에서 겪은 프랑스군의 치욕스러운 패배[190] — 이러한 운동의 소용돌이에서, 이러한 역사적 소요의 고통 속에서, 이러한 극적인 혁명적 열정, 희망과 실망의 썰물과 밀물 속에서, 프랑스 사회의 다양한 계급들은 각기 과거에는 발전 시기를 반세기로 계산했으나 이제는 매주 계산해야만 했다. 농민과 지방의 상당 부분이 혁명화되었다. 그들은 나폴레옹에게만 실망한 것이 아니었다. 적색당은 그들에게 명목 대신에 내용을, 환상적인 세금 면제 대신에 정통 왕조파에게 지불했던 10억 프랑[191]의 상환, 저당권 규제, 고리대금업 폐지를 제시했다.

G166

군대마저도 혁명의 열병에 감염되었다. 군대는 승리를 위해 보나파르트에게 투표했지만, 보나파르트는 군대에 패배를 안겨주었다. 군대는 위대한 혁명적 장군상을 숨기고 있는 키가 작은 하사관[192]을 위해 보나파르트에게 투표했지만, 보나파르트는 각반이 어울리는 하사관상을 감추고 있는 대장군들을 군대에 다시 제공했다. 적색당, 즉 민주파 연합이 승리를 거두지 못했지만 일대 개가를 올릴 수 있었다는 것, 즉 파리와 군대 그리고 대부분의 지방에서 적색당에 투표할 것이라는 점은 의심의 여지가 없었다. 산악당의 지도자 ‖34‖ **르드뤼 롤랭**은 다섯 지구[193]의 지지로 당선되었다. 질서당의

지도자는 어느 누구도 그러한 승리를 쟁취하지는 못했으며, 그것은 진정한 프롤레타리아트파 소속의 어느 후보자도 마찬가지였다. 이 선거는 민주-사회당의 비밀을 우리에게 드러내주었다.[194] 한편으로 민주파 소시민층의 원내 전위 투사인 산악당이 프롤레타리아트의 사회주의적 공론가들과 연합해야 했다면 — 프롤레타리아트는 6월의 치명적인 물질적 패배로 인하여 정신적 승리를 통해 다시 일어설 수 있었지만, 아직은 그 밖의 다른 계급들의 발전을 통해 혁명적 독재를 장악할 수 없었기 때문에, 자신의 해방에 관한 공론가들, 즉 사회주의 종파의 창설자들 품에 자신의 몸을 던져야 했다 — 다른 한편으로 혁명적 농민, 군대와 여러 지방이 산악당의 배후에 서 있었기 때문에 산악당은 혁명군 진영의 지휘자가 되었으며, 사회주의자들과 합의를 통해 혁명파에 내재한 모든 대립을 없앴다. 제헌의회 후반기에 산악당은 농민, 군대, 지방의 공화주의적 파토스를 대변했고, 임시정부 시절의, 집행위원회 시절의,[195] 6월 사건 당시의 죄를 잊어버렸다. 《르 나시오날》파가 어정쩡한 태도 때문에 왕당파 내각에 의해 납작해진 것과 마찬가지로,《르 나시오날》파가 전권을 발휘하는 동안에 배제되었던 산악당은 혁명의 의회 대표로 거드름을 피웠다. 사실《르 나시오날》파는 명예욕이 강한 사람들과 이상주의적 사기꾼을 제외하면 다른 왕당파에 반대할 이유가 없었다. 이에 반해 산악당은 부르주아지와 프롤레타리아트 사이에서 동요하는 대중을 대표했고, 대중은 자신들의 물질적 이해를 위해 민주주의적 제도를 요구했다. 따라서 카베냐크파와 마라스트파에 비하면 르드뤼 롤랭과 산악당은 혁명의 진리 편에 서 있었으며, 이런 중요한 상황을 인식하면서, 이들은 혁명적 에 G167 너지의 분출이 오로지 상투어에 불과했던 의회 공격, 탄핵 소추안 제출, 위협, 격앙된 목소리, 우레와 같은 연설 등의 극||35|단으로 제한될수록 더욱 큰 용기를 북돋웠다. 농민은 소부르주아지와 거의 같은 상태에 있었고, 거의 같은 사회적 요구사항을 제안했다. 그러므로 사회의 중간층 전체는 그들이 혁명운동에 내몰리는 한 자신의[196] 혁명적 영웅을 르드뤼 롤랭에게서 찾아야 했다. 르드뤼 롤랭은 민주파 소시민계급의 저명 인사였다. 질서당에는 반대하면서, 반은 보수적이고, 반은 혁명적이며, 전체적으로는 현 질서에 대한 유토피아적인 개혁가들이 일단 선봉에 설 수밖에 없었다.

《르 나시오날》파, "무슨 일이 있어도(quand même) 헌법의 벗들", 강경한 공화주의자(républicains purs et simples)는 선거에서 완전히 패배했다. 그들 중 극[197]소수만이 입법의회에 진출했으며, 가장 악명 높은 지도자들도 그리고 심지어 (《르 나시오날》의 ― 옮긴이) 편집장이자 예의 바른 공화국의 오르페우스인 마라스트마저도 무대에서 사라졌다.

5월 28일[198] 입법의회가 소집되었으며, 6월 11일에는 5월 8일의 충돌이 재개되었고, 산악당의 명의로 르드뤼 롤랭은 헌법 위반과 로마 포격을 이유로 대통령과 내각의 탄핵 소추안을 제출했다. 제헌의회가 5월 11일 탄핵 소추안을 부결한 것처럼 6월 12일 입법의회도 그것을 부결했다. 프롤레타리아트는 이때 산악당을 거리로 내보냈지만 이들은 가두 투쟁이 아닌 가두 행진을 했다. 이 운동이 패배했다는 사실, 1849년 6월이 1848년 6월의 하찮고 가소로운 희화였다는 사실은 산악당이 이 운동의 선봉에 서 있었다는 것을 말해두는 것만으로도 충분히 납득할 수 있다. 6월 13일의 거창한 퇴각은 질서당이 즉석에서 만들어낸 위인인 샹가르니에의 더욱 거창한 전투 보고만으로도 무색해졌다.[199] 모든 사회 시대는 위대한 인물들을 필요로 하며, 위대한 인물들을 찾아내지 못하면 엘베시우스의 말처럼 시대가 위대한 인물들을 창조해낸다.[200]

12월 20일에는 아직 구성된 부르주아 공화국의 절반, 즉 **대통령**만이 존재했으나, 공화국은 5월 29일 나머지 절반에 해당되는 ‖36‖ **입법의회**로 보완되었다. 1848년 6월에는 구성하는 부르주아 공화국이 프롤레타리아트에게 대항해 이루 말로 할 수 없는 전투를 함으로써, 1849년 6월에는 구성된 부르주아 공화국이 소시민층과[201] 말도 안 되는 희극을 연출함으로써 역사의 출생 기록부에 등재되었다. 1849년 6월은 1848년 6월[202]의 인과응보였다. 1849년 6월에 패배한 것은 노동자들이 아니라 노동자와 혁명 사이에 있던 소시민층이었다. 1849년 6월은 임노동과 자본 간의 유혈이 낭자한 비극이 아니라 감옥을 채우는[203] 채무자들과 채권자들 사이의 통탄할 만한 연극이었다. 질서당은 승리했고 전권을 장악했으며, 이제는 자신의 참모습을 드러내야만 했던 것이다.

G168

|1| III. 1849년 6월 13일의 결과.[204]

12월 20일 **입헌공화정**의 야누스적 머리는 아직 하나의 얼굴, 즉 루이 보나파르트의 몽롱하고 밋밋한 특징을 지닌 행정적 얼굴만을 드러냈다. 1849년 5월 28일[205] 입헌공화정은 그 두 번째 얼굴, 즉 왕정복고와 7월 왕정의 방탕한 생활이 남긴 상처로 얼룩진 **입법적** 얼굴을 드러냈다. 입법국민의회와 더불어 **입헌공화정**의 모습, 즉 공화제적 국가 형태가 완성되었다. 이 가운데서 부르주아 계급의 지배가, 즉 프랑스 부르주아지를 구성하는 양대 왕당파인 정통 왕조파와 오를레앙파가 연합한 **질서당**의 공동 지배가 확립되었다. 프랑스 공화국이 이렇게 연합 왕당[206]파의 소유물이 되는 동안, 때를 같이해서 유럽의 반혁명 열강 연합은 3월 혁명의 최후 피신처들에 대한 전면적인 십자군 운동을 개시했다. 러시아는 헝가리를 침공했고, 프로이센은 제국헌법을 옹호하는 군대를 향해 진군했으며, 우디노는 로마를 포격했다. 유럽의 위기는 분명히 결정적인 전환점을 맞이하고 있었다. 유럽의 모든 시선은 파리로 향했고, 파리의 모든 시선은 **입법의회**로 향했다.|

|2| 6월 11일 르드뤼 롤랭은 입법의회의 연단에 올랐다. 그는 연설을 하지는 않았으나, 각료들을 향해 일종의 논고를 적나라하게, 꾸밈없이, 사실대로, 압축적이고 강하게 진술했다.

로마에 대한 공격은 헌법에 대한 공격이며, 로마 공화국에 대한 공격은 프랑스 공화정에 대한 공격이 된다. 헌법 제5조에 "프랑스 공화정은 어떠한 민족의 자유에 반해서도 자신의 무력을 사용하지 않는다"[207]라고 되어 있으나, 대통령은 로마의 자유에 반하여 프랑스 군대를 사용한다. 헌법 제54조[208]는 행정부가 국민의회의 동의 없이는 어떠한 경우에도 선전 포고를 하지 못하도록 금지하고 있다. 제헌의회의 5월 8일 결의는 각료들에게 로마 원정을 최대한 빨리 본래의 임무에 맞게 조정하도록 명하고 있다. 그러므로 그 결의는 명백히 로마와의 전쟁을 금지하고 있는 것이다. 그러나 우디노는 로마를 포격한다. 따라서 르드뤼 롤랭은 헌법 자체를 보나파르트와 그의 각료들을 기소하기 위한 원고 측 증인으로 불렀다. 헌법의 호민관이기도 했던 그는 국민의회의 다수 왕당파에게 위협적인 선언을 퍼부었다. "공화주의자들

G169

은 무력을 포함한 모든 수단을 동원하여 헌법을 준수하도록 할 것이다!"**무력을 동원해서라도!**"라는 말은 산악당의 의석에서 백 겹으로 메아리쳤다. 다수파는 엄청난 소란으로 응답했고, 국민의회 의장은 르드뤼 롤랭에게 발언을 삼갈 것을 요구했다. 르드뤼 롤랭은 재차 도전적으로 선언했고, 마침내 의장석의 탁자 위에 보나파르트와 각료들의 탄핵 소추안을 내놓았다.[209] 361표 대 203표로 의회는 로마 포격 문제를 마무리하고 본래 의사일정으로 넘어가기로 결정했다.

르드뤼 롤랭은 자신이 헌법을 통해 국민의회를, 또한 국민의회를 통해 대통령을 타격할 수 있다고 믿었던가?

물론 헌법은 다른 민족의 자유에 대한 어떤 공격도 금지했다.[210] 그러나 내각에 의하면 프랑스군이 로마에서 공격한 것은 "자유"가 아니라 "아나키의 전제주의"였다. 산악당은 제헌의 ||3| 회에서의 온갖 경험에도 불구하고, 헌법 해석이 헌법을 제정한 사람들이 아니라 헌법을 받아들인 사람들만의 차지라는 것을 아직도 파악하지 못했던가? 헌법의 조문은 살아남을 수 있는 의미로 해석해야만 한다고 했을 때 부르주아적 의미가 유일하게[211] 살아남을 수 있는 의미라는 것을 아직도 파악하지 못했는가? 성직자가 성경의 권위 있는 해석자이고 재판관이 법률의 권위 있는 해석자인 것과 같이, 보나파르트와 국민의회의 다수 왕당파가 헌법의 권위 있는 해석자였다는 것을 아직도 파악하지 못했는가? 보통선거의 태내에서 갓 태어난 국민의회가, 오딜롱 바로 같은 인물이 살고자 하는 의지를 꺾어버려서 죽어버린 제헌의회의 유언장에 따른 처분 사항에 속박되어 있다는 것을 느껴야만 하는가? 르드뤼 롤랭이 제헌의회의 5월 8일 결의안[212]을 소환했을 때, 똑같은 의회가 5월 11일에 보나파르트와 각료들에 대한 첫 번째 탄핵안을 부결했다는 점, 이 의회가 대통령과 각료들에게 무죄 판결을 내렸다는 점, 그리고 이 의회가 로마 공격이 "합헌"이라고 재가해서 자기는 이미 내려진 판결에 항소했을 뿐이라는 점, 결국에는 공화제적 제헌의회 입장에서 왕당파적 입법의회에 항소했다는 점을 잊어버렸는가? 헌법 자신은 한 특별 조항에서 모든 시민은 헌법을 보호하라고 호소하면서 무장봉기에 도움을 요청한다.[213] 르드뤼 롤랭은 이 조항에 의거했다. 그러나 동시에 공권력은 헌법 수호를 위해 조직된 것이 아닌가? 헌법 위반은 헌법에 근거한 공권력이 다른 공권력에 반란을 일으키는 순간에 곧바로 시작되는 것이 아닌가? 당시에는 공화국의 대통령과 공화국의 각료들 그리고 공화국의 국민의회가 가장 조화롭게 일치되어

있었다.

6월 11일 산악당이 시도한 것은 "순수이성의 한계 내에서의 무장봉기", 즉 순전히 **의회의 무장봉기**였다. 의회 다수파는 인민대중의 무장봉기가 일어날 것이 두려워서 보나파르트와 내각의 고유한 권력과 이 양자의 선출의 고유한 의미를 파괴하려고 했다. ||4| 제헌의회가 바로-팔루 내각의 해산을 매우 완강하게 주장했을 때 보나파르트의 선출을 마찬가지로 무효화하려 하지 않았던가?

갑자기 다수파와 소수파의 관계를 송두리째 뒤바꿔놓은 의회 무장봉기의 선례들은 국민공회 때부터 없지 않았으며, 그리고[214] 옛 산악당이 성공했던 것을 새로운 산악당이 성공하지 못할 이유가 있겠는가? 이 순간의 관계는 이런 시도를 하기에는 아직[215] 좋지 않은 것처럼 보였다. 인민의 동요는 파리에서 위험 수위에 이르렀으며, 선거에서 군대의 투표 경향으로 볼 때 군대가 정부 편으로 기운 것 같지도 않았고, 입법의회 다수파는 자신들을 일원화하기에는 너무 혈기 왕성했으며, 더욱이 그들은 노년층으로 구성되어 있었다. 만일 산악당이 의회 무장봉기에 성공했다면 정권은 그들의 수중에 떨어졌을 것이다. 민주파 소시민층 편에서는 언제나 그랬듯이 혼미한 상태에서 의회의 망령들 간의 주도권 쟁탈전을 관망하는 것 외에 더 열렬히 하고 싶은 것도 없었다. 결국 민주파 소시민층과 그들의 대표인 산악당 모두 의회 무장봉기를 통해 부르주아 권력을 파괴하고, 프롤레타리아트의 쇠사슬을 풀어주지 않거나 이들을 시야에 나타나지 않게 하려는, 즉 프롤레타리아트를 이용하기는 하지만 위험한 존재로 만들지 않겠다는 그들의 위대한 목적을 달성했다.

6월 11일 국민의회에서 투표가 끝난 후 산악당의 몇몇 의원과 노동자 비밀 결사 대표자들 간에 회합이 있었다. 후자는 그날 저녁 일격을 가하자고 주장했다. 산악당은 이 계획을 단호히 거부했다.[216] 그들은 어떤 일이 있더라도 결코 주도권을 내놓으려 하지 않았다. 그들에게 동맹군은 적대자들과 같이 의심스러운 것이었으며, 실제로 그러했다. 1848년 6월의 기억이 파리 프롤레타리아트 대열에 더욱 생생하게 솟구쳐 올랐다. 그럼에도 불구하고 그들은 산악당과의 동맹에 발목이 잡혀 있었다. 산악당은 가장 많은 지구를 대표했으며, 군대 내에서 그들의 영향력을 과도하게 행사했고, 그들 마음대로 국민방위군의 민주파를 지배했으며, 그들의 배후에는 소상점주의 정신적 지지가 있었다. ||5| 산악당의 뜻을 거스르고 이때에 무장봉기를 개시하

는 것은, 콜레라로 인해 10명에 1명꼴로 사망했고 실직으로 상당수가 파리에서 쫓겨난 프롤레타리아트가 절망적 투쟁을 해야 하는 상황도 아닌데 쓸데없이 1848년 6월 사건을 반복하는 것을 의미했다. 프롤레타리아트 대표들은 유일하게 합리적으로 행동했다. 그들은 산악당이 탄핵 소추안이 부결될 경우 **체면이 구기더라도** 의회 투쟁의 경계 밖으로 나올 것을 약속하게 했다. 6월 13일 내내 프롤레타리아트는 이와 같이 의심하며 관망하는 태도를 견지하면서, 민주파 국민방위군과 군대 사이에 본격적으로 시작될 돌이킬 수 없는 난투극을 기대했다. 그다음에 이 싸움에 들어가서 그들이 설정한 소부르주아적 목표에 대한 혁명을 떨쳐낼 생각이었다.[217] 승리할 경우 공식 정부와 나란히 등장할 예정인 프롤레타리아트 코뮌은 이미 조직되어 있었다.[218] 파리 노동자들은 1848년 6월 피의 학교에서 터득한 바가 있었던 것이다.

6월 12일에는 라크로스 장관 자신이 탄핵 소추안 토의를 곧 진행하자는 동의안을 입법의회에 제출했다. 그날 밤 정부는 방어와 공격에 만반의 준비를 갖추고 있었다. 국민의회의 다수파는 반항적인 소수파를 가두로 쫓아내려고 각오하고 있었으며, 소수파 자신은 더는 물러설 수 없었다. 주사위는 던져졌다. 탄핵 소추안은 377표 대 8표로 부결되었다. 투표에 기권한 산악당은 "평화적 민주주의"의 선전 본부인《르 데모크라시 파시피크》신문사로 불만을 토로하며 몰려갔다.[219]

대지의 아들인 거인 안타이오스가 대지에서 발을 떼자 그 힘을 잃어버린 것처럼, 산악당은 의사당에서 발을 떼자 그 힘을 잃어버렸다. 입법의회에서 삼손이었던 그들은《르 데모크라시 파시피크》에서는 블레셋인들에 지나지 않았다.[220] 길고도 소란스러우며 장황하고 두서없는 논쟁이 시작되었다. 산악당은 **무력만 제외하고** 모든 수단을 동원하여 헌법을 존중하기로 결정을 내렸다. 이 결정으로 산악당은 ||6| "헌법의 벗들"의 선언문[221]과 그 대표단들의 지지를 받았다. "헌법의 벗들"은《르 나시오날》파, 즉 부르주아 공화파의 패거리 잔당이 자신을 일컫는 이름이었다. 의회에 남은 공화파 의원 중 6명만이 탄핵 소추안 부결에 **반대**했고, 나머지는 모두 **찬성**했다. **카베냐크**는 자신의 군도를 질서당의 수중에 맡겼지만, 원외의 대다수 그 패거리들은 탐욕스럽게 자신의 정치적 파리아(인도 카스트 제도 밖에 존재하는 계층 혹은 불가촉천민을 의미하는데, 여기서는 기존 계급 혹은 계층 어디에도 속하지 않는다는 뜻으로 쓰였다. — 옮긴이) 위치에서 빠져나와서 민주파의 대열로 파고들 기 G172

회를 포착했다. 이들은 당연히 자신들의 방패 뒤에, 자신들의[222] **원칙** 뒤에, **헌법** 뒤에 숨은 이 민주파의 방패잡이로 보이지 않겠는가?

새벽까지 "산악당"은 산고를 겪고 있었다. 산악당이 낳은 것은 "**인민에게 보내는 선언**"이었는데, 6월 13일 아침에 두 사회주의 신문의 다소 후미진 난에 게재됐다.[223] 그것은 대통령, 각료들, 입법의회 다수파가 "**헌법을 위반했다**"(hors de la[224] constitution)고 선언했으며, 국민방위군과 군대, 그리고 마지막으로 인민에게 "봉기하라"고 호소했다. "**헌법 만세!**"가 그들이 내세운 슬로건이었으며, 그것은 "**혁명 타도!**"라는 의미나 다름없었다.

산악당의 헌법 선언과 때를 같이하여 6월 13일에 소부르주아지의 이른바 **평화 시위**가 있었는데 급수탑(château d'Eau)에서 출발해 대로를 따라 가두 행진을 벌였다. 3만 명의 건장하고 비무장한 국민방위군을 위주로 노동자 비밀 결사의 성원들이 섞여 "**헌법 만세!**"라는 구호를 기계적으로,[225] 냉담하게, 그리고 행진대 스스로도 떳떳하지 못한 마음으로 외치면서 어슬렁거렸다. 구호는 아이러니하게도 천둥처럼 거세지는 대신에 길가에 모인 사람들에게 부딪혀 되돌아가는 것이었다. 많은 사람들이 노래를 불렀지만 가슴에서 우러나오는 소리는 없었다. 그리고 행진대가 "헌법의 벗들" 회의장 앞을 잠깐 지나쳐 갔을 때 어떤 건물 꼭대기에서 뚱뚱한 헌법 전령이 나타나 실크해트를 허공에 흔들면서 놀랄 만큼 큰 소리로 "**헌법 만세**"라는 구호를 순례자의 머리 위로 아무런 설명 없이 쿵 내리쳤을 때, 그들 자신은 잠시 웃긴 이 상황에 압도된 것처럼 보||7|였다. 잘 알려졌다시피 평화의 거리[226] 입구에 이르자 시위대는 대로에서 전혀 의회적이지 않은 방식으로 상가르니에의 기병대와 소총수의 영접을 받았고, 순식간에 사방으로 흩어졌으며, 뒤를 향해 "무기를 들라"고 드문드문 외치면서 도망갔는데, 이로써 6월 11일 무장하라는 의회의 호소가 달성되었다.

아자르 가(街)에 모인 산악당의 대다수는, 이러한 평화적 행진의 폭력적 해산과 비무장 시민이 대로에서 살해당했다는 어렴풋한 소문, 그리고 더욱 커져가는 가두 소요 등이 봉기로 나아가는 듯이 보이자 뿔뿔이 흩어졌다. **르드뤼 롤랭**은 소수 의원 집단의 선두에 서서 산악당의 명예를 지켜주었다. 국민궁(Palais National)에 집합해 있던 파리 포병대의 보호를 받으면서 이들은 국민방위군의 제5, 6 군단이 도착하기로 한 기술 공예 학교(Conservatoire des arts et métiers)로 갔다. 산악당은 제5, 6 군단을 기다렸으나 허사였다. 조심스러운 국민방위군은 산악당의 대표들을 버려두었고, 파리 포병대는 인

G173

민이 바리케이드를 쌓는 것을 스스로 저지했다. 뒤죽박죽된 이런 혼란은 어떤 결정도 할 수 없게 만들었다. 상비군은 찔러총 자세로 밀어붙였다. 대표자 몇 명은 사로잡혔고 나머지는 도망갔다. 이렇게 6월 13일은 끝났다.

1848년 6월 23일이 혁명적 프롤레타리아트의 무장봉기였다면, 1849년 6월 13일은 민주주의적 소부르주아지의 무장봉기였다. 이들 두 무장봉기는 각기 무장봉기를 이끈 계급을 **전형적이고도 순수하게** 표현한 것이었다.

리옹에서만 유혈 충돌이 완강하게 벌어졌다.[227] 산업 부르주아지와 산업 프롤레타리아트가 서로 직접 대치했던 이곳에서 노동자들의 운동은 파리에서와 같이 전체 운동에 포함되지도, 그렇게 규정되지도 못했기 때문에 이곳의 6월 13일은 역으로 그 본래의 성격을 상실했다. 지방 곳곳에서 내리쳤지만 불붙지 않았던 이 6월 13일은 **차가운 섬광**이었다.

|8| 1849년 5월 29일에 입법의회 소집으로 그 정상적인 존재를 확보한 **입헌공화정의 생애** 제1기는 6월 13일에 끝난다. 이 서막은 질서당과 산악당, 부르주아지와 소시민계급 간의 소란스러운 싸움으로 시종일관했다. 이 소시민계급은 부르주아 공화정을 강화하는 것에 대해 헛되이 싸웠고, 그 스스로 임시정부, 집행위원회에서 이 공화정을 강화하기 위해 음모를 꾸몄고, 6월 사건 동안 프롤레타리아트와 열성적으로 싸웠다. 6월 13일은 그들의 저항을 분쇄하고 연합 왕당파의 **입법부 독재**를 기정사실로 만들었다. 이 순간부터 국민의회는 **질서당의 공안위원회**일 뿐이다.[228]

파리는 대통령, 각료들, 국민의회 다수파를 "탄핵 상태"에 놓았으나 이제 그들은 파리를 "계엄 상태"에 놓았다. 다수파는 산악당을 헌법 위반으로 고등법원(haut-cour)에 넘겨서 그 당에 아직 생명력이 있던 모든 것을 법적으로 정지시켰다. 산악당은 머리와 심장이 없는 몸통만 남을 때까지 10명에 1명꼴로 처형됐다. 소수파는 **의회 무장봉기**를 시도하는 데까지 치달았는데,[229] 다수파는 **의회 전제주의**를 법률로 격상했다.[230] 다수파는 새로운 **의회 의사 규칙**[231]을 정했다. 그것은 누구나 연단에 나설 수 있는 자유를 폐기하고, 의사 규칙을 위반할 경우에 검열, 벌금, 배상금 징수, 일시 제명, 구류 등으로 의원들을 처벌할 수 있도록 국민의회 의장에게 권한을 부여했다.[232] 다수파는 검 대신에 채찍을 산악당의 몸통에 걸쳐 놓았다. 산악당의 잔존 의원들은 집단으로 퇴장해서 자신의 명예를 지킬 수 있었을 것인데 그렇게 하지 않았다. 이런 행동이 질서당의 해체를 촉진했다. 질서당은 어디에서도 가상적인 대립이 그들을 더는 결속하지 못하게 하는 순간에 원래의 구성 요소들

G174

로 분열될 수밖에 없었다.|

|9| 민주파 소부르주아지는 파리 포병대와 국민방위군의 제8, 9, 12 군단이 해체됨으로써 **의회 권력**과 동시에 그들의 **무력**을 박탈당했다. 이에 반해 6월 13일 불레와 루의 인쇄소를 기습하여 인쇄기들을 파괴하고, 공화파의 신문사를 사정없이 초토화했으며, 편집자, 식자공, 인쇄공, 발송인, 심부름꾼을 임의로 체포한 대금융가 군단은 국민의회의 연단에서 고무적인 격려를 받았다. 프랑스 전역에서 공화주의의 혐의를 받은 국민방위군의 해체는 거듭해서 이루어졌다.

새로운 **언론법**, 새로운 **결사법**, 새로운 **계엄법**,[233] 파리 감옥들의 초만원 사태, 망명 정치가들의 추방,《르 나시오날》의 경계를 넘어서는 모든 언론의 정간, 리옹과 그 주위 5개 지구가 군사적 전제주의의 잔인한 횡포에 희생된 일, 도처의 검찰청 및 여러 번 숙청된 관료 무리의 재숙청, 이 모든 일은 반동이 승리함으로써 항상 불가피하게 반복되는 **일상사**였다. 이것들은 6월의 대학살과 추방 뒤에도 언급할 만한 가치가 있던 것이었다. 왜냐하면 이번에는 이것들이 파리는 물론 지방을, 프롤레타리아트는 물론 무엇보다 중간계급을 겨냥했기 때문이었다.

계엄 상태의 선포를 정부 재량에 맡기고, 언론을 더 강하게 탄압하고, 결사권을 폐기한 탄압법들은 6, 7, 8월 국민의회 입법 활동의 전부였다.

그럼에도 불구하고 이 시기의 특징이라고 할 수 있는 것은 승리를 **실제로** 착취한 것이 아니라 **원칙**을 착취한 것이고, 국민의회의 결의가 아니라 그 결의를 하게 된 동기이며, 사태가 아니라 문구이고, 아니 문구가 아니라 그 문구에 생기를 불어넣은 억양과 몸짓이었다. **왕당파적 신념**을 부끄러운 줄 모르고 거리낌 없이 표명한 것, 공화정을 고상한 척하면서 경멸적으로 ||10| 모욕한 것, 왕정복고를 위해 아양을 떨면서 경박하게 지껄인 것 등, 한마디로 **공화제적 예법**을 대놓고 훼손한 것이 이 시기의 특유한 어조와 색채를 이룬다. 헌법 만세!는 6월 13일 **패배자**의 전투 구호였다. 그러므로 **승리자**들은 입헌적, 즉 공화제적 어법이라는 위선에서 면제되었다. 반혁명은 헝가리, 이탈리아, 독일을 굴복시켰고, 그들은 왕정복고가 이미 프랑스의 문턱에 와 있다고 믿었다. 질서당 분파들의 원무 지도자들은 실제로 경쟁적으로《르 모니퇴르 위니베르셀》을 통해 그들의 왕정주의를 공공연히 표명하고, 군주정 아래서 우연히 저질렀던 그들의 자유주의적 죄악들에 대해 신과 인간 앞에 고해하고, 회개하며, 용서를 빌려고 했다. 국민의회의 연단에서 2월 혁명이

공공의 불행이었다고 선언하지 않고, 어떤 정통 왕조파의 지방 촌뜨기 융커가 공화정을 절대로 인정하면 안 된다고 장엄하게 피력하지 않고, 7월 왕정의 비겁한 도망자와 배반자 중 어떤 사람이 루이 필리프의 박애와 기타 오해들이 방해하지 않았다면 실행했을 자신의 뒤늦은 영웅적 행위를 말하지 않고서 지나간 날은 단 하루도 없었다. 2월 사건에서 경탄해 마지않은 것으로는 승리한 인민의 관대함이 아니라, 인민에게 승리를 허용한 왕당파의 자기희생과 절제였다. 인민을 대표하는 한 의원은[234] 2월에 부상당한 사람들을 위한 지원금의 일부를 매일같이 유일하게 조국을 위해 공헌하고 있던 **파리 시 방위군**에게 돌리자고 제안했다. 또 다른 의원은 카루젤 광장에 오를레앙 공의 기마상 설치가 포고되기를 원했다.[235] 티에르는 헌법을 더러운 휴지 조각이라고 불렀다. 오를레앙파는 연이어 연단에 나서서 정통 왕정에 반대한 자신들의 음모를 회개했으며, 정통 왕조파는 비정통 왕정에 저항함으로써 왕정 전반의 몰락을 촉진한 자신을 질책했다. 티에르는 몰레를 반대하여 음모를 꾸민 것을 회개했고, 몰레는 기조를 반대하여 음모를 꾸민 것을 회개했으며, 바로는 세 명 모두를 반대하여 음모를 꾸민 것을 회개했다. "사회-민주 공화정 만세!"라는 구호는 위헌적인 것으로 선언되었으며, "공화정 만세!"라는 구호는 ‖11‖ 사회-민주적인 것으로 박해받았다. 워털루 전투 기념일에 한 의원은 이렇게 선언했다. "나는 프랑스에 혁명적 망명가가 들어오는 것이 프로이센의 침입보다 더 두렵다."[236] 리옹과 그에 인접한 여러 지방에서 조직되어 있다는 테러리즘에 대한 고발들에 대해 바라귀에 딜리에는 이렇게 답변했다. "내게는 적색 테러보다 백색 테러가 오히려 더 나아 보인다."(J'aime mieux la terreur blanche que la terreur rouge.)[237] 또한 의회에서는 공화정, 혁명, 헌법에 반대하고, 왕정, 신성동맹에 찬성하는 경구가 발언자의 입에서 떨어질 때마다 열광적인 박수갈채를 보냈다. 예를 들어 연설 도중 의원들을 "시민 여러분"(Citoyens)이라고 부르는 호칭과 같은 가장 사소한 공화제적 격식을 훼손하는 것 모두가 질서당의 기사들을 열광시켰다.

7월 8일 계엄 상태와 대부분의 프롤레타리아트가 투표에 참여하지 않고 기권하는 상황에서 시행된 파리의 보궐선거,[238] 프랑스군의 로마 점령, 적색 추기경들[239]의 로마 입성, 그리고 그에 이은 로마에서의 종교재판과 수사들의 테러리즘 등은 6월의 승리에 새로운 승리를 추가해주었으며, 질서당을 더욱 황홀하게 만들었다.

G176

결국 8월 중순에, 절반은 막 소집된 지방의회에 참석할 의도에서, 나머지

반은 몇 달간의 편향적인 방탕한 생활에 지쳐서, 왕당파는 두 달간 국민의회의 휴회를 선포했다. 실로 아이러니하게도 그들은 25명으로 구성된 위원회, 정통 왕조파와 오를레앙파의 수장들, 몰레, 샹가르니에를 국민의회의 대표자로, **공화정의 수호자**로 남겨놓았다. 이 아이러니는 그들이 예감한 것보다 더 고약했다. 자신들이 사랑한 왕정을 전복하는 데 도움을 준 것으로 역사에서 심판을 받은 그들은 자신들이 증오한 공화정을 보존하도록 역사가 정해주었다.

입헌공화정의 생애 제2기, 즉 왕당파가 방탕한 생활을 하던 이 기간은 입법의회의 휴회로 끝난다.

파리에서 계엄 상태는 다시 해제되었고 언론 활동이 다시 시작되었다. 사회-민주파 신문들이 정간되고 탄압법이 입법되고 왕당파가 준동하던 시기 동││12│안, 과거의 **입헌군주적 소부르주아지**의 문필적 대변인인 《르 시에클》은 **공화주의화**되었고, **부르주아 개혁가들**이 과거에 글을 기고하던 《라 프레스》는 **민주주의화**되었으며, **공화파 부르주아지**의 과거 전형적 기관지인 《르 나시오날》은 **사회주의화**되었다.

공개 클럽들이 존속하기 불가능해지는 만큼이나 **비밀 결사들**은 규모가 커지고 강해지기도 했다. 순전히 경제 단체로 허용되었고 경제적으로는 아무런 이득이 없는 산업 **노동자-조합**은 정치적으로 프롤레타리아트를 결속하는 수단이 되었다. 6월 13일은 다양한 반(半)혁명파의 공식 수뇌들을 제거했지만, 나머지 대중은 그들 자신의 머리를 확보했다. 질서당의 기사들은 적색 공화정의 공포를 예견하여 적색 공화정을 위협했으며, 헝가리, 바덴, 로마에서 승리한 반(反)혁명의 야비한 폭행, 하이퍼보리아(고대 그리스 사람들이 상상한 가공의 대륙을 가리키는데, 여기에서는 상상조차도 할 수 없다는 뜻으로 쓰였다. ―옮긴이)적인 잔혹한 행위는 **"적색 공화정"**이라는 혐의를 벗어나게 했다. 프랑스 사회에 불만을 품은 중간계급은 문제가 될 만한 공포를 자행하는 적색 공화정의 약속을 실제로는 아무런 희망이 없는 적색 군주정의 공포보다 더 선호하기 시작했다. 프랑스에서 **하이나우**보다 더 실제적으로 혁명적 선전을 한 사회주의자는 없었다.[240] 누구에게나 각자의 일에 맞는 능력이 있다!(A chaque capacité selon ses œuvres!)

그러는 동안 루이 보나파르트는 국민의회의 휴회를 이용하여 군주풍으로 화려한 지방 순시에 나섰고, 가장 다혈질인 정통 왕조파는 성 루트비히의 손자[241]를 알현하러 엠스로 갔으며, 질서당에 우호적인 다수의 인민 대표들이

막 소집된 지방의회에서 음모를 꾸몄다.[242] 그들로서는 국민의회의 다수파가 아직 감히 표명하지 못하는 **조속한 개헌을 위한 긴급 동의안**을 지방의회에서 표명하도록 하는 것이 중요했다. 헌법에 따르면 헌법은 개정을 위해 소집되는 국민의회에 의해 1852년에야 개정할 수 있었다. 그러나 만일 지방의회 의원 대다수가 이러한 뜻을 ‖13‖ 표명하면, 국민의회가 헌법의 처녀성을 프랑스의 목소리에 따라 바치지 않을 수 있었겠는가? 국민의회는 볼테르의 『앙리아드』에서 수녀들이 판두르(헝가리 보병 ─ 옮긴이)에게 품었던 희망을 이들 지방의회에 품었다.[243] 그러나 몇몇 예외는 그렇다 하더라도 국민의회의 보디발들은 여러 지방의 수많은 요셉들을 상대해야 했다.[244] 절대다수는 이 집요한 알랑거림을 이해하려 하지 않았다. 개헌은 그것을 성립시켜야 하는 바로 그 도구 자체, 즉 지방의회의[245] 표결에 의해 수포로 돌아갔다. 프랑스, 더 구체적으로 말하면 부르주아적 프랑스는 목소리를 냈는데 그것은 개헌에 반대하는 목소리였다.

10월 초에 입법의회가 한 번 더 소집되었다 ─ 그 전과 얼마나 달라졌는가.[246] ─ 그 외형은 완전히 바뀌었다. 예상하지 못한 지방의회에서의 개헌 거부로 인해 이 입법국민의회는 헌법의 경계선 안으로 되돌아왔고, 자기 수명의 한계를 보여주었다. 오를레앙파는 정통 왕조파의 엠스 순례를 의심스러워했으며, 정통 왕조파는 오를레앙파와 런던의 협상에 의심을 품었다.[247] 이 두 분파의 신문들은 불을 지펴서 이 양자가 서로 주장하는 왕위 계승 요구자들을 저울질했다. 오를레앙파와 정통 왕조파는 한목소리로 화려한 순시에서, 대체로 눈에 뻔히 보이는 대통령의 헌법을 벗어나려는 시도에서, 보나파르트파 신문들의 오만한 언사에서 드러난 보나파르트파의 교묘한 책략들에 대해 투덜거렸다. 루이 보나파르트는 정통 왕조파와 오를레앙파의 음모만이 타당하다고 날조한[248] 국민의회에 대해 그리고 이 국민의회 편에 서서 부단히 자신을 배신한 내각에 대해 투덜거렸다. 결국 내각은 로마 정책과 **파시** 장관이 발의했지만 보수주의자들이 사회주의적이라고 비난한 **소득세**로 인해 자체 분열되었다.[249]

재소집된 입법의회에 바로 내각이 내놓은 최초의 의안들 가운데 하나는 **오를레앙 공 미망인**에게 지불할 30만 프랑의 예비비 지출 청구서였다. 국민의회는 ‖14‖ 이를 승인하고[250] 프랑스의 국채 장부에 총 7백만 프랑을 부기했다. 그러므로 루이 필리프가 "pauvre honteux", 즉 부끄러운 거지 역할을 성공적으로 꾸준히 해낸 반면에, 내각은 과감하게 보나파르트의 봉급 인상

움직임을 보이지도 않았으며, 의회도 그것을 용인할 기미를 보이지 않았다. 그리고 루이 보나파르트는 언제나처럼 딜레마에 빠져 머뭇거렸다. **카이사르가 되느냐, 채무자 감옥으로 가느냐!**[251]

로마 원정 비용[252] 9백만 프랑에 해당하는 내각의 두 번째 예비비 지출 청구는 한편으로 보나파르트와 내각 사이에, 또 다른 한편으로는 각료들과[253] 국민의회 사이에 긴장을 고조했다. 루이 보나파르트는 그의 당직 장교 에드가르 네(Edgar Ney)에게 보내는 편지를 《르 모니퇴르 위니베르셀》에 발표했는데,[254] 거기서 그는 교황 정부가 헌법을 보장할 의무가 있다고 주장했다. 교황 측에서는 "교황의 자의 교서"[255]를 발표했으며,[256] 거기서 교황은 회복된 자기 통치권의 모든 제약을 거부했다. 보나파르트의 편지는 자신이 자비로운 천재이지만 자신의 집에서는 오해받고 사슬에 매여 있다는 것을 관람객들에게 드러내 보이기 위해 의도적으로 경솔하게 자기 내각의 커튼을 들어 올려버린 것이었다. 그가 "자유로운 영혼의 은밀한 날갯짓"[257]으로 아양을 떤 것은 이번이 처음은 아니었다. 위원회의 보고서 작성자인 **티에르**는 보나파르트의 날갯짓을 완전히 무시하고, 교황의 훈시를 프랑스어로 번역하는 데 만족했다. 국민의회가 나폴레옹의 편지에 동의하는지 입장을 표명해야 한다는 것을 의사일정에 올림으로써 대통령을 구하려고 시도한 것은 내각이 아니라 **빅토르 위고**였다. "설마! 설마!"(*Allons donc! Allons donc!*) 이렇게 무례하고 경박한 감탄사로 다수파는 위고의 동의안을 매장했다. 대통령의 정책이라고? 대통령의 편지라고? 대통령 자신이라고? 설마! 설마! 어떤 놈이 보나파르트의 말을 진지하게(au sérieux) 받아들인단 말인가? 이봐, 빅토르 위고 씨, 당신이 대통령을 믿는다는 말을 우리가 믿을 것 같아? **설마! 설마!**[258]

결국 보나파르트와 국민의회 간의 결렬은 **오를레앙 왕가와 부르봉 왕가의 소환**에 대한 논의로 가속화했다. ||15| 내각이 궐석한 가운데 대통령의 조카인 베스트팔렌의 전 왕[259]의 아들이 이 동의안을 제출했으며, 그것은 정통 왕조파와 오를레앙파의 왕위 계승 요구자들을 적어도 사실상의 국가 원수 자리에 있는 보나파르트파 왕위 계승 요구자와 동일한 수준이나, 오히려 그보다 더 **낮은** 수준으로 끌어내리는 것 이외에 별다른 목적이 없었다.

나폴레옹 보나파르트는 무례하게도 **추방당한 왕가의 소환과 6월 봉기자의 사면**을 하나의 동일한 동의안의 두 항목으로 하여 제출했다.[260] 다수파의 분노는 신성한 것과 불경한 것, 왕족과 프롤레타리아트 새끼, 사회의 항성과

이 사회의 도깨비불을 이렇게 모욕적으로 결합한 점에 대해 그가 즉각 와서 사죄하고, 이 두 동의안 중에서 각각에 걸맞은 순위를 지정하도록 만들었다. 다수파는 왕가의 소환 조치를 강력히 거부했고, 정통 왕조파의 데모스테네스인 **베리예**는 표결의 의미에 대해 조금도 의심의 여지를 남기지 않았다. 왕위 계승 요구자들을 시민으로 격하하는 것, 그것이 목적 아닌가![261] 그들의 후광을, 그들에게 마지막으로 남은 위엄, 즉 **망명이라는 위엄**을 앗아버리는 것이 아닌가! 베리예가 외친 것처럼 본래의 존엄한 신분을 잊어버리고 단순한 일개인으로서 이곳에 살기 위해 오는 왕위 계승 요구자들을 사람들이 어떻게 보겠는가? 루이 보나파르트 자신이 국내에 남아 있었음에도 얻은 것이 없었으며, 연합 왕당파에게 여기 프랑스에서 대통령직에 있는 **중립적 인물**로서 그가 필요하다면, 진정한 왕위 계승 요구자들은 망명의 안개에 싸여 세속의 눈을 벗어나야만 한다는 것을 그에게 이 이상으로 분명하게 알릴 수는 없었을 것이다.

11월 1일 루이 보나파르트는 꽤 거친 말로 바로 내각의 해산과 새로운 조각을 통고한 교서를 통해서 입법의회에 응답했다.[262] 바로-팔루 내각은 왕당파 연립 내각이었으며, 도풀[263] 내각은 보나파르트의 내각이자 입법의회에 대항하는 대통령의 기관으로서 **서기 내각**이었다.

|16| 보나파르트는 이제 1848년 12월 10일 당시의 단순한 **중립적 인물**이 아니었다. 행정권을 장악함으로써 그의 주변에 많은 이권이 몰렸고, 아나키와의 투쟁은 질서당으로 하여금 그의 영향력을 증대하지 않을 수 없게끔 했다. 따라서 그가 인기가 없게 된다면[264] 질서당도 인기가 없게 되는[265] 것이었다. 보나파르트는 오를레앙파와 정통 왕조파가 경쟁했기 때문에, 또 그들에게 어떤 형태로든 왕정복고가 필요했기 때문에, 그들이 **중립적인 왕위 계승 요구자**로 인정할 수밖에 없는 상황을 기대한 것이 아니겠는가?

입헌공화정의 제3기는 1849년 11월 1일에 시작되어 1850년 3월 10일에 끝난다. 기조가 그토록 감탄했던 헌법 기관들의 정규전, 즉 행정부와 입법부의 세력 다툼만이 시작된 것은 아니다. 오를레앙파와 정통 왕조파 연합의 왕정복고에 대한 갈망에 반대하여 보나파르트는 그의 실제 권력의 칭호로서 공화정을 표방한다. 보나파르트의 왕정복고에 대한 갈망에 반대하여 질서당은 공동 지배권의 칭호로서 공화정[266]을 표방한다. 정통 왕조파는 오를레앙파에 반대하여, 그리고 오를레앙파는 정통 왕조파에 반대하여 현재 상태(status quo), 즉 공화정을 표방한다. 질서당의 이 모든 분파는 각기 자신의

왕과 자신의 왕정복고 형태를 가슴에 품고서, 자기 경쟁자들의 찬탈 욕망과 봉기 욕망에 서로 대항해서 특수한 주장들이 중성화되고 유보되는 부르주아지의 공동 지배 형태인 **공화정**을 서로 주장한다.

칸트가 공화정을 국가의 유일한 합리적 형태로서, 결코 실현될 수 없으나 항상 성취해야 할 목표로 추구하고 신념으로 고수해야 한다는 실천이성의 요청으로 삼은 것과 같이,[267] 이들 왕당파는 **군주정**을 그와 같이 간주한다.

이와 같이 부르주아 공화파의 수중에서 공허한 이데올로기적 공식으로 태어났던 입헌공화정[268]이 연합 왕당파의 수중에서는 내용이 충실하고 생동감이 넘치는 형태가 되었다. 그리하여 티에르가 "우리 왕당파는 입헌공화정의 진정한 기둥이다"라고 말했을 때 그는 공화정에 대해 자신이 생각한 것 이상의 진실을 표현한 것이었다.|[269]

|17| 연립 내각의 몰락과 서기 내각의 출현은 또 다른 의미를 지닌다. 서기 내각의 재무장관은 **풀드**였다. 풀드의 재무장관 임명은 프랑스의 국부(國富)를 증권거래소에 공식적으로 양보하고, 국가 재산을 증권거래소를 통해, 증권거래소의 이해에 맞게 관리하는 것을 의미했다. 풀드의 임명과 함께 금융귀족들은《르 모니퇴르 위니베르셀》에 자신들의 복고를 통고했다.[270] 이 복고는 필연적으로 입헌공화정이라는 사슬의 수많은 고리를 이루는 그 외의 복고들을 추가하는 것이었다.

루이 필리프는 진짜 증권거래소의 살랭이를 감히 재무장관으로[271] 기용하지 못했다. 자신의 군주정이 상층 부르주아지의 지배를 위한 이상적 명칭이었듯이, 그의 내각에서 특권적 이해는 이데올로기에 아무런 관심이 없는 명칭을 지녀야만 했다. 부르주아 공화정은 오를레앙파나 정통 왕조파 등의 다양한 군주정들이 배후에 숨겨놓았던 것을 모든 곳에서 전면에 내세웠다. 부르주아 공화정은 군주정이 천상화했던 것을 세속화했다. 부르주아 공화정은 성인들의 이름을 지배계급의 이해관계라는 부르주아 본연의 명칭으로 대체했다.[272]

우리가 서술한 이 모든 것은 어떻게 공화정이 수립된 첫날부터 금융 지배를 타도하지 못하고 강화했는지를 보여주는 것이었다. 그러나 금융귀족에 대한 양보는 자초하고 싶지 않았던 운명에 복종하는 것을 의미했다. 풀드와 더불어 정부의 주도권은 금융귀족에게 돌아갔다.

다음과 같이 질문할 수도 있다. 부르주아 연합이 루이 필리프 치하에서 나머지 부르주아 분파들을 배제하거나 종속시킨 것을 바탕으로 했던 금융 지배를 어떻게 참고 견뎌낼 수 있었겠는가?

대답은 간단하다.

무엇보다도 금융귀족 자신이 왕당파 연합에서 결정적으로 중요한 부분을 이루는 것이고, 이 연합과의 공동 통치권을 공화국이라고 명명하는 것이다. 오를레앙파의 대변자들과 권위자들은 과거 금융귀족의 오래된 동맹자와 공범자가 아닌가? 금융귀족 자신은 오를레앙파의 황금의 밀집 전투 대형이 아 G181
닌가? 정통 왕조파에 관한 한 실제로 그들은 루이 필리프 치하에서 증권·광산·철도 투기 등에 이미 지나칠 정도로 참여했다. 일반적으로 대토지 소유와 상층 금융의 결‖18‖탁은 **영국**과 심지어 **오스트리아**를 보더라도 **통상적인 사실**이다.

프랑스와 같이 국가 생산량이 국채액보다 비교가 안 될 만큼 낮고, 국가 연금이 투기의 가장 중요한 대상을 이루고, 증권거래소가 비생산적 방식으로 가치 증식하는 자본의 주요 투자 시장을 이루는 나라에서는, 분명히 모든 부르주아 계급이나 반($\ddagger$)부르주아 계급에 속하는 수많은 사람이 국채, 증권 투기, 금융에 참여한다. 이 하층의 참여자들은 모두 이러한[273] 이익을 가장 넓게 전체적으로 대변해주는 분파에서 당연히 그들의 버팀목과 지휘관을 찾지 않겠는가?

국가 재산이 상층 금융의 수중으로 귀속되는 데는 어떠한 조건이 있는가? 국채가 계속 증가하는 것이다. 그렇다면 국채는 어떻게 증가하는가? 국가 지출이 수입을 계속 초과하는 것, 즉 수지의 불균형으로 증가하는데 이는 국채제도의 원인이자 결과이다.

국가가 이러한 국채에서 벗어나려면 지출을 억제해야 한다. 즉 정부 조직을 단순화하고, 축소하며, 가능한 한 적게 통치하고, 가능한 한 소수의 인원을 고용하고, 가능한 한 부르주아 사회와 관계를 맺지 않아야 한다. 이 방법은 질서당에게는 불가능했다. 그 이유는 그들의 지배와 자기 계급의 생활 조건이 다방면에서 위협받을수록 그들의 압제 수단, 즉 국가라는 이름으로 자행되는 그들의 공식적 간섭, 국가기관의 광범위한 존재 상태를 더욱 강화해야 했기 때문이다. 그들의 인신과 재산에 대한 공격이 증대되는 그만큼 헌병을 줄일 수는 없었다.

또 다른 방법은 국가가 부채를 피하도록 노력하고 가장 부유한 계급에게 **특별세**를 ‖19‖부과함으로써 예산상 즉각적이지만 일시적인 균형을 유지하는 것이다. 국부를 증권거래소에 착취당하지 않기 위해서 질서당이 자신의 부를 조국의 제단 위에 바칠 리가 있겠는가? 그렇게 어리석지는 않다!(Pas si bête!) 그러므로 프랑스 국가를 완전히 전복하지 않고서는 프랑스 국가 예산의 전복은 있을 수 없다. 이 국가 예산에는 반드시 국채가 따르고, 국채에는 반드시 국채 투기와 국채 채권자, 은행가, 환금업자, 증권거래소 늑대들의 지배가 따른다. 질서당의 한 분파인 **공장주들**만이 금융귀족 타도에 직접 관련되었다. 이들은 중소 산업가들을 가리키는 것이 아니고, 루이 필리프 치하에서 반정부적 왕당파의 광범한 토대가 된 공장 이익의 통치자들을 가리키는 것이다. 그들의 관심은 의심의 여지 없이 생산 비용의 감소, 다시 말하면 생산에 투여되는 세금의 감소, 따라서 그 이자가 세금에 포함되는 국채의 감소, 결국 금융귀족의 타도에 있다.

영국에는 — 프랑스의 대공장주들도 영국에 있는 그들의 경쟁자들과 비교하면 소부르주아지다 — 실제로 은행과 증권거래소의 귀족과 맞선 십자군의 선봉에 선 공장주들, 이를테면 코브던이나 브라이트 같은 사람들이 있다. 프랑스에는 왜 없는가? 영국은 공업이 우세하고 프랑스는 농업이 우세하다. 영국의 공업은 자유무역(free trade)을 요구하지만 프랑스에서는 보호관세, 다른 독점과 함께 국가적 독점을 요구한다. 프랑스 공업은 프랑스의 생산을 지배하지 못하므로 프랑스 공업가들은 프랑스 부르주아지를 지배하지 못한다. 그들은 나머지 부르주아 분파들과 맞서 그들의 이익을 관철하기 위해 영국인들처럼 운동의 선봉에 설 수 없고, 동시에 그들의 계급적 이익을 전면에 내세울 수도 없다. 그들은 혁명의 결과에 발을 들여놔야 하고, 그들 계급의 전체 이익에 저촉되는 이익에 봉사해야만 한다. 2월에 그들은 자신의 위치를 잘못 파악했고, 2월은 그들이 정신을 차리게 했다. 그리고 고용주, 산업자본가보다 노동자들에게 더 직접적으로 위협받는 사람이 누가 있겠는가? 그러므로 공장주들은 필연적으로 프랑스||20|에서 질서당의 가장 광신적인 일원이 되었다. **금융자본에 의한 그들 이윤의 잠식,[274] 이것은 프롤레타리아트에 의한 이윤 폐지와 비교하면 무엇을 의미하겠는가?**

프랑스에서는 정상적이라면 산업 부르주아지가 해야 할 일을 소부르주아지가 하고, 정상적이라면 소부르주아지의 과제가 될 것을 노동자가 행한다. 그렇다면 노동자의 과제, 그것은 누가 해결하는가? 아무도 없다. 그것은 프랑스에서 해결되지 못하고 있으며, 단지 성명으로만 발표될 뿐이다. 그것은 국경 안 어디에서도 해결되지 못하며, 프랑스 사회 내부의 계급 전쟁은 각국이 서로 대립하는 세계 전쟁으로 전환된다. 그것의 해결은 세계 전쟁을 통해

242

프롤레타리아트가 세계 시장을 지배하는 인민의 선봉에, 영국의 선봉에 서는 순간에만 시작된다. 여기에서 그 종결이 아니라 그 조직적 출발점을 발견하는 혁명은 단명으로 끝나는 혁명이 아니다. 지금의 종족은 모세가 사막을 지나면서 이끌었던 유대인들과 비슷하다. 이 종족은 새로운 세계를 정복해야 할 뿐 아니라, 새로운 세계를 감당할 만큼 성장한 인간들에게 자리를 내주기 위해 몰락해야만 한다.[275] 이제 화제를 풀드로 돌려보자.

G183

1849년 11월 14일 풀드는 국민의회의 연단에 올라 그의 재정 정책을 설명했다. 과거의 조세제도 옹호! 포도주세의 존속! 파시가 발의한 소득세[276] 철회!

파시 또한 혁명가는 아니었다. 그는 과거 루이 필리프의 각료였다. 그는 뒤포르 일파의[277] 청교도들과 7월 왕정[278]의 속죄양 테스트(Teste)의 가장 가까운 심복에 속했다.[279] 파시 또한 과거의 조세제도를 찬양하고, 포도주세의 존속을 권유했지만, 동시에 국가 재정 적자의 베일을 벗겨버렸다. 그는 국가의 파산을 원치 않는다면 새로운 세금, 즉 소득세가 필요하다고 설명했다. 르드뤼 롤랭에게 국가 파산을 권고했던 풀드는 입법의회[280]에 국가 재정 적자를 권고했다. 풀드는 절약을 약속했으나 그 비밀은 후에 예를 들면 지출이 6천만 프랑 정도 감소한 반면 일시 차입금이 2억 프랑 정도 증가한 데서 드러났다. 그것은 일련의 ||21|수치의 분류와 결산서상의 배열을 통한 요술쟁이의 눈속임이었고, 이 모든 것은 결국 신규 공채 발행으로 귀결되었다.[281]

풀드 치하에서 질투심 많은 다른 부르주아 분파들과 함께, 금융귀족은 루이 필리프 치하에서와 같이 당연히 그렇게 염치없이 부패한 행동[282]을 하지 않았다. 그러나 제도는 여전히 동일했고, 부채가 계속 증가하고 적자는 감춰지고 있었다. 그리고 점점 더[283] 과거 증권거래소의 사기는 더욱 노골적으로 드러났다. 그 증거로는 아비뇽 철도에 관한 법,[284] 잠시 파리 전체에 화젯거리가 된 국채의 불가사의한 변동, 마지막으로 3월 10일 선거에 걸었던 풀드와 보나파르트의 실패로 끝난 투기가 있다.[285]

금융귀족의 공식 복귀와 더불어 프랑스 인민은 곧 다시 또 하나의 2월 24일을 맞이해야 했다.

제헌의회는 자신의 후계자에 대한 대인혐오증적 발작으로 서기 1850년에 포도주세를 폐지했다. 과거의 세금이 폐지됨으로써 신규 부채는 갚을 수 없었다. 질서당의 백치인 **크르통**은 입법의회 휴회 이전에 이미 포도주세의 존속을 발의했다. 풀드는 이 발의를 보나파르트 내각의 이름으로 채택했고,

1848년에서 1850년까지 프랑스 계급투쟁 **243**

1849년 12월 20일 보나파르트의 대통령 당선 공포일에 국민의회는 **포도주세의 부활**을 포고했다.[286]

이런 부활을 주창한 자는 금융가가 아니라 예수회의 수장인 **몽탈랑베르**였다. 그의 추론은 극히 단순하여, 조세는 정부에게 젖을 주는 어머니의 가슴과 같다는 것이었다. 정부는 압제의 도구이고, 권위의 기관이며, 군대이고, 경찰이며, 관리, 판사, 각료이고, **성직자**이다. 조세에 대한 공격은, 프롤레타리아트라는 파괴자들로부터 부르주아 사회의 물질적, 정신적 생산을 수호하는 질서의 파수꾼에 대한 아나키스트들의 공격이다. 조세는 재산, 가족, 질서, 종교에 이은 다섯째 신이다. 그리고 포도주세는 논란의 여지 없이 조세이며, 더구나 ||22|평범한 조세가 아니라 전통적이고 군주제적인, 존경할 만한 조세이다.[287] 주세 만세!(Vive l'impôt des boissons!) 만세 삼창, 그리고 한 번 더(Three cheers and one more).[288]

프랑스 농민은 담벼락에 악마를 그릴 때 세금 징수자의 모습으로 그린다. 몽탈랑베르가 조세를 신으로 떠받든 순간부터 농민은 신을 믿지 않는 무신론자가 되었으며, **사회주의**라는 악마의 품에 안겼다. 질서라는 종교는 농민을 잃었으며, 예수회도 농민을 잃었고, 보나파르트도 농민을 잃었다. 1849년 12월 20일은 돌이킬 수 없이 1848년 12월 20일의 명예를 더럽혔다. "숙부의 조카"가 그의 가족 중 처음으로 포도주세에 패배한 사람은 아니었으며, 이 조세는 몽탈랑베르의 표근대로 혁명의 폭풍우를 예고한다. 위대한 진짜 나폴레옹은 세인트헬레나 섬에서 다른 무엇보다 포도주세의 재도입이 그의 몰락에 기여했고, 따라서 프랑스 남부 농민이 나폴레옹에게서 떨어져 나갔다고 밝혔다.[289] 이미 루이 14세 치하에서 인민이 가장 혐오스러운 대상으로 꼽았던(부아기유베르[290]와 보방의 저작을 보라)[291] 이 포도주세는 프랑스 대혁명 때 폐지되었으나 1808년 수정된 형태로 나폴레옹이 다시 도입했다. 왕정복고가 프랑스에 진입했을 때, 코사크 기병뿐만 아니라 포도주세 폐지의 약속이 그것에 앞서서 말을 타고 빨리 들어왔다. 귀족(gentilhommerie)은 무조건적으로 납세 의무를 지닌 국민[292]에게(gens taillable à merci et miséricorde) 약속을 지킬 필요는 당연히 없었다. 1830년은 포도주세 폐지를 약속했다. 말한 것을 행하거나 이미 행한 것을 말하는 것은 그 당시 방식은 아니었다. 1848년은 모든 것을 약속한 것처럼 포도주세 폐지를 약속했다. 결국 아무것도 약속한 것이 없었던 제헌의회는, 앞서 언급한 대로, 1850년 1월 1일에 포도주세가 사라질 것이라는 유언장을 작성했다. 그리고 1850년

1월 1일이 되기 바로 10일 전에 입법의회는 포도주세를 다시 도입했고, 따라서 프랑스 인민은 그것을 끝까지 뒤쫓아서 문밖으로 내쫓아버렸을 때 그것이 다시 창문으로 들어오는 것을 보게 되었다.

포도주세에 대한 대중적 혐오는 포도주세가 프랑스 조세제도의 모든 증오를 하나로 종합했다는 사실로 설명된다. 포도주세의 징세 방법은 가증스러웠고 포도주세의 배분 방식은 귀족적이었다. 왜냐하면 ‖23│가장 흔한 포도주와 가장 비싼 포도주의 과세율이 동일하기 때문이다. 따라서 포도주세는 소비자의 재산이 적을수록 기하급수적으로 커지는 역진세이다. 따라서 포도주세는 품질이 나쁜 포도주와 가짜 포도주에 할증료를 부가함으로써 노동자계급의 독살을 직접 유발했다. 포도주세는 소비를 격감시킨다. 왜냐하면 주민이 4천 명 이상인 모든 도시의 입구에 입시(入市) 세관을 설치하여, 모든 도시가 프랑스 포도주에 입시세를 부과하는 외국으로 변했기 때문이다. 포도주 도매상들, 그리고 그 벌이가 포도주 소비에 직접 좌지우지되는 훨씬 더 많은 포도주 소매상들, marchands de vins, 즉 포도주점 주인들은 하나같이 포도주세를 명백히 반대하는 자들이었다. 그리고 결국 포도주세는 소비를 감소시켜 생산물의 판매 시장을 차단한다. 포도주세는 도시 노동자가 포도주를 살 수 없게 만든 반면, 포도 재배 농민은 포도를 판매할 수 없게 만들었다. 그런데 프랑스에서는 포도를 재배하는 인구가 약 1200만 명에 달한다. 따라서 포도주세를 반대하는 인민의 혐오를 전반적으로 이해할 수 있으며, 특히 포도주세를 광적으로 반대하는 농민을 이해할 수 있다. 더욱이 그들은 포도주세의 부활을 파편적이고 다소간은 우연적인 사건으로 보지 않았다. 농민은 대대로 내려오는 그들 나름의 역사적 전통을 갖고 있으며, 이러한 역사적 학교에는 어느 정부나 농민을 속이고 싶으면 포도주세의 폐지를 약속하고 또 농민을 속이자마자 포도주세를 존속시키거나 다시 도입한다는 뒷말이 있다. 농민은 포도주세로 정부의 태도와 성향을 가늠한다. 12월 20일의 포도주세 부활이 의미하는 바는 다음과 같다. **루이 보나파르트도 다른 놈들과 마찬가지이다.** 그러나 그에게는 다른 놈들과 다른 점이 있었다. 루이 보나파르트는 **농민의 발명품**이었고, 그래서 포도주세에 반대하는 수백만의 서명이 담긴 청원서를 통해 농민은 1년 전에 "숙부의 조카"를 지지했던 투표를 철회했다.

프랑스 전체 인구의 3분의 2가 넘는 농촌 인구[293]는 대부분 이른바 자유로운 **토지 소유자들**로 이루어져 있다. 1789년 혁명을 통해 봉건적 부담에서 무

상으로 해방된 제1세대는 ||24| 토지에 대가를 지불하지 않았다. 그러나 다음 세대들은 그들의 반(半)농노적 조상들이 지대, 십일조, 부역 등의 형태로 지불했던 것을 **토지 가격**의 형태로 지불했다. 한편으로 인구가 증가하고, 다른 한편으로 토지 분할이 많아질수록 그만큼 더 분할지 가격이 상승했다. 왜냐하면 분할지가 작아지면서 분할지에 대한 수요 규모가 증가했기 때문이다. 그러나 농민이 분할지를 직접 구입했든 그의 공동 상속인들에게서 자본으로서 물려받았든 간에, 농민이 분할지에 지불한 가격이 상승한 만큼 비례하여 똑같이 **농민의 부채**, 즉 **저당권**[294]도 반드시 증가한다. 토지를 담보로 한 부채의 이름은 **저당권**,[295] 즉 토지에 대한 전당표라고 불린다. 중세의 영지에 **특권들**이 축적되었던 것과 마찬가지로, 근대의 분할지에는 **저당권**이 축적된다. 다른 한편으로[296] 분할지 체계에서 토지는 그 소유자에게는 순수한 **생산도구**이다. 마찬가지로 이제 토지가 분할될수록 그만큼 더 토지의 비옥도는 낮아진다. 토지에 기계를 적용한 것, 분업, 배수로와 관개수로 설치와 같은 대규모의 토지 개량 수단은 점점 더 어려워지는 반면, 경작의 **비생산적 비용**은 생산도구 자체의 분할에 비례하여 증가한다. 이 모든 것은 그 분할지의 소유자가 자본이 있든 없든 상관없다. 그러나 분할이 더 증가할수록 그만큼 더 토지는 가장 비참한 재고품과 더불어 분할지 농민의 자본 전체가 되고, 그만큼 더 토지에 대한 자본 투자는 줄어들고, 그만큼 더 소작농에게는 농경학의 발전에 적용하기 위한 토지, 자금, 교육이 부족해지며, 그만큼 더 토지 경작이 퇴보하게 된다. 결국 **순수익**은 **총소비**가 증가하는 만큼 비례하여 감소한다. 이때 농민의 가족 전체는 그 소유지 때문에 다른 직업을 구할 수 없고 그 소유지로 먹고살 수도 없다.

따라서 인구 증가와 더불어 토지 분할이 증가하는 만큼 **생산도구**인 토지는 **가격이 상승**하고, ||25| **토지의 비옥도**는 감소하며, 그만큼 **농업은 쇠퇴하고, 농민은 빚을 지게 된다.** 그래서 결과였던 것이 이번에는 원인이 된다. 세대마다 다음 세대에 더 많은 부채를 넘겨주고, 새 세대마다 더 불리한 조건, 악조건에서 시작하며, 저당은 저당을 낳고, 농민은 자신의 분할지를 **신규 부채**의 담보로 제공하는 것이 불가능해지는데, 다시 말해 분할지를 새 저당권으로 저당 잡히는 것이 불가능해질 때 그는 곧바로 **고리대금**에 빠져들고, 그만큼 **고리대금의 이자**는 더 커지게 된다.

이렇게 프랑스 농민은 토지를 담보로 잡힌 **저당권의 이자** 형태로, 또 **저당 잡히지는 않았지만 고리대금에 의한 차입금 이자**의 형태로, 지대, 산업이윤,

246

한마디로 하면 **순이익 전체**뿐만 아니라 **임금의 일부**조차도 자본가에게 양도한다. 그래서 프랑스 농민은 **아일랜드 소작농**의 처지로 전락하는데 이 모든 것은 **사적 소유자**라는 구실 아래 이루어졌다.

프랑스에서 이 과정은 점증하는 **세금 부담**과 **재판 비용**을 통해서 가속화했다. 이 재판 비용은 일부는 프랑스 입법이 토지 소유에 걸쳐놓은 형식적인 절차 자체에 따라서 직접 야기된 것이고, 일부는 곳곳에서 분할지의 경계선을 긋고 교차시킬 때 생긴 무수한 갈등을 통해서 야기되었고, 일부는 농민의 소유에 대한 애착이 관념상의 소유, 즉 **소유권에 대한**[297] 광적인 주장으로 한정된 농민의 소송 열기를 통해서 야기되었다. ^{G187}

1840년의 한 통계표에 따르면 프랑스 토지의 총생산액은 52억 3717만 8천 프랑에 달한다. 이 중에서 경작비는 경작하는 사람의 소비를 포함해 35억 5200만 프랑이나 된다. 순생산액은 16억 8517만 8천 프랑이 남는데, 그중에서 5억 5천만 프랑은 저당권의 이자로, 1억 프랑은 사법관들에게, 3억 5천만 프랑은 세금으로, 1억 7백만 프랑은 등기료, 인지세, 저당 수수료 등으로 빠져나갔다. 거기서 원료품의[298] 3분의 1인 5억 7817만 8천[299] 프랑이 남고, 인구 1인당으로 ‖26‖ 배분하면 순생산액은 25프랑도 되지 않는다. 이 수치에는 당연히 저당 이외의 고리대금이나 변호사 등에 대한 비용은 포함되지 않는다.

우리는 공화정이 과거의 부담에 새로운 부담을 추가했을 때 프랑스 농민의 처지를 이해할 수 있다. 우리는 농민에 대한 착취가 산업 프롤레타리아트에 대한 착취와 **형식적으로만 다르다**는 점을 알 수 있다. 착취자(Exploiteur)는 같고, **자본**이다. 개별 자본가는 **저당권**이나 **고리대금**을 통해 개별 농민을 착취하며, 자본가계급은 **국가 세금**을 통해 농민계급을 착취한다. 농민의 소유권은 지금까지 자본이 농민을 사로잡아온 부적이며, 산업 프롤레타리아트를 반대하라고 농민을 부추긴 구실이다. 자본의 몰락만이 농민을 일어서게 할 수 있으며, 반자본주의적 프롤레타리아트 정부만이 농민의 경제적 빈곤과 사회적 추락을 타파할 수 있다. **입헌공화정**은 농민에 대한 착취자들의 연합 독재이고, **사회-민주적 적색** 공화정은 농민 동맹자들의 독재이다. 그리고 저울은 농민이 투표함에 넣은 투표 수에 따라 올라가기도 하고 내려가기도 한다. 농민은 스스로 자기 운명을 결정해야 한다. 사회주의자들은 온갖 종류의 소책자, 연감, 달력, 전단 등을 통해 이렇게 말했다. 이 말은 질서당의 반대 저술을 통해 농민에게 더욱 잘 이해되었는데, 질서당으로서도 농민에게 관심을 보였고, 사회주의자들의 의도나 사상을 천박하게 과장하고, 조야하게 이해하고 서술함으로써 진정한 농민의 소리를 찾아냈고, 금단의 열매에 대한 농민의 열망을 몹시 자극했다. 그러나 농민계급에게 가장 잘 이해하기 쉽게 말한 것은 선거권을 행사하는 과정에서 터득한 경험 자체이고, 혁명적 조급함 속에서 계속해서 농민에게 밀어닥친 환멸이었다. **혁명은 역사의 기관차이다.**

G188 농민의 점진적인 변혁과정은 다양한 징후들로 나타났다. 그것은 입법의회 선거에서 이미 나타났으며, 리옹에 인접한 5개 지구의 계엄 상태에서도 나타났고, 6월 13일 이후 몇 달이 지난 뒤 ||27| 시롱드 지구에서 하원[300](chambre introuvable: 1815~16년 당시 왕당파로만 구성된 프랑스 하원으로, '보기 드문 하원'이라는 뜻—옮긴이)의 전 의장[301] 대신 산악당의 후보를 선출[302]한 데서 나타났다. 그것은 또한 1849년 12월 20일 **가르** 지구에서 사망한 정통 왕조파 의원 대신에[303] 적색당 의원을 선출한 데서 나타났는데, 그곳은 정통 왕조파의 약속의 땅이고,[304] 1794년과 1795년 공화주의자[305]에게 반대하는 가장 끔찍하고 파렴치한 행위가 연출되었던 현장이며, 1815년 자유주의자들과 청교도들이 공개 처형된 백색 테러의 중심지(terreur blanche)였다. 이러한 가장 정태적인 계급의 혁명화는 포도주세의 재도입 이후 가장 분명하게 나타났다. 1850년 1월과 2월 동안의 정부 조치와 법률은 거의 전적으로 **지방과 농민**을 겨냥한 것이었다. 이는 지방과 농민의 진보를 가장 뚜렷하게 드러내는 증거이다.

도풀은 한 **회람**에서[306] 헌병을 지사, 부지사 그리고 무엇보다 시장에 대한 이단 심문관으로 임명하고 가장 동떨어진 마을의 외진 곳까지도 밀정 조직을 구성하도록 했다.[307] **교사 단속법**[308]으로 인해 그들 농민계급[309]의 능력자, 대변인, 교육자 그리고 통역자인 교사들은 지사의 횡포에 복종해야 했으며, 지식인 계급 가운데 프롤레타리아트인 교사들은 마치 사냥꾼에게 쫓기는 짐승들처럼 이 마을에서 저 마을로 쫓겨다녔다.[310] **시장 단속 입법안**[311] 제정으로 농민 공동체의 대통령인 시장들은 파면이라는 다모클레스의 칼이 머리 위에 매달려 있어서 항시 공화국과 질서당의 대통령과 맞서게 되었다.[312] 프랑스의 17개 군관구를 4개 총독구(Paschalik)로 개편하고 프랑스군의 막사와 야영지를 국립 살롱으로 만드는 **군령**[313]도 있었다.[314] 질서당은 **교육법**[315]을 제정하여 프랑스의 무지와 강제적 우민화만이 보통선거제하에서 자신들이 생존할 수 있는 조건이라고 선언했다. 이 모든 법률과 조처는 무엇을 뜻하는 것이었겠는가? 지방과 그 지방의 농민을 재정복하려는 질서당의 필사적인 시도일 뿐이다.

그것은 **압제책**으로서 자신의 고유한 목적을 파멸시키는 비참한 수단이었다. 포도주세와 45상팀||28| 세의 부활과 같은 중대한 조치, 10억 프랑의 반환을 요구하는 농민의 청원에 대한 경멸적인 거부 등 이 모든 입법상의 기습적 조치로 농민계급은 중앙으로부터 대대적인 타격을 받았지만 단 한 번에 그쳤다. 위에서 예시한 법령들과 조처들은 공격과 저항을 **일반적인 것으로**, 즉 집집마다 공동의 화제가 되게 만들었다. 이것들은 마을마다 혁명을 불어넣었고, **혁명을 지방화하고 농민화했다.**

다른 한편 이러한 보나파르트의 발의안들과 국민의회가 이 발의안들을 ||G189 승인한 것은 아나키, 즉 부르주아 독재에 반대하는 모든 계급을 억압하는 것이 문제인 한에서 입헌공화정[316]의 양대 세력의 연합을 입증하는 것이 아니겠는가? **슐루크**는 자극적인 교서를 보낸 직후에,[317] 짜부라진 나폴레옹의 캐리커처였던 것과 같이 푸셰의 더럽고 야비한 캐리커처인 **카를리에**의 곧 이은 교서[318]를 통해 질서를 위한 자신의 희생(Dévouement)을 입법의회에 장담하지 않았던가?

교육법은 청년 가톨릭교도들과 늙은 볼테르주의자들의 동맹을 보여준다. 부르주아 연합의 지배는 예수회교도들에게 우호적인 왕정복고파와 자유사상가인 체하는 7월 왕정의 연합 전제주의와 다른 무엇일 수 있었겠는가? 부르주아 분파가 다른 분파와의 싸움에서 주도권을 장악하기 위해 인민에게 나누어 주었던 무기는, 인민이 부르주아 연합 독재에 대항하게 된 이상 다시 인민에게서 빼앗아야 하지 않는가? 파리 상점주를 **예수교**의 이런 교태스러운 과시보다 더 분개시킨 것은 없었으며, 화해 협약(concordats à l'amiable)의 부결조차 그만큼 분개시키지는 못했다.[319]

그러는 동안 보나파르트와 국민의회의 갈등과 같이 질서당 각 분파 간의 갈등은 지속되었다. 국민의회는 보나파르트가 쿠데타 직후,[320] 자신의 보나파르트파 내각을 조각한 다음[321] 자기 앞에 군주정 시대의 상이군인들을 소집하고 나서, 그들 가운데서 새로[322] 지사를 임명하고, 자신의 대통령 재선을 위한 위헌적 선동을 그들의 임명 조건으로 제시하고, 카를리에가 정통 왕조파의 클럽을 폐쇄하고, 그의 취임을 찬양하며, ||29| 보나파르트가 자신의 기관지《르 나폴레옹》을 창간하여 그것을 통해 대중에게 대통령의 은밀한 욕망을 누설해버렸을 때, 그의 각료들은 입법의회의 연단에서 그의 욕망

을 부정해야 했던[323] 것을 전혀 기뻐하지 않았다. 국민의회는 의회의 여러 차례의 불신임 투표에도 불구하고 보나파르트가 도전적으로 내각을 유임한 것에 대해, 일당 4수의 특별 수당을 지급하여 하사관의 환심을 얻고 외젠 쉬의 『비밀』을 표절한 명예-대부 은행을 통해 프롤레타리아트의 환심을 얻으려고 하는 시도에 대해, 마지막으로 입법의회를 도매로 평판을 나쁘게 하는 한편 대통령 자신만은 개별 사면 조치를 통해 인기를 소매로 비축하고, 나머지 6월 봉기자들을 알제로 추방하는 동의안을 각료들에게 제출시킨 보나파르트의 파렴치한 짓에 대해 전혀 기뻐하지 않았다. **티에르는** "쿠데타"니 "쿠드테트"[324](coup de tête: 경솔한 행동 — 옮긴이)니 하는 위협적인 언사를 마구 지껄였으며, 입법의회는 보나파르트가 자신을 위하여 발의한 모든 법안을 부결하고, 그가 공동 이익을 위해 발의한 법안이 행정력을 늘려 보나파르트 자신의 개인적인 권력 이익을 추구하고 있는 것은 아닌지 의심하고 떠들썩하게 조사함으로써 보나파르트에게 복수했다. 한마디로 입법의회는 **경멸의 음모를 통해 복수했다.**

정통 왕조파 편에서는 자기들보다 더 유능한 오를레앙파가 거의 모든 요직을 다시 장악하고, 자신들은 원칙적으로 **지방 분권화**에서 구원을 찾으려고 했던 것과 달리 **중앙 집권화**가 확산되는 것에 역정을 냈다. 그리고 실제로 그렇게 되었다. 반혁명은 **강력하게 중앙 집권을 추진했다.** 즉 그것은 혁명의 기구를 준비했던 것이다. 반혁명은 심지어 은행권의 강제 통용력으로 파리 은행에 프랑스의 금과 은을 **집중적으로 모았으며,** 이렇게 혁명을 위한 **완벽한 군자금**을 마련했다.

마지막으로 오를레앙파는 다시 떠오르고 있는 정통 왕조 원리가 자신들의 방계 왕조 원리에 이의를 제기하고, 귀족 남편이 부르주아 출신 아내와 한 결혼(mésalliance)과 같이 멸시받고 학대받고 있다고 역정을 냈다.

우리는 농민, 소부르주아지, 중간 신분 모두가 프롤레타리아트와 함께 공식적 공화국에 대항하여 공공연한 대립관계에 들어서고, 공화국의 적으로 간주되는 것을 조금씩 살펴보았다. **부르주아 독재에 대한 반항, 사회 변동에 대한 욕구,** ||30|| 그들의 운동기관으로서 민주공화적 제도의 고수, 결정적 혁명 세력인 프롤레타리아트 주변으로의 결집 — 이는 **이른바 사회-민주당, 적색 공화정의 당**의 공통된 특징이었다. 자기들의 적이 세례를 베풀어준 이 **아나키당**[325]은 질서당과 마찬가지로 이해관계가 다른 세력들의 연합체였다. 예전의 사회적 무질서에 대한 최소한의 개혁에서 예전 사회질서의 변혁

G190

에 이르기까지, 부르주아적 자유주의에서 혁명적 테러리즘에 이르기까지, "아나키"당의 출발점과 종착점이 되는 양극은 이처럼 격차가 크다.

보호관세의 폐지는 사회주의다![326] 그것은 질서당의 **산업가** 분파의 독점을 공격하기 때문이다. 국가 예산의 조정은 사회주의다![327] 그것은 질서당의 **금융가** 분파의 독점을 공격하기 때문이다. 외국산 육류와 곡류의 자유로운 수입은 사회주의다![328] 그것은 질서당의 셋째 분파, 즉 **대토지 소유자들**의 독점을 공격하기 때문이다. 자유무역파, 즉 가장 선진적인 영국 부르주아 정당의 요구가 프랑스에서는 사회주의적 요구들로 보인다. 볼테르주의는 사회주의다![329] 그것은 질서당의 넷째 분파, 즉 **가톨릭**을 공격하기 때문이다. 언론의 자유, 결사권, 보통 대중 교육은 사회주의,[330] 사회주의다! 그것은 질서당의 독점 전체를 공격하기 때문이다.

혁명이 진행되면 여건들이 신속히 성숙되므로 온갖 색조의 개혁의 벗들 G191 과 중간계급의 매우 소박한 주장들도 가장 과격한 혁명파의 깃발인 **붉은 깃발**의 주위에 모이지 않을 수 없었다.

그러나 아나키당의 서로 다른 거대 계파의 **사회주의**는 그들 계급의 또는 계급 분파의 경제적 조건과 이로부터 발생하는 혁명적 욕구들 전체에 따라 다양하지만, **한 가지** 점에서는 일치한다.[331] 이는 **프롤레타리아트 해방 수단**으로, ||31| 프롤레타리아트 해방을 자기의 목적으로 선언한 점에서 그러하다. 어떤 면에서는 고의적인 기만이고, 또 다른 면에서는 자기기만인데, 이들은 자신의 욕구에 따라 변화된 세계를, 모든 혁명적 주장을 실현하고 모든 혁명적 충돌을 제거한 모두에게 최상인 세계라고 공표한다.

아나키당의 본문과 거의 똑같은 **일반적인** 사회주의적 문구 아래에는 《르나시오날》파, 《라 프레스》파, 《르 시에클》파의 사회주의가 숨어 있고, 그 사회주의는 다소 일관성 있게 금융귀족의 지배를 전복하려고 하며, 금융귀족의 지금까지의 족쇄에서 산업과 교역을 해방하려고 한다. 이는 공업, 상업, 농업의 사회주의이며, 이것을 질서당에서 섭정하는 자들은 이러한 이익이 더는 그들의 사적 독점과 일치하지 않는 한 이러한 이익을 부정한다. 당연히 사회주의의 모든 변종과 같이 노동자와 소부르주아지의 일부를 집결하는 이러한 **부르주아 사회주의**는 고유한 사회주의, 소부르주아[332] **사회주의**, 진정한(par excellence) 사회주의와는 구별된다. 자본은 이 계급을 주로 **채권자**로서 몰아세우고, 이 계급은 **신용기관**을 요구한다. 자본은 **경쟁**을 통해 이 계급을 으그러뜨리고, 이 계급은 국가의 지원을 받는 **협회들**(*Associationen*)을 요구한다. 자본은 집중을 통해 이 계급을 압도하고, 이 계급은 **누진세**, 상속 제한, 국가의 대규모 공사 인수, 그리고 **자본의 성장을 강제로 저지**할 수 있는 기타 조치들을 요구한다. 이 계급은 자신들의 사회주의가 평화적으로 실행되는 것을 꿈꾸기 때문에 — 가령 단기간에 끝난 제2의 2월 혁명이라면 별개의 문제이지만 — 당연히 앞으로의 역사적 과정은 사회사상가들이 합작[333]으로든 개별 발명가로서 고안하거나 고안해낸 것이든 사상 **체계를 적용하는 것**으로서 나타난다. 이렇게 이 계급은 기존 사회주의 **체계**들, 즉 **교조적 사회주의**의 절충주의자나 대가가 되었고, 이 교조적 사회주의는 프롤레타리아트가 아직 자유로운 역사적 자기운동으로 스스로 계속 발전하지 못했던 한에서만 프롤레타리아트의 이론적 표현일 뿐이었다.

따라서 **유토피아**, 즉 **교조적 사회주의**가 전체 운동을 그 하나의 계기로 ||32| 종속시키고, 공동의 사회적인 생산을 개별 현학가의 두뇌 활동으로 대체하고, 무엇보다 자질구레한 수작이나 거창한 감상적 미사여구로 혁명적 계급투쟁이 필연적이라는 환상을 걷어내는 동안에, 이러한 교조적 사회주의가 기본적으로 현재의 사회만을 이상화하고, 그림자 없는 상을 사회가 받아들이게 만들고, 자신의 이상을 사회의 현실에 반하여 관철하려고 하는 동안에, 이러한 사회주의가 프롤레타리아트에게서 소시민계급으로 이양되는 동안에, 다양한 사회주의 지도자들 간의 투쟁이 심지어 사회 변혁이 통과하는 한 지점을 다른 지점과 대립시켜 이른바 각각의 체계들 중에서 자기 체계가 품위 있는 것이라고 고집스럽게 드러내는 동안에, **프롤레타리아트는 혁명적 사회주의 주위로, 부르주아지 스스로 블랑키**라는 이름을 고안해낸 **공산주의 주위로 더욱더 집결했다.** 이러한 사회주의는 **혁명의 영구-선포**이고, **계급 차별의 전면적 폐지**를 위한, 계급 차별에 기초한 생산관계 전체를 폐지하기 위한, 이러한 생산관계에 상응하는 사회[334]관계 전체를 폐지하기 위한, 이러한 사회관계에서 유래한 이념 전체를 전복하기 위한 필연적 통과점으로서 프롤레타리아트 **계급 독재**이다.

지면상의 한계로 이 문제를 계속 다룰 수 없다.

우리는 질서당의 **금융귀족**이 필연적으로 선두에 서게 되었던 것처럼 **아나키당**[335]에서는 **프롤레타리아트**가 선두에 서게 되었다는 것을 살펴보았다. 혁명적 동맹으로 결합한 상이한 계급들이 프롤레타리아트 주위에 모이는 동안, 지방이 점점 동요하고 입법의회 자신이 프랑스 술루크의 요구에 대해 점점 퉁명스럽게 되는 동안, 6월 13일 이후에 면직된 산악당 의원의 자리

를 채울 보궐선거의 시행 일자가 오랫동안 늦춰진 끝에 다가왔다.[336]

정부는 적들에게 조소를 당하고 동지라고 하는 자들에게 학대받고 날마다 굴욕당하면서 비위에 거슬리고 견딜 수 없는 상||33|황에서 벗어날 수 있는 수단은 단 하나 ─ **폭동**밖에 없음을 알았다. 파리에서 폭동이 일어난다면 파리 및 여러 지역에 계엄령을 선포하고 그로써 선거를 통제할 수 있을 것이다. 다른 한편으로 질서의 벗들은 아나키에 승리를 쟁취한 정부와 맞서게 될 때, 그들 자신이 아나키스트로 보이고 싶지 않다면 양보할 수밖에 없었다.

정부는 일에 착수했다.[337] 1850년 2월 초에 자유의 나무를 자름으로써[338] 인민의 선동을 유도했지만 소용이 없었다. 자유의 나무가 그 자리를 잃었다면 정부 자신은 머리를 잃고 자신의 선동에 놀라 뒤로 물러섰다. 그러나 국민의회는 이렇게 서투른 보나파르트의 해방 시도를 냉정한 불신으로 받아들였다. 7월 혁명 기념비에 걸린 불멸의 화환을 떼어내는 것도 효과가 없었다.[339] 정부는 일부 군대에 혁명 시위의 빌미를 주었고, 국민의회에는 다소간 베일에 싸인 내각 불신임 투표를 부여했다. 정부의 신문들은 보통선거권을 폐지하고 코사크 기병을 투입하겠다고 위협했지만 소용이 없었다.[340] 입법의회의 회의 도중에 좌파에게 가두로 나가라는 도풀의 직접적인 요구와, 정부가 이미 그것을 받아들일 용의가 있다는 그의 선언도 소용이 없었다. 도풀은 의장에게서 공식적인 의사 규칙을 준수하라는 요구를 받았을 뿐이었고, 질서당은 조용하게 고소해하면서 보나파르트의 찬탈 욕망을 좌파 의원이 조롱하도록 내버려두었다. 결국 **2월 24일**[341]에 혁명을 예견한 것은 소용이 없었다. 정부는 인민이 2월 24일을 무시하도록 만들었다.

프롤레타리아트는 어떤 **폭동**에도 선동되지 않았는데, 왜냐하면 이제 막 **혁명**을 만들려고 했기 때문이었다.

당시의 상황에 전반적인 불만을 높였을 뿐인 정부의 선동들에 동요하지 않고 전적으로 노동자들의 영향 아래 있던 선거위원회는 파리에 세 명의 후보, 즉 **드플로트**, **비달**, **카르노**를 내세웠다. **드플로트**[342]는 6월 사건 때 추방당했으나 보나파르트가 인기를 얻으려고 떠올린 것 가운데 하나인 사면을 통해 복권되었다. 그는 블랑키의 친구였으며, 그는[343] 5월 15일 저격에 직접 참여하기도 했다. 저서 『부의 분배에 관하여』로 공산주의 저술가로 알려진 **비달**[344]은[345] ||34| 뤽상부르 위원회에서 루이 블랑의 전 비서였다. **카르노**[346]는 승리를 조직한 국민공회[347]의 아들이며, 《르 나시오날》파에서 가장

위신을 적게 잃은 인물이자 임시정부와 집행위원회의 문교장관이었던 인물로, 자신이 입안한 민주주의적 교육안을 통해 예수회의 교육법에 강력히 이의를 제기한 바 있다. 이 세 명의 후보자는 동맹을 맺은 세 계급을 대표했다. 선두에는 6월 봉기자, 즉 혁명적 프롤레타리아트의 대표자가, 그다음에는 교조적 사회주의자, 즉 사회주의적 소시민층의 대표자가, 마지막 셋째로는 부르주아 공화파의 대표자가 있었다. 부르주아 공화파의 민주주의적 공식은 질서당에 반대하면서 사회주의적 의미를 획득했으나 자신의[348] 고유한 의미는 오래전에 상실했다. 이것은 **2월 사건 당시와 같이 부르주아지와 정부에 대항하는 총연합**이었다. 그러나 이번에는 **프롤레타리아트가 혁명적 동맹의 수뇌부**였다.[349]

온갖 책동에도 불구하고 사회주의 후보자들이 승리를 거두었다. 군대도 그들 자신의 **라이트**[350] 육군장관을 거역하고 6월 봉기자들에게 투표했다.[351] 질서당은 벼락을 맞은 듯했다. 지방 선거도 그들에게 위안을 주지 않았다. 지방 선거 결과 산악당이 다수표를 얻었다.[352]

G194 **1850년 3월 10일 선거! 이것은 1848년 6월을 취소한 것이었다.** 6월 봉기자들을 학살하고 **추방한 사람들**[353]도 국민의회에 돌아왔지만, 허리를 숙인 채 추방당한 사람들을 뒤따라 그들의 원칙을 중얼거리며 돌아왔다. **이것은 1849년 6월 13일을 취소한 것이었다.** 국민의회에서 추방당한 산악당은 더는 혁명 지도자가 아니라 혁명의 진격 나팔수로서 국민의회에 돌아왔다. **이것은 12월**[354] **10일을 취소한 것이었다.**[355] 나폴레옹의 장관 라이트가 낙선한 것은 나폴레옹이 낙선한 것과 다르지 않았다. 프랑스 의회사에서는 단 하나의 유사한 예를 찾아볼 수 있다. 즉 1830년 카를 10세(샤를 10세―옮긴이)의 각료 도세의[356] 낙선이 그것이다.[357] 결국 1850년 3월 10일의 선거는 질서당에 다수 의석을 안겨준 5월 13일 선거의 무효화였다. 3월 10일 선거는 5월 13일의 ‖35‖ 다수파에 대한 항의였다. 3월 10일은 혁명이었다. 투표용지 뒷면에는 도로 포장용 석재가 있었다.

"3월 10일 선거는 전쟁이다"[358]라고 질서당의 가장 진보적 인물의 한 사람인 세귀르 다게소[359]는 외쳤다.

1850년 3월 10일과 더불어 입헌공화정은 새로운 국면인 **해체 국면**에 돌입한다. 다수파의 서로 다른 분파들은 상호 간에 혹은 보나파르트와 재결합하고, 그들은 다시 질서 구원자들이 되며, 보나파르트는 다시 그들의 **중립적 인물**이 된다. 만약 그들이 자신들이 왕당파라는 점을 기억한다면, 이것은 부르주아 공화정이 가능하다는 점에 대한 절망에서 일어난 것일 뿐이고, 만약 보나파르트가 자신이 왕위 계승 요구자[360]라는 점을 기억한다면, 이것은 그가 대통령으로 남을 수 있는 점에 대해 절망했다는 그 이유로 일어난 것에 지나지 않는다.

보나파르트는 블랑키와 바르베스, 르드뤼 롤랭과 기나르를 고발한 **바로 슈를**[361] 질서당의 명령에 따라 내무장관에 임명함으로써 6월 봉기자 **드플로트의**[362] 당선에 대응했다. 입법의회는 교육법을 채택함으로써 **카르노의**[363] 당선에 대응했으며, 사회주의 신문을 탄압함으로써 **비달의**[364] 당선에 대응했다. 질서당은 자파 신문의 나팔 소리로 자신의 두려움을 떨쳐버리려 했다. 그들의 기관지 중 하나가 외쳤다. "칼은 신성하다." 그리고 다른 곳에서 "질서 옹호자들은 적색당에 공세를 취해야 한다"라고 외쳤으며, "사회주의와 사회 사이에는 목숨을 건 결투, 끊임없는 무자비한 전쟁이 있으며, 이렇게 절망적인 결투에서 이쪽이든 저쪽이든 하나는 파멸하기 마련이고, 사회가 사회주의를 말살하지 않으면 사회주의가 사회를 말살할 것이다"라고 질서당의 셋째 수탉은 울어댔다.[365] 질서의 바리케이드, 종교의 바리케이드, 가족의 바리케이드를 쳐라! 12만 7천 명의 파리 유권자들을 해치워야 한다! 사회주의자들에게 바르톨로메오의 밤(1572년 성 바르톨로메오 축일인 8월 24일 밤에 가톨릭 귀족과 시민이 위그노를 학살한 사건 — 옮긴이)을! 그리하여 질서당은 잠시나마 자신들의 승리를 확신했다.[366]

그들의 기관지는 가장 광적으로 **"파리의 상점주들"**을 매도하고 있다. 파리의 6월 봉기자를 대표로 선출한 것은 파리의 상점주들이었다! 이것은 제2의 1848년 6월이 불가능하며, 제2의 1849년 6월 13일이 불가능하고, 자본의 도덕적 영||36|향력이 무너져버렸으며, 부르주아지의 의회는 부르주아지만을 대표하는 것을 의미한다. 이것은 또한 대자산이 소멸하는 것을 의미한다. 왜냐하면 대자산의 봉신(封臣)인 소자산은 무산자의 진영에서 자신들의 구원책을 찾고 있기 때문이었다.

질서당은 자연히 불가피하게 **상투어**로 돌아갈 수밖에 없었다. **"탄압을 강화하자!"** **"10배의 탄압을!"**이라고 질서당은 외쳤다. 그러나 그들의 탄압의 힘은 10분의 1로 감소한 반면 저항은 100배 증가했다. 주요 탄압 수단인 군대 자체를 탄압할 필요가 있지 않은가? 그래서 질서당은 마지막으로 말한다. "우리를 질식시키는 합법성의 쇠고리를 끊어야만 한다. **입헌공화정은 불가능하다.** 우리는 우리의 진정한 무기를 들고 싸워야 한다. 1848년 2월

G195

이후 우리는 **혁명의 진정한** 무기를 들고 **혁명의 진정한** 지반에서 혁명과 싸워왔으며, 우리는 **혁명의 진정한** 제도들을 수용했다. 그러나 헌법은 포위된 자가 아니라 포위한 자를 보호하는 요새이다! 우리는 트로이 목마의 배 속에 숨어 성스러운 일리온 성으로 들어갔지만 우리의 조상인 **그리스인들**(*Grecs*)[367]과 달리 적진을 점령하지 못하고 우리 자신이 포로가 되어 버렸다."

그러나 헌법의 기반은 **보통선거권**이다. **보통선거권의 폐지**는 질서당의, 부르주아 독재의 최후의 말이다.

1848년 5월 4일,[368] 1848년 12월 20일, 1849년 5월 13일, 1849년 7월 8일의 보통선거권은 질서당과 부르주아 독재가 옳다고 인정했다. 1850년 3월 10일의 보통선거권은 이러한 자신의 결정을 옳지 않다고 인정했다. 인민의 분명한 주권 의지의 행사인 보통선거의 성과와 결과로서의 부르주아 통치, 그것이[369] 부르주아 헌법의 의미이다. 그러나 이 선거권, 이 주권 의지의 내용이 더는 부르주아 통치가 아니게 된 순간 헌법이 어떤 의미가 있겠는가? 선거권을 통제해서 그 선거권을 이성적인 것으로 만들어 자신들이 통치하려고 하는 것은 부르주아지의 본분이 아닌가? 보통선거권은 끊임없이 기존의 국가 권력을 다시 폐기하고 스스로 새로이 국가 권력을 창출함으로써 모든 안정을 저해하고, ||37| 매 순간 기존의 모든 권력을 문제 삼고, 권위를 무시하며, 아나키 자체를 권위로 세우지 않았는가? 1850년 3월 10일 이후 누가 그것을 의심하겠는가?

부르주아지는 지금까지 자신들을 치장해주고[370] 자신들의 전능함을 얻었던 보통선거권을 거부하면서 노골적으로 이렇게 자백했다. "**우리의 독재는 지금까지 인민의 의지에 따라 존재해왔으나, 이제 인민의 의지를 거슬러 공고해져야 한다.**" 그러므로 당연한 귀결로서 부르주아지는 더는 프랑스 내에서 지지자들을 찾지 않고 프랑스 밖에서, 외국에서, **침략**에서 찾고 있다.

G196 　부르주아지, 즉 프랑스 자체 안에서 자리를 잡았던 제2의 코블렌츠[371]는 침략으로 자신들을 반대하는 민족 감정 전체를 일깨웠다. 부르주아지는 보통선거권을 공격하여 새로운 혁명에 **보편적 구실**을 제공했고, 혁명은 그러한 구실이 필요했다. 각각의 **특수한** 구실로 인해 혁명적 동맹의 분파들은 분열되었고 서로의 차이점이 부각되었다. **보편적 구실**, 이것은 반쯤 혁명적인 계급을 마비시켰고, 다가오는 혁명의 **특정한 성격**, 자신들의 행위 결과들에 대해 스스로를 기만하게끔 만들었다. 모든 혁명에는 당면 과제가 필요하다.

보통선거권, 이것이 새로운 혁명의 당면 과제이다.

그러나 부르주아 연합 분파는 그들의 **연합된** 권력의 유일하고 가능한 형태이자 그들의 **계급 지배**의 가장 강력하고 가장 완벽한 형태인 **입헌공화정**에서 종속적이고, 불완전하고, 허약한 형태인 **군주정**으로 후퇴함으로써 이미 유죄 판결을 받았다. 부르주아지는 젊은 시절의 힘을 되찾기 위해 어렸을 때 옷을 끄집어내 자신의 노쇠한 사지에 걸치고 억지로 즐거워하려는 노인네와 같다. 그들의 공화국은 단 하나의 공적을 가지고 있는데, 그것이 **혁명의 온실**이라는 것이다.

1850년 3월 10일은 다음과 같은 비문을 새겨놓고 있다.

내가 없어진 다음에야 될 대로 되라지.[372]

카를 마르크스.

카를 마르크스/프리드리히 엥겔스

《노이에 라이니셰 차이퉁. 정치-경제 평론》제2호의 서평

Rezensionen aus Heft 2 der "Neuen Rheinischen Zeitung. Politisch-ökonomische Revue"

《노이에 라이니셰 차이퉁. 정치-경제 평론》

제2호, 1850년 2월

|57| 문헌.*

I. **G. Fr.** 다우머. 『새 시대의 종교. 종합적-잠언적 기초의 추구』. 제2권. 함 부르크, 1850년.

"평소 자유분방하고 새로운 것에 민감하면서도 민주주의 운동을 몹시 증 오한 사람이 **뉘른베르크**에 살고 있었다. 그 사람은 롱게를 존경하여 그의 사 진을 방에 걸어놓았다. 그러나 민주주의자들이 롱게를 두둔한다는 말을 듣 고는 그 사진을 변소에 걸어놓았다. '러시아의 폭정 치하에 살았더라면 행 복할 텐데!'라고 언젠가 한번 말했다. 그는 폭동의 와중에 죽었다. 나는 그가 오래 살기는 했지만, 세상일에 대한 비분강개가 그를 죽음으로 인도했다고 본다." 제2권, 321, 322쪽.[1]

이 가련한 뉘른베르크의 속물이 죽지 않고 《코레스폰덴트 폰 운트 퓌어

---

*   여기에서 다룬 모든 저작은 런던 스트랜드 가 270번지(성 클레멘트 교회 다음다음 집)에 사는 D. 넛(D. Nutt) 씨가 가지고 있었음. ─ 마르크스/엥겔스의 주.

도이칠란트》(Korrespondenten von und für Deutchland), 괴테와 실러, 케케 묵은 교과서들, 순회도서관의 새 자료에서 자기의 단편적 사상을 대충이라 도 주웠더라면, 그는 죽음을 피했을 것이고, 다우머 씨가 공들인 두 권짜리 『종합적-잠언적 기초』를 쓰도록 하지 않았을 것이다. 그랬더라면 두말할 것 도 없이 『새 시대의 종교』와 더불어 그 책의 첫 순교자를 알게 될 교화적인 기회를 우리에게 주지 않았을 것이다.

다우머 씨의 저작은 두 부분, 즉 "잠정적인" 부분과 "고유한" 부분으로 나 뉜다. 충실한 에카르트는 잠정적인 부분에서 독일 철학에 깊은 우려를 나타 낸다. 사려 깊고 교양 있는 독일인마저 2년 전부터 생각을 잘못하는 바람에 단지 "천박한" 혁명 활동을 위해 대단히 귀중한 사상의 업적을 포기했다는 G198 것이다. 그는 지금이야말로 고귀한 민족 감정에 한 번 더 호소할 적기라고 보고, 독일 시민만을 더 나은 단계로 만들었던 독일 교양 전체를 이렇게 분 별없이 그대로 놔둔다면 무슨 일이 일어날 것인지를 지적했다. 그는 독일 교 양 내용 전체를 매우 간결하게 핵심적인 말들로 요약하는데, 이것은 그의 박 식함의 보고를 보여주면서 이를 통해서 독일 ||58| 철학 못지않게 이런 독 일 교양을 웃음거리로 만들어버린다. 독일 정신의 가장 고상한 작품들을 취 합한 그의 서화집은 그 평범함과 진부함에서는 교양 있는 신분들의 딸들이 보는 매우 평범한 독본보다 더 안 좋다. 새로운 종교의 이 대제사장은 첫 번 째 프랑스 혁명에 대한 괴테와 실러의 속물적인 비방에서, 즉 "잠자는 사자 를 깨우는 것은 위험하다"[2]는 고전적인 비방에서 최근 문헌에 이르기까지 모든 구절을 부지런히 헤집었다. 이 구절들에서 독일식 변발을 한 자는 졸 린 듯한 불평을 늘어놓으면서 자기가 혐오하는 역사운동에 완강히 맞선다. 프리드리히 라우머 세력의 권위자들, 즉 베르톨트 아우어바흐, 로흐너, 모 리츠 카리에르, 알프레트 마이스너, 크루크, 딩겔슈테트, 롱게, 《뉘른베르거 보테》,[3] 막스 발다우, 슈테른베르크, 게르만 모이러, 루이제 아스톤, 에커만, 노아크, 《블레터 퓌어 리터라리셰 운터할퉁》, A. 쿤체, 길라니, Th. 문트, 자 피어, 구츠코프, "가테러(Gatterer)라는 결혼 전 성을 가진 여자" 등은 새로 운 종교 사원의 토대가 되는 기둥들이다. 다우머 씨에게 혁명운동, 즉 여기 에서 엄청난 저주를 받은 혁명운동은 한편으로 《코레스폰덴텐 폰 운트 퓌어 도이칠란트》의 후원 아래, 뉘른베르크에서 흔히 있는 매우 진부한 정치 탁 상공론으로, 다른 한편으로 매우 모험적이라고 볼 수밖에 없는 천민들의 격 분으로 축소된다. 여기에서 활용한 다음의 출처들은 위에서 언급한 출처들

과 대등한 수준에 놓을 수 있다. 즉 여러 번 언급한 뉘른베르크의 통신원 외에《밤베르거 차이퉁》, 뮌헨《란트뵈틴》,[4] 아우크스부르크《알게마이네 차이퉁》등이 바로 그것이다. 프롤레타리아트가 언제나 난폭하고 타락한 룸펜이라고만 알고 있고, 3천 명 이상의 이 "룸펜"이 학살당한 1848년 파리 6월 대학살 때, 만족해하면서 손을 비빈 이런 비열한 속물들은 동물 학대에 반대하는 이 평온한 동맹이 조롱의 대상이 된 것에 대해 격분했다. "다우머 씨가 제1권 293쪽에서 소리 높인 그 끔찍한 고통, 즉 불쌍한 동물들이 인간의 잔인한 압제의 손아귀에서 견디는 고통은 이 야만인들에게는 걱정 안 해도 되는 '하찮은 것'이었다!" 근대의 모든 계급투쟁은 다우머 씨에게는 "교양"에 맞서는 "야만"의 투쟁으로만 보인다. 이 계급들의 역사적 조건에서 이 투쟁을 설명하는 대신, 그는 천민의 저급한 욕망을 교양 있는 신분들에 대항하는 것으로 사주한 몇몇 악의적인 사람들의 선동적인 행위에서 그 투쟁의 원인을 찾는다. "이 민주적 개혁(Reformatismus)은 … 사회 하층계급의 상층계급에 대한 질투, 분노, 약탈욕을 부추긴다. 그것은 인간을 더 고귀하게, 더 훌륭하게 만들고 문화 수준을 더 높이는 훌륭한 수단이다."(제1권, 289쪽)[5] 다우머 씨는 "사회의 하층계급의 상층계급에 대한" 투쟁들 따위는 결코 모른다. 이 투쟁들은 심지어 뉘른베르크의 "문화 수준"을 이끌었고, 다우머 씨의 말대로 몰록 사냥꾼[6]을 만드는 데 필요한 것이었다.

둘째로 "고유한" 부분은 새로운 종교의 긍정적인 면을 담고 있다. 여기에서는 기독‖59‖교에 대항하는 투쟁들에 빠져 있던 독일 철학자의 망각,[7] 종교에 대한 인민의 무관심, 이 철학자가 고찰한 몇몇 가치 있는 대상들에 대한 온갖 짜증이 언급되어 있다. 경쟁에 져서 내버려진 자기 밥벌이의 명예를 회복하기 위해 낡은 종교에 대해 실컷 짖어댄 다음 우리의 현세 철학자에게 남은 것이라고는 새로운 종교를 창시하는 것 말고는 아무것도 없다. 그러나이 새로운 종교는 첫째 부분과 부합하게 계속해서 잠언들의 서화집, 시선집, 독일 속물 교양의 추모시[8]로 한정되어 있다. 새로운 코란의 장(章)들은 현존하는 독일 상태를 도덕적으로 미화하고 시적으로 꾸며놓은 일련의 문구들에 지나지 않는다. 이 문구들은 즉각적으로 종교적 형태를 벗어버렸다는 바로 그런 이유로 똑같이 낡은 종교와 유착되어 있다.

"새로운 세계 상태와 세계 관계 전체는 새로운 종교를 통해서만 생길 수 있다. 기독교와 이슬람교는 종교가 할 수 있는 것에 대한 예와 증거로 볼 수 있고, 1848년에 시작했던 운동은 추상적이고 배타적인 정치가 겪었던 무기력과 실패를 매우 분명하게 감지할 수 있는 선례이다." 제1권, 313쪽.

이런 의미심장한 문장에서 우리는 즉각 독일 "사상가"의 진부함과 무지 전체에 직면한다. 이 독일 사상가는 소독일, 특히 바이에른의 "3월의 성과들"을 1848년과 1849년의 유럽 운동으로 간주한다. 그리고 그는 거대한 혁명이 점차 형성되고 있고 집중되고 있는 가운데 일어난 그 자체로는 매우 피상적인 첫 번째 폭발들이 일어나자마자 "새로운 세계 상태와 세계 관계 전체"가 산출되기를 기대하고 있다. 지난 2년간 파리와 데브레첸, 베를린과 팔레르모에서 벌어진 최초의 산발적인 교전이었던 얽히고설킨 모든 사회 투쟁은 현세 철학자인 다우머에게는 "1849년 1월 에를랑겐 입헌 연합의 희망이 무기한 연기된 것"(1권, 312쪽)[9]으로 축소되었고, 다우머 씨가 하피스, 마호메트, 베르톨트 아우어바흐를 다룰 때 다시 한번 불쾌하게 자신을 몰아세웠을 새로운 투쟁에 대한 두려움으로 축소되었다.[10]

바로 이 후안무치한 천박함 때문에 다우머 씨는 다음 사실들을 깡그리 무시한다. 즉 고대 "세계 상태"가 기독교 이전에 몰락했다는 것, 그 몰락의 단순한 표현이 바로 기독교라는 것, "완전히 새로운 세계 상태"는 기독교를 통해서 내부에서 생긴 것이 아니라 훈족과 게르만족이 "외부에서" 로마 제국의 시체를 덮쳤을 때 비로소 생겼다는 것, 게르만족의 침입 이후에 "새로운 세계 상태"가 기독교에 순응한 것이 아니라, 이 세계 상태의 새로운 국면들 때문에 기독교도 바뀌었다는 것을 아예 무시한다. 아무튼 다우머 씨는 매우 강력한 "외부의 추상적인 정치적" 격변이 동시에 일어나지 않아도 어떤 새로운 종교를 통해서 낡은 세계 상태가 바뀐 사례를 우리에게 제시하려고 했다.

|60| 사회 상태의 모든 역사적 대변혁으로 인간의 관점과 생각이 동시에 변혁되고, 그 결과로 종교적 생각도 변혁된다는 것은 분명하다. 그러나 현재의 변혁과 이전의 모든 변혁의 차이는 바로 사람들이 마침내 이런 역사적 변혁 과정의 비밀을 알아챘다는 데 있고, 따라서 사람들이 이런 실제적이고 "외적인" 과정을 새로운 종교에 열광하는 형태로 다시금 찬미하는 대신에 모든 종교를 버렸다는 데 있다.

그것이 인간과의 교제뿐 아니라 또한 동물과의 교제에 필요한 것을 포함한다는 점에서 크니게조차 넘어서는, 새로운 세계 지혜의 온화한 윤리학 다음에 ─ 즉 솔로몬의 잠언 다음에 새로운 솔로몬[11]의 아가서가 이어진다.

"**인간**과 **남성**과는 대조적으로 **자연**과 **여성**은 참으로 신성하다. … 인간적인 것을 자연적인 것에, 남성적인 것을 여성적인 것에 헌신하는 것이 진정한 헌신이며, 유일하게 참된 겸손이자 자기 외화이고, 존재하는 최고의 유일무이한 미덕이자 경건함이다." 2권, 257쪽.

우리는 여기에서 사변적인 종교 창시자의 천박한 무지가 어떻게 매우 명료하게 비겁함으로 변했는지 알 수 있다. 다우머 씨는 자기 앞에 위협적으로 다가온 역사의 비극에서 이른바 자연, 즉 단조로운 시골 생활로 달아나고, 자신의 고유한 여성적 체념을 은폐하기 위해 여성 숭배를 설교한다.

그런데 다우머 씨의 자연 숭배는 독특하다. 그는 심지어 기독교와 비교해서도 반동적으로 처신했다. 그는 기독교 이전의 고대 자연 종교를 근대적 형태로 만들어내려고 한다. 이때 그는 두말할 것도 없이 자연에 대한 오로지 기독교적, 게르만적, 가부장적인 헛소리를 예를 들면 이렇게 지껄인다.

G201
"달콤하고 성스러운 자연이여,
내 그대 발자국을 따르리.
그대 손에 매달린 날 이끌어주오,
마치 끈을 붙들고 있는 어린아이처럼!"

"이런 것은 한물갔다. 교육, 진보, 인간의 행복에 도움이 안 된다." 2권, 157쪽.

우리가 살펴본 것처럼 이런 자연 숭배는 소도시 주민의 일요일 산책으로 국한된다. 이들은 뻐꾸기가 다른 새의 둥지에 알을 낳는다(2권, 40쪽),[12] 눈물은 눈자위를 적실 운명(2권, 73쪽)[13]이라는 식으로 자신들의 유치한 경이로움을 드러내고, 급기야는 성스러움에 전율하면서, 자기 아이들에게 클롭슈토크의 봄의 송가를 낭독해준다(2권, 23쪽 이하).[14] 근대 산업과 결부해서 자연 전체를 혁명화하고, 다른 유치한 장난 이외에도 자연에 대한 인간의 유치한 태도도 종식한 근대 자연과학에 대해서는 당연히 아무런 말도 하지 않는다. ||61| 이 대신에 우리는 노스트라다무스의 예언,[15] 스코틀랜드인의 예지력,[16] 동물 자기설[17]에 대한 신비로운 암시와 놀라운 속물적 예감을 보게 된다. 그나저나 성직자들과 다우머들이 똑같이 자란 땅인 바이에른 주의 낙후한 농업 경제가 언젠가는 마침내 근대식 농업과 근대식 기계를 통해서 일궈질 것이라고 기대해볼 수 있을 것이다.

여성 숭배는 자연 숭배와 같다. 분명한 것은 다우머 씨가 현재 여성의 사회적 지위에 대해 한마디도 하지 않았다는 것과 이와 반대로 단순히 여성 자체가 중요하다고 보았다는 점이다. 다우머 씨는 공허하기도 하고 신비롭기도 한 수사학적 숭배를 여성들에게 헌정함으로써 시민으로서 여성들의 비참함을 위로하려고 한다. 그는 여성들이 결혼 후에는 아이들을 돌봐야 하기 때문에(2권, 237쪽)[18] 결혼으로 재능을 사장한다고 말하고, 심지어는 60세까지 아이들에게 젖을 물릴 수 있는 능력이 있다(2권, 244쪽)[19]는 말 따위로 여성들을 달랜다. 다우머 씨는 이것을 "여성에게 바치는 남성의 제물 (祭物)"[20]이라고 부른다. 이제 그는 자신이 말한 남성의 제물이 필요한 이상적인 여성상을 자신의 조국에서 찾기 위해서 이전 세기의 다양한 귀족 부인들을 자신의 도피처로 삼을 수밖에 없었다. 따라서 여성 숭배는 다시 의기소침한 문인과 존경받는 후원자의 관계로 쪼그라든다 — 빌헬름 마이스터.[21]

다우머 씨가 그 붕괴를 개탄한 "교양"은 자유 제국도시 뉘른베르크가 번창한 시대, 예술과 수공업의 중간쯤 되는 뉘른베르크의 산업이 중요한 역할을 한 시대, 독일 소시민계급의 교양이 이들과 함께 몰락한 시대의 교양이다. 기사계급 같은 이전 계급의 몰락은 훌륭한 비극 작품의 소재라도 제공하지만, 속물 계급은 광적인 악랄함의 무기력한 표현, 산초 판사(Sancho Panza)의 경구와 잠언밖에 제공하지 못한다. 다우머는 유머라곤 찾아볼 수 없는 무미건조한 한스 작스의 속편이다. 자신들의 양아버지, 즉 독일 속물 계급의 임종 자리에서 손을 쥐어짜면서 비탄에 잠겨 있는 독일 철학, 이것이 새 시대의 종교가 우리에게 털어놓은 감동적인 모습이다.

G202

II. 트리어의 루트비히 지몬. 『모든 제국헌법 투사를 위한 변론 한마디. 독일 배심원들에게』, 프랑크푸르트. 1849년.

"우리는 제국 지배자의 세습에 반대투표를 했다. 우리는 선거 다음 날에 기권했다. 그러나 우리는 보통선거로 선출된 의회 다수파의 의지에 따라서 최종적으로 나온 전체 결과를 따를 것이라고 선언했다. 만약 우리가 이렇게 하지 않았더라면, 우리는 ||62| **부르주아 사회 일반에 적응하지 못했다**[22]는 점을 증명해야 했을 것이다." 43쪽.

"트리어의" L. 지몬 씨에 따르면 그러므로 이미 프랑크푸르트 의회의 가장 극단적인 의원들은 더는 "부르주아 사회 일반에 적응"하지 못한 것이다. "트리어의" L. 지몬 씨는 부르주아 사회 일반의 경계를 파울 교회(Paulskriche)의 경계보다 좁게 생각한 것처럼 보인다.

그 밖에도 지몬 씨는 1849년 4월 11일 자기 고백을 할 때 나중에 개종할 때와 마찬가지로 이전에 반대할 때의 비밀을 제때에 맞춰 눈치껏 드러낼 수 있는 능력이 있었다.

"3월 혁명 이전의 외교 관계라는 흐릿한 강물에 차가운 안개가 피어올랐다. 이 안개는 구름으로 농축될 것이고, 우리는 우리가 앉아 있는 교회 첨탑에 맨 먼저 떨어질 파멸적인 뇌우를 맞을 것이다. 깨어 있고 번개 **방향을 그대들로부터 바꿀** 피뢰침을 점검하라!"[23]

즉 여러분, 우리가 지금 우리를 구해야 합니다!

G203 구걸 제안들, 프랑크푸르트 좌파들이 단지 의회에 남아 있기 위해서 다수파에게 황제 문제와 황제 사절단이 수치스럽게 귀환한 이후에 제안한 비참한 타협들,[24] 당시 그들이 모든 측면에서 시도한 치사한 합의들 등은 지몬 씨의 다음 말에서 고상한 엄숙함을 받는다.

"합의란 말은 지난 몇 년간의 사건들 때문에 매우 위험한 조롱의 대상이 되었다. 비웃음을 당하지 않고서는 이 말을 거의 발설할 수 없었다. 그럼에도 불구하고 두 가지 경우의 수 중에서 하나가 가능할 따름이다. 합의를 하는 것 또는 야수처럼 서로 달려드는 것이다." 43쪽.

즉 정당들은 자신들의 투쟁에서 끝장을 보거나 임의의 타협을 통해서 그 투쟁을 연기하거나 둘 중의 하나이다. 어쨌든 후자가 "더 교양 있고 더 인간적이다". 지몬 씨는 어찌 되었든 위에서 언급한 자기 이론을 통해서 모든 "부르주아 사회"가 받아들일 만한 무수히 많은 합의를 개시했다.

축복받은 제국헌법은 다음과 같은 철학적 연역으로 정당성을 얻는다.

"제국헌법은 원래 새로운 폭력을 사용하지 않고도 존재할 수 있었던 것의 표현이었다. … 제국헌법은 민주적 군주정이라는 하나의 모순된 원칙의 생생한(!) 표현이었다. 그러나 이미 원칙적으로 모순되는 많은 것이 실제로 존립하고 있었고, 앞으로의 삶은 모순된 원칙들이 실제로 존립한다는 바로 이 사실에서 전개된다." 44쪽.

흔히들 헤겔 변증법을 적용하는 것이 실러의 단시를 인용하는 것보다 여전히 좀 더 어렵다고 한다. 그 자신의 "원칙의" 모순에도 불구하고 "실제로" 존립하려고 한 제국헌법은 적어도 "실제로" 존립했던 모순을 "원칙적으로"

발설하면 안 되었는데 그렇게 했다. ||63| 한쪽에는 군사적 절대주의 체제인 프로이센과 오스트리아가 "실제로" 있고, 다른 한쪽에는 3월 봉기들의 결실을 빼앗기고, 비참한 프랑크푸르트 의회에 대한 우직한 신뢰로 인해 대부분을 빼앗겨서 마침내는 군사적 절대주의 체제에 대항하여 새로운 투쟁을 이제 막 감행하려고 한 독일 인민이 있었다. 이 실제적 모순은 실제 싸움을 통해서만 해결될 수 있었을 것이다. 제국헌법은 이 모순을 말했는가? 전혀 말하지 않았다. 제국헌법은 프로이센과 오스트리아가 다시 힘을 회복하기 전인, 반대 세력이 부분적으로 패배해서 산산조각이 나고 약화되고 무장 해제되기 전인 1848년 3월에 존립했던 모순을 말했다. 제국헌법은 1849년 3월에도 프로이센 정부와 오스트리아 정부에 법률로 지시할 수 있고, 장차 독일 제국의 바로[25]에게 수지맞고 안전한 지위를 보장할 수 있다고 상상한 파울 교회 출신 신사들의 유치한 자기기만밖에 말하지 않았다.

그다음에 지몬 씨는 자신과 자기 동료들이 제국헌법에 관심을 두고 심취했지만 전혀 동요하지 않았다고 이렇게 자화자찬했다. G204

"우리는 격정의 한가운데서 모든 유혹에 저항했고, 우리의 말을 충실하게 지켰으며 또한 공동의 업적을 조금도 바꾸지 않았다는 점을 너희 고타의 변절자들[26]은 부끄럽게도 인정해야 할 것이다!" 67쪽.

그러고 나서 그는 뷔르템베르크와 팔츠에서의 그들의 영웅적 행동과, 당시 제국은 이미 본질적으로 바덴의 보호 아래 있었지만 바덴을 제국의 보호 아래 두기로 한 6월 8일의 슈투트가르트 결정을 언급한다.[27] 그 결정은 그들이 비겁함 때문에 "조금도" 이탈하지 않고, 그들 자신도 더는 믿지 않는 환상에 억지로 매달리기로 결심했다는 것을 증명할 따름이었다.

"제국헌법은 공화정을 위한 가면에 지나지 않는다"는 비난을 지몬 씨는 다음과 같이 매우 의미심장한 말로 일축한다. "**모든** 정부에 반대하는 투쟁이 **예외 없이 끝까지** 수행되었을 때에만 … 도대체 누가 모든 정부에 반대하는 투쟁이 예외 없이 끝까지 수행되었어야 한다고 말하는가? 누가 투쟁과 전운(戰運)의 화복을 모두 헤아릴 수 있는가? 만약에 적의에 찬 형제들(정부와 인민)이 유혈 투쟁 후에 **기진맥진하여 결전 없이** 대치하고 있었더라면, 평화와 화해의 정신이 그들 머리에 있었더라면, 그들이 제국헌법의 깃발 아래에서 화해하기 위해 형제의 손을 내밀 수 있었을 그 깃발을 우리가 조금이라도 훼손했을 것이라고 하는가? 너희 주위를 보라! 가슴에 손을 얹고 마음속의 양심을 똑바로 짚어보라! 그러면 아니다, 아니다, 결코 아니라고[28]

대답할 것이고, 또 그렇게 대답해야만 할 것이다!" 70쪽.

이것은 지몬 씨가 활을 꺼내 파울 교회에서 놀랄 ||64| 만한 효력으로 쏘아낸 바로 그 달변의 진짜 화살통이다! 비록 그의 말이 피상적이라고 할지라도 이런 감동을 주는 격정적인 말은 어느 정도 일리가 있다. 이것은 적대적인 정당들이 지칠 때까지 싸워서 프랑크푸르트 신사들이 기진맥진한 사람들 사이에 등장해, 그들에게 화해라는 만병통치약인 제국헌법을 제안할 적당한 순간을 슈투트가르트에서 얼마나 조용하게 앉아서 고대했는지를 증명한다. 지몬 씨가 여기에서 얼마나 진심으로 자기 동료들에게 말했는지는 이 신사들이 지금도 여전히 베른 케슬러가세에 있는 벤츠의 선술집에서 회의를 계속하고 있고, 새로운 투쟁이 발발하기를 기다릴 뿐이라는 점에서 알 수 있다. 이때 이 신사들은 정당들이 "기진맥진하여 결전 없이 대치"할 때, 이 정당들 사이에 나타나 합의하라고 그들에게 기진맥진함과 무결전의 완벽한 표현인 제국헌법을 내놓으려고 한다.

"이 모든 것에도 불구하고 나는 그대들에게 조국, 고향, 늙은 부모 곁을 떠나 추방되어 외롭게 거니는 것이 얼마나 마음 아픈지를 말하는 바이다. 비록 세상의 모든 부를 나에게 넘치도록 준다고 할지라도, 나는 나의 순수한 양심을 배신자의 양심의 가책과 지배자의 잠 못 드는 밤과 바꾸지 않을 것이다!" 71쪽.[29]

G205

이 신사들을 추방할 수만 있다면! 그러나 이 신사들은 여행용 가방에 고향의 매우 깨끗한 공기의 바람과 매우 아름다운 자기만족의 충만함이 살랑거리는 프랑크푸르트 속기록의 형태로 조국을 품고 다니지 않는가?

그런데 지몬 씨가 제국헌법 **투사들**을 위해 한마디 하려다가는 선의의 사기를 치게 될 것이다. 제국헌법의 **투사들**에게는 지몬 씨의 "변론"이 필요 없었다. 이 투사들은 더 잘, 더 열정적으로 자신을 방어했다. 그러나 지몬 씨는 어느 모로나 체면을 구긴 프랑크푸르트인을 위해, 제국헌법 **초안자**를 위해, 자기 자신을 위해, 자기 집[30]을 지키는 것이 불가피하다는 점을 감추기 위해 이 투사들을 앞세워야만 한다.

———

III. 기조,[31] 『영국 혁명은 왜 성공했는가? 영국 혁명사 논고』, 파리, 1850년.

기조 씨의 소책자는 루이 필리프와 기조의[32] 정책이 1848년 2월 24일에 왜 실제로 전복되면 안 되었는지, 그리고 프랑스인의 추악한 성격이 1830년 7월 왕정이 18년간 어렵사리 존립한 끝에 치욕적으로 붕괴하고 1688년 이후 영국 왕정이 누렸던 영속성을 얻지 못했던 것에 대해 어떤 책임이 있는지를 증명하는 데 목적이 있다.

이 소책자를 보면 구체제(ancien régime)의 매우 유능한 사람들조차, 즉 자기 나름의 역사적 안목을 갖추고 있다는 점을 부인할 수 없는 사람들조차도, 치명적인 2월 사건으로 완전히 혼란에 빠져서 그들은 모든 역사 이해를 잃어버렸고, 심지어는 자신의 고유한 ‖65‖ 예전 행동 방식을 이해할 수 없게 되어버렸다는 것을 알 수 있다. 2월 혁명을 통해 1830년의 프랑스 왕정과 1688년의 영국 왕정은 역사적 상황도, 사회 계급의 지위도 판이하다는 것을 통찰하기는커녕, 기조 씨는 모든 차이를 몇 마디 도덕적인 문구로 해결하고 2월 24일에 뒤집힌 정책이 "국가를 보전하고 오로지 혁명을 평정할 것"[33]이라고 단언한다.

기조 씨가 대답하려고 한 물음은 다음과 같이 분명하게 표현할 수 있다. 왜 영국의 부르주아 사회는 프랑스보다 더 오래 입헌군주정의 형태로 발전 G206 했는가?

다음 구절은 영국의 부르주아 발전 과정에 대한 기조 씨의 앎을 특징짓는 데 도움을 줄 것이다.

"조지 1세와 조지 2세 치하에서 공공 정신은 다른 방향을 취했다. 즉 외교 정책은 주요 현안에서 배제되고, 내치, 평화 유지, 재정 문제, 식민지 문제, 무역 문제, 의회 제도의 발전과 투쟁이 정부와 대중의 주된 관심사가 되었다." 168쪽.[34]

기조 씨는 윌리엄 3세 정부에서 언급할 만한 가치가 있는 두 계기만을 찾았다. 의회와 왕권 사이에서 균형을 유지하는 것과 루이 14세에게 대항함으로써 유럽의 균형을 유지하는 것이 바로 그것이다. 그다음에 하노버 왕조 치하에서 갑자기 "공공 정신은 다른 방향"을 취했다. 그 이유와 전개 과정은 알 길이 없다. 여기에서 알 수 있는 것은 기조 씨가 프랑스 의회 논쟁의 매우 진부한 문구들을 영국사로 넘겼고, 이로써 이 논쟁을 설명했다고 믿고 있다는 점이다. 사실상 파리 주식 시장의 금융 유대인에게 프랑스 국가와 사회를 몽땅 점진적으로 헐값에 팔아넘기는 것밖에는 할 수 없었던 장관인 기조 씨는 의회와 왕권 사이의 균형과 유럽의 균형이 자신의 어깨에 달려 있다고 터무니없는 생각을 하고 있었다.

루이 14세에게 대항하는 전쟁이 프랑스 무역과 해군력을 무력화하려는 각축전이었다는 것, 윌리엄 3세 치하에서 금융 부르주아지가 은행 설립[35]과 국가 부채 도입으로 최초로 지배권을 승인받았다는 것, 보호관세 제도를 일관되게 시행함으로써 매뉴팩처 부르주아지가 새로이 호황을 누렸다는 것을 기조 씨가 군이 언급할 필요도 없었다. 그에게는 정치적 문구만이 중요했다. 앤 여왕 치하에서 여당은 무력을 행사함으로써 의회를 ||66| 7년간 연장하고, 이로써 인민이 정부에 미치는 영향력을 거의 전부 없애버림으로써 여당 자신과 입헌군주정을 유지할 수 있었다는 사실을 그는 일언반구도 언급하지 않는다.

하노버 왕조 때의 영국은 프랑스와의 각축전을 근대식으로 전개할 만큼 이미 준비가 되어 있었다. 영국 자신은 아메리카와 동인도에서만 프랑스와 싸우고, 대륙에서는 프리드리히 2세와 같은 외국의 군주들에게 돈을 주고 프랑스와 전쟁을 치르게 하는 것으로 한정했다. 외국의 전쟁이 다른 형태를 띠게 되면 기조 씨는 "외교 정책은 주요 현안이 아니고" "평화 유지"가 주요 현안이라고 말한다. 어디까지가 "의회 제도의 발전과 투쟁이 정부와 대중의 주된 관심사가 되는지"는 물론 기조 씨 아래에서 다반사가 된 스캔들과 머리카락 하나까지도 비슷하게 보인 월폴 내각에서의 뇌물 수수 이야기들[36]과 비교해 볼 수 있을 것이다.

영국 혁명이 프랑스 혁명보다 더 순조롭게 진척한 이유를 기조 씨는 특히 다음 두 가지로 설명한다. 하나는 영국 혁명이 철두철미하게 종교적 성격을 띠었고 결코 과거의 전통과 결별하지 않았다는 것이고, 다른 하나는 영국 혁명이 처음부터 파괴적 성격이 아니라 보수적 성격을 띠었으며 의회가 왕권 침해에 반대하는 현존하는 예전의 법률들을 지켰다는 것이다.

첫째 이유와 관련하여 기조 씨는 프랑스 혁명에서 그를 매우 몸서리치게 만든 자유사상이 다름 아닌 영국에서 프랑스로 수입되었다는 사실을 잊고 있다. 로크는 이 자유사상의 아버지였고, 이미 이 자유사상은 섀프츠베리와 볼링브로크에게서 재기발랄한 형태를 띠었고, 이 형태는 후에 프랑스에서 매우 화려하게 발전했다. 그래서 우리는 기조 씨가 보기에 프랑스 혁명을 좌초시킨 이 자유사상이 종교적인 영국 혁명의 가장 근본적인 산물 중 하나였다는 기이한 결론에 이른다.

둘째 이유와 관련하여 기조 씨는 프랑스 혁명이 영국 혁명과 바로 마찬가지로 매우 보수적으로, 아니 훨씬 더 보수적으로 시작했다는 사실을 완전히 잊고 있다. 절대주의, 특히 최근 프랑스에 나타난 것과 같은 절대주의는 이곳에서 봐도 새로운 것이었고, 의회는 이 새로운 것에 반대하여 들고일어났으며, 예전 법률들을, 예전 신분 군주제의 관습(us et coutumes)을 옹호했다. 프랑스 혁명의 첫 단계가 앙리 4세와 루이 13세 이래로 잠들어 있던 삼부회의 부활이었던 것과 달리, 영국 혁명이 전형적인 보수주의와 같다는 점을 보여주는 사실은 하나도 없다.

기조 씨에 따르면 영국 혁명의 주된 성과는 왕이 의회, 특히 하원의 의지에 반해서 통치할 수 없는 상태가 되었다는 데 있었다. 이제 혁명 전체는 처음에는 왕권과 의회 양 측면이 자신의 한계를 넘어||67|서고 그다음에 윌리엄 3세 치하에서 결국 적절한 균형을 찾고 서로 중화될 때까지 나아갔다는 것이다. 왕권이 의회에 복속되고 의회가 한 계급의 지배에 복속되는 것을 기조 씨는 언급할 필요가 없다고 본다. 그러므로 기조 씨는 또한 이 계급이 결국 왕권을 그들의 시녀로 만들기 위해 필요한 권력을 어떻게 획득했는지를 계속해서 다룰 필요가 없다. 기조 씨가 보기에 찰스 1세와 의회 사이의 모든 투쟁에서 중요한 것은 순전히 정치적 특권뿐이다. 의회와 이를 대표하는 계급이 왜 이 특권을 필요로 하는지는 전혀 알 수 없다. 기조 씨는 자유 경쟁에 찰스 1세가 직접 개입함으로써 영국의 상업과 산업을 점점 위태롭게 만든 것도 거의 언급하지 않고, 찰스 1세가 의회에 대항할수록 계속된 재정 위기 때문에 의회에 더 심하게 종속되는 것도 거의 언급하지 않는다. 따라서 기조 씨가 유일하게 설명할 수 있는 것은 온건한 자유에 만족할 수 없었던 개별적인 평화 파괴자의 사악한 의지와 종교적 광신이 혁명 전체라는 것이다. 마찬가지로 기조 씨는 종교 운동과 부르주아 사회 발전의 연관성에 대해서도 거의 해명하지 않는다. 당연히 공화정도 몇몇 야심가, 광신자, 악의에 찬 사람의 작품에 지나지 않는다. 이 무렵 리스본, 나폴리, 메시나에서 공화정을 도입하려는 시도[37]도, 더 구체적으로 말하면 영국처럼, 또한 네덜란드와 관련하여 이루어졌다는 사실도 전혀 언급되지 않는다. 기조 씨는 프랑스 혁명에서 결코 눈을 떼지 않았음에도 불구하고 절대군주정에서 입헌군주정으로의 이행이 도처에서 격렬한 투쟁과 공화정을 거친 후에야 이루어지고, 심지어 그다음에 옛 왕조가 쓸모없는 것이기는 하지만 방계(傍系)로

G208

자리 잡았다는 간단한 결론조차 내리지 못한다. 따라서 기조 씨는 영국의 복고 왕정 몰락에 대해서는 가장 판에 박힌 말만 할 뿐이다. 그는 직접적인 원인들도 제시하지 않는다. 즉 종교개혁으로 생겨난 신흥 대지주들이 가톨릭교가 부활하면 예전에 강탈한 교회 재산을 당연히 모두 돌려주어야 할까 봐, 즉 영국 토지 10분의 7이 소유자가 바뀔까 봐 가톨릭교 부활을 두려워하는 것, 상업 부르주아지와 산업 부르주아지가 통상에 걸림돌이 되는 가톨릭교의 부활에 겁을 먹은 것, 스튜어트 왕조가 자신의 이익과 궁정 귀족의 이익을 위해 당시 영국인들에게는 위험한 경쟁이기는 했지만 여러 면에서 승리를 거둔 경쟁을 한 유일한 나라인 프랑스에 상업 이외에도 영국의 산업 전체를 팔아넘긴[38] 태연함 등을 제시하지 않는다. 기조 씨는 여기저기에서 매우 중요한 동인들을 빠뜨렸기 때문에 그저 정치적 사건들을 몹시 불충분하고도 진부하게 설명하는 것 말고는 남은 것이 없다.|

G209 |68| 기조 씨가 보기에 영국인의 뛰어난 지력으로만 풀 수 있는 그 엄청난 수수께끼, 즉 영국 혁명의 보수적 성격이라는 그 수수께끼는 부르주아지와 다수 대지주의 지속적 동맹이다. 이 동맹은 영국 혁명을 대토지를 분할하여 없애버린 프랑스 혁명과 본질적으로 구별 짓는 것이다. 헨리 8세 때 이미 생긴 이 계급, 즉 부르주아지와 결탁한 대지주 계급은 1789년에 프랑스의 봉건 토지 소유처럼 모순되기는커녕 오히려 부르주아지의 생존 조건과 완벽하게 일치했다. 실제로 대지주 계급의 토지 소유는 봉건적 소유가 아니라 부르주아적 소유였다. 이들은 매뉴팩처 경영에 필요한 인력을 산업 부르주아지에게 공급하기도 하고, 산업 상태와 상업 상태에 걸맞게 농업을 발전시킬 수도 있었다. 부르주아지와의 공통된 이해관계 때문에 대지주는 부르주아지와 동맹을 맺은 셈이었다.

기조 씨는 영국은 입헌군주제를 강화함으로써 그 역사가 끝났다고 본다. 또한 그 후의 모든 역사는 토리당과 휘그당의 유쾌한 상호작용, 즉 기조 씨와 티에르 씨의 대논쟁에 지나지 않는 것으로 본다. 그러나 실제로 영국은 입헌군주제의 강화와 함께 부르주아 사회가 비로소 엄청나게 발전하고 변화하기 시작한다. 기조 씨가 아늑한 평온과 목가적 평화만 본 곳은 실제로 매우 엄청난 충돌들과 전면적인 혁명들이 전개되었다. 처음에 입헌군주제 하에서 매뉴팩처가 유례를 찾아볼 수 없을 만큼 계속 확대되어 대규모 산업과 증기기관과 거대한 공장이 자리 잡았다. 기존 계급은 모두 사라지고 새 계급이 생기며 새로운 생활 조건과 필수품이 나타난다. 옛 부르주아지가 프랑스 혁명과 싸우는 동안 엄청난 신흥 부르주아지가 생겨나 세계 시장을 정복한다. 신흥 부르주아지는 막강하여 개혁 법안[39]이 직접 정치적 힘을 손에 쥐어 주기도 전에 적들에게 강요하여 **자신들의** 이익과 욕구에 맞는 법률을 공포하게 한다. 그들은 의회에서 직접 의원직을 장악하여 이 의원직을 토지 소유에 남아 있는 실질적 권력의 마지막 잔재를 없애버리는 데 이용한다. 마침내 그들은 이런 작업을 하는 순간에 기조 씨가 경탄하는 영국 헌법이라는 아름다운 건물을 송두리째 허물어버린다.

기조 씨가 프랑스의 사회적 삶에서 물리쳐야 할 폐해들, 즉 공화주의와 사 G210 회주의가 유일하게 구원을 주는 군주정의 기둥을 흔들지 않았다면서 영국인에게 찬사를 보내는 동안, 영국 사회는 계급 대립이 ||69| 정점에 이르렀고, 다른 나라와 달리 부와 생산력을 가진 부르주아지가 힘과 결집력이 더없이 약한 프롤레타리아트와 유례가 없을 만큼 대립하고 있었다. 기조 씨는 결국 영국은 입헌군주제의 보호하에 사회 혁명 요인들이 세계의 다른 모든 나라의 혁명 요인들을 합친 것보다 훨씬 더 많이, 훨씬 더 급진적으로 발전했다는 점을 인정한다.

영국 발전의 실타래가 기조 씨마저도 겉으로는 단순히 정치적인 문구들로는 더는 쪼갤 수 없는 매듭 하나로 얽혔을 때, 기조 씨는 종교적 문구들로, 신의 무장 간섭으로 도피한다. 예컨대 신의 영이 느닷없이 군대 위에 나타나 크롬웰이 자신을 왕으로 선언하지 못하게 하는 것 따위가 그것이다. 기조 씨는 자신의 양심 앞에서는 신을 통해 자신을 구원하며, 평범한 독자들 앞에서는 문체를 통해 구원한다.

사실은 왕들뿐만 아니라 부르주아지의 능력도 영면했다(nicht blos les rois s'en vont, sondern auch les capacités de la bourgeoisie s'en vont).|

카를 마르크스/프리드리히 엥겔스

평론. 1850년 1월/2월

Revue. Januar/Februar 1850

《노이에 라이니셰 차이퉁. 정치-경제 평론》

제2호, 1850년 2월

|69| 평론.

지위에 맞게 마땅한 예우를(A tout seigneur, tout honneur). **프로이센**부터 시작하자.

프로이센 왕은 현재의 미지근한 합의, 즉 만족스럽지 않은 협상의 순간을 위기로 몰기 위해 가능한 조치를 취한다. 그는 하나의 헌법을 하사하고 여러 가지 귀찮은 일 때문에 헌법을 수정할 양원을 만들어낸다. 왕권의 헌법을 그럭저럭 수용할 정도로만 보이게 하려고, 의회들은 왕권이 어떻게든 언짢게 여길 모든 조항을 손보고 이제 왕이 헌법에 곧 서약하리라 믿고 있다. 그러나 그 반대였다. "왕의 양심"을 의회에 보여주기 위해 프리드리히 빌헬름은 교서를 발표했다. 이 교서에서 그는 헌법을 개정하기 위한 새로운 제안들을 제시했는데, 이 제안들을 수용하면 아주 미미하지만 이른바 헌법에 따른 부르주아적 보증들을 위한 최종 증명서를 상기 문서에서 박탈하게 되는 것이었다. 왕은 양원이 이 제안들을 거부하리라고 생각했지만 그 반대였다. 양원이 ||70| 왕권에 실망했다면, 이제 양원은 왕권이 자신들에게 실망할 수밖에 없다는 점을 염려스러워했다. 양원은 모든 것을 수용하는데, 그저 집으로 돌려보내지지 않기 위해서, 그저 엄숙한 "육체적" 맹세를 마침내 언젠가

왕에게 강제하기 위해서 모든 것을, 즉 귀족의 지위,[1] 특별 법원,[2] 전시 총동원,[3] 가족 세습 재산[4]을 수용한다. 이렇게 하면 프로이센의 헌법에 부합한 한 명의 부르주아지는 큰코다칠 것이다.[5][6]

왕이 양원에 너무 강하게 보일지도 모르는 굴욕감을 주는 말을 생각해내기는 어려웠을 것이다. 결국 그 자신이 다음과 같이 해명할 필요가 있는 것처럼 생각했을 것이다. "왕이 자기 앞에 놓인 서약의 맹세를 신성하게 여길수록, 신이 친애하는 조국을 위해 나에게 부과한 의무들이 내 영혼에 더 많이 나타날 것이다." 그래서 자신에게는 모든 것을 제공하지만 나라에는 어떤 것도 제공하지 않는 그 헌법에 맹세할 "왕의 양심"이 왕이 그렇게 하도록 허락하지 않을 것이다.

지금 양원에 다시 모인 작고한 "연방의회"[7] 신사들은 다음과 같은 이유로 G212 3월 18일 이전의 옛 신분으로 되돌아갈까 봐 두려워했다. 이때 그들은 이번에는 어떤 장미도 가져다주지 않을 혁명에 다시 직면했기 때문이었다. 게다가 그들은 1847년에는 이른바 동부 대철도(Ostbahn. 베를린에서 쾨니히스베르크를 거쳐서 체르니솁스코예에 이르는 750킬로미터의 철도 노선 — 옮긴이)를 위한 차관을 아직 거부할 수 있었지만, 1849년에는 문제의 차관을 정부에[8] 실제로 승인하고 그러고 난 다음에 승인된 금액에 대한 이론상의 권리를 나중에 비굴하게 정부에 청원했기 때문이었다.

그러는 동안 양원 밖의 부르주아지는 배심 재판소에서 정치적 피고인들에게 무죄 판결을 내려 정부에 대한 이들의 반대를 드러내는 것을 즐기고 있었다. 이 재판들에서 한편으로는 정부가, 다른 한편으로는 피고인들과 청중이 대변한 민주주의가 한결같이 망신을 당했다. 우리가 기억할 것은 "늘 헌법에 따랐던" 발데크의 재판[9]과 트리어의 재판[10] 등이다.

"독일인에게 조국이란 무엇인가?"라고 늙은 아른트[11]가 묻자 프리드리히 빌헬름 4세는 **에르푸르트**라고 대답했다.[12] 「개구리와 쥐의 전쟁」에서 『일리아드』를 희화화하기는 그다지 어렵지 않지만[13] 감히 「개구리와 쥐의 전쟁」을 희화화할 생각을 한 사람은 지금껏 없었다. 파울 교회 자체의 개구리와 쥐의 전쟁을 희화화하려는 에르푸르트의 계획은 성공했다. 물론 에르푸르트에 엄청난 청중이 실제로 모였는지 아닌지는, 정교회 신봉자인 차르[14]가 이를 금지했는지 아닌지는 아무런 상관이 없다. 포크트 씨가 의심할 바 없이 베네데이 씨와 합의해서 공포할 때 그들의 권한에 대해 항의할지 아닐지도 마찬가지로 아무런 상관이 없다. 이 모든 날조는 저 사려 깊은 정치가, "대독

일"과 "소독일" 문제에 풍부하고도 없어서는 안 될 보고(寶庫)인 그의 논설문, 천국으로 이끄는 신앙으로 살고 있는 프로이센의 부르주아지에게만 흥미로울 뿐이다. 프로이센 왕은 에르푸르트에서 모든 것을 승인하게 될 것인데, 바로 그가 베를린에서 모든 것을 거절했기 때문이다.|

|71| 프랑크푸르트 "국민의회"가 어느 정도 충실하게 에르푸르트에 반영되려면, 옛 연방의회는 "과도정부"[15]에서 다시 태어날 것이고, 동시에 그 과도정부를 가장 압축적으로 드러낸 오스트리아-프로이센 연방위원회로 축소될 것이다. 과도정부는 이미 뷔르템베르크에 개입했고, 곧이어 메클렌부르크와 슐레스비히-홀슈타인에도 개입할 것이다.[16]

프로이센이 오랫동안 지폐 발행, 프로이센 해양활동협회(Seehandlung)[17]의 비밀 차관, 나머지 국고금으로 예산을 간신히 꾸려가고 차관의 길로 내몰리는 동안, **오스트리아**의 국가 부도는 절정에 이른다. 1849년 첫 9개월간 1억 5500만 굴덴이던 적자가 12월 말에는 2억 1천만~2억 2천만 굴덴으로 증가했음이 틀림없다. 재차 차관을 얻으려는 시도가 모두 수포로 돌아간 뒤 국내외에서 국가 신용도가 추락할 대로 추락했다. 국내 금융 자원, 일반세, 면소금(Brandschatzung: 免燒金. 불을 지른다고 위협함으로써 방화를 면하려면 세금을 내라는 조치. 과거 영주는 자기 영지에 있는 농민의 집을 마음대로 불태울 수 있었다. ― 옮긴이), 지폐 발행의 완전 고갈, 이미 고혈을 짜낸 지역에 징수 가능성이 전혀 없는 새로운 절망세(Verzweiflungssteuer)를 부과할 필요성. 이것들이 오스트리아의 핏기라고는 없는 재정 위기를 드러낸 특성들이다. 동시에 이를 통해서 오스트리아의 국가 유기체(Staatskörper)의 부패는 더욱 급속히 진행되었다. 정부는 이 부패에 안간힘을 다해 중앙 집권화로 맞섰지만 부질없는 짓이었다. 분열은 이미 국가 유기체의 가장 먼 사지(四肢)까지 이르렀다. 오스트리아는 가장 야만적인 부족, 옛 오스트리아의 주된 지지자, 달마티아와 크로아티아와 바나트의 남슬라브인, "충실한" 국경 주민[18]에게도 견뎌낼 수가 없었다. 아주 미미한 구원의 기회를 제공할 하나의 자포자기적 행위만이 남아 있는데, 이 행위는 대외 전쟁이다. 오스트리아를 쉴 새 없이 몰아세운 이 대외 전쟁은 오스트리아의 완전한 해체를 급격하게 완성할 것이 틀림없다.

러시아도 여전히 현금으로 매수했던 그 명성의 대가를 지불할 만큼 충분히 부유하지 않았다. 우랄과 알타이에는 그 유명한 금광이 있고, 페트로파블롭스크 지하에는 매장물이 무궁무진하고, 엄청난 여분의 돈으로 이른바 런던과 파리의 연금을 대량 구매했음에도 불구하고, 정교회 신자인 차르는 온갖 거짓 핑계로 지폐를 숨기기 위한 페트로파블롭스크에 있는 현금 창고에서 은화 500만 루블을 빼내서 파리 주식 시장에 자기 연금을 매각하라고 명령할 뿐만 아니라, 불신자들의 도시인 런던에 은화 3천만 루블을 차입해달라고 간청하지 않을 수 없다고 생각했다.

1848년과 1849년의 운동 때문에 유럽 정치에 깊이 말려든 러시아는 "자기 집의 관문"[19]인 터키의 콘스탄티노플에 대한 오래된 계획들이 영원히 실행 불가능해지기 전에 이를 지금 실행에 옮겨야 한다. ||72| 서유럽에서 반혁명의 진전과 나날이 증가하는 혁명 세력의 힘, 러시아의 국내 사정과 심각한 재정 위기 상태 등이 신속한 행동을 하지 않을 수 없게 했다.[20] 우리는 최근에 이 새로운 근동의 환상적 모험극의 외교적 서막을 보았다. 몇 달 뒤에 우리는 이 모험극 자체를 목격하게 될 것이다.

터키와의 전쟁은 필연적으로 유럽 전쟁이다. 독일에서 확고한 기반을 잡고, 그곳의 반혁명을 열성적으로 관철하고, 프로이센의 뇌샤텔[21] 점령을 도와주고, 마침내 혁명의 중심지 파리로 행군할 기회를 잡는 것이 신성 러시아에는 더 좋을 것이다.

G214

이와 같은 유럽 전쟁에서 영국은 중립을 지킬 수 없을 것이다. 영국은 러시아에 대항할 것이 틀림없다. 그리고 영국은 러시아의 가장 위험한 적이다. 대륙의 육군들이 점점 널리 퍼져 러시아로 돌진해 들어갈수록 약해질 수밖에 없을 때, 1812년을 반복한 것에 대한 벌로서 이들의 돌진이 옛 폴란드의 동쪽 경계에서부터 거의 전부 멈춰야 했을 때, 그때 영국은 러시아의 가장 취약한 지역에서 러시아를 잡아둘 수단을 갖게 될 것이다. 스웨덴이 핀란드를 재점령하도록 러시아가 강요할 수도 있다는 사실과는 별도로, 페테르부르크와 오데사는 러시아 함대에 열려 있었다. 주지하듯이 러시아 함대는 세계 최악이다. 크론슈타트와 슐뤼셀부르크는 생-장 다크르와 산 후안 데 울루아[22]만큼[23] 탈취당하기 쉽다. 페테르부르크와 오데사가 없는 러시아는 손이 잘려 나간 거인이다. 게다가 러시아는 원료 판매를 위해서도, 공산품 매입을 위해서도 영국이 없으면 6개월을 버티지 못하는데, 이것은 나폴레옹의 대륙 봉쇄 때 이미 분명하게 나타났고 지금은 그 정도가 훨씬 더 심하다. 영국 시장이 차단되면 몇 달 못 가서 러시아는 매우 심각한 경기를 일으킬 것이다. 이와 달리 영국은 러시아 시장이 없어도 상당 기간 버틸 수 있을 뿐만 아니라 모든 러시아산 원료를 다른 나라 시장에서 구할 수도 있다. 벌벌 떠는 러시아가 결코 그다지 위협적이지 않음을 우리는 알 수 있다. 그러나 러시아는 독일 부르주아지에게는 무시무시한 모습으로 비칠 수밖에 없는데, 왜냐하면 러시아가 자기 제후들을 직접 지배하고 있기 때문이고, 독일 부르주아지는 러시아의 야만적 무리가 순식간에 독일에 물밀듯이 밀려와서는 그곳에서 일정 정도 메시아적 역할을 할 것이라고 매우 정확하게 예감하고 있기 때문이다.

　스위스는 프로이센 양원이 자기들의 왕과 특수한 관계를 맺고 있는 것처럼 신성동맹과는 일반적인 관계를 맺고 있다. 스위스가 신성동맹으로부터 받은 모든 타격을 두세 배로 되돌려줄 수 있는 희생양을, 게다가 신성동맹에 조건 없이 비무장 상태로 넘겨준 희생양을, 즉 독일인 망명자들을 자기 배후에 갖고 있다는 점만이 다르다. 제네바, 바틀란트, 베른의 일부 "급진적" 스위스인들이 신성동맹에도 반대하고 망명자들에게도 반대한 연방의회의 비겁한 정책에 저항했다는 것은 사실이지만, 연방의회가 그 정책이 "스위스 인민의 압도적 다수"의 정책이라고 주장||73| 했을 때 연방의회가 정당했다는 것 또한 사실이다. 그사이에 중앙 권력은 관세, 화폐, 우편, 도량형, 무게를 통일하는 소소한 부르주아적 개혁들, 즉 소시민층의 박수갈채를 보장하는 개혁들을 매우 조용하게 국내에서 계속 수행하고 있다. 중앙 권력은 두말할 것도 없이 군대 복무 연장을 폐지할지 말지 감히 결정하지 못하고 있다.[24] 지금도 원주민들[25]이 나폴리 복무를 위해 입대하려고 매일 무리를 지어 코모로 간다. 그러나 신성동맹에 아무리 고분고분 대해도 불길한 뇌우가 스위스를 위협하고 있다. 스위스 통일전쟁[26] 이후 처음으로 들떴고 2월 혁명 이후에는 완전히 들떠서, 평소 같으면 소심한 스위스인들이 무분별한 짓에 현혹되었다. 언젠가 독립하고 말겠다는 그 엄청난 짓을 감행한 것이었다. 그들은 강대국들이 보장한 1814년 헌법 대신 새로운 헌법을 제정하고,[27] 조약을 어기면서 뇌샤텔의 독립을 승인했다. 그 대가로 그들은 몸을 낮추고 호의를 보이고 경찰 근무까지 했음에도 징벌을 받았다. 유럽 전쟁에 말려들었을 때 스위스의 처지는 달가운 것이 아니었다. 스위스가 신성동맹의 비위를 거슬렀다면, 다른 측면에서는 혁명을 배신한 것이었다.

　부르주아지 자신이 자기 이익을 위해 반동을 이끌고 있고, 이런 반동의 공화주의적 정부 형태가 매우 자유롭고 일관된 발전을 허용하고 있는 **프랑스**에서, 혁명의 탄압은 가장 파렴치하고도 폭력적으로 수행되고 있었다. 농촌 인구의 절반을 곧바로 파멸로 몰아넣은 주류세 부활,[28] 헌병을 관리에 대한

G215

염탐꾼으로 임명한 도풀의 회람(Cirkular D'HautPoul),[29] 지사가 마음대로 모든 초등학교 교사를 파면할 수 있게 한 교사법,[30] 학교를 세속적인 성직자에게 맡긴 교육법,[31] 부르주아지가 처벌받지 않은 6월 봉기자들에 대한 자신의 복수욕 전체를 드러내고, 다른 사형 집행자가 부족해서 알제리 전체의 매우 살인적인 기후에 이들을 넘겨준 추방법[32] 등이 한 달 사이에 잇달아 이루어졌다. 6월 13일 이후로 끊이지 않은 무수히 많은 추방, 심지어 매우 무고한 외국인들의 추방에 대해서는 언급할 필요도 없을 것이다.

이 격렬한 부르주아 반동의 목표는 당연히 왕정복고이다. 그러나 다양한 왕위 계승 요구자들 자신과 자기 땅에서 그들을 붙들고 있는 정당들이 왕정복고를 엄청나게 방해하고 있다. 가장 강력한 두 왕당파, 즉 정통 왕조파와 오를레앙파는 서로 세력이 비슷하고 보나파르트 지지자들인 셋째 당파는 가장 세력이 약하다. 루이 나폴레옹은 700만 표를 얻었음에도 불구하고 실제로 당을 가진 적이 없다. 그는 하나의 패거리만 거느리고 있을 뿐이다. 반동을 일반적으로 집행할 때 항상 의회 다수파의 지지를 받은 그는 왕위 계승 요구자가 되려는 자기의 ||74| 특별한 관심을 나타내자마자 그들에게서 버림받음을 알아차린다. 다수파에게뿐만 아니라 매번 그의 거짓말을 질책하고 그럼에도 다음 날이면 그들이 그의 신임을 받고 있다는 것을 문서로 분명히 해줄 것을 강요한 각료들에게도 버림받음을 알아차린다. 따라서 그가 이렇게 다수파에 휘말렸지만, 다수파가 진지하게 결론을 끌어낼 수도 있었을 말다툼은 매번 공화국의 대통령이 속는 사람 역할을 한다는 우스운 일화로만 지금까지 남아 있을 뿐이다. 이런 상황에서 자명한 것은 모든 왕당파는 각자 독자적으로 신성동맹과 공모를 하고 있다는 점이다. 국민의회(Assemblée nationale)는 러시아인과 함께 인민을 공공연히 위협할 만큼 몰염치하다.[33] 루이 나폴레옹이 니콜라우스와 음모를 꾸민다는 것, 이를 입증하는 사실들은 이미 충분히 있다.

물론 반동파가 나아가는 만큼 혁명파 세력도 성장한다. 분할지의 결과, 납세 부담, 세금 대부분의 국고적 특성, 부르주아 관점에서 볼 때도 불리한 그런 세금의 특성으로 인해 황폐해진 압도적인 농촌 주민은 루이 나폴레옹과 반동파 대의원들의 약속들에 실망하고, 대다수 농촌 주민은 혁명파 군대에 자신을 던지고 두말할 것도 없이 대개는 무척 미숙한 부르주아 사회주의를 신봉하게 된다. 정통 왕조파 일색의 지역들에서 투표가 얼마나 혁명적으로 이루어졌는지는 적색당 의원 한 명이 선출된 왕정주의와 1815년 "백색 공

G216

포"의 중심지인 가르 지역에서의 지난 선거가 입증한다.[34] 루이 필리프 치하 정치에서 그러했던 것처럼 상업에서도 완전히 같은 자세를 취한 대자본에 억눌린 소시민층은 농촌 주민을 따라갔다. 격변이 워낙 엄청나서 배신자 마라스트, 속물들의 잡지인 《르 시에클》조차도 자신들이 사회주의자라고 선언해야만 했다. 다양한 계급들 서로 간의 입장, 즉 다르게 표현하면 정당들 서로 간의 입장은 1848년 2월 22일의 그것과 거의 같았다. 그때와 다르게 지금 중요한 것은 노동자가 훨씬 더 자각하고 있다는 점, 특히 지금까지 정치적으로 죽어 있던 계급, 즉 농민계급이 운동에 끌려 들어가 혁명을 얻게 되었다는 점이다.

이러한 가운데 지배적 부르주아지는 보통선거권을 가능한 한 빨리 폐지하려고 노력할 필요가 있었다. 그리고 대외관계를 제외하더라도 임박한 혁명에 대한 승리의 확신도 필요했다.

전반적으로 상황이 얼마나 급박했는지는 인민 대표 프라디에의 기이한 법률안[35]으로도 알 수 있다. 그는 약 200개 조항으로 이루어진 국민의회의 법령 하나를 통해 쿠데타와 혁명을 예방하려고 시도했다.[36] 대형 금융이 다른 수도들과 마찬가지로 여기에서도 겉으로 보기에 복원된 "질서"를 얼마나 신뢰하지 않는지는, 로트실트가의 다양한 가계가 몇 달 전에 자신들의 **G217** ||75| 정관을 겨우 **1년** — 거상(巨商)의 연감에서는 전례 없는 매우 짧은 기간 — 연장했다는 것으로 알 수 있다.

지난 2년간 대륙이 혁명과 반혁명 그리고 이와 관련된 능변에 몰두하는 동안 산업국가 **영국**은 번영에 집중했다. 1845년 가을 필연적으로(in due course) 터질 수밖에 없었던 상업 공황은 두 번, 즉 1846년 초 의회의 자유무역 결정[37]과 1848년 초 2월 혁명으로 중단되었다. 해외 시장에서 부진을 면치 못하던 상당수 상품은 그사이에 서서히 판로들(Débouchés)을 발견했다. 이런 상황에서 2월 혁명은 바로 이 시장에서도 대륙 산업의 경쟁력을 제거했다. 반면 영국 산업은 불안한 대륙 시장에서 위기가 계속되었다면 어차피 손해 봤을 것보다는 훨씬 적게 손해 봤다. 대륙의 산업을 한순간에 거의 다 멈춘 2월 혁명은 이렇게 영국인들이 1년의 위기를 온전히 견딜 수 있도록 도왔고, 주요하게는 해외 시장에서 축적된 재고품들을 처분하도록 일조했으며, 1849년 봄에는 새로운 산업 호황이 이루어지게 했다. 그런데 대부분의 대륙 산업에도 이어진 이 호황은 지난 석 달 사이에 공장주들이, 위기 전야에 곧잘 말하듯이, 이렇게 좋았던 시절이 없다고 하는 정도에 이르렀다.

공장들은 주문으로 과부하가 걸리고 작업 속도를 높였으며, 사람들은 10시간 법[38]을 무시하고 새로운 노동시간을 확보할 모든 수단을 강구하고 있다. 모든 공장 지대에는 새로운 공장들이 대거 세워지고 예전의 공장들은 확장되고 있다. 현금은 시장으로 몰려들고, 유휴 자본은 보통 정도의 이윤을 얻을 시기를 이용하려고 한다. 할인율은 떨어지고, 생산 혹은 원료품 무역으로 투기가 내몰리고,[39] 거의 모든 상품의 가격은 절대적으로 오르고, 모든 것의 가격이 상대적으로 오른다. 요컨대 영국은 그 절정에 이른 "번영"에 행복해하고 있다. 오로지 문제가 되는 것은 이런 도취가 얼마나 오래 지속할 것인가이다. 어쨌든 아주 오래 지속되지는 않을 것이다. 몇몇 거대 시장, 특히 동인도는 이미 거의 공급 과잉이다. 수출은 이미 지금 현실적인 거대 시장보다는 상품들을 가장 유리한 시장으로 보낼 수 있는 세계 무역의 집산지(Entrepôt)를 더 선호한다. 1843~45년, 1846년과 47년, 특히 1849년에 영국 산업 생산력이 엄청나게 증가했고 지금도 나날이 증가하는 가운데, 아직 남아 있는 시장, 특히 북남미 시장과 오스트레일리아 시장도 이와 마찬가지로 곧바로 공급 과잉이 될 것이고, 이런 공급 과잉의 첫 소식과 함께 투기와 _{G218}생산에서의 "패닉"이 동시에 일어날 것이다. 봄이 끝날 무렵 아니면 늦어도 ||76| 7월이나 8월에. 그러나 대륙에[40] 엄청난 충격을 주며 동시에 발생할 것이 틀림없는 이 위기는 지금까지의 모든 위기와는 다른 열매를 맺을 것이다. 이제까지의 모든 위기가 새로운 진보를 알리는 신호, 즉 토지 소유자와 금융 부르주아지에 대한 산업 부르주아지의 새로운 승리를 알리는 신호였다면 이번 위기는 근대적 영국 혁명, 즉 코브던이 네케르 역을 떠맡을 혁명의 시작을 보여줄 것이다.

이제 **아메리카**를 다룰 차례이다. 아메리카에서 일어난 사건 중에서 가장 중요한 것, 즉 2월 혁명보다 훨씬 더 중요한 것은 캘리포니아 금광의 발견이다. 금광이 발견된 지 18개월도 채 지나지 않은 지금, 금광 발견이 심지어 아메리카의 발견보다도 훨씬 더 엄청난 결과를 가져오리라는 것을 예측할 수 있다. 330년간 유럽에서 태평양을 가로질러 가는 모든 무역은 눈물겨운 인내심으로 희망봉이나 혼 곶을 돌아 이루어졌다. 파나마 지협을 굴착하자는 모든 제안은 무역 국가들의 편협한 질투심 때문에 수포로 돌아갔다. 금광이 발견된 지 18개월 동안 북아메리카인들은 철도, 대형 국도, 멕시코 만의 운하 건설에 이미 착수했다. 뉴욕에서 차그레스 강까지, 파나마에서 샌프란시스코까지 오가는 증기선은 이미 정규 편성되었고, 태평양을 가로지

르는 무역은 이미 파나마에 집중되었고, 혼 곶 노선은 한물갔다. 위도 30도 지역의 해안,[41] 세계에서 가장 아름답고 비옥한 해안, 지금까지 사람이 거의 살지 않던 해안이 순식간에 부유하고 문명화된 땅으로, 북아메리카인에서 중국인에 이르기까지, 흑인에서 아메리카 인디언과 말레이인에 이르기까지, 크리올인과 메스티소인에서 유럽인에 이르기까지 온갖 인종이 조밀하게 모여 사는 땅으로 바뀌었다. 캘리포니아의 금은 아메리카로, 아시아의 태평양 연안으로 흘러들어 가고, 가장 다루기 힘든 야만 민족들을 세계 무역으로, 문명으로 끌어들였다. 세계 무역은 바야흐로 두 번째 전환점을 맞이한다. 고대의 티루스, 카르타고, 알렉산드리아와 중세의 제노바와 베네치아가 차지했던 세계 무역의 중심지는 이제까지는 런던과 리버풀이 차지했고, 이제부터는 뉴욕과 샌프란시스코, 산 후안 데 니카라과[42]와 레온, 차그레스와 파나마가 차지할 것이다. 세계 교역의 중심은 중세에는 이탈리아였고, 근대에는 영국이었고, 이제는 북아메리카 반도의 남쪽 반이다. 옛 유럽의 산업과 무역이 16세기 이후 이탈리아의 산업 및 무역과 같이 몰락하지 않으려면, 영국과 프랑스가 현재의 베네치아, 제노바, 네덜란드와 같이 몰락하지 않으려면 안간힘을 써야만 할 것이다. 몇 년 내에 영국에서 차그레스로, 차그레스와 샌프란시스코에서 시드니, 광둥, 싱가포르로 가는 정기 증기화물선(Dampfpaketlinie)이 등장할 것이다. 캘리포니아의 금과 북아메리카인의 지칠 줄 모르는 에너지 덕분에 태평양 양안은 현재의 보스턴에서 뉴올리언스에 이르는 해안처럼 곧 사람들이 모여 살 것이고, 무역도 개방될 것이고, ||77| 산업화될 것이다. 그러면 현재의 대서양이 하고 있는 역할과 고대와 중세에 지중해가 한 역할과 같은 역할, 즉 세계 교역의 큰 수로 역할을 태평양이 할 것이다. 대서양은 현재의 지중해처럼 내륙호의 역할로 떨어질 것이다. 유럽의 문명국이 현재의 이탈리아, 스페인, 포르투갈처럼 산업에서든 상업에서든 정치에서든 종속되지 않을 유일한 기회는 사회 혁명에 있다. 아직 시간이 있기는 하지만 이 혁명은 근대 생산력에서[43] 기인한 생산 욕구 자체에 맞게 생산 방식과 교역 방식을 전복할 것이고, 이를 통해서 유럽 산업의 우월성을 보장하고, 이렇게 함으로써 지리학적 위치의 단점을 상쇄할 새로운 생산력을 산출할 것이다.

마지막으로 유명한 독일인 선교사 귀츨라프가 소개한 진기한 나라 중국이 있다. 느리지만 꾸준히 증가하고 있는 이 나라의 과잉 인구는 이미 오랫동안 그곳의 사회적 관계가 그 나라의 절대다수를 매우 심하게 압박하게 했다. 이때 영국인이 와서 5개 항을 열게 하고 자유무역을 강요했다.[44] 영국과 아메리카의 무수한 선박이 중국으로 항해했고, 얼마 지나지 않아 중국은 영국과 아메리카의 값싼 공장 제품들로 채워졌다. 수공업에 입각한 중국의 산업은 기계와의 경쟁에 패했다. 흔들리지 않는 중화 제국은 사회적 위기를 체험했다. 세금이 들어오지 않아 국가는 파산 직전에 몰리고, 주민은 대거 사회적 빈곤의 나락으로 굴러떨어져 폭동을 일으키고 황제[45]의 고관대작들과 푸이의 승려들을 인정하지 않고 핍박하고 살해했다. 이 나라는 멸망 직전에 이르렀고, 이미 강력한 혁명에 위협을 받았다. 아니, 그 이상이었다. 반란을 일으킨 천민 가운데 어떤 사람은 가난하고 다른 사람은 부유하다고 지적하는 사람들이 나타났다. 이 사람들은 소유물을 다른 방식으로 분배할 것, 사적 소유의 전면 폐지도 주장했고 지금도 주장하고 있다. 문명화된 사람들과 유럽인들에게로 20년 만에 다시 돌아온 귀츨라프 씨는 사회주의 운운하는 말을 듣고 그게 무슨 소리냐고 물었다. 사람들이 사회주의를 설명해주자 그는 경악해서 소리 질렀다. "그 어디에서도 나는 이런 파멸적인 교리에서 벗 │G220 어날 수 없는가? 얼마 전부터 중국의 수많은 폭도가 바로 이와 똑같은 것을 설교했었다!"[46]

　중국 사회주의는 두말할 것도 없이 이제 중국 철학이 헤겔 철학과 맺는 관계처럼 유럽 사회주의와 관계를 맺을 것이다. 그러나 세상에서 가장 오래되고 가장 흔들리지 않는 왕국이 영국 부르주아지의 면직물 맹폭 세례를 받고 8년 후 어찌 됐든 문명에 의미심장한 결과를 가져다줄 사회 변혁의 전야로 이끌었다는 사실은 흥미롭다. 우리의 유럽 반동주의자들이 ‖78│ 곧 닥칠 망명 때 아시아를 거쳐 마침내 만리장성에 이르면, 원(原)반동주의와 원(原)보수주의의 보루인 협로에 이르면 그들이 다음 비문을 읽을지 누가 알겠는가?

중화 공화국(République chinoise)

자유, 평등, 박애(Liberté, Égalité, Fraternité).

런던, 1850년 1월 31일.

———————

프로이센 시민층의 소원이 이루어졌다. "명예를 소중히 여기는 사람"이 "이 헌법으로 통치할 것이다"라는 조건으로 헌법에 서약했다.[47] 양원의 부르주아지는 2월 6일 이후 며칠 만에 이 소원을 완전히 이루어냈다. 이들은 2월 6일 전에 헌법에 서약하기 위해서는 우리가 양보해야 하고, 만약 선서가 먼저 이뤄지면 우리는 완전히 다르게 행동할 것이라고 말했다. 2월 6일 이후에 이들은 헌법 서약이 이뤄졌고, 우리는 가능한 모든 확약을 받았기에 완전히 평화롭게 양보할 수 있다고 말하고 있다. 지금까지도 알려지지 않은 적과 맞서기 위한 군비와 50만 명 동원을 위한 1800만 탈러 조달은 논쟁도, 반대도 없이 거의 만장일치로 승인될 것이다.[48] 예산안은 나흘 만에 투표에 부쳐지고, 정부 법안은 죄다 양원에서 순식간에 처리될 것이다.[49] 독일 부르주아지에게는 비겁함도, 이런 비겁함에 대한 핑계도 아직 부족하지 않았다는 것을 알 수 있다.

프로이센 왕은 호의적인 의회 덕분에 입헌 체제가 절대주의 체제보다 어떤 장점들이, 더 구체적으로 말하면 지배받는 이들뿐만 아니라 통치자들에게도 어떤 장점들이 있는지 충분히 통찰할 기회가 있었다. 1842~1848년의 재정 압박, 프로이센 해양활동협회와 그 밖의 은행의 부질없는 차용 시도, 로트실트의 거절 답변, 연방의회의 차입 거부, 국고와 공적 자금의 고갈을 돌이켜 생각해보면, 그리고 우리가 이 모든 것을 1850년의 재정 과잉 — 즉 의회 승인으로 7000만 탈러의 적자를 막은 세 예산안, 대량으로 유통된 대부증, 대여 금고증, 프로이센 해양활동협회보다는 다른 은행과 더 손발을 맞춘 국가, 게다가 승인된 3400만 탈러 차입금의 비축 — 과 비교해 보면 얼마나 대조적인지 알 수 있다!

전쟁장관의 발표가 있은 후 프로이센 정부도 유럽의 "질서와 안정"[50]을 위해 전군 동원을 강제할 만일의 사태에 대비했다. 이 공표로 프로이센은 신성동맹에 다시 가입함을 충분히 떠들썩하고 분명하게 선언했다. 새로운 십자군의 상대인 적이 누구인지는 분명해졌다. 아나키와 전복의 중심지, 즉 로만 민족의 바벨은 ||79| 섬멸되어야 한다. 프랑스를 곧장 공격할지, 스위스와 터키로 방향 전환을 먼저 할지는, 거의[51] 파리의 사태 전개에 달려 있을 것이다. 어쨌든 프로이센 정부는 지금 18만 병력을 두 달 내에 50만 병력으로 증강할 수단을 갖고 있다. 40만 러시아 병력은 폴란드, 볼히니아, 베사라비아에 사다리꼴 진을 치고 있고, 오스트리아는 출동 태세를 갖춘 병력이 최소한 65만이다. 이 엄청난 병력을 먹여 살리기 위해 러시아와 오스트리아는 올해에 침략 전쟁을 일으킬 것이 틀림없다. 이 침략의 첫째 방향과 관련하여 놀랄 만한 문서가 공개되었다.

282

《슈바이처리셰 나치오날 차이퉁》은 스위스 침략 계획이 고스란히 포함된 이른바 오스트리아 장군 쉰할스의 건의서를 최근 호 중 하나에서 보도했다. 이 계획의 주요 특징은 다음과 같다.

프로이센은 마인 강 철도변에 6만 병력을 집결한다. 헤센, 바이에른, 뷔르템베르크의 군단은 일부는 로트바일과 투틀링겐에, 다른 일부는 켐프텐과 메밍겐에 집결한다. 오스트리아는 포어아를베르크와 인스브루크에 5만 병력을 보내 배치하고 이탈리아의 세스토-칼렌데와 레코 사이에 제2군단을 결성한다. 그사이에 스위스는 외교 협상으로 저지할 것이다. 공격 순간이 다가오면 프로이센군은 철도편으로 급히 뢰어라흐로 갈 것이고, 적은 병력을 도나우에싱겐으로 보낼 것이다. 오스트리아군은 브레겐츠와 펠트키르히 근처에 집결하고, 이탈리아군은 코모와 레코 근처에 더 가깝게 집결한다. 1개 여단이 바레세에 주둔하여 벨린초나를 위협한다. 외교 사절이 최후통첩을 보내고 떠난다. 작전이 시작된다. 주된 구실은 1814년의 연방 헌법과 분리동맹 주들의 자유를 회복한다는 것이다. 공격 자체는 루체른에 집중된다. 프로이센은 바젤을 넘어 아르로, 오스트리아는 장크트갈렌과 취리히를 넘어 리마트로 돌진한다. 전자는 졸로투른에서 추르차흐까지 군대를 배치하고, 후자는 추르차흐에서 취리히를 넘어 우츠나흐까지 배치한다. 동시에 오스트리아군 별동대 15,000명이 쿠어[52]를 넘어 슈플뤼겐으로 진격하여 이탈리아 군단과 합친다. 그리고 나서 양군은 포르더라인 협곡을 지나 장크트고트하르트로 나아간다. 여기서 바레세와 벨린초나에 먼저 도착한 군단과 다시 손을 잡는다. 원주(Urkanton. 스위스 연방의 기원이 된 1291년 최초의 연맹을 맺은 세 개의 주. 우리 · 슈비츠 · 운터발덴을 가리킴 ― 옮긴이)들이 폭동을 일으킨다. 그사이에 원주들은 샤프하우젠 너머의 소규모 병력과 합친 주력 군대의 진군에 의해, 스위스 서부의 루체른 점령에 의해 고립된다. 이렇게 해서 양이 염소와 분리된다(양은 샤프하우젠을, 염소는 루체른을 의미한다. ― 옮긴이). 동시에 "1월 30일의 비밀 협정"에 따라 6만 병력을 리옹과 콜마르에 배치할 의무가 있는 프랑스는 로마 점령 때와 같은 구실을 내세워 제네바와 쥐라를 점령한다. 따라서 베른은 견디지 못하고, "혁명" 정부는 즉각 항복하거나 자기 부대와 함께 베른의 알프스 고산 지대에서 굶어 죽거나, 양자택일을 할 수밖에 없다. |

|80| 우리는 이 계획이 그다지 나쁘지 않음을 알 수 있다. 이 계획은 지형을 적절히 고려하고 있다. 요컨대 더 비옥한 평지인 북부 스위스부터 차지한

후 이를 거점으로 삼아 아르와 리마트 뒤의 중요한 몇몇 지역들을 연합 주력 부대로 점령할 것을 제안하고 있다. 스위스군을 곡창지대와 분리하고, 스위스군을 더 험한 산악지대로 몰아넣는 장점도 있다. 이 계획은 초봄에 실행할 수도 있다. 이 계획이 빠르게 실행될수록 고산지대로 몰린 스위스군은 더 큰 곤경에 빠질 것이다.

이 문서가 저작자의 뜻에 반해서 공개되었는지 아닌지, 의도적으로 스위스 신문에 공개하려고 흘렸는지 아닌지는 단순히 내부적 문제라서 결정하기는 어렵다. 후자라면 스위스인을 자극해서 군대를 신속히 대량 투입함으로써 스위스군의 금고가 바닥나게 하고 여론을 대체로 동맹군에 불리하게 오도함으로써 신성동맹에 점점 더 순종하게 만든다는 목적이 있었을 것이다. 현재 러시아와 프로이센의 무장 및 스위스에 대한 전쟁 계획을 통해 일어난 군사적 위험이 이를 뒷받침해주는 것처럼 보인다. 병력이 집결해서 행군하기 전에 가능한 한 많은 지역을 점령하기 위해서는 모든 작전을 최대한 신속하게 하라고 추천한 건의서의 골자 자체도 이와 마찬가지이다. 이와 달리 스위스 침략 계획을 실제로 제안한 이 건의서가 진짜인지는 거듭 말하지만 마찬가지로 내부 문제이다.[53]

스위스나 터키를 먼저 치든지, 프랑스를 직접 치든지 간에 신성동맹이 올해에 행군하리라는 것은 분명하다. 어느 경우든 연방의회는 유언장을 작성할지도 모른다. 신성동맹이 베른에 먼저 도착하든지, 혁명이 먼저 도착하든지 간에 연방의회는 자신의 비겁한 중립 자체 때문에 몰락을 초래할 것이다. 반혁명은 연방의회의 양보에 만족할 수 없을 것이다. 연방의회 기원 자체가 어느 정도 혁명적이기 때문이다. 혁명은 유럽의 한가운데에서 운동에 직접 관여한 세 나라 사이에 있는 반역적이고 비겁한 정부를 한순간도 견딜 수 없을 것이다. 스위스 연방의회의 처신이 놀라운 예, 어쩌면 근대의 강대국 사이에 끼인 약소국이 말하는 이른바 "독립"과 "자립"이 무엇을 의미하는지를 보여주는 마지막 예이기를 바란다.*

———

* 프랑스의 최근 사건들에 대해서는 이 호에 포함된 1848~49년 항목을 참조하면 된다.[54] 영국에서 10시간 노동법이 사실상 폐기된 것에 대해서는 다음 호에서 별도로 다룰 것이다.[55] ─마르크스/엥겔스의 주.

《노이에 라이니셰 차이퉁. 정치−경제 평론》제2호와 제3호의 내용 예고

Ankündigung des Inhalts der Hefte 2 und 3 der
"Neuen Rheinischen Zeitung. Politisch-ökonomische Revue

《노이에 라이니셰 차이퉁. 정치−경제 평론》

제1호, 1850년 1월

|4| 광고.

편집부의 뜻과는 무관한 사정 때문에《노이에 라이니셰 차이퉁》의 제1호 출간이 늦어졌다. 따라서 제1호 출간 후 늦어도 14일 이내에 출간될 제2호 는 특히 다음 기고문을 포함할 것이다.[1]

1848∼1849. II. 1849년 6월 13일. — III. 6월 13일이 대륙에 미친 반작용. — IV. 현재 상황; 영국. **카를 마르크스**.

독일 제국헌법투쟁. III. 팔츠. — IV. 조국을 위해 죽자. — **프리드리 히 엥겔스**.

3호는 특히 다음 내용을 포함할 것이다.

부르주아 소유란 무엇인가? II. 토지 소유. — 런던의 독일 노동자협 회 주최 강연들, **카를 마르크스**.[2]

독일 의회의 지난 회기. **W. 볼프**.[3]

프로이센의 재정 상황 등등.[4]

앞으로는 잡지가 항상 매월 1일에서 10일 사이에 발행되도록 신경 쓸 것이다.

편집부.

프리드리히 엥겔스
10시간 문제
The Ten Hours' Question

《더 데모크라틱 리뷰》
1850년 3월

|371| 10시간 문제.

그저 그 교리들의 특성이 부도덕하고 뻔뻔하며 이기적이라고 분노의 논평을 함으로써, 자유-무역 중간계급들, 즉 이른바 "맨체스터 학파"[1]의 주장에 대항하는 것이 대체로 노동자계급 대변자들의 습관이라고들 한다. 돈만 아는 거만한 공장주(mill-lords) 계급이 처절하게 혹사하고 짓밟아서 신체적으로는 황폐해지고 정신적으로는 기진맥진한 노동자는 자본의 더 큰 영광과 더 빠른 축적을 위해 영원히 기계의 일부로 봉사해야 하고, 주인이 부리는 대로 당하기만 할 운명이라는 뻔뻔한 말에도 피가 솟구치지 않으면 틀림없이 자신의 운명을 감수할 것이다. 그리고 이런 조건 아래에서만 "자기 조국의 우월함"과 노동자계급 존재 자체가 존속할 수 있다는 것이다. 격정적이고 혁명적인 분개의 ||372| 이런 감정이 없었다면, 프롤레타리아트 해방에 대한 희망도 없었을 것이다. 그러나 노동자들 사이에서 의연한 저항 정신을 유지하는 것과 공개 논쟁에서 자신의 적을 마주하는 것은 다르다. 공개 논쟁에서 분개하거나 그저 격한 감정을 터트리는 것은 그 감정이 아무리 정당하다고 할지라도 아무것도 얻지 못할 것이다. 여기에서 필요한 것은 논거이다. 냉정한 논쟁적 토론에서조차도, 심지어 그들이 좋아하는 경제 분야

에서조차도 자유-무역 학파는 노동자 이익을 지지하는 자들에 의해서 쉽게 격파될 것이라는 점은 의심의 여지가 없다.

자유-무역 제조업자들이 근대 사회의 존립은 노동자들의 피와 힘줄을 이용해 부를 계속해서 축적해야만 하는 것에 의존한다고 대놓고 뻔뻔스럽게 내뱉는 말에는 대꾸할 말이 딱 한마디밖에 없다. 전 역사를 통해서 압도적 다수는 이런 형태로든 저런 형태로든 소수의 특권자를 부유하게 해주는 도구로만 존재했다는 것이다. 그러나 이전 시기 전부 이 흡혈 체제는 갖가지 도덕적, 종교적, 정치적 구실들의 가면을 쓰고 작동되었다. 성직자, 철학자, 법률가, 정치 지도자는 신의 명령에 따라 빈곤과 기아를 자기의 것으로 떠맡았다고 인민에게 말했다. 이와 달리 지금 자유-무역가는 대담하게 "너희 노동자들은 노예다. 앞으로도 계속 노예일 것이다. 왜냐하면 너희가 노예로 있어야만 우리가 우리의 부와 안락함을 증대할 수 있기 때문이다. 이 나라의 지배층인 우리는 너희가 노예가 되지 않고서는 지배를 계속할 수 없기 때문이다"라고 선언한다. 지금 이렇게 억압의 비밀이 마침내 드러난다. 자유-무역가 덕분에 지금 마침내 인민은 분명하게 자기의 처지를 인식할 수 있다. 지금 마침내 **우리냐 너희냐!**라는 문제가 타당하고 분명하게 제기되었다. 그러므로 우리는 거짓 친구보다는 공공연한 적을, 위선적이고 박애주의적인 귀족보다는 뻔뻔스러운 자유-무역가를, 애슐리 경보다는 퀘이커 교도 브라이트를 택하는 바이다.

10시간 법은 길고도 격렬한 투쟁 끝에, 즉 의회, 연단, 신문, 공장지대의 모든 공장과 작업장에서 40년이나 투쟁한 끝에 시행되었다.[2] 한편으로는 매우 슬프기 짝이 없는 모습들로 나타났다. 아이들이 제대로 성장하지도 못한 채 살해되고, 여자들이 가정과 어린 자식들에게서 떨어지고, 노소를 가리지 않고 만성적 질병에 감염되고, 인명이 대량 희생되고, 인간의 행복은 국가적 규모로 파괴되었다. 이미 ||373| 엄청나게 부유한 소수의 사람들을 더 부유하게 만들 뿐이었다. 이것은 허구가 아니다. 모두 사실이다. 확고부동한 사실이다. 그럼에도 불구하고 아무도 이렇게 악명 높은 체제를 없애자고 감히 요구하지 않았다. 유일하게 요구한 것은 그 체제를 어느 정도 제한하자는 것이었다. 다른 한편으로는 이 체제에서 살을 찌운 이들에게 고용된 종인 냉정하고 무정한 경제학자들이 나서서 비례법과 같이 부인할 수 없고 엄격한 일련의 결론을 통해 "나라가 망했으면 망했지" 이 체제를 어떤 방식으로든 방해할 수 있는 수단이 없다는 것을 증명했다.

고백하거니와 공장-노동자 옹호자들은 경제학자의 주장을 반박할 수도 없거니와 심지어는 감히 그 주장과 좀처럼 씨름하려고 하지 않았다. 그 이유는 현 사회 체제에서, 자본이 소수의 수중에 있는 한, 다수는 그들에게 노동력을 팔지 않을 수 없다는 이 주장은 그들의 적들이 제시한 주장만큼이나 명백한 사실들이라는 점에 있다. 그렇다. 현 사회 체제에서 영국은, 주민의 모든 계급을 막론하고, 산업의 번영에 전적으로 의존하고, 이 산업의 번영은 현 체제에서 매매의 무한한 자유와 모든 국가 자원을 이용하여 최대한 이윤을 뽑아내는 자유에 전적으로 의존한다.

그렇다. 오늘날 바로 제국의 존속 여부가 달린 산업 번영을 어떻게든 유지하려는 유일한 수단은 현 체제에서 매년 적은 비용으로 많이 생산하는 것이다. 어떻게 하면 적은 비용으로 더 많이 생산할까? 첫째, 생산도구 ── 기계와 노동자 ── 로 작년보다 금년에 일을 더 많이 하게 한다. 둘째, 기존 생산 방식을 더 완벽한 새 방식으로 대체한다. 다시 말해서 사람을 더 개선된 기계로 대체한다. 셋째, 노동자의 생계비를 줄이거나(곡물 자유무역[3] 등으로) 노동자의 임금을 가능한 한 최저 수준으로 떨어뜨림으로써 노동자 비용을 줄인다. 따라서 어떤 경우든 노동자는 패배한다. 그러므로 영국은 노동자를 파멸시킴으로써만 구제될 수 있다! 사정은 이러하고, 이것은 필연적인 것이다. 기계 발달, 자본 축적, 이에 따른 국내외 경쟁 때문에 영국은 이런 상태에 놓인다.

그러므로 10시간 법은 그 자체로 볼 때 최종 조치로서는 결정적으로 잘못된 행보이고, 자체 내에 ‖374‖ 파멸의 씨앗을 품고 있는 졸렬하면서도 반동적이기까지 한 조치였다. 이 법은 현 사회 체제를 파괴하지도 않고 그 발전을 편들지도 않는다. 현 사회 체제를 극한까지, 즉 지배계급이 자신의 자원이 모두 바닥났음을 알고 다른 계급이 지배하게 ── 여기서 필연적으로 사회 혁명이 일어날 것이다 ── 될 때까지 밀어붙이기는커녕, 10시간 법은 사회를 현 체제에 의해 오래전에 폐지된 상태로 되감으려고 했다. 반대하는 자유-무역가에게 맞서 이 법을 의회에서 억지로 통과시킨 정당들을 보기만 해도 이 사실은 분명해진다. 노동자계급의 격앙된 상태가, 위협적인 태도가 그렇게 만들었나? 그럴 리가 없다. 만약에 그랬다면 노동자들은 인민헌장[4]을 여러 해 전에 실행에 옮겼을지도 모른다. 게다가 노동자계급 중에서 단기 운동을 주도한 사람들은 결코 위협적이지도 혁명적이지도 않은 인물이었다. 그들은 대개 온건하고 덕망이 있으며 교회와 왕을 지지하는 사람들이었다. 그들은 차티스트 운동을 가까이하지 않았고 대개는 감성적 토리주의에 빠져 있었다. 또한 어떤 정부에도 위협적이지 않았다. 10시간 법은 자유무역의 **반동적인** 적들과 토지, 금융, 식민지, 선박의 이익을 위해 동맹을 맺은 세력, 연합한 귀족과 스스로 자유-무역 제조업자들의 우세를 두려워한 그 귀족의 일부 부르주아지가 시행했다. 그들이 어떤 식으로든 인민을 동정해서 그 법을 시행했을까? 그렇지 않다. 그들은 인민을 약탈하면서 살아왔고 지금도 그렇게 살고 있다. 제조업자들보다 덜 뻔뻔스럽고 더 감상적이기는 하지만 이들 못지않게 나쁜 사람들이다. 그러나 그들은 제조업자들에게 밀려나지 않으려고 했다. 그래서 그들은 제조업자에 대한 증오에서 스스로에게 대중적인 동정심을 확보해줄 수 있는 이 법을 통과시켰고, 동시에 제조업자의 사회·정치적 힘이 급속히 성장하는 것을 막았다. 10시간 법 통과는 노동자계급이 강함을 증명한 게 아니라, 제조업자들이 생각만큼 충분히 강하지 않음을 증명했을 뿐이었다.

G228　　그 후 제조업자들은 의회를 통해 곡물 자유무역과 항해 자유무역을 강제함으로써 사실상 그들의 우세를 확보했다. 토지와 선박에서 이익을 추구하는 사람들은 이들 떠오르는 별에 희생되었다. 그들은 강해질수록 10시간 법이 가하는 속박을 더 많이 느꼈다. 그들은 노골적으로 10시간 법을 무시하고 교대제[5]를 다시 도입했다. 또한 내무장관에게 회람을 발행하게 하여[6] 공장감독관들이 위법 행위를 적발하지 못하게 했다. 마침내 그들은 그들 제||375| 품 수요가 점증한 덕분에 일부 성가신 감독관들의 항의가 먹혀들지 않게 되자 이 문제를 재무재판소(Court of Exchequer)로 끌고 갔고,[7] 재무재판소는 단 한 번의 판결로 10시간 법의 마지막 흔적까지도 무효로 만들어버렸다.

이렇게 40년간의 소요의 결실은 "번영"과 "수요 증가"라는 단 한 번의 절규의 도움을 받은 제조업자의 커진 힘에 밀려 하루 만에 물거품이 되고 말았다. 영국의 법관들은 교구 주임 목사, 변호사, 정치 지도자, 경제학자와 마찬가지로 지주든, 금융귀족이든 혹은 공장주든 간에 지배계급에 고용된 종에 지나지 않음을 증명했다.

그러면 우리는 10시간 법에 반대하는가? 여성과 아동의 피와 골수를 이용해 돈을 버는 이 끔찍한 체제를 계속 유지하기를 원하는가? 물론 원하지 않는다. 우리는 이 법에 전적으로 반대하지 않지만, 다시 말해 노동자계급이 정치권력을 쥐는 바로 그 첫날 과도한 노동에 시달리는 여성과 아동에 대하

290

여 10시간 법 심지어 8시간 법보다 훨씬 더 엄격한 조치를 통과시킬 것이라고 생각한다. 그러나 우리는 1847년에 통과된 법이 노동자계급에 의해서가 아니라 사회 반동 계급들의 일시적 연합에 의해 통과된 것이고, 또한 그 법이 자본과 노동의 관계를 근본적으로 변화시킬 단 하나의 조치도 아니고 시기가 부적절해 지지할 수 없으며 반동적이기까지 한 조치라고 주장한다.

그러나 10시간 법이 사라졌다고 할지라도 노동자계급은 그럼에도 불구하고 이 경우에 승리자가 될 것이다. 노동자계급은 공장주들(factory-lords)이 잠시 기뻐 날뛰게 놔둘 수 있다. 결국에는 노동자계급이 기뻐 날뛸 것이고 공장주들은 비탄에 잠길 것이다. 그 이유는 다음과 같다.

첫째. 10시간 법이 눈앞의 목표 달성에는 실패했다고 할지라도 10시간 법을 위해 여러 해 동안 소요에 들인 시간과 노력은 헛된 것이 아니다. 이러한 소요를 통해 노동자계급은 서로를 알게 해주는 강력한 수단, 그들의 사회적 지위와 이익을 인식하게 해주는 수단, 조직적으로 단결하고 자신의 힘을 알게 해주는 수단을 발견했다. 이런 소요를 거친 노동자는 더는 예전과 같은 노동자가 아니다. 이 소요를 거친 다음 노동자계급 전체는 이 소요가 처음 일어났을 때보다 백배는 강하고 계몽되었으며 더 잘 조직되었다. 노동자계급은 서로 알지도 못하고 공통의 유대도 없는 단순히 개별자들의 집단**이었** G229 **을** 뿐이다. 그런데 지금은 자신의 힘을 의식하고 "제4계급"으로 인정받으며 머지않아 **제1계급이 될** 강력한 집단(Body)이다.

|376| 둘째. 노동자계급은 **타자를 통해서는 어떤 지속적인 이득도 얻을 수 없고 오히려 무엇보다도 정치권력을 획득함으로써 그런 이득을 자기 스스로 얻어야만 한다**는 점을 경험을 통해서 배웠을 것이다. 지금 그들은 하원에 **노동자계급의 다수를 앉힐 수 있는 보통선거권이 아니면 자신들의 사회적 지위 향상을 어떻게 해서도 보장받을 수 없다는 것**을 인식해야만 한다. 이렇게 10시간 법의 말살은 민주주의 운동에 엄청난 이익이 될 것이다.

셋째. 1847년의 그 법이 사실상 폐지됨으로써 제조업자들은 격변에 격변을 몰고 올 만큼 초과 매매를 할 것이고, 그 결과 현 체제하의 모든 수단과 자원은 곧 고갈될 것이며, **혁명**은 불가피하게 될 것이고, 이 혁명은 1793년과 1848년에 그랬던 것보다 훨씬 더 깊게 사회를 뿌리째 흔들 것이며, 프롤레타리아트의 정치적 및 사회적 지배를 초래할 것이다. 우리는 이미 현 사회 체제가 산업자본가의 지배에 얼마나 의존하는지, 그리고 어떻게 이런 지배가 매번 생산을 증가시키고 동시에 생산 비용을 감소시킬 가능성에 의존

하는지 살펴보았다. 그러나 생산 증가는 일정한 한계가 있다. 생산 증가는 기존 시장을 뛰어넘을 수 없다. 생산 증가가 기존 시장을 뛰어넘으면 격변이 일어나 그 필연적 결과로 파멸, 도산, 빈곤이 뒤따른다. 우리는 이런 격변을 여러 번 겪었지만 다행히도 새로운 시장을 개방[8]하거나(1842년의 중국) 생산 비용을 줄임으로써(곡물 자유무역을 통해) 낡은 시장을 더 잘 개척함으로써 이제까지 이를 극복해왔다. 그러나 이것에도 한계가 있다. 새로 개척할 시장은 이제 없다. 임금을 줄이기 위해 남은 수단은 단 하나밖에 없다. 즉 금융을 급격히 개혁하고 **국가 부채**[9] **지불을 거절**함으로써 세금을 감소시키는 것이다. 자유-무역 공장주들(mill-lords)이 비겁하게도 그렇게 하지 않거나, 이 임시방편이 또한 언젠가 고갈된다면, 그렇다면 그들은 과식으로 죽을 것이다. 매일 생산을 늘려야 하는 체제에서 시장을 더 확대할 여지가 없으면 **공장주**(mill-lord)**의 지배도 끝장난다**는 것은 분명하다. 그러면 **그다음은?** 자유-무역주의자는 "전반적인 파멸과 혼란"이라고 말하지만 **우리는 사회 혁명과 프롤레타리아트의 지배라고 말한다.**

영국의 노동자들이여! 여러분과 처자식이 하루 열세 시간 "딸랑이 상자"에 또 갇힌다 해도 절망하지 말라. 이것은 쓰지만 마셔야만 하는 잔이다. 빨리 비울수록 더 좋다. 여러분의 그 잘난 주인들이 여러분에게서 이른바 승리라고 하는 것을 획||377| 득할 때 자신의 무덤을 판 것이 틀림없다. 10시간법의 사실상 폐지는 여러분의 해방 시간을 실질적으로 앞당기는 하나의 사건이다. 여러분의 형제인 프랑스와 독일의 노동자들은 10시간 법에 결코 만족하지 않았다. 그들은 **자본의 폭정에서 완전히 해방되기**를 원했다. 여러분은 기계, 기술, 인원수 등 자신을 해방할 무기와 여러분 모두에게 필요한 것을 만들어줄 무기를 훨씬 더 많이 가지고 있다. **여러분이 쥐꼬리만 한 불입금을 받고 해고되는 데 만족하지 않을 것은 분명하다.** 이제 더는 "노동 보호"를 요구하지 말고 *여러분 스스로 여러분의 노동을 보호해줄 수 있는 프롤레타리아트 계급의 정치적, 사회적 지배*를 위해 당장 과감히 투쟁에 나서라.

F. E.|

엥겔스는 이 글을 영어로 썼다. ─ 옮긴이

G230

독일에서 온 편지 III
헌법과 "주님을 섬기라!"에 맹세한 프로이센 왕 — 신성동맹의 대음모 —
임박한 스위스 맹공격 — 프랑스 점령 및 분할 계획!

Letter from Germany III
The Prussian King swearing to the Constitution and "Serving the Lord!" —
Grand conspiracy of the Holy Alliance — The approaching onslaught on Switzerland —
Projected conquest and partition of France!

《더 데모크라틱 리뷰》

1850년 3월

|397| 독일에서 온 편지.

(우리의 통신원으로부터.)

헌법과 "주님을 섬기라!"에 맹세한 프로이센 왕 — 신성동맹의 대음모 —
임박한 스위스 맹공격 — 프랑스 점령 및 분할 계획!

쾰른, 1850년 2월 18일.

마침내 프로이센 국왕 폐하가 이른바 "헌법"에 맹세를 했다.[1] 연설할 기회
가 없었다면 왕의 이 우행도 없었을 것은 분명하다. 그러나 연설광인 폐하
는, 연설을 하기 위해, 내키지 않은 짓을 여러 번 참았을 때처럼(다들 알다시
피 1848년 3월 19일에 베를린 시민들은 그에게 "모자를 벗어라!"[2]라고 외쳐
댔다) 겸손하게 이 맹세를 받아들이기로 했다. 맹세는 중요하지 않다. 왕에
게, 특히 프리드리히 빌헬름 4세 같은 왕에게 맹세라니! 주목적은 연설이고
그 연설은 대단한 것이다. 진지하기 그지없게 선언하는 프로이센 폐하. 그
도, 의회의 그 누구도 웃음을 터뜨리지 않는다. 그는 **명예로운 사람**이다. 그

가 가장 소중히 여기는 것, 즉 왕의 연설을 하려고 한다! 그는 그 독특한 발성 연습을 몇 번 한 후 딱 한 가지 조건에서만 연설을 한다. 이 헌법으로 자신이 통치할 수 있어야 한다는 것과 3년 전의 약속, 즉 "짐과 왕실은 주님을 섬길 것이다!"[3]라는 약속을 실현할 수 있어야 한다는 것이다.[4]

이 새로운 유형의 "명예로운 사람"에게 헌법으로 통치한다는 것과 주님을 섬긴다는 것이 무슨 뜻인지는 이제 꽤 분명해졌다. 이 웃기는 맹세가 있은 후 국왕 폐하의 장관들이 나타났다. 첫째는 언론 자유와 결사 및 집회의 자유를 거의 다 없애버린 두 가지 법률을 가지고,[5] 둘째는 **군대 증원용으로** 요구한 1800만 달러(250만 파운드스털링) 요구를 가지고 나타났다. 이것이 무슨 뜻인지는 명백하다. 첫째는 그럴듯한 가짜 헌법으로 인민에게 남겨진 허울뿐인 자유마저 낱낱이 박탈하겠다는 뜻이고, 둘째는 군대를 전시 체제로 편성하여 러시아 및 오스트리아와 함께 프랑스로 진군하겠다는 뜻이다. 부르주아지가 장악한 의회가 이 모든 것에 동의하고 왕이 헌법으로 통치할 수 있게 하고 왕과 왕실이 주님을 섬길 수 있게 한 것은 말할 것도 없다.

"봄에 터질지도 모르는 만일의 경우에 대비하는"[6] 군대에 대한 이 프로이센인들의 신뢰는 신성동맹의 다른 조치들과 함께 취해질 것이 틀림없다. 그래야 우리가 그들의 음모들을 똑똑히 알게 될 테니까. 프로이센은 이 1800만 달러 외에 이미 1600만 달러 차관 교섭을 벌이고 있다. 표면상 이유는 동부 대철도 건설이다. 잘 아시다시피 러시아와의 차관 문제는 정말 그럴듯한 핑계이다. 철도는 신성동맹국 정부들이 건설할 테니까. 따라서 프로이센은 곧 500만 파운드스털링을 조달할 것이고, 그 전부를 육군성이 관리할 것이다. 러시아는 이미 조달한 500만 파운드스털링 외에 또 ||398| 은화 3600만 루블, 즉 500만 파운드스털링 차관 교섭을 벌일 것이다. 오스트리아만이 최근의 자금 조달 성과가 시원찮아 국내에서 조달한 자금에 만족해야 할 것이다. 지난번 글에서 말한 것처럼 오스트리아의 재정 적자[7]는 사실상 1년에 2억 플로린(2000만 파운드스털링)에 이른다! 따라서 러시아와 프로이센은 전쟁을 벌이기 위해 자금을 조달하지만 오스트리아는 자금을 조달하기 위해 전쟁을 벌여야 할 판이다!

프랑스는 골치 아픈 문제가 생기지 않으면 다음 달에 스위스, 어쩌면 터키를 상대로 "성스러운" 전쟁을 벌일 것이 확실하다. 러시아는 명령만 떨어지면 진격할 준비가 되어 있는 35만 병력을 폴란드와 그 접경 지역에 주둔시키고 있다. 러시아는 이미 대량 식량 공급 계약을 맺었는데 이 식량은 다음 달에 폴란드가 아닌 프로이센의 단치히에 도착할 것이다. 프로이센군은 현재 15만 명인데 예비군을 소집하면 한 달 내에 35만 명으로 증원될 것이다. 오스트리아군은 약 65만 명인데 병력이 감소되기는커녕 오히려 헝가리인 죄수들로 증원되었다. 외국과의 전쟁에 동원할 수 있는 총병력은 100만 명 쯤인데 프로이센군과 오스트리아군의 3분의 2는 민주주의라는 병에 감염되어 기회가 생기면 바로 적군 쪽으로 넘어갈 가능성이 있다.[8]

스위스 공격의 첫째 구실은 스위스에 살고 있는 독일인 망명자들이다.[9] 스위스 연방 정부가 직접적으로든 간접적으로든 모든 망명자들을 비열하게 박해하여 스위스를 떠나게 만들면 이 구실은 곧 사라질 것이다. 현재 스위스 G233 에는 독일인 망명자가 600명 남짓 있는데 이들도 곧 스위스를 떠날 것이다. 그러나 그때에도 구실은 또 있다. 1848년에 공화국이 된 전(前) 뇌샤텔 공국에서 프로이센 왕의 권위를 회복한다는 프로이센의 요구가 그것이다.[10] 이 구실이 충족되더라도, 1814년의 낡은 반동 조약을 대체하여 1848년에 성립된 것으로 신성동맹이 승인한 새 연방 헌법과 관련하여 불거진 분리동맹 문제가 또 있을 것이다.[11] 따라서 스위스는 전쟁을 피할 길이 없고 점령당할 가능성이 크다.

그러나 신성동맹의 최종 목표는 프랑스의 점령과 분할이다. 대혁명의 중심지를 단번에 끝장내려는 계획은 다음과 같다. 프랑스를 정복하면 왕국을 셋으로 분할한다. 남서부 혹은 아키텐(수도 보르도)은 보르도 공 앙리에게 넘겨주고, 동부 혹은 부르고뉴(수도 리옹)는 주앵빌 왕자에게 넘겨주고, 북부 혹은 프랑스 본토(수도 파리)는 신성동맹에 정보를 제공한 대가로 루이 나폴레옹에게 수여할 것이다. 따라서 프랑스는 몇 세기 전의 분할된 옛 국가로 돌아가 완전히 힘을 잃을 것이다. 분명히 프로이센 왕의 그 "역사적 사실에 기초한" 머리에서 나온 이 근사한 계획을 어떻게들 생각하는가?[12]

그러나 단언컨대 신성동맹이 이 계획들을 실행에 옮기기가 무섭게 신성동맹이 고려하지 않은 인민이 곧바로 이 음모들과 계획들을 모두 중지할 것이다. 프랑스와 독일의 인민이 깨어 있기 때문이다. 다행히도 인민은 문제가 공공연히 세인의 논란 대상이 되자마자 적들을 제압할 만큼 강하다. 그러면 민주주의의 적들은, 새파랗게 질린 채, 유럽의 낡은 제도들을 불태워버리고 승리한 나라들에 자유롭고 행복하며 영광스러운 미래를 비

취줄 큰 불길에 비하면 1848년과 49년의 운동이 아무것도 아님을 보게 될 것이다.|

엥겔스는 이 글을 영어로 썼다. ─ 옮긴이

프랑스에서 온 편지 III
시대의 징후들——예견된 혁명
Letter from France III
Signs of the times ——The anticipated revolution

《더 데모크라틱 리뷰》

1850년 3월

|395| 프랑스에서 온 편지.

(우리의 통신원으로부터.)

시대의 징후들 —— 예견된 혁명.

파리, 1850년 2월 19일.

이 편지에서는 다루는 내용을 좀 제한하고자 한다. 그래도 이번 달에 일어난 사건들이 워낙 충격적인 것이라 사건들 자체가 말을 할 것이다. 혁명 분위기가 급속히 무르익고 있어 누구나 혁명이 다가옴을 **틀림없이** 알 것이다. 사회의 모든 영역에서 혁명이 임박했다고들 한다. 민주주의에 반대하는 외국의 신문들도 하나같이 혁명이 불가피하다고 한다. 아니, 그 이상이다. 뜻밖의 사건들이 공적 사회 문제들에 충격을 주면, 똘똘 뭉친 질서 장사꾼들과 압도적 다수의 인민 간에 큰 싸움이 올봄이 끝난 다음에 벌어지리라는 것을 분명히 예측할 수 있을 것이다. 이 싸움의 결과가 어떻게 될지는 말할 것도 없다. 파리 인민은 혁명을 겪은 터라 그야말로 놀라운 일이 얼마 안 되어 일

어날 것이라고, 즉 인민 사이에 광범한 합의가 유지될 것이라고 확신하고 있다. 합의란 "사소한 다툼은 피하라. 중대하지 않은 문제는 양보하라"[1] 같은 것이다. 따라서 자유의 나무가 베어지던 날, 정부는 아무리 안간힘을 써도 노동자들을 선동하여 사소한 길거리 소란조차 일으키게 할 수 없었고, 놀라운 광경을 보도한《런던 일러스트레이티드 뉴스》에 따르면, 생-마르탱 문의 나무 주위를 돌며 춤추던 사람들은 인민의 침착함 덕분에 일상 업무를 깡그리 잊은 경찰 끄나풀들이었다.[2] 그러므로 정부 기관지가 이와 달리 보도해도 이달 24일은 평온히 지나갈 것이다. 정부는 몇 가지 거짓 음모와 지방 폭동으로 파리에서 소란이 일어나게 할 수 있다면 사형 선고를 받은 베르사유의 사람들 대신 3월 10일에 새 대표를 뽑을 지방들과 파리에 계엄을 선포하기 위해 무슨 짓이라도 할 터였다. 지방을 장악하기 위해 정부는 총사령관이라는 새로운 체제를 발명했다. 정부는 프랑스의 17개 군구(軍區)를 4개의 대군구로 통합하고, 각 대군구를 페르시아 제국이나 로마 제국의 지방 총독처럼 권력을 마음대로 휘두르는 ||396| 장군 한 사람의 지휘하에 두려고 했다. 4개의 대군구는 프랑스의 중심인 파리를 둘러싸도록 배치되었다. 이를테면 파리를 진압하기 위해 쇠울타리를 두른 셈이었다.[3] 이 조치는 불법임에도 인민 때문만이 아니라 부르주아 반대파 때문에도 채택되었다. 정통 왕조파와 오를레앙파는 루이 나폴레옹이 그들의 생각대로 움직이지 않음을 이제 분명히 알았다. 그들은 루이 나폴레옹이 왕정복고의 수단, 쓸모없어지면 내다버릴 도구가 되어주기를 바랐다. 그런데 루이 나폴레옹 자신이 왕위를 갈망하고 있고 예상보다 빨리 움직이고 있는 것을 이제 알았다. 그들은 현재로서는 왕정 가능성이 없음을 잘 알고 있는 만큼 기다려야만 한다. 그런데 루이 나폴레옹은 온갖 수단을 동원하여 이 문제를 해결하려고 한다. 때를 기다리기보다는 자기 목이 날아갈지도 모르는 혁명도 불사한다. 그들은 정통 왕조파도, 오를레앙파도 어느 한쪽의 승리를 보장해줄 정당성을 가지지 못하고 있음을 알고 있다. 1848년 12월 10일 이전처럼 그들은 사태를 지켜보면서 그동안 그들 양쪽의 이익을 대변해줄 또 다른 중립적 인물을 원하고 있다. 따라서 질서 장사꾼들의 중요한 이 두 분파는 루이 나폴레옹의 대통령직 연장을 위해서라면 물불을 가리지 않던 4개월 전과는 달리 이제는 이에 반대한다. 이번에 다시 공화정에 중립적 입장을 취하면서 **샹가르니에 장군을 대통령으로** 밀고 있다. 샹가르니에도 그럴 마음이 있는 것 같다. 샹가르니에를 신뢰하지 않으면서도 감히 파리 총독 자리에서 쫓아내지 못하는 나

298

폴레옹은 4개의 대군구를 상가르니에를 묶어두는 족쇄로 만들어버렸다. 이 것은 (48년 6월에는 배신자였으나 지금 다시 인기를 얻고 있는) 파스칼 뒤프라 씨의 군구 제도와 루이 나폴레옹을 반대하는 연설에 다수파가 잠자코 귀 기울이는 이유를 설명해줄지도 모른다. 이와 관련하여 기이한 사건이 두 건 일어났다. 신문 보도에 따르면, 뒤프라 씨가 루이 나폴레옹은 숙부의 입장이나 워싱턴의 입장 가운데 하나를 선택해야 한다고 말했을 때 의석 왼쪽에서 누군가 "아니면 아이티의 술루크 황제의 입장!"이라고 소리쳤다.[4] 장군이 웃음을 터뜨리며 프랑스 황제가 되려는 사람을 유력자와 비교한 것을 받아들이자 더는 아무도 파리의 《샤리바리》를 조롱하지 않았다. 의회의장[5]조차 나서지 않았다. 이제 이 고귀한 다수파가 루이 나폴레옹을 어떻게 생각하는지 알 수 있을 것이다! 그때 전쟁장관[6]이 일어나서 의석 왼쪽을 보며 "여러분이 개시하려고 하면 우리는 준비가 되어 있습니다!"[7]라는 말로 격한 연설을 끝냈다. 장관의 이 말보다 격한 말다툼을 잘 보여주는 것은 없을 것이다.

그동안 사회-민주당은 적극적으로 선거 준비를 하고 있다. "정직하고 온건한" 사회-민주당 후보를 파리에서 한두 명 당선시킬 가능성이 있지만 파리에서는 온갖 구실로 노동자 약 6만 명이 선거인 명부에서 삭제되었다. 그러나 사회주의자들이 지방에서 상징적 승리를 거둘 것은 분명하다. 정부 자신도 이것을 바라고 있다. 이에 따라 정부는 공공연히 "보통선거권"의 음모라는 것을 없앨 조치를 준비해왔다. 정부는 유권자가 일정 수의 선거인을 뽑고 이 선거인이 대표를 지명하는 간접 선거를 획책하고 있다. 이렇게 하면 정부는 다수의 지지를 얻을 것으로 확신하고 있다. 그러나 이것은 1851년 이전에는 개정될 수 없는 헌법을 공공연히 폐지한다는 것[8]과 의회도 이 목적으로 구성되었다는 것을 뜻하기 때문에 정부는 인민의 격렬한 저항을 예상하고 있다. 따라서 ||397| 의회가 이런 조치를 취하면 외국군이 라인 강 유역에 출병할 위험이 있다. 실제로 이런 조치가 취해지면 —루이 나폴레옹은 이런 짓을 할 만큼 어리석어 보인다— 혁명의 우레 같은 소리가 들릴지도 모른다. 주여, 나폴레옹 지지자들과 상가르니에 지지자들과 질서 장사꾼들에게 은총을 베푸시기를!|

엥겔스는 이 글을 영어로 썼다. — 옮긴이

프리드리히 엥겔스

혁명의 2년 ─ 1848년과 1849년

Two years of a Revolution; 1848 and 1849

《더 데모크라틱 리뷰》

1850년 4월

|426| 혁명의 2년—1848년과 1849년.

1848년과 49년에 쾰른에서 독일의 일간지 《**노이에 라이니셰 차이퉁**》(*New Rhenish Gazette*)이 발행되었다. 편집장 카를(Charles) 마르크스, 프리드리히 (Frederick) 엥겔스, 게오르크 베르트, 유명한 시인 프라일리그라트, F. 볼프 와 W. 볼프, 그 밖의 사람들이 편집한 이 신문은 가장 진보적인 혁명 원칙과 프롤레타리아트의 이익을 활기차고 두려움 없이 옹호하여 금세 엄청난 인 기를 누렸다. 이 신문은 독일 유일의 프롤레타리아트 기관지였다. 프로이센 정부는 지난 5월 실패한 라인 지방 봉기를 빌미로 편집자들에게 온갖 박해 를 가하여 신문을 폐간하려고 했다. 그래서 편집자들은 그때 준비 중이거나 진행 중인 여러 사회운동에서 새 활동 무대를 찾기 위해 프로이센을 떠났다. 몇 명은 파리로 갔다. 이들은 결정적 국면 전환(6월 13일)이 임박한 프랑스 민주주의의 중심지에서 독일 혁명파를 대표했다. 어떤 사람은 봉기를 꾀하 던 그때 독일 의회(프랑크푸르트 국민의회 — 옮긴이) 의원이 되었고, 어떤 사 람은 바덴으로 가서 혁명군에 가담하여 프로이센과 싸웠다. 이런 봉기들이 실패하여 이들은 프로이센, 스위스, 프랑스에서 망명자 신세가 되어버렸다. 당분간 일간지 복간 가망성이 없어지자 이들은 조국에서 일간지를 재발행할 여건이 될 때까지 월간지를 발행하여 기관지로 삼고자 했다.

이 간행물의 창간호가 막 나왔다. **《노이에 라이니셰 차이퉁. 정치−경제 평론》, 카를 마르크스 편집**이라는 제목은 이전 일간지와 같다.

창간호에는 논문 세 편만 실렸는데 지난 2년간의 혁명을 다룬 논문 시리즈 중 첫째인 편집장 카를 마르크스의 논문이 맨 앞에 있다. 그다음 것은 지난 5월, 6월, 7월에 독일 남서부에서 일어난 무장투쟁을 다룬 프리드리히 엥겔스의 논문이었다. 마지막 것은 (바덴 주 정부의 파리 대사를 역임한) 카를 블린트(Charles Blind)가 바덴 주의 당시 상황을 다룬 논문이었다. 뒤의 두 논문은 ||427| 중요한 사실들을 적지 않게 폭로하지만 주로 독일인 독자의 관심을 끌 것이고, 첫째 논문은 모든 나라 독자들의, 특히 노동자계급의 주된 관심 주제에 대한 것이었다. 시민 마르크스는 또한 어느 모로 보나 이 주제에 대해 잘 작성했다. 이런 이유로 제한된 지면에 내용을 최대한 요약해주는 것이 우리의 도리라고 생각한다. G238

주목할 만한 이 논문은 2월 혁명을 다루고 있다. 다시 말해서 혁명의 원인과 결과, 그리고 1848년 6월 대봉기까지의 후속 사건들을 다루고 있다.

실제로 몇몇 장(章)을 제외하고 1848년과 49년 혁명 연대기의 모든 중요한 장절은 **혁명의 패배!**라는 표제가 달려 있다. 그러나 이 모든 패배에서 실제로 패배한 것은 혁명 자체가 아니었다. 그와는 반대로 패배한 것은 바로 혁명파의 반혁명적 요소들이었다. 요컨대 반혁명적 성격을 어느 정도 지닌 개인, 망상, 사상, 계획, 프로젝트였다. 전복 세력은 2월 이전에는 이 요소들에서 자유롭지 못했다. 그것은 2월의 승리로 자유로워질 수 있는 것이 아니라 일련의 패배를 통해서만 자유로워질 수 있는 것이었다. 다시 말해서 그것은 혁명의 진전에 따른 첫 번째 승리의 즉각적인 비극적 또는 희극적 결과는 아니었다. 그와 반대로 이 진전은 주로 강력하고 단일한 반혁명적 이익이 형성됨으로써 이루어졌는데, 이때 전복 세력은 이런 적을 낳고 이런 적과 맞붙어 싸움으로써 독자적으로 진정한 혁명 정당으로 스스로 발전할 수 있다.

이것이 시민 마르크스가 자기 논문에서 펼친 일반적 주제이다. 마르크스는 2월 혁명의 원인들을 적시하고 나서 이 원인들이 이 주제를 다룬 이전의 저자들이 생각한 것보다 더 깊이 뿌리박고 있음을 보여준다. 루이 필리프 치하에서 부르주아지는 대체로 프랑스의 지배계급이었다는 것, 1847년의 그

추악한 폭로가 혁명의 주된 원인이라는 것, 이 혁명이 프롤레타리아트의 부르주아지에 대한 직접 투쟁이었다는 것은 지난 20년간 프랑스의 사건들을 연구한 역사가들 사이에 일치된 의견이었다. 이런 주장은 대놓고 전면 부인할 수는 없지만 시민 마르크스의 필봉 덕분에 상당히 수정된다.

G239　　　루이 필리프 치하에서 정치권력은 부르주아 계급 전체의 수중에 있지 않고 부르주아 계급의 한 분파, 즉 프랑스에서는 금융귀족이라 불리고 영국에서는 제조업 이익단체와 대비되는 ||428| 은행, 기금, 철도 등의 이익단체 혹은 금전적인 이익단체로 불린 그 분파의 수중에 있었다는 것을 독일의 역사가들은 증명하고 있다.

루이 필리프 치하에서 프랑스의 부르주아 계급 전체가 프랑스에 군림하지 않고 그 계급의 한 분파가 은행가, 주식 투기꾼, 철도왕, 광산왕, 일부 "단결한" 지주들 요컨대 **금융귀족**이 군림했다. 왕위에 오른 자, 의회에서 법을 주무른 자, 각료부터 담배 판매권자까지 정부 인사 임명권을 가진 자들이 바로 이들이었다. **제조업** 부르주아지는 야당의 일부일 따름이었고, 의회의 소수파만이 제조업 부르주아지를 대변했다. 금융귀족의 독점적 지배가 점점 배타적이 될수록 제조업 부르주아지의 저항은 완강해졌다. 1832년, 1834년, 1839년의 노동자 봉기가 결실 없이 돌아가자 금융귀족 자신은 프롤레타리아트에 대한 지배를 더욱 확고히 다졌다고 생각했다… 소자본가, 점점 불어나는 자영업자(shopocracy), 농민은 정치권력에서 완전히 배제되었다.

금융귀족의 독점적 지배에 따른 결과로 이들은 모든 공공의 이익을 자신들의 이익 아래 두고 그 대가로 국가를 자신들의 부를 불려주는 수단으로 여기게 되었다. 시민 마르크스는 이 추악한 체제가 프랑스에서 18년간 어떻게 계속되었는지 매우 설득력 있게 묘사한다. 새로운 부가 돈밖에 모르는 사람들의 주머니에 흘러들어 감으로써, 공채가 급증하고 공공 비용이 증가하며 끊임없이 금융 위기와 국고 부족에 시달린다는 것, 국부가 해마다 물 새듯이 빠져나감으로써 그만큼 빨리 국가 자원이 고갈된다는 것, 금융가들이 부정 계약으로 국민을 속이고 정부, 육해군, 철도, 수백 명에게 기회를 제공하는 그 밖의 공공사업 비용을 마음대로 주무른다는 것 등을 매우 설득력 있게 묘사한다. 요컨대 —

7월 왕정은 프랑스의 국부를 증진하기 위한 합자 회사에 지나지 않았다. 이 협회의 배당금은 각료, 의원, 24만 명의 선거인, 이들에게 빌붙은 수많은 사람에게 돌아갔다. 루이 필리프는 이 회사의 조지 허드슨이자 왕위에 오른

로베르 마케르였다. 무역, 제조업, 농업, 해운업에 종사하는 중간계급의 이익은 이 체제 아래 끊임없이 침해당하고 위협당할 수밖에 없었다.

사리사욕을 채우려고 법을 만들고, 행정을 펼치며, 공권력을 깡그리 무시하고, 언론과 사건의 힘으로 ||429| 여론을 지배함으로써 궁정에서부터 **보르뉴 카페**(*café-borgne*)에 이르는 사회의 모든 분야에는 바로 매춘, 후안무치한 시행령, 생산이 아니라 이미 생산되어 있는 것으로 남을 속임으로써 부를 축적하려는 탐욕이 만연했다. 특히 최상층의 방종이 심했고, 매 순간 부르주아 법 자체와 충돌했다. 이런 무질서하고 불건전한 욕망과 탐욕이 곳곳에서 분출했고, 도박으로 획득한 부는 매우 당연하게 그 만족을 찾으러 다녔으며, 향유는 금, 진흙, 피가 뒤엉켜 흐르는 **방탕**(*crapuleux*)으로 변했다. 착복과 향락이라는 두 방식을 지닌 금융귀족은 **부르주아 사회 상층부의 "폭도"가 재생산된 것**에 지나지 않는다. G240

1847년의 그 수치스러운 사건들, 즉 테스트, 프랄랭, 귀댕, 뒤자리에 사건이 폭로됨으로써 이런 상황이 백일하에 드러났다. 크라카우에서 정부의 그 악명 높은 행동과 스위스의 분리동맹 사태는 국가의 자긍심을 송두리째 짓밟았다. 반면에 스위스 자유주의자들의 승리와 48년 1월의 팔레르모 혁명은 반대파들의 사기를 높여주었다.

마침내 엄청나고 전반적인 경제 사건 두 가지 때문에 걷잡을 수 없는 반란 분위기가 무르익었다. 첫 번째 사건은 감자병과 1845년과 46년의 흉작이었다. 1847년의 전반적 기근은 프랑스를 비롯한 대륙 국가에 엄청난 유혈 분쟁을 불러일으켰다. **한쪽에서는** 금융귀족이 흥청망청하고 **다른 한쪽에서는** 사람들이 생필품을 구하기 위해 싸우고 있었다! 뷔장세에서는 굶주린 폭도들의 목이 잘려 나가고, 파리에서는 금융귀족 도박꾼들이 왕실의 비호로 법망을 빠져나갔다! 두 번째 엄청난 경제 사건은 상업 및 산업의 광범한 급변이었다. 영국에서는 이미 1845년 가을에 철도 투기의 전반적인 붕괴 조짐이 보도되었고, 1846년에는 특히 곡물법의 폐지 같은 일련의 사건들 때문에 투기가 아예 중단되었다. 1847년 가을에는 드디어 런던의 대형 식민 회사들이 파산하고, 이어서 지방 은행가가 파산했으며 영국 제조업 지구의 공장들이 문을 닫았다. 이 위기에 대한 대륙 무역의 반응은 혁명 발발 당시에도 그치지 않았다. 무역의 황폐화로 프랑스에서는 금융귀족의 독점적 지배가 더욱더 유지될 수 없게 되었다. 부르주아 반대 분파들은 뭉쳐서 의회 개혁을 요구하는 선동 연회를 벌였다. 이로써 의회에서 다수를 확보하려는 속셈이었

다. 파리의 상업적 급변은 수많은 제조업체와 도매상을 국내 교역에 눈을 돌리게 만들었다. 당분간 해외 시장에서 수익을 낼 가망성이 없었기 때문이다. 이 자본가들은 대형 소매업체를 설립했고, 이들의 경쟁으로 수백 명의 영세 ||430| 소매상은 몰락했다. 그 때문에 이 부문에 종사하는 파리의 부르주아지가 수없이 파산했고, 그로부터 2월 혁명의 정신이 태동했다.

이런 원인들에 의한 연합 행동이 2월 혁명을 촉발했다. 임시정부가 수립되었다. 임시정부에는 반대 세력, 즉 반정부 왕당파(크레미외와 심지어 뒤퐁 드 뢰르까지), 공화파 부르주아지(마라스트, 마리, 가르니에-파제스), 공화파 소무역 계층(르드뤼-롤랭과 플로콩), 프롤레타리아트(루이 블랑과 알베르)가 모두 참가했다. 결국 라마르틴이 부르주아지와 프롤레타리아트가 함께한 무장봉기인 2월 혁명 자체를 그 허망한 결과, 그 망상, 그 시적 표현과 호언장담과 함께 대표했다. 라마르틴은 그의 지위나 관점으로 볼 때 새 정부의 대다수를 차지한 부르주아지에 속했다.

정치적 집중의 결과로 파리가 프랑스를 지배한다면 노동자계급은 혁명이라는 지진이 일어날 때 파리를 지배할 것이다. 임시정부의 첫 조치는 이런 압도적인 영향력에 반대하는 것이었다. 요컨대 "혁명에 취한 파리"에서 "깨어난 파리"로 돌아가자는 호소였다. 라마르틴은 공화정을 선포하기 위해 전사(戰士)들과 대결했다. "프랑스 인민의 다수만이 그럴 자격이 있다. 노동자는 찬탈로 승리를 더럽히지 않는 편이 더 좋다" 등. 부르주아지는 노동자에게 단 한 가지 찬탈, 즉 전투의 찬탈만 허용했다.

프롤레타리아트는 공화정을 선포하도록 정부에 압력을 가했다. 라스파유가 그들의 대변인 노릇을 했다. 라스파유는 두 시간 내에 이 조치를 취하지 않으면 무장 노동자 20만 명의 선두에 서서 그것을 다시 요구할 것이라고 선언했다. 약속된 시한 전에 공화정이 선포되었다.

정부와 프랑스에 공화정을 지시했던 노동자계급이 갑자기 독립 세력으로 전면에 나서면서 동시에 프랑스의 모든 부르주아지의 이익에 대한 저항을 불러일으켰다. 프롤레타리아트가 쟁취한 것은 그들의 해방이 아니라 해방을 위해 싸울 전장이었다. 처음에 2월 공화정은 프랑스의 모든 자산계급에 정치 행동의 문을 열어줌으로써 중간계급의 지배를 **완성하는** 것 외에는 아무것도 할 수 없었다. 대지주와 정통 왕조파 대부분은 1830년 혁명이 선고했던 정치적 무효성에서 벗어났다. 명목상 다수의 토지 소유자 계급(실제 소유자는 자본||431| 가이고, 소유권은 자본가에게 저당 잡혀 있다), 프랑

304

스인의 절대다수를 이루는 계급 ― 소농 ― 이 보통선거권으로 프랑스의 운명을 중재하도록 요구받았다. 마침내 2월 혁명은 그때까지 자본이 그 배후에 숨어 있는 왕정을 폐지함으로써 부르주아지의 지배를 노골적으로 드러냈다. 노동자들은 1830년 7월에는 부르주아 왕정을 수립했고, 1848년 2월에는 부르주아 공화정을 수립했다. 그러나 1830년의 왕정이 "공화제적 기구들로 둘러싸인 왕정"이라고 공표하지 않을 수 없었던 것처럼, 1848년의 공화정은 **"사회적 기구들로 둘러싸인 공화정"**이라고 공표했다. 파리 노동자들 때문에 어쩔 수 없이 공화정은 이것을 인정할 수밖에 없었다.

"노동의 권리"와 뤽상부르 위원회(이것으로 루이 블랑과 알베르는 사실상 정부에서 배제되었고, 위원회의 다수를 차지한 부르주아지가 실권을 유지했다)가 가장 이목을 끈 사회적 기구였다. 노동자들은 부르주아지에게 **대항할** 것이 아니라 이들과는 독립적으로 그리고 이들과 나란히[1] 자신을 구원하기 위해 스스로를 낮춰야 한다고 생각했다. 증권거래소와 은행은 여전히 존재했다. 뤽상부르 사회주의자 성전만이 이 두 개의 커다란 부르주아 성전 옆에 세워졌다. 노동자들은 부르주아지의 이익을 침해하지 않고도, 다른 유럽 국가에 남아 있는 부르주아지의 이익을 침해하지 않고도 자신을 해방할 수 있다고 믿었다.

산업 노동자계급의 발전은 오로지 산업자본가 계급의 발전에 달려 있다. 산업자본가 계급이 정부를 장악해야만 산업 프롤레타리아트는 자신들의 혁명을 국가적 혁명으로 만들 수 있는 그런 중요성을 획득하고, 혁명적 해방의 수단이 될 근대의 엄청난 생산력을 만들어내고, 봉건주의의 마지막 뿌리들을 뽑아버리고, 프롤레타리아트 혁명을 가능하게 해주는 영역을 마련하게 된다. 현재 프랑스의 제조업은 대륙의 다른 어떤 나라보다 발전했다. 그러나 2월 혁명이 무엇보다도 금융귀족에 반대한다는 사실은 2월 혁명 이전에 **산업** 부르주아지가 프랑스를 지배하지 않았음을 분명히 보여준다. 사실 산업 부르주아지는 제조업이 그 제품으로 세계 시장을 주무르는 나라에서만 지배 세력이 될 수 있다. 산업 부르주아지의 발전을 위해서는 국내 시장의 한도는 너무 좁기 때문이다. 그러나 프랑스의 제조업은 보호관세만으로도 국내 시장을 크게 지배하고 있다. 그러므로 파리 프롤레타리아트가 혁명의 순간에 실권과 그들의 최후의 ||432| 행동 수단을 능가하는 영향력을 갖게 되겠지만, 프랑스 나머지 지역의 경우, 리옹, 릴, 뮐루즈, 루앙 같은 몇몇 산업 중심지에 집결한다면 그들은 압도적 다수인 소농과 소상인 틈바구니

에서 거의 보이지도 않을 것이다. 그러므로 프랑스에서 가장 발전한 결정적 형태를 보인 자본에 반대하는 투쟁, 즉 산업 노동 자본가들에게 반대하는 산업 임금 노동자의 투쟁은 2월 이후에는 혁명의 두드러진 전국적 성격을 형성할 수 없는 지역적 사건에 지나지 않게 된다. 자본의 더 부차적인 행동 양식에 반대하는 투쟁, 고리대금업과 담보 제도에 반대하는 소농의 투쟁, 도매상과 은행가와 제조업자 요컨대 파산에 반대하는 소상인들의 투쟁이 지금까지처럼 금융귀족에 반대하는 전면 봉기에 휩싸이면서 그런 경향이 더 강해졌다. 혁명의 행군이 자본 지배에 반대하도록 부추길 때까지, 중간계급, 즉 프랑스 국민의 압도적 다수를 차지하면서 부르주아지도, 프롤레타리아트도 아닌 소농과 소상인을 모두 프롤레타리아트에 끌어들일 때까지 프랑스의 프롤레타리아트는 한 걸음도 나아갈 수 없고, 기존 부르주아 기구들을 단 하나도 없앨 수 없었다. 그때, 그리고 그때에만 프롤레타리아트는 부르주아지의 이익을 침해하지 않고 자신들의 이익을 추구하는 대신 프롤레타리아트의 이익이 프랑스의 혁명적 이익이라고 선언할 수 있을 것이고, 자신들의 이익이 부르주아지의 이익과 정면으로 배치된다고 주장할 수 있을 것이다. 48년 6월의 엄청난 패배를 통해서만 프롤레타리아트는 그런 승리에 다가갈 수 있을 것이다. …

이렇게 부르주아 정부는 공화정 수립으로 폐지되었다. 실제로 폐지된 것이 아니라 금융귀족을 부르주아지 전체로 간주하는 노동자들의 머릿속에서, 적대 계급의 존재를 부정하거나 기껏 이를 왕정의 귀결로 여기는 공화주의자들의 머릿속에서 폐지되었다. 이렇게 모든 왕정주의자는 졸지에 자신을 공화주의자라 불렀고, 모든 백만장자는 자신을 노동자라 불렀다. 계급과 이익의 상상적 폐지에 상응하는 말이 보편적 형제애인 **박애**였다. 모든 기존 계급의 적대를 흔연히 떨쳐버리는 것, 상충되는 계급 이익을 감상적으로 조정하는 것, 세속적 계급투쟁이 존재하지 않는 숭고한 영역으로 이 열정을 승화하는 것, 즉 박애야말로 2월 혁명을 나타내는 최고의 말이었다. 투쟁하는 계급은 단순히 **실수**로 나누어진 것이었다. 2월 24일, 라마르틴은 사회의 다양한 계급들 사이에 생겨난 이 "끔찍한 **오해**"를 종식할 것을 정부에 요구했다.

다음 호에서는 요약 발췌해서 한 번 더 다루고, 임시정부의 조치, 국민의회 소집, 6월 무장봉기도 살펴볼 것이다.

306

|458| 4월 호에서는 2월 혁명에 대한 시민 마르크스의 논평을 임시정 G244
부 설립과 첫 조치까지 다루었다. 중간계급의 이익을 촉진하고 파리 프롤
레타리아트의 진짜 이익과 이를 증진할 수단을 무시해도 실리를 챙길 만큼
||459| 임시정부에 중간계급의 성격이 강했음을 보여주는 것은 한두 가지
가 아니었다. 이제 요약 발췌를 해보자.

공화정은 국내에서도, 해외에서도 저항에 부닥치지 않았다. 이 사실 하나
만으로 공화정은 무장 해제되었다. 이제 공화정의 목표는 세계를 변혁하는
것이 아니라 기존 부르주아 사회의 급박한 사정에 적응하는 것이었다. 임시
정부가 이 목표를 얼마나 광적으로 믿었는지는 무엇보다도 금융 조치가 잘
보여준다.

물론 공공 신용거래와 민간 신용거래가 흔들렸다. 공공 신용거래는 확실
히 국가가 금융 유대인의 살을 찌우느냐 아니냐에 바탕을 두고 있었다. 그러
나 **옛** 국가는 사라졌고, 혁명은 무엇보다도 이 금융 유대인에게 대항해왔다.
게다가 유럽에서의 지난번 상업 위기의 진동이 아직 가라앉지 않았다. 아직
도 줄줄이 도산하고 있었다. 민간 신용거래가 마비되고, 유통이 중단되고,
생산은 2월 혁명 발발 전에도 막혔다. 물론 혁명 위기 때문에 상업 위기가 고
조되었다. 민간 신용거래가 부르주아적 부의 생산방식과 부르주아적 사물
의 질서 전체를 손대지 않고 침범하지 않는다는 확실성에 기초한다면, 프롤
레타리아트 계급의 경제적 노예화를 불러온 바로 그 부르주아적 생산방식
의 토대를 문제 삼고 증권거래소에 반대해 뤽상부르의 스핑크스를 세운 혁
명의 효과는 무엇이었는가? 프롤레타리아트 계급의 해방은 부르주아적 신
용거래의 폐지를 의미한다. 왜냐하면 그 해방은 부르주아적 생산과 그 생산
에 부응하는 사회 상태의 폐지를 의미하기 때문이다. 공공 신용거래와 민간
신용거래는 혁명의 강렬함을 잴 수 있는 온도계이다. **온도가 같을 때 신용거
래가 줄어들면 혁명의 열기와 힘이 증가한다.**

임시정부는 공화정에서 반부르주아적 색채를 지우려고 안간힘을 썼다.
따라서 공화정의 교환가치, 즉 **변화에 대한 경상가격**을 맨 먼저 보장해야 했
다. 변화에 대한 공화정의 경상가격과 함께 민간 신용거래가 다시 증가한 것
은 말할 것도 없다.

공화정은 왕정으로부터 물려받은 약속을 실현할 의지나 능력이 없다는
일말의 의혹조차 불식하기 위해, 임시정부는 부르주아지의 도덕성과 지불
능력에 대한 믿음을 회복하기 위해 체면 따위는 아랑곳하지 않고 유치하게
도 자기선전에 의지했다. 임시정부는 법적 변제 기한 전인데도 공적 채권자
들에게 부채에 대한 이자를 지불했다. 부르주아지의 **침착함**, 자본가의 자립
성은 정부가 그들의 신뢰를 얻으려고 안간힘을 쓰는 것을 보고 다시 갑자기
깨어났다.

루이 필리프 치하 금융귀족은 은행에 ||460| 자신들의 대성당을 가지고
있었다. 거래소는 공공 신용거래를 관장하고, 은행은 민간 신용거래를 관장
한다.

혁명의 우세만이 아니라 바로 혁명의 존재에 곧바로 위협을 느낀 은행은
그 즉시 곳곳에서 신용거래를 파기함으로써 공화정의 신뢰를 무너뜨리려고
했다. 은행은 금융업자, 제조업자, 상인에게 신용거래를 즉시 거부했다. 이
조치는 반혁명을 유발하는 데 성공하지 못했고, 그 결과는 고스란히 은행으
로 되돌아갔다. 자본가들은 은행 금고에 예치해둔 현금을 인출했다. 어음 소
지자들은 은행으로 달려가 어음을 현금으로 바꾸었다.

임시정부는 강제 조치 없이 엄격한 법 집행으로 은행을 파산시킬 수 있었
음에도 수수방관하며 되는대로 내버려두었다. **은행 도산.** 이것은 공화정의
가장 강력하고 위험한 적이자 7월 왕정의 황금 기둥인 금융귀족을 프랑스
땅에서 곧바로 휩쓸어버릴 홍수였다. 은행이 파산하고 정부가 국립 은행을
설립하여 국가 신용을 국가가 관리하면 부르주아지도 이것을 정부 측 최후
의 발악으로 여겨야 하지 않았을까?

그와 반대로 임시정부는, 1797년에 피트(Pitt)가 그랬던 것처럼, 현금 지
불을 보류하고 은행권을 법정 통화로 삼았다. 게다가 임시정부는 모든 지방
은행을 프랑스은행의 자(子)은행으로 만들어 전국에 그 지점이 깔리게 내버
려두었다. 후에 임시정부는 국유림을 은행에 대출 담보로 제공했다. 이렇게
2월 혁명은 금융귀족의 힘을 강화하고 증대했다. 이것은 혁명 목표를 파기
하는 것이었다!

거래소와 은행을 좌지우지하는 사람들에게 매우 관대한 정부가 사회의
대극을 이루는 계급들에게 무엇을 주었는지는 잘 알려져 있다. 정부는 노동
자와 소상인에게서 저축은행의 돈을 몰수하고, 소농에게는 4개의 직접세에
프랑당 45상팀의 세금을 부과했다.

정부는 저축은행 예치금을 몰수하여 공채에 통합한다고 선언했다. 소상인들은 정부의 이 조치에 분개했다. 자기 돈은 못 받고 거래소에 팔아야 하는 정부가 보증한 공채를 받게 되자 소상인은 결국 증권거래소 유대인의 먹이가 되고 말았다. 이들에게 대항하여 2월 혁명을 일으켰는데도 말이다!!

45상팀 과세는 프랑스 국민의 압도적 다수를 차지하는 소농에게 그야말
로 무거운 짐이었다. 2월 혁명의 비용을 떠맡은 소농은 그 후에 당연히 반혁명의 주된 세력을 이루었다. 45상팀 과세는 소농에게 생사가 걸린 문제였다. 그런데 소농은 이를 공화정에 생사가 걸린 문제로 만들어버렸다. 이제부터 공화정은 소농에게 ||461| 이 가증할 세금과 동일한 것이 되어버렸다. 소농에게 파리 프롤레타리아트는 소농의 비용으로 잔치를 벌이는 게으른 탕아처럼 보였다. 1789년 혁명이 소농을 모든 봉건적 과세에서 해방하는 것으로 시작되었다면, 1848년 혁명은 소농에게 새로운 세금을 선언했던 것이다!! _{G246}

정부가 이 모든 것을 헤쳐나가고 국가를 그릇된 진로에서 빠져나오게 하는 길은 딱 하나밖에 없었다. 다름 아닌 **국가 부도 선언**이었다. 현 재무장관이자 유대인 은행가 풀드는 르드뤼-롤랭에게 이 처방을 제안했다. 국민의회에서 진술한 것처럼 풀드는 이 시민이 비분강개하며 그 제안에 반대한 것을 아직도 기억하고 있다. 풀드 씨가 르드뤼-롤랭에게 선악과를 따자고 제안하다니!!!

옛 부르주아 사회가 국가에 입안한 거래소의 법안을 수용함으로써 임시정부는 그들의 동맹에 굴복했다. 임시정부는 혁명에 따른 여러 해 동안의 부채 변제를 강요하는 무서운 채권자로서 부르주아 사회에 대항하기는커녕 이 부르주아 사회에 시달리는 채무자가 되었다. 이로써 부르주아 사회는 더욱 강화되어 그 영역 안에서만 이행될 수 있는 약속을 이행하게 할 수 있었다. 신용거래는 그야말로 부르주아 사회의 첫째 존재 조건이었다. 프롤레타리아트에게 한 양보와 약속은 벗어던져야 할 족쇄로 변했다. 프롤레타리아트 해방은, 비록 말뿐일지라도, 공화정에 견디기 힘든 위험이 되었다. 그 해방이 신용거래 회복에 반대하는 끝없는 저항이기 때문이고, 신용거래 회복이 기존 계급들의 반목을 건드리지 않고 침해하지 않는 인정을 바탕으로 하기 때문이다. **프롤레타리아트를 단호히 타도할** 필연성이 있었던 셈이다.

|20| 2월 이후 군대가 파리에서 물러갔다. 국민방위군, 즉 파리의 유일한 무장 세력인 무장 부르주아지는 자체 힘으로 프롤레타리아트와 맞설 만큼 강하지 못했다. 국민방위군은 온갖 노력을 기울였음에도 노동자가 섞이는 바람에 그 순수성이 떨어졌다. 노동자가 노동자에게 대항하게 하는 길밖에 없었다.

G247   이를 위해 임시정부는 **기동국민군**(gardes mobile) 24개 대대를 편성했다. 각 기동대는 대개 15세~20세의 병사 1천 명으로 구성되었다. 그들은 거의 모두 대도시의 하층민으로 산업 노동자계급과 확연히 구별되는 오합지졸의 신병이었다. 이 신병 계급은 사회의 썩은 고기를 먹고 사는 온갖 종류의 도둑과 범죄자들이었고, 일정한 직업이 없는 사람들, 부랑자, **집도 절도 없는 사람들**(gens sans feu et sans aveu)이었고, 자신들이 속한 국가의 성격과는 다른 사람들이었다. 처음에 정부가 모집할 때 이들은 대단한 영웅심과 기고만장한 자기희생 정신에 사로잡혀 나쁜 짓과 추악한 부패와는 거리가 멀었다. 임시정부는 일당 1.5프랑에 이들을 매수하고, 군복을 지급하여 어느 모로 보나 **작업복** 차림의 노동자들과 구별되게 했다. 장교는 육군에서 차출하거나 부르주아지의 아들로 채웠다. 이들은 공화정을 위해 목숨을 바치라는 번지르르한 연설에 속아 넘어간 것이었다. 예전의 부르주아 국민방위군을 위해서가 아니라 자신들의 군대, 즉 프롤레타리아트 방위군을 위해 바리케이드를 막 떠난 병사, 열정적이며 대찬 젊은 병사 2만 4천 명을 인민이 인계받았다. 그들의 과오는 용서받을 수 있는 것이었다.

게다가 정부는 산업군으로 자신을 둘러싸기로 했다. 마리 장관은 (혁명 위기로 거리에 내몰린) 노동자 10만 명을 **국립 작업장**(ateliers nationaux)에 입대시켰다. 명칭은 거창하지만 여기서 노동자들은 일당 23수(11$\frac{1}{2}$펜스)에 둑 쌓기 따위의 지루하고 단조로우며 비생산적인 노동을 했다. **영국의 야외 구빈원 ── 국립 작업장**은 이것과 다를 바 없었다. 그러므로 임시정부는 이들로 제2의 프롤레타리아트 군대를 형성하여 노동자계급 전체에 대항하는 데 ||21| 이용할 수 있기를 바랐다. 그러나 인민이 **기동국민군**에 속은 것처럼 부르주아지는 **국립 작업장**에 속았다. 부르주아지는 무장봉기 군대를 조직했다.

그러나 한 가지 목표는 달성되었다. **국립 작업장**이 루이 블랑이 뤽상부르 위원회에 요구한 공공 작업장의 명칭이라는 것이다. 마리는 뤽상부르 위원회에 정면으로 반대하여 **작업장**(*ateliers*)을 만들었다. 루이 블랑이 **국립 작업장**을 고안해냈다는 소문이 퍼졌다. 국립 작업장의 주창자 루이 블랑 자신이 임시정부의 일원이었기 때문에 이 소문은 더욱 그럴듯하게 들렸다. 파리, 프랑스, 유럽의 부르주아지는 계속해서 인위적으로 이러한 작업장들이 사회주의의 첫 번째 실현이라고 생각했는데, 이 사회주의는 형틀에 고정된 것이었다.

사실은 그렇지 않았지만 명목상으로 **국립 작업장**은 부르주아 산업, 부르주아 신용거래, 부르주아 공화정에 맞선 프롤레타리아트의 연합 저항이었다. 부르주아지는 국립 작업장에 온갖 증오를 퍼부었다. 동시에 이 계급은 2월 혁명의 환상에 반대한다고 선언할 만큼 필요한 힘을 회복하자마자 국립 작업장이 첫 번째 직접적인 공격 대상임을 알았다. 소상인 계급은 모든 증오와 불평을 곧바로 **국립 작업장**에 퍼부었다. 그들은 자신들의 지위가 갈수록 위태로워지자 가감 없이 분노를 터뜨리며 비생산적인 프롤레타리아트가 먹어치운 금액을 계산했다. 국립 작업장, 뤽상부르 선언, 프롤레타리아트의 파리 행진, 이것들이 그들의 평가에 따르면 소상인 계급의 지위를 위태롭게 한 원인이었다. 공산주의자의 이 위장된 계획에 반대하는 데 파산의 나락 직전에 놓인 소상인, 즉 파리의 상점주들보다 더 열광한 사람은 없었다. G248

그러므로 새로운 혁명에 대한 충격적인 소식들이 승리에 도취한 인민에게 매일 전해짐에 따라 부르주아지는 프롤레타리아트와의 연이은 투쟁에서 결정적으로 유리한 입장, 사회의 중간계급에 대한 모든 지배력, 모든 이익을 자신들 수중에 집중했다.

그 필연적 결과는 부르주아지의 일련의 도덕적 승리들이었다. 3월 17일에 프롤레타리아트는 분명히 더 우세했음에도 시위의 진짜 목표, 즉 임시정부를 프롤레타리아트의 뜻에 굴복시키는 것에는 패배했다. 4월 16일에 프롤레타리아트는 결정적으로 패했고, 군대가 파리에 돌아왔다. 그 직후의 국민의회 선거에서 부르주아지는 결정적으로 다수를 차지했다.

보통선거는 옛 공화파가 믿었던 것과 같은 마력을 지니지 못했다. 그들은 프랑스 전체에서, 적어도 프랑스인 대부분에게서, **시민**만이 같은 관심사, ||22| 같은 생각, 같은 지성이 있음을 알았다. 그들은 그들이 인민이라고 부르는 이들을 숭배했다. 그러나 이런 **상상적인** 프랑스 인민을 대신해서 보통

선거는 실제 인민을, 즉 인민을 구성하는 상이한 계급들의 대표를 드러냈다. 우리는 이제 호전적으로 변한 부르주아지와 복고를 열망하는 대지주들이 지배하는 세상에서 소농과 소상인 계급이 투표를 해야만 하는 이유를 알았다. 그러나 보통선거는 쉽게 믿고 자신을 기만하는 공화주의자들이 생각한 것과 같은 마술 지팡이는 아닐지라도 매우 좋은 장점을 가지고 있었다. 그 장점은 계급투쟁이 부르주아 사회의 여러 중간 분파에게 온갖 환상과 환멸을 신속히 떨쳐버리게 하고 자본가계급의 모든 분파에게 즉시 정치권력을 잡게 함으로써 왕정 아래서 썼던 기만의 가면을 그들 중 일부에서 벗겨버리는 것이었다.

G249 5월 4일에 소집된 제헌의회에서 《르 나시오날》과 부르주아 공화주의자들이 다수를 차지했다. 정통 왕조파와 오를레앙파도 처음에는 부르주아 공화주의라는 가면을 쓰고 행세했다. 공화정이라는 이름을 내세워야만 프롤레타리아트에 대한 투쟁을 시작할 수 있었다. … 국민의회가 선언한 것처럼 공화정은 부르주아 사회에 대항하는 혁명 무기가 아니라 그와는 반대로 부르주아 공화정이었다. … 국민의회에서 프랑스 전체는 파리 노동자를 재판했다. 국민의회는 2월 혁명의 사회적 망상들을 곧바로 없애버리고, 단호히 부르주아 공화정을 선언했다. 또한 프롤레타리아트 대표 루이 블랑과 알베르를 집행위원회에서 배제하고, 노동부를 독립시키자는 발의를 거부했다. **노동을 이전 상태로 돌려놓기**만 하면 된다고 한 트렐라 장관의 발표는 우레와 같은 박수갈채를 받았다.

그러나 이런 것들로는 어림도 없었다. 2월 공화정은 부르주아지의 소극적 원조하에 노동자들이 세웠다. 프롤레타리아트는 당연히 자신들을 정복자로 여기고 거드럭거리며 정복자 행세를 했다. 따라서 거리에서 프롤레타리아트와 싸워 쳐부술 필요가 있었다. 2월 공화정이 사회주의자의 양보와 함께 프롤레타리아트의 싸움에 의해 세워지고 이어서 왕권에 대항하기 위해 부르주아지와 연합한 만큼 이제 공화정을 사회주의자의 양보에서 분리하는 또 다른 전투로 부르주아 공화정을 공식적으로 세울 필요가 있었다. 진정한 부르주아 공화정의 탄생은 2월 혁명의 승리가 아닌 6월 혁명의 패배에 의한 것이었다.

5월 15일의 충돌과 6월 23일, 24일, 25일의 전투는 그 직접적 원인들이 잘 알려져 있고, 사건들은 이 원인들과 결합되어 있었다. 6월의 패배는, **일시적으로**, 두 경쟁 계급 간의 투쟁을 결정지었다.

|23| 부르주아지는 파리 프롤레타리아트를 6월 무장봉기에 **가담하게** 했다. 이런 상황 자체에 이미 파탄 선고가 내포되어 있었다. 프롤레타리아트는 부르주아지를 타도해야 할 직접적인 필연성에 몰리지도 않았고, 타도할 힘도 없었다. 《르 모니퇴르 위니베르셀》은 공화정이 그들의 "환상" 앞에 허리를 숙여야겠다고 생각할 때는 지났고 그 패배로 그들은 최소한의 상태 개선조차도, 부르주아 공화정의 한계 내에서 볼 때, 절망적임을 확신할 따름이라고 공식적으로 보도했다. 이제 터무니없는 조치 대신 실제로 노동자들이 2월 공화정에 강요한 소시민계급과 중간계급을 위한 조치로 대담한 혁명적 슬로건이 선포되었다. **부르주아지 타도! 노동자계급 독재!**

노동자의 피로 세워진 부르주아 공화정은 곧바로 국가의 진짜 속성을 표 G250
명해야 했다. 즉 공화정은 자본의 지배와 노동의 노예화를 영구화하는 것이 국가의 목표라고 공포했다. 모든 족쇄에서 풀려났지만 무자비한 무적의 적을 염두에 두지 않을 수 없는 부르주아 지배는 **부르주아 공포 정치**로 변할 수밖에 없었다. 프롤레타리아트가 일단 무대에서 사라지고, 부르주아 독재가 확보되었다. 자신들의 상태가 견딜 수 없는 것이 될수록 부르주아지에 대한 적대감이 더 커진 부르주아 사회의 중간층, 자영업자, 소농은 프롤레타리아트와 연합하지 않을 수 없었다.

프랑스 6월의 패배가 부르주아지의 정치권력을 강화했다면 대륙의 다른 나라들에서는 그 힘이 파괴되었다. 6월 이후 도처에서 일어난 부르주아지와 봉건 왕족의 공개 동맹으로 봉건 왕족만 득을 보고 부르주아지는 힘을 잃었다.

6월의 패배는 프랑스가 외국과의 평화 없이는 내전을 지속할 수 없다는 비밀을 유럽의 전제 국가들에 드러내 보였다. 따라서 독립을 위해 봉기한 민족들은 러시아, 오스트리아, 프로이센에 희생되었다. 이 민족 혁명들은 프롤레타리아트 혁명의 전철을 밟았다. 노동자가 노예인 한 헝가리인도, 폴란드인도, 이탈리아인도 해방되지 않을 것이다!

끝으로, 신성동맹의 승리로 유럽은 프랑스에서 또 일어날 프롤레타리아트 혁명이 세계 전쟁이 될 수밖에 없는 방향으로 나아갔다. 다음번 프랑스 혁명은 자국 경계를 넘어 **유럽** 전역으로 퍼질 수밖에 없을 것이고, 이에 따라 19세기 사회 혁명은 더욱 발전할 것이다.

그러므로 프랑스가 유럽 혁명의 선두에 설 모든 조건이 ||24| 만들어진 것은 오로지 6월의 패배 때문이다. 따라서 삼색기는 6월 무장봉기의 피에

물든 후에야 유럽 혁명의 기치가 되었다. **붉은 깃발!!**

엥겔스는 이 글을 영어로 썼다. ─옮긴이

프랑스에서 온 편지 IV
선거—좌파의 위대한 승리—프롤레타리아트 우세—
당황한 질서 장사꾼—혁명의 저지와 도발의 새로운 책략
Letter from France IV
The elections —Glorious victory of the Reds —Proletarian ascendancy —Dismay of
the ordermongers —New schemes of repression and provocations to revolution

《더 데모크라틱 리뷰》

1850년 4월

|435| 프랑스에서 온 편지.

선거 — 좌파의 위대한 승리 — 프롤레타리아트 우세 —
당황한 질서 장사꾼 — 혁명의 저지와 도발의 새로운 책략.

파리, 1850년 3월 22일.

승리! 승리! 인민은 부르주아 지배와 계획의 인위적 기구가 바닥까지 흔들릴 만큼 떠들어댔다. 파리 인민 대표 **카르노**, **비달**, **드 플로트**는 유권자 127,000명에서 132,000명의 찬성으로 선출되었다. 이것은 정부 및 의회 다수파의 역겨운 도발에 대한 인민의 대답이었다.[1] 유일한《르 나시오날》파인 카르노는 임시정부하에서 부르주아지에게 알랑거리기는커녕 오히려 이들의 분노를 상당히 불러일으켰다. 비달은 세상이 다 아는 노회한 공산주의자였다. 블랑키 클럽 부의장인 드 플로트는 1848년 5월 15일 의회 난입에 적극적으로 앞장선 사람들 중 하나였고, 이어지는 6월에는 시가 ||436| 전을 이끈 전사 중의 하나였고, 추방형을 선고받았는데, 지금은 추방령이 풀려서 곧바로 입법 궁에 들어왔다. — 정말이지, 이런 조합은 절묘하기 그지없다!

좌파의 승리가 소상인 계층과 프롤레타리아트 연합에 따른 것이라 해도 이 연합은 왕정을 타도한 그 일시적 동맹과는 판이했다. 그때 제헌의회는 물론 임시정부에서도 주도권을 잡고 곧바로 프롤레타리아트 영향력을 배제한 것은 바로 소상인과 소부르주아지였다. 지금은, 그와 반대로, 노동자들이 운동을 주도하고, 노동자와 마찬가지로 자본에 억눌리고 1848년 6월 혁명에 가담했다가 파산한 소부르주아지가 프롤레타리아트의 혁명적 행진을 뒤따르고 있다. 시골 농민의 지위는 달라지지 않았다. 따라서 정부에 반대하는 ─ 프랑스인의 절대다수를 이루는 ─ 이 농민계급 전체는 현재 프롤레타리아트 계급을 따르고, 자본의 억압에서 해방되기 위해서는 노동자 전체의 완전한 해방에 의지해야 함을 알고 있다.

지방 선거도 좌파에 매우 유리했다. 그들은 입후보자의 3분의 2를 당선시켰고, 질서 장사꾼들은 3분의 1을 당선시켰다.[2]

좌파 또는 좌파 연합은 인민의 속내를 썩 잘 이해하고 있었다. 그들은 1852년 총선거로 의회나 새 대통령이 현재의 선거제도를 폐지하게 되면 눈앞에 어떤 재앙이 떨어질지 잘 알고 있다. 그들은 인민이 붉은 깃발 주위로 빠르게 모여들고 있다는 사실을, 총선거 전까지 정부를 지속하는 것이 불가능하다는 사실을 알고 있다. 한쪽에는 대통령[3]과 의회[4]가 있고, 다른 한쪽에는 나날이 결집하여 더욱 강한 방진(方陣)을 형성하는 압도적 다수의 인민이 있다. 따라서 충돌은 불가피하다. 질서 장사꾼들이 오래 기다릴수록 인민이 승리할 가능성이 크다. 그들은 이 사실을 잘 알고 있는 만큼 최대한 빨리 결정적 타격을 가해야 한다. 그들에게 주어진 단 하나의 가능성은 최대한 빨리 무장봉기를 일으켜 끝까지 싸우는 것뿐이다. 게다가 "신성동맹"은, 3월 10일 선거 이후에, 그들이 가야 할 길에 대해 더는 의심할 수 없다. 지금 스위스는 문제가 아니다. 혁명 기질의 프랑스는 그 위대함에도 아랑곳없이 그들에 앞서 또 들고일어나고 있다. 그래서 프랑스가 최대한 빨리 공격받을 것은 분명하다.[5] "신성동맹"은 현금이 차츰 바닥나고 있고 이 좋은 것을 새로 공급받을 가능성은 거의 없다. 여러 군대가 프랑스에 더 오래 주둔할 수는 없다. 이 군대는 해산하거나 적을 묶어둠으로써 계속 주둔해야 한다. 따라서 내가 지난 글에서 혁명과 전쟁이 임박했다고 말했는데,[6] 이제 사건들이 내 예언을 충분히 입증하고 있음을 여러분은 알 것이다.

질서 장사꾼들은 당파 간 언쟁을 또 일시 중단하고, 다시 뭉쳐 인민을 공격한다. 그들은 파리 주둔군을 교체한다. 이들의 4분의 3이 좌파 리스트에

316

투표했기 때문이다. 어제, 정부는 신문 인증제(newspaper stamp)를 재도입하는 법안, 모든 신문사의 예치 공탁금을 두 배로 올리는 법안, 선거 집회 자유를 보류하는 법안을 의회에 제출했다. 다른 법안들도 잇달아 제출될 것이다. 하나는 파리 태생이 아닌 노동자를 파리에서 추방할 수 있는 권한을 경찰에 부여하는 법안이고, 다른 하나는 **비밀 결사 회원이라고 유죄 판결을 받을 시민을 재판 없이 알제로 추방하는 권한**을 ||437| 정부에 부여하는 법안 G253 이다. 또한 많든 적든 보통선거권을 직접 공격한 사람들을 포상하는 법안도 있다. 그들이 노동자계급의 권리와 특권을 깡그리 없앰으로써 반란을 유발하고 있음을 여러분은 알 것이다. 반란은 일어날 것이다. 인민은 국민방위군과 합세하여 얄밉게도 억압만 일삼으면서도 뻔뻔스럽게 "사회의 구세주"라고 자칭하는 이 악명 높은 계급 정부를 곧 뒤집어엎을 것이다!!!|

엥겔스는 이 글을 영어로 썼다. ─옮긴이

카를 마르크스/프리드리히 엥겔스

1850년 3월 공산주의자동맹 중앙본부의 연설

Ansprache der Zentralbehörde des Bundes der Kommunisten vom März 1850

중앙본부가 동맹에게.[1]

동지 여러분![2]

본 동맹은 혁명의 해인 1848년과 1849년[3]을 다음 두 가지 방법으로 그 존재를 증명했습니다.[4]

첫째, 동맹원들이 결연히[5] 프롤레타리아트 혁명 계급의 대열을 이루어 도처에서 열정적으로 운동에 참여한 덕분에, 즉 신문사에서나, 바리케이드에서나, 전장에서나[6] 앞장선[7] 덕분에 그 존재를 증명했습니다.[8]

더 나아가 1847년의 대회와 중앙본부[9] 회람[10]에서[11] 보듯이,[12] 운동에 대한 견해가 『공산당 선언』에 기록되어 있는데, 본 동맹이 이런 견해가 이 문서에서 진술한 예상을 모두 완벽하게 충족시킨 올바른 견해임을 홀로[13] 입증했을 때, 그리고 본 동맹이 비밀리에 선전한 현 사회 상태에 대한 견해가 이제 인민의[14] 입에 오르내리고 시장에서 공공연히 설교된다는 것을 입증했을 때 그 존재를 증명했습니다.[15]

그러나 바로 그때[16] 그 견고한 동맹 조직이 현저히 느슨해졌습니다. 혁명 운동에 직접 뛰어든 많은 동맹원이 비밀 결사의 시기는 지나가고 공개적으로 활동할 때가 왔다고 생각했습니다. 몇몇 지부와 기초 조직은 중앙본부와 결속[17]이 느슨해지고, 점차 열정이 식었습니다.[18] 소부르주아 계급 정당인 민주적 정당들이 독일에 점점 더 많이 조직되는 사이에, 노동자당은 그 유일한 견고한 지지층을 잃어버리고 기껏 몇몇 지역에서 지역적 목표[19]를 추구하는 조직으로 전락하여, 전적으로 소부르주아 민주주의자의 지배와 지도[20] 아래 공동 운동을 벌였습니다. 이런 상태는 종식되어야 하고,[21] 노동자들이 독립해야 합니다.[22]

중앙본부는 그 필요성을 절감하여 1848~1849년 겨울에 동맹을 재조직 G255 하기 위해 밀사 요제프 몰을 파견했습니다. 그러나 몰은 그다지 오래 임무를 수행하지 못했습니다. 당시 독일 노동자들이 아직 충분한 경험이[23] 없었던 탓도 있고, 지난 5월[24]의 무장봉기로 차질이 생긴 탓도 있었습니다.[25] 몰은 몸소 총을 들고 바덴-팔츠군에 가담했다가 6월 29일[26] 무르크 전투에서 쓰러졌습니다. 동맹은 모든 대회와 중앙본부에서 활동한 바 있고 이미 몇 가지 임무[27]를 성공적으로 완수한 동맹원, 실로 듬직하고 활동적인 노련한 동맹원 한 명을[28] 잃었습니다.[29]

1849년 6월[30] 독일과 프랑스의 혁명파[31]가 패배한[32] 후 런던 중앙본부의 거의 모든 동맹원이 다시 뭉쳐 새 혁명 기운으로 서로 도와가며 동맹의 재조직을 다시 열심히 추진했습니다.[33]

이러한[34] 재조직은 밀사[35]를 통해서만 이루어질 수 있습니다. 새로운 혁명이 임박한 때에, 노동자당이 다시 1848년처럼[36] 부르주아지에게 이용당하고 끌려다니지 않으려면 노동자당이 되도록 조직적으로 똘똘 뭉쳐 독자 세력으로 등장해야 하는 시기에 밀사를 보내는 것을 중앙본부는 매우 중요하게 여기고[37] 있습니다.

동지 여러분,[38] 우리는 이미 1847년[39]에 독일의 자유주의적 부르주아지가 이제 곧[40] 지배 세력이 되면 새로 쟁취한 권력으로 곧바로 노동자들을 적대할 것이라고 말했습니다. 여러분은 이것이[41] 어떻게 실현되는지 보았습니다. 사실 1848년 3월 운동[42] 후 곧바로 국가 권력을 장악하고 싸움의 맹우인 노동자를 즉각 다시[43] 이전의 억압받는 지위로 되돌리는 데 이 권력을 사용한 것은 바로 부르주아지였습니다.[44]

부르주아지가 3월에 패배한[45] 봉건 세력과 연합[46]하지 않고서는, 결국 이 봉건-절대주의 세력에게 지배권을 다시 넘겨주지 않고서는 이것을 실행할 수 없었음에도 불구하고, 부르주아지는 정부의 재정 위기를 빌미로 다시[47] 지배권을 영구히 장악하고 자기 이익 전부를 안정적으로 확보하게 될 조건을 정말로[48] 마련했을 것입니다. 그렇게 되었더라면 혁명운동은 이미[49] 지금쯤은 이른바 평화롭게 진행되었을 것입니다.[50]

심지어 부르주아지는 자기의 지배권을 안정시키기 위해 인민에 대한 폭력적 조치를 통해서 미움을 살 필요가 결코 없었을 것입니다. 왜냐하면 이런 모든 폭력적 행보는 이미 봉건적 반혁명이 수행했기 때문입니다.[51]

G256 발전은 평화적으로[52] 이루어지지 않을 것입니다. 발전을 가속할 혁명은 오히려 임박했습니다. 프랑스 프롤레타리아트의 새로운 독자적인[53] 봉기를 통해서든 혁명적 바벨[54]에 반대하는 신성동맹의 침략 때문이든 혁명은 일어날 것입니다.[55] 독일의 자유주의적 부르주아지가 1848년에 인민에 대해 맡았던 역할, 즉 이런[56] 배신자 역할은 임박한 혁명에서 민주주의적 소부르주아지가 맡을 것입니다. 지금 민주주의적 소부르주아지는 1848년의[57] 자유주의적 부르주아지[58]처럼 인민에게 반대하는 입장을 취하고 있습니다.[59]

노동자에게는 예전 자유주의 세력보다 더 위험한 이 민주주의 세력은 세 파로 구성됩니다.

> 1) 봉건주의와 절대주의를 당장에 전면 타도하는 것을 목표로 하는 가장 진보적인 대부르주아지. 예전 베를린 통합자[60]의 좌파,[61] 즉 베를린의 **납세 거부자들**[62]이 이 분파를 대표합니다.

> 2) 민주주의적-입헌주의적 소부르주아지. 이들이 지금까지 벌인 운동의 주된 목표는 어느 정도 민주적인 연방국가 수립이었습니다. 이들의 대표인 프랑크푸르트 의회[63] **좌파**[64]와 나중의 슈투트가르트 의회처럼[65] 이들은 제국헌법투쟁을 위해 노력했습니다.

> 3) 공화주의적 소부르주아지. 이들의 이상은 스위스를 본뜬 독일 연방 공화국입니다. 지금 이것은 **적색**[66] 공화국, 즉 사회민주주의 공화국이라고 불립니다.[67] 왜냐하면 대자본이 소자본에 가하는 압박, 대부르주아지가 소부르주아지에게 가하는 압박을 폐지하려는 경건한 소망을 품고 있기 때문입니다. 민주적 의회와 위원회의 구성원, 민주주의 연합의 지도자들, 민주적 신문의 편집자들이 이 분파를 대표합니다.

그들의 패배 후 이 분파들은 모두 지금[68] 프랑스에서 공화주의적 소부르주아 사회주의자라고 불리는 것처럼, 공화주의자 또는 사회주의자(Rothe)라고 불립니다. 그들은 뷔르템베르크와 바이에른 등지에서[69]처럼 입헌적 방법을 통해서 자기들의 목적을 추구할 기회가 아직 있는 곳에서는, 케케묵은 구호를 계속 외칠 기회와 그들이 조금도 변하지 않았음을[70] 행동으로 보여줄 기회를 잡습니다. 그 밖에도 분명한 것은 노동자를 반대하는 이 세력의 바뀐 명칭은 아주 작은 것도 바꾸지 못하고, 오히려 절대주의와 결탁한 부르주아지 전선에 대항하려면[71] 프롤레타리아트에 의지해야 한다는 점만을 증명합니다.

독일의 이러한[72] 소부르주아 민주주의[73] 세력은 매우 강력합니다. 그들은[74] 도시 거주 시민의 절대다수,[75] 소상공인, 동업조합의 장인[76]만 지지 세력으로 간주하는 것이 아니라, 농민과[77] 독립적인 혁명적 도시 프롤레타리아트[78] 속에서 아직 이렇다 할[79] 지지 세력을 발견하지 못한 농업 프롤레타리아트도 지지 세력에[80] 넣습니다.

혁명적 노동자당은 소부르주아 민주주의 세력과 함께 타도하고자 하는 분파[81]에 맞서 협력할 수 있습니다.[82] (그러나 — 옮긴이) 혁명적 노동자당은 이 분파들이 독자적으로 결정하고자 하는 모든 것에 대해 반대해야 합니다.

민주주의적 소부르주아지는, 혁명적 프롤레타리아트[83]가 사회 전체를 전복하려고 하는 것과는[84] 달리, 사회 상태를 바꾸어[85] 기존 사회를 최대한 자신들에게[86] 유익하고[87] 편하게 만들려고 합니다. 특히 관료제를 축소하여 국고 지출을 줄이고 인두세를 대지주와 부르주아지에게 부과할 것을 요구합니다.[88] 더 나아가 소부르주아지와 농민이 자본가에게서 대부를 받지 않고 국가로부터[89] 대부를 받을 수 있게끔 유리한 조건을 만들기 위해 폭리 금지법을 제정하려 하고, 공공 대출기관을 설립하여 대자본의 소자본 압박을 없애려[90] 하며, 더 나아가 봉건제를 완전히 철폐하여 부르주아적 소유관계를 농촌에 시행하려고 합니다. 이[91] 모든 것을 시행하기 위해 그들은 자신과 자신들의 맹우인 농민 다수가 만들, 그것이 입헌주의적이든 공화주의적이든 상관없이, 어떤 민주적[92] 국가 체제(Staatsverfassung)와 공동체 재산을 직접 관리하고 현재 관료들이 수행하는 일련의 기능을 손에 넣을 어떤 공동체 체제(Gemeindeverfassung)가 필요합니다.[93] 나아가 그들은 국가가 상속권을 제한하거나 되도록 많은 일을 떠맡음으로써 자본의 지배와 자본의 급속한 증대를 막아야 한다고 주장합니다.[94]

노동자와 관련해서 그들은 특히 노동자가 지금까지 그랬던 것처럼 임노동자로 머물러 있어야만 한다는 확고한 입장을 취하고 있습니다. 민주주의적 소부르주아지는 노동자들이 더 나은[95] 임금을 받고 안정적으로 생존하기를 원하며, 이것을 국가의 일부 고용 정책과 복지 정책을 통해서 달성하기를 바라고 있습니다. 요컨대[96] 그들은 은근히 베푸는 척하면서 노동자를 매수하고 노동자의 현 상태를 견딜 만하게 해줌으로써 그들의 혁명적 힘을 없애

려고 합니다.[97]

　위에서 요약한 소부르주아 민주주의 요구는 그들의 분파 모두를 대변하는 것이 아니고 전반적으로 그 분파의 몇몇 사람들의 특정한 목표로 떠오른 것입니다. 개개인 혹은 분파가 이런 요구들에 점점 더 집결할수록, 이들은 이 요구들을 점점 더 자신들의 요구로 삼을 것입니다. 그리고 이들 지도자 중에서 자신들의 강령을 이해하는 소수의 사람은 또한 혁명에서 요구할 수 있는 가장 극단적인 것을 제기했다고[98] 믿을지도 모릅니다.[99]

G258 　그러나 이 요구들은 프롤레타리아트 정당을 결코 만족시킬 수 없습니다. 민주주의적 소부르주아지는 기껏해야 위의 요구사항들을 관철하면서 혁명을 가능한 한 빨리 종식하려고 하지만, 우리의 관심사와 과제는 소유의 많고 적음을 떠나 모든 유산계급을 지배에서 몰아내고 프롤레타리아트가 국가 권력을 장악하고, 프롤레타리아트 연합이 한[100] 국가만이 아니라 세계의[101] 지배적인 나라 전체에 계속 진행되어[102] 이런 나라들에서[103] 프롤레타리아트 경쟁이 중단되고, 그리고[104] 적어도 결정적인 생산-력[105]이 연합된 프롤레타리아트[106] 수중에 집중될 때까지 **혁명**[107]**을 영속화하는 것**[108]입니다. 우리에게 중요한 것은 사적 소유의 변화가 아니라 사적 소유의 폐지이고, 계급 대립의 은폐[109]가 아니라 계급의 지양[110]이고, 기존 사회의 개선이 아니라 새로운 사회의 건설입니다. 혁명이 계속 발전[111]하는 가운데 소부르주아 민주주의가 일시적으로 독일에서 우세한 영향력을 행사하리라는 것은 의심할 여지가 없습니다. 따라서 문제가 되는 것은 다음과 같은 단계에서 프롤레타리아트가, 특히 동맹이 그들과 다른 어떤 입장을 취하는가입니다.

　1) 소부르주아 민주주의도 마찬가지로 억압받는[112] 현 상태가 지속하는 동안.

　2) 소부르주아 민주주의가[113] 우세해질 다음번 혁명투쟁에서.

　3) 이 투쟁 후 소부르주아 민주주의가[114] 타도된 계급과 프롤레타리아트보다 우세해지는 동안.

　I. 지금, 도처에서 억압받고 있는 민주주의적 소부르주아지는 프롤레타리아트에게 대체로 화해를 호소하고 있습니다. 그들은 프롤레타리아트에게 손을 내밀고[115] 민주적 색채를 띤 세력을 모두 규합하여 큰 반대 세력을 만들고자 합니다. 다시 말해서 그 뒤에는 자신들의 이익이 감춰져 있고[116] 평화라는 명목으로 프롤레타리아트의 특정 요구를 무시하는 사회-민주적 구호만이 난무하는[117] 하나의 당 조직에 노동자를 끌어들이려고 합니다. 그

러한 통합은 프롤레타리아트에게 유리하기도 하고 불리하기도 할 것입니다.[118] 프롤레타리아트는 애써 획득한 독립적 지위를 잃고 또다시 공식적인 부르주아 민주주의의 부속물로 전락할 것입니다.[119] 이러한[120] 연합은 가장 단호히 거부해야 합니다. 노동자, 특히 본 동맹은 또다시 굴욕적으로 부르주아 민주주의자에게 박수갈채를 보내는 합창대 노릇이나 할 것이 아니라, 공식적 민주주의자 옆에서 독립적이면서 비밀스럽고 공식적인 노동자당의 조직을 건설하고 지방자치 조직을 노동자 단합의 **중심**[121]이자 핵심[122]으로 만들어 그 안에서 부르주아적 영향을 받지 않는 프롤레타리아트의 입장과 이해관계를 토론해야 합니다. 자기들의 기관지인《노이에 오데르차이퉁》에서 독립적으로 조직된 노동자를 사회주의자라고 부르고 이들을 맹렬하게 박해한 브레슬라우 민주주의자들의 사례는, 프롤레타리아트가 동등한 힘과 동등한 권리로 돕고 있는 부르주아 민주주의자들이 얼마나 불성실하게 이런 동맹에 임하는지 보여줍니다.[123]

II.[124] 공동의 적과 대항하는 투쟁의 경우에 연합은 특별히 필요 없습니다.[125] 이러한 적이 곧바로 대항하자마자 양측의 이해관계는 한순간에 생기고, 지금과 마찬가지로 앞으로도 이 순간 동안의 계획적인 결합은 저절로 이루어질 것입니다.[126]

이전의 모든 투쟁에서도 언제나 그랬듯이 임박한 유혈 충돌에서 노동자들이 자신들의 용기, 결단력, 희생정신으로 승리를 쟁취해야 한다는[127] 것은 분명합니다. 여태까지 그랬던 것처럼 소부르주아지는 이런 투쟁에서 최대한 망설이고 우유부단하며 한가롭게 행동할 것입니다. 그러다가 승리가 확정되는 순간 그 승리를 혼자 독점하고, 노동자에게 조용히 일터로 돌아가 일하라고 요구할 것이고, 이른바 과도한 행동을 금지하고 프롤레타리아트가 승리의 열매를 맛보지 못하게 할 것입니다. 노동자의 힘으로는 소부르주아 민주주의자들의 이런[128] 횡포를 막을 수 없습니다. 하지만[129] 소부르주아 민주주의자들이 무장 프롤레타리아트에게[130] 맞서는 것을 어렵게 만들 수는 있고, 부르주아 민주주의자들의 지배가 처음부터 몰락의 씨앗을 자체 내에 품고 있고, 나중에 프롤레타리아트의 지배를 통해 이들의 지배를 아주 쉽게 배제할 조건을 그들이 받아들일 수밖에[131] 없게 할 수 있습니다. 무엇보다 노동자는 충돌 중에, 그리고 투쟁 직후에 어떻게 해서든지 강하게 부르주아지의 반대[132]에 맞서야 하고, 민주주의자들이 현재 자기들의 위협적인 구호들을 실행하도록 압박해야만 합니다. 또한 노동자는 혁명의 직접적인 흥분이 승리 직후에 다시 억눌리지[133] 않도록 해야 합니다. 반대로 노동자는 이 흥분을 가능한 한 오래 유지하도록 해야 합니다. 이른바 과도한 행동, 즉 오로지 증오로 가득 찬 기억으로,[134] 증오하는 개인 혹은 공공건물에 대해 인민이 저지른 복수의 사례들을 멀리하면서 맞서기 위해, 우리는 이런 사례들을 단지 참는 것이 아니라, 오히려 그런 사례들에 대한 주도권 자체를 손에 넣어야 합니다.[135] 노동자는 투쟁 중이나 투쟁 후에 부르주아 민주주의자의 요구 외에 그 자신의[136] 요구도 기회 있을 때마다 제시해야 합니다. 노

G260 동자는 민주주의적 부르주아지가 정부를 장악하려고 하자마자 노동자에 대한 보증을 요구해야 합니다. 부득이할 경우에는 노동자는 이 보증을 강제해야 하고, 새 정부가 가장 확실한 방법으로 노동자에게[137] 가능한 한 많은 양보와 약속을 절충할 것을 확약하도록 해야 합니다. 노동자는 가두 투쟁 이후 얻은 새로운 상태에[138] 대한 승리의 도취와[139] 열광을 가능한 한 마음에 담고 있어야 하고, 새로운 상태를 침착하고[140] 냉정하게 파악하고 새 정부에 대해 노골적인 불신을 나타내야 합니다. 노동자는 공식적인 정부 외에도 즉각[141] 노동자 클럽이든[142] 혹은 노동자 위원회를 통해서든 자치 대표자 회의든 자치단체 평의회든 어떤 형태든 상관없이 자신의 혁명적 노동자 정부를 설립해야 합니다. 그래야 부르주아 민주주의 정부가 즉각 노동자의 지지를 잃을 뿐만 아니라 노동자[143] 전체가 처음부터 뒤에서 당국을 감시하고 감독할 수 있게 됩니다. 한[144] 마디로 승리의 첫 순간부터 노동자는 패배한 반동 세력을 불신할 것이 아니라[145] 이제까지 그들의[146] 맹우, 즉 공동의 승리를 독차지하려는[147] 저[148] 세력을 불신해야 합니다.

[149]승리의 첫 순간부터 노동자를 배신하기 시작하는 이 세력에 열정적으로, 위협적으로 대항하기 위해서 노동자는 **무장하고 조직되어야**[150] 합니다. 프롤레타리아트 전체가 산탄총, 소총, 대포, 탄약으로 즉시 무장해야 하고[151] 노동자를 반대하는 옛 시민군의 부활을 저지해야 합니다. 이 후자가 실현되지 않으면[152] 노동자는 직접 선출한 사령관과 참모를 중심으로 프롤레타리아트 정예 부대를 독립적으로 조직하여 국가 권력의 명령이 아닌[153] 노동자가 실현한 혁명적 자치 대표자 회의[154]의 명령에 따라 나아가려고 해야 합니다. 국가 예산을 다루는 노동자는 직접 선출한 사령관이 거느리는 특수 부대나 프롤레타리아트 정예 부대의 일부로서 무장과 조직을 갖추어야 합니다. 어떤 이유에서든 무기와 탄약을[155] 놓아서는[156] 안 되고, 무장을 해제하려는 모든 시도는 필요하면 무력으로 좌절시켜야 합니다.[157]

부르주아 민주주의자들이 노동자에게 끼치는 영향력의 분쇄, 노동자들의 독립적인 무장 조직의 즉각 건설, 부르주아 민주주의의 일시적이고[158] 불가 피한 지배를 가능한 한 어렵게 만들고 절충하려는 조건들의 관철, 이 모든 것은 프롤레타리아트 세력[159]과 더불어 본 동맹이 임박한 봉기 중이나 후에 명심해야 할 주안점입니다.

III.[160] 새 정부가 웬만큼 안정되면 노동자에 대한 정부의 투쟁이 바로 시 작될 것입니다. 이때 막강한 민주주의적 소부르주아지와 맞설 수 있으려면 무엇보다 노동자는 클럽으로 독립적으로 조직되고 결집되어야 합니다. 이 것이 어떤 식으로든 가능해지자마자 중앙본부는 지금 현존하는[161] 정부를 타도한 후 곧바로 독일로 가서 즉시 대회를 소집하고 노동자 클럽의 중앙 집중화[162]를 위해 운동의 거점에서 설립된 **하나의**[163] 지도부가 필요하다는 제안[164]을 이 대회에서[165] 할 것입니다. 노동자 클럽을 신속히 조직하거나 최 소한 지방과 연계하고 서로 협력하게 하는[166] 것은 노동자당의 강화와 발전 에 가장 중요한 일 가운데 하나입니다.[167] 현 정부 타도 후에는 곧바로 국민 대표를 선출해야 할 것입니다.[168] 이때 프롤레타리아트는 다음 사항을 고려 해야 합니다.

1) 지방 관청이나 정부 위원[169]의 농간 때문에 일정 수의 노동자가 어떤 구실로도 배제되어서는 안 된다는 것.

2) 부르주아[170] 민주주의파 후보자 외에 가능한 한 동맹원 출신의 노동자 후보를 세워야 한다는 것과 가능한 수단을 총동원하여 선거를 치를 수 있어 야 한다는 것. 자신의 독립성을 지키고, 자신의 세력을 믿고, 혁명적 입장과 당의 관점을 대중에게 보여주기 위해서 노동자는 위의 두 가지가 실현[171] 가 능성이 없을 때에도 자신의[172] 후보자를 세워야 합니다. 이때에도 노동자는 "그럼으로써 민주주의 세력을 분열시키고 반동주의자들에게 승리할 가능 성을[173] 안겨준다" 따위의 민주주의자들의 상투적인 말에 넘어가서는 안 됩 니다. 그따위 말은 결국 프롤레타리아트를 기만하는 것에 지나지 않습니다. 프롤레타리아트 세력이 독자적 세력으로 등장함으로써 이룰 진보가 몇몇 반동주의자들을 대표로 만드는 단점[174]보다 훨씬 중요합니다. 민주주의자가 반동주의자들[175]에게 처음부터 단호하고 위협적으로 등장한다면, 그들이[176] 선거에 미치는 영향이 아예 사라지리라는 것은 말할 나위도 없습니다.

부르주아 민주주의자들이 노동자와 함께 직접 충돌[177]하게 되는 첫째 지 점은 봉건제의 폐지일 것입니다.[178] 첫 번째 프랑스 혁명 때처럼 소부르주아지는 봉건 토지를 농민에게 무상으로 줄 것입니다.[179] 다시 말해서 농업 프롤레타리아트가 형성되어, 소부르주아 농민계급으로 하여금 프랑스 농민이 아직도 겪고 있는 빈곤과 부채의 순환에서 빠져나오게[180] 할[181] 것입니다.[182] 노동자는 농업 프롤레타리아트의 이익과 자신의 이익을 위해 이 계획에 반대해야 합니다. 더 나아가 노동자는 몰수한 봉건 토지를 국유지로 하여[183] 농촌 촌락지[184]로 사용하자고 해야 합니다. 그러면 연합한 농업 프롤레타리아트는 대규모 경작지의 모든 장점을 가지고 경작할[185] 것이고, 이를 통해 부르주아적 소유관계가 흔들리고 있는 한가운데서 공동[186] 소유의 원칙이 곧바로 확고한 기초를 갖게[187] 될 것입니다. 민주주의자가 농민과 연합한 것처럼 노동자는[188] 농업 프롤레타리아트와 연합해야 합니다.[189]

민주주의자는 앞으로도 연방 공화국에 직접 영향을 끼치거나[190] 적어도 하나의[191] 통일된 공화국[192]이 불가피하다며 가능한 한 자치단체와 지방의 독립과 자립을 통해서 중앙정부를 마비시키려고 할 것입니다. 노동자는 이 계획들[193]에 맞서 하나의[194] 통일된 공화국[195][196]뿐만 아니라 국가 권력의 수중으로[197] 권력의 강력한 집중화에 영향을 미쳐야 합니다. 노동자는 자치단체의 자유와 자치를 운운하는 민주주의자들[198]의 허풍에 정신을 빼앗겨서는 안 됩니다. 수많은 중세의 잔재를 청산해야 하고, 수많은[199] 지역적[200] 및 지방적 아집을 꺾어야만 하는 독일과 같은 나라에서 모든 마을, 모든 도시, 모든 지방은 전력을 다해 중앙에서 시작할 수 있는 혁명적 활동을 방해하는[201] 어떤 상황도 묵과해서는 안 됩니다.[202] 현재의 상태가 되살아날 것이라는 점도 묵과해서는 안 됩니다. 이런 가운데[203] 독일인은 모든 도시와 지방에서 똑같은[204] 진보를 위해 싸워야만 합니다. 현재의 사적 소유보다 훨씬 뒤처져 있고 어디서든 필연적으로 이런[205] 사적 소유로 해체되고 있는 소유의 한 형태, 즉 자치단체 소유와 이에 따라 야기되는 부유한 자치단체와 가난한[206] 자치단체 간의 다툼, 공적 시민권 외에 존재하는 자치단체 시민권이 노동자를 농간해 이른바 자유로운 자치단체 체제(Gemeindeverfassung)를 영구화하는 것은 결코 묵과할 수 없습니다. 1793년의 프랑스처럼 지금 독일에서 현실적인 혁명 정당의 과제는 엄격한 중앙 집권화의 실현입니다.[207]

우리는 민주주의자가 최근 혁명에서 어떻게 지배 세력이 되는지, 어떻게 어느 정도 사회주의적인 조치를 제안할 수밖에 없는지 살펴보았습니다. 이에 대해 노동자가 어떤 조치를 제안해야 하느냐[208]고 여러분은 물을 것입

니다.[209]

물론 노동자는 혁명의 초기에 공산주의적 조치를 직접 제안할 수 없습니다. 그러나 노동자는

1. 가능한 한 여러 측면에서 민주주의자들이 지금까지의 사회질서에 개입해 이 사회질서의 질서 정연한 과정을 저지하고 수많은 생산력, 즉 운송 수단, 공장, 철도 등을 가능한 한 국가 수중[210]에 집중하라고 압박할[211] 수 있습니다. G263

2. 노동자는 어찌 됐든 혁명적이 아니라 한낱 개혁적으로 등장하게 될[212] 민주주의자들의 제안을 끝까지 밀고 나가서 이 제안이 사적 소유에 대한 직접적인 공격으로 전환하도록 해야 합니다.[213] 예컨대 소부르주아지가 철도와 공장을[214] 국고로 매입하자고[215] 제안하면, 노동자는 철도와 공장을 반동주의자의 소유물이라는 이유로 국가가 지체 없이 무상으로 몰수할[216] 것을 요구해야 합니다. 민주주의자가 비례[217]세를 제안하면 노동자는 누진세[218]를 요구해야 합니다.[219] 민주주의자가 **온건한**[220] 누진세[221]를 제안하면 노동자는 세율이 워낙 급격히 증가해서 대자본도 망할 수밖에 없는 세금을 주장해야 합니다.[222] 민주주의자가 국채 조정을 요구하면 프롤레타리아트[223]는 **국가 도산**[224]을 요구해야 합니다. 어디서나 민주주의자의 양보와 방책은 노동자[225]의 요구를 따라야만 할 것입니다.

독일 노동자들이 장구한 혁명적 발전과정[226]을 끝까지 완수하지 못한 채 지배 세력이 되지도 못하고 계급의 이익을 실현[227]하[228]지도 못했을지라도, 이번에는 최소한 이 임박한 혁명극[229]의 1막이 프랑스에서 노동자계급의 직접적인 승리와 함께 동시에 열리고 이에 따라 가속되리라는 것은 분명합니다.[230] 그러나 노동자들은 자신들의 계급 이익을 깨우치고, 자신들의 독립된 입장을 가능한 한[231] 더 빨리 취하고, 민주주의적 소부르주아지의 위선적인 형제애-구호[232] 때문에 한순간도 독립된 프롤레타리아트 당 조직을[233] 헷갈리게 하지 않음으로써 자신들의 최종 승리를 위해 최선을 다해야 합니다.[234] 노동자들의 구호는 이것이어야 합니다.[235]

혁명은 영속적으로![236][237]

카를 마르크스/프리드리히 엥겔스

루이 메나르의 시「다리들」의 인쇄물 머리말

Vorbemerkung zum Abdruck des Gedichts "Jambes" von Louis Ménard

《노이에 라이니셰 차이퉁. 정치-경제 평론》

제4호, 1850년 4월

|1| 『혁명의 서곡』[1]의 저자이자 우리 친구인 **루이 메나르**가 1848년 6월 학살 직후에 쓴 다음 시[2]를 게재해도 좋다고 했습니다:|

《노이에 라이니셰 차이퉁. 정치-경제 평론》
제4호의 서평

Rezensionen aus Heft 4 der "Neuen Rheinischen Zeitung.

Politisch-ökonomische Revue"

《노이에 라이니셰 차이퉁. 정치-경제 평론》

제4호, 1850년 4월

|17| 문헌.

I.

『당대 논설』, 토머스 칼라일 편집, 제1권: 『현재』, 제2권: 『모범 감옥』,
런던, 1850년.

토머스 칼라일은 독일 문학이 직접적이고 매우 중대한 영향을 끼친 유일
한 영국 작가이다. 독일인은 예의상이라도 그의 저서를 주목하지 않고 그냥
넘겨서는 안 된다.

우리는 기조의 최근 글에서(《노이에 라이니셰 차이퉁. 정치-경제 평론》,
제3호, 2쪽) 부르주아지의 역량이 어떻게 쇠퇴했는지를 살펴보았다. 이번에
출간한 칼라일의 두 소책자에서 우리는 긴박하게 진행된 역사적 투쟁에 반
대해 자신의 진가를 발휘하지 못하고 노골적으로 예언자적 영감을 주장했
던 천재가 몰락했음을 알게 되었다.

토머스 칼라일은 부르주아지의 관점, 취향, 사상이 공식적인 영국 문학 전
체를 완전히 지배하던 시기에 때로는 혁명적이기까지 한 방식으로 문학적

으로 부르주아지에 반대한 공적이 있다. 그의 프랑스 혁명사,[1] 크롬웰을 위한 변명,[2] 차티스트 운동을 다룬 소책자,[3] 『과거와 현재』[4]가 이를 잘 보여준다. 그러나 이런 모든 저서에서 현재에 대한 비판은 기이하게도 비역사적인 중세에 대한 찬양, 그렇지 않으면 빈번하게 언급한 코빗과 일부 차티||18|스트 운동가와 같은 영국 혁명가와 매우 밀접하게 관련이 있다. 칼라일은 과거에 대해서는 특정 사회 단계의 고전적 시기만이라도 찬탄해 마지않지만 현재에 대해서는 절망하고 미래에 대해서는 두려워한다. 그가 혁명을 인정하고 심지어는 숭배할 때, 그는 크롬웰 혹은 당통과 같은 독보적인 개인에게 혁명을 집중시켰다. 그는 이들을 영웅으로 숭배했다. 그는 이 영웅 숭배를 영웅과 영웅 숭배 강의[5]에서 절망을 잉태한 현재의 유일한 도피처이자 새로운 종교라고 설교했다.

G266

그 사상에 그 문체라고나 할까. 칼라일의 문체는 근대-부르주아적 영국인의 위선적 문체,[6] 즉 그 본래적 창시자들인 교양 있는 런던내기들이 영국 문학 전체를 바꿨던 과장된 느슨함, 신중한 장황함, 도덕적-감상적인 산만한 지루함에 대한 직접적이고 거친 반작용이었다. 이것들과 달리 칼라일은 영어를 그 근본부터 개조해야 하는 완전히 생생한 자료로 다루었다. 독일어를 본보기로, 특히 장 파울을 본보기로 낡은 어법과 죽은 말을 다시 찾아 꺼냈고 새로운 표현과 말을 생각해냈다. 새로운 문체는 가끔은 과장되고 무미건조하기는 했지만, 종종 굉장했으며 언제나 독창적이었다. 이런 점에서도 『당대 논설』은 현저하게 퇴보했음을 보여준다.

그런데 독일의 문사 가운데 칼라일에게 큰 영향을 끼친 사람이 헤겔이 아니라 독일 문학계의 약사 장 파울이라는 점은 특이하다.[7]

칼라일은 슈트라우스와 함께 천재 숭배를 주창했는데 이번에 출간한 소책자에는 그 천재가 없고, 숭배만 남아 있다.

『현재』는 과거의 딸이자 미래의 어머니인 현재가 어쨌든 **새 시대**라는 선언으로 시작된다.[8]

이 새 시대의 첫 번째 현상은 **개혁적** 교황이다. 피우스 9세는 바티칸에서 복음서를 손에 들고 전 기독교도에게 "**진리의 법**"을 공포하려고 했다. "300년도 더 전에 성 베드로 대성당의 왕좌는 법의 예고에 대한 절대적인 권한, 권위 있는 명령권을 가지고 있었고, 그것들을 천상의 관청에 기록했다. 그 후로 도망가려고 하고 사라지려고 했으며, 교황, 교황의 속임수, 신을 부정하는 교황의 헛소리들과 더는 아무것도 하지 않으려고 했던 모든 ||19|

330

깨어 있는 사람들의 마음을 읽을 수 있게 되었다. 그리고 그 후로 교황은 위험에 처해 있었고, 그런 처지에서 매일 배상을 정확하게 해야만 했다. 진리의 법이라니? 이 교황직이 진리의 법에 따라서 해야만 했던 것은 불결한 갈바니 전기 요법을 행한 생활을 단념하는 것이었고, 명예롭게 죽기 위해서 신과 인간 앞에서 이 치욕을 감추는 것이었다. 가련한 이 교황이 감행한 것은 이것과는 거리가 멀었다. 그러나 전체적으로 보면 교황이 감행한 것은 근본적으로는 그것[9]뿐이었다. 개혁적 교황이라니?…[10] 튀르고와 네케르는 교황을 반대하지 않았다. 신은 위대하다. 분노를 잠재우기 위해 신은 절망이 아니라 희망을 내딛게 하는 독실한 사람을 호명했다." 3쪽.[11]

이 교황은 자신의 개혁 선언과 함께 "모든 공적 인물이 바라고 대부분도 G267 희망한 회오리바람, 대화재, 지진의 어머니 …[12]가 최후의 심판일까지 연기한 문제를" 부활시켰고, "최후의 심판일이 심지어 도래했다, 이것이 끔찍한 진리이다"라고 말했다. 4쪽.[13]

진리의 법이 공포되었다. 시칠리아인은 "교황 성하가 재가한 새 규칙에 적용받은 첫째 민족이었다. 우리는 진리의 법에 따라 나폴리에도, 나폴리의 관리에게도 속하지 않는다. 우리는 하느님과 교황의 은총으로 이들에게서 해방되고자 한다."[14] 이것이 시칠리아 혁명이었다.[15]

자신을 "메시아의 민족",[16] "선택된 자유의 병사"[17]로 여기는 프랑스인은 이 불쌍하고 멸시당하는 시칠리아인이 이 산업 분야(무역trade)를 빼앗아 갈까 봐 두려워했다. 그것이 2월 혁명이었다. "신비한 지하의 전류가 서로 통하기라도 한 듯이 전 유럽이 무제한적으로, 통제 불능일 정도로 폭발했다. 1848년은 유럽 세계가 언젠가 겪었던 … 그야말로 매우 기이하고 파멸적이고 놀라우며 전반적으로 매우 굴욕적인 해 중에 한 해였다. 세계 전체의 목소리가 그들의 귀에 대고 짖어댔을 때, 곳곳에서 왕과 통치자 들은 갑자기 겁을 먹고 멍하니 보기만 했다. 거기에서 일어나라, ||20| 영웅이 아닌 바보, 위선자, 어릿광대여! 꺼져라, 꺼져! 그리고 왕들도 그것이 옳다고 생각했고, 그해 처음으로 다음과 같은 것을 들었다. 왕들은 죄다 서둘러 도망갔다. 마치 이렇게 외치는 것 같았다. 우리가 불쌍한 어릿광대**이다**. 이것이 우리다. ─그대들은 영웅이 필요한가? 우리를 죽이지 마라, 우리 죄가 아니다! 왕들 가운데 단 한 명도 이것을 거스르지 않았고, 죽음을 각오하거나 목숨을 걸 수도 있는 자신들의 권리를 가지고 왕위를 지키지 않았다. 거듭 말하거니와 이것이 현재의 특수한 불안함이다. 이런 새로운 시기에 민주주의

는 모든 왕이 배우에 지나지 않는다는 점을 **의식**하고 있다. 감옥 또는 그보다 더 나쁜 것이 두려워서 왕들은 급히 달아났다. 이른바 샅샅이 수색을 당하는 수모를 겪고 달아났다. 곳곳에서 왕이 직접 자신의 통치권을 인민 혹은 천민에게 위임했고, 우리가 **아나키**라고 부르는 왕이 없는 공공연한 상태(왕이 없는 상태Kinglessness)를 — 다행인 것은 교통경찰이 아나키와 함께 있었다는 것이다 — 어디에서나 흔히 볼 수 있었다. 그런 것이 유럽의 한쪽 끝에서 다른 끝까지의 나라들, 발트해에서 지중해까지의 나라들, 즉 이탈리아, 프랑스, 프로이센, 오스트리아의 1848년 3월의 역사였다. 그러니까 유럽에는 왕이라곤 없었다. 맥주 통에 앉아서 또는 사설을 통해 또는 끼리끼리 의회에 모여 장광설을 늘어놓는 공공연한 '열변가' 외에는 어떤 왕도 남아 있지 않았다. 파리 시청에서 라마르틴 씨가 지휘한 물결치는 천민의 온갖 헛소리가 약 넉 달간 프랑스 전체를, 어느 정도는 전 유럽을 몰아쳤다. 가진 것이라곤 선율이 흐르는 시류와 질질 흐르는 침밖에 없는 이 가련한 신사 라마르틴은 생각하는 사람들을 위해 고뇌에 찬 연극을 오래 계속했다. 애처롭기 그지없었다. 일목요연하게 말할 수 있고 유창한 언사로 반박함으로써 복권된 '혼돈'(Chaos)을 구체적이고 최종적으로 극명하게 험담한 것, 이것이 '질서'(Kosmos)라는 것이었다! 그러나 그대들은 이럴 때 잠시만 기다리면 된다. 모든 풍선은 외부의 압력을 받으면 가스가 빠져나올 수밖에 없고 역겹게 바람이 빠져 곧 쪼그라들 수밖에 없다." 5~8쪽.[18]

물론 이미 존재하던 이런 전면적인 혁명의 재료에 불을 지핀 자는 누구였는가? "대학생, ||21| 애송이 문인, 변호사, 신문 기자, 풋내기 열혈 광신자, 법적으로 파산한 겁 없는 무법자들이었다. 젊은이들 아니 거의 아이들에 가까운 이들은 지금까지 인간사에서 이와 같은 지휘를 결코 해본 적이 없었다. 시대가 변했다. 이후부터 시니어(senior), 시뇨르(seigneur) 혹은 엘테르만 (Aeltermann)이라는 단어가 처음으로 씨(Herr) 혹은 님(Vorgesetzter)이라는 의미로 고안되었고, 우리는 이것을 인간의 모든 언어에서 찾을 수 있다! … 조금만 주의를 기울이면 노인은 존경받는 것은 고사하고 바보 같은 어린애, 즉 기품과 너그러움이 없으며 어린애같이 넘쳐나는 힘도 없는 어린애로 무시당하기 시작했다는 것을 알 수 있을 것이다. 물론 이런 터무니없는 상황은 머지않아 완화될 것이다. 이미 도처에서 그런 조짐이 보이고 있다. 일상 생활에 통상적으로 필요한 것은 이런 상황과 함께 존재할 수 없고, 존재한다고 해도 옆으로 치워놔도 괜찮을 이것들은 그것대로 자신의 길을 계속 걷고

있다. 낡은 기계를 새로 도색하거나 형태를 바꾸는 등 마음대로 수리하는 일이 대부분의 나라에서 거의 틀림없이 곧 일어날 것이다. 예전의 허수아비 왕들은 의회 혹은 이와 비슷한 최신의 부속물을 구성한다는 조건으로 다시 입장할 것이고, 곳곳에서 처음부터 다시 예전의 일상생활이 자리 잡으려고 할 것이다. 그러나 지금은 이런 균형이 지속할 것이라는 희망이 없다. … 길길이 날뛰는 소용돌이나 미친 듯이 휘몰아치는 해류처럼 확고한 토대가 없는 그런 저주받을 흔들림 속에서, 유럽 사회는 계속 비틀거릴 것이 틀림없다. 곧 엄청나게 비틀댈 것이고, 그다음에는 점점 더 짧아지는 간격으로 다시 고달프게도 봉기가 일어날 것이다. 언젠가는 마침내 새로운 **견고한 토대**가 발견되고 폭동과 폭동의 필연성이라는 요동치는 대홍수가 다시 잠잠해질 때까지 말이다." 8~10쪽.[19]

이런 모습의 역사, 그다지 위안을 주지 못하는 역사가 구세계의 역사이다. 이제 도덕을 살펴보자.

"인간이 생각해낼 수 있는 **보통의 민주주의**는 우리가 살고 있는 시대의 피할 수 없는 사실이다."(10쪽)[20] 민주주의는 무엇인가? 민주주의라는 말에도 분명히 뜻이 있을 것이다. 그렇지 않으면 민주주의가 존재할 리 없을 테니까.[21] ||22| 민주주의의 진짜 뜻을 알아내는 것이 문제다. 이것을 알아내기만 하면 우리는 민주주의와 잘 살 수 있을 것이고, 알아내지 못하면 우리는 망할 것이다. 2월 혁명은 "기만의 전면적인 파산이었다. 이것이 2월 혁명을 한마디로 설명한 것이다."(14쪽)[22] 현실적인 관계와 사물 대신 **가상**과 가상형태들, 즉 "가식", "망상", "환상"[23]처럼 무의미해진 의미가 없는 명칭들이, 한마디로 진리 대신에 거짓이 근대를 지배했다. 이런 가상형태와 유령들과 개인적 및 사회적으로 이혼하는 것, 이것이 개혁의 과제다. 그리고 모든 가식과 기만이 반드시 중지될 것이라는 점은 부인할 수 없다. "물론 이런 것들이 많은 사람에게 기이하게 보일 것이다. 그리고 이른바 교양 있는 계급들 사이에서 건강하고 유쾌하게 푸딩을 소화하는 많은 견실한 영국인에게 이런 것들은 지나치게 기이한 것, 즉 매우 무지한 생각, 완전히 이단적이고 파멸을 잉태한 생각으로 보인다. 영국인은 오래전에 그 의미를 잃은 예의범절, 그럴듯한 행동방식, 순전히 의례가 되어버린 의식(儀式) ─ 인습을 타파하는 유머로 여러분이 가식이라고 부르는 것 ─ 이 살아오면서 몸에 뱄다. 영국인은 이것들이 무례하다는 것, 이것들이 없었다면 발전했으리라는 점을 결코 들어보지 못했다. 가식의 편에서 보았을 때, 면화는 스스로 방적되지

G269

않았는가? 가축은 스스로 살찌지 않았는가? 식민지 상품과 향료는 완전히 편안하게 동양과 서양에서 들어오지 않았는가?" 15쪽.[24]

이제 민주주의, 즉 이 필연적인 개혁, 이런 가식으로부터 해방은 이루어질까? "민주주의가 보통선거를 매개로 확립된다면, 그 민주주의는 환상을 현실로, 가짜를 진짜로 치유하는 전면적인 이행을 수행하고 차츰 축복받은 세상을 만들어낼까?"(17쪽)[25] 칼라일은 이것을 부인한다. 민주주의와 보통선거는 의원내각제의 무오류성에 대한 영국인의 미신으로 인민 전체를 감염할 뿐이라고 본다. 혼 곶 근처에서 길을 잃은 배의 승무원들이 바람과 날씨에 희망을 걸거나 육분의(六分儀)를 사용하는 건 고사하고 배의 진로를 투표로 결정하고는 ||23| 다수의 결정은 오류가 있을 수 없다고 선언하는 것. 이것이 국가를 기울어지게 하는 보통선거이다.[26] 개인이든 사회든 우주의 참된 규칙, 즉 눈앞의 모든 과제와 관련된 영원한 자연법칙을 발견하고 이에 따라 행동하는 것이 중요할 뿐이다. "러시아 황제든, 차티스트들이 장악한 의회든, 캔터베리 대주교든, 달라이 라마든 간에"[27] 이 영원한 법칙을 밝히는 자를 우리는 따를 것이다. 하지만 신의 이 영원한 계명을 어떻게 발견할 것인가? 어쨌든 각각의 사람에게 투표용지 한 장을 주고 머릿수를 계산하는 보통선거는 신의 영원한 계명을 발견하는 최악의 방법이다. 우주는 매우 배타적인 자연이고, 예부터 자신의 비밀을 몇몇 선택된 자들에게만, 즉 소수의 귀족과 현자에게만 알려주었다. 따라서 우주는 민주주의를 그 토대로 삼은 한 국가로 결코 존재할 수도 없을 것이다. 그리스와 로마는? 오늘날 그리스와 로마가 민주주의를 이룬 것이 아니라 노예제가 이 두 국가의 토대였다는 사실은 모두가 알고 있다. 프랑스의 다양한 공화정들에 대해서는 말할 것도 없다. 그러면 북아메리카 모범 공화국은? 아메리카인들은 지금까지 자신들이 나라(Nation), 국가(Staat)를 형성했다고 결코 말할 수 없었다. 아메리카인들은 정부 **없이** 산다. 이곳에서 구성된 것은 교통경찰이 있는 아나키다. 이런 상태를 가능하게 만든 것은 엄청난 미경작지와 영국에서 가지고 온 경찰봉에 대한 존경이다. 이것도 인구 증가와 함께 끝난다. "숭배할 수 있고 진정으로 찬탄할 수 있는 위대한 인간의 혼, 위대한 사상, 엄청나게 고귀한 일을 아메리카는 여전히 만들고 있다."(25쪽)[28] — 아메리카 인구는 20년마다 두 배 증가했다.[29] — 더는 말할 것도 없다(voilà tout).

따라서 대서양 이쪽이든 저쪽이든 민주주의는 영원히 불가능하다. 우주 자체가 일종의 군주정이고 위계질서이다. 무지한 자를 지도하고 관리하는

G270

334

신의 영원한 의무를, 선택된 일련의 **고귀한 자** 및 **가장 고귀한 자**에게 맡기지 않은 나라는 신의 왕국이 아니고 영원한 자연법칙과 일치하지 않는다.|

|24| 지금 우리는 근대 민주주의의 비밀, 기원, 필연성도 알고 있다. 가짜 고귀한 자(가식적-귀족)가 증가하고 있고 이들이 전통이나 새로 고안한 기만들을 통해 성별(聖別)되었다는 것이다.[30]

누가 보잘것없는 인간 보석과 진주로 그 전체가 둘러싸인 진짜 보석을 발견한다는 것인가? 분명한 것은 보통선거는 아니라는 것이다. 고귀한 자만이 고귀한 자를 알아보기 때문이다. 칼라일은 영국에는 아직도 이런 귀족들과 "왕들"이 적지 않다고 하면서 38쪽을 참조하라고 한다.[31]

우리는 "귀족" 칼라일이 철저하게 범신론적 사고방식에서 출발한다는 것을 알 수 있다. 역사 전체 과정은 당연히 특정한 전제들, 그렇지만 심지어는 다시 역사적으로 산출된 변화하는 전제들에 의존하는 살아 있는 대중 자체의 발전에 제약을 받지 않는다. 이 역사 전체 과정은 오늘은 멀어졌다가 내일은 다시 가까워지는 시대를 초월한 영원불변의 자연법칙에 제약된다. 모든 것은 이 법칙을 올바르게 인식하는 것을 기초로 한다. 영원한 자연법칙을 올바르게 인식하는 것이 영원한 진리이고, 나머지는 모두 잘못된 것이다. 이런 사고방식을 통해서 보면, 다양한 시대에 다양하게 존재했던 현실적인 계급 대립은 모두 영원한 자연법칙을 밝혀내고 이에 따라서 행동하는 자들, 즉 현자와 귀족과 이 자연법칙을 오해하고 왜곡하며 거역하는 바보와 무뢰한의 대립이라는 하나의 거창하고 영원한 대립으로 해체된다. 역사적으로 산출된 계급 차이는 이렇게 사람들이 심지어 영원한 자연법칙의 일부로 인정하고 숭배하는 일종의 자연적인 차이가 된다. 그럼으로써 사람들은 귀족과 현자에게 자연히 고개를 숙인다. 즉 천재를 숭배하게 된다. 역사 발전과정에 대한 전체적인 관점은 이전 세기 광명파와 프리메이슨 지혜의 케케묵은 상투어, 마술 피리에 나온 단순한 도덕, 그야말로 타락하고 통속적인 생시몽주의로 천박해진다. 이것과 함께 그러면 도대체 누가 통치해야 하느냐는 낡은 질문이 생긴다. 지극히 중요하다며 매우 지루하고 피상적인 논의를 거쳐 마침내는 귀족, 현자, ||25| 아는 자(Wissende)가 통치해야 한다고 이 질문에 답변한다. 이에 따라서 그다음에는 강력하게 정말로 강력하게 통치할 수밖에 없다는 결론을 아주 자연스럽게 이끌어낸다. 아주 강력하게 지배할 수 없을 것이다. 왜냐하면 통치는 대중과 맞서 자연법칙을 언제나 드러내고 행사하는 것이기 때문이다. 하지만 귀족이나 현자를 어떻게 찾을 것인가? 어떤

초자연적인 기적도 이들을 드러내지 않는다. 우리가 찾아야만 한다. 순전히 자연적 차이가 되어버린 역사적 계급 차이가 여기서 다시 나타난다. 귀족은 현자이자 아는 자이기 때문에 고귀하다. 귀족은 교양을 독점한 계급, 즉 특권 계급에서 찾을 수 있을 것이다. 귀족이나 현자의 신분을 결정할 자를 찾아낼 수 있는 곳도 특권 계급일 것이다. 따라서 특권 계급은 문자 그대로 고귀한 계급이나 지혜로운 계급이 아니라 "발언권이 있는" 계급이고, 억압받는 계급은 당연히 "발언권이 없는 벙어리" 계급일 것이다.[32] 계급 지배는 다시 이렇게 재가된다. 엄청나게 격분한 호통은 모두 현존하는 계급 지배를 일정 정도 은폐해서 인정하는 것으로 바뀐다. 이런 인징은 부르주아지가 자신들이 오해한 천재에게 사회의 최정상 자리를 맡기지 않고, 이 천재의 광적인 군소리를 매우 실제적으로 고려해서 묵살한다는 점을 언짢아하며 불평을 늘어놓는 것일 뿐이다. 그 밖에도 이런 떵떵거리는 지루한 말이 어떻게 여기에서 그 반대로 돌변하는지, 귀족, 아는 자, 현자가 실제로 어떻게 하층민, 무지한 자, 바보들로 바뀌는지 칼라일이 설득력 있는 예를 들어 설명한다.

G272　　　칼라일은 강한 정부를 무엇보다 중시하므로 해방을 향한 외침에는 엄청난 분노로 반대한다.

"각각의 사람들을 자유롭게 하라. 현금 지불의 경우를 제외하고는 속박이나 질곡에서 벗어나게 하라. 자유 의지에 따른 계약과 수요공급 원칙에 의거하여 정직한 하루 노동에 정직한 일당을 지불하라. 사람들은 이것이 인간 사이에 발생하는 곤란함과 불공평의 진정한 해결책이라고 착각하고 있다. 두 인간 사이에 존재하는 관계를 바로잡기 위해서는 그 관계를 ||25| 완전히 없애는 방법밖에 없지 않은가?"(29쪽)[33]

인간 사이의 모든 속박, 모든 관계의 완전한 해결책은 당연히 무법 상태인 **무정부 상태**, 즉 가장 큰 속박인 정부를 완전히 없애버린 상태에서 그 정점에 이른다. 영국 사람들도 대륙 사람, 특히 "견실한 게르마니아인들"처럼 그것을 열망한다.[34]

그래서 칼라일은 매우 기이하게 적색 공화정, 박애(Fraternité), 루이 블랑 등을 자유무역(Free Trade), 곡물 관세 폐지 등과 뒤섞어서 여러 측면을 계속해서 떠들어댄다. 29~42쪽을 참조하라. 칼라일은 관습적으로 아직 잔존하는 봉건제의 근절, 국가의 기능을 불가피한 기능과 고전적인 기능으로 축소하는 것, 부르주아지에 의한 자유 경쟁의 완전한 실행을 부르주아적 관계의

336

폐지, 자본과 임노동의 대립 폐지, 프롤레타리아트에 의한 부르주아지 타도와 혼동하기도 하고 일치시키기도 한다. 모든 암소가 회색으로 보이는 "절대자의 밤"으로 화려한 복귀! 자신을 둘러싸고 무슨 일이 일어나는지 전혀 모르는 "아는 자"의 심오한 학문! 봉건제 폐지나 자유 경쟁으로 모든 인간관계가 폐지되었다고 믿는 그 기이한 예지! 부부가 혼인을 "맺기" 위해 시청(Mairie)에 먼저 가지 않자 아이가 더는 태어나지 않을 것으로 곧이곧대로 믿는 "영원한 자연법칙"에 대한 철저한 탐구!

결국 완전한 무지가 되어버린 지혜에 대한 이 교화적인 예에 따르면, 칼라일은 호언장담한 아량이 미사여구와 금언의 천상에서 현실적 관계의 세계로 하산하자마자 어떻게 곧바로 적나라한 비열함으로 돌변하는지에 대한 증거를 보여준 것이다.

"모든 유럽 나라, 특히 영국에는 인간의 단장(團長)이자 사령관인 하나의 계급이 허구가 아니라 사실상의 새로운 귀족정이 시작했을 때 분명히 어느 정도 발전했다. 운이 좋게도 이 산업 단장, 즉 이 계급은 ||27| 다른 누구보다 이 시대에 필요하다. 다른 점에서 보면 꼭 명령을 받아야만 하는 사람들이 부족하지 않다는 것은 분명하다. 우리가 머슴의 해방된 말로 기술한 애처로운 형제 계급[35]은 유랑하는 극빈자 신세로 떨어졌다. 어쨌든 이 계급은 모든 나라에서 발전했고, 무서운 속도로 재앙을 잉태하면서 기하급수적으로 점점 더 발전하고 있다. 이런 이유에서 노동 조직이 세계의 보편적 과업이라고 진실로 말할 수 있다." (42, 43쪽.)[36]

칼라일이 이기주의, 자유 경쟁, 인간 간의 봉건적 속박의 폐지, 수요와 공급, 자유방임(Laisser faire), 방적, 현금 지불 등에 대해 첫 40쪽에 걸쳐 절조 있는 분노를 거듭 터뜨린 후, 우리가 지금 갑자기 알게 되는 것은 이 모든 가식의 주된 대표자인 산업 부르주아지가 칭송받는 영웅이나 천재에 속할 뿐만 아니라, 이런 영웅들에 꼭 포함되어야 한다는 것과 부르주아적 관계와 사상에 대한 공격의 으뜸 패가 부르주아 인물들의 숭배라는 것이다. 특이하게 보이는 것은 칼라일이 노동을 명령하는 자와 명령을 받는 자를 발견한 후에 특정 노동 조직을, 이 조직을 그럼에도 불구하고 여전히 해결해야 할 커다란 문제로 선언했다는 점이다. 그러나 오해하면 안 된다고 했다. 문제가 되는 것은 조직에 가입한 노동자 조직이 아니라 조직에 가입하지 않은, 지도자가 없는 노동자 조직이라는 것이다. 칼라일 자신도 이 점을 유념하고 있다. 우리는 칼라일의 소책자 결론부에서 느닷없이 그가 이름뿐인 영국 수상으로 등장함을 본다. 아일랜드 또는 그 밖의 지역 거지 3백만 명, 즉 일할 능력이 있는 빈털터리 유랑인 또는 정주자, 구빈원 신세를 지는 영국인 극빈자와 신세를 지지 않는 영국인 극빈자들의 전체 회의가 소집된다. 칼라일은 "열변을 토한" 연설에서 이미 독자들에게 털어놓은 것을 죄다 빈털터리에게 되풀이해서 처음인 것처럼 말하고, 이어서 별도의 집회에서 다음과 같이 말한다.

|28| "유랑하는 빈털터리와 백수건달, 적지 않은 멍청이, 많은 범죄자, 불쌍한 자들이여! 여러분을 보면 놀람과 절망이 엄습합니다. 이곳에는 3백만 명이 있습니다. 대부분은 곧바로 거지 신세의 나락으로 떨어졌습니다. 끔찍한 말이지만 영락한 여러분들은 자신의 무게[37]에 짓눌리는 것 못지않게 남이 채운 족쇄에 신음하고 있습니다. 이 나락의 가장자리에 매달려 있는 자도 수백만 명입니다. 다들 아시다시피 이들은 하루에 1,200명씩 증가합니다. 차례로 나락에 굴러떨어지고 족쇄는 갈수록 무거워집니다. 마지막까지 버틸 수 있는 자는 누구입니까? 이제 여러분은 어떻게 됩니까? … 제가 여러분에게 말할 수 있는 것은 아직 버티고 있는 자들도 궁핍과 싸우고 있다는 점입니다. 하지만 여러분, 에너지는 부족하고 식욕은 넘치며, 일은 거의 안 하면서 술만 잔뜩 마시는 여러분은 버틸 수 없다는 점을 증명했습니다. 좌우지간 누가 자유의 아들이든 간에 여러분은, 한 줌의 여러분은 자유의 아들이 아니고 자유의 아들일 수 없습니다. 분명히 여러분은 포로입니다. 자유인이 아닙니다. 여러분에게는 노예근성이 있습니다. 듣기 좋게 말하자면 주인을 찾지 못하고 유랑하는 종의 근성이 있습니다. … 영광스럽지만 불행한 자유의 아들이 아니라 악명 높은 포로이자 불행에 빠진 형제들은 제가 여러분에게 명령을 내리고 필요한 경우 통제하고 억압해달라고 요구합니다. 이제부터 여러분은 나와 접촉할 수 있습니다. … 여러분이 여러분 형제들의 피땀을 통해서도 **그런** 삶을 유지하는 것을 보는 것에 대해 하늘, 땅, 우리 모두의 창조주인 하느님 앞에 맹세코 저는 분노합니다. 우리가 이런 삶을 개선하지 못하면 죽음이 앞당겨질 것입니다. … 나의 아일랜드, 나의 스코틀랜드, 나의 잉글랜드의 **새 시대**의 연대 조직에 등록하십시오, 우리 모두가 그렇듯이 복종하고, 노동하고, 참고, 굶으면서 떠돌이 생활하는 가련한 화적들이여. … 산업 우두머리, 작업반장, 감독관, 라다만토스처럼 공정하며 굴하지 않고 생사를 가리는 지배자들은 여러분이 필요하고, 여러분이 언젠가 군수 물자가 되자마자 그들은 여러분을 쉽게 찾아낼 것입니다. … 그러면 나는 여러분 모

두에게 이렇게 말할 것입니다. 여기가 여러분의 공장이라고. 사내답고 군인다운 복종심과 ║29║ 선량한 용기로 과감히 착수하라고. 내가 여기서 지시하는 대로 하라고. 그러면 마땅히 보답을 받을 것이다. … 힘든 일은 거부하고 물러나라. 규정을 지키지 마라. 그러면 내가 여러분에게 주의를 환기하고 격려할 것입니다. 내 말이 먹혀들지 않으면 여러분을 채찍질할 것입니다. 그래도 먹혀들지 않으면 부득이 여러분을 사살할 것입니다."(46~55쪽.)[38]

천재가 지배하는 "새 시대"는 무엇보다도 채찍이 천재적인 것이라고 착각하는 점에서 구시대와 구별된다. 천재 칼라일은 빈자들을 **자기** 수준으로 끌어올리기 위해 빈자들을 학대할 뿐인 선량한 분개와 도덕적 의식을 통해서 최고의 감옥 문지기 케르베로스 또는 빈자 후견인과 구별된다. 우리는 여기서 호언장담하는 천재가 세상을 구원할 분노로 부르주아지의 비열함을 환상적으로 정당화하고 과장하는 것을 본다. 영국 부르주아지가 사회적 빈곤을 퇴치하기 위해 빈자들을 범죄자들과 동화시키고 1833년에 구빈법을 제정했다면[39] 칼라일은 사회적 빈곤을 **대역죄**로 비난한다. 사회적 빈곤이 사회적 빈곤을 낳기 때문이다. 역사적으로 생성된 지배계급, 즉 이미 지배하고 있는 산업 부르주아지가 창조력과 관련이 있는 것처럼 지금 억압받는 모든 계급은 억압이 심할수록 창조력과 그만큼 더 멀어지고, 오해받는 개혁가의 미친 듯한 격분에 노출된다. 극빈자가 이렇게 존재한다. 그러나 몹시 비열한 자, "악한", 즉 **범죄자**에 대한 그의 도덕적으로 고귀한 원한은 정점에 달한다. 칼라일은 모범 감옥을 다룬 소책자에서 이것을 언급한다.[40] G275

이 소책자는 오로지 현존하는 사회에서 공식적으로 추방된 자, 걸쇠와 빗장에 갇힌 사람들을 반대하기 때문에 훨씬 더 엄청나게 격분했다는 점에서 첫째 소책자와 구별된다. 이 격분은 최소한의 수치심까지도 벗어버린 것이었고, 통상적인 부르주아 예법이 무엇인가를 분명히 드러내 보인 것이었다. 칼라일이 첫째 소책자에서 귀족의 위계를 완벽히 정하고 귀족 중의 최고 귀족을 추적한 것처럼, 여기서도 즐거움을 얻고자 악한과 비열한 자의 위계를 완벽하게 정리해 영국의 ║30║ **나쁜 놈 중의 나쁜 놈**, 즉 **최고 악한**의 목을 매달 수 있는 즐거움을 위해서 그를 추적하기로 뜻을 품었다.[41] 칼라일은 태연히 그놈을 잡아서 목을 매달아야 한다고 한다. 그러면 이제[42] 다른 놈이 나쁜 놈이 되고, 이놈을 다시 매달아야 한다. 그리고 마침내는 귀족 차례가 될 때까지 다른 놈이 다시 그 꼴을 당할 것이다. 이제 귀족 차례가 되었으니 최후에는 악한의 박해자이자 귀족의 살해자인 최고 귀족 칼라일만 남을 것이다. 귀족도 악한으로 살해되고, 귀족 중의 최고 귀족도 갑자기 악한 중에서 가장 비열한 자가 되어 **목매 자살해야 한다.** 이렇게 함으로써 이제 정부, 국가, 노동 조직, 귀족 위계에 대한 문제가 모두 해결되고, 마침내 영원한 자연법칙이 실현된다.

———

II.

『**모반자들**』, **A. 셰뉘**, 시민 코시디에르의 전 경호대장. ── 비밀 결사; 코시디에르 경찰 본부; 의용군. 파리, 1850년.[43]
『**1848년 2월 공화정의 탄생**』, **뤼시앵 드 라 오드**, 파리, 1850년.

G276 가장 바람직한 것은 운동-정당의 정점에 있는 사람들을, 이들이 혁명 전에 비밀 결사에 몸담았든 언론에 몸담았든 후에 공직에 있었든 있지 않았든 간에, 한번쯤은 렘브란트의 투박한 색채로 생생히 묘사하는 것이다. 이제까지는 이 인물들을 있는 그대로 묘사하지 않고, 발에 반장화를 신고 ||31| 머리에 후광을 두른 공식적 모습만 그렸다. 라파엘의 찬미화 같은 이런 그림에는 묘사의 진실성이 없다.

위의 두 글은 지금까지 2월 혁명의 "위인"들을 장식하곤 했던 반장화와 후광과는 실로 거리가 멀다. 위인들의 사생활을 파고들고, 잠옷 차림의 위인들을 보여주고, 시시콜콜한 이야기까지 늘어놓는다. 그렇다고 인물과 사건에 대한 참된 실제적 묘사에 가까운 것은 아니다. 저자 중 한 명은 오랫동안 루이 필리프의 끄나풀 노릇을 했다고 고백한 자이고, 다른 한 명은 오래된 전문 음모론자이다. 이 사람과 경찰의 관계도 모호하다. 이 사람의 통찰력은 라인펠덴과 바젤 사이에서 "은빛으로 빛나는 봉우리들이 눈을 황홀하게 하는 웅장한 연봉들의 알프스산맥"[44]을 보려고 하고 켈과 카를스루에 사이에서 "멀리 보이는 산꼭대기들이 수평선 아래로 사라지는 라인 알프스"[45]를 보려고 한 것에 이미 나타났다. 특히 이런 사람들이 자기 정당화 수단으로 쓴 글에서는 물론 2월 혁명에 대해 조금 과장된 추문만을 기대할 수 있을 뿐이다.

드 라 오드 씨는 소책자에서 자신을 쿠퍼의 소설에 나오는 스파이로 묘사하려고 한다.[46] 드 라 오드 씨는 비밀 결사를 8년간 마비시켜놓고도 이 비밀 결사에 기여했다고 주장한다.[47] 그러나 쿠퍼의 스파이와 드 라 오드 씨는 거리가 멀어도 한참 멀다. 《르 샤리바리》의 기고자이자 1839년 이후부터 "신계절사"[48] 중앙위원회 위원이면서 《라 레포름》 창간 이후부터 《라 레포름》의 공동 편집자였으며 동시에 경찰청장 들르세르의 유급 스파이였던 드 라 오드 씨는 그 누구도 아닌 셰뉘 때문에 체면을 더 구기게 되었다. 그의 글은 셰뉘의 폭로에 직접 자극을 받은 것이었다. 또한 그의 글은 셰뉘가 드 라 오드 자신에 대해 한 말을 대꾸하지 않으려고 매우 신경을 썼다. 적어도 이 부분에 대한 셰뉘의 회고록은 신빙성이 있다.

"나는 밤에 산책하다가 볼테르 부두를 어슬렁거리는 드 라 오드를 보았습니다. 마침 비가 억수같이 퍼붓고 있어서 ‖32‖ 나는 생각에 잠겼습니다. 혹시 이 친애하는 드 라 오드도 비밀 자금 계좌를 활용하고 있는 것은 아닐까? 그러나 나는 그의 노래, 즉 《라 레포름》에 실린 격정적인 기고문에 있는 아일랜드와 폴란드에 대한 장엄한 구절을 생각했습니다"라고 셰뉘는 이야기했다. (드 라 오드 씨는 《라 레포름》의 진정鎭靜자 노릇을 하려고 했다.) "안녕하신가? 드 라 오드, 날도 으스스한데 이 시간에 도대체 여긴 웬일이신가?─나한테 빚진 난봉꾼을 기다리고 있소. 그놈이 매일 밤 이 시각에 여길 지나가니까요. 빚을 갚을 것이오, 안 갚으면─오드 씨가 지팡이로 부두 홍벽을 내리쳤습니다."

드 라 오드는 셰뉘한테서 벗어나려고 카루젤 다리로 갔다. 셰뉘는 맞은편으로 가서 연구소 아치 밑에 몸을 숨겼다. 드 라 오드는 곧 되돌아와서 사방을 유심히 살펴보고는 다시 어슬렁거리며 산책했다.

"15분 후에 나는 작은 녹색등 두 개를 켠 마차를 보았습니다. 그 등은 나의 옛 끄나풀(감옥에서 셰뉘에게 경찰 기밀과 암호를 많이 알려준 예전의 스파이)이 보내는 신호였습니다." "그는 비외-오귀스탱 가(街)의 모퉁이에서 있었습니다. 어떤 사내가 마차에서 내렸습니다. 드 라 오드가 곧장 그 사내에게 갔습니다. 두 사람은 잠시 말을 주고받았습니다. 나는 드 라 오드가 주머니에 돈을 집어넣는 것을 보았습니다. 이 사건 이후 나는 온갖 수단을 동원하여 드 라 오드를 우리 모임에서 멀어지게 하고, 무엇보다도 알베르가 덫에 걸리지 않게 했습니다. 그는 우리 조직의 주춧돌이기 때문이었습니다. 며칠 후 《라 레포름》은 드 라 오드의 기고문을 퇴짜 놓았습니다. 그 결과 오드는 문학적 자만심에 상처를 입었습니다. 나는 그에게 다른 잡지를 창간하

G277

여 복수하라고 충고했습니다. 그는 이 충고를 받아들여 필과 뒤포티와 함께 《르 푀플》창간 취지서를 발표했습니다. 이 기간에 우리는 그를 거의 완전히 내버려두었습니다." — 셰뉘, 46~48쪽.[49]

우리는 쿠퍼의 스파이가 비 오는 날 길에서 ‖33‖ 경찰청장이 보낸 뇌물을 기다리는, 가장 천한 정치적 매춘부로 전락한 것을 알 수 있다. 더 나아가 우리는 비밀 결사의 우두머리가 드 라 오드는 그렇게 믿고 싶었겠지만 그가 아니라 알베르라는 것을 알 수 있다. 이것이 셰뉘의 글에서 얻은 전체적인 결론이다. "조직을 위한" 끄나풀이 여기서 느닷없이 모욕당한 문필가로 바뀐다. 이 문필가는《르 샤리바리》기고자의 기사가《라 레포름》에 즉각 받아들여지지 않은 것에 격분하여 사실상 당 기관지인《라 레포름》과 결별하고 기껏 자신의 문학적 자만심을 충족할 새 신문 창간을 위해 경찰에 협력했을 것이다. 정치적 매춘부가 일말의 감상으로 자신의 수치스러운 처지에서 자신을 구원하려고 했듯이 이 끄나풀은 문필가적 권리로 수치스러운 처지에서 자신을 구원하려고 했다. 그의 팸플릿 전체에 깔린《라 레포름》에 대한 증오는 이 문필가의 매우 진부한 양심으로 변한다. 마지막으로 우리는 비밀 결사의 가장 중요한 시기, 즉 2월 혁명 직전에 드 라 오드가 이 결사에서 점점 배제되었음을 알 수 있다. 그리고 이로부터 셰뉘가 팸플릿을 쓰고 난 후인 이 시기에 왜 비밀 결사가 점점 더 쇠퇴했는지를 설명할 수 있다.

이제 셰뉘가 2월 혁명 후 드 라 오드의 배신을 폭로한 장면을 살펴보자.《라 레포름》세력은 코시디에르의 초대로 뤽상부르의 알베르 집에 모였다. 모니에, 소브리에, 그랑메닐, 드 라 오드, 셰뉘 등이 참석했다. 코시디에르가 회의를 시작하며 이렇게 말했다.

"우리 중에 배반자가 있습니다. 여기서 비밀 법정을 구성하여 배반자를 심판할 것입니다." — 참석자 중에서 가장 연장자인 그랑메닐이 의장으로, 티펜이 서기로 임명되었다. 시민 코시디에르가 검사 역을 맡았다. 우리는 용감한 애국자를 오랫동안 규탄했다. 우리는 어떤 뱀이 우리 사이에 숨어 들어왔는지 전혀 눈치채지 못했다. 오늘 나는 진짜 배반자를 발견했다. 배반자는 뤼시앵 드 라 오드다! 잠자코 음식을 먹고 있던 드 라 오드가 이 노골적인 비난에 벌떡 일어났다. 그가 문 쪽으로 가자 코시디에르가 급히 문을 닫고 ‖34‖ 권총을 꺼내 "움직이면 대갈통을 부숴버린다!"라고 소리쳤다. 드 라 오드는 한사코 결백하다고 주장했다. 코시디에르가 알았다, 경찰청장에게 보낸 보고서 1,800개가 여기 있다고 말하고는 참석자들에게 특히 드 라 오드와 관련된 보고서를 주었다. 코시디에르가 그의 회고록에 공개된 편지, 즉 드 라 오드가 경찰청장 끄나풀 노릇을 하겠다는 내용이 적힌 편지, 드 라 오드가 본명으로 서명한 편지를 낭독할 때까지 드 라 오드는 피에르라는 서명이 있는 이 보고서를 자기가 작성했다는 것을 완강히 부인했다. 그러나 이후에 이 불행한 사내는 더는 부인하지 않았다. 드 라 오드는 경찰의 끄나풀이 되겠다는 치명적 생각을 불러일으킨 비참한 상황을 이유로 대며 변명하려고 했다. 코시디에르는 드 라 오드에게 남은 최후의 구제 수단인 권총을 건네주었다. 그러자 드 라 오드는 심판자들에게 애원하며 자비심에 호소했다. 그러나 그들은 요지부동이었다. 참석자 중 한 명인 보케가 더 참지 못하고 권총을 움켜쥐고 드 라 오드에게 세 번이나 내밀며 말했다. 자, 네 대갈통을 박살내라. 이 비겁한 놈, 비겁한 놈아, 그러지 않으면 내가 직접 널 죽이겠다! 알베르가 그의 손에서 권총을 빼앗으며 말했다. 잘 생각해봐. 권총 사격이라니. 여긴 뢰상부르야. 세상 놀라게 할 일 있나! 그렇지, 독약이 필요해. 보케가 말했다. 독약이라고? 나한테 있어. 독약이라면 없는 게 없어. 코시디에르가 말했다. 그러고는 잔을 가지고 와서 설탕물을 붓고 흰 가루를 탄 다음 드 라 오드에게 내밀었다. 드 라 오드가 멈칫하며 말했다. 날 독살할 셈인가? 그래, 어서 마셔. 보케가 말했다. 드 라 오드는 벌벌 떨며 잔을 바라보았다. 그는 얼굴이 창백해지고 곱게 빗은 곱슬머리가 곤두섰다. 얼굴은 땀투성이였다. 그가 울면서 애원했다. 죽긴 싫어!라며 흐느꼈다. 그러나 보케는 눈 하나 까딱 않고 연거푸 잔을 내밀었다. 자, 마셔. 눈 깜짝할 사이에 사탄이 될 거야. 코시디에르가 말했다. 안 돼. 안 돼. 죽어도 안 마실래! 드 라 오드의 무시무시한 표정에 아득해진 정신이 여실히 드러났다. 오, 이 모든 고통에 복수하고 말 테다!"[50]

명예(Point d'Honneur)에 호소한 것은 죄다 수포로 돌아갔다. 드 라 오드는 알베르의 알선 덕분에 ||35| 결국 감형되어 콩시에르주리 감옥에 보내졌다. (셰뉘, 134~136쪽.)[51]

자칭 쿠퍼의 스파이는 점점 비참해졌다. 우리는 그가 비겁하게 적에게 저항했기 때문에 완전히 경멸당하고 있음을 알 수 있다. 우리는 그가 자신을 사살하지 않았다고 비난하는 것이 아니라 불구대천의 적을 사살하지 않았다고 비난한다. 그는 후에 혁명 전체를 단순한 사기라고 설명한 글 한 편으로 구제받으려고 한다. 이 글의 제목은 응당 **환멸을 느낀 경찰관**이어야 한다. 이 글은 실제 혁명이 모든 혁명에서 "행동하는 사람들"을 소규모 패거리

G279

의 소행이라고 간주하는 스파이의 생각과 완전히 정반대임을 입증한다. 패거리가 어느 정도 자의적으로 선동한 운동은 모두 단순한 폭동이었지만, 드 라 오드가 서술한 것에서 알 수 있는 것은 한편으로 **공식적 공화주의자들**은 2월 초에 여전히 공화정 정복에 낙담했다는 점, 다른 한편으로 **부르주아지**는 그들이 원하지 않아도 공화정을 정복하도록 도와줄 수밖에 없었다는 점, 따라서 2월 공화정은 온갖 패거리들의 밖에 있는 프롤레타리아트 대중이 거리로 나오고 부르주아지 대부분이 집에 있거나 프롤레타리아트와 공동 행동을 할 수밖에 없는 상황 때문에 초래되었을 것이라는 점이다. 드 라 오드가 그 밖에 전달하는 것은 매우 옹색하고 무의미한 헛소리에 지나지 않는다. 하나의 장면만이 흥미로웠다. 즉 2월 21일 저녁 《라 레포름》 회의실에서 열린 공식적인 민주주의자들의 회의. 이 회의에서 지도자들은 폭력적인 공격에 단호하게 반대한다고 입장을 표명했다. 연설 내용은 이날만큼은 전체적으로 여전히 상황을 옳게 파악하고 있음을 보여준다. 혁명이 처음부터 의식적이고 의도적으로 초래되었다고 하는 이 사람들의 과장된 행태와 나중에 보인 오만불손함은 가소로울 따름이었다.[52] 어찌 됐든 가장 심한 것은 드 라 오드가 이들이 자신을 너무 오랫동안 묵과했다고 험담할 수 있었다는 점이었다.

이제 셰뉘를 다룰 차례이다. 셰뉘 씨는 어떤 사람인가? 셰뉘는 오래된 모반자다. 1832년부터 모든 폭동에 참여하고 경찰에 잘 알려진 사람이다. 그는 징집되자 곧바로 ||36| 탈영해 파리에 숨어 지낸다. 그러면서도 1839년의 모반과 폭동에 참여한다. 1844년에 셰뉘는 연대에 출두한다. 기이하게도 이전 사건이 잘 알려졌음에도 사단장이 주재한 군사법원에서 사면을 받는다. 게다가 연대 복무 기한을 채우지도 않고 파리로 돌아갈 수 있게 된다. 1847년에 셰뉘는 소이탄 음모[53]에 말려든다. 그는 용케도 검거를 피하고, 궐석 재판에서 징역 4년을 선고받지만 파리에 머무른다. 경찰과 내통한 공모자의 고발 때문에 셰뉘는 네덜란드로 갔다가 1848년 2월 21일에 돌아온다. 2월 혁명 후 셰뉘는 코시디에르 친위대의 중대장이 된다. 코시디에르는 셰뉘가 마라스트의 특수 경찰과 결탁했다는 혐의(상당히 개연성이 있는 혐의)로 별다른 저항을 받지 않고 셰뉘를 벨기에로, 나중에는 독일로 보내버린다. 셰뉘 씨는 거의 자발적으로 벨기에, 독일, 폴란드의 의용군에 잇달아 가담한다. 이 모든 것은 코시디에르의 권력이 이미 흔들리기 시작할 무렵에 일어났다. 그리고 셰뉘는 자신이 예전에 체포되었을 때 자신을 즉각 석방하

라는 협박장을 그에게 보내 압박했을 정도로 그를 완벽하게 통제했다고 주장했을 때였다. 셰뉘의 성격과 그의 말의 신빙성은 이쯤으로 해두자.

매춘부가 덜 매력적인 자신의 신체 부위를 감추려고 숨 막힐 정도로 바르는 다량의 분과 파슬리는 드 라 오드가 자신의 팸플릿에 향수처럼 뿌린 재기(bel-esprit) 형태로 문학적으로 재현되어 있다. 이와 달리 셰뉘 책의 문학적 특성은 종종 질 블라스를 연상시키는 솔직하고 생생한 서술에 있다. 질 블라스가 온갖 모험에서 항상 하인 노릇을 하고 모든 것을 하인 기준에 따라 판단하듯이, 셰뉘는 1832년 폭동부터 경찰청장에게 제거될 때까지 줄곧 비굴한 모반자 노릇을 한다. 그나저나 그의 특별한 편협함은 그가 말한 엘리제 궁이 배치한 문학적 "사기꾼들"의 김빠진 반성과는 매우 분명하게 구별된다. 명백한 것은 셰뉘도 혁명운동을 이해했다고 ||37| 말할 수 없다는 점이다. 이런 이유로 그의 글 중에서 흥미롭게 남아 있는 것은 다소 선입견 없이 자기 관점에서 묘사한 **모반자들**과 **영웅 코시디에르**라는 장(章)뿐이다.

우리는 로마 민족이 음모에 소질이 있다는 것과 음모가 근대 스페인, 이탈리아, 프랑스 역사에서 어떤 역할을 했는지를 알고 있다. 스페인과 이탈리아의 음모론자들이 20년대 초에 패배한 후 리옹, 특히 파리가 혁명 결사의 중심이 되었다. 주지하듯이 1830년까지는 자유주의적 부르주아지가 왕정복고에 반대하는 음모의 정점에 서 있었다. 7월 혁명 후에는 공화주의적 부르주아지가 그 자리를 차지했다. 이미 왕정복고 체제에서 모반으로 키워진 프롤레타리아트는 공화주의적 부르주아지가 쓸데없는 가두 투쟁으로 모반을 주춤거림에 따라 전면에 등장했다. 1839년 폭동을 일으켰던 바르베스와 블랑키가 결성한 계절사는 이미 프롤레타리아트 위주였고, 폭동의 패배 이후에 생긴 신계절사도 이와 마찬가지였으며, 그 선봉에는 알베르가 있었고, 셰뉘, 드 라 오드, 코시디에르 등도 참여했다. 이 결사의 우두머리들이 끊임없이 시도했던 음모는《라 레포름》이 대변한 소부르주아적 분자들과 결탁해 있었지만 언제나 독자적으로 이루어졌다. 물론 이런 모반은 압도적인 다수의 파리 프롤레타리아트를 결코 포함하지 않았다. 이 모반은 그 수가 계속 뒤바뀐 비교적 소수의 회원으로 한정되었다. 이 회원들의 반은 모든 비밀 결사 조직의 후계자들이 정기적으로 공급한 오래된 고정 음모론자들이고, 나머지 반은 새로 모집한 노동자들이었다.

셰뉘는 자신도 해당하는 이 오래된 음모론자들 거의 전부를 **전문 모반자들**이라는 계급으로만 묘사한다. 프롤레타리아트적인 모반을 육성하면서 업

무 분담의 필요성이 생겼다. 회원은 우발적인 음모론자들, 일시적인 모반자들(conspirateurs d'occasion), 즉 생업에 종사하면서 모반에 가담하고 집회에 참석하며 ||38| 우두머리의 명령에 따라 모임 장소에 출두할 준비를 갖춘 노동자와 자신의 모든 활동을 음모에 바치고 이것에 목숨을 건 전문 모반자로 나누어진다. 전문 모반자들은 노동자와 우두머리 사이의 중간층을 이루고 심지어는 빈번하게 이 중간층에 잠입했다.

이 계급의 사회적 지위가 이미 처음부터 그 계급의 성격 전체를 조건 짓는다. 프롤레타리아트의 모반은 자연히 이 계급에게 매우 제한적이고 불확실한 생활수단만 제공한다. 따라서 이 계급은 음모 금고[54]에 계속 손댈 수밖에 없다. 이 계급의 몇몇은 또한 부르주아 사회와 대체로 직접 충돌하고, 경찰 재판소 앞에서는 어느 정도 고분고분하게 군다. 개별적으로는 자신들의 활동보다는 오히려 우연에 의존하는 이들의 흔들리는 생활, 꼬박꼬박 들르는 곳이라고는 싸구려 술장수(Marchand de Vin)의 선술집 — 음모론자들이 만나는 집 — 밖에 없는 불규칙한 삶. 온갖 의심스러운 사람들에게 불가피하게 노출되는 삶. 이들은 파리 사람들 말마따나 보헤미안과 같은 생활 영역에 자리하고 있다. 이 민주적인 보헤미안 프롤레타리아트 — 부르주아지에 기원을 둔 민주주의적 보헤미안도, 민주주의적 부랑자도, 작은 술집의 단골들(piliers d'estaminet)도 있다 — 는 일을 그만둬서 방탕하게 사는 노동자이거나, 아니면 룸펜 프롤레타리아트에서 유래하면서 이 계급의 모든 방탕한 습관을 새로운 생활로 삼은 사람이다. 이런 상황에서는 모든 모반 과정에 전과자(repris de justice) 몇 명이 으레 끼어들게 마련이다.

이들 전문 음모론자의 삶 전체는 보헤미안적 특징을 뚜렷이 나타낸다. 음모론자들의 하위 모집원들은 싸구려 술장수들을 끌어들이고, 노동자들의 간을 보고, 자기편을 찾아내 음모에 가담하라고 설득하며, 결사의 금고 아니면 새로운 친구에게 이 과정에서 들어간 술값을 떠넘긴다. 대체로 싸구려 술장수는 그의 원래 여인숙 주인이다. 이 음모론자는 대개 이 여인숙 주인의 집에 머문다. 여기서 그는 자기 동료, 자기 조원, 모집할 사람을 만난다. 끝으로 여기서 (그룹별) 비밀 ||39| 조 모임과 조장 모임을 한다. 파리의 여느 프롤레타리아트와 마찬가지로 매우 분방한 성격을 지닌 이 모반자는 이런 끝도 없는 선술집 분위기에서 곧바로 가장 완벽한 난봉꾼(Bambocheur)이 된다. 비밀회의에서 스파르타적인 근엄한 덕을 드러낸 이 음울한 음모론자는 갑자기 느긋해져서 포도주와 여자를 매우 밝히는 어디에서나 유명한 단

346

골손님으로 변한다. 이 모반자가 위험에 계속 노출되어 있어서 선술집 분위기는 더욱 고조된다. 그는 언제라도 바리케이드로 호출될 수 있고 그곳에서 쓰러질 수 있으며, 경찰이 그를 감옥이나 심지어는 노예선으로 보낼 수 있는 올가미를 그가 가는 곳마다 놓았기 때문이다. 이런 위험들이 바로 직업의 매력을 떨어뜨린다. 불안감이 커질수록 이 모반자는 순간의 쾌락을 붙들려고 더 서두른다. 동시에 그는 극도의 습관적인 위험으로 목숨과 자유가 아무래도 상관없는 것으로 생각한다. 그는 감옥에서 싸구려 술장수 집에 있는 것과 같이 편안함을 느낀다. 그는 매일 탈주라는 명령을 고대한다. 모든 파리 무장봉기에서 눈에 띈 무모한 자포자기적인 행위는 바로 이 오래된 전문 음모론자, 조력자들(hommes de coups de main)이 주도했다. 이들은 처음으로 바리케이드를 쌓고 저항을 준비하라고 명령하고, 무기고 약탈, 무기와 탄약 탈취를 주도하며, 봉기 중에 대담무쌍한 기습을 감행해 종종 정부 측을 혼란에 빠뜨린 사람들이다. 한마디로 이들은 무장봉기의 장교들이다.

이들 모반자가 혁명적 프롤레타리아트를 조직하는 일만 하는 것이 아님 G283 은 분명하다. 이들의 임무는 혁명의 발전과정을 앞지르고, 이 과정을 인위적으로 위기로 몰아넣으면서 혁명의 조건들을 만들지 않은 채 즉흥적으로 혁명을 일으키는 것이다. 이들에게 혁명의 유일한 조건은 음모를 충분히 조직하는 것이다. 이들은 혁명의 연금술사로서 이전 연금술사들의 정신 착란적인 생각과 편협한 고정관념을 공유하고 있다. 이들은 혁명에서 기적을 일으킨다고 하는 ||40| 발명에 몰두한다. 즉 소이탄, 마법 효과가 있는 파괴 기계, 그들이 합리적 근거가 빈약할수록 더 기적적이고 더 놀랍게 일어난다는 폭동들. 이런 모조품의 발명에 몰두한 이들의 목적은 현존하는 정부를 전복하는 것일 뿐이다. 이들은 노동자들에게 계급 이익을 일깨우는 것을 가장 경멸한다. 따라서 연미복(habits noirs), 즉 운동의 한 축을 대변하는 다소 교양 있는 사람들에 대한 이들의 분노는 프롤레타리아트적이 아니라 천민적이다. 그러나 이들은 당의 공식적 대변자들인 그들에게서 결코 완전히 독립할 수 없다. 연미복이 때때로 이들에게 돈줄 노릇을 하기 때문이다. 어쩌 됐든 분명한 것은 이 모반자들이 자발적으로든 마지못해서든 혁명 세력의 발전을 따라야만 한다는 사실이다.

이 모반자들의 삶의 주된 특징은 경찰과 투쟁한다는 점이다. 모반자들과 경찰의 관계는 도둑과 매춘부의 관계와 매우 똑같다. 경찰은 음모를 묵인하는데, 이를 그저 필요악이라고만 보지 않는다. 경찰은 음모를 사회의 가장 폭력적인 혁명 분자들이 모이는 쉽게 감시할 수 있는 중심지로 묵인한다. 이 중심지는 프랑스에서는 경찰 자체와 마찬가지로 필요한 통치 수단이 된 폭동의 작업장이고, 궁극적으로는 경찰 자신의 정치적 끄나풀을 모집할 수 있는 장소이다. 가장 유능한 교활한 포획자들, 즉 비도크(프랑스의 범죄자이자 범죄학자. 프랑스 비밀경찰 창설에 기여했음—옮긴이)와 그 일당이 종종 다시 예전의 손버릇이 도지는 크고 작은 악당, 도둑, 사기꾼(Escroc)과 가짜 파산자 계급들에서 나온 것과 바로 똑같이, 하급 정치 경찰은 전문 모반자들로 조직된다. 음모론자들은 부단히 경찰과 접촉하고, 매 순간 경찰과 충돌한다. 음모론자들은 끄나풀이 자신들을 쫓는 것과 같이 끄나풀을 쫓는다. 스파이 활동이 이들의 주된 업무 중의 하나이다. 따라서 직업적인 음모론자가 빈곤, 감옥, 협박, 약속 등을 통해 쉽게 유급 경찰 스파이로 슬쩍 넘어가는 것이 종종 일어나는 것은 놀라운 일이 아니다. 그러므로 음‖41‖모 활동을 할 때 끝없는 의심 체계는 회원들을 완전히 맹목적으로 만들고, 최고의 회원을 끄나풀로, 진짜 끄나풀을 가장 신뢰할 만한 사람으로 드러낸다. 음모론자들이 모집한 이런 스파이들은 대개 경찰을 속일 수 있다는 훌륭한 신념으로 경찰과 관계를 맺는다는 점, 그들의 첫 번째 행보의 결과가 점점 더 그 효력을 다할 때까지는 이중 스파이 역할을 성공적으로 수행한다는 점, 그리고 경찰이 실제로 이들에게 속기도 한다는 점은 수긍이 가긴 한다. 어찌 됐든 이런 모반자가 경찰의 올가미에 걸릴지는 순전히 우연적 상황에 달려 있고, 배짱의 강약보다는 배짱의 유무에 달려 있다.

이것이 종종 셰뉘가 우리에게 매우 생생하게 보여준 모반자들의 모습이고, 셰뉘가 때로는 자발적으로, 때로는 마지못해 묘사한 모반자들의 특징이다. 어찌 됐든 그 자신이 들르세르의 경찰 및 마라스트의 경찰과 그렇게 명확하게 완전히 결탁하기까지는 직업 모반자의 가장 두드러진 인물이었다. —

파리 프롤레타리아트가 직접 세력을 이루어 전면에 나설 무렵에 주도적 영향력을 잃고 분산된 이 모반자들은 직접 무장봉기를 목표로 하지 않고 프롤레타리아트 조직화와 그 발전을 목표로 하는 프롤레타리아트 비밀 결사와 아슬아슬하게 경쟁하게 되었다. 1839년의 무장봉기는 이미 결정적으로 프롤레타리아트적 성격과 공산주의적 성격을 띠었다. 그러나 이 무장봉기 이후에 오래된 모반자들이 엄청나게 불평을 한 분열이 일어났다. 이 분열은 일부는 오래된 음모들 자체가, 일부는 선전을 일삼는 새로운 단체가 표명한 자신들의 계급적 이해를 이해하려고 하는 노동자의 욕구에서 비롯되었다. 1839년 직후에 카베가 강력하게 추진한 공산주의 선동과 공산주의 세력 내에서 제기된 쟁점은 모반자들이 감당하기에 역부족이었다. 셰뉘는 드 라 오드와 마찬가지로 2월 혁명 무렵에 공산주의자가 단연코 혁명적 프롤레타리아트의 가장 강력한 분파였다는 점을 인정한다.[55] 노동자에 대한 영향력과 연미복에 대한 균형을 잃지 않기 위해 모반자들은 이 운동을 따르고 사회주의적 이념 ‖42‖ 또는 공산주의적 이념을 받아들여야 했다. 《라 레포름》파에 반대하는 알베르로 대표되는 노동자 음모들에 대한 반대는 이미 2월 혁명 전에 생겼다. 이 반대는 2월 혁명 바로 직후에 임시정부에서 다시 나타난 것과 같은 것이었다. 그런데 우리는 알베르를 이 모반자들과 혼동하지는 않는다. 이 두 글에서 알 수 있는 것은 알베르는 개인적으로 자신의 꼭두각시에 대해 독립적인 위치를 유지할 줄 알았고, 모반을 생업으로 삼는 부류의 사람이 아니었다는 사실이다. ⟨G285⟩

1847년 폭탄 사건, 즉 경찰이 어느 때보다 더 많이 직접 개입한 사건이 마침내 매우 완고하고 자가당착적인 오래된 모반자들을 폭파했고[56] 지금까지의 그 모반자들의 조(組)들을 프롤레타리아트 운동에 직접 내던졌다. —

우리는 전문 모반자들, 이들 조(組) 중에서 가장 과격한 사람들, 프롤레타리아트 출신의 정치범(détenus politiques)이자 심지어는 대부분 오래된 모반자들을 2월 혁명 후에 경찰청사의 산악당에서 다시 볼 수 있다. 그러나 이 모반자들이 모든 결사의 핵심을 이루고 있다. 대개 경찰청장 및 경찰 간부들과 끈이 닿아 있는 이 모반자들이 무장하여 한번 결집하면 매우 광포한 무리가 되리라는 것은 분명하다. 국민의회의 산악당이 옛 산악당의 패러디였고 자신들의 무능함을 통해서 가장 극명하게 1793년 옛 혁명 전통이 오늘날더는 충분하지 않는다는 점을 증명한 것처럼, 경찰청사의 산악당, 즉 옛 과격 공화파의 모사품은 오늘날의 혁명에서 이런 부류의 프롤레타리아트로는 충분하지 않으며 프롤레타리아트 전체만이 이런 혁명을 수행할 수 있다는 점을 증명했다.

셰뉘는 경찰청사에 있는 존경할 만한 이 결사의 옛 공화파적인 처신을 매우 생생하게 묘사했다. 셰뉘 씨가 분명히 직접 출연했던 이 우스꽝스러운 장면은 간간이 죽기는 했지만, 모반을 꾀하는 난봉꾼의 성격을 매우 사실적으로 그려냈으며, 루이 필리프 말기 부르주아지의 방탕을 그려내는 데 없어서는 안 될, 심지어는 교훈적인 대응 장면이다.

|43| 경찰청사 안의 배치 이야기를 일례로 인용해보자.

"날이 새자, 나는 조장이 조원들을 차례대로 데리고 오는 것을 보았다. 그 런데 대부분이 비무장 상태였다. 나는 코시디에르에게 이 점을 알려주었 다. 그는 나더러 그들에게 무기를 마련해 주고, 경찰청사 안에 병영을 칠 만 한 적당한 곳을 찾으라고 말했다. 나는 즉시 이 명령을 수행했다. 내가 과거 에 그토록 부당한 대우를 받았던 도시 하사관 초소를 차지하라고 그들을 보 냈다. 잠시 후 그들이 뛰어 돌아오는 것을 보았다. 나는 어딜 가느냐고 물었 다. ― 초소는 한 줌의 도시 하사관들이 차지했고, 그들은 곤히 자고 있는데, 그들을 깨워 쫓아낼 무기를 찾으러 간다고 드베스가 내게 말했다. ― 그들 은 포탄 장전용 밀대, 샤벨 칼집, 이중으로 감은 혁대, 빗자루대 등 손에 잡히 는 대로 무장을 했다. 그다음에 잠자고 있는 자들의 오만함과 잔인함에 대해 대체로 모두 불평을 하던 나의 부하들이 팔을 치켜들고 그들을 기습했고, 이 들에게 30분 넘게 본때를 무섭게 보여주었다. 이들 중 몇몇은 오랫동안 앓 았다. 그들의 비명 소리에 나는 득달같이 달려가서 산악당들이 매우 현명하 게 꼭꼭 잠가놓은 문을 간신히 열었다. 도시 하사관들이 반라로 급히 안뜰로 달려나가는 꼴은 볼만했다. 그들은 한달음에 계단을 뛰어 내려갔는데, 뒤쫓 아 오는 적의 눈을 피해 숨을 경찰청사의 샛길을 모두 알고 있었기 때문이 었다. 우리 산악당은 그곳에 주둔하고 있는 자들이 정말이지 공손하게 교대 해준 장소의 주인이 되었고, 승리에 겨워 패배자들의 전리품으로 치장했다. 우리는 오랫동안 경찰청사의 안뜰에서 이리저리 바꿔가면서 칼을 옆에 차 보고, 외투를 어깨에 걸쳐보고, 예전에 그렇게 벌벌 떨었던 삼각 모자로 멋 을 내보았다." (83~85쪽.)[57]

우리는 산악당을 살펴보았고, 이제 그들의 우두머리, 즉 셰뉘가 쓴 서사시 의 주인공인 **코시디에르**를 살펴볼 것이다. 셰뉘는 원래 책 전체에서 그가 어 떤 사람인지를 보여주려고 그를 비난했던 것보다 더 자주 우리에게 그를 선 보였다.

|44| 코시디에르가 받은 비난은 주로 그의 도덕적 행실, 공수표 사용, 돈 을 조달하기 위한 그 밖의 소소한 시도, 즉 파리의 모든 향락적인 빚쟁이 세 일즈맨에게 일어날 수 있고 또 실제로 일어나는 일과 관련된 것이었다. 사 기, 잇속 챙기기, 부정행위, 상업 전체의 기초가 되는 주식 투기가 어느 정도 형법(Code pénal)에 저촉되는지는 오로지 금액에 달려 있다. 충격적인 주 식, 특히 프랑스 상업을 특징짓는 황당한 사기에 대해서는 예컨대 푸리에의

350

『네 가지 운동』,『거짓 산업』,『만국 통일에 대한 이론』과 그의 유고에 나타난 신랄한 묘사를 참조하라.[58] 셰뉘 씨는 코시디에르가 경찰청장 지위를 사적 목적으로 이용했음을 증명하려고 한 적이 한 번도 없다. 승리한 적이 그런 비열한 상도덕 폭로에만 그친다면 그 당은 정말로 운이 좋은 편이다. 코시디에르의 하찮은 세일즈맨 실험과 1847년의 그 거창한 부르주아지 스캔들은 얼마나 대조적인가! 공격 전체는 코시디에르가 공화주의적 미덕을 맹세하고 진지하면서 음울한 신념을 통해 자신들의 혁명에 대한 열기 및 이해 부족을 감추려고 한《라 레포름》세력에 속하는 한에서만 의미가 있을 따름이다.

2월 혁명 지도자 중에서 성격이 쾌활한 사람은 코시디에르뿐이다. 기질상 혁명의 어릿광대(loustic)인 그는 노회한 직업 모반자의 우두머리로 적격이었다. 그는 감성적이고 유머 감각이 있었으며 온갖 종류의 카페와 술집의 오래된 단골로 그 스스로 그렇게 살았고 그것을 즐겼다. 게다가 군인으로는 용 G287 감했으며, 어깨가 떡 벌어진 온화함과 거리낌 없는 행동 이면에는 엄청난 교활함, 약삭빠른 판단력, 예리한 관찰력이 감춰져 있었다. 그는 혁명적 재략과 열정을 분명히 가지고 있었다. 당시에 코시디에르는 전형적인 서민이었다. 본능적으로 부르주아지를 증오하고 서민적 열정에 넘쳐 있었다. 파리 경찰청장에 임명되자마자 그는 전임자의 주방과 지하실을 그대로 둔 채《르 나시오날》에 대한 음모를 꾸민다. 그는 곧바로 ||45| 무장 세력을 조직하고, 잡지 발행을 보장하고, 클럽을 유행시키고, 역할을 나누고, 처음에는 대체로 매우 능숙하게 행동한다. 경찰청사는 하루 사이에 요새로 바뀌고, 그는 여기서 적에 대항할 수 있다. 그러나 그의 계획은 죄다 그저 프로젝트에 지나지 않거나 사실상 아무런 결과가 없는 서민의 단순한 위안거리에 그치고 만다. 대립이 더 격화되자, 그는《르 나시오날》파 사람과 블랑키 같은 프롤레타리아트 혁명가 사이에서 어정쩡하게 중간에 있는 당의 운명과 함께한다. 그의 산악당도 분열된다. 늙은 난봉꾼들은 안하무인격이어서 더는 제어할 수 없고, 혁명파는 블랑키에게 넘어간다. 코시디에르 자신도 경찰청장과 대표자라는 공식 지위에 더는 안주하지 못한다. 5월 15일 그는 신중하게 뒤로 물러나 의회에서 무책임하게 변명한다. 6월 23일 그는 무장봉기를 그대로 방치한다. 물론 그 대가로 경찰청장직에서 해임되고 곧바로 추방된다.

우리는 코시디에르에 대한 셰뉘와 드 라 오드의 독특한 견해 몇 가지를 살펴보려고 한다.

코시디에르는 드 라 오드를 2월 24일 저녁에 경찰청사의 사무국장 (Generalsekretär)으로 임명하자마자 드 라 오드에게 이렇게 말한다.

"여기서 내가 필요한 건 건장한 사람들이다. 행정실은 항상 그럭저럭 굴러갈 것이다. 나는 임시로 옛 관리들을 그대로 쓰기로 했다. 이들이 애국자 그룹을 형성한다면, 우리는 이들을 **정리할** 것이다. 이것은 부차적인 문제다. 중요한 것은 경찰청사를 혁명의 보루로 만드는 것이다. 우리 사람들에게 이것을 가르칠 것이다. 모두 오라고 해라. 여기서 우리가 쓸 만한 동지 1천 명을 확보하면 우리가 승리할 것이다. 르드뤼-롤랭, 플로콩, 알베르와 나는 서로 잘 알고 있다. 그리고 이 일이 잘됐으면 좋겠다.《르 나시오날》은 나가떨어져야 한다. 그렇게 되면 우리는 좋든 싫든 이 나라를 공화국으로 만들 것이다."[59]

바로 그 직후에《르 나시오날》의 명령으로 경찰청장이 된 파리 시장 가르니에-파제스가 내방했다. 그는 껄끄러운 경찰청장직을 그만두고 콩피에뉴 성의 사[46]령부를 맡아달라고 코시디에르에게 제안했다. 코시디에르는 작고 가느다란 목소리로 대답했다. 고분고분 대답하는 것이 떡 벌어진 어깨와 무척 대조를 이루었다. "'콩피에뉴로 가라고? 말도 안 돼. 난 여기 있어야 해. 여긴 야무지게 일하는 인정 많은 부하들이 수백 명 있어. 난 이들에게 두 배나 기대하고 있어. 파리 시청에 있는 사람들이 선의나 용기를 잃게 되면 내가 도와줄 수 있어. 하하, 혁명이 스스로 자신의 길을 개척해 갈 것이고, 또 그렇게 되어야만 해!(la révolution fera son petit bonhomme de chemin, il le faudra bien!)' — '혁명이라고? 그건 끝났어!' — '쳇, 아직 시작도 안 됐어!' — 불쌍한 시장은 멍하니 서 있었다." — (드 라 오드, 72쪽.)[60]

이렇게 통보할 때 바로 책상 옆에 있던 새로운 경찰청장이 경감과 경관을 시켜 평화롭게(de paix) 인수하도록 한 장면은 셰뉘가 묘사한 것 중에서 가장 유쾌한 장면이다. "코시디에르는 현 경찰청장이 **일하고** 있으니 기다리라고 했다. 그는 족히 30분은 더 일했다. 그다음에 그는 경감들의 수령증을 받을 자리를 정리했다. 그러는 동안 경감들은 웅장한 계단을 따라서 서 있었다. 코시디에르는 옆구리에 긴 칼을 찬 채 안락의자에 근엄하게 앉아 있었다. 험상궂은 표정을 한 우락부락한 산악당원 두 명이 발등 위에 장총을 세우고 입에는 파이프를 물고 문을 지켰다. 중위 두 명이 코시디에르의 책상 양 끝에 칼을 뽑은 채 서 있었다. 그뿐 아니라 커다란 홀에는 조장과 공화주의자들이 모여 참모 본부를 이루고 있었다. 다들 커다란 군도, 기병용 권총,

소총, 엽총으로 무장하고 담배를 피우고 있었다. 홀에 가득 찬 담배 연기 때문에 사람들이 흐릿하게 보였다. 이 모습은 정말 끔찍한 인상을 주었다. 가운데 자리는 경감용으로 비어 있었다. 엄호를 받은 채 코시디에르는 경감들을 안내하라고 명령했다. 이 불쌍한 경감들은 더 나은 대접을 요구하지 않았다. 온갖 소스로 이들을 담가버리려고 한 산악당의 욕지거리와 협박을 받았기 때문이었다. 이 악당 무리들아, 네놈들은 이제 우리 손아귀에 있어! 네놈들은 여길 빠져나가지 못해, 네놈들 살갗을 내놔야 할 거야! 이들은 이렇게 포효했다. 그들은 청장실에 들어갈 때 스킬라한테 붙들려 카리브디스 앞에 끌려가는 꼴이라고 생각했다(스킬라와 카리브디스는 그리스 신화에 나오는 바다의 괴물 ― 옮긴이). ||47| 첫째로 문지방에 발을 들여놓은 사람은 잠시 망설이는 것 같았다. 그는 앞으로 나아가야 할지, 뒤로 물러서야 할지 갈피를 잡지 못했다. 그를 향한 모든 시선이 음산했기에. 마침내 그가 앞으로 나아갔다. 한 걸음 나아가 허리 굽혀 절하고 또 한 걸음 나아가 허리를 더 굽혀 절하고 또 한 걸음 나아가 허리를 더욱더 숙여 절했다. 다들 들어가면서 무서운 경찰청장에게 허리를 숙여 절했다. 경찰청장은 칼 손잡이를 쥔 채 말없이, 차갑게 모든 경의의 표식을 받았다. 경감들은 휘둥그런 눈으로 이 이상한 모습을 지켜보았다. 무서워서 안절부절못하던 몇몇 경감이나 의심할 바 없이 우리의 환심을 사려던 몇몇 경감은 이 극적인 장면이 장엄하고 위엄 있다고 생각했다. 조용히 해! 산악당 한 명이 음산한 소리로 명령했다. 다들 G289 들어오자 그때까지 말없이 미동도 않던 코시디에르가 침묵을 깨고 무시무시한 목소리로 말했다.

'여드레 전에 네놈들은 이곳에서 진정한 친구들에 둘러싸인 나를 보게 될 줄은 생각도 못 했을 것이다. 이들이 오늘 명령을 내리는 자이고, 네놈들이 예전에 거죽뿐인 공화주의자라고 불렀던 자들이다. 네놈들은 비열하기 짝이 없게 다루던 바로 그자들 앞에서 떨고 있다. 바살 당신은 전복된 정부의 수치스럽기 짝이 없는 광신자(Saïde)였고, 가장 격렬한 공화주의자 박해자였다. 그런데 이제 무자비하기 이를 데 없는 적의 수중에 떨어졌다. 이 자리의 누구도 네놈들의 박해를 피한 사람이 없었기 때문이다. 나를 향한 정당한 불평을 듣고자 하면 보복이라도 해야 할 판이다. 차라리 잊는 게 더 낫겠다. 다들 임무에 복귀하라. 그러나 어느 반동 사기꾼에게 손을 내밀었다는 말이 내 귀에 들리면 독충 밟듯이 짓밟을 것이다. 가거라!'

경감들은 이 공포의 사다리를 모두 겪었고 경찰청장의 훈계로 끝난 것에

만족했다. 그들은 기분 좋게 나갔다. 계단 밑에서 이들을 기다리던 산악당원들은 야단법석을 떨며 예루살렘 가(街)까지 그들을 데려다주었다. 마지막 놈이 사라지자마자 우리는 폭소를 터뜨렸다. 코시디에르는 ||48| 경감들 앞에서 보여준 그 통쾌한 일격에 누구보다도 크게 웃음을 터뜨렸다." ― (셰뉘, 87~90쪽.)[61]

자신이 크게 한몫한 3월 17일 이후에 코시디에르는 셰뉘에게 말했다. "나는 마음만 먹으면 대중을 봉기시켜 부르주아지를 공격하게 만들 수 있네."(셰뉘, 140쪽.)[62] 코시디에르는 유언비어를 퍼뜨리는 적들을 더는 상대하지 않아도 되었다.

마침내 셰뉘는 코시디에르와 산악당의 관계에 대해 말한다. "부하들의 방약무인함에 대해 말을 꺼내면 코시디에르는 한숨을 쉬지만 손은 그들과 결탁되어 있었습니다. 코시디에르는 그들 대부분과 동고동락했습니다. 몇 명은 그에게 헌신했습니다. 그가 그들을 억누르지 못한다면 그것은 자신의 과거 때문입니다." (97쪽.)[63]

우리는 이 두 책이 3월 10일 선거[64]를 위한 선동 기간 중에 쓰였다는 것을 독자들에게 상기시키고자 한다. 이 책들이 어떤 영향을 미쳤는지는 선거 결과를 보면 알 수 있다. 그 결과는 좌파의 빛나는 승리였다.

G290

III.

『사회주의와 조세』, 에밀 드 지라르댕, 파리, 1850년.[65]

사회주의에는 "좋은" 사회주의와 "나쁜" 사회주의 두 가지가 있다.

나쁜 사회주의, 그것은 **"노동 대 자본의 전쟁"**이다. 토지의 균등 분배, 가족의 유대 폐지, 조직적 약탈 등 끔찍한 모습들이 다 나쁜 사회주의에 포함된다. ||49| **좋은** 사회주의, 그것은 **"노동과 자본의 화합"**이다. 좋은 사회주의에는 무지 추방, 사회적 빈곤 원인 제거, 신용 확립, 재산 증식, 조세 개혁 등이 포함된다. 요컨대 좋은 사회주의는 "이 땅에 하느님 나라를 만든다는 인간의 생각에 가장 가까운 체제"이다.[66]

우리는 나쁜 사회주의를 억누르기 위해 좋은 사회주의를 이용해야

한다.[67]

"사회주의에는 지렛대가 하나 있다. 다름 아닌 **예산**이다. 그러나 이 지렛대에는 세상을 근본적으로 바꿀 받침대가 없다. 2월 24일의 혁명은 **보통선거권**이라는 받침대를 마련해주었다."[68]

예산의 원천은 **세금**이다. 따라서 보통선거권이 예산에 미치는 작용은 보통선거권이 세금에 미치는 작용이기도 하다. "좋은" 사회주의는 바로 이 세금에 미치는 작용을 통해 실현된다.

"프랑스는 매년 12억 프랑 이상을 세금으로 징수할 수 없다. 이 액수를 줄이기 위해 여러분은 무엇을 어떻게 시작하려고 하는가?"

"35년 전부터 여러분은 세 번 시도했다. 두 번은 헌장에 한 번은 헌법에 모든 프랑스인은 재산에 비례하여 조세를 부담해야 한다고 명시되었다. 35년 전부터 조세 균등은 거짓말이었다. … 프랑스의 조세 제도를 살펴보기로 하자."[69]

I. 토지세. 토지세는 토지 소유자에게 **균등하게** 부과되지 **않는다.** "두 인근 토지의 과세 평가액이 같으면 두 토지 소유자는, 명목 소유자든 실제 소유자든", 다시 말해서 담보가 설정된 소유자든 설정되지 않은 소유자든 간에, "같은 액수의 세금을 내야 한다".[70]

게다가 토지세는 다른 재산에 부과되는 세금과 **비례하지 않는다.** 1790년에 토지세를 도입했을 때 국민의회는 토지를 순소득의 유일한 원천으로 간주하고 이에 따라 토지 소유자에게 모든 조세 부담을 지우는 중농학파의 영향 아래 있었다. 토지세는 경제학적 오류에 근거를 둔다. 조세를 균등히 분담하면 토지 소유자는 소득의 20퍼센트를 부담하겠지만 현재 토지 소유자는 53퍼센트를 부담하고 있다.[71]

결국 토지세는 원래 규정대로 소유자에게만 부과되어야 하고, 임차인이나 차지인에게 부과되어서는 안 된다. 그럼에도 토지세는, 지라르댕 씨의 주장에 따르면, 항상 임차인과 차지인에게 부과된다.

여기서 지라르댕 씨는 경제학적 오류를 범한다. 임차인이 사실상의 임차인이면 토지세는 소유자나 소비자에게 부과되어야 하지만 실제로는 결코 그렇게 부과되지 않는다. 아일랜드나 프랑스에서처럼 임차인이 명목상의 임차인에 지나지 않고 사실상 소유자의 고용인인데도 소유자에게 부과되어야 할 세금(무슨 세금이라고 부르든지 간에)이 항상 임차인에게 부과된다.

II. 인두세와 동산세. 1790년에 국민의회가 포고한 이 세금의 목적은 동산

G291

||50|

에 직접 부과하는 것이었다. 자산의 척도는 주택 임대료였다. 실제로 이 세금은 토지 소유자, 농민, 산업가에게 부과되었고, 연금생활자에게는 아주 적거나 전혀 부과되지 않았다. 이 세금은 법안 발의자의 의도를 완전히 뒤집는다. 게다가 백만장자도 삐걱거리는 의자 두 개가 있는 다락방에서 살 수 있다. 이것은 불공정하다.

III. 문세 및 창문세. 국민 건강을 죽이는 것.[72] 깨끗한 공기와 햇빛에 세금을 매기려는 조처. "프랑스 주택의 거의 절반은 창문이 없고 문만 달랑 하나 있거나 기껏 문 하나에 창문 하나뿐이다."[73] 이 세금은 돈이 절실히 필요해서 공화력 7년 포도월 24일(1799년 10월 14일)에 특별 임시 조처로 채택되었으나 원칙적으로 나쁜 것이었다.

IV. 특허세(영업세). 이윤에 대한 세금이 아니라 영업 활동에 대한 세금이다. 노동에 대한 벌금인 셈이다. 산업가에게 부과해야 할 이 세금은 대부분 소비자에게 부과되었다. ‖51‖ 1791년에 이 세금을 부과한 이유는 주로 당장 필요한 돈을 충당하려는 것이었다.

V. 등록세 및 인지세. 등기세법[74]은 프란츠 1세에게서 유래한다. 처음에는 재정적 목적이 없었다(?). 1790년에 소유권과 관련된 계약에는 등기 의무가 확대되었고, 이에 따라 수수료 수입이 증가했다. 이 세금은 매매에 따른 세금이 증여세나 상속세보다 많아지도록 하려는 것이었다. 인지세는 순전히 국고를 충당하려는 목적에서 나온 것인데 한결같이 부당하게 국고에 이익을 가져다주었다.

G292   **VI. 주류세.** 불공평의 총체. 생산 억제. 징수 비용이 가장 큰 세금. ("제3호, 1848년에서 49년까지, 6월 13일의 결과"를 보라.)[75]

VII. 관세. 막연하게 관습에 따라 축적한 쓸데없는 것. 서로 모순되고 목적이 없으며 산업에 해로운 관세 부과. 예를 들면 프랑스는 원면(原綿) 100킬로그램에 세금 22프랑 50상팀을 부과했다. 이것은 지나친 조처(Passons outre)였다.

VIII. 입시세.[76] 국가의 업종 보호라는 구실을 한 번도 내세운 적이 없다. 국내 관세인 셈이다. 원래는 빈민 구제용 지방세였으나 지금은 주로 가난한 계급을 짓누르고 이들의 식량 사정을 더 어렵게 만들고 있다. 국가 산업이나 도시에 방해물이 된다.

지금까지 몇 가지 세금에 대한 지라르댕의 견해를 살펴보았다. 독자들은 그의 비판이 옳은 만큼이나 깊이가 없다는 점을 깨달았을 것이다. 그의 비판

356

은 세 가지 주장으로 요약된다.

1) 모든 세금은 부과자가 의도한 계급에 부과되지 않고 다른 계급에 전가된다.

2) 모든 일시적 세금은 굳어져서 계속 부과된다.

3) 어떤 세금도 재산에 비례하지 않아 정당하지도 않고 균등하지도 않고 싸지도 않다.

기존 세금에 대한 이런 전반적인 경제적 반론은 모든 나라에서 반복된다. 그러나 프랑스 조세제도에는 특이한 점이 있다. 영국인이 본래 공법(公法)과 사법(私法)의 역사적 민족인 것처럼, 언제나 보편적 관점에서 성문화하고 단순화하며 ||52| 전통과 결별해온 프랑스인은 본래 조세제도의 역사적인 민족이다. 지라르댕은 이 점에 대해 다음과 같이 말한다.

"프랑스에서 우리는 거의 모두 구체제의 국고를 관리하는 방식에 지배받으며 살고 있다. 영주에게 내는 세금,[77] 인두세, 상납금,[78] 관세, 소금세, 검사비와 등기 및 등록비,[79] 담배 전매에 대한 세금, 또한 우편과 화약 판매에 대한 지나친 이윤, 복권, 지자체 및 국가의 부역 숙박세, 식료품세, 강 및 도로 통행세, 특별 부과금. 이런 것들은 명칭을 바꿀 수 있지만 본질은 존속하고, 인민을 덜 억누르는 것도 아니고 국고에 더 도움이 되는 것도 아니다. 우리의 재정 체계는 결코 과학을 토대로 하지 않는다. 우리의 재정 체계는 심지어 무지하고 약탈을 좋아하는 로마 재정제도의 유산인 중세의 전통을 거듭 반영할 뿐이다."[80]

그럼에도 우리 조상들은 첫 번째 혁명의 국민의회에서 "세금을 우리 스스로 결정하기 위해 혁명을 일으켰다"[81]고 외쳤다.

그러나 이런 상태가 제국하에, 복고왕정하에, 6월 왕정하에 지속된다면 지금이야말로 바로 그때이다. G293

"선거 특권 폐지는 반드시 모든 조세 불평등 폐지로 귀결된다. 권력이 과학을 대신할 수 없다면 재정 개혁을 미룰 시간이 없다. ⋯ **세금**은 **우리 사회의 기초를 이루는** 거의 **유일한 토대**이다. ⋯ 우리는 매우 광범위하게 사회, 정치 개혁을 추구한다. 가장 중요한 것은 세금 안에 포함되어 있다. 찾으라, 그리하면 찾을 것이다."[82]

지금 우리는 무엇을 찾고 있는가?

"우리가 이해하는 바로는 세금은 **재산과 쾌락을 해칠 수 있는 모든 위험에 대비하기 위해** 지불하는 **보험료**여야 한다. ⋯ 이 보험료는 재산에 비례하여

매우 정밀하게 산정되어야 한다. ||53| 위험에 대비한 보장이 되지 않는 모든 세금, 한 상품에 대한 수수료 혹은 어떤 서비스의 등가물은 폐지되어야만 한다. 예외는 두 개, 즉 외국에 대한 세금(관세)과 사망에 대한 세금(등록)뿐이다.[83] … 이렇게 납세 의무자 자리를 보험 가입자가 대신한다. … 보험료를 내려고 하는 각자는 자기가 원하는 만큼만 낼 뿐이다.[84] … 더 나아가 우리는 모든 세금은 세금, 부과금이라는 이름을 갖는다는 점에서 이미 저주받은 것이라고 주장한다. **모든 세금은 폐지되어야 한다.**[85] 세금의 특징은 강제에 있고 보험의 특징은 자유의사에 있기 때문이다."[86]

보험료를 소득세와 혼동해서는 안 된다. 보험료는 자산에 대한 세금이라 할 수 있다. 소득을 보증하는 것이 아니라 전 재산을 보증하는 것이 보험료이기 때문이다. 국가는 바로 보증된 물건이 무엇을 보상하는지가 아니라 어떤 가치가 있는지를 알고자 하는 보험회사처럼 재산을 보증할 것이다.

"프랑스의 국가 자산은 현재 자산 가치(Aktivum)로 1340억으로 평가되며, 그중에서 부채 280억을 공제해야 한다. 총 지출 예산에서 12억을 줄이면 자본 1퍼센트가 증가하여 국가를 거대 보험회사로 만들 수 있을 것이다."

이 순간부터 — "더 이상 혁명은 없다!"[87]

"**권위**라는 말 대신에 **연대**라는 말이 들어선다. **공동체의 이익**이 사회 구성원의 연결 고리가 된다."[88]

G294 　지라르댕 씨는 이 일반적 제안에 만족하지 않고, 국가가 모든 시민에게 교부하는 보험증 안(案) 혹은 등록증을 제시한다.

해마다 전년도 징세관이 보험 가입자에게 "신분증명서 크기의 네 쪽짜리" 보험증을 준다. 1쪽에는 보험 가입자의 이름, 가입자의 등록 번호, 보험료 분할 납부금 영수란이 있다. 2쪽에는 보험 가입자와 가족의 인적 ||54| 사항란과 가입자 총 재산에 대한 공증된 상세 자기 평가란이 있다. 3쪽에는 프랑스의 국가 예산과 일반 결산[89]이 기재되어 있다. 4쪽에는 온갖 유용한 통계 정보가 기재되어 있다.[90] 이 보험증은 신분증명서, 선거인 명부, 노동자의 작업 이력 명부 등으로 이용된다. 국가 입장에서 보면 보험증 등록은 큰 장부 네 개, 즉 위에서 말한 신분증명서 외에 인구 장부, 공적 채무 장부, 저당 채무 장부를 작성하는 것과 같다. 이 네 장부는 프랑스의 모든 인적 자원에 대한 완벽한 통계를 담고 있다.

세금은 보험 가입자가 다음과 같은 장점을 인정하고 내는 보험료 이상의 것이다. 1) 공적 보호, 무료 재판, 무료 신앙 수련, 무료 교육, 담보 대출, 저축은행 연금에 대한 권리, 2) 평시의 군 복무 의무 면제, 3) 빈곤으로부터의 보호, 4) 화재, 홍수, 우박, 가축 전염병, 파선에 따른 손해 배상.

우리가 주목할 점은 지라르댕 씨가 여러 가지 과태료, 국유지, 변함없는 등록 수수료, 관세 수수료의 수익을 통해서, 즉 국가 독점의 수익을 통해서 국가가 보험 가입자의 손해를 배상할 돈을 충당하려고 한다는 점이다. ──

모든 부르주아적-경제적 개혁의 특수 요소인 조세 개혁은 과격한 모든 부르주아지의 레퍼토리다. 옛날 중세의 고루한 속물에서부터 근대 영국의 자유무역론자에 이르기까지 주요 투쟁은 세금을 둘러싸고 벌어졌다.

조세 개혁의 목적은 산업 발전에 방해가 되는 전통적으로 물려받은 세금의 폐지, 돈이 적게 드는 국가 재정, 또는 균등 분배이다. 부르주아지는 균등한 조세 부담이라는 헛된 이상이 사실상 손아귀에서 빠져나갈수록 더욱더 열렬히 이 이상을 추구한다.

부르주아적 생산에 직접 기초한 분배 관계, ||55| 임금과 이윤, 이윤과 이자, 지대와 이윤 간의 관계는 세금을 통해 기껏 부차적 문제만 조정될 수 있을 뿐이고, 결코 근본적으로 위협을 받을 수는 없다. 세금에 대한 모든 연구와 논쟁이 이 부르주아적 관계의 영원한 존속을 전제로 한다. 세금 폐지마저도 부르주아적 소유와 그 소유의 모순들의 발전을 가속화할 따름이다. G295

세금은 한 계급을 우대할 수 있고 다른 계급을 유달리 억누를 수 있다. 우리는 이것을 예를 들면 금융귀족의 지배 아래에서 볼 수 있다. 세금은 조세 부담을 다른 계급에 전가하지 못하는 사회의 중간층, 즉 부르주아지와 프롤레타리아트의 중간층만을 파멸시킨다.

새로운 세금은 모두 프롤레타리아트를 한 단계 더 떨어뜨린다. 낡은 세금을 폐지해도 임금은 상승하지 않고 이윤이 증가한다. 혁명 중에 엄청난 비율로 오른 세금은 사적 소유에 대한 일종의 공격 형태로 작용할 수도 있다. 그러나 그럴 경우조차도 그렇게 오른 세금은 더 혁명적인 새로운 조치로 몰아붙여야지, 그러지 않으면 도리어 과거의 부르주아적 관계로 돌아가게 된다.

세금 경감, 세금의 정당한 분배 등, 이것이 **부르주아 개혁**이다. 세금 **폐지**, 이것이 **부르주아 사회주의**다. 부르주아 사회주의는 특히 산업 중간신분 및 상업 중간신분과 농민에게 기댄다. 이미 현재 최상의 세계에서 살고 있는 대부르주아지는 당연히 최상의 세계라는 유토피아를 거부한다.

지라르댕 씨는 세금을 일종의 보험료로 바꿈으로써 세금을 폐지한다. 사회 구성원은 그 재산의 일정한 비율을 지불하여 화재, 수재, 우박, 파산 등 현

재의 부르주아적 향유의 평온함을 방해하는 가능한 모든 위험에 대비하여 서로 보험에 가입한다. 연간 보험료는 가입자 총수에 따라 정해지지 않고 개인별로 정해진다. 개인 스스로 자기 재산을 평가한다. 근대 산업의 도입 이래 만성적으로 나타나는 상업 위기, 농업 위기, 대량 피해, 파산 등 ||56| 부르주아지의 생존을 뒤흔드는 온갖 인생의 부침, 즉 부르주아 사회의 극적인 면이 모두 사라진다. 보편적 안전과 보험이 실현된다. 부르주아지는 어떤 경우에도 파멸할 수 없다는 것을 국가가 문서로 보증한다. 기존 세계의 모든 어두운 면은 사라지고, 모든 밝은 면은 더욱 밝게 지속된다. 요컨대 "부르주아지가 이 땅에 하느님 나라를 만든다는 생각에 가장 근접한"[91] 체제가 실현된다. 권위 대신에 연대가, 강제 대신에 자유가, 국가 대신에 관리위원회가 실현된다. 콜럼버스의 달걀이 발견된다. 모든 "보험 가입자"의 보험료는 각자의 재산에 따라 수학적으로 정확히 산정된다. 모든 "보험 가입자"는 완벽한 입헌 국가와 완성된 양원제 의회를 마음에 품는다. 국가에 너무 많이 갖다 바친다는 걱정, 하원에 대한 부르주아지의 반발은 보험 가입자가 자기 재산을 매우 적게 신고하도록 한다. 재산 보존에 대한 관심, 상원의 보수적 요소는 보험 가입자가 자기 재산을 과대평가하게 만들곤 한다. 이런 상반된 경향들의 입헌 게임에서 권력의 진정한 균형, 재산의 정확하고 올바른 신고, 보험료에 대한 엄밀한 비례의 원칙이 생겨난다.

G296

로마인은 자기 행동을 다른 사람들이 다 볼 수 있게끔 집을 유리로 짓고 싶어 했다. 부르주아지는 자기 집이 아닌 다른 사람 집이 유리로 지어지기를 원한다. 이 소원도 이루어질 것이다. 예를 들어보자. 어떤 부르주아지는 나한테서 돈을 빌리고 싶어 하거나 나와 제휴하고 싶어 한다. 그러면 나는 그의 보험증을 요구한다. 나는 보험증에서 자기가 충분히 이해하고 있는 이익을 통해 보증하고 보험 관리위원회가 연서한 그의 모든 부르주아적 관계에 대한 완벽하고 자세한 고해를 들을 수 있다. 어떤 거지가 우리 집 문을 두드리며 한 푼 보태달라고 한다. 보험증 보여줘! 부르주아지는 자신이 적격자에게 적선을 베풀어야 한다고 생각할 것이 틀림없다. 만약 우리가 하인이 필요해 자기 집에 두려고 하면, 우리는 우연에 맡길 수밖에 없을 것이다. 보험증 보여줘![92] — "지참금의 현실 혹은 상대방에게 건 지나친 기대에 대해 잘 알지 못하면서 ||57| 맺어지는 결혼이 얼마나 많은가."[93] 보험증 보여줘! 앞으로 아름다운 영혼의 교환은 양측의 보험증 교환으로 제한될 것이다. 이렇게 오늘날 삶의 고락을 이루는 기만은 사라지고, 진리의 왕국이 글자 그대로

의 의미에서 실현된다. 그뿐 아니라 "현행 제도하에서 소송 비용은 750만에 달한다. 우리 제도하에서 불법 행위는 국가에 부담을 지우는 것이 아니라 국가에 이익을 가져다준다. 불법 행위는 죄다 벌금과 손해 배상금으로 바뀌기 때문이다. 얼마나 근사한 아이디어인가!"[94] — 이런 최상의 세계에서 모든 것은 영리적이다. 범죄는 저질러지고, 경범죄는 돈을 가지고 온다. 결국 이런 제도에서는 재산이 모든 위험에서 보호되고, 국가는 이익을 독차지하는 종합 보험회사일 뿐이기에 노동자는 항상 고용 상태이다. "더 이상 혁명은 없다!"

> 이것이 부르주아지에게 좋지 않은 것이라면,
> 더 좋은 것이 무엇인지 나는 알지 못한다! ── [95]

부르주아 국가는 부르주아 계급의 상호 보험회사에 지나지 않는다. 몇몇 G297
구성원과 착취당하는 계급에게는 불리하고 부르주아 사회보다 비용이 더 많이 들고 겉으로 보기에는 더 독립적인 보험회사일 뿐이다. 착취당하는 계급을 억누르기가 점점 어려워지기 때문이다. 명칭 변경은 이 보험회사의 최소 조건도 바꾸지 못한다. 지라르댕 씨가 잠시 보험회사에 반대해 개별자에게 명의를 이전했던 겉으로 보이는 자립심은 그 자신이 곧바로 포기해야 했다. 자기 재산을 너무 적게 평가한 사람은 처벌을 받는다. 보험회사는 고시된 가격으로 그의 재산을 매입하고, 보상금을 주어가면서 밀고를 부추긴다. 그뿐 아니라 재산을 조금도 보험에 들지 않은 사람은 사회 밖으로 추방되어 법률의 보호를 못 받는다. 당연히 사회는 자기의 생존 조건을 거역하는 한 계급이 자기 안에서 형성되는 것을 허용할 수 없다. 지라르댕이 곧바로 없애려고 한 바로 그 강제, 권위, 관료주의적 간섭이 사회에 다시 나타난다. ||58| 그가 잠시 부르주아 사회의 조건들을 도외시해서 그랬다고 할지라도, 이것은 그것들로 되돌아가는 우회로에 지나지 않을 것이다.

세금 폐지 뒤에는 국가 폐지가 숨어 있다. 공산주의자에게 국가 폐지는 계급 폐지의 필연적 결과일 따름이다. 이로써 다른 계급을 억압하려는 한 계급의 조직적 힘의 욕구 자체가 필요 없어진다. 부르주아 국가에서 국가 폐지는 국가 권력이 북아메리카 기준으로 돌아간다는 것을 의미한다. 북아메리카는 계급 대립이 불완전하게 발전했다. 계급 충돌은 남아도는 프롤레타리아트가 서부로 이주하는 바람에 번번이 흐지부지되었다. 동부는 국가 개입이 최소한으로 줄어들고, 서부는 아예 없었다. 봉건 국가에서 국가 폐지는 봉건제 폐지와 통상적인 의미의 부르주아 국가 수립을 의미한다. 독일에서 국가 폐지 뒤에는 눈앞에 놓인 투쟁에서 비겁하게 달아나는 것, **부르주아적** 자유를 **개인의** 절대적 독립과 자립으로 극단적으로 감추는 것 아니면 부르주아적 이익의 발전을 방해하지 않는다는 것을 전제로 어떤 국가 형태에도 아무런 관심이 없는 부르주아지의 태도가 숨어 있다. 물론 베를린의 슈티르너와 파우허는 "더 고차원적인 의미에서" 고지식하게 국가 폐지를 설교하는 것에 찬성하지 않는다. 프랑스에서 가장 아름다운 여자는 자기가 가진 것만 줄 수 있다(La plus belle fille de la France ne peut donner que ce qu'elle a).

G298 지라르댕 씨의 보험회사에서 남은 것은 소득세 및 그 밖의 모든 세금과 구별되는 **자본세**(*Steuer auf das Kapital*)이다. 지라르댕 씨가 말한 자본은 생산에 관여한 자본에만 국한되지 않고, 동산과 부동산을 전부 포함한다. 이 자본세에 대해 지라르댕은 이렇게 자랑한다. "자본세는 콜럼버스의 달걀이다. 꼭대기에 세운 피라미드가 아니라 바닥에 세운 피라미드이다. 자신의 갈 길을 파는 강이다. 그것은 혁명가 없는 혁명이요, 후퇴 없는 전진이며, 충돌 없는 운동이다. 요컨대 단순한 이념이자 참된 법률이다."[96]|

|59| 어쨌든 지라르댕 씨가 여태껏 시장에서 외친 선전 ── 여러 번 한 것으로 알려져 있다 ── 중에서 자본세 요강은 걸작이다.

그런데 단일세인 자본세는 나름대로 장점이 있다. 경제학자들, 특히 리카도는 단일세의 장점을 입증한 바 있다. 단일세인 자본세는 돈만 많이 잡아먹는 기존의 수많은 세무 직원을 한 방에 없애버리고 생산, 유통, 소비의 규칙적인 과정에 최소한의 영향을 끼쳤다. 자본세는 모든 세금 중에서 유일하게 사치 자본을 노린 세금이다.

지라르댕 씨에게 자본세는 그것에만 국한되지 않는다. 자본세는 아주 특별한 은총 효과도 있다.

같은 액수의 자본으로 수입을 6퍼센트 만들든지, 3퍼센트 만들든지, 전혀 만들지 못하든지 간에 자본이 같으면 국가에 내는 세금도 같아야 한다. 그렇게 해야 놀리는 자본이 활용되어 생산에 투입되는 자본이 늘어날 것이고, 이미 활용 중인 자본은 곧바로 더 많이 생산할 것이다. 그 결과로 이윤과 이율이 떨어진다. 지라르댕 씨는 이윤과 이자가 **상승할** 것이라는 말에는 동의하지 않는다. 이것은 진짜 경제적 기적이다. 비생산 자본의 생산 자본으로의 변화와 자본의 생산성 증가는 일반적으로 산업 위기를 증가시키고, 이윤과 이율을 떨어뜨렸다. 자본세는 이 과정을 가속화하고 위기를 심화할 뿐이다. 그 결과로 혁명 요인이 축적된다. "더 이상 혁명은 없다!"

지라르댕 씨에 따르면 자본세는 벌이가 신통찮은 토지에서 벌이가 쏠쏠한 산업으로 자본을 옮아가게 하고 땅값을 떨어뜨려 토지 소유의 집중과 영국의 위대한 문화 및 영국의 선진 산업이 프랑스에 이식되리라는 것이 자본세의 기적 같은 둘째 효과이다.[97] 영국 산업의 기타 조건들도 프랑스에 들어올 것이 틀림없다는 점을 제외하면 여기서 지라르댕 씨는 매우 특이한 오류를 범한다. 프랑스의 문제는 농업 ‖60‖ 과잉이 아니라 자본 부족이다. 자본을 농업에서 뺀 것이 아니라, 정반대로 산업 자본을 토지에 투자함으로써 영국식 집중과 영국식 농업이 이루어졌다. 영국은 땅값이 프랑스보다 훨씬 비싸다. 지라르댕의 평가에 따르면 영국의 땅값 총액은 프랑스의 국부 전체와 맞먹는다. 집중화를 하면 프랑스의 땅값이 떨어지기는커녕 오히려 오를 것이 틀림없다. 더 나아가 영국에서 토지 소유의 집중화는 인구의 전 세대를 완전히 휩쓸어버렸다. 농민이 더 빠르게 몰락함으로써 자본세도 물론 기여했음이 틀림없는 이와 같은 집중화는 프랑스에서 농민 대다수를 도시로 몰아내어 혁명을 불가피하게 만들 것이다. 끝으로 프랑스에서 분할지로의 집중이 이미 전환되기 시작했을 때, 영국에서 대토지 소유는 다시 엄청나게 분쇄되는 방향으로 나아갔다. 그리고 대토지 소유는 부르주아적 관계가 전반적으로 존속하는 동안 농업이 토지 집중과 분산의 순환에서 어떻게 계속 변하는지를 반박의 여지 없이 증명한다.

이 기적은 그만 보고, 이제 담보 대출을 살펴보기로 하자.

담보 대출은 처음에는 토지만을 대상으로 했다. 국가는 현금 혹은 귀금속이 아닌 토지로 그 가치를 보증하며 은행권과 완전히 일치하는 저당증서를 발행한다. 국가는 부채가 있는 농민에게 이 저당증서를 바탕으로 4퍼센트 이자로 돈을 빌려주어 농민이 저당권자의 부채를 갚게 한다. 개인 채권자 대신 국가가 토지를 담보로 하여 채무를 정리한다. 따라서 국가는 채무를 반환하라고 청구할 수 없다. 프랑스의 저당권자 총 부채는 140억에 달한다. 지라르댕은 50억 저당증서 발행만을 고려하기는 했다. 그러나 자본의 가치를 더 저렴하게 만드는 것이 아니라, 지폐의 가치를 완전히 평가 절하하기 위해서는 이만한 액수의 지폐를 늘리는 것으로 충분했을 것이다. 게다가 지라르댕은 ‖61‖ 이 신권(新券)에 강제 통용력을 부여하지 않는다. 평가 절하를 피하기 위해 지라르댕은 저당증서 소유자에게 액면가로 이 저당증서를 이자

G299

3퍼센트의 국채 증권과 교환할 것을 제안한다. 이런 거래의 결과는 다음과 같다. 5퍼센트 이자에다 1퍼센트의 이전료 및 갱신료 등을 지불하던 농민이 이제 4퍼센트의 이자만 내면 된다. 그래도 2퍼센트 득을 본다. 국가는 3퍼센트에 차입해서 4퍼센트에 빌려주니 1퍼센트 득을 본다. 예전에 5퍼센트를 받던 전(前) 저당권자는 저당권 평가 절하가 두려워서 국가가 제공하는 3퍼센트를 감지덕지하며 받아들일 수밖에 없다. 저당권자는 2퍼센트 손해를 본다. 게다가 농민은 부채를 지불하지 않아도 되고, 채권자는 국가에 변제를 독촉할 수 없다. 결국 이 사업은 저당증서라는 허울 아래 저당권자의 이자 수익 5퍼센트 중에서 2퍼센트를 직접 강탈하는 것에 지나지 않는다. 지라르댕 씨가 세금 외에 사회적 관계 자체를 바꾸려고 한 이 기념비적인 사업은 사적 소유에 대한 노골적인 공격이다. 지라르댕은 혁명적이 되지 않을 수 없고, 그의 유토피아를 단념하지 않을 수 없다. 이 공격을 지라르댕이 처음 한 것은 아니다. 그는 이 공격을 독일 공산주의자들한테서 빌려 왔다. 독일 공산주의자들은 2월 혁명 후 저당권 부채를 국가 부채로 바꿀 것을 맨 먼저 요구했다.[98] 물론 그 방법은 이에 반대하며 등장한 지라르댕 씨와 완전히 다른 것이었다. 지라르댕 씨가 몇 가지 혁명적 조처를 제안한 것은 의미심장하다. 그는 미봉책이 아닌 그 무엇을 제시할 용기가 없다. 이 미봉책은 프랑스에서 토지 분할의 전개를 질질 끌게 하여 수십 년을 되돌려놓고 결국 오늘날의 상태를 다시 야기한다.

지라르댕의 설명 전체에서 독자가 아쉬워하는 단 한 가지는 **노동자**이다. 그러나 부르주아 사회주의는 언제나 **사회 구성원은 모두 자본가**라는 점을 가정한다. 나중에 자본과 임노동의 문제를 이 관점이 해결할 수 있는지 살펴볼 것이다.

———————|

평론. 1850년 3월/4월

Revue. März/April 1850

《노이에 라이니셰 차이퉁. 정치-경제 평론》

제4호, 1850년 4월

|62| 평론.

(지난 호는 지면이 부족해 월평을 싣지 못했다. 우리는 이 평론에서 영국과 관련된 부분만을 추가로 제공할 것이다.)

2월 혁명 연례 기념식 직전에 카를리에가 자유의 나무를 베어냈을 때,《펀치》는 그 잎이 총검이고 그 열매가 폭탄인 자유의 나무 그림을 게재하고, 총검으로 반항하는 프랑스 자유의 나무에 반대하여 파운드와 실링, 펜스라는 오직 딱딱한 열매만을 맺는 영국 자유의 나무를 노래하면서 찬양했다.[1] 그러나 이러한 역겨운 싸구려 풍자(Comptorwitz)는,《더 타임스》가 3월 10일 이후부터 "아나키"의 승리를 비방한, 끝없는 분노의 폭발에 부딪혀 사라졌다.[2] 영국에서 반동 정당은 모든 나라에서와 같이 파리에 가해진 일격을 마치 자신이 직접 맞은 것처럼 받아들였다.

그러나 당분간 영국에서 "질서"를 가장 위협하는 것은, 파리에서 시작된 위험이 아니라 새롭고 아주 직접적인 질서의 결과이자, 앞에서 말한 영국 자유의 나무 열매인 **상업 공황**이다.

우리는 이미 1월의 평론(제2호)에서 다가오는 공황에 관해 지적했다.[3] 많은 사정이 이 공황을 가속화했다. 1845년의 마지막 공황 이전에 과잉 자본이 철도 투자에 유출되었다. 철도에서 과잉 생산과 과잉 투자가 그동안 정점에 달했기 때문에, 철도 사업 자체는 1848/49년의 호경기 동안에도 다시 늘지 않았고, 이런 사업을 하는 가장 견실한 회사들의 주식 역시 매우 낮은 수준에 머물렀다. 낮은 곡물 가격과 1850년의 낮은 수확 전망∥63∣은 마찬가지로 자본을 투자할 기회도 제공하지 않았고, 다양한 국채는 거대한 투기의 대상이 될 수 있는 상당한 위험에 던져졌다. 그래서 호경기의 과잉 자본은 자신의 익숙한 배출구를 닫아버렸다. 따라서 과잉 자본으로서는 산업적 생산을 팽개치고 산업의 핵심 원자재, 즉 면화나 양모와 같은 식민지 상품에 투기하는 방법밖에는 남지 않게 되었다. 직접 산업으로 흘러들어 가는 또 다른 방식으로 전환되는 자본의 거대한 부분은 당연히 산업 생산을 아주 빠르게 성장시키고 그래서 시장을 과잉 상태로 만들 수밖에 없기 때문에, 공황의 발생 역시 현저히 가속화하게 된다. 이미 지금 산업과 투기의 중요한 부문들에서 공황의 첫 번째 징후가 나타나고 있다. 4주 전부터 핵심적인 산업 부문인 면직 산업이 불황에 빠졌고, 이것의 주력 사업인 대부분의 방적과 방직은 이에 대한 일상의 증인으로서 거듭 고통을 받고 있다. 연사(꼬아서 만든 실 ─ 옮긴이)와 면포 가격 하락은 이미 그 원료인 면화 가격 하락보다 빠르게 이루어졌다. 생산은 제한된다. 공장은 예외 없이 조업을 단축하게 된다. 사람들은 대륙의 봄철 주문을 통해서 산업 활동이 잠깐이나마 활기를 찾으리라고 예상했다. 그러나 국내 시장, 동인도와 중국, 지중해 동부 지방을 위해 이미 전에 맺은 계약이 대부분 다시 취소되는 동안, 인도하는 데 항상 두 달이 걸리던 대륙의 주문은 불안정한 정치적 상황의 결과로 거의 전부 없어질 것이다. 양모 산업에서도 여기저기서 현재 상당히 "건실한" 사업이 머지않아 망할 것이라고 추측할 수 있는 징후가 나타난다. 철강 생산도 마찬가지로 고통을 겪고 있다. 생산자는 곧 있을 가격 하락을 피할 수 없는 것으로 관찰했고, 제휴를 통해서 급격한 하락을 멈추려고 한다. 산업의 현황에 대해서 너무 많은 말을 했다. 이제 투기에 대해 살펴보자. 면화 가격은 일부는 새롭게 증대되는 공급을 통해, 일부는 산업의 침체를 통해 하락한다. 식민지 상품도 마찬가지다. 공급이 증가하고, ∥64∣ 국내 시장에서의 소비는 감소한다. 지난 두 달 동안 리버풀에서는 차(茶) 선적물이 25개만 도착했다. 호경기 동안 농업지대의 긴급 상태로 인해 줄어든 식민지 상품 소비 자체는 지금 또한 산업지대에 엄습하는 압박을 더 무겁게 받고 있다. 리버풀에서 가장 중요한 식민지 관청 중의 하나는 이미 망했다.

지금 닥쳐오는 상업 공황의 영향은 과거 어느 것보다도 훨씬 중요할 것이다. 이 영향은 이미 영국에서 곡물 관세의 폐지와 함께 시작되었고 최근 작황이 좋아져서 더욱 커진 농업 공황과 함께 일어난다. 영국은 처음으로 **산업 공황**과 **농업 공황을 동시에** 경험한다. 이러한 영국의 이중 공황은 동시에 일어나게 될 대륙의 격변을 통해 가속화하고 확대될 것이고 불이 더 잘 붙을 것이며, 대륙의 혁명은 세계 시장에 대한 영국 공황의 타격으로 인해 훨씬 명백하게 사회주의적 특성을 띠게 될 것이다. 유럽의 어느 나라도 독일만큼 그렇게 직접, 그러한 규모와 강도로 영국 공황의 영향을 받은 나라가 없다는 것은 잘 알려진 사실이다. 이유는 간단하다. 영국의 입장에서 독일은 대륙에서 가장 큰 판매 시장을 형성하며, 독일의 주요 수출품인 면화와 곡물은 영국에서 가장 결정적인 출구(débouché)를 발견한다. 역사는 질서의 친구들 묘비명에 다음과 같은 말을 남기게 될 것이다. 노동자계급은 부족한 소비로 인해 폭동을 일으키는 동시에 상층 계급은 과잉 생산으로 인해 파산한다.

휘그당은 당연히 공황의 첫째 희생자다. 이제까지와 마찬가지로 휘그당은 위협적인 폭풍이 일어나게 되면 국가의 노를 놓을 것이다. 그리고 휘그당은 이번에는 다우닝 가의 관저와 영영 작별하게 될 것이다. 토리당 내각이 그 뒤를 일시적으로 우선 이을 것이다. 그러나 그 내각 아래 토대가 뒤흔들릴 것이고, 반대 세력들이 모두 일치단결할 것이다. 특히 맨 위에는 산업가들이 설 것이다. 이들은 공황 가운데서 ||65| 곡물법 폐지와 같은 인기 있는 만병통치약을 제시하지 못할 것이다. 이들은 적어도 의회가 개혁될 때까지 계속 그럴 수밖에 없을 것이다. 다시 말해 이들은 프롤레타리아트에게 의회의 문을 개방하고, 프롤레타리아트의 요구사항을 하원⁴의 의사일정에 올리고 영국을 유럽 혁명 속으로 내던지는 조건 아래에서도, 놓칠 수 없는 정치적 지배를 피하지 않고 가동할 것이다.

우리는 갑자기 들이닥친 상업 공황에 관해 한 달 전에 쓴 이 평론을 조금밖에 추가하지 못했다. 봄철에 규칙적으로 등장하는 영업 호전은 올해도 결국 나타났지만 평년보다 훨씬 미미했다. 특히 가벼운 여름용 옷감을 제공하는 프랑스 산업은 그중에서도 이익을 남겼다. 그러나 맨체스터와 글래스고, 웨스트라이딩에서도 주문이 많이 들어왔다. 이러한 봄철 산업의 일시적 활

기는 매년 나타나는 현상이었지만, 공황의 발전을 조금밖에 막지 못했다.

동인도에서도 눈에 보일 만큼의 거래 증가가 나타났다. 저렴한 영국 판로는 판매자들이 비축품의 일부를 이제까지의 가격 아래로 처분할 수 있게 했다. 그리고 봄베이 시장은 이를 통해서 상황이 약간 좋아졌다. 이러한 일시적, 국지적인 영업 호전도 우연한 사건에 속하는 것이다. 즉 이러한 현상은 모든 공황 초기에 때때로 선행되는 것이고, 공황의 일반적인 발전과정에 거의 영향을 주지 않는다.

G304

그에 반해 아메리카로부터 마침 그곳의 시장이 완전히 가라앉았다는 보고가 들어왔다. 아메리카 시장은 아주 결정적이다. 아메리카 시장의 과잉 공급, 아메리카의 영업 침체와 가격 하락으로 실제로 공황이 시작되었으며, 영국에 대한 직접적이고 급속한 그리고 멈출 수 없는 반작용이 시작되었다. 우리는 ||66| 1837년의 공황을 기억한다. 단 한 가지만이 아메리카에서 지속적으로 올랐다. 유일한 국채 증권이자 우리⁵ 유럽 질서파의 자본에 확실한 도피처를 보증하고 있는 미합중국의 국채 증권이다.

아메리카가 과잉 생산을 통해 야기된 하강 운동으로 진입한 이후, 우리는 곧 닥칠 공황이 이제까지보다 훨씬 빠르게 발전할 것이라고 기대하게 되었다. 대륙의 정치적 사건들은 또한 매일같이 더욱더 하나의 결정을 하도록 밀어붙이고 있다. 이 평론에서 이미 여러 번 언급한 바 있는 상업 공황과 혁명의 동시 발생은⁶ 점점 불가피하게 되었다. 운명은 실현되고 있다!(Que les destins s'accomplissent!)

런던, 1850년 4월 18일.|

368

프리드리히 엥겔스

영국의 10시간 법
Die englische Zehnstundenbill

《노이에 라이니셰 차이퉁. 정치-경제 평론》

제4호, 1850년 4월

|5| 영국의 10시간 법.

영국 노동자는 하나의 결정적인 패배를 당했다. 그리고 영국 노동자는 이런 측면에서 패배할 것이라고 전혀 예상하지 못했다. 영국의 네 상급 법원 중의 하나인 재무재판소는 몇 주 전에 판결을 하나 내렸는데, 이에 따르면 1847년에 공포된 10시간 법의 주요 규정은 거의 폐지된 것과 다름없게 되었다.[1]

10시간 법의 역사는 영국의 계급 대립의 고유한 발전 방식에 대한 두드러진 사례를 제공하며, 따라서 상론할 가치가 있다.

대공업의 등장과 함께 공장주에 의해서 노동자계급에 대한 아주 새롭고 무제한적이고 파렴치한 착취가 어떻게 발생했는지 우리는 알고 있다. 새로운 기계는 성인 남성의 노동을 남아돌게 만들었다. 새로운 기계는 기계를 감독할 여성과 아동이 필요했다. 이런 일에는 여성과 아동이 남성보다 훨씬 더 적합하고 동시에 저렴했기 때문이었다. 산업 착취는 또한 곧바로 노동자 가족 전체를 사로잡아 공장에 가두었다. 여성과 아동은 밤낮으로 멈추지 않고 완전히 육체적으로 기진맥진해서 쓰러질 때까지 일해야만 했다. 구빈원[2]의 빈곤 아동은 아동 수요가 증가하면서 하나의 완전한 거래 물품이 되었다. 네

살, 아니 세 살부터 아이들은 수습 계약의 형태로 경매에서 가장 높은 값을 부른 공장주에게 대량으로 팔려갔다. 이 무렵의 아동과 여성에 대한 몰인정하고 잔인한 착취에 대한 기억은, 근육과 힘줄 그리고 피가 조금이라도 남아 있는 한 멈추지 않았던 착취는, 영국의 나이 든 노동자 세대에게 아직도 매우 생생한 것이다. 그리고 이들 중 많은 사람은 굽은 등뼈나 불구가 된 신체의 모습에 이러한 기억을 담고 있고, 이들은 모두 철저히 파괴된 건강과 함께 이런 기억들을 안고 돌아다닌다. 가장 열악한 아메리카 농장 노예의 운명도 이 무렵 영국 노동자의 운명과 비교하면 아름다웠다.

G306

문명사회의 모든 조건을 짓밟은 공장주들의 무자비한 착취||6|욕을 억제하기 위한 조치들이 일찍이 국가 편에서 취해졌다. 그러나 이러한 최초의 법적 제약은 너무 불충분한 것이었고 곧 무시되었다. 대공업이 등장한 지 반세기가 지나서야, 산업 발전의 조류가 고른 웅덩이를 찾았을 때, 즉 1833년[3]이 되어서야 비로소 그나마 엄청난 과도함을 어느 정도 제지했던 유효한 법이 성취될 수 있었다.[4]

이미 19세기 초부터 몇몇 박애주의자들의 주도로 공장의 노동시간을 하루 10시간으로 법적으로 제한할 것을 요구하는 하나의 세력이 형성되었다. 이 정당은 1820년대에는 새들러, 그리고 그가 죽은 다음에는 애슐리 경과 오스틀러의 주도로 10시간 법을 효과적으로 관철하기 위해 선동을 계속했는데, 점차 노동자 자체를 빼고 귀족이나 공장주에 적대적인 부르주아지의 모든 분파를 그들의 깃발 아래 하나로 묶었다.[5] 노동자와 영국 사회의 가장 이질적이고 반동적인 분자들의 이런 연합에 필요한 것은 혁명적인 노동운동을 완전히 제외하면서 10시간-운동을 이끄는 것이었다. 차티스트들은 최후의 1인까지 10시간 법에 찬성하기는 했다. 이들은 10시간 운동의 모든 집회에 참석했고 집회를 이끌었다. 이들은 10시간 법-위원회에 자신들의 신문을 제공했다. 그러기는 했지만, 단 한 명의 차티스트도 10시간 법에 찬성하는 귀족과 부르주아지와의 공식적인 연합에서 싸우지 않았고, 맨체스터의 10시간 법-위원회(Short-Time-Committee)에 참석하지도 않았다. 이 위원회는 노동자와 공장감독관으로만 구성되었다. 그러나 이들 노동자는 희망이 없고 기진맥진한 사람들이었고, 조용하고 신앙심이 깊으며 정직한 사람들이었다. 이들은 차티스트 운동과 사회주의에 신성한 혐오를 품고 있었고, 왕좌와 제단을 그에 걸맞게 존경했으며, 산업 부르주아지를 미워하기에는 너무 맥이 없었고, 황송하게도 자신의 빈곤에 최소한 관

심을 가진 귀족에게 굴욕적인 존경을 내보일 수 있는 사람들이었다. 10시간 법에 찬성하는 사람들의 노동자 토리주의(Arbeitertorysmus)는 산업 발전에 반대하는 저 노동자들의 첫 번째 저항에 대한 메아리였다. 이 저항은 과거의 가부장적 상태를 ||7| 복구하려고 시도했고, 이 저항의 가장 열정적인 삶의 표현은 기계를 파괴하는 것밖에 없었다. 이런 노동자들과 마찬가지로 10시간 법 찬성 세력의 부르주아적이고 귀족적인 지도자들은 반동적이었다. 이들은 예외 없이 경건함, 가정의 단란함, 미덕, 고루함을 거느리고 안정적으로 전통을 계승하는 상태와 함께, 잃어버린 가부장적인 엄정한 착취 (Winkelexploitation)의 기억을 탐닉하던 감상적인 토리당원이었고, 대부분은 광신적인 이데올로그들이었다. 산업혁명의 소용돌이를 보게 되었을 때 현기증이 이들의 협소한 머리를 붙잡았다. 이들의 소부르주아적 심성은 새롭고, 불가사의할 만큼 갑자기 발생한 생산력 앞에서 깜짝 놀랐다. 이 생산력은 이제까지의 사회에서 가장 존귀하고 침해할 수 없었던 핵심적인 계급을 몇 년 안에 휩쓸어 갔고, 대신에 이제까지 알려지지 않은 새로운 계급, 즉 그 이해관계와 공감 그리고 모든 생활방식과 사고방식이 옛 영국 사회의 제도와 모순에 빠지게 되는 계급으로 대체했다. 이렇게 마음이 여린 이데올로그들은 사회적 변혁과정을 관철하려는 무자비한 냉혹함과 가혹함에 반대하기 위해 도덕성, 인간성, 동정의 관점에서 출정에 나서는 것과 이런 변혁과정에 반대하여 안정성, 즉 죽어가는 가부장제의 고요한 안락함과 정숙함을 사회적 이상으로 내세우는 것을 포기하지 않았다.

G307

10시간 법 문제가 공중의 관심을 끌고 있는 시기에 산업적 변혁 때문에 자신들의 이해관계가 침해되고 자신들의 생존이 위협받은 사회의 모든 분파는 이 분자들에게 동조했다. 은행가, 증권 투기꾼, 선주(Rheder), 장사꾼, 토지귀족, 서인도의 대토지 소유자, 소부르주아 계급은 이러한 시기에 10시간 법-운동의 전선 아래 점점 하나가 되었다.

10시간 법은 이들 반동 계급과 분파에게, 산업 부르주아지에 반대하여 프롤레타리아트와 결합하게 해주는 훌륭한 기반을 제공했다. 이 법은 공장주의 부와 영향력, 사회적·정치적 권력의 급속한 발전을 뚜렷이 저지하면서도, 노동자들에게는 ||8| 단순히 물질적인, 다시 말해 전적으로 육체적인 유익만을 제공했다. 이 법은 급속히 파괴되는 노동자들의 건강을 보호했다. 그러나 이 법은 노동자들의 반동적인 동맹자를 위협할 수 있는 어떤 것도 노동자들에게 주지 않았다. 이 법은 노동자에게 정치권력도 주지 않았으며,

임노동자로서 자신들의 사회적 지위를 바꾸지도 못했다. 반대로 10시간-운동은 노동자들을 계속해서 자신들의 유산자 동맹자들의 영향 아래에, 일부는 심지어 그 동맹자들 휘하에 계속 묶어두었다. 개혁 법안과 차티스트-운동이 등장한 이래로 노동자들은 점점 더 이 영향에서 벗어나려고 애를 썼다. 산업 부르주아지와 직접 싸우는 노동자가 자기들을 직접 착취하지 않으면서 똑같이 산업 부르주아지에게 대항하는 귀족과 부르주아지의 다른 분파에 동조하는 것은 산업혁명 초기에 지극히 당연한 것이었다. 그러나 이 동맹은 노동운동을 서서히 수그러들 어떤 강력한 반동적인 풍조로 왜곡했다. 이 동맹은 노동운동의 반동적 분자들 — 예를 들어 수직공(手織工)과 같이 아직 매뉴팩처에 속하면서 산업 발전 자체로 위협받고 있는 노동자들 — 을 상당히 강화했다.

따라서 모든 과거의 의회 정당이 해산되고 새로운 정당은 아직 다 형성되지 않았던 1847년의 혼란한 시기에 10시간 법이 마침내 통과되었다는 것은 노동자에게는 하나의 행운이었다. 이 법은 일련의 복잡하기 짝이 없는, 어쩌면 단지 우연이 지배한 투표로 통과되었다. 한편으로 단호하게 자유무역을 지지하는 공장주와 다른 한편으로 열렬히 보호무역을 지지하는 토지 소유자를 제외하고는 어떤 정당도 만장일치로 일관된 투표를 하지 않았다. 이 법은 귀족, 필당원,[6] 휘그당원 일부가 곡물법 폐지[7]에서 거둔 공장주들의 위대한 승리에 복수하기 위해 공장주들에게 걸어둔 일종의 속임수로 통과되었다.

10시간 법은 노동자들의 건강을 공장주의 착취욕 앞에서 어느 정도 보호하면서 노동자들이 필수 불가결한 육체적 욕구를 충족하게 해주는 데 그치지 않았다. 또한 그것은 감상적 몽상가들과의 동업 관계에서, ‖9‖ 영국의 전체 반동 계급과의 연대에서 노동자를 해방했다. 오스틀러의 가부장적인 허튼소리와 애슐리 경의 감동적인 지지-약속은, 10시간 법이 이러한 요설들의 초점 노릇을 더는 하지 않게 되면서 아무도 귀 기울이지 않았다. 노동운동은 이제 비로소 모든 기존 사회의 전복을 위한 첫째 수단으로서 프롤레타리아의 정치적 지배를 관철하는 데 집중하게 되었다. 그리고 여기서 아직 노동자의 동맹자인 귀족과 반동적 부르주아 분파는 노동자와 그만큼 더 심대한 적대자로서, 산업 부르주아지의 동맹자로서 대립하게 된다.

산업혁명을 통해 영국이 세계 시장을 정복하고 종속시킨 산업은 영국의 결정적인 생산 분야가 되었다. 영국은 산업과 함께 일어서고 주저앉으며, 산업의 동요와 함께 도약하기도 하고 가라앉기도 한다. 산업의 결정적 영향과 함께 산업 부르주아지와 공장주는 영국 사회에서 결정적인 계급이 되었고, 대공업의 발전을 막았던 모든 사회적·정치적 제도를 제거함으로써 산업가의 정치적 지배는 필연적인 것이 되었다. 산업 부르주아지는 이 일에 착수했다. 1830년부터 지금까지 영국의 역사는 산업 부르주아지가 연합한 반동적 G309 적대 세력을 하나씩 싸워서 이긴 승리의 역사이다.

프랑스에서 7월 혁명은 금융귀족의 지배를 가져온 반면, 바로 직후인 1832년에 관철된 영국의 개혁 법안은 금융귀족을 무너뜨렸다. 은행과 국채 채권자와 주식 투기자, 한마디로 귀족이 많은 빚을 지고 있는 돈놀이꾼들은 선거권 독점이라는 잡다한 구실로 거의 이제까지 전적으로 영국을 지배해 왔다. 대공업과 세계 무역이 발전할수록 이들의 지배는 일부 양보를 했음에도 불구하고 더욱 참을 수 없는 것이 되었다. 부르주아지의 여타 분파와 영국 프롤레타리아트 및 아일랜드 농민의 동맹은 이들의 지배를 곤경에 빠뜨렸다. 인민은 혁명으로 위협했고, 부르주아지는 은행에 자신들의 은행권을 대량으로 돌려주었고 ||10| 은행을 거의 파산 상태로 몰고 갔다.[8] 금융귀족은 적절한 시기에 양보를 했다. 이들의 양보는 영국이 2월 혁명을 면하게 했다.

개혁 법안[9]은 농촌의 모든 유산계급과 소상인에게까지 정치권력의 몫을 나눠 주었다. 부르주아지의 모든 분파는 그것으로 자신들의 요구와 권력을 관철할 수 있는 법적 영역을 장악했다. 프랑스에서 1848년 6월 승리 이후 공화국에서 시작된 부르주아지 개별 분파들의 이런 투쟁은 영국에서는 개혁 법안 이후 의회에서 시작되었다. 분명한 것은 두 나라의 전혀 다른 상황에서 결과도 다르다는 점이다.

일단 개혁 법안에서 의회 투쟁을 위한 영역을 확보한 산업 부르주아지는 승리를 거듭할 수밖에 없었다. 성직록의 제한[10] 속에서 1834년[11] 구빈법으로 극빈자가 된 금융업자의 꼬리인 귀족은 세금을 인하하고 소득세를 도입하면서[12] 금융업자와 토지 소유자의 세금 면제를 산업 부르주아지에게 갖다 바쳤다. 산업가의 승리와 함께 이들의 가신 수는 증가했다. 도매상과 소매상은 그들에게 공납을 바쳐야만 했다. 런던과 리버풀은 자유무역 앞에, 메시아인 산업가 앞에 무릎을 꿇었다. 이들의 승리로 이들의 욕구, 이들의 요구도 늘어났다.

근대 대공업은 새로운 시장을 계속 정복하고 확장하는 조건하에서만 존

립할 수 있을 뿐이다. 근대 대공업은 대량 생산을 무한히 쉽게 하고, 기계장치를 끊임없이 계속 발전시키거나 개선하고, 그것들에 따라 자본과 노동력을 끊임없이 교체함으로써 새로운 시장을 정복하고 확장한다. 정지 상태는 여기서는 단지 파멸의 시작일 뿐이다. 그러나 산업의 확장은 시장의 확장을 통해서 조건 지어진다. 산업이 오늘날의 발전 수준에서 자신의 시장을 확장할 수 있는 것보다 엄청나게 더 빠르게 자신의 생산력을 증대하기 때문에 주기적으로 공황이 일어난다. 공황에서 생산수단과 생산물의 과잉 때문에 상업의 몸통인 유통이 갑자기 정체되고, ||11| 산업과 무역은 생산물의 과잉이 새로운 운하를 찾아 배출될 때까지 거의 전부 멈추게 된다. 영국은 이러한 공황의 중심이다. 공황의 마비 효과는 틀림없이 매우 멀리 떨어져 있고 외진 세계 시장의 구석까지 미치고, 곳곳에서 상당 부분의 산업 부르주아지와 상업 부르주아지를 파멸로 이끈다. 더욱이 영국 사회 모든 부분에서 공장주에 대한 의존성을 매우 명백히 보여주는 그러한 공황에는 단지 하나의 타개책만이 있을 뿐이다. 새로운 시장의 정복을 통해서든 더욱 철저한 기존 시장 착취를 통해서든 시장을 넓히는 방법만 있을 뿐이다. 1842년 중국에서처럼 지금까지 견고하게 폐쇄했던 시장을 무력으로 강제로 개방한 몇몇 예외적인 경우를 제외하면, 산업적인 방식으로 새로운 시장을 개방하기 위해 기존 시장을 더 철저하게 착취하는 하나의 수단만 있을 뿐이다. 그것은 저렴한 가격, 다시 말해 생산비를 절감하는 것이다. 생산비는 새로우면서 완벽한 생산방식을 통해, 이윤 감소를 통해, 임금 인하를 통해 절감될 것이다. 그러나 완비된 생산방식의 도입은 공황을 구할 수 없다. 이것은 생산을 증가시켜 또한 그 자체가 새로운 시장을 필요로 하게 만들기 때문이다. 손해를 보더라도 팔아서 모두가 기쁜 공황에서 나타나는 이윤 하락에 대해서는 말할 것도 없다. 게다가 이윤과 마찬가지로 공장주의 의지 혹은 마음과는 무관한 법칙에 따라서 규정되는 임금도 마찬가지다. 그렇지만 임금은 생산비의 주요 구성 부분을 이루며, 임금의 지속적인 하락은 시장 확대나 공황 탈출을 위한 유일한 수단이다. 임금은 노동자의 생필품이 염가로 생산된다면 내려가게 된다. 그러나 영국에서 노동자의 생필품은 곡물이나 영국의 식민지 생산물 등에 대한 보호관세로 인해서, 그리고 간접세로 인해서 비싸다.

이로부터 비롯된 자유무역과 이른바 곡물 관세 폐지를 위한 산업가의 지속적이고 격렬한 그리고 광범위한 선동. 그 결과로 1842년의 상업 및 산업 공황에서 그들에게 ||12| 새로운 승리를 가져다준 의미 있는 사실. 곡물 관

374

세의 폐지에서는 그들에게 영국 지주들이 희생되었고, 설탕 등에 대한 차별 관세의 폐지[13]에서는 식민지 지주들이 희생되었고, 항해법의 폐지[14]에서는 선주가 희생되었다. 이러한 순간에 산업가는 국가 지출 제한과 세금 인하를 선동하고, 가장 확실하게 신뢰할 수 있는 노동자 일부에 대한 선거권 허용을 선동한다. 그들은 더욱 빠르게 직접적인 정치적 지배를 확보하기 위해 새 동맹자를 의회에 끌어들이려고 하고, 이것을 통해 가치가 없어져버렸지만 매우 사치스러운 영국 국가 기구의 전통적 부속물인 귀족, 교회, 성직, 반(半)봉건적 법률가를 없애버리려고 한다. 대륙의 새롭고 거대한 충돌과 부합하는 지금 바로 매우 가깝게 임박한 새로운 상업 공황이 아마도 영국 발전에서 최소한 이런 진보를 초래할 것이라는 사실은 의심의 여지가 없다. G311

산업 부르주아지의 이러한 지속적인 승리 한가운데서 반동적 분파들은 10시간 법의 족쇄를 산업 부르주아지에게 채우는 데 성공했다. 10시간 법은 호경기도 공황도 아닌 순간에, 즉 공장주가 심지어 온종일 일을 시키지 않고 생산 자원의 일부만을 동원해도 산업이 과잉 생산의 결과를 아직은 충분히 감내할 수 있었던 앞에서 말한 휴지기의 순간에 통과되었다. 10시간 법이 공장주 사이의 경쟁을 제한하는 순간에, 즉 이런 순간에만 10시간 법은 그럭저럭 견딜 만했다. 그러나 이러한 순간은 곧 새로운 호경기의 장을 만들었다. 거의 다 팔린 시장은 새로운 공급을 요구했다. 투기가 다시 일어났고 수요를 곱절로 만들었다. 공장주들은 충분히 일할 수 없었다. 지금 모든 자원에 대한 완전한 독립성과 제한 없는 처분권을 전보다 더 많이 필요로 하는 산업에서 10시간 법은 감내할 수 없는 족쇄가 되었다. 산업가들이 전력을 다해 짧은 호경기 동안 착취하는 것을 허용하지 않았다면, 산업가들은 최근 공황에서 무엇을 해야 했는가? 10시간 법을 철회해야만 했다. ||13| 의회에서 10시간 법을 폐지할 힘이 아직 충분하지 않았다면 그 법을 피할 방법을 찾아야만 했다.

10시간 법은 18세 이하 젊은이들과 모든 여성 노동자의 노동시간을 하루 10시간으로 제한했다. 이들과 아동은 공장에서 노동자의 결정적인 계급이기 때문에 필연적으로 공장은 매일 10시간만 작업할 수밖에 없었다. 그러나 공장주는 호경기가 그들에게 노동시간 증가를 필요하게 만들었을 때 다른 출구를 발견했다. 노동시간이 더욱 제한되어 있던 14세 이하 아동에 대해 그러했던 것처럼, 공장주는 여성과 젊은이들을 보조와 교대를 위해 이제까지보다 더 많이 고용했다. 그래서 공장주는 10시간 법에 해당하는 개인들

중 단 한 명도 매일 10시간 이상으로 일하게 하지 않으면서도 자기 공장과 성인 노동자를 13, 14, 15시간 일하게 만들었다. 이것은 부분적으로는 법률의 자구에, 더 심하게는 법률의 전체 정신과 입법자의 의도에 반하는 것이었다. 공장감독관은 치안판사가 일치하지 않고 서로 다른 판결을 내린다고 불평했다. 호경기가 더욱 상승할수록, 산업가는 10시간 법과 공장감독관의 개입에 더욱 심하게 이의를 제기했다. 내무장관 그레이 경은 감독관에게 교대제(relay 혹은 shift system)를 허용하라고 명령했다.[15] 그러나 법의 보호를 받는 감독관들 다수는 그 명령에 구애받지 않았다. 마침내 사람들의 이목을 끌만한 사건이 재무재판소까지 올라갔고, 재무재판소는 공장주에게 유리한 판결을 내렸다.[16] 이 결정으로 10시간 법은 사실상 폐기되었고, 공장주는 다시 자기 공장의 완전한 주인이 되었다. 공장주는 공황에는 2, 3 혹은 6시간, 호경기에는 13~15시간 작업할 수 있었고, 공장감독관은 더는 간섭할 수 없었다.

10시간 법이 주로 반동들에 의해서 대변되었고, 전적으로 반동 계급에 의해 관철되었다면, 우리는 여기서 이 법이 관철된 방식에서도 철저히 반동적인 방책이었음을 보게 될 것이다. 영국의 사회 발전 전체는 산업의 발전과 산업의 진보와 궤를 같이한다. ||14| 이러한 진보를 방해하고, 제한하거나 이러한 진보 바깥의 척도에 따라 규제하고 지배하려는 제도는 모두 반동적이며, 유지할 수 없고 이 진보에 패할 수밖에 없다. 과거 영국의 가부장적 사회 전체, 귀족, 금융 부르주아지와 손쉽게 단절한 혁명 세력은 정말이지 10시간 법의 적당한 웅덩이로 들어가면 안 될 것이다. 진정성 있는 성명을 통해 쓰러진 법을 부활시키려고 한 애슐리 경과 그의 동료들의 모든 시도는[17] 성과가 없을 것이고, 잘해야 일시적인 하나의 가상 결과만을 얻을 것이다.

그런데 노동자에게 10시간 법은 없어서는 안 되는 것이다. 법은 노동자를 위한 육체적 필연성이다. 10시간 법이 없다면 영국의 노동자 세대 전체의 육체는 상할 것이다. 그러나 오늘날 노동자가 요구하는 10시간 법과 새들러와 오스틀러와 애슐리가 선전하고 반동적 연합이 1847년 관철한 10시간 법 사이에는 엄청난 차이가 있다. 노동자는 법의 짧은 생존 기간을 통해서, 법이 간단하게 폐기되는 것을 통해서 — 결코 단 한 장의 의회 문서가 아니라 한낱 판결 하나로 그 법을 파기하기에 충분했다 — 당시 자기들의 반동적인 동맹자들이 뒤늦게 등장하는 것을 통해서 반동과의 동맹이 어떤 가치가 있는지 알게 되었다. 노동자는 산업 부르주아지에 반대하는 개별적인 세부 조

치를 관철할 때 무엇이 그들을 돕고 있는지 알게 되었다. 노동자는 산업 부르주아지가 무엇보다 여전히 현재 상황에서 단독으로 운동의 정상으로 나아갈 수 있는 계급이라는 사실과, 이런 진보적 사명에서 그들에게 맞서는 것이 헛되다는 사실을 알게 되었다. 산업가에 대한 노동자의 직접적이고 전혀 식지 않은 적대감에도 불구하고, 지금 노동자는 따라서 박애주의적 기만을 통해서 연합한 반동의 깃발 아래로 또다시 유인되기보다는 자유무역, 금융개혁, 선거권 확대를 완전히 관철하기 위한 산업가들의 선동을 지지하는 것으로 훨씬 더 기울어졌다. 노동자는 산업가가 쓸모없어졌을 때에야 비로소 자신의 시대가 올 것이라고 느낀다. 그 때문에 노동자는 이들에게 지배권을 넘겨주면서 동시에 이들의 추락을 준비해야만 하는 이 발전||15|과정을 촉진할 본능을 정확히 가진 것이다. 그러나 노동자는 바로 이 때문에 자신들의 가장 고유하면서 가장 직접적인 적인 산업가에게 지배권을 주었고, 산업가의 추락을 통해서만, 자기 자신을 위한 정치권력의 정복을 통해서만 자신의 고유한 해방에 도달할 수 있다는 점을 잊으면 안 된다. 10시간 법의 폐기는 그들에게 다시금 치명타임이 증명되었다. 이 법의 부활은 이제 보통선거권의 지배하에서만 의미가 있을 뿐이다. 그리고 영국에 거주하는 산업 프롤레타리아트의 3분의 2에 해당하는 보통선거권은 사회 상태의 모든 혁명적 변화와 밀접하게 결합한 노동자계급의 배타적인 정치적 지배권이다. 노동자가 오늘날 요구하는 10시간 법은 따라서 재무재판소에서 번복된 것과는 전혀 다른 것이다. 이제 이것은 산업 발전을 마비시키려는 개별적인 시도가 아니다. 이것은 현재의 사회 상태 전체를 전복하고 이제까지의 계급 대립을 차례로 없애려는 긴 연쇄 조치 중 하나의 마디이다. 이것은 반동적인 조치가 아니라 혁명적인 조치이다.

처음에는 공장주 독자적으로, 그다음에는 재무재판소에 의해 10시간 법이 실질적으로 무효화한 것은 특히 호경기의 시기를 짧게 하고 공황을 가속화하는 데 기여했다. 그러나 공황을 가속화하는 것은 동시에 영국적 발전의 길과 그다음 목표인 산업 프롤레타리아트에 의한 산업 부르주아지의 추락을 가속화하는 것이다. 산업가가 시장을 확대하고 공황을 극복하는 데 마음대로 쓸 수 있는 수단은 매우 제한적이다. 국가 지출의 코브던식 축소는[18] 단순한 휘그당 구호[19]이거나, 아니면 비록 일시적으로 도움이 될지 몰라도 완전히 혁명에 필적하는 것이다. 그리고 이것이 가장 광범위하고 혁명적인 방식으로 — 영국의 산업가들이 혁명적이 될 수 있다면 — 관철된다 G314

면, 다음의 공황은 어떻게 대처해야 할 것인가? 자기들의 생산수단이 판로 (Debouché)보다 비교할 수 없을 정도로 팽창력을 갖고 있는 영국의 산업가는 ||16| 다음 지점을 향해 빠르게 달려가고 있음이 분명하다. 즉 자신들의 보조 수단이 소진되는 지점, 아직은 매 시기 공황을 다음번 공황과 분리하는 지금의 호경기 주기가 계속 몰아대면서 과도하게 성장한 생산력의 무게로 완전히 사라지는 지점, 공황들이 오직 미약하고 반쯤 눈이 감긴 산업적 연명 활동의 짧은 주기를 통해서 끊어지는 지점, 그리고 한편으로 사용할 수 없는 생명력의 과잉으로, 다른 한편으로 이 생명력의 전반적인 쇠약으로 산업, 무역, 근대 사회 전체가 붕괴할 수밖에 없는 지점을 향해서 말이다. 이런 비징상적인 상태는 자신의 고유한 치료제를 자체 내에 품지 않았어야 했고, 산업 발전과 함께 사회의 주도권을 이제는 넘겨받을 수 있는 계급, 즉 프롤레타리아트를 산출하지 않았어야 했다. 이제 프롤레타리아트 혁명은 피할 수 없고 이들의 승리는 확실하다.

이것은 현재 영국의 모든 사회 상태에서 불가피하게 필연적으로 드러나고 있는 사건들의 규칙적이고 정상적인 과정이다. 이 정상적인 과정이 대륙의 충돌과 영국에서 혁명의 쇄도를 통해서 어느 정도까지 단축될 수 있는지는 곧 보게 될 것이다.

그러면 10시간 법은?

세계 시장 자체의 경계가 근대 산업의 모든 자원을 충분히 발전시키기에는 너무 좁아지고 있고, 이 산업이 자기의 힘을 위한 자유로운 활동 범위를 다시 획득하기 위해 사회 혁명을 필요로 하는 시점에 — 노동시간의 제한은 더는 반동적이지 않으며, 산업에도 방해가 되지 않는다. 노동시간의 제한은 전혀 반대의 결과를 가져온다. 영국에서 프롤레타리아트 혁명의 첫째 결과는 대공업이 국가 수중으로, 즉 지배적 프롤레타리아트 수중으로 집중되는 것이다. 그러면 오늘날 노동시간 규제와 산업 발전의 충돌로 야기된 모든 경쟁 관계는 산업의 이러한 집중으로 사라질 것이다. 그리고 자본과 임노동의 대립에 기초하는 모든 문제와 마찬가지로 10시간 문제의 유일한 해결책은 프롤레타리아트 혁명에 있다.

프리드리히 엥겔스.|

루이 나폴레옹과 풀드

Louis-Napoléon und Fould

《노이에 라이니셰 차이퉁. 정치-경제 평론》

제4호, 1850년 4월

|67| 루이 나폴레옹과 풀드.

우리가 지난 호에서 어떻게 프랑스의 금융귀족이 다시 지배하게 되었는지 증명한 것을 독자들은 기억할 것이다.[1] 우리는 그 기회에 루이 나폴레옹과 풀드가 돈벌이를 노린 주식 시장 타격(Börsencoup)을 실행하기 위해 연합했음을 지적했다. 풀드가 내각에 들어간 이래 루이 나폴레옹의 계속된 돈 요구가 입법의회에서 갑자기 그쳤다는 사실은 이미 이목을 끌기에 충분했다. 그러나 지난 선거[2] 후 대통령 보나파르트의 수입원에 아주 밝은 빛이 던져졌다는 사실은 널리 알려졌다. 예를 하나 들어보자.

우리는 주로 선거 연합[3]의 존경할 만한 신문인《라 파트리》와 관련해서 설명할 것이다. 이 신문의 소유자이자 은행가인 들라마르는 파리의 가장 중요한 주식 투기꾼 중의 한 명이다.

3월 10일 선거까지 값이 오를 것을 예상하고 거대한 투기가 조직되었다. 풀드가 이 음모에 앞장섰고, 상층부 질서의 친구들이 여기에 참여했고, 보나파르트의 도당과 그 자신은 이자를 받으려고 상당한 금액을 투자했다.

3월 7일에 3퍼센트 채권은 약 5상팀 올랐고 5퍼센트 채권은 약 15상팀 올랐다.《라 파트리》는 즉각 잠정적인 선거 결과를 질서의 친구들에게 알렸

다.[4] 그러나 이러한 상승은 투기꾼들에게는 너무 적은 것이었다. 더욱 "불을 때야" 했다. 저녁 전에 발행하는 3월 8일 자 《라 파트리》는 주식 공보에서 ||68| 가장 멀리 떨쳐내야 할 의심은 질서당의 승리에 대한 것이라고 광고했다. 《라 파트리》는 특히 다음과 같이 말했다. "우리는 확실히 자본가들의 신중함을 비난하지 않을 것이다. 의심을 허용하지 않는 상황이 있다면 그것은 예비선거에서 얻은 결과가 나온 지금일 것이다."[5] ― 주식 공보와 《라 파트리》의 보고가 일반적으로 주식에 끼친 영향을 평가하기 위해서, 우리는 《라 파트리》가 원래 현 정부의 《르 모니퇴르》라는 점과 공식적인 소식을 《르 모니퇴르》에 앞서서 보고받는다는 점을 알아야만 한다. 그러나 이번 타격은 실패했다.

G316

3월 8일 적색당의 몇몇 사람은 군대의 호의적인 투표를 인지했고, 그래서 바로 주식 시세는 하락했다. 불의의 공포가 투기꾼들을 엄습하는 듯했다. 이제 중요한 것은 모든 수단을 동원하는 것이다. 《라 파트리》의 주식 공보는 자신의 입장을 고수했다. 선거 연합의 모든 언론은 공격 명령을 받았다. 몇몇 사소한 선거 부정이 중점적으로 논의되었다. 어떤 저널[6]은 군주파를 선출한 어떤 연대의 투표를 머리기사로 보도하고 있다. 결국 공화주의 저널은 어쩔 수 없이 공식적인 정정 사항을 일부 보도하고 있는데, 며칠 후면 이 정정 사항도 수많은 거짓으로 밝혀질 것이다.

이러한 연합된 시도로 9일 주식 시장이 열렸을 때 국채가 소폭 상승했지만 오래가지는 못했다. 주식 시세는 2시 15분까지 상당히 하락했다.[7] 이때부터 장이 마감될 때까지 시세는 계속 올랐다. 《라 파트리》조차도 이런 급변의 원인을 다음과 같이 함부로 지껄였다. "상승에 매우 많은 관심이 있던 몇몇 투기꾼이 장을 마감할 때쯤 선거 당일 지방의 분위기를 띄우기 위해 대량 매수를 했고, 지방을 사로잡을 신뢰를 바탕으로 새로운 매수를 불러일으켜 주식 시세를 훨씬 더 높이 끌어올렸음이 분명하다."[8] 이런 조작은 수백만에 달했고, 이 조작의 결과는 3퍼센트 채권이 약 40상팀 그리고 5퍼센트 채권이 약 50상팀 오른 것이었다.

더욱이 다음 사실도 분명하다. 즉 상승에 관심이 있는 투기꾼들이 있었으며, 따라서 결정적인 순간에 새로운 상승을 ||69| 유발하기 위해 새롭고 의미 있는 매수가 있었다는 사실이다. 이러한 투기꾼은 누구였는가? 사실이 대답할 것이다.

3월 11일 주식은 하락했다. 투기꾼들의 모든 시도는 선거 결과의 불확실성에 대해 무기력했다.

3월 12일 주식은 다시 대폭 하락했다. 선거 결과가 거의 알려졌고 마찬가지로 세 명의 사회주의 후보가 압도적인 다수표를 받았음이 확실해졌기 때문이다. 값이 오를 것이라고 예상한 투기꾼들은 이제 필사의 시도를 한다. 《라 파트리》와 《르 모니퇴르 뒤 수아르》는 공식 전보의 제목 아래 지방의 선거 결과를 순전히 지어내 보도했다.[9] 계략이 성공했다. 저녁에 토르토니에서 주식 시세가 조금 상승했다.[10] 그러나 더욱 "뜨거워질" 것이라고 했다. 《라 파트리》는 다음과 같이 보도했다. "이제까지 알려진 표결에 따르면 시민 드 플로트는 시민 J. 푸아보다 341표 앞섰을 뿐이다. 선거 결과는 헌병 기동대의 투표를 통해 여전히 우리 후보에게 유리하게 결정될 수 있다. ─ 정부는 **내일** 언론과 선거 집회에 관한 두 가지 법률을 의회에 제출할 것이고, 절박한 사안임을 호소할 것이다."[11] 두 번째 보도는 잘못되었다. 오랜 망설임 끝에, 질서당 대표와의 지겨운 자문 이후에, 그리고 내각 교체 이후에 정부는 이들 법률을 제출하기로 결정했다.[12] 첫 번째 보도도 파렴치한 거짓이었다. 《라 파트리》에 보도된 같은 시점에 정부는 드 플로트가 당선될 것이라고 지방에 전보를 보냈다. G317

그러는 동안 타격은 성공했다. 주식은 약 1프랑 35상팀 올랐고, 투기꾼들은 삼사백만을 현금화했다. "소유의 친구들"이 자신들의 물신을 질서와 사회를 위해 가능한 한 많이 소유하려고 할 때 그들을 물론 고깝게 여길 수 없을 것이다.

이러한 성공적인 술수의 결과로 투기꾼들은 들떠서 바로 엄청난 규모의 매수에 새로 착수했고, 이것을 통해 다른 많은 자본가들도 사도록 부추겼다. ||70| 상승은 너무나 뚜렷이 나타났기 때문에 주식 시장에서 이러한 거래에 따른 추정 이익조차도 이미 다시 조정되었다. 15일 아침 무자비한 타격이 가해졌는데, 즉 카르노, 드 플로트, 비달이 인민의 의원으로 공표되었다. 주식 시세는 급락세로 돌아서서 멈추지 않았다. 그리고 우리 투기꾼들의 패배는 날조된 보도와 지어낸 전보를 통해서도 더는 멈출 수 없게 되었다.|

카를 마르크스/프리드리히 엥겔스

고트프리트 킹켈
Gottfried Kinkel

《노이에 라이니셰 차이퉁. 정치-경제 평론》

제4호, 1850년 4월

|70| 고트프리트 킹켈.

자칭 독일의 혁명 정당은 너무 힘이 없다. 프랑스나 영국에서라면 전반적인 폭풍을 몰고 올 사태도 독일에서는 그냥 넘어간다. 심지어 이 사태가 대체로 박수를 받는다는 점에 대해서 놀라지도 않으면서 말이다. 발데크 씨는 배심원 앞에서 자기는 항상 입헌주의자였다는 점을 상세하게 증언했고, 베를린 민주주의자들은 이길 것이라고 의기양양했다. 그륀은 매우 어리석게도 트리어의 공개 재판에서 혁명을 부정했다. 인민은 법정에서 유죄 판결을 받은 프롤레타리아트에게 등을 돌렸고, 무죄 판결을 받은 산업가에게 환호를 질렀다.[1]

고트프리트 킹켈 씨가 1849년 8월 4일 라슈타트의 군사법원에서 말했고 올해 베를린《아벤트-포스트》4월 6일과 7일 자에 실린 변론은 독일에서 무엇이 가능한지를 보여주는 한 가지 새로운 예이다.

우리는 "감옥에 있는" 킹켈의 이 연설을 우리 당에 고발하면 감상적인 사기꾼과 민주주의적 열변가의 분노가 전반적으로 일어나게 되리라는 것을 이미 알고 있다. 이것은 우리에게 전혀 상관없다. 우리의 과제는 가차 없는 비판이며, 공공연한 적보다 친구로 추정되는 사람을 더욱 비판해야 한다. 이

러한 우리의 입장을 고수하면서 우리는 기꺼이 저렴한 ||71| 민주주의적 대중성을 포기할 것이다. 우리가 공격한다 해도 킹켈 씨의 처지는 결코 악화되지 않을 것이다. 우리는 사람들이 생각하는 그런 사람이 아니라는 그의 고백을 확인하면서도, 그리고 그는 사면을 받을 가치가 있을 뿐만 아니라 심지어 프로이센 관직에 등용될 가치가 있다고 설명하면서도, **우리는 그의 사면을 고발할 것이다**. 게다가 그의 연설은 공개되었다. 우리는 이런 상황 전체를 우리 당에 고발할 것이고 여기에서 가장 폭발성 있는 구절만 밝힐 것이다.

"또한 나는 결코 **명령**을 내리지 않았기 때문에, 다른 사람들의 행동에 책임이 없다. 나도 누군지 알고 있기는 하지만, 유감스럽게도 최근까지 이 혁명에 달라붙어서 모함과 비방을 했던 자와 나의 행동을 모두 동급으로 보는 것을 방지하고 싶기 때문이다."[2] G319

킹켈 씨가 "브장송 중대[3]의 사병으로 참여하고", 그가 여기에서 사령관 전체에 대해 의심을 제기했을 때, 최소한 자기의 직속 상관인 빌리히를 이 가운데서 제외하는 것이 그의 도리가 아니겠는가?

"나는 결코 군에 복무하지 않았고, 또한 **군기**(軍旗)**에 대한 맹세를 깨뜨리지 않았으며, 나의 조국을 위해 일하면서 획득했다고 하는 군사 지식을 조국에 거역하여 사용한 적이 없다.**"[4]

이것은 당시에 구속된 프로이센 병사들, 즉 구속되고 바로 총살된 얀젠과 베르니가우에 대한 직접적인 고발이 아닌가? 이것은 이미 총살된 도르투[5]에 대한 사형 선고를 완전히 인정하는 것이 아닌가?

킹켈 씨는 더 나아가 군사법원에서 라인 강 왼쪽을 프랑스에 할양하는 계획에 대해 말하고 이런 범죄적 계획에 대해서 자신은 무관하다고 설명함으로써 자기 당을 고발하기까지 했다. 라인 지방을 프랑스에 합병하는 것은 혁명과 반혁명의 결정적인 투쟁이 이뤄지고 있는 라인 지방이 프랑스인 혹은 중국인 중 누가 총대를 메건 간에 무조건 혁명의 편에 선다는 말이라는 점을 그는 매우 잘 알고 있다.[6] 그는 거친 혁명가와는 다르게 비록 당원은 아닐지라도 한 ||72| **인간**으로서 아른트, 그리고 다른 보수주의자들과 사이좋게 지낼 수 있었던 자신의 온순한 성격을 참작해달라는 말도 마찬가지로 빠뜨리지 않았다.[7]

"나의 잘못은 3월에 여러분 모두가, 3월에 독일 인민 전체가 원한 것과 똑같은 것을 여름에도 내가 원했다는 점에 있다!"[8]

그는 여기서 제국헌법 이상의 어떤 것도 원치 않는 순수한 제국헌법 투쟁가를 자임하고 있다. 우리는 이러한 선언을 기록한다.

킹켈 씨는 프로이센 군인들이 마인츠에서 저지른 소요에 관해 쓴 기고문을 언급하면서 이렇게 말했다.[9] "그로 인해서 내게 무슨 일이 일어났는가? 내가 집에 없는 동안 두 번이나 재판정에 출두하라는 공문이 날아왔다. 나는 나 자신을 방어하기 위해 출석할 수 없었기 때문에, 사람들이 최근에 이야기해준 것처럼 5년간 선거권을 박탈당했다. **5년간의 선거권**이란 나에게 다음과 같은 사실을 말한다. 이미 한 번 **의원**이 되어 영예를 누린 사람에게 **이것은 아주 가혹한 형벌이다**"(!)[10]

G320 "나는 그런 말을 얼마나 자주 들어야 했던가, 내가 '**나쁜 프로이센인**'이라는 말을. 이 말은 나에게 상처를 주었다. … **나의 당**은 현재 조국에서 실패했다. 프로이센 왕실이 지금 마침내 대담하고 강력한 정책을 추구한다면, **우리의 왕위 계승자인 프로이센 왕자**가 **왕의 위엄**을 칼로 성취한다면, 그러면 독일을 하나로 구축하고, 우리의 이웃에게 독일의 위대함과 존경심을 내세우고, 내부의 자유를 현실적이고 장기적으로 보장하고, 상업 및 발전을 다시 일으키고, 지금 프로이센을 매우 무겁게 누르고 있는 군사적 부담을 전체 독일에 똑같이 분배하고, 가난한 사람의 대표를 자임하는 내가 나의 인민 중에서 가난한 사람 모두에게 빵을 마련해 주는 방법밖에 없을 것이다. ─ 맹세코 이번에는 당신들의 당이 이런 일에 성공하기를! 나의 조국의 명예와 위대함은 내게는 나의 국가 이상보다, 그리고 1793년 프랑스 공화주의자들보다 더 값진 것이다." ─ (푸셰와 탈레랑?)[11] "나는 훗날 프랑스를 위해 나폴레옹의 위대함에 자발적으로 고개를 숙인 이들의 가치를 알고 있다. 만약 나의 인민이 다시 한번 자기들의 대표자로 나를 선출해줄 명예를 나에게 보여주는 일이 생긴다면, ||73| **나는 기쁜 마음으로 이렇게 외치는 최초의 의원이 될 것이다. 독일 황제여 영원하라! 호엔촐레른 왕조여 영원하라!** 이런 신념을 가진 사람을 나쁜 프로이센이라고 한다면, 좋다! 그러면 나는 두말할 것도 없이 좋은 프로이센이 되지 않기를 원할 것이다."[12]

"신사 여러분, 여러분이 인간 운명의 약속을 통해서 오늘 여러분 앞에 매우 **심각하고 불행하게** 서 있는 한 남자에게 선고를 내릴 때, **고향에 있는 부인과 아이를 조금이라도 생각해주시기 바랍니다.**"[13]

이러한 말을 킹켈 씨는 26명의 동지들이 같은 군사법원에서 사형을 언도받고 총살되던 때에 했다. 이 사람들은 자기에게 날아온 총알과 킹켈 씨가 자기 판사들에게 날린 총알을 완전히 다르게 이해했다. 그가 그 밖에도 전혀 해가 되지 않는 사람으로 자신을 표현한다면 그는 완전히 옳다. 그는 단지 오해로 인해 자신의 당에 들어갔다. 프로이센 정부가 그를 더 오랫동안 감옥에 잡아두려고 했을 때, 그것은 그에게 어처구니없는 잔혹함이었을 것이다.

카를 마르크스/프리드리히 엥겔스

편집자 논평
Redaktionelle Bemerkung

《노이에 라이니셰 차이퉁. 정치-경제 평론》

제4호, 1850년 4월

|79| ─ **워싱턴**에서 우리에게 다음과 같은 전문이 왔다. "뉴욕《슈넬포스트》편집자 **디디어** 씨가《노이에 라이니셰 차이퉁》의 예전 협력자라고 사칭했다."─우리는 이러한 언급이 사실과 맞지 않음을 밝힌다.|

카를 마르크스/프리드리히 엥겔스

사회-민주주의 망명자위원회 성명

Erklärung des Sozial-demokratischen Flüchtlingskomitees

|성명.

4월 14일 자 베를린《아벤트-포스트》에는 다음과 같이 4월 11일 자 슈테틴발(發) 투서가 실렸다.

"런던 망명자들과 관련해 **슈람**(슈트리가우 출신)과 접촉할 **부허**에게 돈을 지급하는[1] 조치가 취해졌다.[2] 다른 두 위원회의 의견이 다르고 당파적으로 돈을 분배하기 때문이다."[3]

여기 런던에는 사실상 단 하나의 망명자위원회, 즉 런던 이주 초기 작년 9월에 설립된 서명자(das Unterzeichnete)[4]만이 존재한다.[5] 그 이후 또 다른 망명자위원회를 만들려는 시도가 있었지만 실패로 돌아갔다. 서명자위원회는 이제까지 런던에 도착하여 도움이 필요한 망명자들 — 네다섯 명을 제외하고 우리를 찾아온 모든 사람 — 을 지원할[6] 수 있었다. 스위스에서 추방되어 지금 여기로 몰려든 다수의 망명자가 결국에는 이 위원회의 기금도 물론[7] 거의 고갈시켰다.[8] 이 기금은 소속한 분파에 관계없이 독일에서[9] 혁명운동에 참여했고[10] 도움이 필요하다는 사실이 증명된 모든 사람에게 **철저히 균등하게**[11] 배분된다. 서명자위원회가 "사회민주주의적"이라는 명칭을 받아들였을 때, 이런 일이 일어난 것은 서명자위원회가 이 당의 망명자들만 지원해서가 아니라 오히려 주로 이 당의 자금에 의존했기 때문이었다. — 서명자위원회는 이런 일을 이미 작년 11월 호소문에서 설명했다.[12]

여기 런던에는 망명자들을 위해 많은 돈이 준비되어 있다는 소문 — 명백

히 스위스에서 망명자 추첨제로 야기된 이 소문 ── 은 우리 위원회가 실현

할 수 없었던 요구사항들을 제기했다.[13] 한편 동시에 의도적으로 신문에 유
포된 서로 경쟁하는 위원회 사이의 불화설은 런던으로 많은 돈이 송금되는
것을 방해했다. 망명자를 지원하기 위한 그 밖의 수단과 위원회[14]의 존재를
밝히기 위해서, 서명자위원회는 ‖ 대표단을 시민 슈트루베와 루돌프 슈람
그리고 루이스 바우어(슈톨페 출신) 등에게 보내라고 망명자들에게 요구했
고,[15] 이것은 이루어졌다. 망명자들은 다음과 같은 대답을 보내왔다.

시민 슈람(슈트리가우 출신)은 어떤 망명자위원회에도 소속되지 않았고,
오히려[16] 제네바로 돈을 보내라는 지시와 함께 몇 장의 추첨권만을 제네바
의[17] 갈러에게 받았다고 해명했다. 다른 위원회는 **이름**뿐이라고 했다.

시민 슈트루베는 돈이 한 푼도 없고 받을 추첨권 몇 장만[18] 있다고 해명
했다.

시민 바우어[19]는 서면으로 다음과 같이 해명했다.

"망명자 클라이너의 문의에 대해, 이 자리를 빌려서 우리 편의 민주주의
연합 망명자위원회는 단 한 명도 정치 망명자를 지원할 형편이 안 되고, 이
런 목적을 위해 2.15파운드스털링을/ 양도한다면 그다음에는 이 협회의 기
금은 그와 똑같은 지원을 앞으로도[20] 계속 지원할 수 없다는 점을 증명합니
다. 런던, 1850년 4월 8일. 민주주의 연합 후원회 대표 바우어 박사."

슈트루베 씨[21]와 슈람 씨는[22] 자기들끼리 또는 정치적 중립인 사람들과 망
명자위원회를 결성하라고 망명자들에게 충고했다. 이 서명자위원회는 이
제안 자체[23]에 대한 결정을 망명자들의 판단에 맡겼다. 망명자들의 아래 해
명이 그 답이었다.

"사회민주주의 망명자위원회 귀중. ── 런던, 1850년 4월 7일. ── 서명한
망명자들은 지난번의 협의에 따라 배려 차원에서 우리끼리 혹시 어떤[24] 위
원회를 결성할 것을 위임한 점에 대해, 오래전에 망명한 자와 최근에 도착
한 망명자들의 굳은 신념에 따라 설립된 현재 존재하는 위원회 위원들이 이
위원회를 관리할 때 겪는 활동과 노고에 심심한 감사를 표명해야 할 필요를
느끼고 있습니다. 왜냐하면 동 위원회 위원들이 항상 우리가[25] 만족하게끔
관리비를 분배했기 때문입니다. 우리 모두가 바‖‖라는 임박한 혁명으로 동
위원회 위원들이 이런 근심을 떨쳐버릴 때까지 우리를 보살펴주시기만을
바랄 뿐입니다.

형제애를 담아!"[26]

(이어서 서명)[27]

　　망명자들이 직접 작성한 이 서류는 언론에 나온 위 기고문과 이와 유사한
그 밖의 무고에 대한 최상의 답변이다. 그럼에도 그런 주장을 세인들에게 밝　　G324
히는 것이 지원을 필요로 하는 망명자 본인들의 이익에 부합하지 않았다면
우리는 답변하지 않았을 것이다.

　　런던, 1850년 4월 20일.[28]

　　　　　　　　　　　　　　　사회-민주주의 망명자위원회
　　　　　　　　　　　　프리드리히 엥겔스.　H. 바우어
　　　　　　　　　　　　아우구스트 빌리히　K. 마르크스[29]
　　　　　　　　　　　　C. 펜더│

프리드리히 엥겔스

프랑스에서 온 편지 V

3월 선거 이후의 정치적 상황——파리의 재선거

Letter from France V

Political situation after the March elections——The repeated election in Paris

《더 데모크라틱 리뷰》

1850년 5월

|471| 프랑스에서 온 편지.

(우리의 통신원으로부터.)

파리, 1850년 4월 20일.

3월 10일 선거 이후 불가피해진 혁명의 발발은 정부와 파리 운동의 현 수뇌부의 비겁함 때문에 지연되었다. 정부와 국민의회는 3월 10일 선거와 군부의 끊임없는 반란 움직임 때문에 공포에 사로잡혀 어떤 결론도 감히 곧바로 내리지 못했다. 정부와 국민의회는 억압적인 새 법률을 통과시키기로 했다. 이 법률의 목록은 지난 호에서 이미 설명한 바 있다. 각료들과 다수당의 몇몇 지도자들이 이런 조치에 확신을 가졌다 해도 다수의 의원은 확신을 갖지 않았고, 정부조차 곧바로 확신을 잃어버렸다. 따라서 이 억압적인 법률 중에서 더 가혹한 것은 제출되지 않았다. 언론에 관한 법률과 선거 집회에 관한 법률도 다수당은 매우 회의적인 태도로 받아들였다.|

|472| 다른 한편으로 사회주의자 당은 그 승리로 마땅히 누려야 할 이익을 얻지 못했다. 그 이유는 매우 단순하다. 사회주의자 당은 노동자로만 구

성된 것이 아니라 지금은 엄청난 수의 소상인 계급도 포함하고 있다. 소상인들이 생각하는 사회주의는 프롤레타리아트가 생각하는 사회주의보다 실제로는 훨씬 더 온순한 것이다. 소매업자들과 소상인들은 파멸에서 구원받는 길이 전적으로 프롤레타리아트의 해방에 있다는 것도, 자신들의 이익이 노동자들의 이익과 불가분의 관계에 있다는 것도 잘 알고 있다. 그러나 프롤레타리아트가 혁명으로 정권을 정복하면 자신들이 완전히 배제되리라는 것도, 프롤레타리아트가 떼어 내줄지도 모르는 것을 받아들이는 신세로 전락하리라는 것도 알고 있다. 반대로 현 정부가 평화적 방법으로 타도되면 현 G326재 반대하는 계급 중에서 가장 온건한 소매업자와 소상인이 슬그머니 발을 들여놓아 정부를 차지하고는 동시에 노동자에게 몫을 최대한 적게 줄 것이다. 소상인 계급은 정부가 패배를 두려워한 것만큼이나 자신들의 승리를 두려워했다. 소상인 계급은 눈앞에서 혁명이 일어나는 것을 보고는 혁명을 방해하려고 안간힘을 썼다. 이를 위해 곧바로 쓸 수 있는 방법이 하나 있었다. 시민 비달이 파리에서도 당선되었을 뿐만 아니라 라인 강 하류 지역(Lower Rhine)에서도 당선되었다. 소상인 계급은 비달에게 라인 강 하류 지역을 받아들이게 했고, 따라서 파리는 다시 선거를 해야 했다. 그러나 인민에게 평화적인 방법으로 승리할 기회가 주어지는 한 "무기를 들자"고 외치지 않으리라는 것은 분명하지만 누군가 폭동(émeute)을 선동하면 승리할 가능성이 거의 없는데도 싸우리라는 것 또한 분명하다.

새로 치를 선거는 이달 28일로 정해졌다. 정부는 호의적인 자영업자들(shopocracy)이 만들어준 유리한 입장 덕분에 즉시 이익을 보았다. 현재 실직 중인 많은 노동자를 파리에서 추방하기 위해 각료들은 케케묵은 치안 규정들을 들추어내고, 집회를 곧바로 원천 봉쇄함으로써 선거 집회를 금지하는 법안을 제출하지 않아도 목적을 달성할 수 있다는 것을 보여주었다.[1] 선거 전날 싸워봤자 유리할 게 없다는 것을 안 인민은 굴복했다. 물론 완전히 자영업자 수중에 있는 사회민주주의 계열 언론은 온갖 수단을 동원하여 인민을 진정했다. "자유의 나무" 사건 이후 언론의 이런 행태는 그야말로 악명이 높았다. 인민이 봉기할 기회는 많이 있었다. 그러나 언론은 항상 평화와 평온을 떠들어댔고 선거위원회나 기타 단체의 자영업자 대표들은 인민의 분노를 방출할 출구를 열어둠으로써 가두 승리의 기회를 줄곧 줄여왔다.

적색당(Red party)이 강요받은 부당한 입장과 새 선거가 질서 장사꾼들에게 가져다준 이익은 반대 진영의 두 후보자 이름에 잘 나타나 있다. 선의의

"아첨꾼"의 탁월한 대표자이자 프롤레타리아트 혁명 임무를 인정할 리가 없는 감상적인 소부르주아 사회주의(shopocrat-socialism)의 대표자인 적색당 후보자 외젠 쉬는 소상인들을 후하게 후원함으로써 이들을 해방하려는 척할 것이다. 정치가로서 외젠 쉬는 빵점이고, 얼굴마담으로서 쉬를 지명한 것은 3월 10일에 획득한 위치에서 일보 후퇴한 것이다. 그러나 감상적 사회주의가 시대의 자랑이라면 쉬만큼 내세우기 좋은 이름은 없고 쉬가 선출될 가능성이 매우 크다는 사실은 인정해야만 한다.

|473| 한편 질서 장사꾼들은 웬만큼 세력이 회복되어 이제는 그 이름이 전혀 의미가 없거나 거의 의미가 없어진 외젠 쉬와 6월 무장봉기에서 용맹을 떨친 부르주아지이자 그 이름이 모든 것을 의미하는 르클레르 씨를 반대한다. 르클레르는 드 플로트의 대항마이고, 누구보다도 노동자를 직접 자극하는 사람이다. 파리 시장 후보인 르클레르는 "여러분, 여러분이 길거리로 뛰쳐나올 때마다 우리는 준비가 되어 있습니다!"[2]라는 도풀 장군의 말을 되풀이한다.

주지하다시피 거듭된 파리 선거는 프롤레타리아트당에 유리한 점을 제공하기는커녕 불리한 점만 잔뜩 지웠다. 주목해야 할 사실은 또 있다. 3월 10일 선거는 구(舊) 선거인 명부로 치러졌다. 4월 28일 선거는 4월 1일부터 발효된 1850년용 새로 개정된 명부로 치러질 것이다. 이 개정 명부에는 **노동자 2만 명에서 3만 명의 이름이** 온갖 구실로 **삭제되어 있다.**

그러나 이번에 질서 장사꾼들이 과반수를 조금 더 획득한다 해도 승자가 되지는 못할 것이다. 이것은 보통선거로는 그들이 프랑스를 지배할 수 없다는 것을 말해준다. 또한 군대가 대부분 사회주의에 감염되어 공공연히 반란을 기다리고 있다는 것도 말해준다. 아울러 파리의 노동자들이 그 어느 때보다도 현 상황의 종식을 염원하고 있다는 것도 보여준다. 비록 진압되기는 했지만 이번 선거 집회 때만큼 노동자들이 공공연히 거리로 몰려나온 적은 없다. 보통선거를 비판할 수밖에 없는 정부는 바로 그 때문에 인민에게 싸울 기회를 제공할 것이고, 이 싸움에서 승리할 가능성은 프롤레타리아트에게 있다.

엥겔스는 이 글을 영어로 썼다. ― 옮긴이

《더 타임스》 편집자에게

1850년 5월 24일과 27일 사이

To the Editor of the "Times"

Between May 24 and 27, 1850

《더 타임스》 제20500호

1850년 5월 28일

《더 타임스》 편집자에게.

편집자님, 우리는 지난 금요일[1] 자《더 타임스》의 「경찰」 보도문 가운데 포더길, 슈트루베를 비롯한 몇 명이[2] 독일인 망명자를 대표하여 런던 시장 관저에서 올더먼 기브스와 나눈 인터뷰 기사를 발견했습니다. 서명자위원회의 어떤 회원도, 이 위원회의 지원을 받는 어떤 독일인 망명자도 이 인터뷰와 무관하다고 분명히 공표해주시기 바랍니다.

공표문을 다음에[3] 실어주실 것을 당신께[4] 부탁드립니다. 런던에 거주하는 수많은 독일인 망명자가 몇몇 사람이 자기들 마음대로 취한 조치에 책임을 지는 일이 없게끔 항의하는[5] 것이 우리 국민의 이익에 부합하기 때문입니다.

귀하의 가장 충실한 독자,

독일 정치 망명자를 위한 민주사회주의 위원회 ──

Ch. 마르크스.

Ch. 펜더.

F. 엥겔스.

H. 바우어.

A. 빌리히.[6]

헤이마켓, 그레이트 윈드밀 스트리트 20번지, 5월 27일.[7]

마르크스/엥겔스는 이 글을 영어로 썼다. ─옮긴이

프랑스에서 온 편지 VI(단편)
보통선거권 폐지의 결과
Letter from France VI (Fragment)
Results of abolishing universal suffrage

《더 데모크라틱 리뷰》

1850년 6월

|10| 선거권을 박탈당하면 프롤레타리아트는 **부득이 2월 혁명을 무효화할** 수밖에 없다. 프롤레타리아트에게 공화정은 더는 존재하지 않을 것이다. 프롤레타리아트는 공화정에서 배제될 것이다. 프롤레타리아트가 이것을 용납할까?

이 법은 분명히 통과될 것이다, 일점일획도 수정되지 않은 채.[1] 이 점과 관련하여 지금 현재 다수파의 의지는 분명히 드러났다. 문제는 지금 현재이다. 아무도 무슨 일이 일어날지 말할 수 없다. 인민이 들고일어나 정부와 의회를 타도할지, 다음 기회가 올 때까지 기다릴지 아무도 말할 수 없다. 파리는 평온해 보인다. 혁명이 다가오고 있다는 직접적인 조짐은 없다. 그러나 불꽃 하나면 대폭발을 일으키기에 족할 것이다.

"평화", "평온", "장엄한 고요" 따위만 설교해온 유명한 지도자들의 기만적인 행동만 없었다면 폭발은 벌써 일어났을 것이다. 그러나 이것은 오래갈 수 없다. 프랑스의 상황은 혁명이 일어나기에 딱 알맞다. 질서 장사꾼들은 현재 있는 곳에 서 있을 수 없다. 그들은 스스로 지탱하기 위해 매일 한 걸음 나아가야만 한다. 혁명을 잠재우면서 이 법이 통과되면 인민이 직접 나서서 헌법과 공화정을 새롭고 더 과격하게 공격할 것이다. 인민은 **폭동**(*émeute*)을 원한다. 혁명을 일으킬 것이다, 그것도 머지않아. **몇 년**이 문제가 아니라

몇 주, 며칠이 문제라는 것을 명심해야 한다.

엥겔스는 이 글을 영어로 썼다. ─옮긴이

프리드리히 엥겔스

국가 폐지라는 구호와 독일의 "아나키 친구들"에 대하여

Über die Losung der Abschaffung des Staates und die deutschen "Freunde der Anarchie"

| [1] | "공산주의자에게 국가 폐지는 계급 폐지의 필연적 결과일 따름이다. 이로써 다른 계급을 억압하려는 한 계급의 조직적 힘의 욕구 자체가 필요 없어진다. **부르주아** 국가에서 국가 폐지는 국가 권력이 북아메리카 기준으로 돌아간다는 것을 의미한다. 북아메리카는 계급 대립이 불완전하게 발전했다. 계급 충돌은 남아도는 프롤레타리아트가 서부로 이주하는 바람에 번번이 흐지부지되었다. 동부는 국가 개입이 최소한으로 줄어들고, 서부는 아예 없었다. **봉건** 국가에서 국가 폐지는 봉건제 폐지와 통상적 부르주아 국가 수립을 의미한다. **독일**에서 국가 폐지 뒤에는 눈앞에 놓인 투쟁에서 비겁하게 달아나는 것, **부르주아적** 자유를 **개인의** 절대적 독립과 자립으로 극단적으로 감추는 것 아니면 부르주아적 이익의 발전을 방해하지 않는다는 것을 전제로 어떤 국가 형태에도 아무런 관심이 없는 부르주아지의 태도가 숨어 있다. 물론 베를린의 슈티르너와 파우허는 '더 고차원적인 의미에서' 고지식하게 국가 폐지를 설교하는 것에 찬성하지 않는다. 프랑스에서 가장 아름다운 여자는 자기가 가진 것만 줄 수 있다(La plus belle fille de la France ne peut donner que ce qu'elle a.)"(《노이에 라이니셰 차이퉁》(여기서는《노이에 라이니셰 차이퉁. 정치-경제 평론》을 의미함 — 옮긴이), 제4호, 58쪽.)[1]

[2]국가 폐지, 즉 **아나키즘**은 어느덧 독일에서 보편적 슬로건이 되었다. 뿔뿔이 흩어진 프루동의 독일 제자들,[3] 베를린의 "고상한" 민주주의자들, 슈투트가르트 의회 및 제국 섭정 통치에서 실종된 "민족의 가장 고귀한 정신"[4]은 각기 나름대로 이 조야해 보이는 슬로건을 제 것으로 삼았다.

이 분파들은 하나같이 기존 **부르주아 사회**가 유지되어야 한다고 생각한다. 따라서 그들은 부르주아 사회와 함께 부르주아지의[5] 지배를 대표할 수밖에 없다.[6] 심지어 독일에서는 부르주아지를 통한 [7]지배권의 정복을 대표했다. 이 분파들은 자신에게[8] ||[2]| "앞으로 나아간다", "가장 앞으로 나아간다"는[9] 가상을 부여하는 낯선 종류의 형태를 통해서만 실제 부르주아지 대표들과 구별된다. 이러한 가상은 모든 실제적 충돌[10] 속에서 사라졌다. 대중이 "잔인한 폭력"으로 서로 맞서 싸웠던[11] 혁명 위기 때의 **실제** 아나키에 직면해서, 아나키의 이[12] 대표자들은 매번[13] 아나키를 제어하기 위해 최선을 다해 행동했다.[14] 이 칭송이 자자한[15] "아나키"의 내용은 결국 "더 발전한" 나라에서 "질서"라는 말로 표현되는 것과 일치한다. 독일의 "아나키 친구들"[16]은 프랑스의 "질서의 친구들"[17]과 똑같은[18] 뜻이다.

아나키 친구들이 프랑스인 프루동과 지라르댕에게 의존하지 않고 그들의 사고방식이 게르만에 기원을 두고 있는 한 그들의 공통된 원천은 **슈티르너**이다. 독일 철학의 해체기는 대체로 독일의 민주적 당에 일반적 구호의 대부분을 제공했다. 독일 최후의 신학자, 특히 포이어바흐와 슈티르너의 생각과 문구는 이미 2월 전에 [19]거의 방종한 형태로 통속소설적 의식과 신문 문예란으로 넘어갔다. 이것들은 다시 3월 이후의 민주주의 대변자들에게 주된 원천[20]이 되었다. 슈티르너의 무국가[21] 설교는 프루동의 아나키와 지라르댕의 국가 폐지에 독일 철학적인 "성변화"(聖變化)를 덧입히기에 딱 알맞았다. 슈티르너의 책『유일자와 그의 소유』[22]는 절판되었지만 그의 사고방식, 특히 국가 비판은 아나키 친구들의 사고방식에 다시 떠오르고 있다. 프랑스적 기원을 가진 이 두 사람의 저작을 이미[23] 살펴보았으므로 이제는 독일적 기원을 살펴보기 위해 독일 철학의 노아 대홍수 이전의 심연으로 한 번 더 내려가야만 한다. 독일의 일상적 논쟁을 다루는 데 훨씬 편한 방법은 이런 사고방식[24]의 고물 장수보다는 원창작자를 살펴보는 것이다.

> 그대 요정이여, 나를 한 번 더 히포그리프의 안장에 앉혀
> 예전의 낭만적 나라로 데려다주소서![25]|

|[3]| 위에서 언급한 슈티르너의 책 자체[26]를 살펴보기 전에 "예전의 낭만적 나라"와 이 책이 발행된 잃어버린 시대를 생각해보아야 한다. [27]정부의 재정난에 시달린 프로이센의 부르주아지는 정치적 힘을 획득하기 시작했

고,[28] 그러는 동안 부르주아적-입헌주의적 운동 이외에도 동시에 프롤레타리아트에서 공산주의 운동[29]이 매일 계속해서 퍼져나갔다. 사회 자체의 목적을 달성하기 위해 프롤레타리아트의 지원을 필요로 하는 사회의 부르주아적 분자[30]는 어디서든 일종의 사회주의를 가장해야만 했다.[31] 보수적이고[32] 봉건적인 정당도 프롤레타리아트에게 약속을 해야만 했다. 부르주아지와 농민의 봉건귀족 및 관료에 대한 투쟁 외에 부르주아지에 대한 프롤레타리아트의 투쟁이 있었다. 반동적 사회주의, 소부르주아 사회주의, 부르주아 사회주의 등 온갖 사회주의를 망라하는 일련의 사회주의 중간 단계가 그 사이에 있었다. 이 모든 투쟁과 노력은 진압되었고,[33] 그들의 주장은 지배 권력의 억압, 검열, 결사와 집회의 금지에 의해 억눌렸다. 이것이 독일 철학이 그 옹색한 최후의 승리를 축하할 때 앞에서 말한 시대의 세력들의[34] 입장이었다.

G332

애당초 검열은 다소간 비위에 거슬리는 모든 요소에[35] 되도록 추상적인 표현을 강요했다. 헤겔학파의 완전한 해체로 생긴 독일 철학의 전통은 이 표현을 공급했다. 종교에 대한 투쟁은 여전히 계속되었다. 기존 권력에 대한 정치 투쟁이 언론에서 힘들어질수록, 정치 투쟁은 종교 및 철학 투쟁의 형태로 더욱 활발하게[36] 계속 이어졌다. 독일 철학은 해체된 형태로나마 "교양인"의 공동 재산이 되었다. 독일 철학이 공동 재산이 되면 될수록 철학자들은 그만큼 더 맥이 빠지고 산만해지고 무미건조해졌다.[37] "교양인" 독자들이[38] 보기에는 이 방종함과 무미건조함이 다시 철학자들의 권위를 더 높여주었다.

"교양인"의 머릿속은 무시무시할 만큼 혼란스러웠고, 이 혼란은 매 순간 더 ||4| 커졌다. 이것이야말로 독일, 프랑스, 영국, 고대, 중세, 근대를 그 기원으로 삼은 이념들의 진정한 이종 교배였다. 사람들은 둘째 사람, 셋째 사람, 넷째 사람에게서 모든 이념을 처음으로[39] 받아들였으며,[40] 따라서 이 이념들은 전혀 알 수 없는 왜곡된 형태로[41] 유통되었기 때문에,[42] 혼란은 더 가중되었다. 프랑스와 영국의 자유주의자 및 사회주의자의 사상뿐만 아니라 독일인의 이념, 예를 들면 헤겔의 이념도 이런 운명과 함께했다. 당시의 모든 저작,[43] 특히[44] 슈티르너의 책은[45] 이제 보게 되겠지만[46] 이에 대한 증거를 무수히 제공한다. 현재의 독일 문학은 지금도 이런 결과에 몹시 시달리고 있다.

이런 혼란 속에서 철학적 기만은 실제 투쟁의 모사로서 기여했다. 철학에

G333

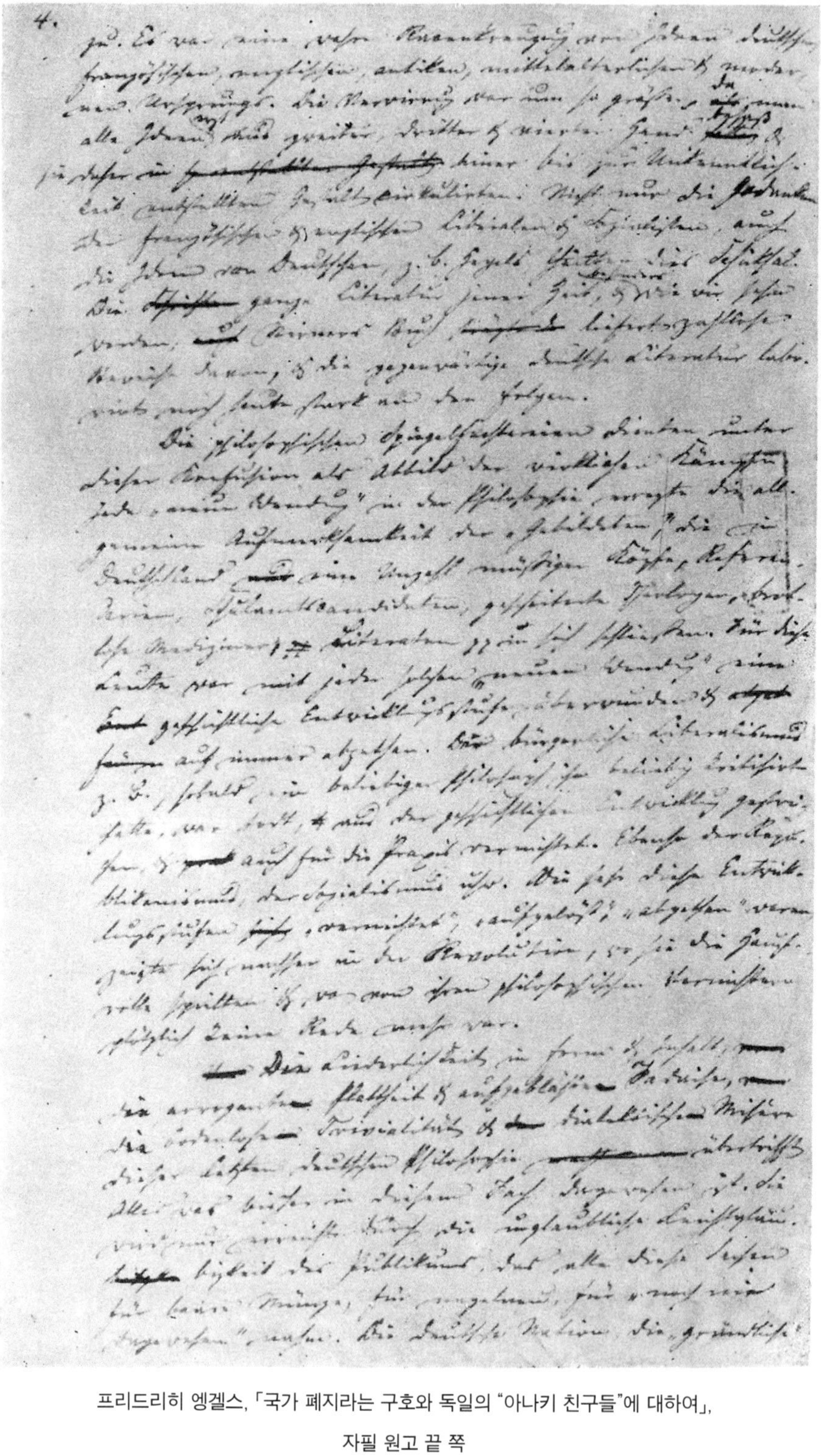

프리드리히 엥겔스, 「국가 폐지라는 구호와 독일의 "아나키 친구들"에 대하여」,

자필 원고 끝 쪽

서 모든 "새로운 방향 전환"은 일반적으로 "교양인"의 주의를 환기한다. 독일에서 이 교양인은 수많은 한가한 사람, 즉 사법관 시보(試補), 교직 후보생, 좌절한 신학생, 수입이 신통찮은 의사, 작가 등이 해당된다. 이런 사람들에게 역사적 발전 단계는 그런 "새로운 방향 전환"과 함께 극복되고 [47]영원히 끝나버렸다. 부르주아적 자유주의, 예를 들면 어떤 철학자가 이 자유주의를 마음대로 비판하자마자 이 자유주의는 죽어버렸고, 역사적 발전에서 삭제되고, 실제로도 파기되었다. 공화주의와 사회주의도 마찬가지였다. 이 발전 단계들이 어떻게 "파기되고", "해체되고", "끝나버렸는지"는 이후의 혁명에서 나타났다. 이 혁명에서 이 발전 단계들이 주된 역할을 했으며 이 발전 단계들을 파기한 철학자들에 대해서는 갑자기 아무런 말도 더는 하지 않았다.

G335

이러한 최근 독일 철학의 방종한 형식과 내용, 오만한 천박함, 과장된 객설, 형언할 수 없는 진부함, 비참한 궤변은 이제까지 이 분야에 존재했던 모든 것을 능가한다.[48] 독일 철학은 이 모든 것을 맹신하고, 새로운 것으로 여기고, "결코 존재한 적이 없는" 것으로 여긴 독자들의 터무니없이 쉽게 믿는 특성을 통해서 이렇게 되었다. 독일인들, "철저한" 독일인들|

카를 마르크스/프리드리히 엥겔스
1850년 6월 공산주의자동맹 중앙본부의 연설
Ansprache der Zentralbehörde des Bundes der Kommunisten vom Juni 1850

중앙본부가 동맹에게.[1]

동지 여러분:[2]

우리는 동맹의 밀사들이 여러분에게 전해준 지난번 회람[3]에서 현재의 노동자당, 특히 동맹의 위상에 대해서뿐만 아니라 혁명이 일어날 경우 그 위상에 대해서도 설명했습니다.[4] 이 글의 주된 목적은 동맹의 상태를 보고하는 것입니다.

작년 여름 혁명 세력의 패배로 동맹 조직은 한동안 거의 다 해체되었습니다. 여러 운동에 참가한 가장 활동적인 동맹원들이 뿔뿔이 흩어져 접촉이 끊기고 주소가 무용지물이 되었기 때문에, 그리고 편지 개봉의 위험[5] 때문에 현재로서는 연락할 수가 없습니다. 중앙본부도 작년 말까지 모든 활동 정지 선고를 받았습니다.

패배의 첫 여파가 차츰 가라앉자 혁명 세력[6]의 강력한 비밀 조직[7]을 독일 전역에 만들어야 한다는 욕구가 도처에서 일어났습니다. 중앙본부가 독일과 스위스[8]로 밀사를 파견하기로 결정하게끔 만든 이 욕구는[9] 다른 한편으로 스위스에 있는 새로운 비밀 결사와[10] 독일에서 동맹을 자발적으로 재조직하려는[11] 쾰른 지부의 비밀 결사를 결성하려는 시도로 이어졌습니다.

올해 초에 스위스에서는 여러 가지 운동으로 이름깨나 알려진 망명자들이 모였습니다. 모인 목적은 때를 봐서 기존 정부[12] 전복에 참여하고 운동 지도부와 정부까지 인수할 사람들을 준비하게 하는 것이었습니다. 이 결사는 뚜렷한 당의 성격을 갖고 있지 않았습니다. 이 결사를 결집시킨 잡다한 요소들이 이것을[13] 허용하지 않았습니다. 이 결사의 회원들은 결연한 공산주의자와 심지어 동맹의 전(前) 동맹원에서부터 겁 많은 소부르주아 민주주의자와 팔츠 정부의 전(前) 요인(要人)[14]에 이르기까지 운동 세력[15]의 온갖 분파 사람들로 구성되었습니다.[16] 이 단체는 당시 스위스에 있던 수많은 바덴-팔츠의 구직자와 그 밖의 하급 야심가들이 출세할 수 있는 좋은[17] 기회였습니다.

이 결사가 밀사에게 보내[18] 본부에 제출한 훈령은 신뢰를 심어주기에 적합하지 않았습니다. 명확한 당 입장의 부재, 그리고 현존하는 반대 요소들을 모두 일종의 가짜 결사(Scheinverbindung)에 돌리려는 시도는 여러 지방의 산업, 농촌, 정치, 군사 상황에 대한 엄청난 세부 문제 때문에 어설프게 은폐되었습니다. 이 결사의 회원도 그다지 많지 않았습니다. 우리가 가지고 있는 전체 회원 명단에 따르면 스위스에 있는 전체 회원 수는 전성기[19]에도 30명이 채 되지 않았습니다. 이 중에 노동자가 거의 없다는 사실도 주목할 만합니다. 이 결사는 옛날부터 사병은 없이 모두 장교와 하사관으로 구성된 군대였습니다. 그중에 팔츠 출신의 A. 프리스와 그라이너, 엘버펠트 출신의 쾨르너, 그리고 지겔, J. P. 베커 등[20]이 있습니다.[21]

그들은 독일로 밀사 두 명을 보냈습니다.[22] 그중 한 명,[23] 즉 동맹원이자 홀슈타인 출신의 브룬은 기만적인 거짓을 이용해 새 결사에 몇몇 동맹원을 일시 합류시켰고,[24] 이들은[25] 동맹이 부활했다고 믿었습니다. 그는 이 무렵에 취리히에 있는 스위스 중앙본부에 동맹에 대해서 보고했고 우리에게는 이 스위스 결사에 대해 보고했습니다. 이런 중개인 노릇이 못마땅했지만, 우리와 여전히 연락을 취했던 브룬은 프랑크푸르트로 이주한 위에서 언급한 스위스에서 규합한 사람들에게 동맹에 대한 노골적인 비방문을 썼으며, 그리고[26] 이들에게 런던과는 어떤 종류의 접촉도 하지 말라고 명령했습니다. 그 때문에 브룬은 동맹에서 즉시 제명되었습니다.[27] 프랑크푸르트 문제는 동맹의 밀사가 해결했습니다.[28] 그 밖에 브룬이 스위스 중앙본부를 위해서 한 활동도 물거품이 되었습니다.[29]

다른 한 명, 즉 본 출신의 대학생 슈르츠는 아무것도 달성하지 못했습니다. 취리히에 보낸 보고서에 썼듯이 그는[30] 사용 가능한 요원이 모두 이미 동맹의 수중에[31] 있음을 알았기 때문입니다. 슈르츠는 갑자기 독일을 떠나 지금 브뤼셀과 파리를 떠돌고[32] 있는데 동맹이 그를 감시하고 있습니다.[33] 중앙본부는 동맹에 반대하는 낌새를 보이는 사람들에 대한 대처와 계획을 감시하고 보고하는 임무를 맡은 매우 믿음직한 동맹원[34]이 중앙위원회에 있어서 이 새 결사가 동맹에 위험이 적다고 보았습니다. 그 밖에도[35] 본부는 스위스에 밀사[36]를 보내 앞에서 언급한 동맹원[37]과 동맹에서 사용 가능한 요원을 규합하고, 스위스의 동맹을 전반적으로 재조직[38]하게 했습니다. 언급한 보고들은 매우 믿을 만한 문서에 입각한 것입니다.

예전에 제네바에 슈트루베,[39] 지겔, J. Ph. 베커[40]가 이미 이와 유사한 시도를 했습니다. 이 사람들은 결사를 만들려는 자신들의 시도를 서슴없이[41] 동맹이라고 간주했고 이 목적을 위해 동맹원[42]의 이름을 도용하는 것을 두려워하지 않았습니다. 물론 이 거짓말로 아무도 속이지는 못했습니다. 그들의 시도는 어느 모로 보나 실패했습니다. 그래서 스위스에 남은, 이 실패한 결사의 몇몇 회원은 결국 위에서 처음으로 언급한 조직에 합류할[43] 수밖에 없었습니다. 그러나 이 패거리가 더 무기력할수록 "유럽 민주주의 중앙-위원회"라는 요란한 타이틀을 더 과시했습니다. 슈트루베는 이곳 런던에서도 낙담한 몇몇 다른 위대한 인물과 함께 연계하여[44] 이 시도를 계속했습니다. "총[45] 독일인 망명자 중앙-사무소"와 "유럽 민주주의자[46] 중앙-위원회"[47]의 연계를 위한 성명서와 권고서가 독일 전 지역에 보내졌습니다. 그러나 이번에도 여지없이 실패했습니다.[48] 프랑스인 혁명가와 그 밖의 비독일인 혁명가로 이루어진 이 패거리의 이른바 결사는 전혀 존재하지 않습니다. 그들의 활동은 동맹에 직접 관여하지 않고 안전하고 쉽게 감시할 수 있는 이곳의 독일인 망명자 밑에서의 몇 가지 소소한 음모와 관련된 것뿐입니다.[49]

그런 시도의 목적은 모두 동맹의 목적과 같습니다. 요컨대 혁명적 노동자당을 조직하는 것입니다. 이 경우 그런 시도는 집중화를 파괴하고, 그럼으로써[50] 분산화를 통해 당의 힘을 파괴합니다. 그 결과 결정적으로 해로운 분리주의가 초래됩니다. 그렇지 않으면 그런 시도는 노동자당을 또다시 악용하는 목적을 가질 뿐입니다. 이 목적은 노동자당을 소외하고 노골적으로 적대하는 것입니다. 노동자당은 경우에 따라서는 다른 당이나 당파의 목적에 쉽게 이용될[51] 수 있습니다. 그러나 노동자당은 다른 어떤 당에 순응해서는 안 됩니다. 지난번 운동 때 정부 편에 선 사람, 그 지위를 이용하여 운동을 배신하고 독립 세력으로 등장하려는 노동자당을 억압한 사람은 반드시 멀리해야 합니다.

동맹의 사정은 다음과 같이 보고할 수 있습니다.

I. 벨기에.

1846년과 47[52]년에 존재했던 벨기에 노동자 중심의 동맹 조직은 1848년에 핵심 회원들이 체포되어 사형 선고를 받았다가 무기 징역으로 감형된 후에 자연스럽게 해체되었다.[53] 벨기에의 동맹은 2월 혁명 이후, 독일 노동자협회 회원 대부분이 브뤼셀에서 추방된 이후 대체로 세력이 크게 약해졌다.[54] 이 동맹이 다시 세력을 회복하는[55] 것은 현재 경찰 상황으로 보건대 쉽지 않다. 그럼에도 브뤼셀 지부는 계속 유지되어 지금도 존재하고 최선을 다해[56] 활동하고 있다.

II. 독일.

중앙본부는 이 회람을 통해 독일의 동맹 상황을 특별히 보고하려고 했다. 지금으로서는 보고할 수 없다. 현재 프로이센 경찰이 혁명 세력 중에서 세력이 커진[57] 결사를 조사하고 있기 때문이다. 이 회람은 안전하게 독일로 보낼 예정이지만 보급 과정에서 물론 독일 곳곳에서[58] 경찰의 손에 넘어갈 가능성이 있다. 따라서 동맹에 불리한 꼬투리가 잡히지 않도록 작성할 수밖에 없한다. 그러므로 중앙본부는 이번에는 내용을 다음과 같이 한정한다.

동맹은 본부를 독일(쾰른, 프랑크푸르트, 하나우, 마인츠, 비스바덴, 함부르크, 슈베린, 베를린, 브레슬라우, 리크니츠, 글로가우, 라이프치히, 뉘른베르크, 뮌헨, 밤베르크, 뷔르츠부르크, 슈투트가르트, 바덴)에 둔다.

지역본부는 다음과 같이 지정한다.[59] 함부르크는 슐레스비히-홀슈타인을, 슈베린은 메클렌부르크를, 브레슬라우는 슐레지엔을, 라이프치히는 작센과 베를린을, 뉘른베르크는 바이에른을, 쾰른은 라인란트와 베스트팔렌을 담당한다.

괴팅겐, 슈투트가르트, 브뤼셀의 지부는 세력이 충분히 커져 다시 주된 담당 구역을 새로 맡을 때까지 일시적으로 중앙본부가 직접 관할한다.[60] 바덴에서의 동맹 상황은 그곳의 보고서와 스위스에 파견된 밀사의 보고서에 따라 비로소 결정될 것이다.

슐레스비히, 홀슈타인, 메클렌부르크처럼 농민 연합과 농촌 일용직 노동자 연합[61]이 있는 곳에서는 동맹원들이 그들에게 더 직접[62] 영향을 미치고 동맹의[63] 수중으로 끌어들이는 데 성공했다. 작센, 프랑켄, 헤센, 나사우의 노동자 연합 및 일용직 노동자 연합도 대부분 동맹의 지도하에 있다. 노동자 우애회[64]의 영향력이 막강한 회원들도 동맹에 속해 있다.[65] 중앙본부는 노동자 연합,[66] 체조인 연합과[67] 일용직 노동자 연합 등[68]에 미치는 영향이 매우 중요하므로 도처에서 영향력을 행사하도록 해야 한다는 점을 모든 지부 회원과 동맹원에게 주지시킨다. 중앙본부는 지역본부 및 이 지역본부와 직접[69] 서신을 주고받는 지부가 다음번 서신에서 이 관계가 어떻게 이뤄졌는지를 보고할 것을 특별히 요청한다.

중앙본부의 승인을 얻고 독일로 파견되어 활동하는 밀사[70]는 도처에서 믿을 만한 사람들을 동맹에 가입시키고, 그들의 지역 인지도를 동맹의 확대에 활용했다. 결연한 혁명적 인사들이 직접 동맹에[71] 가입하느냐 가입하지 않느냐는 그 지역의 상황에 달려 있다. 이것이 불가능할 경우, 혁명에 이용할 수 있고 믿을 만하면서도 현 운동의 공산주의적 중요성을 이해하지 못하는 사람으로 동맹원의[72] 둘째 부류를 형성해야 한다. 결사를 단순히 지역적인 것으로 이해하는 이 부류의 사람들은 동맹의 고정 동맹원이나 동맹 본부의 지도하에 계속 두어야 한다. 계속해서 이 결사[73]의 도움을 받으면 무엇보다도 농민 연합과 체조인 연합에 미치는 영향력을 아주 쉽게 확실히[74] 조직할 수 있다. 구체적인 준비는 지역본부가 맡는다. 중앙본부는 이에 대해서도 지역본부의 빠른 보고를 기다린다.

한 지부가 동맹-대회, 더 구체적으로 말하면 독일 자체 내 동맹-대회의 즉각적인 소집[75]을 제의했다. 이런 상황에서 지역본부의 지방-대회조차도 곳곳에서 유용하지 않으며, 전체 동맹-대회는 현재로는 완전히 불가능하다는 점을 지부와 지역본부가 이해해야 할 것이다. 그럼에도 중앙본부는 사정이 허락되면 곧바로 그 지역에[76] 동맹-대회를 소집할 것이다.[77] 쾰른 지역본부[78]의 한 밀사가 얼마 전에 라인프로이센과 베스트팔렌을 방문했다. 이 여행 결과에 대한 보고서는 아직 런던[79]에 도착하지 않았다. 우리는 같은 방법으로 최대한 빨리 관할 구역에 밀사를 보내 그 결과를 최대한 빨리 보고할 것을 지역본부[80]에 요청한다. 끝으로, 슐레스비히-홀슈타인에서는 결사가 군대와 연계되어 있음을 밝힌다.[81] 동맹은 이곳에서 획득할 수 있는 영향력에 대한 다음번 보고서를 기대하는 바이다.

아직 밀사의 보고서를 기다리고 있다.[82] 따라서 자세한 것은 다음번 회람에 실을 예정이다.

IV. 프랑스.

브장송과 쥐라[83] 인근 지방의 독일 노동자들의 결사는 스위스에서 다시 결성될 것이다.[84]

지금까지 파리 지부의 우두머리였던 동맹원 에베르베크가 저술에 전념하겠다면서 동맹 탈퇴를 선언했다. 따라서 결사는 잠시 해체된 상태이다. 재결속은 파리 사람들이 아무짝에도 쓸모없고 심지어는 예전에 동맹을 적대하기도 한 사람들을 받아들였기 때문에 더 조심스럽게 진행해야만 한다.[85]

V. 영국.

런던 지부는 동맹 전체에서 가장 강력한 지부이다. 이 지부는 몇 년 전부터 동맹의 경비, 특히 밀사의 여비를 도맡아 부담했다는 점에서 돋보인다. 이 지부는 최근에 새로운 인원들을 수용하여 더욱 강화되었고, 이곳에 거주하는 독일 노동자협회 및 이곳의 과격한 분파인 독일 망명자들을 지속적으로 이끌었다.

중앙본부는 이곳에 파견된 몇몇 회원을 통해서 결연한 프랑스인, 영국인, 헝가리인 혁명 세력과 연계되어 있다.

프랑스인 혁명가 중에서는 특히[86] 블랑키가 지도자인 본래의 프롤레타리아트 정당이 우리와 연계되어 있다. 블랑키의[87] 비밀 결사에서 파견된 사람들은 다음번 프랑스 혁명을 위해 중요한 사전 작업을 위임받은 사람, 즉 동맹에서 파견된 사람들과 정식으로, 즉 공식적으로 연계되어 있다.

혁명적 차티스트당의 지도자들[88]도 중앙본부에서 파견된 사람들과 긴밀히 연계되어 있다. 그들의 신문은[89] 우리 뜻대로 움직인다. 이 혁명적이고 자립적인 노동자당과 부르주아지와의 화해에 훨씬 더 경도된[90] 오코너 분파 사이의 불화는 동맹에서 파견한 사람 때문에 더욱 가속화되었다.

같은 방식으로 중앙본부는 가장 진보적인 헝가리인 이민자 당과 연계되어 있다. 혁명 때 동맹의 뜻대로 움직여줄 수 있는[91] 탁월한 장교들이 많이 있기 때문에 이 당은 중요하다.

중앙본부는 이 문서를 회원들에게 최대한 빨리 전달하고 곧바로 보고해줄 것을 지역본부에 요청한다. 중앙본부는 정세가 너무 긴박해져서 머지않아 새로운 혁명이 발발할 수 있는 지금 전체 동맹원이 활발히 활동할 것을 요청한다.

프로이센인 망명자들
The Prussian refugees

《더 선》제18011호,
1850년 6월 15일

프로이센인 망명자들.

《더 선》 편집자에게.

편집자님, 아래에 서명한 런던에 거주하는 독일인 정치 망명자들은 프로이센 대사관과 영국 정부가 보여준 관심에 한동안 고맙게 생각했습니다. 이것은 모르고 넘어가는 것이 더 좋았을 것입니다. 우리가 어떤 점에서 "이 왕국의 평화와 안정을 유지하기 위한" 외국인 거류자 법[1]과 충돌할 가능성이 있는지 생각하면 당혹스럽기 때문입니다. 그러나 최근에 우리는 매우 위험한 망명자들을 영국에서 추방하라고 프로이센 대사에게 명령을 내렸다[2]는 기사를 대중지에서 읽었습니다. 우리는 지난 일주일간 영국 경찰 끄나풀의 밀착 감시를 받았습니다. 그래서 이 문제를 공론화하기로 했습니다.

프로이센 정부가 외국인 거류자 법이 우리에게 강제되도록 노력하고 있다는 것은 분명합니다. 그런데 그 이유가 무엇입니까? 우리가 영국 정치에 개입하기 때문입니까? 우리가 영국 정치에 개입했다는 것을 증명하기는 불가능할 것입니다. 그러면 왜 그럴까요? 베를린의 국왕 시해 기도가 광범한 음모의 결과이고 그 음모의 중심이 런던이라고 프로이센 정부가 꾸며야 하

기 때문입니다.[3]

이제 문제의 본질을 살펴보겠습니다. 이 시해 기도의 장본인 제펠로게가 악명 높은 광인일 뿐만 아니라 급진 왕당파 협회인 **충성동맹**[4] 회원이라는 것을 프로이센 정부가 부인할 수 있습니까? 제펠로게가 베를린 2구역의 133번 회원으로 이 협회 명단에 등록되어 있다는 것을 프로이센 정부가 부인할 수 있습니까? 그가 최근에 협회로부터 금전적 원조를 받았다는 사실을 프로이센 정부가 부인할 수 있습니까? 그의 신분증명서가 육군성(Royal War-office) 소속의 급진 왕당파 쿠노프스키 소령 집에 보관되어 있다는 사실을 프로이센 정부가 부인할 수 있습니까?

G344 　실상이 이러함에도 혁명 세력이 그 시해 기도와 관련이 있다고 꾸미는 것은 우스꽝스럽기 짝이 없습니다. 프로이센 군주가 빨리 제위에 오르는 데 관심이 있는 것은 혁명 세력이 아니라 급진 왕당파입니다. 그럼에도 프로이센 정부는 이 시해 기도를 이유로 급진 반대파에게 보복하고 있습니다. 언론 자유에 역행하는 새 법[5]과 런던 주재 프로이센 대사관의 활동이 이를 잘 보여 줍니다.

시해 기도 2주 전쯤에 우리가 프로이센 첩자라고 의심한 사람들이 나타나 우리를 국왕 시해 음모에 얽어 넣으려고 했다는 것을 우리는 동시에 밝힐 수 있습니다. 물론 우리가 그런 꾐에 넘어갈 얼간이들일 리는 없습니다.[6]

영국 정부가 우리에 관한 정보를 원한다면 언제든지 제공할 용의가 있습니다. 첩자들에게 우리 뒤를 밟게 하여 무언가 알아내려고 했다고 생각하니 당혹스럽습니다.

러시아의 주도 아래 재건되고 있는 신성동맹은 유일한 걸림돌인 영국이 국내에서 반동 정책을 채택하게끔 하는 데 성공한다면 기뻐 날뛸 것입니다. 프로이센이 핵심을 이루는 신성동맹에 대한 보복 외에는 아무것도 불러일으키지 않는 외국인 거류자 법 시행에 대해 이러쿵저러쿵 말이 나오면 영국의 반러시아 감정과 외교 문서와 정부에 대한 의회의 주장은 어떻게 되겠습니까?

신성동맹 국가들은 정당과 국적을 불문하고 망명자들의 가장 안전한 도피처라는 그 유구한 영국의 명예에 심각한 영향을 미칠 내무부 조처를 불러일으킬 정도로 영국 정부를 속이는 데 성공하지 못할 것입니다.

귀하의 가장 충실한 독자,

카를 마르크스, } 쾰른의 《노이에 라이니셰 차이퉁》
프리드리히 엥겔스, } 편집자.
아우구스트 빌리히, } 바덴의 봉기군 대령.

소호 딘 스트리트 64, 1850년 6월 14일.

마르크스/엥겔스는 이 글을 영어로 썼다. ─ 옮긴이

카를 마르크스/프리드리히 엥겔스
런던의 프로이센 스파이
Prussian spies in London

《더 스펙테이터》제1146호,
1850년 6월 15일

런던의 프로이센 스파이.

소호 딘 스트리트 64, 1850년 6월 14일.

편집자님 ── 아래에 서명한 이 나라에 거주하는 독일인 망명자들은 영국 정부가 보여준 관심에 한동안 고맙게 생각했습니다. "법률에 따라 등록하지 않은" 프로이센 대사의 수상쩍은 끄나풀들을 우리는 종종 만나곤 했습니다. 우리는 그들의 사나운 입담과 **정부 공작원** 같은 과격한 제안에 익숙해졌습니다. 이제는 그들을 다루는 법도 알고 있습니다. 우리가 경의를 표하는 것은 프로이센 대사관이 우리한테 보이는 관심이 아닙니다. 우리는 평화 협정의 대상이 된 것을 자랑스럽게 생각합니다. 평화 협정은 우리와 관련하여 프로이센 스파이들과 영국의 밀고자들 사이에 맺어진 것이니까요.

일주일이라는 짧은 기간에 우리가 알게 된 경찰 끄나풀이 영국에 이렇게 많을 줄은 정말 생각도 못 했습니다. 수상하기 짝이 없는 사람들이 우리가 사는 집 대문을 엄중히 감시한 것은 말할 것도 없습니다. 이들은 누군가 드나들 때마다 냉정하게 메모를 했습니다. 우리가 어디로든 한 걸음이라도 가면 이들이 따라붙었습니다. 합승 마차를 타거나 찻집에 들어가도 이 정체불

명의 친구들이 최소한 한 명은 따라붙었습니다. 이 영광스러운 일에 종사하는 신사들이 "여왕 폐하"를 위해 일하는 건지 아닌지 우리는 모릅니다. 그러나 이들 대부분이 존경할 만한 훌륭한 사람과는 거리가 멀다는 것은 알고 있습니다.

많은 불쌍한 스파이들, 즉 흔해빠진 밀고자들 중에서 차출되어 돈 받고 이 짓을 하는 천하기 짝이 없는 남창들이 우리 집 대문에서 긁어모은 그 알량한 정보가 누구에게 무슨 도움이 됩니까? 분명히 매우 믿을 만한 이 정보가 영국인의 그 유구한 자랑거리, 즉 대륙의 모든 나라에 있는 그 스파이 제도를 도입할 기회가 없었다는 자랑거리를 희생할 만큼 가치가 있습니까? ^{G346}

게다가 우리는 정부가 원한다면 우리 자신에 대한 정보를 힘 닿는 데까지 제공하려고 해왔고 지금도 그렇습니다.

그러나 우리는 이런 것들의 저의가 무엇인지 잘 알고 있습니다. 프로이센 정부는 최근 프리드리히 빌헬름 4세 시해 기도를 이용하여 프로이센 안팎의 정치적 반대자 탄압 작전에 들어갔습니다. 악명 높은 광인이 프로이센 국왕에게 발포했기 때문에 그러했고, 영국 정부는 속아서 우리한테 외국인 거류자 법을 시행하게 되었습니다. 하지만 런던에 거주하는 우리가 어떤 점에서 "이 왕국의 평화와 안정 유지"에 걸림돌이 될 수 있는지 생각하면 당혹스럽습니다.

약 8년 전, 우리가 프로이센에서 정부의 기존 제도를 공격했을 때 관리들과 언론은 프로이센의 제도가 싫으면 언제든지 프로이센을 떠날 수 있다고 했습니다. 우리는 프로이센을 떠났습니다. 그러지 않으면 안 되었습니다. 그러나 막상 떠나고 보니 프로이센은 어디에나 있었습니다. 프랑스에도, 벨기에에도, 스위스에도 있었습니다. 우리는 프로이센 대사의 영향력을 느꼈습니다.[1] 프로이센 대사의 영향력 때문에 유럽에서 우리의 마지막 피난처인 이곳을 떠나야 한다면 프로이센은 스스로 세계의 패권국이라고 생각할 것입니다.

이제까지는 영국이 러시아의 보호하에 재건되고 있는 신성동맹의 유일한 걸림돌이었습니다. 프로이센을 주축으로 하는 신성동맹의 목적은 반러시아적인 영국을 기만하여 그 국내 정책을 어느 정도 러시아식으로 만들려는 것밖에 없습니다. 외국 반동 정부들의 보복 조치만 불러일으킬 외국인 거류자 법을 시행함으로써 이러쿵저러쿵 말이 많다면 유럽은 최근 영국 정부의 외교 문서와 의회의 주장을 어떻게 생각하겠습니까?[2]

프로이센 정부는 국왕을 노린 발포가 광범위한 혁명 음모 때문이고 음모의 중심지는 런던이라고 단언합니다. 이에 따라 프로이센 정부는 첫째로 국내의 언론 자유를 파괴하고, 둘째로 가짜 음모의 가짜[3] 우두머리들을 영국에서 추방하라고 영국 정부에 요구합니다.

현 프로이센 국왕의 성격과 인품 그리고 왕위 계승자인 동생의 성격과 인품을 고려해 볼 때 동생이 빨리 왕위를 계승하는 데 어느 세력[4]이 더 관심을 가지고 있겠습니까? 혁명 세력입니까, 급진 왕당파입니까?

G347 베를린에서 국왕 시해 시도가 있기 2주 전에 프로이센 정부나 급진 왕당파의 첩자임이 분명한 사람들이 우리에게 와서 베를린이나 그 밖의 곳에서 국왕을 시해할 음모에 가담하라고 노골적으로 부추긴 적이 있습니다. 이 사람들이 우리를 얼간이로 만들 기회를 잡지 못했다는 말은 굳이 장황하게 덧붙이지 않겠습니다.

그 사건 이후 그들과 비슷한 사람들이 그와 비슷한 말을 하면서 우리를 종용한 적이 있습니다.[5]

국왕에게 발포한 하사관 제펠로게는 혁명가가 아니고[6] 급진 왕당파라는 사실도 밝혀둡니다. 제펠로게는 급진 왕당파 협회인 충성동맹의 베를린 2구역에 소속되어 있었습니다. 그는 회원 명단에 133번으로 등록되어 있습니다. 그는 한동안 이 협회에서 자금을 지원받았습니다. 그의 신분증명서는 과격 왕당파인 육군성 소령의 집에 보관되어 있었습니다.[7]

이 사건이 공개 재판에 회부된다면(그렇게 될지도 의심스럽습니다만) 이 사건에 어떤 선동가가 있는지, 바로 그들이 선동가인지 사람들은 분명히 알게 될 것입니다.

급진 왕당파의 《노이에 프로이시셰 차이퉁》이 런던에 있는 망명자들[8]을 시해 음모의 장본인이라고 맨 먼저 규탄했습니다. 이 신문은 아래에 서명한 망명자 한 명을 거명하면서 이 사람이 전에 2주 동안[9] 베를린에 있었다고 했습니다. 하지만 이 사람이 런던을 한순간도 떠난 적이 없다는 것을 증명할 수 있는 사람이 수십 명[10] 있습니다.[11] 우리는 그 문서에서 문제 되는 회원 명단을 넘겨달라고 요청하는 편지를 프로이센 대사 분젠 씨에게 보냈습니다.[12] 이 신사가 우리에게 표한 관심은, 기사[13]의 **정중함**(*courtoisie*)에서 우리가 기대했던 것과는 비교가 되지 않는 정도였습니다.[14]

이런 상황에서 우리는 사건의 전모를 대중 앞에 드러내는 것이 상책이라고 생각합니다. 영국이 모든 정당과 모든 국가의[15] 망명자들의 가장 안전한 도피처라는 그 유구한 명예에 조금이나마[16] 영향을 미칠 수 있는 것이라면 무엇이든 영국인들이 관심을 가지리라고 우리는 생각합니다.

　귀하의 가장 충실한 독자,

카를 마르크스,	⎫	쾰른의 《노이에 라이니셰 차이퉁》
프리드리히 엥겔스,	⎬	편집자.
아우구스트 빌리히,	⎬	바덴의 봉기군 대령.

마르크스/엥겔스는 이 글을 영어로 썼다. ― 옮긴이

카를 마르크스/프리드리히 엥겔스
《더 글로브》 편집자에게
1850년 6월 중순
To the Editor of the "Globe"
Middle of June 1850

|《더 글로브》 편집자에게.

편집자님,

영국 민족의 명예가 어느 정도[1] 걸린 사실에 대해 귀지를 통해 사람들의 주의를 환기하게 해주십시오.

1849년의[2] 운동이 실패로 돌아간 뒤 대륙의 여러 정부는 수많은 정치 망명자, 특히 독일인, 헝가리인, 이탈리아인,[3] 폴란드인 망명자들을 이 도피처에서 저 도피처로 몰아내는 데 성공했습니다. 그래서 망명자들은[4]영국에서 보호와 안정을 찾았습니다.

정치적 반대자들에 대한 적의에 불타 이런 결과에 만족하지 않는 듯한 몇몇 정부들이 대륙에는 있습니다. 여기에는 프로이센 정부도 포함됩니다.

프로이센 망명자들의 대부분을 영국에 몰아넣는 데 성공한 베를린 내각은 이들을 아메리카로 쫓아버리려고 안간힘을 쓰고 있는 것이 분명합니다. 유럽 국가의 이들 세력과 그 기관지(《**노이에 프로이시셰 차이퉁**》││과 《**라 상블레 나시오날**》)는 영국 정부를 **자코뱅 당원**의 위원회이자 전 유럽의 보수주의자들에게 대항하는 음모자들의 위원회로 여기고 있습니다.[5] 이들 동일한 정당은[6]외국인 망명자들이 영국 정치에 간섭하고 프로이센 국왕 시해 기도에 연루되어 있다는 사실을 영국 정부에[7] [8]주지시킴으로써 영국의 안정에 [9]가장 의심스러운[10] 불안을 조성하고 있습니다.

[11]영광스럽게도 저는 가는 곳마다 프로이센 정부의 박해가 따라다니는 망명자의 한 사람입니다. 직접적이든 간접적이든 간에 프로이센 정부의 강압

416

적 간섭으로 폐간된 1842년의 《라이니셰 차이퉁》(쾰른)과 1848년과 1849년의 《노이에 라이니셰 차이퉁》편집자였던 저는 프로이센 대사관의 ‖직접 요청과 그 영향력 때문에 1845년과 1849년에 프랑스에서 추방되었고, 1848년에는 벨기에에서 추방되었습니다. 1848년과 49년에 프로이센[12]에 있을 때는 십여 차례나 정치적 고발을 당했는데 배심원단에게 두 번 무죄 선고를 받은 이후 그 고발은 모두 취하되었습니다.

G349

영국에서조차도 제가 프로이센 정부의 감시를 받고 있다는 것은 [13]최근에 받은 수많은 경고, 즉 영국 정부가 비슷한 비난을 이유로 저에 대해 모종의 조치를 취하려 한다는[14] 경고와 지난 며칠간[15] 우리 집 앞에 사람들을 배치하여 출입자를 체크했다는 사실로써 분명해졌습니다. 얼마 전 《노이에 프로이시셰 차이퉁》이 [16]제가 독일을 돌아다니며 2주간 베를린에 머물렀다고 한 것도 한 증거입니다.[17] 하지만 이곳 집주인들과 그 밖의 영국인들은 제가 작년에 영국에 온 이후 한 번도 런던을 떠난 적이 없다는 것을 증명할 수 있습니다. 광인 제펠로게의 시해 ‖기도가 있은 후 이와 같은 급진 왕당파 신문은 마치 제가 베를린을 여행한 것처럼 꾸며 저를 이 사건에 연루시켰습니다. 그러나 제펠로게가 급진 왕당파 협회인 충성동맹의 2구역 회원이기 때문에 누군가 이 사건에 연루되었다 하더라도 베를린 육군성 소속의 참모 장교 외에는 아무도 없다는 것을 이 신문은 잘 알고 있을 것이 분명합니다. 게다가 프로이센 **정부 공작원들**이 이곳 런던에 와 있다는 사실도 이를 증명합니다. 이들은 제펠로게의 시해 기도가 있기 2주 전에 저와 몇몇 친구들에게 나타나 시해 기도의 필연성을 설교하고 심지어는 베를린에서 시해 음모가 진행되고 있다고 넌지시 알려주기도 했습니다. 또한 우리를 꼭두각시로 만들 수 없다는 것을 알아차린 후에는 사람들에게 외국인 망명자들이 영국의 차티스트 운동에 적극 참여하고 있다는 것을 믿게끔 하기 위해 차티스트 집회에 자주 갑니다.[18]

끝으로 편집자님께, 그리고 귀하를 통해 사람들에게 묻고자 합니다. 이를 근거로 영국 정부가 영국의 법은 영국 땅에 발을 들여놓은 사람을 모두 동등하게 보호한다는[19] 널리 퍼진 믿음을 어느 정도 훼손할지도 모르는 조처를 취하려고 하는 것이 바람직하겠습니까?

삼가 올림‖

마르크스/엥겔스는 이 글을 영어로 썼다. ─옮긴이

프리드리히 엥겔스

프랑스에서 온 편지 VII

보통선거권 폐지 ── 대통령 연봉 ── 오를레앙파와 정통 왕조파의 협상

Letter from France VII

The abolition of universal suffrage ── The dotation for the President ──

Negotiations between Orleanists and Legitimists

《더 데모크라틱 리뷰》

1850년 7월

|77| 프랑스에서 온 편지.

파리, 1850년 6월 22일.

선거 "개혁"법이 통과되었다. 파리 인민은 움직이지 않았다. 아주 작은 소요나 시위 한번 없이 보통선거는 폐지되었다. 프랑스 노동자들은 또다시 루이 필리프 치하 상태로 돌아갔다. 다시 말해서 권리도 인정받지 못하고 투표권도 없고 장총을 가지지도 못한 정치적 파리아가 되었다.[1]

프랑스에서 1848년에 별 어려움 없이 획득된 보통선거권이 1850년에 이다지 쉽게 완파된 것은 참으로 기이한 일이다. 이런 부침(浮沈)은 프랑스인의 기질과 크게 관련이 있는 만큼 프랑스 역사에 적지 않게 나타난다. 영국에서 이런 일은 불가능할 것이다. 영국에서는 한번 획득된 보통선거권이 영원히 지속될 것이다. 어떤 정부도 감히 보통선거권을 손보려고 하지 않을 것이다. 어리석게도 곡물법을 다시 제정하려고 심각하게 고민하는 각료를 생각해보라. 그 각료는 전 국민의 엄청난 조소를 받으며 실각할 것이다.

보통선거권이 폐지되었는데도 무장봉기의 기회를 잡지 못한 파리 인민이 중대한 실수를 저질렀다는 것은 분명하다. 군대는 잘 배치되어 있었고, 소

상인 계급은 인민과 함께하지 않을 수 없었다. 산악당, 아니 카베냐크 당조차도 인민 편에 서든지 말든지 간에 무장봉기가 실패하면 반드시 그 대가를 치르리라는 것을 알고 있었다. 따라서 이번에는 무장봉기가 일어나자마자 소상인 계급 또는 의회에서 이들을 대변하는 산악당이 도의적으로 지원하리라는 것은 분명했다. 이와 함께 군대의 저항이 분쇄되리라는 것도 확실했다. 하지만 기회는 날아가버렸다. 이것은 의회 지도자와 언론의 소심함 탓이기도 하고, 현재 파리 인민의 특이한 정신 상태 탓이기도 하다.

G351

지금 파리의 노동자들은 달라지고 있다. 노동자들은 지금까지 논의해온 다른 사회주의 체계에 더는 만족하지 않는다. 프랑스의 사회주의 체계를 망라해 볼 때 거기에는 혁명적 성질이 그다지 없다는 것을 시인해야만 한다. 다른 한편으로 지도자들한테 수없이 속은 인민은 지도자 행세를 해온 사람들을 — 바르베스나 블랑키를 비롯해 — 몹시 불신하여 이들을 권좌에 앉히기 위해 움직이지는 않기로 한다. 따라서 노동자계급의 운동 전체는 이제까지와는 달리 훨씬 혁명적인 양상을 띨 것이다. 낡은 사회주의 전통에서 해방되었다고 생각한 인민은 지도자들을 통렬히 비난한 덕분에 체계 창안자들이 **인민을 위해** 고안해낸 그 어떤 것보다 그들의 욕구와 이익을 잘 대변해줄 사회주의자와 혁명 공식들을 곧 찾아낼 것이다. 그러면 성숙해진 인민은 옛 지도자들의 꼬리가 되는 법 없이 이들의 재능과 용기를 다시 이용할 수 있을 것이다. 파리의 이런 일반적인 정신 상태는 보통선거권 폐지 때 인민이 보여준 무관심을 잘 설명한다. 이 사활을 건 투쟁은 국가의 양대 경쟁 세력, 즉 대통령과 의회의 어느 한쪽이나 양쪽이 공화정을 타도하는 날까지 연기되었다.

이날이 곧 오리라는 것은 확실하다. 대통령과 다수당 간의 우호적 이해에 대해 모든 반동적 신문이 의기양양해하던 것을 여러분은 기억할 것이다. 이제 이 우호적 이해는 양대 경쟁 세력 간의 목숨을 건 투쟁 속에 ||78| 녹아 없어졌다. 대통령은 선거법 찬성 대가로 연봉 300만 프랑(12만 파운드스털링) 인상을 보장받았다. 연봉 인상은 빚에 쪼들리는 루이 나폴레옹이 몹시 원하는 것이고, 또한 임기를 10년 연장하려는 사전 포석으로 간주되었다. 선거법이 간신히 통과되자 각료들이 나서서 연봉 300만 프랑 인상을 요구했다. 그런데 갑자기 다수당이 공포에 휩싸였다. 백치 루이 나폴레옹을 진지하게 왕위를 노리는 자로 여기지 않는 다수당은 임기 연장에 동의하기는커녕 최대한 빨리 그를 제거하려고 한다. 다수당은 법안을 보고할 특별위원회를

지명하고, 이 위원회는 법안 채택에 반대하는 보고서를 낸다. 엘리제 궁은 경악했다. 나폴레옹은 퇴임하겠다고 으른다. 국가 양대 권력 간의 대충돌이 임박했다. 각료, 무수한 은행가, 수많은 "질서의 친구들"이 중재에 나서지만 소용없다. 몇 가지 "거래"가 제안되었으나 이것도 허사였다. 마침내 수정안이 나온다. 이것은 모든 세력을 어느 정도 만족시키는 것 같다. 대통령과의 결별 결과를 확신하지 못하고 정통 왕조파와 오를레앙파를 한 당으로 통합하는 협정을 아직 매듭짓지 못한 다수당은 조금 주춤하는 것 같고, 그 돈을 다른 형태로 지원하려고 하는 것 같다. 논의는 월요일에 있을 예정인데 결과는 아무도 장담할 수 없다. 그러나 내가 보기에 나폴레옹과의 진짜 결별은 왕당파 다수의 정책 노선인 것 같지 않다.[2]

현재로서는 오를레앙파와 정통 왕조파, 즉 부르봉 왕가의 소장파와 노장파를 통합하려는 협정에 대해 어느 때보다 더 말이 많다. 이 문제에 대해 활발한 협상이 이루어지고 있는 것은 사실이다. 티에르, 기조, 그 밖의 사람들이 루이 필리프의 임종 자리, 즉 세인트레너즈로 찾아간 목적도 바로 이것이었다. 이 문제와 이 방문 결과에 대한 구구한 견해는 되풀이하지 않을 것이다. 일간지들이 이미 다 떠들어댔다. 그러나 프랑스에서 오를레앙파와 정통 왕조파가 이 조건들에 대해 웬만큼 합의를 보고 있다는 것과 이들 두 경쟁 분파가 이 조건들을 받아들이게 하는 것이 유일한 난제인 것은 사실이다. 보르도 공 앙리가 왕위에 오를 것이고, 앙리는 자식이 없으므로 루이 필리프의 손자이자 정상적인 왕위 계승자인 파리 백작을 입양하리라는 것은 거의 확실하고, 아무 어려움도 없다. 게다가 삼색기는 유지될 것이다. 늙은 루이 필리프의 예상되는 죽음이 이 해결책을 더 쉽게 만들 것이다. 루이 필리프는 이 해결책을 받아들인 것 같고, 보르도 공도 이 합의를 수용한 것 같다. 파리 백작의 어머니인 오를레앙 공작 부인과 그녀의 시동생 주앵빌이 이 문제 해결에 유일한 걸림돌이라고들 한다. 루이 나폴레옹은 현금 1천만 프랑을 받고 물러날 것이다.[3]

이 해결책이나 이와 유사한 해결책이 최종적으로 나타나리라는 것은 분명하고, 그렇게 되면 곧바로 공화정에 대한 직접 공격이 뒤따를 것이다. 그 사이에 주의회가 예비 접촉을 개시할 것이다. 주의회는 정기 회기 전에 막 소집되었고, 헌법 개정을 위한 국민의회도 곧 소집될 것이다. 작년에도 그럴 계획이었으나 주의회는 시기상조라고 생각했다. ||79| 보통선거에 일격을 가한 만큼 이번에는 엄청난 용기를 보여줄 것이 확실하다. 그러면 인민이 당

420

분간 실력 행사를 삼갈지라도 그 악명 높은 왕정복고 시절로 되돌아가려고 하지는 않을 것임을 보여주는 기회가 올 것이다.

추신 ─ 무료로 배포되는 《레퓌블리크》(《르 모니퇴르 위니베르셀》의 부제 "레퓌블리크"를 의미함 ─ 옮긴이)와 3수(반 페니)짜리 소책자를 방금 읽었다. 소책자에는 1848년 봄까지 거슬러 올라가 왕당파의 모의와 음모를 폭로한 간담이 서늘해지는 글이 실려 있다. 뷔르주에서 열린 바르베스와 블랑키[4] 재판 때 증인으로 심문을 받은 보름이 쓴 글이다. 그는 돈을 받고 왕당파 끄나풀 노릇을 했으며 그 재판 때는 모두 위증을 했다고 고백한다. 또한 1848년 5월 15일의 운동은 왕당파에서 비롯되었다고 주장하고, 그 밖에 해괴하기 짝이 없는 여러 가지 사실도 주장한다. 《더 타임스》와 관련된 내용도 있다. 보름은 이름과 주소를 밝히고 있다. 그는 파리에 살고 있다. 이 소책자는 더 많은 폭로를 불러일으킬 것이 틀림없다. 이 소책자에 여러분이 진지하게 관심을 가져주길 바란다.[5]

G353

엥겔스는 이 글을 영어로 썼다. ─ 옮긴이

카를 마르크스/프리드리히 엥겔스
《노이에 도이체 차이퉁》 편집자에게 보내는 해명
Erklärungen an den Redakteur der "Neuen Deutschen Zeitung"

《노이에 도이체 차이퉁》 제158호,

1850년 7월 4일

해명.

《노이에 도이체 차이퉁》 편집자 귀하!

올해 6월 22일 자 귀지 문예란에서 귀하는 제가 **노동자계급의 지배와 독재**를 대변한다고 비난하면서 동시에 저와 다르게 **계급 차별 철폐 일반**을 주장했습니다.[1] 저는 이런 수정을 납득할 수 없습니다.

귀하는 (1848년 2월 혁명 전에 간행된)『공산당 선언』16쪽에 이런 말이 있다는 것을 잘 알고 있었습니다. "프롤레타리아트가 부르주아지와의 싸움에서 반드시 뭉치고, 혁명을 통해 지배계급이 되고, 지배계급으로서 이전의 생산관계를 폐지하면 이 생산관계와 함께 계급 대립의 존재 조건도 폐지되고, 계급 자체와 계급에 따른 지배도 폐지된다!" ─

귀하는 1848년 2월 이전에 발간된 졸저, 프루동을 반대하는『철학의 빈곤』에서 제가 이런 견해를 피력했다는 것을 알고 있습니다.[2]

결국 귀하가 비판하는 것은《노이에 라이니셰 차이퉁》제3호 32쪽의 다음 내용입니다.[3] "이러한 사회주의(즉 공산주의)는 혁명의 영구-선포이고, 계급 차별의 전면적 폐지를 위한, 계급 차별에 기초한 생산관계 전체를 폐지하기 위한, 이러한 생산관계에 상응하는 사회관계 전체를 폐지하기 위한, 이러한 사회관계에서 유래한 이념 전체를 전복하기 위한 필연적 통과점으로서 프롤레타리아트 계급 독재이다."

K. 마르크스, 1850년 6월.

6월 22일 자 귀지 문예란에서 귀하는《노이에 라이니셰 차이퉁》(《노이에 라이니셰 차이퉁. 정치-경제 평론》을 의미함 ─ 옮긴이)을 탄압하면 독일 일간지에 "커다란 틈"이 생긴다는 것을 호의적으로 인정하면서도《노이에 라이니셰 차이퉁》(《노이에 라이니셰 차이퉁. 정치-경제 평론》을 의미함 ─ 옮긴이)이 단순히 상투어나 선의에 따라 프롤레타리아트를 대변하지는 않는 유일한 신문이라는 "엥겔스 씨의 주장"에는 반대합니다.[4]

물론 저는《노이에 라이니셰 차이퉁》(《노이에 라이니셰 차이퉁. 정치-경제 평론》을 의미함 ─ 옮긴이) 제1호의 독일 제국헌법투쟁을 다룬 논설에서《노이에 라이니셰 차이퉁》(《노이에 라이니셰 차이퉁. 정치-경제 평론》을 의미함 ─ 옮긴이)이 단순히 선의와 상투어에 따라 독일의 프롤레타리아트를 대변하지는 않는 유일한 신문이라고 했습니다.[5] 귀하가 이런 주장 때문에 프랑크푸르트 극좌파의 이전 공식 기관지였던《노이에 도이체 차이퉁》에 어떤 손해가 있었다고 생각한다면 언제, 어디서, 어떻게《노이에 도이체 차이퉁》이 독일의 프롤레타리아트 또는 이들의 계급 이익을 대변했는지 분명히 노동자들에게 증명할 의무가 있습니다.

런던, 1850년 6월 25일.

F. 엥겔스.

카를 마르크스/프리드리히 엥겔스
《베저-차이퉁》 편집진에게
1850년 7월 2일
An die Redaktion der "Weser-Zeitung"
2. Juli 1850

《타게스-크로니크》제314호,
1850년 7월 10일

《베저-차이퉁》 편집진에게.

올해 6월 22일 자 귀지에는 다음과 같은 런던발 통신이 실려 있습니다.

"카를 마르크스, 프리드리히 엥겔스, 아우구스트 빌리히는 …[1] 프로이센 대사의 끄나풀들이 자신들을 미행하고 있고 …[2] 등의 글을 《더 스펙테이터》에 기고했다. 《더 스펙테이터》는 긴 이의 신청서에 다음과 같은 짤막한 촌평을 달았다. '이러한 부류의 사람들(즉 정치 망명자들)은 곧잘 문제를 착각하는데 그 착각은 두 가지 원천에 기인한다. 하나는 자기가 실제 이상으로 중요한 인물이라고 믿게 하는 자만심이고, 다른 하나는 그들의 부채 의식이다. 사상의 자유를 보장하고 손님을 융숭히 대접하는 영국 정부에 대해 망명자들이 표명한 의구심은 **무례함** 이상도 이하도 아니다.'[3][4]

어떤 영국 신문이, 적어도 품위 있고 재치 있는 《더 스펙테이터》가 내용과 형식 면에서 볼품없는 프로이센식 논평과 같을 수 없다는 것을 곧바로 밝히기 위해 군이 영국 일간지의 전통적인 형태와 편집 방침을 더 자세히 알 것까지는 없습니다. 위의 《더 스펙테이터》 "촌평"[5]은 모두 **통신원의 후안무치한 날조**입니다. 《더 스펙테이터》에는 그것에 대해 **일언반구도 없을** 뿐만 아니라 편집진은 우리의 해명이 실린 바로 그 호에서 다음과 같이 정반대로 말하고 있습니다.

"아래 편지는 영국 정부에 대한 해괴한 비난을 담고 있다. 우리는 이 편지 자체에서 추론할 수 있는 것 외에 더 자세한 것은 모른다. 그러나 이토록 자세하고 사실에 부합할 가능성이 큰 비난은 무시할 수 없다. 이 비난은 런던에 사는 프로이센인 냉혈한이 독일인 망명자들에게 외국인 거류자 법이 적용되게 하려는 목적에서 나온 것이다."(《더 스펙테이터》, 6월 15일, 554쪽.)[6]

이 통신원이 어떤 이해관계에서 이런 날조를 감행했는지는 같은 기사에 G357 서 통신원이 **분젠** 씨에게 바친 찬사가 충분히 설명해줍니다.[7] 그런데 이 술책은 그 프로이센인의 교활함에 극히 존경을 표합니다.

귀하가 다음 호에서 이 해명을 받아들이고 통신원에게 이 기발한 착상의 장본인이라는 영예를 넘겨주기 바랍니다.

런던, 1850년 7월 2일.

카를 마르크스. 프리드리히 엥겔스.

카를 마르크스

공산주의자동맹 중앙본부 위원 명단

Liste der Mitglieder der Zentralbehörde des Bundes der Kommunisten

| **프렝켈**, 미들턴 스트리트 35, 클러컨웰[1] 로드.
레만, 버위크 스트리트 25, 옥스퍼드 스트리트.
샤퍼, 그레이트 펄트니 스트리트 30, 골든 스퀘어.
슈람, 엥겔스, 펜더, 바우어, 빌리히, 마르크스, 에카리우스. |

마르크스는 이 글의 지명을 영어로 썼다. — 옮긴이

426

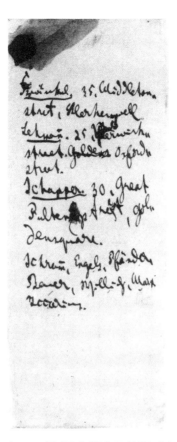

카를 마르크스, 공산주의자동맹 중앙본부 위원 명단

프리드리히 엥겔스

독일에서 온 편지 IV
슐레스비히–홀슈타인 전쟁

Letter from Germany IV
The war in Schleswig-Holstein

《더 데모크라틱 리뷰》

1850년 8월

|118| 독일에서 온 편지.

슐레스비히-홀슈타인 전쟁.

쾰른, 1850년 7월 21일.

　지금 독일의 최대 관심사는 당연히 슐레스비히-홀슈타인 사태이다. 이 사태가 프랑스에서도, 귀국(貴國)에서도 제대로 이해되고 있지 않아서 이를 간략히 살펴보고자 한다.

　독일을 둘러싼, 그리고 어느 정도 자유를 누리는 작은 독립 국가들이 반동의 주된 온상이라는 것은 잘 알려져 있다. 입헌주의의 모범 국가인 벨기에는 처음으로 2월 혁명의 충격에 저항하여 계엄령을 선포하고 애국자들에게 사형 선고를 내린 국가였다.[1] 스위스는, 명예롭지 못하게도, 혁명의 폭풍우 중에 국체를 바꾸고, 혁명이 위세를 부릴 때 중립이라는 만리장성 뒤에 숨고, 반동이 다시 전 유럽에 무르익고 있을 때 무장 해제된 망명 ||119| 자들에게 대항하여 신성동맹의 주구 노릇을 했다. 이들 약소국이 쩨쩨한 국가 이기주의 때문에 기존의 오래된 정부들, 즉 반동 정부들의 지원을 받지 않을 수 없

다는 것과 유럽 혁명이 모두 자국의 독립, 즉 낡은 정치제도의 지지자 외에는 아무도 관심이 없는 독립을 문제시한다는 것을 깨닫고는 그만큼 지원을 더 많이 받았다는 것은 분명하다.

덴마크도 국가 독립이라는 자부심과 국력 강화라는 터무니없는 욕구를 가진 약소국의 하나다.* 선박 통행세(Sound Dues)로 세계 무역을 약탈함으로써만 살아가는 국가인 덴마크의 독립과 국력에는 러시아와 영국의 일부 정치가 외에는 아무도 관심을 갖지 않는다.[2] 덴마크는 지난 세기에 체결된 일련의 조약에 따르면 문자 그대로 러시아의 노예이다. 러시아는 덴마크를 통해 발트 해의 다르다넬스 해협을 장악하고 있다.[3] 영국의 구파 정치가들은 중유럽을 서로 싸우는 일단의 소국가로 쪼개어 이들 나라에 "분할하여 정복한다"는 원칙을 적용할 수 있도록 한다는 유구한 정책에 따라 덴마크의 국력 강화에 관심을 가지고 있다.

그와는 반대로 어느 나라든 혁명 세력의 정책은 항상 지금까지 소국으로 쪼개진 민족들을 — 덴마크인, 크로아티아인, 체코인, 슬로바키아인 등등 애초부터 인구가 100만 내지 300만인 민족을 의미하고, 스위스나 벨기에처럼 잡다한 민족으로 구성되어 국가를 이루려고 하는 나라가 아니라 지배적인 유럽 체제에 억압받는 크고 강한 민족을 의미한다 — 강력하게 통합하고 이들 민족에게 독립과 국력을 보장하는 것이었다. 유럽 공화정 연합은 프랑스, 영국, 독일, 이탈리아, 헝가리, 폴란드처럼 크고 대등한 국력을 가진 국가들로만 이루어질 수 있고 덴마크, 네덜란드, 벨기에, 스위스 같은 초라한 약소국으로는 이루어질 수 없다.

게다가 혁명 세력이 중요하기 이를 데 없는 북쪽의 해양 기지, 즉 발트 해입구를 영원히 덴마크 이기주의의 자비심에 맡겨두려고 할까? 덴마크가 외레순 해협과 스토레벨트 해협을 드나드는 선박에 무거운 통행세를 부과함으로써 나랏빚을[4] 벌충하도록 내버려둘까? 그럴 리가 없다.

인민을 수많은 재산으로 간주한 그 세습적 권리에 의해 덴마크는 독일의 두 지방, 즉 슐레스비히 및 홀슈타인과 통합되었다. 이 나라들은 공통으로 적용되는 헌법을 각자 가지고 있고, 그 군주들에 의해 "이 나라들이 영원히

---

* 스위스의 사부아 합병은 스위스에서 많은 논란이 있은 끝에 1848~49년에 이루어졌다는 것과 스위스가 이탈리아 혁명의 실패로 이 합병이 실현되기를 바랐다는 것은 널리 알려지지 않은 사실이다.

통합되어야 하고 분할되어서는 안 된다"[5]는 기존의 권리가 허용되었다. 게다가 덴마크의 왕위 계승법은 두 공국의 왕위 계승법과 다르다.[6] 국가를 분할하여 경매로 팔아버린 1814년의 그 악명 높은 빈 회의에서 홀슈타인은 독일 연방에 통합되었으나 슐레스비히는 통합되지 않았다. 그때부터 덴마크의 민족주의 세력은 슐레스비히를 덴마크에 통합하려고 노력했으나 수포로 돌아갔다. 마침내 1848년이 왔다. 3월에 코펜하겐에서 민중 운동이 일어나 민족주의 세력과 자유주의 세력이 집권했다. 그들은 즉시 헌법을 포고하고, 슐레스비히를 덴마크에 통합했다. 그 결과로 공국들이 무장봉기를 일으키고, 독일과 덴마크 간에는 전쟁이 일어났다.

포젠, 이탈리아, 헝가리 주둔 독일 병사들이 ║120║ 혁명군에 대항하여 싸웠다. 슐레스비히에서의 이 전쟁은 독일에서 수행된 유일한 혁명전쟁이었다. 슐레스비히 사람들이 힘없는 반(半)문명의 소국 덴마크의 운명을 따라 영원히 러시아의 노예가 되느냐, 다시 똘똘 뭉쳐서 자유, 통일, 국력 회복을 위해 투쟁하는 인구 4천만의 국가를 만드느냐가 문제였다. 독일의 제후들, 특히 프로이센의 왕실 주정꾼[7]은 이 전쟁의 혁명적 의의를 잘 알고 있었다. 프로이센 대사관의 빌덴브루흐 소령이 덴마크 국왕에게 제출한 메모는 잘 알려져 있다. 그 내용은 **자원병으로 양쪽 군대에 가담한 덴마크와 독일의 혁명적 열정가들이 서로 집어삼키도록 전쟁을 하는 척하라는** 것이었다.[8] 결국 프레데리치아 전투 때까지 독일 측은 이 전쟁에서 계속 배반을 저질렀다. 프레데리치아 전투에서는 슐레스비히-홀슈타인의 공화주의자 군대 1만 명이 덴마크 군대 3만 명의 기습 공격을 받아 궤멸되었다. 그런데도 4만 프로이센 군대와 그 밖의 군대는 몇 마일 떨어진 곳에서 그들을 곤경에 빠뜨렸다. 마침내 깨어지기 쉬운 강화 조약이 베를린에서 체결되었다. 이 조약으로 러시아는 슐레스비히에 주둔할 수 있게 되었고, 프로이센은 홀슈타인으로 진군해 반란을 진압할 수 있게 되었다. 독일은 적어도 공식적으로 이를 방조했다.[9]

어느 쪽이 혁명에 이해(利害)를 갖고 또 어느 쪽이 반동에 이해를 갖는지 의혹이 있었다면 지금은 어떤 의혹도 있을 수 없다. 러시아는 덴마크와 형제 관계를 맺고 함께 슐레스비히-홀슈타인 해안을 봉쇄하기 위해 함대를 보냈다. 모든 "강대국"이 인구 85만 명도 채 안 되는 이 작은 게르만 부족에 대항했다. 이 작지만 용감한 민족을 도와주는 것은 모든 나라 혁명가들의 동정심 밖에 없었다. 이들은 무너질 게 틀림없다. 일시 저항할 수도 있고, 프로이센이 억지로 세운 불충한 부르주아 정부를 타도할 수도 있고, 덴마크인과 러시아인을 물리칠 수도 있겠지만 홀슈타인으로 진군할 게 분명한 프로이센 군대가 행동을 거부하지 않는 한 결국은 궤멸될 것이다. 이런 일이, 전혀 불가능하지는 않은데, 일어난다면 독일의 상황은 국면이 달라질 것이다. 1848년 사태와는 비교가 안 되는 전면적인 반란이 일어날 것이다. 신성동맹의 행동은 독일 인민에게 좋은 영향을 끼쳤기 때문이다. 48년에는 연방 공화국조차 불가능하기는 했지만 이번에는 **분할되지 않은 하나의 민주적인** 그리고 ─ 6개월 이내에 ─ **사회주의적인 독일 공화국**이 받아들여질 것이다.

엥겔스는 이 글을 영어로 썼다. ─ 옮긴이

프리드리히 엥겔스

프랑스에서 온 편지 VIII
언론법──의회의 정회

Letter from France VIII

The Press Law ── Prorogation of the Assembly

《더 데모크라틱 리뷰》

1850년 8월

|117| 프랑스에서 온 편지.

파리, 1850년 7월 23일.

지난번 편지에서 예상했던 대로 루이 보나파르트 연봉 인상안이 마침내 의회를 통과했다. 이것은 내용상으로는 그가 원하는 액수를 준다는 것이지만 형식상으로는 모든 프랑스인 눈앞에서 그를 모욕하는 것이었다.[1] 그러고 나서 의회는 탄압 작업을 재개했다. 다시 말해서 언론법을 처리했다. 발기인 바로슈 씨의 손에서 만들어졌을 때도 극악하기 짝이 없었던 이 법은 다수당의 적의가 만든 것에 비하면 순진하고 거의 해롭지 않은 것이었다. 언론에 대해 격하면서도 무능한 증오에 사로잡힌 다수당은 "좋은" 언론, "나쁜" 언론 가리지 않고 무모할 정도의 타격을 가했다. "증오의 법"은 이렇게 제정되었다. 공탁금이 인상되었다. 신문에 인지가 다시 도입되었다. 소설을 게재하는 "소설 문예란"은 별도로 인지를 붙여야 했다. 이 조치는 외젠 쉬 당선에 대한 보복 조치라고 이해할 수밖에 없다. 다수당은 쉬의 사회주의 소설이 미치는 영향력을 아직도 잊지 않고 있었다. 일정 매수 이하로 주별 또는 월별로 발행되는 모든 작품에는 신문처럼 인지를 붙여야 한다. 끝으로 신문 기사마다 필자의 서명이 있어야만 한다.

다수당의 맹목적인 분노로 제정된 이 법은 사회주의 신문과 공화주의 신문뿐만 아니라 반혁명적 신문에도 날벼락이었다. 아마도 이 법은 반대파 신문보다 같은 편 신문에 더 큰 부담을 줄 것이다. 공화파 작가들은 이름이 꽤 알려져서 기사에 서명을 하든 안 하든 별로 문제 되지 않는다. 그러나 《주르날 데 데바》, 《라상블레 나시오날》, 《르 푸부아르》, 《르 콩스티튀시오넬》 등은 기고자 이름을 밝혀야 해서 주요 필진은 곧바로 그들 편의 독자에게 미치는 영향력을 모두 잃게 될 것이다. 진지한 사람들에게 거대 일간지, 특히 역사가 유구한 일간지의 이름은 언제나 훌륭한 회사를 의미한다. 그러나 베르탱, 베롱, 들라마르 같은 회사도 문예지로 탈바꿈해야 했다. 이런 기이한 "회사"는 그라니에 드 카사냐크가 현금이라면 모든 사건을 옹호하는 글을 쓰는 것처럼, 예전과 같이 "한 줄당 1페니"를 받는 부패한 회사로, 카프피그처럼 자칭 정치가라고 부르는 어리석은 노파의 회사로 해체되고 있다. 그리고 큰소리치며 긴 기고문들을 분출해내는 군소 작가들은 모두 새로운 법에 따라서 기어 나오고 있다. 여러분은 이런 훌륭한 신문이 얼마나 불쌍한 모습을 만들어가는지 보게 될 이다.

새 법이 시행되고 신문 가격이 인상되면 다양한 계층의 독자들이 신문을 외면하리라는 것은 사실이다. 수많은 노동자, 특히 대부분의 시골 사람들은 신문, 값싼 정기 간행물, 그 밖의 대중지를 가까이하지 못할 것이다. 그러나 신문은 언제나 소농을 선동하기 위한 보조 수단이었다. 이 계급은 신문의 열변보다는 세금 인상이나 자신들의 물질적 고통 증가에 훨씬 더 민감하다. 현재의 부르주아 정부가 소농의 고리(高利)와 세금 부담을 덜어줄 방법을 찾지 못하는 한—결코 찾을 수 없다—새로 부상한 이 계급에는 불만과 "혁명적 경향"이 늘 있게 될 것이다. 도시 노동자들은 ||118| 신문에서 완전히 멀어지지는 않는다. 값싼 정기 간행물이 나오지 않으면 노동자들은 비밀 결사나 비밀 토론회 등을 늘려 이를 벌충할 것이다. 혁명 관련 소책자나 정기 간행물 수를 줄이는 것에 대해 말하자면 정부는 약간의 성과를 거두기는 했는데 이 성과는 출판업과 서적 판매업 전체를 희생하여 얻은 것이었다. 이 업종들은 새 법이 부과한 규제 아래서는 존속할 수 없기 때문이다. 따라서 이것은 의회 안팎의 질서당 해체에 크게 기여한 것으로 보인다.

언론법을 표결에 부치자마자 의회는 루이 나폴레옹에게 헌법이 그에게 준 한계를 넘어서는 행동을 해서는 안 된다고 또다시 넌지시 알려주었다. 보나파르트주의 신문 《르 푸부아르》는 의회를 그다지 호의적으로 보지 않는 논설을 실었다. 왕정복고기의 낡은 법 하나가 파헤쳐졌다. 《르 푸부아르》 발행인은 특권 위반을 이유로 법정에 소환되어[2] 벌금 5천 프랑(2백 파운드스털링)을 선고받았다. 물론 발행인은 이 벌금을 즉시 납부했다.[3] 벌은 그다지 무겁지 않았으나 의회의 조치는 의미심장한 것이었다. 어떤 의원이 "이번에는 살짝 때렸지만 앞으로는 더 세게 때릴 수도 있다"라고 말하여 박수갈채를 받았다.[4]

G366

그러고 나서 의회는 8월 11일부터 석 달간 개회를 연기하기로 했다. 헌법이 정하는 바에 따라 의회는 25인으로 구성되는 위원회를 선출해야 했다. 이 위원회는 휴회 중에 파리에서 행정부를 감시해야 했다. 다수당 지도부는 루이 나폴레옹에게 충분히 모욕을 주었다고 생각하고, 위원회 위원 명단을 작성했다. 명단에는 다수당 의원, 오를레앙파, 온건 정통 왕조파, 몇몇 보나파르트주의자만 포함되고, 공화주의자나 과격 정통 왕조파는 한 명도 포함되지 않았다. 그러나 투표에서 보나파르트주의자는 모두 떨어지고 그 대신 온건 공화주의자와 과격 정통 왕조파가 몇 명 선출되었다. 따라서 이것은 루이 나폴레옹이 늘 꿈꾸던 **쿠데타**를 할 수 없는 의회의 약점을 다시 한번 드러냈다.

나는 이 실험으로 공화정이 뒤집히기까지는, 대통령에 의한 것이든 왕당파에 의한 것이든 간에, 뭔가 중대한 일이 있을 것으로 생각하지는 않는다. 이것은 분명히 인민의 무기력을 깨울 것이다. 이것은 현재와 1852년 5월 사이까지는 일어날 것이 분명하지만 정확한 시기를 예측할 수는 없다.

엥겔스는 이 글을 영어로 썼다. ─ 옮긴이

독일 농민전쟁
Der deutsche Bauernkrieg

《노이에 라이니셰 차이퉁. 정치-경제 평론》

5/6호, 1850년 5~10월

|1| 독일 농민전쟁.

독일 인민 역시 자신의 혁명 전통을 갖고 있다. 다른 나라 최고의 혁명가들에 비견될 만한 인물들을 독일이 낳은 시대도 있었고, 중앙 집권화된 국가였다면 위대한 결과를 만들었을 인내와 정열을 독일 인민이 발전시킨 시대도 있었으며, 독일 농민과 평민이 자신들의 후손을 종종 충분히 전율하게 할 사상과 기획을 잉태한 시대도 있었다.

2년 동안의 투쟁 후에 거의 모든 곳에서 보여준 일시적인[1] 무기력함에 반해, 서투르기는 하지만 위대한 농민전쟁의 강력하고 강인한 인물들을 독일 인민에게 다시 한번 선보일 때가 되었다. 농민전쟁 이래 3백 년이 흘렀고, 많은 것이 변화되었다. 그러나 농민전쟁은 오늘날 우리의 투쟁과 그렇게 아주 멀리 떨어져 있지 않으며, 우리가 투쟁해야 할 적들도 대부분 여전히 동일하다. 모든 곳에서 1848년과 49년을 배신한 계급들과 계급 분파는, 비록 낮은 발전 수준에서이지만 배신자로서, 이미 1525년에 발견할 수 있다. 그리고 최근 몇 년 동안 오덴발트, 슈바르츠발트, 슐레지엔에서 단지 부분적으로

나타난 농민전쟁의 강력한 파괴 행위가 정당성을 얻었지만, 그렇다고 해서 근대의 무장봉기가 어떤 우월함을 갖는 것은 결코 아니다.|

|2| I.

우선 16세기 초 독일의 상황을 간략히 되돌아보자.

G368　　14세기와 15세기에 독일의 산업은 상당히 비약적으로 발전했다. 농촌의 봉건적인 지방 산업 대신에 더 넓은 지역과 심지어는 원거리 시장을 위해서도 생산하는 도시의 춘프트(Zunft: 중세의 독일 수공업자 조합 — 옮긴이) 영업 경영이 등장했다. 조잡한 모직물과 아마포의 방직업은[2] 자리가 잡히고 널리 보급된 산업 분야가 되었고, 더욱이[3] 세련된 모직물 및 아마직물뿐 아니라 견직물까지도 이미 아우크스부르크에서 생산되고 있었다. 방직업 외에도 특히 중세 후기 성직자 및 세속 영주의 사치품으로 활력을 얻은 예술에 가까운 산업이, 즉 금은 세공업, 조각 및 목각업, 동판 조각 및 목판업,[4] 기념패 가공업, 목재 선반업 등이 성장했다. 화약[5]과 인쇄술의 발명으로 역사적인 정점을 형성한 다소간 의미 있는 일련의 발명은 근본적으로 산업 진흥에 공헌했다. 상업도 공업과 같은 길을 갔다. 한자 동맹[6]은 백 년 동안 해상 독점을 통해 북부 독일 전체가 중세의 미개 상태를 벗어나게 해주었다. 그리고 한자 동맹이 이미 영국과 네덜란드와의 경쟁에서 패배하기 시작한 15세기 말 이래, 바스쿠 다 가마의 신항로 발견에도 불구하고, 인도에서 북부 유럽에 이르는 거대한 무역 통로는 여전히 독일을 통과했고, 아우크스부르크도 여전히 이탈리아의 견직물과 인도의 향료, 레반트(그리스, 시리아, 이집트를 포함하는 지중해 동부 연안 지역 — 옮긴이)의 모든 생산물을 위한 거대한 집결지였다. 남부 독일의 여러 도시, 특히 아우크스부르크와 뉘른베르크는 당시로서는 눈에 띄는 부와 사치의 중심지[7]였다. 원자재의 생산도 마찬가지로 크게 향상되었다. 독일의 광부는 15세기에 세계에서 가장 숙련된 사람들이었고, 도시의 번창은 또한 농업을 중세 초의 조잡함에서 벗어나게 했다. 사람들은 광대한 토지를 개간했을 뿐 아니라 염료 작물과 기타 수입 작물을 재배했으며, 이런 세||3| 심한 경작은 농업 전반에 유익한 영향을 주었다.

독일의 국민 생산은 비약적으로 발전했지만 그럼에도 여전히 다른 나라들의 비약적 발전을 따라가지 못했다. 농업은 영국과 네덜란드에 훨씬 뒤처

졌으며, 공업은 이탈리아나 플랑드르, 영국보다 낙후되었고, 해상무역에서
는 영국인과 특히 네덜란드인이 이미 독일인을 이 분야에서 압도하기 시작
했다. 인구도 여전히 매우 드문드문 분포했다. 독일 문명은 공업과 무역의
개별 중심지 주위에 몰려 여기저기 흩어져 있을 뿐이었다. 이러한 개별 중심
지 자체의 이해관계조차도 서로 크게 달랐으며, 이러저러한 접촉이 거의 없
었다. 남부는 북부와 전혀 다른 통상 관계와 판로를 갖고 있었다. 동부와 서 _{G369}
부는 교류가 거의 없었다. 예를 들어 영국에서 런던의 경우가 그러하듯이,
전국적인 상공업 중심지가 될 만한 도시가 하나도 없었다. 국내의 모든 교
통은 전적으로 해안선이나 하천을 이용한 항로, 그리고 소수의 대통상로에
만 한정되어 있었는데, 이러한 대통상로는 아우크스부르크와 뉘른베르크에
서 쾰른을 거쳐 네덜란드에 이르거나 에르푸르트를 거쳐 북부에 이르는 소
수에 불과했다. 하천이나 통상로에서 멀리 떨어져 대규모의 교류에서 배제
된 많은 소도시는 외부 상품이 거의 필요 없고 수출품도 거의 공급하지 않
는, 어떤 방해도 받지 않는 중세 후기 삶의 조건에서 계속 근근이 연명하고
있었다. 농촌 주민 중 귀족만이 더 넓은 지역 및 새로운 욕구와 맞닿아 있었
다. 농민 대중은 아주 가까운 지역과의 관계 및 이와 결부된 지역적 지평을
결코 벗어나지 못했다.

영국과 프랑스는 상업과 공업의 번영으로 이해관계를 나라 전체로 연결
하면서 정치적 중앙 집권화를 낳은 반면, 독일은 단지 지역의 중심지들 주위
로 이해관계를 지방별로 결집함으로써 정치적 분열을 가져왔다. 이러한 분
열은 독일이 곧 세계 무역에서 배제됨으로써 한층 굳어졌다. ||4| **순수한 봉
건** 제국의 몰락에 발맞춰 제국 연맹은 전반적으로 해체되었다. 대규모 봉토
를 받은 신하들은 거의 독립적인 제후들로 전환되었다. 한편에는 제국도시
들이, 다른 한편에는 제국 기사들이 때로는 서로 맞서 때로는 제후들 혹은
황제들과 맞서 동맹을 맺었다. 심지어 자신의 자리를 착각한 제국 권력은 제
국을 형성한 다양한 요소들 사이에서 불안하게 흔들렸으며 그러는 가운데
계속해서 권위를 잃어버렸다. 이 제국 권력이 루이 11세 식의 중앙 집권화
를 시도한 것은, 온갖 책략과 폭력 행위에도 불구하고, 오스트리아의 세습
영지들[8]을 결속하는 데 그치고 말았다. 이러한 혼란, 서로 엇갈린 수많은 충
돌 속에서 결국 승리를 거두었고 또 승리를 거둘 수밖에 없었던 사람은, 분
열 내에서 이뤄진 중앙 집권화, 즉 지역 및 지방에서 이뤄진 중앙 집권화의
대표자인 **제후들**이었다. 이들 옆에서 황제 자신은 점점 더 다른 제후와 마찬

가지인 한 명의 제후가 되어갔다.

이런 상황에서 중세 시대부터 전승된 계급들의 위상은 근본적으로 변했고, 새로운 계급들은 예전의 계급들 옆에서 생겨났다.

상층 귀족으로부터 **제후들**이 출현했다. 이들은 이미 황제로부터 거의 완전히 독립해 있었으며 대부분의 주권을 가지고 있었다. 이들은 전쟁과 평화를 독자적인 힘으로 결정했고, 상비군을 유지했으며, 지방의회를 소집했고 조세를 부과했다. 이들은 하층 귀족과 도시의 대부분을 이미 자신의 통치권 안으로[9] 가져왔다. 아직 제국 직속으로 남아 있던 도시나 남작 영지를 자신의 것으로 병합하기 위해 지속적으로 모든 수단을 사용했다. 이들은 제국 직속 도시와 남작 영지에 대해서는 중앙 집권적으로 대응한 반면, 제국 권력에 대해서는 탈중앙 집권적으로 대응했다. 이들의 내부 통치는 이미 아주 제멋대로였다. 이들은 대개 어쩔 수 없을 때만 신분의회를 소집했다. 이들은 마음 내키는 대로 조세를 부과하고 돈을 차용했다. 신분의회의 조세 비준권은 거의 인정되지 않았고, 실행되는 일 또한 거의 없었다. 그리고 비록 그렇게 된다고 하더라도, 세금을 면제받으면서도 세금을 향유하는 데 참여하는 두 신분인 기사계급과 고위 성직자를 통해 제후가 언제나 다수표를 획득했다. 제후의 화폐 욕구는 사치와 궁궐 확장, 상비군, 통치 비용의 ||5|증대 등으로 인해 증가했다. 세금은 더욱 가중되었다. 이에 반해 도시는 대부분 특권을 통해 보호를 받았다. 세금 부담의 압박은 모두 농민에게, 즉 제후 자신의 직할령 농민에게도, 봉신(封臣) 기사의 농노와 예농[10]에게도 가해졌다. 직접세로 충분치 않을 때는 간접세가 도입되었다. 구멍 뚫린 국고를 채우기 위해 교활한 재정 기술의 조작이 적용되었다. 모든 것이 아무런 도움이 되지 못하고, 어떤 것도 더는 저당을 잡힐 수 없으며, 어떤 제국의 자유시도 더는 신용 대출을 하려고 하지 않을 때, 가장 추악한 방법인 주화 조작에 착수해 악화(惡貨)를 주조하고, 국고 사정에 따라서 악화를 높거나 낮게 강제로 통용시켰다. 비싼 가격으로 또다시 팔아먹으려고 강압적으로 다시 회수한 도시 및 다른 곳의 특권을 거래하는 것, 모든 저항 시도를 온갖 종류의 면소금 징수와 약탈에 이용한 것 등도 당시 제후들에게는 수익성이 있는 일상적 재원이었다. 재판 또한 제후에게는 지속적이고 무시할 수 없는 거래 품목이었다. 요컨대 제후의 행정관과 관리의 사리사욕까지도 채워줘야만 했던 당시 신하들은 가부장적[11] 통치 시스템의 축복 전체를 가득 맛볼 수 있었다.

중세의 봉건적 위계질서에서 중간 귀족은 거의 완전히 사라져버렸다. 중간 귀족은 독립적인 소제후로 상승하든지 아니면 하층 귀족으로 몰락했다. **하층 귀족**, 즉 **기사계급**은 급속히 몰락해갔다. 이들 대부분은 이미 완전히 가난해졌고, 무관 혹은 문관으로 제후를 섬기며 살아갈 뿐이었다. 기사계급의 또 다른 일부는 제후의 봉신이 되어 지배를 받았다. 소수는 제국 직속의 기사로 있었다. 군제의 발전, 보병의 중요성 증대, 화기의 개선은 중기병으로서 기사계급의 무공을 없애버렸으며 동시에 이들의 난공불락의 성을 초토화했다. 뉘른베르크의 수공업자들과 마찬가지로 기사들은 공업의 발전으로 쓸모없게 돼버렸다. 기사계급의 화폐 욕구는 그들의 몰락에 크게 기여했다. ‖6‖ 문명[12]의 진보와 함께 궁내의 사치는 늘어났고, 마상 무술 시합과 축제에서 휘황찬란함의 경쟁은 심해졌으며, 무기와 군마 가격은 올라간 반면, 기사와 남작의 수입원은 거의 혹은 전혀 증가하지 않았다. 통상적인 약탈과 면소금 징수를 둘러싼 불화, 노상 강도질, 이와 비슷한 이들 귀족의 행태는 갈수록 매우 아슬아슬해졌다. 제후에 고용된 이 신하들의 공납과 급부는 과거보다 많이 들어오지 않았다. 이 자비로운 양반들은 증가하는 욕구를 충당하기 위해 제후들과 똑같은 수단으로 도피처를 찾을 수밖에 없었다. 귀족의 농민 수탈은 해가 갈수록 계속 늘어났다. 농노는 마지막 한 방울까지 피를 빨리고 예농은 온갖 구실과 명목으로 새로운 공납과 급부를 부과받았다. 부역, 이자, 지대, 보유지 이전료, 사망세, 보호세 등은 과거의 모든 계약을 무시하고 마음대로 인상되었다. 재판은 거부되거나 흥정 대상이 되었다. 기사가 농민에게 어떤 식으로든 돈을 추렴할 수 없을 때, 기사는 지체하지 않고 농민을 감옥에 가두고 몸값을 내야 나갈 수 있다고 강요했다.

하층 귀족은 다른 신분들과도 우호적인 관계를 맺으며 지내지 못했다. 봉신 귀족은 제국 직속 귀족이 되려고 했고, 제국 직속 귀족은 자신들의 독립성을 유지하려 했다. 그래서 제후와 분쟁이 계속되었다. 기사는 당시 거만한 모습을 한 성직자를 완전히 쓸모없는 신분으로 보았지만, 성직자의 엄청난 재산, 즉 독신 생활과 종규(宗規)를 통해 취합한 부를 부러워했다. 기사는 도시와도 끊임없이 충돌했다. 기사는 도시에 채무가 있었으며, 도시 관할 영역의 약탈, 도시 상인의 강탈, 전투에서 생포한 포로들의 몸값으로 먹고살았다. 그리고 이러한 모든 신분에 대한 기사계급의 투쟁은 금전 문제가 이들의 생사가 걸린 문제가 될수록 더욱더 격렬해졌다.

중세 봉건제 이데올로기의 대표자인 **성직자**도 마찬가지로 역사적 격변의 영향력을 느꼈다. 인쇄술과 확대된 상업의 욕구를 통해 성직자는 읽고 쓰는

것의 독점뿐 아니라 ||7| 고등 교육의 독점도 상실하게 되었다. 지적 영역에도 분업이 등장했다. 신흥 신분인 법률가는 가장 영향력이 큰 일련의 공직에서 성직자를 몰아냈다. 그래서 성직자는 대부분 쓸모없는 존재가 되기 시작했고, 이것 자체는 성직자가 점점 더 게을러지고 무식해지는 데서 입증되었다. 그러나 쓸모없는 존재가 될수록 성직자의 수는 더욱 많아졌다 — 이것은 이들이 가능한 모든 수단을 활용해서 계속 늘려온 막대한 부 덕분이었다.

G372

성직자 중에는 전혀 다른 두 계급이 있었다. 성직자의 봉건적 위계질서가 **귀족**계급을, 즉 주교, 대주교, 수도원장, 수도원 부원장, 그리고 기타 고위 성직자를 만들어냈다. 교회의 이 고관대작들은 그 자신이 제국의 제후이거나 다른 제후의 통치를 받는 봉건영주로서 수많은 농노와 예농이 딸린 거대한 지역을 지배했다. 이들은 귀족이나 제후와 마찬가지로 자기 종복을 무자비하게 착취했을 뿐 아니라 훨씬 더 파렴치한 짓까지 자행했다. 이들은 잔인한 폭력 외에도 온갖 종교적 횡포를, 고문의 공포 외에도 파문이나 면죄 간청의 거절 등 온갖 공포를, 고해소에서의 온갖 술책을 동원하여, 마지막 한 푼까지도 종복에게서 갈취하거나 교회의 상속분을 늘리는 데 이용했다. 문서 위조는 이런 위엄 있는 인물들이 일상적으로 애용하는 사기 수단이었다. 그러나 이들은 통상적인 봉건적 급부와 소작료, 더욱이 십일조를 받았음에도 불구하고 이 모든 수입으로도 여전히 충분하지 않았다. 인민의 공납을 더 많이 갈취하기 위해 기적을 일으키는 성화(聖畫)와 성유물(聖遺物)을 제작하고, 천당으로 가는 기도원을 조직하고, 면죄부를 판매했는데, 이러한 술책들은 오랫동안 대단한 성공을 거두었다.

인민뿐만 아니라 귀족의 성직자에 대한 증오심은 이 고위 성직자와 정치적 및 종교적 선동의 확대로 끊임없이 보강된 수많은 수도사 헌병 패거리에게 집중되었다. 이들이 군주적 특권을 갖는 한, 이들은[13] 제후에게 골칫거리였다. 살찐 주교와 수도원장, 그리고 이들의 수도사 군대의 잘 먹고 사는 사치스러운 삶은 귀족의 시기심을 자극했고, ||8| 그 비용을 감당해야 했던 인민을 격분시켰는데, 이들의 삶이 설교와 완전히 모순될수록 격분은 더욱 심해졌다.

성직자 중 **평민적** 부분은 농촌과 도시의 사제로 구성되어 있었다. 이들은 교회의 봉건적 위계질서 밖에 있었고, 교회의 부에 대하여 전혀 몫이 없었다. 이들의 활동은 거의 통제받지 않았으며, 그래서 이들의 활동은 교회에는 매우 중요했지만, 당시 병영식으로 생활하던 수도사들의 경찰 근무에 비하면 꼭 필요한 것은 아니었다. 따라서 이들의 보수는 매우 열악했고, 성직자 녹봉은 대부분 몹시 적었다. 시민이나 평민 출신인 이들은 이처럼 대중의 삶의 처지에 매우 가까웠기 때문에, 성직자 계급에 속했음에도 불구하고 시민적이고 평민적인 공감대를 유지할 수 있었다. 그 시대의 운동에 가담하는 것이, 수도사에게는 단지 예외적인 일이었지만, 평민 성직자에게는 흔한 일이었다. 운동 속에서 이들은 이론가나 이데올로그를 제공했으며, 이들 가운데 G373 평민과 농민의 대표자였던 많은 이들이 운동을 위해 교수대에서 죽었다. 성직자들에 대한 인민의 증오는 개별적인 경우에만 이 평민 성직자에게 향했다.

제후와 귀족 위에 황제가 있었던 것처럼, 고위 성직자와 하위 성직자 위에는 **교황**이 있었다. 황제가 "제국세"(gemeine Pfennig),[14] 즉 제국의 세금을 거둬들이는 것처럼, 교황도 일반적인 교회세를 거두어 그것으로 로마의 궁정에서 사치스러운 생활을 했다. 이 교회세가 독일보다 더 양심적이고 엄격하게 징수된 — 이것은 성직자들의 권력과 숫자 덕분이다 — 나라는 없었다. 주교직을 수여할 때 내는 연공(Annaten)[15]이 특히 그러했다. 늘어나는 욕구로 화폐를 조달할 새로운 방법들, 즉 성유물 판매, 면죄부 대금, 기념 주화 등이 고안되었다. 매년 거액이 독일에서 로마로 이렇게 흘러들어 갔으며, 이를 통해 가중된 압박은 성직자에 대한 증오심을 증대했을 뿐만 아니라 또한 민족 감정, 특히 당시 가장 민족적 신분이었던 귀족의 민족 감정을 자극했다.

중세 **도시**의 원래의 성 밖 시민[16]으로부터 상공업의 번창과 함께 엄격히 구분되는 세 분파가 발전했다.

도시귀족 가문, 이른바 "명문가"가 도시 사회의 정점에 있었다. ||9| 이들은 가장 부유한 가문이었다. 이들만이 시 참사회에 참석했고 모든 도시의 공직을 차지했다. 따라서 이들은 도시의 수입을 관리했을 뿐 아니라 그것을 먹어치우기도 했다. 자신의 부에 의해, 그리고 황제와 제국이 인정하는 과거로부터 이어진 귀족 지위에 의해 막강해진 이들은 온갖 방법으로 도시 공동체 및 도시에 예속된 농민을 착취했다. 그들은 곡물과 돈으로 고리대금을 놓고, 온갖 종류의 독점을 스스로 부여하고, 도시 공동체에서 도시의 산림과 목초지에 대한 모든 공동 이용권을 잇달아 빼앗고, 이것을 직접 자신의 사적 이득을 위해 이용하고, 제멋대로 도로, 교량, 성문의 통행세 및 기타 세금을 부

과했으며, 춘프트 특권, 장인의 권리, 시민의 권리, 그리고 재판권을 거래했다. 도시 관할 지역의 농민에 대해서도 이들은 귀족이나 성직자보다 더욱 가차 없었다. 반대로 촌락에 파견된 도시의 행정관과 관리, 즉 이들 순진한 도시귀족은 조세를 징수할 때 귀족적 냉혹함과 탐욕에 더해 일종의 관료적 꼼꼼함까지 지녔다. 이렇게 조달된 도시의 수입은 아주 제멋대로 관리되었다. 순전히 형식적이었던 도시 회계 장부의 대차 계산은 거의 되는대로 내버려 두었고 엉망진창이었다. 횡령과 현금 부족은 다반사였다. 그 당시 모든 측면에서 특권을 두르고 혈연과 이해관계로 긴밀하게 결합된 비교적 소수의 계층이 얼마나 쉽게 도시의 수입으로 거대한 부를 증대했는지는, 1848년 수많은 도시 당국에서 드러났던 수많은 횡령과 협잡[17]을 생각한다면 쉽게 이해할 것이다.

　　도시귀족은 특히 재정과 관련된 도시 공동체의 권리를 곳곳에서 구식으로[18] 만들려고 애썼다. 이 귀족들의 사기 행각이 심해졌을 때에야 비로소 도시 공동체는 적어도 도시 행정에 대한 감독을 획득하려고 다시 시도했다. 도시 공동체는 대부분의 도시에서 자기 권리를 실제로 되찾았다. 그러나 춘프트 사이의 끊임없는 분쟁, 도시귀족의 집요함, 제국의 보호, 도시귀족과 동맹을 맺는 도시정부의 보호로 ||10| 시 참사회 의원인 도시귀족은 간계를 통해서든 폭력을 통해서든 그것이 무엇이든 간에 얼마 되지 않아 자신들의 옛 단독 지배권을 사실상 회복했다. 16세기 초 도시 공동체는 모든 도시에서 다시 반대파에 속하게 되었다.

　　도시귀족에 반대하는 도시의 반대파는 농민전쟁에서 매우 확실하게 나타난 두 분파로 분열되었다.

　　오늘날 우리 자유주의자들의 선구자인 **시민 반대파**는 비교적 부유한 중간 시민, 그리고 지방 사정에 따라 다소 차이는 있지만 일부 소시민을 포함했다. 이들의 요구는 순전히 헌법적 기반에 기초했다. 이들은 도시 행정 감독권 및 도시 공동체 총회 자체를 통해서건 도시 공동체 대의 기관(大시 참사회, 도시 공동체 위원회)을 통해서건 입헌권에 대한 참여 몫을 요구했다. 나아가 도시귀족의 족벌주의와 도시귀족 내부에서조차 점점 노골화하는 몇몇 소수 가문의 과두 정치를 제한할 것을 요구했다. 그 밖에도 그들은 기껏해야 시민을 위한 몇몇 의석을 자기들 가운데서 임명할 것을 요구했다. 도시귀족 중 여기저기서 불만을 품고 있던[19] 몰락한 분파를 규합한 이 세력은 도시 공동체의 모든 정기 총회와 춘프트에서 대다수를 차지했다. 시 참사회의 지지자들과 더 급진적인 반대파를 합치더라도 이들은 실제 **시민** 중에서는 여전히 소수였다.

우리는 16세기의 운동과정에서 이 "온건하고" "합법적이고" "부유하고" "교양 있는" 반대파가, 어떻게 1848년과 1849년의 운동에서 그 상속인인 입헌 당파가 했던 것과 정확히 똑같은 역할을 하고 또한 이 당파가 거둔 것과 똑같은 결과를 가져오게 되었는지를 보게 될 것이다.

그 밖에도 시민 반대파는 성직자를 매우 단호하게 비난했는데, 성직자의 나태한 호화 생활과 방종한 윤리가 그들에게 엄청난 분노를 불러일으켰다. 그들은 이 인물들의 추잡한 품행에 반대하는 조치를 요구했다. 그들은 성직자가 갖고 있던 독자적인 재판권과 면세권을 폐지하고 전반적으로 수도사의 수를 제한할 것을 요구했다. | G375

|11| **평민 반대파**는 몰락한 시민과 시민권이 배제된 도시 거주민 다수로 구성되어 있었다. 즉 수공업 직인, 일용노동자 그리고 낮은 수준의 도시 발전에서 나타나는 수많은 맹아적 룸펜 프롤레타리아트. 특히 룸펜 프롤레타리아트는 형성에서는 다소간 차이가 있지만 일반적으로 지금까지 거의 모든 사회 국면에서 나타나는 하나의 현상이다. 모든 생업 부문과 생활 영역이 수많은 특권의 보루로 둘러싸인 사회에서 바로 그 당시에 봉건제가 몰락함으로써 특정한 생업 부문이나 일정한 거처가 없는 사람들의 무리가 크게 증가했다. 발전된 모든 나라에서 부랑자의 수는 결코 16세기 전반기만큼 그렇게 많지 않았다. 이 떠돌이 중 일부는 전시에 군대에 입대했고, 다른 일부는 농촌을 떠돌면서 구걸을 했으며, 셋째 부류는[20] 도시에서 일용직 노동을 구하거나 아니면 춘프트 밖에서 일할 곳을 찾아 최소한의 생존을 유지했다. 세 부류 모두 농민전쟁에서 하나의 역할을 수행했다. 첫째 부류는 농민을 제압한 제후의 군대에서, 둘째 부류는 매 순간 이들의[21] 사기를 떨어뜨리는 입김을 드러낸 농민 음모와 농민 무리에서, 셋째 부류는 도시 세력들 사이의 투쟁에서 역할을 수행했다. 그 밖에도 우리가 잊지 말아야 할 것은, 이 계급의 대부분, 즉 도시에 거주하던 이 부류는 당시에는 농민의 건강한 기질을 상당히 마음에 간직하고 있었고, 쉽게 매수되고 타락한 오늘날 문명화된 룸펜 프롤레타리아트로 아직 발전하지 않았다는 점이다.

당시 도시의 평민 반대파는 매우 잡다한 요소들로 이루어졌음을 알 수 있다. 이 반대파는 봉건적이고 춘프트적인 구사회에서 쇠락하고 있는 구성 요소와 아직 발전되지 않았지만 오늘날 부르주아 사회의 싹을 틔우고 있는 이

제 겨우 수면 위로 올라온 프롤레타리아트적 요소를 결합했다. 전자는 여전히 특권을 통해 기존의 시민적 질서와 연결되어 있던 가난한 춘프트시민(Zunftbürger)이었다. 후자는 아직은 프롤레타리아트가 될 수 없었던 쫓겨난 농민과 해고된 종복이었다. 이 양자의 중간에 직인이 있는데, 이들은 당시 공적 사회의 밖에 있었으며, ||12| 당시 공업과 춘프트 특권 아래에서 가능한 만큼만 먹고살 수 있을 정도로 생활 상태에서는 프롤레타리아트나 마찬가지였다. 그러나 같은 시기에 이들은 바로 이 춘프트의 특권을 통해 거의 모두 언젠가는 시민적 장인이 될 수도 있는 사람들이었다. 따라서 이런 요소들을 혼합한 세력의 입장은 당연히 매우 불안정했으며 지방 사정에 따라 서로 달랐다. 농민전쟁 이전에는 평민 반대파가 정치투쟁에서 당파로서 모습을 드러낸 적은 없었으며, 이들은 단지 소란을 일으키거나 약탈을 일삼고 포도주 몇 잔에 매수되어버리는 시민 반대파의 꼬리 부분으로서 등장했을 뿐이다. 농민 봉기가 비로소 이들을 당파로 만들었는데, 이때도 이들은 주장과 행동에서 거의 언제나 농민에게 의존했다 — 이것은 당시에 도시가 얼마나 농촌에 의존했는지에 대한 주목할 만한 증거이다. 독자적으로 행동하는 한 그들은 농촌에 대한 도시의 독점 영역의 부활을 요구하거나 도시 관할 지역의 봉건적 부담이 폐지됨으로써 도시의 수입이 감소되지 않기를 바랐다. 한마디로 독자적으로 행동하는 한 그들은 반동적이었고, 그들 본래의 소시민적 요소에 순응했으며, 그래서 오늘날 소시민층이 3년 전부터 민주주의라는 간판 아래 상연하고 있는 희비극을 위한 특징적인 서막을 제공했다.

G376

민처[22]의 직접적 영향 아래에 있던 튀링겐과 그의 제자들의 영향 아래에 있던 몇몇 다른 지역들에서만, 도시들의 평민적 분파가 전반적인 운동의 폭풍에 휩쓸리자, 이 분파의 맹아적인 프롤레타리아트적 요소가 일시적으로 운동의 다른 모든 요소들[23]에 대해 우위를 차지했다. 농민전쟁 전체에서 정점을 이루고 이 전쟁의 가장 위대한 인물, 즉 **토마스 민처**를 중심으로 일어난 이 에피소드는 동시에 가장 압축적인 에피소드이다. 분명한 것은 이 분파가 가장 빨리 무너졌고, 동시에 무엇보다도 공상적이라는 특징을 안고 있었으며, 요구사항들을 매우 불분명하게 표현했다는 점이다. 바로 이 분파의 토대는 당시 상황에서 가장 취약했기 때문이다.

평민 반대파를 제외한 이 모든 계급 아래에는 착취받는 거대한 국민 대중, 즉 **농민**이 있었다. 사||13|회의 전체 계층 구조가 농민을 압박했다. 즉 제후, 관리, 귀족, 성직자, 도시귀족과 시민. 제후든, 제국 남작이든, 주교든, 수

444

도원이든, 도시든, 누구에게 예속되든 간에 농민은 모든 곳에서 물건이나 짐을 나르는 가축과 같은 취급, 아니 그보다 더 열악한 취급을 당했다. 농민이 농노였을 때 농민은 무조건 주인의 뜻에 내맡겨져 있었다. 농민이 예농이었을 때, 계약에 따른 법적 급부들은 이미 그를 충분히 압살할 정도였다. 그러나 이 급부들은 날마다 증가했다. 농민은 자기 시간의 대부분을 영주의 영지에서 일해야 했다. 얼마 되지 않는 자유 시간에 획득한 것으로 십일조, 소작료, 지대, 조공, 여비(전시 특별세), 지방세, 제국세를 지불해야 했다. 농민은 영주에게 해당 세금을 내지 않고는 결혼을 할 수도 죽을 수도 없었다. 정규 부역 외에도 농민은 자비로운 영주를 위해 짚이나 딸기를 모으고, 월귤나무 열매나 달팽이 껍질 따위를 모으거나, 사냥 나갈 때 몰이를 하거나, 장작을 패는 등의 일을 해야 했다. 어업권과 수렵권은 영주에게 있었다. 농민은 들짐승이 자기 수확물을 망쳐놓아도 그저 보고 있을 수밖에 없었다. 영주는 ⟨G377⟩ 농민의 공동 목초지와 산림을 거의 전부 폭력적으로 강탈해 갔다. 그리고 영주는 농민의 소유물처럼 농민, 농민의 아내, 농민 딸의 인격을 제멋대로 다뤘다. 영주에게는 초야권이 있었다. 영주는 자기가 원할 때 농민을 감옥에 넣었고, 당시에 오늘날 예심 판사에 해당하는 고문이 그곳에서 확실히 그를 기다리고 있었다. 영주는 자기가 원할 때 농민을 때려죽이거나 목을 베었다. "귀 자르기" "코 베기" "눈을 찔러 도려내기" "손가락과 손목 자르기" "목 베기" "마차 바퀴에 매달기" "화형" "불집게로 지지기" "능지처참" 등의 형벌을 논하는 카롤리나 형법[24]의 저 교화적인 조항들 중에서 이 자비로운 육체의 주인 혹은 보호자가 제멋대로 자기 농민에게 적용하지 못할 조항은 하나도 없었다. 누가 농민을 보호할 수 있겠는가? 재판정에는 무엇을 위해 자신이 급료를 받는지 잘 아는 남작과 성직자, 도시귀족 및 법관이 앉아 있었다. 당연히 제국의 모든 공적 신분은 농민을 빨아먹으면서 살고 있었다.

|14| 농민은 이러한 끔찍한 억압 아래 치를 떨고 있었지만 봉기를 일으키기는 어려웠다. 넓은 지역에 분산되어 있었기 때문에 농민이 일치된 합의를 보기에는 지극히 어려웠다. 세대를 이어 내려온 굴종의 오랜 습성, 많은 지방에서 무기를 사용해본 경험이 부족한 점, 영주의 인격에 따른 착취 정도의 크고 작은 차이 등이 농민으로 하여금 가만있도록 만들었다. 따라서 우리는 중세에 일어난 수많은 국지적 농민 무장봉기를 알고 있지만 ── 적어도 독일에서는 ── 농민전쟁 이전에 일어난 전반적이고 전국적인 농민 봉기에 대해서는 단 하나도 알지 못한다. 게다가 제후와 귀족 그리고 도시의 조직된 세

력이 연합하여 농민과 맞서려고 결정하는 한, 농민은 혼자서 혁명을 일으킬 수 없었다. 농민은 오직 다른 신분들과의 동맹을 통해서만 승리의 기회를 잡을 수 있었다. 그러나 다른 신분들이 모두 같은 방식으로 농민을 착취하는데, 어떻게 농민이 다른 신분들과 결합할 수 있었겠는가?

우리가 살펴본 것처럼 제국의 다양한 신분들, 즉 제후, 귀족, 고위 성직자, 도시귀족, 시민, 평민, 농민은 16세기 초에 모든 측면으로[25] 서로 엇갈리는 극히 다양한 종류의 욕구를 지니고 크게 뒤얽힌 일종의 집단을 형성했다. 각 신분은 다른 신분을 방해했으며, 때로는 공공연히 때로는 은밀히 다른 모든 신분과 끊임없이 투쟁했다. 프랑스에서 첫 번째 혁명이 일어났을 때 존재했던 것과 같은, 그리고 오늘날 가장 선진적인 나라들에서 더 높은 발전 단계로 존재하는 것과 같은 국민 전체의 양대 진영으로의 분열은 당시 그런 상황에서는 전혀 불가능한 것이었다. 그러한 분열은 다른 모든 신분에게 착취당하는 가장 밑바닥의 국민 계층, 즉 농민과 평민이 들고일어나야 최소한 가능해질 수 있는 것이었다. 봉건귀족, 부르주아지, 소시민층, 농민, 프롤레타리아트로 이루어진, 당시보다 훨씬 덜 복잡한 오늘날 독일 국민의 구성이 지난 2년 동안 어떤 혼란을 가져왔는지 기억한다면, 당시의 이해관계와 견해 그리고 열망이 얼마나 혼란스러웠는지 쉽게 이해할 수 있을 것이다.|

G378

|15|II.

당시 이렇게 잡다한 신분들을 더 큰 범주로 분류하는 것은 이미 탈중앙화와 지역 및 지방의 독자성, 지방 서로 간의 공업 및 상업의 고립, 열악한 교류 등으로 거의 불가능했다. 이 분류는 종교개혁 시대에 혁명적인 종교적-정치적 이념이 전반적으로 확산함으로써 비로소 이루어졌다. 이런 이념을 받아들이거나 반대하는 다양한 신분들은 두말할 것도 없이 매우 어렵게 그리고 가까스로 전체 국민을 세 진영으로, 즉 가톨릭 혹은 반동 진영, 루터의 부르주아-개혁 진영, 혁명적 진영으로 집결하게 했다. 국민을 이렇게 크게 갈라놓을 때 일관성이 별로 없다거나, 처음 두 진영에서 일부 같은 요소들이 있다고 할지라도, 이것은 중세부터 이어진 대부분의 공식적인 신분이 해체 상태에 있었다는 점, 그리고 이와 똑같은 신분들이 다양한 장소에서 일시적으로 반대 방향을 가리킨 탈중앙화로 설명할 수 있다. 우리는 최근 독일에서

446

이와 아주 유사한 사실들을 빈번하게 볼 수 있는 기회가 있는데, 훨씬 더 얽히고설킨 16세기 상황에 비추어 보면 겉보기에 복잡하게 얽힌 이런 신분들과 계급들은 그렇게 놀랍지도 않다.

최근의 경험에도 불구하고 독일의 이데올로기는 중세를 무너뜨린 투쟁들을 여전히 열띤 신학적 언쟁으로만 보고 있다. 만일 당시 사람들이 천상의 일에 관해서만 합의를 보려고 했다면, 우리 나라 역사가들과 정치학자들의 견해에 따라 현세의 일에 관해 논쟁할 이유가 전혀 없었을 것이다. 이 이데올로그들은 어떤 시대가 자기 자신을 넘어서서 만들거나 한 시대의 이데올로그들이 그 시대를 넘어서서 만드는 환상 모두를 너무나 쉽게 그대로 믿어버리는 이들이다. 이런 부류의 사람들은 예를 들어 1789년 혁‖16‖명에서는 절대군주제에 대한 입헌군주제의 우위에 관한 하나의 열띤 토론만을, 7월 혁명에서는 "신의 은총을 입은" 권리의 무근거함에 관한 실제적 논쟁만을, 2월 혁명에서는 단지 "공화제냐 군주제냐" 하는 등의 문제를 해결하려는 시도만을 볼 뿐이다. 이런 격동들을 무찌른 계급투쟁, 당시 깃발에 쓴 정치적 구호로 단적으로 표현된 계급투쟁, 이런 계급투쟁에 대해서 우리의 이데올로그들은 오늘날까지도 여전히 아무것도 알아차리지 못하고 있다. 계급투쟁에 대한 소식이 외국뿐만 아니라, 국내의 수많은 프롤레타리아트의 웅성거림과 원망의 소리로부터 충분히 들을 수 있을 정도로 울려 퍼지고 있는데도 불구하고 말이다.

또한 이른바 16세기 종교전쟁들에서 문제가 된 것은 무엇보다도 아주 구체적인 물질적 계급 이해였다. 그리고 이 전쟁들은 영국과 프랑스에서 나중에 일어난 국내 충돌과 마찬가지로 계급투쟁이었다. 당시 이 계급투쟁이 종교적 쉽볼렛(Schibboleth. "쉽볼렛" 발음으로 에브라임 사람인지 아닌지를 판별했다. 사사기 12장 5~6절을 보라. ― 옮긴이)을 입고 있었고, 개별 계급들의 이해, 욕구, 요구가 일종의 종교적 덮개로 감춰져 있었다고 할지라도, 이것은 사태를 전혀 바꾸지 못하고 시대 상황으로 쉽게 설명할 수 있다.

중세는 완전히 야만으로부터 발전했다. 고대의 문명, 고대의 철학과 정치학과 법학은 모두 백지상태[26]였고, 모든 것을 처음부터 다시 시작했다. 몰락한 고대 세계로부터 중세가 물려받은 유일한 것은 기독교, 그리고 반쯤 파괴된 채 고대 문명을 전부 상실해버린 몇몇 도시뿐이었다. 그 결과 원래 모든 발전 단계가 그랬던 것처럼 성직자들이 지적 교육을 독점했고 따라서 교육 자체가 근본적으로 신학적 성격을 띠게 되었다. 성직자들의 수중에서 정

치학과 법학은 나머지 모든 학문과 마찬가지로 신학의 단순한 분과 학문에 머물러 있었으며, 신학에서 통용되는 것과 동일한 원리에 따라 취급되었다. 교회의 교리는 동시에 정치적 공리였으며, 성서의 구절은 모든 재판정에서 법적 효력을 지니고 있었다. 독자적으로 법관 신분이 형성되었지만 법||17| 학은 여전히 오랫동안 신학의 후원을 받고 있었다. 그리고 지적 활동 영역 전체에서 차지하는 신학의 이런 위엄은 현존하는 봉건 지배를 가장 전반적으로 총괄하고 인가하는 교회의 위상에서 나온 필연적인 결과이기도 했다.

그러므로 분명한 것은 봉건제에 대한 일반적으로 표명된 모든 공격, 특히 교회에 대한 공격, 모든 혁명적인 사회 및 정치적 교의도 역시 대부분 신학적 이단일 수밖에 없다는 점이다. 현존하는 사회관계를 공격할 수 있기 위해서는 그러한 관계들의 신성한 후광을 벗겨내야 했다.

G380 봉건제에 대한 혁명적 반대는 중세 전체를 통해 진행되었다. 이러한 반대는 시대 상황에 따라 신비주의[27]로, 혹은 공공연한 이단으로, 혹은 무장봉기로 나타났다. 신비주의에 관해 말하자면, 16세기 종교개혁가들이 얼마나 이것에 의존했는지는 잘 알려져 있다. 뮌처 또한 신비주의에서 많은 것을 받아들였다. 이단들의 일부는 자신들에게 쇄도하는 봉건성에 대항해 가부장적 알프스 유목민의 반작용의 표현으로 나타났다[28](발도파).[29] 또 일부는 봉건제로부터 성장했으나 그것에 저항하는 도시의 항거 표현으로 나타났다(알비파,[30] 아르놀트 폰 브레시아 등). 또한 일부는 농민의 직접적인 무장봉기의 표현으로 나타났다(존 볼, 피카르디의 헝가리 출신 장인 등). 발도파의 가부장적 이단은 스위스인들의 무장봉기와 마찬가지로, 형식과 내용에서 역사의 운동을[31] 차단하려는 반동적 시도로서 지역적인 중요성밖에 갖지 못하기 때문에 여기서는 논외로 할 수 있다. 남은 두 가지 형태의 중세적 이단 속에서 우리는 이미 12세기에 농민전쟁을 패퇴시킨 시민 반대파와 농민-평민 반대파 사이의 거대한 대립의 전조를 발견한다. 이런 대립이 중세 후기 전체를 이끌었다.

도시의 이단 ── 그리고 이것이 본래 중세의 공식적인 이단이다 ──은 주로 성직자를 겨냥했다. 이 이단은 성직자의 부와 정치적 위상을 공격했다. 오늘날 부르주아지가 값싼 정부, 즉 gouvernement à bon ||18| marché를 요구하듯이, 중세 시민은 우선적으로 값싼 교회, 즉 église à bon marché를 요구했다. 교회와 교의의 지속적인 발전에서 하나의 타락만을 본 모든 이단과 마찬가지로 그 형식에서는 반동적이었던 시민적 이단은 원시 기독교의 단순

448

한 교회제도의 부활과 배타적인 사제 신분의 폐지를 요구했다. 이 값싼 제도는 수도사와 고위 성직자, 로마 궁정, 요컨대 교회의 값비싼 것을 모두 없애는 것이었다. 비록 군주의 보호 아래 있었지만 그 자체로 공화정인 도시들은 교황권을 공격함으로써 처음으로 시민층의 정상적인 지배 형태가 공화정이라는 사실을 일반적인 형태로 표명했다. 일련의 교리들과 교회 법에 대한 도시의 적대는 한편으로는 앞에서 말한 것으로, 다른 한편으로는 도시의 여타 생활 관계로 설명된다. 예를 들어 도시들이 왜 성직자 독신제에 그렇게 격렬히 반대했는지를 보카치오보다 더 잘 해명한 사람은 없었다. 이탈리아와 독일의 아르놀트 폰 브레시아, 프랑스 남부의 알비파, 영국의 존 위클리프, 보헤미아의 후스파와 칼릭스파[32] 등은 이 흐름의 주요 대표자들이었다. 봉건제에 대한 반대가 여기서 **성직자적** 봉건성에 대한 반대로만 나타난 것은, 도시들이 이미 어디에서나 도시의 특권, 무기 혹은 도시 총회들을 지닌 세속적 봉건성에 맞서 싸울 수 있을 정도로 충분히 인정받았다는 사실로 아주 쉽게 설명할 수 있다.

여기서 우리는 또한 이미 프랑스 남부와 영국, 보헤미아에서와 같이 하층 귀족 대부분이 이단에서 성직자를[33] 반대하는 투쟁에서 도시 편을 들고 있음을 알 수 있다 ── 이것은 하층 귀족의 도시에 대한 의존성, 제후와 고위 성직자를 반대하는 이 양자의 공통된 이해관계에서 설명되는 현상인데, 우리는 이 현상을 농민전쟁에서 다시 발견하게 될 것이다.

농민과 평민의 욕구를 직접 표현하고 거의 언제나 봉기에 가담한 이단은 성격이 완전히 다르다. ||19| 이 이단은 성직자와 교황권 그리고 원시 기독교적 교회제도의 부활과 관련한 시민적 이단의 요구 모두를 공유하기는 했지만, 동시에 이보다 훨씬 더 나아갔다. 이 이단은 교구 성원들 간에 원시 기독교적 평등 관계를 부활시킬 것과 시민 세계에 대해서도 이 평등 관계를 규범으로 인정할 것을 요구했다. 이 이단은 "신의 자식들의 평등"으로부터 시민적 평등을, 더욱이 부분적으로는 이미 재산의 평등을 추론했다. 귀족을 농민과 동등하게 놓고, 도시귀족 및 특권 시민을 평민과 동등하게 놓으며, 부역, 차지료, 세금, 특권, 그리고 최소한 극심한 재산상의 차이를 철폐하자는 것은 이 이단이 단호하게 제시하고 원시 기독교적 교리의 필연적 귀결이라고 주장한 요구사항이었다. 봉건제 전성기에 예를 들면 알비파의 경우처럼 시민적 이단과 거의 분리할 수 없는 이 농민적-평민적 이단은 시민적 이단 옆에서 완전히 일반화되고 독자적으로 등장한 14세기와 15세기에는 명

확하게 차별화된 당론에 이르게 된다. 위클리프 운동과 나란히 일어난 영국의 와트 타일러 봉기의 설교자 존 볼이 그러했고,[34] 보헤미아에서는 칼릭스파와 나란히 일어난 타보르파[35]가 그러했다. 타보르파는 신권주의 장식 아래에서 이미 공화주의적 성향까지 보여주는데, 이런 성향은 15세기 말과 16세기 초 독일의 평민 대표자들에 의해 더욱 발전했다.

탄압의 시기에도 혁명 전통을 전파해온 가이슬러파,[36] 롤라드파[37] 등 신비주의 종파의 광신이 이러한 형태의 이단을 이어나갔다.

당시 평민은 완전히 기존의 공식적인 사회 밖에 존재하던 유일한 계급이었다. 이 계급은 봉건적 결속과 시민적 결속 밖에 존재했다. 이 계급은 특권도 소유물도 없었다. 이 계급은 심지어 농민과 소시민을 짓누르는 무거운 부담을 지지 않았다. 이 계급은 모든 점에서 소유하지도 못했고 권리도 없었다. 이 계급의 삶의 ||20| 조건들은 현존하는 제도들과 결코 직접적으로 관련이 없었고, 이 제도들로부터 완전히 무시당했다. 이 계급은 봉건 사회와 춘프트시민적 사회의 해체를 생생하게 보여주는 징후였으며, 동시에 근대-부르주아 사회의 최초의 전조였다.

G382

이러한 위상으로부터 설명할 수 있는 것은 왜 이미 당시에 평민 분파가 봉건제와 특권을 지닌 성 밖 시민에 대한 단순한 투쟁에 그칠 수밖에 없었는가, 이제 막 부상하고 있는 근대-부르주아 사회를 왜 상상 속에서만 넘어설 수밖에 없었는가, 아무것도 완벽하게 갖지 못한 분파인 이들이 왜 벌써 계급 대립에 기초한 모든 사회 형태, 공통의 제도들, 견해들, 생각들을 의심할 수밖에 없었는가이다.[38] 초기 기독교의 천년왕국설[39]에 대한 광신은 이를 편리하게 설명할 실마리이기는 하다. 그러나 동시에 현재뿐만 아니라 심지어 미래도 초월하는 이것은 강압적이고 환상적일 뿐이며, 실제로 이를 적용하려고 하는 최초의 시도에서부터 당시 상황이 허용하는 제한된 한계로 되돌아갈 수밖에 없었다. 사적 소유에 대한 공격, 즉 재산 공유제에 대한 요구는 유치한 자선 조직으로 해소될 수밖에 없었다. 애매한 기독교적 평등은 기껏해야 부르주아적인 "법 앞의 평등"으로 귀결될 수밖에 없었다. 모든 공권력의 폐지는 결국 인민이 선출하는 공화제 정부 수립으로 변하게 되었다. 환상을 통해 공산주의를 선취한 것은 실제로 근대 부르주아적 관계를 선취한 것이 되어버렸다.

강압적이기는 했지만 그런데도 평민 분파의 삶의 처지에서 매우 쉽게 설명할 수 있는 후대 역사에 대한 이런 선취를 우리는 **독일**에서, **토마스 뮌처**

와 그의 당파에서 처음으로 보게 된다. 물론 타보르파에도 일종의 천년왕국적인 재산 공유제가 존재했지만, 이것은 순전히 군사적인 조치였을 뿐이다. 뮌처에게서 비로소 이런 공산주의적 여운이 현실적인 사회 분파의 지향점으로 표현되었고, 그에게서 비로소 명확한 형태로 정식화되었다. 그리고 ||21| 뮌처 이래로 우리는 근대 프롤레타리아트 운동에 서서히 합류할 때까지의 이런 여운을 인민의 거대한 모든 소요에서 다시 발견하게 된다. 이것은 바로 중세 때 자신들을 점점 더 압박하는 봉건 지배에 맞선 자유농민의 투쟁이 봉건 지배를 완전히 타파하기 위한 농노와 예농의 투쟁으로 합류했던 것과 마찬가지다.

이미 언급한 삼대 진영 중 첫째 거대 진영인 **보수적-가톨릭적** 진영에는 현상 유지에서 이익을 보는 모든 구성 인자가, 즉 제국 권력, 성직자 및 일부 세속 제후, 부유한 귀족, 고위 성직자, 그리고 도시귀족이 결합되어 있었다. 반면 **시민적-온건적, 루터적** 개혁의 깃발 주변에는 반대파 중의 유산자 구 G383 성 인자가, 즉 다수의 하층 귀족, 시민층, 그리고 교회 재산의 몰수를 통해 치부하겠다는 희망을 품고 제국에서 더 많이 독립할 기회로 이용하려고 했던 일부 세속 제후가 모여 있었다. 마지막으로 농민과 평민은 **혁명적** 당파로 결집했는데, 이들의 요구와 교의는 뮌처를 통해 가장 날카롭게 표명되었다.

루터와 뮌처는 그들의 교의에서 그리고 그들의 성격과 태도에서 각각 자신들의 당파를 아주 명확히 대표했다.

루터는 1517년에서 1525년까지, 근대의 독일 입헌파가 1847년[40]에서 1849년까지 겪은 것과 똑같은 변화를, 잠시 운동의 선봉에 서 있다가 곧이어 이 운동 자체에서 그들 배후에 서 있던 평민 혹은 프롤레타리아트 당파에게 추월당한 모든 부르주아 당파가 겪은 변화와 똑같은 변화를 겪었다.

루터가 1517년 처음으로 가톨릭교회의 교리와 체제에 반대했을 때, 그 반대는 아직 분명한 특징이 전혀 없었다. 과거 시민적 이단의 요구를 넘어서지 못했음에도 불구하고, 루터의 반대는 그보다 더 나아간 단 하나의 노선도 배제하지 않았고 배제할 수도 없었다. 처음에는 모든 반대 동인들을 뭉쳐야 했고, 가장 결정적인 ||22| 혁명적 에너지를 이용해야 했으며, 가톨릭 정통 신앙에 반대하는 종래의 이단들의 전체 대중을 대표해야 했다. 바로 그렇기 때문에 우리의 자유주의적 부르주아지도 1847년에는 여전히 혁명적이었고, 사회주의자 혹은 공산주의자를 자처했으며 노동자계급의 해방을 위해 열성적이었다. 루터의 강력한 농민적 본성은 그가 등장한 이 최초의 시기에 가장

강력한 방식으로 발휘되었다. "만일 미쳐 날뛰는 그들(로마 성직자)의 광란이 계속된다면, 그들을 제지할 수 있는 더 좋은 조언이나 처방전은 전혀 없다는 것이 내 생각이다. 왜냐하면 왕과 제후가 폭력으로 무장하여 행동하고, 그렇게 전 세계를 중독시키는 이 유해한 사람들을 공격하여 그 소행을 **말로써가 아니라 무기로써** 단번에 끝장낼 것이기 때문이다. 그래서 우리는 도적을 칼로, 살인자를 교수형으로, 이단자를 화형으로 처벌했는데, 그렇다면 반대로 왜 타락한 이 유해한 교사들, 즉 교황, 추기경, 주교와 로마 소돔[41]의 모든 무리[42]에게 **무기를 들고 공격하여 그들의 피로 우리의 손을 씻어내지 못하겠는가?**"[43]

그러나 이러한 초기의 혁명적 열정은 오래가지 못했다. 루터가 내리친 번개는 큰 반향을 불러일으켰다. 독일의 전체 인민이 운동에 빠져들었다. 한편으로 농민과 평민은 성직자를 반대하는 루터의 호소와 기독교적 자유에 관한 그의 설교에서 봉기의 신호를 보았다. 다른 한편으로 더 온건한 시민과 대부분의 하층 귀족도 이 봉기에 가담했고, 제후조차도 이 격랑에 휩쓸려 들어갔다. 전자는 그들의 모든 압제자에게 보복할 수 있는 날이 왔다고 믿었고, 후자는 단지 성직자의 권력, 로마에 대한 종속, 가톨릭의 위계질서를 타파하고 교회 재산을 몰수하여 치부할 생각만을 했다. 당파들은 쪼개지고 각각의 대표자를 찾았다. 루터는 이들 중에서 선택해야 했다. 작센 선제후의 후견을 받는 인물이자 비텐베르크 대학의 저명한 교수이고 하룻밤 사이에 유력하고 유명해져 추종자와 아첨꾼 무리에 둘러싸인 이 위대한 인물은 잠시도 주저하지 않았다. 루터는 운동의 대중적 구성 인자를 버리고 시민과 귀족, 제후의 종자[44]에 가담했다. ||23| 로마에 대항하여 전면전을 벌이자던 호소는 사라졌다. 루터는 이제 **평화적 발전**과 **소극적 저항**을 설교했다(예를 들어 1520년의 「독일 민족의 귀족들에게an den Adel teutscher Nation」 등을 참조). 성직자와 제후를 반대하는 귀족 음모의 중심지인 에베른부르크에 있는 자신과 지킹겐을 방문해달라고 후텐이 초청하자 루터는 이렇게 답했다. "나는 사람들이 복음을 **폭력과 살육으로 수호하는** 것을 원치 않는다. 말씀으로 세계가 정복되었고 말씀으로 교회가 유지되었으며, 또한 말씀으로 교회가 원상회복될 것이다. 그리고 폭력 없이 자신의 것을 받은 그리스도를 반대하는 자는 폭력이 없으면 몰락할 것이다."[45]

이러한 루터의 전향으로부터, 아니 오히려 이렇게 더욱 명확하게 설정된 루터의 노선으로부터, 제도와 교리를 유지할지 아니면 개혁할지를 둘러싼

G384

앞에서 언급한 거래와 흥정이, 혐오스러운 모든 외교적 책략과 양보, 계략과 협정이 시작되었는데, 그 결과가 아우크스부르크 신앙 고백,[46] 즉 최종적으로 마련된 개혁적인 시민 교회의 헌법이었다. 이것은 최근 독일의 국민의회, 통합의회, 흠정헌법 수정의회(Revisionskammern), 그리고 에르푸르트 의회 등에서 정치적 형태로 지겹게 반복된 것과 똑같은 이권의 흥정이었다. 공식적 종교개혁의 속물적 특징은 이러한 협상에서 극명하게 드러났다.

루터가 이후 시민적 개혁의 공인된 대표자로서 합법적 진보를 설교한 것은 그럴 만한 이유가 있었다. 도시의 대중은 온건 개혁으로 넘어가버렸다. 하층 귀족은 더욱더 온건 개혁에 가담했으며, 일부 제후들도 이것을 지지했고 또 다른 일부는 동요하고 있었다. 온건 개혁의 성공은 확실한 것처럼 보였고, 적어도 대부분의 독일에서는 그러했다. 평화적 발전이 지속된다면 다른 지역에서도 온건 반대파의 계속되는 유입에 저항할 수 없었을 것이다. 그러나 모든 폭력적인 소요는 온건 당파가 극단적인 평민 당파 및 농민 당파와 충돌할 수밖에 없게 만들었고, 제후, 귀족, 많은 도시를 운동에서 이탈시킬 수밖에 없었다. 그래서 농민과 평민이 시민 당파를 능가하든지, 아니면[47] 가톨릭의 ‖24‖ 복고가 운동의 모든 당파를 진압하게 되든지 둘 중 하나의 경우만 남아 있을 뿐이었다. 그리고 시민 당파는 아주 작은 승리라도 일단 거두게 되면 합법적 진보를 매개로 혁명의 스킬라와 복고의 카리브디스[48] 사이를 뚫고 나가려 하는데, 그에 관해 최근 사례들을 우리는 충분히 보았다.

당시의 일반적인 사회적 · 정치적 관계들 아래서는 어떤 변화의 결과라도 필연적으로 제후에게 유리해지고 그들의 권력을 증대하게 될 수밖에 없었듯이, 마찬가지로 시민적 개혁은 평민적 · 농민적 구성 인자들과 더 분명히 구별될수록 더욱더 개혁파 제후의 통제 아래로 들어갈 수밖에 없었다. 루터 자신도 더욱더 그들의 종이 되어갔고, 인민이 루터 역시 다른 당파와 마찬가지로 제후의 하인이 되었다고 말했을 때, 그리고 오를라뮌데에서 돌을 던져 그를 내쫓았을 때 인민은 자신이 하는 것을 너무나 잘 알고 있었다.

농민전쟁이 발발했을 때, 더욱이 대부분의 제후와 귀족이 가톨릭인 지방에서 농민전쟁이 발발했을 때, 루터는 중재자 자리를 차지하려고 했다. 루터는 단호하게 정부를 공격했다. 정부는 압제로 인한 봉기에 책임이 있다고 했고, 정부에 반대하는 것은 농민이 아니라 신 자신이라고 했다. 다른 한편으로 봉기는 말할 것도 없이 신의 뜻을 거스르는 것이고 복음을 반대하는 것이라고 했다. 결국 루터는 양 당파에게 서로 양보하고 화해하라고 충고했다.

그러나 이런 호의적인 중재안에도 불구하고 봉기는 급속히 확산되었고, 심지어 루터파 제후 및 영주와 도시가 지배하는 프로테스탄트 지역까지 엄습했으며, 그래서 봉기는 순식간에 시민적인 신중한[49] 개혁을 압도하게 되었다. 뮌처가 지도하는 가장 단호한 봉기자들의 분파가 루터가 있는 곳에서 가까운 튀링겐에 본부를 세웠다. 그 봉기가 조금만 성공적이었다면, 독일 전체는 활활 타올랐을 것이고, 루터는 포위당하고 아마도 배신자로서 창에 쫓겼을 것이며, 시민적 개혁은 농민적-평민적 혁명의 해일에 휩쓸려 사라져 버렸을 것이다. 이제 더는 신중할 겨를이 없었다. 혁명에 직면하여 과거의 적의는 모두 잊었다. 농민 무리에 비하면 로마 소돔[50]의 종들은 죄 없는 어린 양들이었고 온유한 신의 아이들이었다. 그래서 시민||25|과 제후, 귀족과 성직자, 루터와 교황은 "살상과 약탈을 일삼는 농민 무리에 반대하여"[51] 동맹을 맺었다. **"미친개는 몽둥이로 때려잡아야 하듯이, 할 수 있는 사람은 누구나 남몰래 하든 대놓고 하든 그들을 때려죽이고 목 졸라 죽이고 칼로 찔러 죽여라!"** 루터는 부르짖었다. "그러므로 사랑하는 여러분, 이곳을 해방하고 저곳을 구하라. 할 수 있는 사람은 누구나, 그들을 칼로 찔러 죽이고 때려죽이고 목 졸라 죽여라. 그로 인해 죽는 자가 있다면 축복할지어다. 이보다 더 복된 죽음은 있을 수 없을 것이다."[52] 농민에게는 조금이라도 잘못된 동정심을 가지지 말라. 신이 궁휼히 여기지 아니하고 오히려 벌하고 멸하려는 자들을 동정하는 자는 폭동을 일으킨 무리에 그 스스로 섞여 들어가는 것이다. 농민은 나중에 다른 소들이 평화를 누릴 수 있도록 소 한 마리씩을 바쳐야 할 때 스스로 신께 감사하는 것을 배우게 될 것이다. 그리고 제후는 오직 폭력으로써만 통치할 수 있는 천민의 정신이란 무엇인지를 폭동을 통해서 알게 될 것이다. "현자는 말한다. 당나귀에게는 당근과 짐과 채찍(cibus, onus et virga asino)[53]이, 농민에게는 귀리 짚이 제격이니라. 농민은 말씀을 듣지도 않고 미련할 뿐이다. 그래서 그들은 채찍과 총에 귀를 기울여야 하며, 이것만이 그들에게는 올바른 것이다. 우리는 그들이 복종하도록 그들을 위해 기도해야 한다. 그들이 복종하지 않는다면 동정할 필요가 없다. **총소리 말고는 그들에게 돌아갈 것이 없게 하라.** 그러지 않으면 그들은 수천 배나 더 못된 짓을 저지를 것이다."[54]

한때 사회주의적이며 박애적이었던 우리의 부르주아지는, 3월 사건 이후 프롤레타리아트가 승리의 열매에 대한 몫을 요구했을 때 바로 이렇게 말했다.

454

루터는 성경을 번역함으로써 평민운동에 강력한 도구를 쥐어 주었다. 성경에서 루터는 당시의 봉건화된 기독교를 초기의 검소했던 기독교와 대비하고, 몰락해가는 봉건 사회를 복잡하고 인위적으로 만들어진 봉건적 위계질서를 전혀 알지 못했던 사회상과 대비했다. 농민은 제후, 귀족, 성직자에게 대항하는 이 도구를 다방면으로 사용했다. 이제 루터는 이 도구를 농민을 향해 돌렸고, 신이 임명한 권위를 보증할 수 있는 진정한 찬송가, 절대군주제의 어떤 식객도 여태껏 완성하지 못한 찬송가를 성경에서 엮어냈다. 신의 은총을 입은 제후국도, 수동적 복종도, ||26| 농노제조차도 성경을 통해 재가 되었다. 이 때문에 농민 봉기뿐만 아니라, 교회 및 세속 권위에 대한 루터 자신의 모든 반발도 부정되었다. 대중운동뿐만 아니라 시민의 운동마저도 제후에게 배신을 당했다.

자기 자신의 과거를 이렇게 부정한 예를 최근 다시 우리에게 보여준 부르주아지를 거론할 필요가 있는가?

이제 시민적 개혁가 루터와 평민적 혁명가 뮌처를 대비해 보자.

토마스 뮌처는 1498년경 하르츠 지방의 **슈톨베르크**에서 태어났다.[55] 그의 아버지는 슈톨베르크 백작의 전횡에 희생되어 교수형을 당했다고 한다. 뮌처는 이미 15세 때 할레 학교에서 마그데부르크 대주교[56]와 로마 교회 전반에 반대하는 비밀 동맹을 창설했다. 당시의 신학에 대한 학식으로 인해 그는 일찍 박사 학위를 취득했고 할레 수녀원의 부사제 자리를 얻었다. 여기서 그는 이미 교회의 교리와 의식을 매우 무시했고, 미사에서 화체에 관한 말을 전혀 하지 않았으며, 또한 루터가 뮌처에 관해 설명했듯이 주 되신 하느님을 봉헌하지 않은 채 그대로 먹었다고 한다.[57] 그의 주된 연구 대상은 중세의 신비주의자들, 특히 칼라브리아의 요아킴이 쓴 천년왕국설에 관한 저작들이었다. 요아킴이 예고하고 묘사한 타락한 교회와 부패한 세계에 대한 심판인 천년왕국은 뮌처에게 종교개혁과 당시의 전반적인 격동으로 가까이 와 있는 것처럼 보였다. 그는 인근 지방에서 큰 호응을 얻으며 설교했다. 1520년 그는 최초의 복음 설교사로서 츠비카우로 갔다. 여기서 그는 많은 지방에서 은밀히 계속 살아오면서 천년왕국설을 열렬히 신봉해온 종파를 발견했는데, 이 종파는 일시적인 순종과 은둔 생활을 하면서 기존 상태에 대한 사회 최하층민의 증대하는 반대를 배후에 감추고 있었지만, 그러나[58] 선동을 강화해가면서 더욱 공공연하고 완강하게 세상에 등장하고 있었다. 이 종파는 재세례파[59]라는 종파로, 그 정점에는 니클라스 **슈토르흐**가 있었다.

이들은 최후의 심판과 천년왕국이 가까이 왔음을 설교했다. 이들은 환각과 무아지경과 예언의 영력을 가지고 있었다. 얼마 안 있어 ||27| 이들은 츠비카우 시 참사회와 충돌하게 되었다. 뮌처가 이들에게 무조건 가담한 것이 아니라, 오히려 이들이 뮌처의 영향을 받았음에도 불구하고, 뮌처는 이들을 옹호했다. 시 참사회는 이들을 반대하는 조치를 단호히 취했고, 이들은 츠비카우를 떠날 수밖에 없었으며, 뮌처도 이들과 함께 츠비카우를 떠날 수밖에 없었다. 이때가 1521년 말이었다.

뮌처는 프라하로 갔고, 거기서 후스파 운동의 잔당을 규합하여 기반을 잡으려고 했다. 그러나 그의 선언들[60]은 그가 또다시 보헤미아도[61] 달아날 수밖에 없는 결과를 가져왔다. 1522년 뮌처는 튀링겐의 알슈테트[62]에서 설교사가 되었다. 여기서 그는 예배를 개혁하는 일을 시작했다. 루터가 아직 그 정도까지는 감히 나아가지 못했을 때 뮌처는 라틴어를 완전히 폐지하고, 지정된 일요 복음서와 사도 서간만이 아니라 성경 전체를 읽게 했다. 동시에 그는 인근 지방에 선전을 조직했다. 인민이 도처에서 그에게 몰려들었고, 곧 알슈테트[63]는 튀링겐 전역의 반성직자 대중운동의 중심이 되었다.

여전히 뮌처는 무엇보다 신학자로 있었다. 그는 거의 전적으로 성직자들만을 공격했다. 그러나 그는 루터가 당시에 이미 설교하던 조용한 토론과 평화적 진보를 설교하지 않았다. 그는 과거 루터가 했던 강력한 설교를 이어 나갔고, 작센의 제후와 인민에게 로마의 성직자와 맞서는 무력 대응을 호소했다. "그리스도께서는 평화가 아니라 칼을 주러 왔다고 말씀하시지 않았던가. 그러면 그대들(작센의 제후들)은 이 칼로 무엇을 해야 하는가? 그대들이 만일 하느님의 또 다른 종이 되고자 한다면, 다름 아니라 바로 복음을 방해하는 악한 자들을 제거하고 분리해야 한다. 그리스도께서는 「누가복음」 19장 27절에서 내게 엄히 명하시기를, 내 원수들을 여기 끌어다가 내 눈 앞에서 죽이라고 말씀하셨다. … 그대들이 칼을 뽑지 않아도 하느님의 권능이 이루어질 것이라는 헛된 주장을 하지 말라. 그러지 않으면 칼은 칼집에서 녹슬고 말 것이다. 히스기야, 키루스, 요시야, 다니엘, 엘리야가 바알의 성직자들을 괴롭혔듯이, 우리는 하느님의 계시를 거스르는 자들을 무자비하게 제거해야 한다. 그러지 않으면 그리스도의 교회는 원래의 모습으로 되돌아갈 수 없을 것이다. 우리는 추수할 때에 하느님의 포도밭에서 잡초를 뽑아내야 한다. 하느님께서는 모세의 다섯째 경전(「신명기」 — 옮긴이) 제7장에서 말씀하시기를, 너희는 ||28| 우상 숭배자들을 불쌍히 여기지 말고 그들의 제단

을 부수고 그들의 우상을 파괴하고 불태워서 나의 분노가 너희에게 미치지 않도록 하라고 하셨다."[64]

제후에 대한 이러한 권유는 아무 소용 없이 끝났지만, 이와 동시에 인민 사이의 혁명적 동요는 날로 증가했다. 뮌처의 사상은 더욱 날카로워지고 더욱 냉철해졌는데, 이제 뮌처는 시민적 종교개혁과 단호히 결별하고 동시에 직접 정치적 선동가로 등장했다.

뮌처의 신학적-철학적 교의는 가톨릭뿐만 아니라 기독교 일반의 주안점 모두를 공격했다. 그는 기독교의 형식 아래에서 근대의 사변적 견해와 비슷한 점이 매우 많으며 심지어 때로는 무신론에 살짝 닿아 있는 일종의 범신론을 가르쳤다.[65] 그는 성경을 유일한 계시, 전혀 오류가 없는 계시로 보는 것도 배척했다. 본래의 계시, 즉 생동하는 계시는 이성이라고 했고, 이때 계시는 모든 시대와 모든 민족에 존재했고 여전히 존재한다고 했다. 이성을 성경에 대립시키는 것은 정신을 문자로 죽이는 것이라고 했다. 성경이 말하는 성령은 우리 밖에 존재하는 것이 아니기 때문이라고 했다. 성령이 바로 이성이라고 했다. 신앙은 인간의 이성이 생동하게 되는 것 이외의 다른 것이 아니라서 이교도도 신앙을 가질 수 있다고 했다. 이런 신앙, 생동성을 띤 이성을 통해 인간은 신성하게 되고 축복을 받을 것이라고 했다. 따라서 천상은 저편에서 찾을 수 있는 것이 아니라, 이 생(生)에서 찾을 수 있다고 했으며, 신자의 소명은 이 천상을, 즉 신의 왕국을 여기 이 지상에서 세우는 것이라고 했다. 저편의 천상이 존재하지 않는 것과 마찬가지로, 저편의 지옥 혹은 영겁의 벌도 존재하지 않는다고 했다. 인간의 사악한 욕망과 탐욕 이외의 악마는 존재하지 않는다고 했다. 그리스도는 우리와 같은 하나의 인간이었다고 했으며, 예언자이자 스승이었다고 했다. 그리스도 최후의 만찬은 단순한 기념 만찬이었다고 했으며, 이때 빵과 포도주는 어떤 신비로운 첨가물이 들어 있지 않은 맛볼 수 있는 것이라고 했다.[66]

뮌처는 이러한 가르침을 대부분, 최근 ||29| 철학이 한동안 숨겨야 했던 것과 동일한 기독교적 어법 아래 숨기고 설교했다. 그러나 이런 극도의 이단적인 근본 사상은 그의 모든 저작 곳곳에서 나타나며, 그래서 우리는 그에게 성경이라는 은폐 수단이 최근 헤겔의 많은 제자들보다는 훨씬 덜 신중한 것이었음을 알 수 있다. 더욱이 뮌처와 근대 철학 사이에는 3백 년의 시간 차 G389 이가 있다.

뮌처의 정치적 교의는 이러한 혁명적인 종교관과 긴밀한 관련이 있었으며, 그의 신학이 당시 통용되던 관념들을 뛰어넘은 것과 마찬가지로 당시의 사회적·정치적 관계를 훨씬 넘어서 있었다. 뮌처의 종교철학이 무신론에 살짝 닿아 있는 것처럼, 그의 정치적 강령은 공산주의에 살짝 닿아 있으며, 2월 혁명 전야에도 아직 근대의 공산주의 분파들 가운데 아무도 16세기 "뮌처의 것"보다 더 내용이 풍부한 이론적 무기고를 갖추지 못했다. 당시 평민의 요구를 총괄한 것이라기보다는 오히려 이들 평민 사이에서 이제 겨우 발전하기 시작한 프롤레타리아트적 요소의 해방 조건에 대한 천재적 예견이었던 이 강령 ── 이 강령은 교회를 원래 모습으로 되돌리고, 명목상으로는 원시 기독교적 교회이지만 실제로는 아주 새로운 교회인 이 교회와 모순되는 모든 제도를 제거함으로써, 하느님의 왕국인 예언된 천년왕국을 당장 지상에 수립할 것을 요구했다. 뮌처는 그러나 하느님의 왕국을 바로 어떤 계급 차별도, 어떤 사적 소유도, 사회 구성원에 대해 자립적이고 낯선 어떤 국가 권력도 더는 존재하지 않는 사회 상태로 이해했다. 기존의 모든 권력은, 머리를 조아리고 혁명에 가담하지 않는 한, 전복될 수밖에 없으며 그리하여 모든 노동과 모든 재산은 공동의 것이 되어 가장 완전한 평등이 실현될 것이라고 했다. 이를 관철하기 위해 독일 전체뿐만 아니라 기독교 세계 전체를 넘어선 하나의 동맹을 창설해야 하고, 제후와 영주도 이 동맹에 가입하기 위해 초대를 받아야 한다고 했다. 만일 그들이 응하지 않는다면 동맹은 바로 첫 기회가 왔을 때 무장하여 그들을 타도하거나 죽여야 한다고 했다.[67]

뮌처는 바로 이러한 동맹을 조직하는 데 착수했다. 그의 설교는 더욱 호전적이고 혁명 ||30| 적인 성격을 띠게 되었다. 그는 성직자들을 공격하는 한편, 이와 동일한 열정으로 제후와 귀족과 도시귀족을 매섭게 공격하고, 불타오르는 채색으로 기존의 압제를 묘사했으며, 그에 반해 사회적-공화주의적 평등의 천년왕국에 관한 자신의 상상도를 제시했다. 동시에 그는 혁명적 소책자를 연이어 발간하고 각지로 밀사를 파견하는 한편, 자신은 알슈테트[68]와 인근 지방에서 동맹을 조직했다.

이러한 선전의 첫 성과는 알슈테트[69] 근교 멜러바흐의 성모 예배당을 파괴한 것인데, 이것은 다음과 같은 계명에 따른 것이었다. "그들의 제단을 부수고, 그들의 주상(柱像)을 깨뜨리고, 그들의 우상을 불사르라, 이는 너희가 거룩한 백성이기 때문이다"(「신명기」, 7장 5절).[70] 작센의 제후들이 소요를 진정하기 위해 직접 알슈테트[71]로 와서 뮌처를 성으로 소환했다. 그곳에서 뮌처는 설교를 했는데, 제후들은 뮌처가 표현했듯이 "편안하게 살고 있는

458

비텐베르크의 고깃덩어리"인 루터에게는 이러한 설교를 들어본 적이 없었다. 신을 배반한 통치자들, 특히 복음을 이단으로 다루는 성직자와 수도사는 죽어 마땅하다고 주장하면서 뮌처는 그 근거로 신약 성서를 소환했다. 신을 배반한 자들은 선택된 자들의 자비가 아니고는 살 권리를 갖지 못할 것이라고 했다. 만일 제후들이 신을 배반한 자들을 섬멸하지 않는다면, 신은 제후들에게서 칼을 거둘 것인데, 왜냐하면 **교구 전체가 칼의 권력을 갖고 있기 때**문이라고 했다. 고리대, 도둑질, 강도질의 근본 원인[72]은 제후와 영주라고 했다. 이들은 모든 피조물, 즉 물속의 고기, 공중의 새, 대지의 식물을 소유물로 취한다. 그런데도 그들은 가난한 사람들에게 도둑질하지 말라는 계율을 설교한다. 그러나 그들 자신은 자신들이 발견한 모든 것을 취하고 농민과 수공업자의 가죽을 벗기고 긁어낸다. 반면에 농민과 수공업자는 아주 작은 잘못을 저질러도 교수대에 올라가야 한다. 그러면 이 모든 것에 대하여 거짓말쟁이 박사(뮌처는 루터를 거짓말쟁이 박사라고 불렀다. ―옮긴이)는 아멘이라고 말한다.[73] "가난한 사람이 영주의 적이 되는 것은 영주가 자초한 것이다. 그들이 폭동의 원인을 제거하려고 하지 않는데, 대체 어떻게 계속 좋아질 수 있겠는가? 아, 친애하는 영주들이여, 주께서 쇠 채찍으로 낡은 단지를 내리치실 것이니 이 얼마나 좋은 일인가! 이렇게 말해서 ‖31‖ 내가 폭동에 가담하는 것이 된다면, 그래도 나는 좋을 것이다." (치머만의 『농민전쟁』 제2부, 75쪽 참조.)

뮌처는 이 설교를 인쇄했다. 알슈테트[74]에서 그의 설교를 인쇄한 인쇄업자[75]는 작센 공작 요한에게 국외 추방을 당했으며, 뮌처 자신은 자기의 모든 저작에 대해 바이마르 공국 정부의 검열을 받으라는 명령을 받았다. 그러나 뮌처는 이러한 명령을 무시했다. 그는 그 직후 제국도시 뮐하우젠에서 매우 선동적인 글을 인쇄했는데, 이 글에서 그는 인민에게 "불경스럽게도 신을 그림 속의 난쟁이로 만들어버린 위인들이 누구인지 모든 세계가 보고 알 수 있도록 벽의 구멍을 더 뚫으라"고 촉구했다. 그리고 뮌처는 이렇게 글을 끝맺는다. "온 세상은 급격한 동요를 겪지 않을 수 없다. 신을 배반한 자들은 자리에서 굴러떨어지지만 낮은 곳에 있던 자들은 위로 올라가는 승부가 펼쳐질 것이다." "망치를 든 토마스 뮌처"라는 제목의 글 첫머리에는 이렇게 쓰여 있다. "깨어 있으라, 나는 너의 입을 통해 말하고 있다. 내가 오늘 너를 사람들과 왕국들 위에 앉히는 것은, 너로 하여금 뽑아내고 파괴하고 파멸시키고 초토화하고[76] 건설하고 심게 하려는 것이다. 철의 장벽이 왕과 제후와 성직자의 앞에 세워져 있고, 또한 인민 앞에 세워져 있다. 그들과 싸운다면 승리는 놀랍게도 신을 배반한 강대한 폭군들의 몰락이 될 것이다."[77]

뮌처가 루터와 그의 당파와 결별한 것은 이미 오래전의 일이었다. 루터는 뮌처가 자신에게 묻지도 않고 도입한 수많은 교회 개혁 자체를 받아들일 수밖에 없었다. 루터는, 온건한 개혁가가 더욱 정력적이고 더욱 진취적인 당파를 대할 때와 같이, 분노의 불신으로 뮌처의 활동을 지켜보았다. 이미 1524년 봄에 뮌처는 방 안에 죽치고 있는 편협하고 성급한 사람의 원형인 멜란히톤에게 다음과 같이 편지를 썼다. 즉 그와 루터는 운동을 전혀 이해하지 못한다고 했다. 그리고 이들은 성경 자구를 맹신하는 교조적인 신앙에 운동을 질식시키려 하고 있으며, 이들의 교의는 모두 벌레가 갉아 먹은 것이라고 했다. "사랑하는 형제여, 지체하거나 망설이지 말라, 때가 왔다, 여름이 문 앞에 와 있다. 신을 배반한 자들과 친교를 유지하지 말라, 그들은 말씀이 완전한 힘을 발휘하는 것을 막고 있다. 너희 제후들에게 아첨하지 말라, 그러지 않으면 너희도 그들과 함께 ||32| 멸망할 것이다. 너희 연약한 율법 학자들이여, 부정하지 말라, 나는 이것을 달리 어찌할 수 없다."[78]

루터는 뮌처에게 여러 번 공개 토론을 요구했다. 그러나 뮌처는 인민 앞에서는 언제든지 투쟁을 받아들일 준비가 되어 있었지만, 비텐베르크 대학의 편파적인 청중 앞에서 신학적인 말다툼에 말려들 생각은 조금도 없었다. 그는 "정신의 증명서를 오직 대학에만 제출할 생각이 전혀 없었다".[79] 만일 루터가 진심이었다면, 그는 자신의 영향력을 이용해 뮌처의 설교문 인쇄업자에 대한 횡포와 검열 명령을 중단시켰을 것이며, 동시에 이 투쟁이 어떤 방해도 받지 않고 지면에서 승부를 가릴 수 있게 했을 것이다.

앞서 언급한 뮌처의 혁명적 소책자가 나온 후에, 루터는 이제 공개적으로 뮌처를 비난하는 자로서 행동했다. 루터는 자신의 인쇄된 『반란의 악령에 반대하여 작센의 선제후에게 보낸 편지』에서 뮌처를 사탄의 꼭두각시라고 선언하고, 제후들에게 단호한 태도로 대응할 것과 반란 주모자들을 국외로 추방할 것을 촉구했다. 왜냐하면 이 반란 주모자들은 자신들의 사악한 가르침을 설교하는 데 만족하지 않고 봉기와 공권력에 대항한 폭력적 저항을 호소하기 때문이라는 것이다.

8월 1일 뮌처는 바이마르 성에 출두하여 제후들 앞에서 반란을 책동하고 있다는 고발에 대하여 해명해야 했다. 이 자리에 제출된 사실들은 뮌처에게 매우 당혹스러운 것이었다. 그들은 그의 비밀 동맹의 흔적을 찾아냈고, 그가

460

광부와 농민 단체에 개입한 것을 밝혀냈다. 그는 추방당할 것이라는 협박을 받았다. 알슈테트[80]로 돌아가자, 그는 작센의 게오르크 공작이 자신을 넘겨 주기를 요구하고 있다는 사실을 알았다. 뮌처의 자필로 된 동맹의 편지가 압 수되었는데, 거기서 뮌처는 게오르크 공작의 신민들에게 복음의 적들에 대 하여 무력으로 저항할 것을 촉구했다. 만일 뮌처가 도시를 떠나지 않았다면 시 참사회가 그를 넘겼을 것이다.

그러는 동안 농민과 평민 사이에서 커진 불안은 뮌처의 선전을 매우 쉽게 만들어주었다. 이러한 선전을 위해 뮌처는 재세례파에서 매우 값진 대리인 을 확보하게 되었다. 어떤 분명하고 적극적인 교리는 없지만 모든 지배계급 에 대한 그들의 공통된 저항과 ||33| 재세례라는 공통의 상징을 통해 결속 G392 했고, 엄격한 금욕주의적 행실을 보였으며, 선동할 때는 지칠 줄 모르고 열 광적이고 대담했던 이 종파는 점점 더 뮌처 주위로 몰려들었다. 끊임없는 박 해로 인해 일정한 거처를 박탈당한 그들은 독일 전역을 떠돌아다니면서 새 로운 가르침을, 다시 말해 그들에게 자신의 욕구와 소망을 분명히 알게 해준 뮌처의 그 가르침을 알렸다. 수많은 재세례파 교인이 고문당하고, 화형이나 처형을 당했지만, 이 밀사들의 용기와 인내력은 흔들리지 않았으며, 인민의 흥분을 급속히 고조하는 그들의 활동이 거둔 성과란 엄청난 것이었다. 따라 서 뮌처는 튀링겐을 탈출하면서 가는 곳마다 자신의 기반이 마련되어 있음 을 발견했고, 그는 어디로든 가고 싶은 곳으로 갈 수 있었다.

뮌처가 맨 먼저 간 뉘른베르크[81]에서는[82] 농민 봉기가 초토화된 지 한 달 이 채 되지 않았다. 뮌처는 여기서 비밀리에 선동을 전개했다. 얼마 지나지 않아 성경은 구속력이 없으며 성체는 아무것도 아니라고 하는 뮌처의 매우 대담한 신학적 명제들을 옹호하고, 그리스도는 한낱 인간에 불과하며, 세속 정부의 권력은 신과 무관한 것이라고 선언하는 사람들이 등장했다. "보라, 저기 사탄이 돌아다니고 있다, 알슈테트[83]의 악령이!"라고 루터는 외쳤다.[84] 이곳 뉘른베르크에서 뮌처는 루터에게 보내는 답변[85]을 인쇄했다. 뮌처는 루터가 제후들에게 아첨하면서 어정쩡한 태도로 반동 당파를 지원하고 있 다고 루터를 규탄했다. 그럼에도 불구하고 인민은 자유롭게 될 것이고, 그러 면 루터 박사는 사로잡힌 여우 꼴이 될 것이라고 했다. ― 이 저작은 시 참사 회에 의해 압수당했고, 뮌처는 뉘른베르크를 떠나야 했다.

뮌처는 이제 슈바벤을 거쳐 알자스로 갔고, 다시 스위스로 갔다가, 슈바르 츠발트 북부로 갔는데, 여기는 이미 수개월 전부터 봉기가 일어나던 지역이

었고, 주로 그의 재세례파 밀사들에 의해서 봉기가 촉발되었다. 이러한 뮌처의 선전 여행은 분명히 인민의 당파를 조직하고 그들의 요구를 더 명확히[86] 확정하는 데 기여했을 뿐 아니라, 마침내 1525년 4월 봉기가 전면적으로 폭발하는 데 본질적으로 기여했다. 뮌처의 이런 여행을 통한 이중적 효과, 즉 한편으로 뮌처가 당시 인민이 이해할 수 있는 종교적 예언의 언어로 설득했던 인민에게 미친 효과, 다른 한편으로 뮌처가 공공연하게 자신의 궁극적인 목적에 대해 ||34| 말할 수 있었던 공모자들에게 미친 효과는 여기에서 특히 분명하게 나타났다. 그가 이미 예전에 튀링겐에서 인민 출신뿐 아니라 하급 성직자 출신도 포함하는 일련의 가장 단호한 사람들을 자신의 주위에 모아서 그들을 비밀 결사의 선봉에 세웠다면, 여기서 그는 남서부 독일 전체 혁명운동의 중심이 되었고, 작센과 튀링겐에서부터 프랑켄과 슈바벤을 거쳐 알자스와 스위스 국경에 이르는 결사를 조직했다. 그리고 발츠후트의 후 프마이어, 취리히의 콘라트 그레벨, 그리센의 한스 레프만,[87] 메밍겐의 샤펠러,[88] 라이프하임의 야코프 베에, 슈투트가르트의 만텔 박사와 같은 대부분 혁명적 사제들인 남부 독일의 선동가들은 그의 제자와 동맹의 간부로 간주할 수 있다. 뮌처 자신은 주로 샤프하우젠 국경의 그리센에 체류했고, 거기서 헤가우와 클레트가우 등지로 돌아다녔다. 불안해진 제후와 영주가 도처에서 이 새로운 평민적 이단에게 감행한 피비린내 나는 박해는 오히려 반역의 정신을 부추기고 단결을 더욱 굳게 하는 데 적지 않게 기여했다. 이렇게 뮌처는 약 5개월 정도 남부 독일에서 선동을 전개했고, 모반이 일어날 때가 되자 다시 튀링겐으로 돌아가 그곳에서 자신이 직접 봉기를 지도하려고 생각했다. 우리는 거기서 그를 다시 보게 될 것이다.

G393

우리는 두 당파 지도자의 성격과 행동이 각각의 당파들[89] 자체의 태도를 얼마나 충실히 반영하는지를 보게 될 것이다. 즉 루터의 우유부단함, 심각해지는 운동 자체에 대한 두려움, 제후에 대한 비겁한 복종 근성 등이 시민층의 주저하고 애매한 정책과 얼마나 완벽하게 상응하는지, 그리고 뮌처의 혁명적 에너지와 단호함이 어떻게 평민과 농민의 가장 발전한 분파들 속에서 재생산되는지 보게 될 것이다. 차이점은 단지 루터가 자기의 계급 **대다수**[90]의 관념과 소망을 표명하고 그래서 그들에게 지극히 값싼 인기를 얻는 데 만족한 반면, 뮌처는 반대로 평민과 농민의 직접적인 생각과 요구를 훨씬 뛰어넘었고 기존의 혁명적 구성 인자들의 엘리트로부터 하나의 당파를 먼저 형성했다는 점뿐이다. 뮌처의 이념 수준에 이르렀으며 그의 에너지를 ||35| 공

유했다 하더라도 이 당파는 언제나 반란 대중의 극소수에 불과했다.

III.

후스파 운동이 진압된 지 약 50년 후에 싹트고 있던 혁명 정신의 최초 징후들이 독일 농민들 사이에서 모습을 드러냈다.* [91]

1476년 최초의 농민 음모가 뷔르츠부르크 주교구에서 발생했다. 이 지역은 후스 전쟁으로, "사악한 정부와 각종 조세, 상환금, 반목, 적대, 전쟁, 화재, 살인, 투옥 등"[92]으로 일찍부터 매우 가난해져[93] 있었으며, 주교와 성직자 그리고 귀족에게 무자비하게 끊임없이 약탈당하고 있었다. 젊은 목동이자 악사인 **니클라스하우젠의 한스 뵈하임**은 북 치는 사람 혹은 **피리 부는 한스**라고 불리기도 했는데, 그는 갑자기 타우버그룬트에서 예언자로 등장했다. 그가 말하길 성모 마리아가 자신에게 나타나, 북을 불태우고, 춤을 추게 하고 육욕적인 불경한 짓을 멈추고, 인민이 참회할 수 있도록 훈계하라고 권했다고 했다. 이렇게 모든 사람은 자신의 원죄와 이 세상의 공허한 욕구를 털어버려야 하고, 모든 장식과 장식품을 떨쳐내야 하며, 자신의 원죄를 용서받기 위해 니클라스하우젠의 성모에게 참배해야 한다고 했다.

이미 이러한 운동의 최초 선구자들 가운데서 우리는 일종의 금욕주의를 발견할 수 있는데, 이러한 금욕주의는 종교로 채색된 모든 중세의 봉기에서, 그리고 근대에는 모든 프롤레타리아트 운동 초기에 마주치는 것이다. 이러한 도덕적으로 엄격한 금욕주의, 즉 삶의 모든 향락 및 만족을 포기하라는 요구는 한편으로 지배계급에 대해서는 스파르타적 평등을 제시한다. 다른 한편으로 이러한 요구는 필연적인 과도기 단계인데, 이 단계가 없으면 사||36|회 최하층은 결코 스스로 운동에 착수할 수 없을 것이다. 혁명적 역량을 계발하고 사회의 다른 모든 분자에 대한 자신의 적대적 위치를 자각하기 위해서, 그리고 하나의 계급으로 결집하기 위해서, 사회의 최하층민은 기존의 사회질서와 화해할 수 있는 모든 것을 스스로 벗어던지기 시작해야만 한

---

*   우리는 연대기적 자료에서 치머만의 진술을 따를 것이다. 우리는 외국 자료가 충분하지 못한데, 그의 진술은 이를 잘 보여주면서 우리 작업의 목적을 위해서는 충분하기 때문이다.

다. 사회 최하층은 자신의 실존을 억누르는 것을 잠시나마 참을 수 있게 해주고 가장 혹독한 억압마저도 빼앗아 갈 수 없는 최소한의 향유도 단념해야만 한다. 이러한 **평민적 및 프롤레타리아트적 금욕주의**는 그 내용과 마찬가지로 야만적-광적인 형식에서도 완전히 **부르주아적**[94] 금욕주의와 구별된다. 부르주아적, 루터주의적 도덕과 영국의 청교도[95](물론 이때의 영국 청교도는 독립파[96]와 더 급진적인 분파와는 구별된다)가 설교한 이 부르주아적 금욕주의의 모든 비밀은 **부르주아적 절약**이다. 어찌 됐든 이 평민적-프롤레타리아트적 금욕주의는 한편으로 근대 생산력의 발전이 향유할 재료를 무한히 늘려서 스파르타적 평등을 불필요하게 만들어나감에 따라, 다른 한편으로 프롤레타리아트의 사회적 지위 및 프롤레타리아트 자신이 점점 더 혁명적으로 변화해감에 따라, 그와 함께 혁명적 성격을 상실하게 될 것이 분명하다. 이런 금욕주의는 이제 점차 대중에게서 사라지게 된다. 이런 금욕주의에 의지하는 분파들에게 이 금욕주의는 곧바로 부르주아적 인색함으로 전락하든지 아니면 실제로는 속물적으로 혹은 춘프트 수공업에 알맞은 쩨쩨하게 경영하는 것에 불과한 허풍 떠는 순결한 기사도로 전락한다. 프롤레타리아트 대중에게 단념을 설교할 필요는 없다. 왜냐하면 이들은 단념할 수 있는 어떤 것도 가지고 있지 않기 때문이다.

피리 부는 한스의 참회라는 설교는 엄청난 반응을 불러일으켰다. 봉기를 예언한 모두는 이 설교로 시작했다. 그리고 익숙한 모든 생활방식을 갑자기 포기하라고 하는 강압적인 노력만이 맹목적인 복종에서 성장한 뿔뿔이 흩어져 있는 보기 드문 이 농민 종(種)을 움직일 수 있게 했다. 니클라스하우젠으로 순례가 시작되었고 그 수는 급속히 증가했다. 그리고 순례 행렬에 가담한 사람이 많아질수록 그 젊은 반란자는 자신의 계획을 더욱 공개적으로 털어놓았다. 그가 설교한 바에 따르면 니클라스하우젠의 성모가 앞으로는 ||37| 황제도, 제후도, 교황도, 더군다나 성직의 정부도 세속 정부도 더는 존재하지 않을 것이라고 자신에게 전도를 맡겼다고 했다. 모든 사람은 서로 형제가 되고, 자신의 손으로 노동하여 빵을 얻게 되며, 아무도 다른 사람보다 더 많은 것을 가질 수 없다고 했다. 모든 이자와 지대, 부역, 통행세, 세금 그리고 그 외의 상환금과 노역은 영원히 폐지되어야 하며, 숲, 물, 목초지는 어디에서나 무료라고 했다.

사람들은 이 새로운 복음을 기쁘게 받아들였다. "우리 성모님의 교서"를 예언한 자의 명성은 재빠르게 멀리까지 퍼져나갔다. 오덴발트, 마인, 코허와 약스트, 그리고 바이에른, 슈바벤과 라인 지방에서도 순례자의 무리가 그에게 몰려들었다. 사람들은 그가 했다고 하는 기적을 이야기했다. 사람들은 그 앞에 무릎을 꿇고 마치 성인에게 하는 것처럼 그에게 기도를 올렸다. 사람들은 마치 성유물과 부적이나 되는 것처럼 그의 모자에 달린 머리카락을 얻으려고 다퉜다. 성직자들은 그와 맞서 행동했고, 그의 얼굴을 악마의 환영으로, 그의 기적을 악마의 사기라고 묘사했지만 소용없었다. 신자 집단은 급격하게 늘어났고, 혁명적인 종파가 조직되기 시작했다. 이 반란의 목동이 하는 주일 설교는 4만 명 이상을 니클라스하우젠에 불러 모았다.

수개월 동안 피리 부는 한스는 대중 앞에서 설교했다. 그러나 그는 설교만을 목적으로 하지 않았다. 그는 니클라스하우젠의 사제와 두 기사, 즉 툰펠트의 쿤츠 및 그의 아들과 비밀리에 접촉하고 있었는데, 이들은 새로운 가르침을 받아들인 자들로서 앞으로 계획된 봉기의 군사 지도자가 될 인물들이었다. 마침내 자신의 힘이 충분히 강해졌다고 보였던 성 킬리안의 날을 앞둔 일요일에 그는 신호를 보냈다. 그는 다음과 같은 말로 설교를 끝맺었다. "이제 고향집으로 돌아가라. 그리고 가장 신성하신 성모께서 너희에게 고지하신 것을 잘 심사숙고하라.[97] 그리고 다음 토요일까지 여자와 아이들 그리고 노인들과 함께 고향에 머물라. 그러나 남자들은 다음 토요일인 성 마르가레트의 날(성 킬리안의 날은 7월 8일, 성 마르가레트의 날은 7월 20일 ―옮긴이)에 여기 니클라스하우젠으로 다시 오라. 그리고 되도록 많이 너희 형제와 친구를 데리고 오라. 순례용 지팡이 대신에 전투 장비로 무장하라. 한 손에는 횃불을 다른 한 손에는 칼과 창 혹은 도끼창을 들고 오라. 그러면 ‖38‖ 성모께서 당신의 뜻에 따라 너희가 해야 할 일이 무엇인지 알려주실 것이다."[98]

그러나 농민이 대거 도착하기 전에, 주교의 기병대가 야밤에 봉기의 예언자를 체포하여 뷔르츠부르크 성으로 압송해 갔다. 약속한 날에 3만 4천 명의 무장 농민이 나타났지만, 체포 소식은 그들에게 실망을 안겨주었다. 대부분은 흩어졌다. 주모자들은 1만 6천 명가량을 결집해서 툰펠트의 쿤츠와 그의 아들 미카엘의 지휘하에 뷔르츠부르크 성으로 진격했다. 주교[99]는 타협안을 제시하여 이들을 귀가하도록 설득했다. 그러나 이들이 해산하기 시작하자마자 주교 휘하 기병대가 공격했고 수많은 사람이 잡혀 들어갔다. 두 사람은 참수형을 당하고, 피리 부는 한스 자신은 화형을 당했다. 툰펠트의 쿤츠는 도망갔는데, 그의 전 재산을 수도원에 양도하는 대가로 귀환이 허락되었다. 니클라스하우젠으로의 순례는 얼마간 계속되었지만, 결국에는 금지

G396

되었다.

이러한 최초의 시도 이후 독일은 다시 오랫동안 평온을 유지했다. 90년대 말에 비로소 농민의 새로운 봉기와 모반이 일어났다.

헴스케르크 전투에서 작센의 알브레히트 공작에게 진압된 1491년과 1492년의 네덜란드 농민 봉기[100]에 대해서는 언급하지 않기로 한다. 그리고 같은 시기 오버슈바벤의 켐프텐 대수도원의 농민 봉기와 1497년경 마찬가지로 작센의 알브레히트 공작이 진압한, 슈르트 아일바가 주도한 프리슬란트 농민 봉기[101]에 대해서도 생략한다. 이러한 봉기들은 일부는 실질적인 농민전쟁의 무대에서 매우 멀리 떨어져 있었다. 이 봉기들은 종래의 자유농이 그들에게 봉건제를 강제로 부과하려는 시도에 대항한 투쟁이기도 했다. 이제 곧바로 농민전쟁으로 가는 길을 예비해준 두 가지 대반란으로 넘어가보자. **분트슈**와 **가난한 콘라트**가 바로 그것이다.

네덜란드에서 농민 봉기를 촉발한 기근은 1493년 알자스에서 농민과 평민의 비밀 동맹을 결성하게 했는데, 이 동맹에는 순전히 부르주아적인 반대 당파[102] 사람들도 참여했고 심지어 일부 하층 귀족도 어느 정도 이 동맹에 공감했다. 이 동맹의 ||39| 본거지는 슐레트슈타트, 줄츠, 담바흐, 슈토츠하임,[103] 세르바일러 등의 지역이었다. 모반자들은 유대인을 약탈하고 그들을 몰살할 것을 요구했는데 당시 유대인의 고리대금업은 지금과 마찬가지로 알자스 농민의 고혈을 빨아 갔다. 이 외에도 모반자들은 모든 부채를 탕감하는 안식년의 도입, 조세, 통행세 및 기타 부과금의 폐지, 교회 재판소와 로트바일(제국) 재판소[104]의 철폐, 조세 비준권, 성직자의 성직록을 50~60굴덴으로 축소, 비밀 고해의 폐지, 모든 교구에 직접 선출하는 독자적인 재판소 건립 등을 요구했다. 모반자들의 계획은 충분한 힘이 갖춰지자마자 견고한 슐레트슈타트를 기습해서 수도원과 시의 재산을 몰수한 다음 그곳에서 알자스 지방 전체에 반란을 일으키는 것이었다. 반란의 순간에 펼쳐졌다고 하는 동맹의 깃발은 긴 가죽끈이 달린 농민의 가죽구두, 즉 이른바 **분트슈**[105]가 그려져 있었다. 이때부터 분트슈는 이후 20년 간의 농민 모반의 상징과 명칭이 되었다.

G397

모반자들[106]은 밤에 외딴 훙거베르크에서 회합을 하곤 했다. 이 동맹의 구성원이 되기 위해서는 매우 비밀스러운 의식을 거쳐야 했고 배신자에 대한 혹독한 처벌 규정을 받아들여야 했다. 그럼에도 불구하고 슐레트슈타트 공격 예정일로 정해진 1493년 부활절의 전주쯤에 문제가 터졌다. 즉시 관계

466

당국이 신속하게 개입했다. 수많은 모반자가 체포되어 고문당했고 일부는 능지처참형과 교수형을 당했다. 또 일부는 손과 손가락이 잘리고 국외로 추방당했다. 대부분은 스위스로 도망갔다.

그러나 분트슈는 이런 첫 번째 해산으로 결코 파괴되지 않았다. 반대로 분트슈는 비밀리에 계속 존속했고, 스위스와 남독일로 흩어진 수많은 망명자는 그 수만큼 밀사가 되었다. 이들은 가는 곳마다 똑같은 탄압을 받아서 봉기를 일으키려는 똑같은 성향을 갖고 있었으며, 현재의 바덴 전역에 분트슈를 전파했다. 불굴의 의지와 인내력은 1493년의 남부 독일 농민이 30년 동안 음모를 꾸밀 수 있게 했고, 뿔뿔이 흩어져 있는 농촌의 삶의 방식에서 비롯된 모든 어려움을 더 큰 중앙 집권적 결사로 극복해나가게 했으며, 셀 수 없이 많은 해‖40‖산, 패배, 지도자의 처형 이후에도 마침내 대중 봉기를 위한 기회가 올 때까지 항상 새롭게 다시 음모를 꾸밀 수 있게 했다. ── 이런 집요한 노력은 정말 놀라운 것이었다.

1502년, 당시에는 브루흐잘 지방까지도 포함하던 슈파이어 주교구에서 농민 사이에 비밀 운동의 징후가 나타났다. 여기서 분트슈는 엄청난 성공을 거두고 실제로 재조직되었다. 약 7천 명이 이 결사에 가담했는데 결사의 중심부는 브루흐잘과 바인가르텐 사이의 운터그롬바흐에 있었으며, 지부는 아래로는 라인에서 마인까지, 위로는 바덴의 변경방백 영지에 달했다. 이 결사의 요구사항은 다음과 같다. 제후와 귀족 또는 성직자에게 바치는 지대, 십일조, 조세, 통행세의 철폐, 농노제 폐지, 수도원과 기타 **교회 재산 몰수와 인민에게 분배**, 그리고[107] **황제 외에 어떤 다른 지배자도 인정하지 않음** 등이다.[108]

여기서 우리는 처음으로 농민 사이에 공표된 두 가지 요구를 발견하게 되는데, 그것은 인민을 위한 교회 재산의 세속화에 대한 요구, 그리고 통일된 불가분의 독일 군주정에 대한 요구였다. 이 두 요구는 이때부터 토마스 뮌처가 **재산 공유제**를 위해 교회 재산의 **분할**을 몰수[109]로 바꾸고, 통일된 독일 **제정**(帝政)을 통일된 불가분의 독일 **공화국**[110]으로 바꿀 때까지 더욱 진보적인 농민과 평민 분파에서 규칙적으로 다시 등장한다.

G398

새로워진 분트슈는 이전 분트슈와 마찬가지로 자체에 비밀 회합 장소와 침묵의 맹세, 가입 의식, 그리고 "오직 하느님의 정의!"라는 글을 담은 자체의 분트슈 깃발을 갖고 있었다. 행동 계획은 알자스 분트슈의 그것과 유사했다. 거주자 대다수가 분트슈에 가맹해 있던 브루흐잘을 자신들이 장악해야 하며, 거기에서 동맹군을 조직해 이동식 총본부로 인근 제후국에 파견한다는 것이었다.

고해성사 때 모반자 중 한 사람이 어떤 성직자에게 기밀을 털어놓게 되어 이 계획이 발각되었다. 정부들은 즉시 이에 대항하는 행동을 취했다. ||41| 동맹의 지부가 얼마나 광범위했는지는 알자스의 다양한 제국의회 의원들과 슈바벤 동맹을 엄습했던 공포로 알 수 있다.[111] 군대가 집결하여 대량 체포가 이루어졌다. "최후의 기사" 막시밀리안 황제는 농민의 전례 없는 시도에 대항하여 가장 잔인한 처벌 칙령을 내렸다. 이곳저곳에서 규합이 이루어졌고 무장 저항을 했지만 산발적인 농민 무리는 오래 버틸 수 없었다. 몇몇 모반자들은 처형되고 많은 사람들이 도망갔지만 기밀은 매우 잘 유지되었기 때문에, 대다수 사람들과 심지어 지도자들조차도 자신의 고향이나 그 주변 영지에서 완전히 무사하게 살아갈 수 있었다.

이러한 새로운 패배가 있은 후에 다시 계급투쟁이 외견상 숨을 죽인 기간이 오래 이어졌다. 그러나 일은 비밀스러운 방식으로 계속되고 있었다. 이미 16세기 초 몇 년 동안 가난한 콘라트[112]가 슈바벤에서 조직되어 분트슈의 흩어져 있던 구성원들과 명백히 서로 관련을 맺고 있었다. 슈바르츠발트에서 분트슈는 10년 후에 에너지 넘치는 한 농민 지도자가 각각의 실들을 거대한 모반으로 다시 엮어내는 데 성공할 때까지 소규모 세력으로 각각 존속했다. 분트슈와 가난한 콘라트는 짧은 간격을 두고 대중화되었고, 동시에 스위스, 헝가리, 슬로베니아 농민이 중대한 일련의 무장봉기를 일으킨 1513년에서 1515년에 이르는 역동적인 시기에 들어선다.

라인 강 상류에서 분트슈를 다시 일으킨 사람은 운터그롬바흐의 **요스 프리츠**다. 그는 전직 군인으로 1502년 모반 때 망명한 자로서 모든 면에서 탁월한 인물이었다. 망명 후 그는 보덴 호(湖)와 슈바르츠발트 사이의 여러 지역에 체류하다가 결국 브라이스가우의 프라이부르크 근처 레엔에 정착했고, 더욱이 여기서 그는 산림관으로 근무하기까지 했다. 요스 프리츠가 여기에서 어떻게 결사를 재조직하고 어떻게 다양한 사람들을 끌어모았는지는 흥미로운 사실들을 담은 재판 조서가 증언한다. 기사, 성직자, 도시민, 평민과 농민 등 매우 다양한 계급 출신의 수많은 사람이 ||42| 이 동맹에 가담하게 된 것은 바로 요스 프리츠라는 모범적 음모가의 외교적 재능과 지칠 줄 모르는 인내력 때문이었다. 그리고 그가 심지어 여러 등급의 모반을 조직했음은 거의 분명한데, 각 등급은 다소간 서로 명확히 구별되었다. 그는 사

G399

용 가능한 모든 요소를 매우 신중하고 능수능란하게 이용했다. 여러 가지 모습으로 변장하여 전국을 순회하던 주도적인 밀사들 이외에도 떠돌이, 거지가 부차적인 그룹으로 분류되었다. 요스는 거지 왕들과 직접 내통하고 있었고 이들을 통해 수많은 떠돌이 인구를 자신의 수중에 장악할 수 있었다. 거지 왕들은 요스의 모반에 상당한 역할을 수행했다. 이 거지 왕들은 매우 기발한 사람들이었다. 이들 중 한 명은 한 소녀와 전국을 방랑했고, 그 소녀의 상처 난 것처럼 보이는 발을 가지고 구걸했다. 그는 모자에 여덟 개 이상의 휘장을 달았는데, 14명의 구난성인(救難聖人), 성 오딜리아, 성모 마리아 등에 관한 것도 있었다. 이 외에도 그는 붉고 긴 수염을 기르고 단검과 창이 달린 커다랗고 꼬불꼬불한 지팡이를 지니고 있었다. 성 펠텐을 위해 구걸하던 다른 사람은 향료와 구충용 식물 등을 판매했다. 그는 철 색깔의 긴 치마를 입었고, 트리엔트 유아상을 휘장으로 단 붉은 베레모를 썼으며, 옆구리에는 검을 차고 허리띠에는 단도 말고도 수많은 칼을 찼다. 또 다른 사람은 이와 유사한 기묘한 의상 외에도 일부러 만든 눈에 띄는 상처가 있었다. 이들 거지 왕 중에 적어도 10명은 2천 굴덴의 사례비를 받고, 알자스와 바덴의 변경 방백, 그리고 브라이스가우에서 동시에 방화하도록 되어 있었고, 로젠의 차베른 교회 헌당 기념일 축제가 열리는 날 이 도시를 정복하기 위해 이들 휘하의 2천 명을 과거 용병대장이었던 게오르크 슈나이더의 지휘하에 통합하도록 되어 있었다. 분트슈의 원래 동맹원들 사이에는 각 지역을 연결하는 연락망이 만들어져 있었다. 요스 프리츠와 그의 우두머리 밀사인 프라이부르크의 슈토펠은 계속해서 이 지역 저 지역을 돌아다니며 신병들을 밤에 사열했다. 라인 강 상류와 슈바르츠발트 여러 지역에서 분트슈의 확산을 알려주는 충분한 자료는 재판 조서에 나타나 있다. 이 조서에는 다양한 지역 출신의 수많은 분트슈 동맹원의 이름이 그들의 신상 명세와 함께 담겨 있다. 거기에 언급된 사람들 대부분은 직인, 농민, 여관 주인, 소수의 귀족, (영지 자체와 같은) 성직자, 그리고 실직한 용병이었다. ||43| 이미 이런 신분 구성에서 알 수 있는 것은 요스 프리츠 아래에서 분트슈가 훨씬 더 발전된 면모를 보인다는 점이다. 도시의 평민 구성 인자는 한층 더 자기들의 권리를 주장하기 시작했다. 모반의 지부들은 알자스 전체, 즉 오늘날의 바덴을 넘어서 뷔르템베르크와 마인 강까지 뻗어 있었다. 대규모 집회가 때로는 크니비스 등의 한적한 산악 지역에서 열렸으며 분트슈의 사업이 논의되었다. 우두머 G400 리의 회합에는 멀리 떨어진 지역의 대표자뿐 아니라 지역 동맹원도 종종 참

가했는데, 그 회합은 레엔 근처의 하르트마테에서 열렸다. 바로 이곳에서 분트슈의 14개 조항이 채택되었다. 황제와 (소수 의견에 의하면) 교황 이외에는 어떤 지배자도 없을 것, 로트바일 제국 재판소를 폐지하고 교회 재판소는 교회의 사안에만 한정할 것, 장기간 이자로 인해 원금과 같아진 부채 이자를 탕감할 것, 5퍼센트의 이자율을 상한선으로 할 것, 사냥 및 어로, 방목과 산림 채벌의 자유를 보장할 것, 성직자의 성직록을 하나로 제한할 것, 교회 재산과 수도원의 보물을 동맹 전쟁 자금으로 몰수할 것, 불공정한 조세와 통행세를 모두 폐지할 것, 전 기독교권 내에서 영원한 평화를 보장할 것, 동맹의 모든 적에 열정적으로 대항할 것, 동맹의 조세를 신설할 것, 프라이부르크와 같은 강력한 도시를 장악하여 동맹의 근거지로 삼을 것, 동맹의 무리가 한데 결집하자마자 황제와 교섭을 개시할 것, 황제가 거부할 경우 스위스와 교섭을 개시할 것 — 이것이 의견 일치를 본 사항들이었다. 이 사항들에서 알 수 있는 것은 한편으로 농민과 평민의 요구들이 더 결정적이고 더 확고한 내용으로 채택되었으며, 다른 한편으로 온건하고 소심한 이들에게 똑같은 정도로 양보를 할 수밖에 없었다는 점이다.

1513년 가을경에 싸움을 시작하기로 했다. 동맹의 깃발을 제외하고는 부족한 것이 없었다. 그래서 요스 프리츠는 하일브론으로 가서 깃발을 그려 넣었다. 깃발에는 온갖 문장(紋章)과 그림 외에도 분트슈와 다음과 같은 글귀가 있었다. 하느님께서는 그대의 성스러운 정의를 도우신다. 그런데 요스 프리츠가 자리를 비운 사이에 프라이부르크를 장악하기 위한 섣부른 시도가 이루어졌고, 그 시도는 발각되고 말았다. 선전 활동을 할 때의 몇 가지 ||44| 비밀 누설로 프라이부르크 시 참사회와 바덴 변경방백[113]은 이 시도에 대한 정확한 단서를 잡았으며, 모반자 두 명의 배신으로 이 시도는 전부 노출되었다. 곧바로 변경방백과 프라이부르크 시 참사회, 그리고 엔지스하임의 제국 정부는 추적자와 군인을 파견했다. 그리하여 수많은 분트슈 동맹원이 체포되어 고문당하고 처형되었다. 그렇지만 요스 프리츠를 포함해 대부분의 동맹원들은 이번에도 위기를 모면할 수 있었다. 이제는 스위스 정부가 망명자들을 매우 과격하게 박해하고, 많은 수의 망명자를 처형하기조차 했다. 그러나 스위스 정부는 이웃 나라들과 마찬가지로 대다수 망명자가 계속해서 그때까지 거주하던 곳 근처에 머물고 심지어는 차츰차츰 귀향하는 것을 막을 수는 없었다. 엔지스하임에 있던 알자스 정부[114]는 다른 곳보다 한층 더 잔인했다. 알자스 정부는 수많은 망명자를 참수하고, 바퀴 사이에 짓이기고,

능지처참하도록 명령했다. 요스 프리츠 자신은 대부분 스위스 쪽 라인 강 근처에 머물고 있었지만 한 번도 잡히지 않으면서 종종 슈바르츠발트에 갔다.

왜 스위스가 이 시기에 분트슈에 대항해 이웃 정부들과 결합했는지는 이듬해인 1514년 **베른, 졸로투른, 루체른**[115]에서 발발해 귀족 정부와 도시귀족 일반을 일소한 결과를 낳은 농민 봉기를 보면 알 수 있다.[116] 그 밖에도 농민은 자기들을 위해 몇 가지 특권을 관철했다. 스위스의 지방 봉기들이 성공한 것은 스위스가 독일보다 중앙 집권화가 훨씬 덜 이뤄졌다는 간단한 사실 때문일 것이다. 농민은 1525년에도 지방 영주와 함께 곳곳에서 준비했지만, 제후의 조직화된 병단에 패배했다. 바로 이런 병단이 스위스에는 존재하지 않았기 때문이다.

바덴의 분트슈와 같은 시기에, 그리고 분명히 분트슈와 직접적인 관련을 맺으면서, 두 번째 모반이 뷔르템베르크에서 이루어지고 있었다. 기록에 의하면 이 모반은 1503년 이후로 줄곧 존재해왔지만 운터그롬바흐의 모반자들이 해산된 이후에 분트슈라는 명칭이 너무 위험했기 때문에 **가난한 콘라트**[117]라는 이름을 채택했다고 한다. 이들의 거점은 호엔슈타우펜 산 아래 렘스 계곡에 있었다. 이들의 존재는 적어도 인민 사이에서는 오랫동안 비밀이 ||45| 아니었다. 1513년과 1514년의 운동이 발발하는 데 엄청나게 기여한 울리히 공[118] 지배의 파렴치한 탄압과 일련의 흉년이 모반에 동조하는 동지들의 수를 늘어나게 했다. 포도, 고기, 빵에 새롭게 부과한 세금 및 연간 1굴덴당 1페니히의 재산세가 폭발을 부추겼다. 공모의 주동자들이 도공(刀工) 카스파어 프레기처의 집에서 회동한 쇼른도르프 시를 먼저 장악하기로 했다. 1514년 봄 봉기가 일어났다. 3천 명, 다른 사람에 따르면 5천 명의 농민이 쇼른도르프 시로 앞장서서 갔지만, 공국 관리들의 우호적인 약속 때문에 다시 철수하게 되었다.[119] 울리히 공은 새로운 조세 폐지를 확답한 다음에 기사 80명과 함께 급히 달려왔고, 이 약속의 결과로 모든 것이 진정되었다고 생각했다. 울리히 공은 모든 불평불만을 심의할 수 있는 신분제 의회를 소집하겠다고 약속했다. 그러나 이 결사의 지도자들은 울리히가 자신의 약속을 파기하고 조세를 강제 징수하기에 충분한 병력을 모집하고 규합할 수 있을 때까지 농민을 진정하려는 의도일 뿐이라는 점을 잘 알고 있었다. 그래서 지도자들은 카스파어 프레기처 집에서, 즉 "가난한 콘라트의 지도부"에서 동맹 회의를 소집할 것을 발표했고, 밀사들은 전역에서 이 동맹 회의를 지지했다. 렘스 계곡에서 발생한 최초 봉기의 성공은 방방곡곡에서 인민

의 운동을 드높였다. 통문과 밀사는 곳곳에서 호의적인 활동 무대를 발견했고, 5월 28일 운터튀르크하임에서 개최된 회의에는 뷔르템베르크 전역에서 수많은 이들이 파견되었다. 이 회의에서 결의된 것은 여기에서 일어난 봉기를 광범위하게 확산하기 위해 신속하게 선전 활동을 계속 이어가고 가능한 한 빨리 렘스 계곡을 타격하는 것이었다. 이전에 군인이었던 데팅겐의 반텔 한스와 명망 있는 농민인 뷔르팅겐의 징거한스가 슈바벤 쥐라 산맥 지역을 동맹으로 끌어왔을 때, 사방에서 봉기가 일어났다. 징거한스가 기습을 당해 체포되기는 했지만 바크낭, 비넨덴, 마르크그뢰닝겐[120] 등의 도시들은 평민과 연합한 농민의 수중에 있었고, 바인스베르크에서 블라우보이렌에 이르는 지역, 거기서부터 바덴의 국경 지역에 이르는 전 지역은 ‖46‖ 공공연하게 무장봉기를 일으키고 있었다. 울리히는 항복할 수밖에 없었다. 그러나 그는 6월 25일 영방의회를 소집하는 한편, 주변 지역의 제후와 자유시들에 서한을 보내 제국의 모든 제후, 당국, 귀족에게 위협이 되고 "기묘하게도 분트 슈를 닮은" 봉기에 대항하기 위한 도움을 청했다.

그러는 동안 신분제 의회, 즉 도시들의 의원들과 신분제 의회에도 의석을 요구한 수많은 농민의 대표자들이 6월 18일 슈투트가르트에 모였다. 고위 성직자들은 그때까지 의회에 참석하지 않았으며, 기사계급은 초청되지도 않았다. 슈투트가르트 도시 반대파와 레온베르크와 렘스 계곡에 인접한 위협적인 농민 두 무리는 농민의 요구사항을 지지했다. 이들의 대표자도 참석이 허용되었고 다음과 같은 결정을 내렸다. 증오의 대상이 된 공국의 시 참사회 의원 세 사람, 즉 람파르터, 툼프, 로르허를 해임 및 처벌할 것, 공국에 기사, 시민, 농민 네 명씩으로 구성된 시 참사회를 설치할 것, 시 참사회에 왕실 세비 지출을 승인할 것, 국가 재정을 위해 수도원과 기부금을 몰수할 것 등이었다.

울리히 공은 이러한 혁명적인 결정들에 쿠데타로 맞섰다. 6월 21일, 그는 자신의 기사들과 시 참사회 의원들과 함께 말을 달려 튀빙겐으로 갔고 그의 뒤를 이어 고위 성직자들이 도착했다. 울리히는 시민층에게도 이곳으로 오라고 명령했고, 그들은 그렇게 했으며, 이곳에서 농민 없이 신분제 의회를 계속 이어나갔다. 시민은 군사적 테러 행위에 직면하여 그들의 동맹자인 농민을 배신했다. 7월 8일 튀빙겐 협정이 체결되었다. 협정은 약 100만 굴덴에 가까운 울리히의 부채를 나라에 떠넘기고, 울리히가 결코 이행하지 않았던 약간의 제한들을 부과했으며, 반란과 결사는 매우 단호하게 형법으로 처리

G402

472

할 것이고 몇몇 얄팍하고 일반적인 미사여구로 농민을 구슬리는 내용을 담고 있었다. 당연히 농민 대표가 신분제 의회에 참석하는 문제는 전혀 언급되지 않았다. 시골 사람들은 이 배신을 규탄했다. 그러나 울리히는 자신의 부채를 모든 신분에게 떠넘긴 다음 다시 자금을 얻을 수 있어서 곧바로 군대를 모집했다. 그리고 또한 그의 이웃들은, 특히 팔츠 선제후는 원병을 파견했다. 이렇게 해서 튀빙겐 협정은 7월 말까지 전국에서 받아들여졌고 새로운 서약이 ||47| 맺어졌다. 오직 렘스 계곡에서만 가난한 콘라트가 저항하고 있었을 뿐이었다. 다시 직접 말을 타고 간 울리히는 거의 죽을 뻔했고, 농민은 카펠베르크에 진을 쳤다. 그러나 싸움이 시간을 끌면서, 대부분의 봉기자들은 식량 부족으로 다시 흩어졌다. 이후에 나머지 농민은 신분제 의회 의원 몇몇과 모호한 협정을 체결하고 역시 귀가했다.[121] 그러는 동안 자신의 요구를 달성한 다음 이제는 광적으로 농민을 향했던 도시들이 기꺼이 깃발을 올림으로써 군대를 강화한 울리히는 협정에도 불구하고 렘스 계곡을 기습했고, 그 지역의 도시와 마을을 약탈했다. 1,600명의 농민이 체포되어 그중 16명이 즉각 참수되고 나머지는 대부분 울리히 금고를 채우기 위한 무거운 벌금형을 받았다. 많은 농민이 장기간 투옥되었다. 농민 결사의 재건, 농민의 모든 집회를 금지하는 엄격한 형법이 공포되었고, 이 슈바벤 귀족은 봉기를 일으키려는 모든 시도를 억압하기 위한 특별 동맹을 맺었다. ─ 그러는 동안 가난한 콘라트의 주요 지도자들은 다행히도 스위스로 달아났고,[122] 몇 년이 지난 후 이들은 대부분 개별적으로 다시 집으로 돌아갔다.

G403

뷔르템베르크에서의 운동과 더불어 브라이스가우와 바덴의 변경방백 영지에서 새로운 분트슈 운동의 징후들이 나타났다. 6월 뷜에서 봉기 시도가 있었지만 필리프 변경방백이 즉각 분쇄했고 지도자인 프라이부르크의 구겔-바스티안은 체포돼 참수당했다.

같은 해, 1514년 마찬가지로 봄에 **헝가리**에서 전면적인 농민전쟁이 일어났다. 터키인에 대항하는 십자군이라고 설파했으며, 여느 때와 마찬가지로 여기에 가담한 농노와 예농에게 자유가 주어질 것이라고 약속되었다. 약 6만 명이 모였으며 세클레르인[123] 게오르크 도자(엥겔스는 Georg Dosa라고 썼으나 정확한 표기는 도저 죄르지Dósa György이다. ─옮긴이)의 지휘 아래 편성되었는데, 도자는 이전의 터키 전쟁에서 두각을 나타내어 귀족 작위를 받은 자였다. 그러나 헝가리의 기사계급과 대귀족은 자신의 재산과 노예를 빼앗아 가겠다고 위협하는 이 십자군을 좋아하지 않았다. 이들은 서둘러 각 농민

무리를 뒤쫓아 강제로 그들의 농노를 잡아 와 학대했다. ||48| 십자군 군대가 이 사실을 알게 되었을 때 모든 피압박 농민의 분노가 폭발했다. 십자군의 참가를 열렬히 호소한 두 명의 설교자 라우렌티우스와 바르나바스는 혁명적 연설로 귀족에 대한 증오심을 십자군 내부에 훨씬 격렬하게 증폭했다. 도자 자신도 반동 귀족에 대한 십자군의 분노를 공유했다. 십자군은 혁명군이 되었고, 도자가 이 새로운 운동의 선봉에 섰다.

도자는 농민과 함께 페스트 근처의 라코스 평원에 진을 쳤다. 인근 마을과 페스트 근교의 귀족 편에 선 사람들과 싸움으로 전쟁이 시작되었다. 곧 작은 충돌이 발생했고, 마침내 농민 수중에 사로잡힌 귀족들을 위한 시칠리아 저녁 예배[124]가 올려졌고, 그 근방의 모든 성채가 화염에 휩싸였다. 왕궁도 위협을 했지만 소용이 없었다. 귀족에 대한 최초의 인민재판이 수도의 성벽 아래에서 집행되었을 때 도자는 그다음 작전을 진행했다. 그는 자신의 군대를 다섯 종대로 나누었다. 2개 종대는 반란을 일으켜 귀족을 절멸하기 위해 북부 헝가리의 산악지대로 파견되었다. 셋째 종대는 페스트 시민 암브로스 살레레시[125]의 지휘 아래 수도 방위를 위해 라코스에 남겨두었다. 넷째와 다섯째 종대는 도자와 그의 형제 게르게이가 이끌고 세게드로 향했다.

그동안 귀족은 페스트에 집결하여 지벤뷔르겐(트란실바니아 — 옮긴이)의 총독 요한 차폴리야(Johann Zapolya. 헝가리 국왕 야노시 1세 서포여이 야노시를 가리킨다. — 옮긴이)에게 도움을 청했다. 귀족은 부다페스트의 시민과 결탁하여 라코스에 진을 친 군대를 공격하고 이들을 전멸시켰다. 이때는 살레레시가 농민군의 시민 분파들과 함께 적에게 투항한 뒤였다. 일단의 포로들이 가장 잔인한 방식으로 처형당했다. 나머지는 코와 귀가 잘린 채 집으로 돌아왔다.

도자는 세게드 앞에서 패배를 맛보고, 자신이 장악한 처나드로 이동했다. 이때는 도자가 바토리 이슈트반과 차키 주교 휘하의 귀족 군대를 격파하고, 주교와 왕실 재정관 텔레키도 포함된 포로들에게 라코스에서 행해진 잔혹행위에 대해 피비린내 나는 보복 조치를 한 후였다. 도자는 처나드에서 공화국, 귀족계급의 폐지, 보편적 평등, 인민 주권을 선포했다. 그다음에 바토리가 도망친 테메스바르로 이동했다. 이슈트반은 이곳으로 자신의 군대를 이끌고 달려왔다. 그러나 두 달간 지속된 테메스바르 요새 포위 공격이 이루어지는 동안, ||49| 도자는 안톤 호사(엥겔스는 Anton Hosza라고 썼으나 정확한 표기는 언털 호수Antal Hosszu이다. — 옮긴이) 휘하의 새로운 군대가 가담함으

로써 한층 보강되었지만, 이 두 북부 헝가리 군단은 여러 번 귀족에 패배했고, 요한 차폴리야는 지벤뷔르겐 군대와 함께 도자를 향해 진군했다. 농민은 차폴리야의 기습 공격을 받고 사방으로 흩어졌고, 도자 자신은 사로잡혀서 작열하는 왕좌에서 구워졌으며, 그렇게 해야만 목숨을 보장받을 수 있었던 자기 휘하 사람들에게 산 채로 잡아 먹혔다. 라우렌티우스와 호사가 흩어진 농민을 재결집했으나 또다시 패배했고, 적에게 사로잡힌 자들은 모두 창에 말뚝형이나 교수형에 처해졌다.[126] 길가마다, 화재로 파괴된 마을의 입구마다 수천의 농민 시체가 매달려 있었다. 약 6만 명이 전투에서 사살되거나 학살당했다고 한다. 그러나 귀족은 다음 신분제 의회에서 농민의 노예화를 재차 국법으로 승인받을 수 있게 애를 썼다.

케른텐, 크라인, 슈타이어마르크 등 "빈디셰 변경"(Windische Mark: 슬라브 계통의 벤트족이 살던 변경을 의미하고, 오늘날 슬로베니아 지역을 가리킴 ─ 옮긴이)에서의 농민 봉기는 같은 시기에 발생한 것이다. 이 농민 봉기는 귀족과 제국 관리에게 착취당하고, 터키 침입으로 황폐해지고, 기근으로 고통받던 이 지역에서 이미 1503년에 조직해 봉기를 일으킨 분트슈와 유사한 모반에 그 기원을 두고 있었다. 이미 1513년에 이 지역의 독일 농민뿐 아니라 슬로베니아 농민은 스타라 프라바(엥겔스는 stara prawa라고 썼으나, 정확한 표기는 스타라 프라비카stara prawica이다. ─ 옮긴이), 즉 오래된 정의[127]가 쓰인 군기 (軍旗)를 다시 들어 올렸다. 비록 이들이 그해에 다시 한번 회유를 당했을지라도, 이들이 대규모로 규합한 때인 1514년에 오래된 정의[128]를 다시 회복시켜주겠다는 막시말리안 황제의 분명한 확답으로 집으로 돌아갔을지라도, 1515년 봄에는 항상 속기만 하던 인민의 복수전이 매우 격렬하게 발발했다. 헝가리에서와 같이 여기서도 성채와 수도원이 곳곳에서 파괴되었고, 사로잡힌 귀족들은 농민 재판관의 판결을 받고 처형당했다. 황제의 용병대장 디트리히슈타인은 슈타이어마르크와 케른텐에서 봉기를 격파하는 데 성공했다. 크라인에서 봉기는 라인(Rain) 기습 공격(1516년 가을)과 뒤이은 헝가리 귀족의 파렴치함과 대등하게 이뤄진 쉼 없이 계속된 오스트리아의 엄청난 잔혹 행위를 통해서야 비로소 진압되었다.|

|50| 이러한 일련의 결정적 패배를 당한 후에, 그리고 이와 같이 귀족에게 대규모 잔혹 행위를 당한 후에, 독일에서 농민이 오랫동안 조용히 있었다는 점은 쉽게 알 수 있다. 그럼에도 불구하고 여러 모반과 지역적 봉기가 완전히 자취를 감춘 것은 결코 아니다. 이미 1516년에 분트슈와 가난한 콘

G405

라트의 망명자들 대부분이 슈바벤과 라인 강 상류 지역으로 되돌아왔다. 1517년에는 슈바르츠발트에서 분트슈가 다시 활기를 되찾았다. 그때까지도 1513년의 옛 분트슈 깃발을 가슴에 간직하고 있던 요스 프리츠 자신은 다시 슈바르츠발트를 넘나들었고, 위대한 행동을 전개했다. 모반은 새롭게 조직되었다. 4년 전과 마찬가지로 회합이 다시 크니비스에서 열렸다. 그러나 비밀은 유지되지 못했으며, 정부는 모든 사실을 알게 되었고 단호한 조치를 취했다. 많은 사람이 체포되고 처형당했다. 가장 활동적이고 유능한 사람들은 도망갈 수밖에 없었다. 이들 중 한 사람인 요스 프리츠는 그때까지도 체포되지는 않았지만 얼마 후 스위스에서 죽었을 것으로 추측된다. 요스 프리츠의 이름은 이후 다시는 언급되지 않기 때문이다.

IV.

같은 시기 슈바르츠발트에서 네 번째 분트슈 모반이 진압되었을 때 **루터**[129]는 비텐베르크에서 모든 신분을 소용돌이로 끌어들이고 제국 전체를 뒤흔들 만한 운동 신호를 보냈다. 튀링겐의 아우구스티누스파 수도사(루터를 말함 — 옮긴이)의 테제[130]는 전광석화같이 화약통에 불을 붙였다. 기사와 시민, 농민과 평민, 주권을 갈망하는 제후와 하급 성직자, 신비주의를 받드는 은둔 종파와 가장 지적이고[131] 풍자와 해학적 성향을 지닌 반대파 문필가들,[132] 이들의 서로 뒤섞여 엇갈린 다양한 열망들은 이 테제에서 그 무엇보다도 공통된 그러면서 일반적인 문구를 찾았고, 놀랄 만한 속도로 그 문구 주변으로 몰려들었다. 그 하룻밤에 형성된 모든 반대 분자의 동맹은 비록 짧은 기간 동안만 지속된 것이었다 해도, 운동의 거대한 힘을 순식간에 드러냈으며 또한 그것을 한층 더 급속하게 밀고 나갔다.|

|51| 그러나 바로 운동의 이런 급격한 발전은 이 운동 내부에 자리 잡고 있었던 분열의 씨앗들을 매우 빠르게 터트릴 수밖에 없었다. 그리고 적어도 격앙된 집단 각각의 사회적 지위로 인해 직접적으로 대립하고 있는 구성 요소들을 다시 서로 찢어놓을 수밖에 없었고, 평상시와 같은 각자의 적대적인 위치로 돌아갈 수밖에 없었다. 다채로운 반대 집단들이 두 매력적인 중심지로 양극화한 것은 이미 종교개혁 초기에 나타났다. 즉 귀족과 시민은 무조건 루터의 주변에 집결했다. 농민과 평민은 아직 루터를 직접적인 적이라고 생

476

각하지는 않았지만 예전과 같이 하나의 특별한 혁명적 반대 당파를 형성했다. 다만 이번에는 운동이 루터 이전보다 더 전면화하고 철저해져서 이 두 세력 간의 날카롭게 언명된 대립, 노골적인 싸움이 불가피해졌다. 이와 같은 직접적인 대립은 곧바로 나타났다. 루터와 뮌처는 성명서와 설교단에서 서로 싸웠다. 이때 대부분 루터파 혹은 적어도 루터파에 호의를 가진 여러 세력으로 구성된 제후, 기사, 도시의 군대가 농민과 평민의 무리를 쫓아서 흩어지게 했다.

종교개혁을 수용한 다양한 분파의 이해와 욕구가 각양각색이었다는 점은 이미 농민전쟁 이전에 제후와 성직자를 상대로 하여 자신의 요구를 관철하고자 했던 귀족의 시도에서 드러난 바 있다.

16세기 초 독일의 귀족이 어떤 지위를 차지했는지는 앞서 서술했다. 귀족은 점점 더 강력해지는 세속 제후와 성직 제후에게 자신의 독립성을 잃어가기 직전이었다. 동시에 귀족은 제국 권력이 몰락하고 제국이 수많은 주권 제후국으로 해체되는 것과 같은 정도로 자신들이 몰락했다는 것을 목격했다. 귀족에게 자신들의 몰락은 독일 민족의 몰락과 일치하는 것일 수밖에 없었다. 게다가 귀족, 특히 제국 직속 귀족은 바로 그 군사적인 직분에서나, 제후에 대한 그들의 지위에서나 특히 제국과 제국의 권력을 대표하는 신분이었다. 귀족은 가장 애국적인 신분이었다. 그리고 제국 권력이 강해질수록 ||52| 제후의 힘은 약해지고 그 수가 점점 줄어들었고, 독일이 통합될수록 귀족은 점점 더 강해졌다. 이런 이유로 기사계급은 독일의 비참한 정치적 지위와 대외관계에서 제국의 무력함에 전반적으로 불만을 느끼고 있었다. 대외관계에서 제국의 무력함은 황실이 상속에 의해 제후국을 하나하나 제국에 통합할수록 더욱 심해졌다. 그들은 또한 독일 국내에서 열강의 책동과 독일 제후들이 외세와 손을 잡고 제국 권력에 맞서 기도한 음모 등에 대해서도 불만을 느끼고 있었다. 따라서 귀족의 요구사항들은 무엇보다도 제후와 고위 성직자를 희생양으로 삼는 제국 개혁이라는 하나의 요구사항으로 통합될 수밖에 없었다. 독일 귀족의 이론적 대변자인 **울리히 폰 후텐**은 귀족의 군사 및 외교 대변자인 **프란츠 폰 지킹겐**과 공동으로 이러한 통합 임무를 맡았다.

후텐은 귀족을 대표해서 요구한 자기의 제국 개혁 사항을 매우 분명하게 말했고 매우 급진적으로 표현했다. 핵심이 되는 것은 다름이 아니라 모든 제후의 제거, 교회 제후령과 교회 재산 전부 몰수, 예전 폴란드 공화국의 전성

G407

기에 존재했던 군주를 정점으로 하는 **귀족민주주의**의 복구 등이었다. 후텐과 지킹겐은 무엇보다도 군인계급이었던 귀족의 지배를 복구하고, 분열의 장본인인 제후를 제거하고, 성직자 권력을 근절하며, 로마의 종교적 지배에서 독일을 해방함으로써 제국을 다시 통일하고, 자유롭고 강력하게 만들 수 있다고 생각했다.

폴란드에 존재했고 게르만 민족이 정복한 제국(로마 제국 — 옮긴이) 초기에 어느 정도 수정된 형태로 존재했던 농노제에 기초를 둔 귀족민주주의는 가장 조야한 사회 형태 가운데 하나이다. 이 귀족민주주의는 아주 정상적으로 계속해서 훨씬 높은 단계인 성숙한 봉건적 위계질서로 발전한다. 따라서 이런 순수한 귀족민주주의는 16세기 독일에는 가능하지 않았다. 이런 순수한 귀족민주주의가 가능하지 않았던 이유는 독일에는 대체로 중요하고 강력한 **도시들**[133]이 존재했기 때문이었다. 다른 측면에서 보면 영국에서 ||53| 봉건 신분적 군주제를 부르주아적 입헌군주제로 변화시킨 하층 귀족과 도시의 동맹도 가능하지 않았기 때문이다. 독일에서는 옛 귀족이 그대로 남아 있었지만, 영국에서는 그들이 장미전쟁[134]을 통해 28개 가문을 남기고는 절멸했고 부르주아지의 기원이자 부르주아적 성향을 띤 신흥 귀족이 그 자리를 대체했다. 독일에는 농노제가 존속했고 귀족은 **봉건적** 수입원이 있었으며, 영국에는 농노제가 거의 완전히 제거됐고 귀족은 지대라는 **부르주아적** 수입원이 있는 부르주아적 지주에 불과했다. 끝으로 프랑스에서 루이 11세 이후 귀족과 시민계층의 대립을 통해서 존재했고 계속해서 발전했던 중앙 집권적 절대군주제는 독일에서는 불가능했다. 그 이유는 독일에서는 전국적 중앙 집권화의 조건들이 정말로 전혀 없었으며 혹은 있었다고 하더라도 발전이 채 되지 않았기 때문이었다.

이런 상황에서 후텐이 자신의 이상을 실제로 실행하려고 개입할수록 그는 더 많이 양보해야만 했고, 그의 제국 개혁의 윤곽은 점점 더 흐릿하게 돼버렸다. 귀족만으로 이 기획을 관철하기에는 힘이 충분하지 않았다. 이것은 제후에 비해 귀족의 허약함이 증대했다는 점에서 드러났다. 그들은 동맹자를 구할 수밖에 없었고, 도시, 농민, 종교개혁 운동의 유력한 이론가들이 유일하게 가능한 동맹자였다. 그러나 도시는 귀족을 너무나 잘 알고 있었기 때문에 그들을 신뢰하지 않았으며 그들과의 동맹을 모두 거절했다. 농민은 자신을 착취하고 학대하는 귀족을, 지극히 당연한 일이지만, 극악무도한 적으로 간주했다. 그리고 이론가들은 시민, 제후 편을 들거나 아니면 농민 편을

들었다. 실제로 귀족이 항상 귀족 지위 향상만을 주목적으로 하는 제국 개혁으로부터 시민 또는 농민에게 어떤 긍정적인 것을 약속할 수 있었겠는가? 이런 상태에서 후텐은 자신의 선동 문서에서 앞으로 있을 귀족, 도시, 농민 서로의 위상에 대해 아주 적게 언급하거나 아니면 전혀 언급하지 않고, 모든 악이 제후, 성직자, 로마에 대한 종속에 있다고 쓰고, 시민에게는 임박한 제후와 귀족의 투쟁에서 적어도 중립을 지키는 것이 이익이 될 것이라고 알려주는 것 말고는 아무것도 남은 것이 없었다. ||54| 농노제 및 농민이 귀족에 대해 지고 있는 모든 부담의 폐지에 대해서 후텐은 어디에서도 언급하지 않았다.

당시 독일 귀족의 농민에 대한 태도는 1830년[135] 이후의 무장봉기에서 폴란드 귀족이 자기 농민에게 취한 태도와 똑같은 것이었다. 최근 폴란드에서의 봉기와 마찬가지로 당시 독일에서도 운동은 모든 반대 당파의 동맹, 특히 귀족과[136] 농민의 동맹을 통해서만 실행할 수 있었다. 그러나 바로 이런 동맹은 다음의 두 가지 이유로 불가능[137]했다. 첫째, 귀족은 정치적 특권과 농민에 대한 봉건적 특전을 포기할 필요가 없었다. 둘째, 혁명적 농민은 불확실한 막연한 전망으로 귀족, 즉 자신들을 가장 심하게 억압했던 신분과의 동맹에 끼어들 수 없었다. 1830년 폴란드와 마찬가지로 1522년 독일에서도 귀족은 이미 농민의 지지를 얻을 수 없었다. 농노제 및 예농제의 전면 철폐, 귀족의 모든 특권 포기만이 시골 사람과 귀족을 하나로 뭉치게 할 수 있었을 것이다. 모든 특권 신분과 마찬가지로 귀족은 자신들의 특권, 완전히 예외적인 지위, 수입원 대부분을 자발적으로 포기하려는 마음이 추호도 없었다.

그래서 귀족은 결국 투쟁이 발발하자 자신들만으로 제후와 맞서게 되었다. 2세기에 걸친 귀족의 발판을 박탈해온 제후가 이번에도 큰 어려움 없이 그들을 무찌르리라는 것은 명약관화한 일이었다.

투쟁과정 그 자체는 잘 알려져 있다. 후텐과 이미 중부 독일 귀족의 정치적-군사적 지도자로 인정받았던 지킹겐은 1522년 란다우에서 겉으로는 자위를 위해서라고 하면서 라인, 슈바벤 및 프랑켄 귀족과 6년 기한의 동맹을 맺었다. 지킹겐은 일부는 자력으로, 일부는 인근의 기사와 공동으로 군대를 모았다. 그는 프랑켄, 라인 강 하류 지역, 네덜란드 및 베스트팔렌에서 조직적으로 군대를 모집하고 지원병을 편성했다. 그는 1522년 9월 선제후 트리어 대주교[138]에게 선전 포고를 함으로써 포문을 열었다. 그러나 그가 아직

G409

트리어 근처에 주둔하고 있는 동안 그의 지원군은 제후가 신속하게 개입함으로써 ||55| 차단되었다. 헤센의 방백과 팔츠 선제후가 트리어인을[139] 지원하러 갔고, 지킹겐은 급히 자신의 성 란트슈툴로 퇴각해야 했다. 후텐과 나머지 그의 동지들이 온갖 노력을 기울였음에도 불구하고 이 동맹 귀족은 제후가 집중적이고 신속한 행동으로 위협하자 그를 궁지에 방치해버렸다. 지킹겐은 치명상을 입고 란트슈툴 성을 내주었으며 그 후 곧 죽었다. 후텐은 어쩔 수 없이 스위스로 피신하여 몇 개월 후에 취리히 호의 우프나우 섬에서 죽었다.

이러한 패배와 두 지도자의 죽음과 더불어 제후에게서 독립한 집단으로서 귀족의 힘은 파괴되었다. 이후 귀족은 다만 제후를 시중들며 그 뜻에 따라 움직이게 되었다. 그 후 곧 발발한 농민전쟁은 귀족이 직간접적으로 더욱 제후의 비호를 받게 만들었다. 그리고 동시에 농민전쟁은 독일 귀족이 **해방된** 농민과 공공연하게 동맹하여 제후와 성직자를 타도하려 했다기보다는 오히려 제후 치하에서 농민을 계속 착취하는 것을 선호했음을 증명했다.

V.

루터의 가톨릭 교권 조직에 대항한 선전 포고가 독일의 모든 반대파를 동요하게 만든 순간부터 한 해도 거르지 않고 매년 농민은 요구사항을 내걸고 사태의 전면에 나서게 되었다. 1518년에서 1528년 사이에 슈바르츠발트와 오버슈바벤에서는 지역적 농민 봉기가 줄을 이었다. 1524년 봄이 시작되면서 이러한 봉기들이 체계적인 성격을 띠게 되었다. 그해 4월 마르히탈 수도원령의 농민은 부역노동과 공납을 거부했다. 5월에는 장크트-블라지엔의 농민이 예농의 세금을 거부했고, 6월에는 메밍겐 근처 슈타인하임의 농민이 십일조와 그 외 조세를 지불할 수 없다고 선언했다. 7월과 8월에는 투르가우의 농민이 봉기를 일으켰으나, 일부는 취리히의 중재와 일부는 수많은 농민을 처형한 스위스 서약동맹(Eidgenossenschaft)의 잔학무도함으로 ||56| 진압되었다. 마지막으로 슈튈링겐의 방백 영지에서 결정적인 봉기가 발생했는데, 이것을 **농민전쟁의** 직접적인 **시작**으로 볼 수 있다.

슈튈링겐의 농민은 갑자기 방백[140]에게 공납을 거부하고 엄청난 무리를 규합해서 1524년 8월[141] 24일 **불겐바흐의 한스 뮐러** 지도하에[142] 발츠후트

G410

480

로 이동했다. 여기서 이들은 시민과 함께 복음 형제단을 창설했다. 시민은 이 조직에 더 열정적으로 가담했는데, 그 이유는 이들이 자신의 설교자이고 토마스 뮌처의 친구이자 제자인 발타자르 **후프마이어**에 대한 종교적 박해를 놓고 포데어오스트리아 정부[143]와 갈등하고 있었기 때문이다. 매주 3크로이처의 형제단 세금이 부과되었다. 이 금액은 당시 화폐 가치로 볼 때 상당한 액수였다. 곳곳의 농민을 이 동맹에 가담하도록 하는 임무를 띠고 알자스, 모젤, 라인 강 상류 전체 지역과 프랑켄으로 밀사들이 파견되었다. 이 동맹의 목표는 다음과 같다. 봉건 권력의 철폐, 모든 성채와 수도원의 파괴, 황제를 제외한 모든 영주의 제거 등이 그것이다. 독일의 삼색기[144]가 동맹의 깃발이었다.[145]

봉기는 삽시간에 현재의 바덴 고산지대 전역을 장악했다. 가공할 만한 공포가 오버슈바벤 귀족을 엄습했다. 그들의 거의 모든 병력은 이탈리아에서 프랑스의 프랑수아 1세와 맞서 전쟁을 수행하고 있었기 때문이었다. 그들은 협상을 통해서 사태를 장기화하고 그러는 동안 "방화, 약탈, 겁탈, 살해" 등으로 농민의 오만불손함을 징벌할 만큼 충분히 강해질 때까지 자금을 모으고 군대를 징집하는 것밖에는 할 일이 없었다. 이때부터 이들의 조직적인 배신, 철저한 약속 위반 및 악의가 시작되었다. 이것들은 귀족과 제후가 농민전쟁 기간 내내 아주 출중하게 했던 것이고, 분산되어 있어 조직하기 힘든 농민을 상대로 이들이 가진 가장 강력한 무기였다. 남부 독일의 제후, 귀족, 제국도시를 망라하는 슈바벤 동맹은 농민에게 실질적인 양보 사항을 보장하지도 않으면서 중재에 나섰다. 농민은 운동을 계속해나갔다. 불겐바흐의 한스 뮐러는 9월 30일에서 10월 중순까지 슈바르츠발트를 거쳐 우라흐와 ||57| 프루트방겐까지 행군해나갔고, 병력을 3,500명으로 늘려 (슈틸링겐에서 멀리 떨어지지 않은) 에바팅겐[146] 근처에서 진을 쳤다. 귀족 수중에는 단지 1,700명의 병력밖에 없었다. 그리고 이들조차도 분산되어 있었다. 귀족은 휴전 조약을 체결할 수밖에 없었다. 이 조약은 실제로 에바팅겐의[147] 막사에서 체결되었다. 농민은 직접 당사자들이든지 아니면 중재 재판관을 통해서든지 우호 조약을 맺는다는 것과 슈토카흐 지방법원이 불만 사항을 조사할 것을 확답받았다. 귀족과 농민의 부대는 모두 해산했다.

농민은 16개 항을 만들어 슈토카흐 재판소에 이것을 받아들이도록 요구했다. 농민의 요구사항은 매우 온건했다. 수렵권과 부역노동, 과도한 조세와 전반적인 영주 특권의 폐지, 임의적 체포와 임의로 판결하는 편파적인 재판소로부터 보호 등 — 이 조항들은 이 이상을 요구하지 않았다.

이에 반해 귀족은 농민이 집으로 돌아가자마자 즉각, 판결이 내려질 때까지는 논란이 된 공납을 모두 다시 청구했다. 농민은 당연히 거부했고 영주가 재판소에 출두할 것을 요구했다. 싸움은 새롭게 터져 나왔다. 농민은 다시 집결했고, 귀족과 제후는 또다시 그들의 군대를 결집했다. 이번에는 운동이 다시 브라이스가우를 넘어서서 깊숙이 뷔르템베르크까지 번져나갔다. 농민 전쟁의 알바(Alba)인 발트부르크의 **게오르크 트루흐제스** 휘하의 군대는 이 운동을 지켜보면서 이들의 원군을 각각 격파했지만, 주력 부대를 감히 공격할 엄두를 내지는 못했다. 게오르크 트루흐제스는 농민 지도자들과 교섭했고, 여기저기서 협정을 체결했다.

12월 말에 슈토카흐 지방법원에서 공판이 시작되었다. 농민은 전부 귀족으로만 구성된 이 재판소에 대해 항의했다. 이에 대한 회답으로 황제 칙령이 농민에게 낭독되었다. 공판은 지연되었고, 그동안 귀족, 제후 및 슈바벤 동맹 당국은 무장했다. 이 당시까지 오스트리아에 속했던 세습 영지 이외에도 뷔르템베르크[148]와 바덴 지역의 슈바르츠발트, 남부 알자스를 지배하던 페르디난트 대공은 반란을 일으킨 농민을 가장 가혹하게 진압하라고 명령했다. 농민을 잡아서 고문하고 ||58| 무자비하게 때려죽이라고 했다. 그 방법이 무엇이든 가장 편한 방법으로 이들을 죽이고, 이들의 재산 전체를 불태우고 휩쓸어버리고, 이들의 부인과 자식을 이 땅에서 쫓아내라고 했다. 제후와 영주가 휴전 조약을 어떻게 지켰고 이들의 우호적인 중재 및 불만 사항의 조사가 무엇을 의미하는지를 알 수 있다. 아우크스부르크의 벨저 가문에게 자금을 빌린 페르디난트 대공은 긴급히 스스로 무장했다.[149] 슈바벤 동맹은 자금과 부대를 세 번에 걸쳐 증원하라고 명령했다.

지금까지 언급한 이 모든 봉기는 토마스 뮌처가 고지대에 5개월 동안 거주하던 시기와 일치한다. 이러한 운동의 발생과 그 과정에 뮌처가 영향을 주었다는 직접적인 증거는 없지만, 그럼에도 간접적으로는 완전히 확인된다. 농민 가운데 더 대담한 혁명가들은 뮌처의 제자로서 그의 이념을 대표한다. 고지대 농민의 요구 조항 공개장을 비롯하여 12개 조항[150]도 동시대인들은 뮌처가 작성한 것으로 생각했다. 12개 조항은 분명히 뮌처가 작성한 것이 아닌데도 말이다.[151] 튀링겐으로 돌아오는 도중에 이미 뮌처는 반란 농민에게 단호한[152] 혁명 성명서를 발표했다.

1519년 이래로 뷔르템베르크에서 추방되어 있던 울리히 공은 이제 농민의 도움으로 자신의 영지를 되찾으려는 음모를 꾸미고 있었다. 추방된 이래 울리히가 혁명 세력을 이용하려 했으며, 혁명 세력을 지속적으로 지원한 것은 사실이다. 1520~24년에 슈바르츠발트와 뷔르템베르크에서 발생한 대부분의 국지적 소요에는 그의 이름이 연루돼 있었다. 이제 그는 자신의 성인 호엔트빌에서부터 뷔르템베르크를 함락하기 위해 직접 무장했다. 그러나 울리히는 농민에게 영향을 주지도 못하고 이들의 신뢰를 얻지도 못한 채 농민에게 이용되었을 뿐이다.

양 진영 모두 어떤 결정적인 사건도 없이 겨울이 지나갔다. 제후들은 모습을 감추고 지냈다. 농민 봉기는 확대되었고 1525년 1월, 도나우 강, 라인 강과 레히 강 사이의 전 지역은 민심이 동요하고 있었다. 마침내 그해 2월 폭풍이 몰아쳤다.

|59| 불겐바흐의 한스 뮐러가 지휘하는 **슈바르츠발트-헤가우 무리**는 뷔르템부르크의 울리히와 공모하여, 일부 성과 없이 끝난 울리히의 슈투트가르트 출정에 가담하는 동안(1525년 2월과 3월), 2월 9일 울름 위쪽의 리트에서 농민이 봉기하여 소택지들로 자연 방어선을 이룬 발트링겐 근처의 야영지에 집결했으며, 붉은 깃발을 걸고 울리히 슈미트 휘하에서 **발트링겐 무리**를 형성했다. 이들은 1만 명에서 1만 2천 명에 달했다.

2월 25일 7천 명의 **오버알고이 무리**가 슈센[153]에 집결했고, 군대가 이 지역에서도 출현한 불만분자들을 끌어들인다는 소문이 돌았다. 겨울 동안 그들의 대주교[154]에 대항하는 싸움을 수행한 바 있는 켐프텐 인민이 26일 집결하여 이 무리와 합쳤다. 도시 메밍겐과 카우프보이렌은 조건부로 이 운동에 가담했다. 그러나 이미 여기에서 도시들이 이 전투에서 차지하는 위치가 모호하다는 점이 드러났다. 3월 7일 오버알고이 농민 모두는 메밍겐에서 메밍겐 12개 조항을 받아들였다.[155]

알고이의 소식으로 아이텔 한스의 지도하에 보덴 호에서 **호수 무리**가 조직되었다. 이 무리의 사령부는 베르마팅겐에 있었다.

운터알고이의 옥센하우젠과 셸렌베르크 지역, 차일과 발트부르크의 여러 지방, 트루흐제스의 영지 등에서도 농민이 봉기했다. 이 운동은 3월 초에 시작되었다. 이와 같은 **운터알고이 무리**는 7천 명으로 이루어졌는데 부르차흐 근처에 진을 쳤다.

이 네 무리는 메밍겐 조항을 모두 받아들였다. 어찌 됐든 이 조항은 헤가우 조항보다 훨씬 온건했는데, 왜냐하면 무장 무리들이 귀족과 정부와 관계를 맺어서 결연함은 눈에 띌 정도로 부족하다는 점이 분명하게 드러났기 때문이었다. 이런 결연함은 전쟁이 진행되면서 농민이 적의 행동 방식을 경험한 후에야 비로소 드러났다.

이 무리들과 함께 거의 동시에 여섯째 무리가 도나우 지역에서 형성되었다. 울름에서 도나우뵈르트에 이르는 지역, 일러 · 로트 · 비버 계곡 지대 등에 이르는 전 지역에서 ||60| 농민이 라이프하임으로 모였고, 그곳에 진지를 구축했다. 15개 지역에서 전투 능력이 있는 모든 남자가 왔고, 117개 지역에서 증원군이 왔다. **라이프하임 무리**의 지도자는 울리히 쇤이었다. 이들의 설교자는 라이프하임의 성직자 야코프 베였다.

이렇게 해서 3월 초에 6개 진영의 3만에서 4만 명의 오버슈바벤 농민이 무장봉기를 일으켰다. 이 농민 무리는 매우 복합적인 성격을 띠었다. 뮌처의 혁명 세력은 어느 곳에서나 소수파였지만 농민 진영의 중추를 형성했다. 농민 대중은 위협적인 태도를 통해서 달성하고자 하는 양보들을 영주들에게서 받아내 보장을 받는다면 영주들과 협상에 임할 만반의 준비가 되어 있었다. 게다가 농민 대중은 사태가 장기화하고 제후의 군대들이 접근했을 때 전쟁에 신물이 났으며, 잃을 것이 아직도 남아 있는 이들은 대부분[156] 집으로 돌아갔다. 이때 떠돌이 룸펜 프롤레타리아트가 무리에 가담했다. 이들은 규율을 지키기 어렵게 만들고 농민의 사기를 떨어뜨렸으며, 또한 빈번하게 들락날락했다. 이로부터 설명할 수 있는 것은 농민 무리가 초기에 곳곳에서 수세에 몰렸고, 야영에서는 사기가 떨어졌으며, 그들의 전술의 부족함과 충분하지 않은 훌륭한 지휘관 등을 차치하더라도, 이 농민 무리가 제후의 군대에 결코 필적할 수 없었다는 점이다.

농민 무리가 집결하고 있는 동안에 울리히 공은 모집한 군대와 약간의 헤가우 농민을 이끌고 호엔트빌에서 뷔르템베르크를 침입했다. 만약 그때 농민이 다른 쪽, 즉 발트부르크에서 트루흐제스의 군대 쪽으로 진격했다면 슈바벤 동맹은 패배했을 것이다. 그러나 농민 무리의 수세적 자세로 말미암아 트루흐제스는 발트링겐과 알고이 및 보덴 호의 농민과 휴전 조약을 체결하고 협상을 시작하여 모든 일을 종결짓는 날을 부활절 전 둘째 일요일(4월 2일)로 정하기에 이르렀다. 그러는 동안 트루흐제스는 울리히 공을 공격하여 슈투트가르트를 점령할 수 있었고, 3월 17일까지는 울리히 공이 뷔르템베르크에서 떠나도록 강요했다. 그리고 나서 트루흐제스는 농민을 향해 다시 군대를 돌렸다. 그러나 그의 군대 내부의 ||61| 용병이 반란을 일으켜 농

민을 공격하는 것을 거부했다. 트루흐제스는 이 용병들도[157] 회유하는 데 성공하여 울름을 향해 행군했는데 그곳에는 새로운 증원 부대가 집결해 있었다. 그는 키르히하임의 감시 초소를 테크의 감독하에 맡겨두었다.

G414

마침내 행동이 자유롭게 되어 제1 파견 부대를 소집한 슈바벤 동맹은 이제 가면을 벗어던지고, 우리 동맹은 "농민이 제멋대로 감행한 것을 무기와 신의 가호로 뒤집기로 했다"[158]라고 선포했다.

그러는 동안 농민은 휴전 조약을 엄격하게 지켰다. 부활절 전 둘째 일요일에 행해지는 심리를 위해 농민은 유명한 **12개 조항**을 요구사항으로 제출했다. 농민의 요구사항은 다음과 같았다. 공동체에 의한 성직자의 선출 및 파면, 소규모 십일조의 철폐와 대규모 십일조의 경우 성직자의 수당을 공제한 다음 공공 목적으로 활용, 농노제 폐지 및 수렵·어로권과 사망세의 철폐, 과도한 부역, 조세 및 지대의 제한, 공동체와 개인에게서 강제로 빼앗은 산림지, 목축지 및 모든 특권의 반환, 모든 재판소와 관청[159]에서의 자의성 배제 등이다. 농민 무리 가운데 온건 화해파가 우위를 차지했음은 분명하다. 혁명 세력은 이전에 "**요구 조항 공개장**"에서 그들의 강령을 공식화했다. 그것은 모든 농민층에게 보내는 공개장으로서, 농민층에게 "기독교 동맹과 형제단"에 가입하기를 권고했다. 이 단체의 목적은 "그렇게 될 가능성은 거의 없지만" 선행에 의해서, 아니면 무력으로 모든 부담을 없애고, 여기에 가담하기를 거부하는 자는 모두 "세속적 파문", 즉 사회에서 격리하고, 동맹원과 어떤 교류도 금지한다고 위협하는 데 있었다. 공개장에 따르면 모든 성채와 수도원 및 성직자의 기부 재산은 귀족과 성직자 및 수도사가 스스로 이것들을 청산하고 여타 인민과 마찬가지로 보통의 가옥으로 입주하며, 기독교 동맹에 가입하지 않는 경우에는 세속적 파문을 당한다는 것이다. 우리는 1525년 봄의 봉기가 발생하기 **이전에** 분명히 작성된 이러한 급진적 선언이 우선적으로 혁명, 즉 모든 지배계급에 대한 완전한 승리를 다루고 있음을 알 수 있다. 또한 우리는 "세속적 ||62| 파문"이 오직, 죽여야 하는 억압자와 반역자, 불태워버려야 하는 성채, 몰수해야 하는 수도원과 기부 재산, 현금으로 바꾸어야 할 보물 등을 지목하고 있다는 사실도 알 수 있다.[160]

그러나 농민이 소집된 중재 재판관에게 12개 조항을 제출하기 위해 도착하기도 전에, 슈바벤 동맹이 협정을 파기했고 그들의 부대가 몰려오고 있다는 소식이 그들에게 먼저 도착했다. 이들은 즉각 조치를 취했다. 알고이, 발트링겐, 보덴 호 지역의 농민 총회가 가이스보이렌[161]에서 개최되었다. 4개의 서로 다른 농민 무리가 통합되고 4개 부대로 편성되었다. 교회 재산을 몰수하고, 교회 보물을 팔아 군자금으로 사용하며, 성채를 불태운다는 결정이 내려졌다. 이렇게 하여 공식적인 12개 조항은 제쳐놓고, 요구 조항 공개장이 전시 강령이 되었고 평화 협상 타결의 날로 정해진 부활절 전 둘째 일요일이 **전면 봉기** 거사일이 되었다.

G415   곳곳에서 소요의 증대, 농민과 귀족 사이의 끊임없는 국지적 충돌, 지난 6개월간 슈바르츠발트에서 봉기가 가열되었다는 소식과 그것이 도나우 강과 레히 강 지역까지 전파되었다는 소식 따위만으로도, 전 독일의 3분의 2에 달하는 지역에서 농민 봉기가 급속히 전파되었다는 사실을 설명하기에 충분하다. 그러나 부분적인[162] 봉기가 동시에 발생했다는 사실은 재세례파와 다른 밀사를 통해 봉기를 조직한 운동의 지도자가 있었음을 증명한다. 이미 3월 하반기에 뷔르템베르크와 네카어 강 및 오덴발트의 저지대 지역, 운터프랑켄 및 미텔프랑켄에서 폭동이 일어났다. 그러나 부활절 전 둘째 일요일, 즉 4월 2일은 모든 곳에서 총봉기 거사일로 지정되었으며, 따라서 모든 곳에서 결정적인 공격, 즉 대중 봉기는 4월 첫째 주에 발생했다.[163] 알고이, 헤가우 그리고 보덴 호 지역의 농민은 4월 1일 비상종을 울려 진지에서 전투 능력이 있는 모든 남자의 회합을 소집하고, 발트링겐 농민과 함께 즉시 성채와 수도원에 대한 전투를 개시했다.

|63| 운동이 6개의 거점으로 나뉘어 있던 **프랑켄**에서는 4월 초에 도처에서 봉기가 발생했다. **뇌르틀링겐**에서는 이 시기에 두 개의 농민 진영이 형성되었으며, 안톤 **포르너** 휘하 뇌르틀링겐 시의 혁명 세력은 농민의 지원을 받아 패권을 장악하여 포르너를 시장으로 지명하고, 도시와 농민 사이의 동맹을 완성했다. **안슈파흐**에서는 농민이 4월 1일부터 7일까지 도처에서 일어났고, 이 봉기는 바이에른 여기저기로 번졌다. **로텐부르크**[164]에서 농민은 이미 3월 22일에 무장 상태를 완료했다. 로텐부르크[165] 시에서는 3월 27일 도시귀족의 지배가 슈테판 폰 **멘칭겐** 휘하의 소시민과 평민에 의해 타도되었지만, 농민의 공납금이 이 도시의 주요 수입원이었기 때문에 새 정부는 농민에 대해 매우 우유부단하고 모호한 태도를 유지하고 있었다. **뷔르츠부르크** 대주교구에서는 4월 초에 농민과 소도시의 총봉기가 있었다. **밤베르크** 주교구에서는 전면적인 무장봉기가 발생하여 5일 만에 주교[166]가 항복할 수밖에 없었다. 마침내 북부, 즉 튀링겐 국경에 강력한 **빌트하우젠 농민 진영**이 조직되었다.

오덴발트 지역은 귀족이자 이전에는 호엔로에 백작의 대신이었던 **벤텔 히플러**와 크라우트하임 근처의 발렌베르크에서 여관 주인이었던 게오르크 **메츨러**가 혁명 세력의 지도자로 있었는데, 폭풍이 불어닥친 것은 3월 26일이었다. 농민은 각 방면에서 타우버 강을 향해 행진해 갔다. 로텐부르크[167] 진영에서 온 오렌바흐 사람들 2천 명[168]도 여기에 가담했다. 게오르크 메츨러가 사령관직[169]을 맡았고 모든 증원 부대가 도착한 다음에 4월 4일 약스트에 있는 쇤탈 수도원을 향해 진격했다. 여기서 게오르크 메츨러는 **네카어 계곡**의 농민과 결합했다. 네카어 계곡의 농민은 하일브론 근처 뵈킹겐의 여관 주인 예클라인 **로어바흐**가 지도했는데, 부활절 전 둘째 일요일에 플라인, 존트하임 등지에서 반란을 선포했고, 다른 한편으로는 이와 때를 같이하여 벤텔 히플러가 수많은 모반자를 이끌고 외링겐을 기습하여 주변 농민을 운동으로 끌어들였다. 쇤탈에서는 이 두 농민 무리가 "**광명 무리**"로 통합하여 12개 조항을 받아들이고 성채와 수도원에 대한 조직적인 공격 ||64| 계획을 수립했다. 광명 무리는 약 8천 명으로 구성되었고 대포와 총 3천 정을 갖고 있었다. 프랑켄의 기사 **플로리안 가이어** 역시 이 광명 무리에 가담하여 암흑 무리[170]를 구성했는데, 이는 주로 로텐부르크[171]와 외링겐의 국경 수비대 중에서 징발된 정예 부대였다.

G416

네카어줄름의 뷔르템베르크 태수인 루트비히 폰 헬펜슈타인 백작이 전쟁을 시작했다. 그는 붙잡힌 농민을 모두 즉각 처형하라고 했다. 광명 무리가 그를 향해 진격했다. 라이프하임 무리의 패배와 야코프 베에의 처형, 그리고 트루흐제스의 잔혹 행위에 관한 소문과 함께 이런 살육이 농민을 격분시켰다. 바인스베르크로 진출한 헬펜슈타인은 바로 그곳에서 공격을 받았다. 바인스베르크 성은 플로리안 가이어의 습격을 받았다.[172] 상당 기간의 싸움 끝에 성은 함락되고 몇몇 기사와 함께 루트비히 폰 헬펜슈타인도 포로가 되었다. 그다음 날인 4월 17일 예클라인 로어바흐는 무리 안에서 가장 단호한 자들과 함께 포로에 대한 재판을 열어 헬펜슈타인을 비롯해 14명의 포로를 창으로 찔러 죽이라고 명령했다. 이것이 예클라인 로어바흐가 이들에게 가할 수 있었던 가장 모욕적인 죽음이었다. 바인스베르크의 함락과 헬펜슈타인에게 행한 예클라인의 무서운 복수는 귀족에게 영향을 끼쳤다. 뢰벤슈타인 백작들은 농민 결사에 가담했다. 예전에 이미 농민 결사를 가까이하기는 했지만 어떤 도움도 주지 않았던 호엔로에 백작들은 즉시 요구받은 대포와 화약을 보냈다.

지도자들은 괴츠 폰 베를리힝겐이 "귀족을 그들 편으로 가담시킬 수 있기 때문에"[173] 그를 사령관으로 삼아야 할 것인지를 놓고 상의했다. 이와 같은 제안은 호응을 얻었지만 농민과 지도자들의 이러한 분위기에서 반동의 시초를 깨달은 플로리안 가이어는 이 무리에서 나와 자신의 암흑 무리와 함께 독자적으로 우선 네카어 강 지역을 거쳐 뷔르츠부르크 지역의 곳곳을 누비면서 가는 곳마다 성채와 성직자의 보금자리를 파괴했다.

남은 무리는 먼저 하일브론을 향해 진격했다. 이 강력하고 자유로운 제국 도시 하일브론에서는 거의 모든 지역과 마찬가지로 도시귀족이 시민 반대파와 혁명||65| 반대파와 대립하고 있었다. 혁명 반대파는 농민과 비밀리에 협약을 맺고, 4월 17일에 전반적인 혼란의 와중에서 G. 메츨러와 예클라인 로어바흐에게 성문을 열어주었다. 농민 지도자들은 자기 사람들과 함께 형제단을 받아들이고 현금 1,200굴덴과 1개 중대 의용군을 지원한 이 도시를 장악했다. 오직 성직자의 소유물과 독일기사단[174]의 재산이 약탈당했을 뿐이다. 4월 22일에 소규모 주둔군을 남겨둔 채 농민은 이곳을 떠났다. 하일브론은 다양한 무리들의 거점이 되었으며, 이 무리들은 실제로도 대표들을 이곳에 파견했고 농민 계층의 공동 행동과 공동 요구사항을 상의했다. 그러나 시민 반대파와 농민의 침입 이후에 이들과 결탁한 도시귀족은 도시에서 주도권을 다시 장악하여 도시가 결정적인 조치를 취하지 못하도록 하고 결정적으로 농민을 배신하기 위해 제후의 군대가 오기를 기다리고 있을 뿐이었다.

농민은 오덴발트를 향해 진격했다. 괴츠 폰 베를리힝겐은 며칠 전에는 팔츠의 선제후와 결탁했다가, 그다음에는 농민 편에 서고, 또다시 선제후와 결탁한 자로서 4월 24일에는 복음 형제단에 가담해서 **광명** 무리(플로리안 가이어의 **암흑** 무리와 대비되는)의 최고 지휘관직을 떠맡을 수밖에 없었다. 그러나 동시에 그는 농민의 포로였다. 농민은 그를 믿지 않아서 감시했고 지도자 협의회에 묶어두었다. 이 지도자 협의회 없이 그는 어떤 일도 수행할 수 없도록 되어 있었다. 괴츠와 메츨러는 농민 대중을 이끌고 부헨을 거쳐 아모어바흐로 이동했다. 이곳에서 그들은 4월 30일부터 5월 5일까지 머물면서 마인 강 전 지역을 동요시켰다. 귀족은 곳곳에서 어쩔 수 없이 농민 동맹에 가담했고, 그리하여 이들의 성은 파괴를 면할 수 있었다. 오직 수도원만이 불타고 약탈당했다. 농민 무리는 눈에 띄게 사기가 저하되었다. 가장 열정적인 사람들은 플로리안 가이어 편이나 예클라인 로어바흐 휘하로 옮

G417

488

아갔다. 예클라인 로어바흐는 하일브론 함락 이후 농민 무리에서 스스로 떨어져 나왔는데, 그 자신 한때 헬펜슈타인 백작의 대신이었지만 귀족과의 화해를 선호하는 무리와 더는 함께할 수 없다는 분명한 이유에서였다. 이러한 |66| 귀족과의 협상을 주장하는 것 자체가 사기 저하를 보여주는 하나의 신호였다. 곧이어 벤델 히플러가 매우 적절한 무리 재조직안을 제안했다. 그의 제안은 매일 참가를 신청해온 용병을 받아들여야 한다는 것이며, 또한 매달 새로운 병력을 징집하고 오래된 병력을 해체하여 새롭게 할 것이 아니라 어느 정도 군사 훈련을 받은 병사들은 계속 유지되어야 한다는 것이었다. 그러나 농민 무리의 총회는 이 두 제안을 모두 부결했다. 농민은 거만해졌고 전쟁 전체를 오로지 약탈로 이해했다. 농민은 주머니가 채워지자마자 집으로 돌아갈 수 있도록 자유로워지기를 원했다. 그러나 용병들의 경쟁은 농민에게 거의 아무것도 보장해주지 않았다. 아모어바흐에서는 사태가 더 악화되어 하일브론 시 참사회 의원 한스 베를린은[175] 농민 무리의 지도자들과 협의회를 구슬려 "12개 조항 선언문"을 받아들이도록 하는 데까지 이르렀다. 이 문서에는 12개 조항에 남아 있던 날카로움이 제거되고 비참한 간청 조의 말이 농민의 입을 통해 표현되었다. 이것은 농민으로서는 감당하기 어려운 것이었기에, 그들은 대소동을 일으켜 이 선언문을 거부하고 원래 조항을 보장할 것을 고집했다.

G418

그러는 동안 뷔르츠부르크 지역에서 결정적인 변화가 일어났다. 4월 초의 제1차 농민 봉기 이후에 뷔르츠부르크 근교의 프라우엔베르크 요새로 퇴각하여, 그곳에서 사방으로 도움을 청하는 편지를 보냈으나 아무 소용이 없었던 주교[176]는 결국 어쩔 수 없이 잠정적으로 양보를 하게 되었다. 5월 2일에 농민 대표도 참가한 가운데 신분제 의회가 개최되었다. 그러나 어떤 성과도 얻어내기 전에 주교의 반역 음모를 증명해주는 편지들이 도중에 발각되었다. 신분제 의회는 즉각 해산되었고 한편으로 반란을 일으킨 도시 거주민과 농민, 다른 한편으로는 주교 세력 사이에 싸움이 시작되었다. 5월 5일 주교 자신은 하이델베르크로 도주했으며 그다음 날 플로리안 가이어와 암흑 무리가 뷔르츠부르크에 도착했다. 플로리안 가이어와 함께 메르겐트하임, 로텐베르크[177]와 안스바흐의 농민으로 구성된 **프랑켄의 타우버 무리**[178]도 뷔르츠부르크로 왔다. 5월 7일에는 괴츠 폰 베를리힝겐이 그의 광명 무리를 이끌고 와서 프라우엔베르크 공격이 개시되었다.

|67| 림푸르크와 엘방겐 및 할 지역에서는 이미 3월 말과 4월 초에 다른

무리, 즉 **가일도르프 무리**,[179] 즉 **통합 광명 무리**가 구성되었다. 이 무리의 행동은 매우 과격했다. 이들은 전 지역을 동요시키고 호엔슈타우펜 성을 포함하여 수많은 수도원과 성채를 불살랐으며 농민을 강제로 무리에 가담시키고 모든 귀족과 심지어는 림푸르크의 술집 주인들까지도 기독교 형제단에 강제로 가담시켰다. 5월 초에 이 무리는 뷔르템베르크를 침입했지만 결국 후퇴했다. 1848년의 경우와 마찬가지로 독일의 소규모 영방국 체제의 분립주의는 이때에도 다양한 제후국 영토 내 혁명가들의 통일된 행동을 가로막았다. 소규모 지역에만 근거를 두고 있던 가일도르프 무리는 가일도르프 전 지역의 모든 저항을 무찌른 다음에는 해산하지 않을 수 없었다. 이 무리는 도시 그뮌트와 조약을 체결하고 500명의 무장한 사람들을 남겨둔 채 해체했다.

팔츠에서는 4월 말까지 농민 무리가 라인 강 양안에서 구성되었다. 이들은 수많은 성채와 수도원을 파괴했으며 5월 1일에는 하르트 지방의 노이슈타트를 장악했다. 이 지역으로 넘어온 브루흐라인 농민은 이미 며칠 전에 슈파이어로 하여금 강제로 조약을 체결하게 했다. 선제후의 소수 부대를 이끌고 있던 하베른 장군은 이들에 대항할 수 없었다. 그래서 5월 10일 선제후는 어쩔 수 없이 무장봉기한 농민과 조약을 체결하고, 신분제 의회에서 농민의 불만 사항을 제거할 것을 이들에게 보장했다.

끝으로 **뷔르템베르크**에서는 일찍이 각 지방마다 독자적인 봉기가 발생했다. 쥐라 산맥의 우라흐에서 농민은 이미 2월에 성직자와 영주에 대항하여 동맹을 결성했고[180] 3월 말에는 블라우보이렌, 우라흐, 뮌징, 발링겐, 로젠펠트의 농민이 봉기했다. 뷔르템베르크 지역은 괴핑겐의 가일도르프 무리와 브라켄하임의 예클라인 로어바흐, 그리고 풀링겐의 라이프하임 무리의 패잔병들에게 침략당했다. 이 모든 침입자는 시골 사람을 동요시켰다. 또한 여타 지방에서도 심각한 소요가 일어났다. 이미 4월 6일에 풀링겐은 농민에게 투항할 수밖에 없었다. 오스트리아 대공[181] 정부는 매우 어려운 상황에 처해 있었다. ||68| 이들은 자금이 전혀 없었고 군대도 매우 적었다. 모든 도시와 성채가 열악한 상황에 놓여 있었고 수비대도 군수품도 없었다. 심지어 아스페르크는 실질적으로 무방비 상태였다.

농민에 대항하기 위해 도시의 예비 병력을 소집하려는 정부의 시도는 정부의 즉각적인 패배로 결판났다. 4월 16일 보트바르 시의 예비 병력은 진군을 거부하고 슈투트가르트로 가는 대신에 보트바르 근처의 부넨슈타인으

G419

로 이동했다. 그곳에서 예비 병력은 시민과 농민 진영의 핵을 이뤘고, 급속히 병력이 늘어났다. 같은 날에 차베르고이에서 봉기가 일어났다. 마울브론 수도원이 약탈당하고 수많은 수도원과 성채가 완전히 초토화되었다. 고이 (Gäu)의 농민은 근처의 브루흐라인으로부터 증원군을 받아들였다.

마테른 포이어바허가 부넨슈타인 무리의 선봉에 섰다. 그는 보트바르 시 참사회 의원이자 농민과 연합하지 않을 수 없을 만큼 매우 타협적인 시민 반대파 지도자 중 한 사람이었다. 그러나 그는 여전히 매우 온건한 태도를 유지하여, 요구 조항 공개장을 여러 성에 시행하는 것을 금지했고 곳곳에서 온건 시민층과 농민을 중재하려 했다. 그는 뷔르템베르크 농민과 광명 무리의 통합을 방해했으며, 나중에는 가일도르프 무리가 뷔르템부르크에서 철수하도록 움직였다. 4월 19일 포이어바허는 자신의 시민적 성향으로 직위를 박탈당했다. 그러나 이미 그다음 날[182] 그는 다시 사령관이 되었다. 그는 없어서는 안 될 인물이었으며, 4월 22일 예클라인 로어바흐가 정예 부하 200명을 이끌고 뷔르템베르크 농민과 합류하기 위해 이곳에 왔을 때조차도[183] 로어바흐가 할 수 있었던 일은 단지 그를[184] 사령관직에 유임하고, 그의 행동을 엄격하게 감독하게 하는 일에 불과했다.

4월 18일 정부는 부넨슈타인에 머물고 있던 농민과 교섭을 시도했다. 농민은 12개 조항의 수락을 고집했으나 정부의 전권 대사들은 당연히 이것을 받아들일 수 없었다. 그러자 이 무리는 행동을 개시했다. 4월 20일에 농민 무리는 라우펜[185]에 도착했는데, 이곳에서 마지막으로 정부 대표자들의 여러 제안을 거부했다. 4월 20일 6천 명에 달하는 이 무리가 비티히하임에 나타나서 슈투트가르트를 위협했다. 이 도시 ||69| 참사회의 대부분이 도망쳤고 시민 위원회가 도시 행정의 최상부에 설치되었다. 다른 곳에서와 마찬가지로 이곳도 시민층은 도시귀족파와 시민 반대파 및 혁명적 평민으로 세력이 나뉘어 있었다. 4월 25일에 혁명적 평민은 농민을 위해 성문을 열어주었고 슈투트가르트는 즉시 점령당했다. 이때 뷔르템베르크 무장봉기자들이 스스로 명명한 **기독교 광명 무리**라는 조직이 여기에서 완벽하게 완성되었고 급료 지급, 전리품 분배, 부양 등에 관한 규칙이 확립되었다. 토이스 게르버가 이끄는 1개 중대가 여기에 합류했다.

G420

4월 29일 포이어바허가 전체 무리를 이끌고 가일도르프 무리를 향해 진군했다. 이 가일도르프 무리는 뷔르템베르크 지역에 속한 쇼른도르프에 진입해 있었다. 포이어바허는 뷔르템베르크 전 지역을 자신의 동맹으로 끌어들이고, 가일도르프 무리가 이 지역에서 철수하도록 움직였다. 이런 방식으로 포이어바허는 로어바흐 휘하에 있는 자신의 부하 중 혁명적 분자들이 가일도르프의 무자비한 무리와 결합하는 것을 막고, 위협적인 증원 부대를 받아들이는 것을 막았다. 트루흐제스가 접근해 온다는 소식을 듣고 포이어바허는 그와 교전하기 위해 쇼른도르프를 떠나 5월 1일 테크가 지휘하는 키르히하임 근처에 진을 쳤다.

이렇게 하여 우리는 농민 무리의 첫째 그룹의 활동 영역이라고 할 수 있는 독일 지역에서 봉기의 기원과 전개과정을 추적해보았다. 또 다른 그룹(튀링겐, 헤센, 알자스, 오스트리아, 알프스)을 다루기 전에 우리는 트루흐제스의 출정을 보고할 것이다. 트루흐제스는 이 출정에서 처음에는 단신으로, 나중에는 다양한 제후와 도시의 지원을 받아서 앞에서 말한 첫째 그룹을 섬멸했다.

우리는 트루흐제스가 울름에 도착한 것까지 언급했다. 트루흐제스는 테크가 지휘하는 키르히하임에 디트리히 슈페트 휘하의 감시 부대를 남겨둔 이후인 3월 말에 울름에 왔다. 울름에 집결한 동맹의 증원군을 끌어모아도 1만 명이 채 안 되며 그중 보병이 7,200명이었던 트루흐제스 부대는 농민에 대한 공격전에 배치할 수 있는 유일한 군대였다. 증원군은 매우 느리게 울름에 모였는데, 그 이유는 한편으로 무장봉기가 발생한 지역에서 징집하기가 어려웠고, 다른 한편으로 정부들의 자금이 부족했으며, ||70| 또한 그나마 얼마 되지 않는 부대가 여기저기서 요새와 성채를 수비하는 데 없어서는 안 될 임무를 떠맡고 있었기 때문이다. 우리는 이미 얼마나 소규모 병력이 슈바벤 동맹에 가입하지 않은 제후와 도시의 수중에 있었는지를 살펴보았다. 모든 것은 게오르크 트루흐제스가 동맹군을 이끌고 쟁취하게 될지도 모를 성과에 달려 있었다.

트루흐제스는 먼저 **발트링겐 무리**를 공격 목표로 삼았다. 발트링겐 무리는 그동안 리트 근처의 성채와 수도원을 파괴하기 시작했다. 동맹군이 접근하자 리트로 퇴각한[186] 농민은 우회 공격을 받아 소택 지대에서 쫓겨나 도나우 강을 건너서 슈바벤 쥐라 산맥의 협곡과 숲속으로 달아났다. 이 지역에서는 동맹군의 주력이었던 대포와 기병대가 거의 효과를 보지 못했기 때문에 트루흐제스는 이들을 더 추격하지 않았다. 대신에 그는 라이프하임 무리를 향해 진격했다. 라이프하임 무리는 라이프하임에 주둔한 5천 병력, 민델 계곡의 4천 병력, 일러티센의 6천 병력으로 이루어져 있었으며, 이들 전 지

G421

492

역을 동요시키면서 수도원과 성채를 파괴하고, 3개 부대를 이끌고 울름을 향해 공격할 준비를 하고 있었다. 여기에서도 농민의 사기 저하[187]가 만연한 것처럼 보였고, 이 무리는 싸울 의욕이 절멸한 것처럼 보였다. 야코프 베에가 처음부터 트루흐제스와 교섭하려고 했기 때문이었다. 그러나 이제 군사를 충분히 거느린 트루흐제스는 협상을 거부하고 4월 4일 라이프하임의 주력 무리를 공격하여 이들을 완전히 분쇄했다. 야코프 베에와 울리히 쇤은 그외의 농민 지도자들과 함께 체포되어 참수되었다.[188] 라이프하임은 항복했고, 인접 지방으로 얼마간 진격이 있은 후에 전 지역이 진압되었다.

약탈과 추가 급여를 요구함으로써 발생한 용병의 새로운 반란은 다시 한번 4월 10일까지 트루흐제스의 활동을 지체했다. 4월 10일 트루흐제스는 남서쪽으로 **발트링겐 무리**를 향해 진군했는데 그 당시 발트링겐 무리는 트루흐제스의 영지인 발트부르크, 차일과 볼페크를 침략하고 그의 성들을 포위하고 있었다. 트루흐제스는 여기에서도 농민이 분열되어 있는 것을 알았고 4월 11일과 12일에 연속으로 각개 전투로 공격하여, 발트링겐 무리를 마찬가지로 완전히 해체했다. 발트링겐 무리의 패잔병은 ||71| 성직자 플로리안의 지휘하에 퇴각하여 **보덴 호 무리**에 합류했다. 그러자 트루흐제스는 보덴 호 무리를 향해 공격 방향을 돌렸다. 그 당시 한편으로는 군사적 진군을 하고 다른 한편으로는 부흐호른(프리드리히스하펜)과 볼마팅겐 등의 도시들을 형제단에 가담시킨 보덴 호 무리는 4월 13일에 잘렘 수도원에서 대규모 작전 회의를 열어 트루흐제스를 향해 진격하기로 결정했다. 비상종이 곳곳에서 울리고 발트링겐 패잔병도 합류한 1만 병력이 베르마팅겐 진영에 집결했다. 4월 15일 보덴 호 무리는 트루흐제스와의 전투에서 꿋꿋이 맞섰다. 그런데 트루흐제스는 결전에서 자신의 부대를 위험에 빠뜨리고 싶지 않았으며, 오히려 협상을 원했는데, 알고이와 헤가우 무리가 이쪽으로 오고 있다는 전갈을 받았기 때문에 더욱 그러했다. 4월 17일 바인가르텐에서 트루흐제스는 보덴 호 농민 및 발트링겐 농민과 조약을 체결했다. 이 조약은 겉으로 보기에는 농민에게 유리한 것처럼 보였고, 그들은 아무런 의심 없이 그것에 동의했다. 더 나아가 트루흐제스는 오버알고이 및 운터알고이 농민 대표자들도 이 조약을 받아들이도록 일을 진척했고 그 후에 뷔르템베르크로 떠났다.

트루흐제스의 교활함이 이곳에서 그를 확실한 파멸에서 구해주었다. 만약 그가 약하고, 둔하며, 대부분 타락한 농민과 대개 무능하고 소심하며 부패한 지도자를 속이는 데 능통하지 못했더라면, 아마 그는 자신의 소규모 군대와 함께 적어도 2만 5천에서 3만에 달하는 4개 부대 병력에 포위되어 파멸하고 말았을 것이다. 적어도 슈바벤과 프랑켄만을 놓고 볼 때 한 차례의 싸움으로 농민 대중이 전쟁 전체를 종결지을 수도 있었던 바로 그 순간에 트루흐제스가 농민 대중을 쉽게 처리할 수 있었던 것은 바로 그의 적들의 편협함이었다. 이러한 편협함은 농민 대중 사이에서 언제나 나타나는 것이었다. 보덴 호 농민은 결국 그들이 속은 것으로 드러난 그 조약에 매달려 있었는데, 너무 그 조약에 집착한 나머지 후에 그들의 동맹자인 헤가우 무리를 향해 무기를 겨눌 정도였다. 자신들의 지도자들 때문에 배신에 연루된 알고이 농민은 곧바로 이 조약을 파기하기는 했지만 그러는 사이에 트루흐제스는 위험을 벗어났다.

헤가우 농민은 비록 바인가르텐 조약에 얽매여 있지 않았지만, 농민전쟁 전체를 파멸로 이끈 끝도 없는 지역적 편협함과 완강한 지방주의를 보여주는 새로운 예였다. 트루흐제스가 쓸데없이 이들과 교섭을 ||72| 하고 뷔르템베르크로 전진한 다음에, 헤가우 농민은 트루흐제스를 뒤쫓으면서 계속해서 그의 측면에 머물러 있었다. 그러나 그들이 뷔르템베르크의 기독교 광명 무리와 단결하는 사태는 일어나지 않았다. 그 이유는 이전의 뷔르템베르크와 네카어 계곡의 농민이 그들을 지원하러 오기를 단번에 거절했기 때문이다. 트루흐제스가 헤가우에서 상당히 멀리 이동하고 났을 때, 헤가우 무리는 평화스럽게 돌아와 프라이부르크를 향해 진군했다.

우리는 마테른 포이어바허 휘하의 뷔르템베르크 농민이 테크가 지휘한 키르히하임에 있었다는 데까지 언급했다. 이곳에서 트루흐제스가 남겨둔 감시 부대가 디트리히 슈페트의 지휘하에 우라흐로 퇴각했다. 우라흐를 함락하려는 시도가 실패로 끝난 후, 포이어바허는 뉘르팅겐으로 방향을 돌리고, 주위의 모든 봉기 무리에 편지를 띄워 결전을 지원할 원병을 요구했다. 실제 상당한 증원 부대가 고이에서뿐 아니라 뷔르템베르크 저지대에서 왔다. 특히 고이 농민은 동뷔르템베르크[189]로 퇴각한 라이프하임 부대의 잔여 병력을 중심으로 스스로 무리를 이루고 북부 네카어 및 나골트 계곡의 전 지역과 뵈블링겐 및 레온베르크에서 봉기를 일으키고 강력한 두 무리를 이루어 접근했다. 5월 5일에 이들 고이 농민이 뉘르팅겐의 포이어바허에 합류했다. 트루흐제스는 뵈블링겐[190]에서 이 통합 무리와 접전했다. 이 통합 무리의 병력과 이들이 가진 대포, 그리고 이들이 확보한 지리적 우위 등은 트

루흐제스를 당황하게 만들었다. 그는 언제나 하던 자기 방법대로 즉각 교섭을 시작했고 농민과 휴전 협정을 체결했다. 그러나 이렇게 하여 트루흐제스는 자신의 위치를 확보하자마자 5월 12일 **휴전 협정 기간**에 통합 무리를 기습 공격했고 그들을 결전으로 끌어들였다. 시민층의 배신으로 결국 트루흐제스에게 뵈블링겐[191]을 내줄 때까지 농민은 장기간 용감하게 저항했다. 농민의 좌익이 거점을 빼앗겨 후퇴할 수밖에 없었고 포위당하게 되었다. 이것이 전투의 승패를 결정지었다. 훈련이 부족한 농민은 혼란에 빠졌고 나중에는 어지럽게 도망쳤다. 동맹군의 기병대에 잡히거나 살해되지 않은 농민은 무기를 버리고 서둘러 집으로 돌아가버렸다. "기독교 광명 무리"와 이들과 함께한 뷔르템베르크의 모든 무장봉기는 완전히 끝이 났다. 토이스 게르버는 에슬링겐으로, 포이어바허는 ||73| 스위스로 도망쳤고, 예클라인 로어바흐는 체포되어 사슬에 묶인 채 네카어가르타흐[192]로 끌려갔다. 그곳에서 트루흐제스는 그를 장작으로 둘러싸인 기둥에 묶으라고 명령하고, 서서히 타는 불에 **산 채로 태워**[193] 죽였다. 그러는 동안 트루흐제스 자신은 기사들과 연회를 즐기며 이 숭고한 광경을 흡족하게 바라보았다.

네카어가르타흐[194]에서부터 트루흐제스는 크라이히가우를 침입하여, 팔츠 선제후의 작전을 지원했다. 그동안 군대를 모으고 있던 선제후는 트루흐제스의 성공 소식을 듣고 즉시 농민과 맺은 조약을 파기했으며 5월 23일 브루흐라인을 공격하여 맹렬한 저항을 물리치고 말슈를 함락하고 불태웠으며 수많은 마을을 약탈하고 부르흐잘을 점령했다. 이와 동시에 트루흐제스는 에핑겐을 공격하여 이 지방 운동의 지도자 안톤 아이젠후트를 사로잡았다. 선제후는 즉시 아이젠후트를 12명의 다른 농민 지도자들과 함께 처형했다. 브루흐라인과 크라이히가우는 이렇게 진압되었고 약 4만 굴덴의 배상금을 지불해야 했다. 이전 전투의 결과로서 이제는 6천 병력으로 줄어든 트루흐제스의 군대는 선제후의 군대(6,500명)와 연합하여 오버벨데른을 향해 나아갔다.

뵈블링겐 농민[195]의 패배 소식이 곳곳의 무장봉기자들 사이에 공포심을 퍼뜨렸다. 농민의 억압 아래 있던 자유 제국도시들은 갑자기 안도의 한숨을 쉬었다. 최초로 슈바벤 동맹과 화해를 위한 조치를 취한 도시는 하일브론 시였다. 하일브론에는 무장봉기한 모든 농민의 이름으로 황제와 제국에 제출할 건의안을 심사숙고하고 있던 농민 본부와 다양한 무리의 대표들이 있었다. 독일 전체에 적용할 하나의 보편적인 결과를 얻고자 했던 이 협상에서

재차 드러난 것은 농민을 포함한 어떤 신분도 자기 관점에 따라서 독일 상태 전체를 새롭게 형성할 만큼 충분히 발전하지 못했다는 점이었다. 이러한 목적을 위해 귀족과 특히 시민층을 확보할 수밖에 없다는 점이 그 즉시 드러났다. 결국 **벤델 히플러**가 협상 활동을 떠맡게 되었다. ||74| 운동의 모든 지도자 가운데 벤델 히플러는 현존하는 상태를 가장 정확히 이해하고 있었다. 그는 뮌처형의 장기적 안목을 가진 혁명가는 아니었으며 메츨러나 로어바흐처럼 농민의 대변자도 아니었다. 히플러는 다방면에 걸친 경험을 가지고 있었고, 여러 신분이 서로에게 취하고 있던 입장을 실제로 잘 이해하고 있었기 때문에 상호 대립적인 운동에 관계한 여러 신분 가운데 어느 한 신분만을 대변하지 않았다. 뮌처가 프롤레타리아트의 초창기 대표자로서, 즉 당시에는 기존의 공식적 사회 조직의 외부에 있던 계급의 대표자로서, 공산주의를 예견하지 않을 수 없었던 것과 마찬가지로, 벤델 히플러는 이른바 국민의 평균적 진보 세력의 대변자로서 **근대 부르주아 사회**를 예견했다. 그가 옹호한 모든 원칙, 그가 제기한 요구사항들은 비록 당장에 실현 가능한 것은 아니었지만, 현존하는 봉건 사회의 해체라는 어느 정도는 이상적이지만 필연적인 결과이기도 했다. 농민이 제국 전체에 적용될 법률을 건의하는 데 동의하는 한에서, 그들은 히플러의 모든 원칙과 요구사항을 승낙하지 않을 수 없게 되었다. 이렇게 하여 농민이 요구한 중앙 집권화는 하일브론에서 명확한 형태를 띠게 되었지만, 이것은 농민 스스로가 생각하고 있던 중앙 집권화와는 딴판이었다. 예를 들어 중앙 집권화는 화폐, 도량형 통일, 국내 관세의 폐지 등의 요구에서 한층 선명한 형식을 갖게 되는데, 말하자면 이와 같은 요구는 농민을 위한 것이라기보다는 도시 시민을 한층 더 위한 것이었다. 귀족이 양보한 것은 근대의 상환 체계에 상당히 근접한 것이면서도 결국에는 봉건적 토지 소유를 부르주아적 토지 소유로 변화시킨 결과를 가지고 왔다. 요컨대 농민의 요구가 "제국 개혁"으로 통합되는 한, 농민의 요구는 시민의 즉각적인 요구가 아니라 시민의 최종적인 이익에 종속될 수밖에 없었다.[196]

이러한 제국 개혁이 하일브론에서 계속 논의되는 동안에 "12개 조항 선언문"의 작성자인 한스 베를린[197]은 이미 도시귀족과 시민층의 이름으로 하일브론 시의 항복을 놓고 교섭을 벌이기 위해 트루흐제스를 만나러 가고 있었다. 하일브론 시 내부에서의 반동적인 움직임이 이러한 배신행위를 뒷받침해주었다. 벤델 히플러는 ||75| 농민과 함께 도망갈 수밖에 없었다. 그는 바

인스베르크로 가서 뷔르템베르크 패잔병과 약간의 기동성이 있는 가일도르프 병력을 모으려고 했다. 그러나 팔츠 선제후와 트루흐제스가 접근해 옴에 따라 히플러는 바인스베르크를 떠날 수밖에 없었고, 광명 무리를 움직이게 하려고 뷔르츠부르크로 갈 수밖에 없었다. 그러는 동안 슈바벤 동맹과 선제후의 군대가 네키어 강 지역 전체를 굴복시키고 농민에게 새로운 서약을 하도록 강요했으며, 수많은 마을을 불살랐다. 그리고 도망치다 그들의 손에 잡힌 농민은 모두 창으로 찔러 죽이거나 목매달았다. 헬펜슈타인의 처형에 대한 보복으로 바인스베르크를 잿더미로 만들었다.

그러는 동안 뷔르츠부르크 교외에서 규합한 무리들이 프라우엔베르크를 포위했고, 성벽에 틈이 생기기도 전인 5월 15일에 용감하게 요새에 돌격을 시도했지만 허사였다.[198] 대부분 플로리안 가이어 무리 소속인 뛰어난 전사 400명이 해자 안에 사망하거나 부상당한 채 처박혀 있었다. 이틀 후인 5월 17일에 벤델 히플러가 이곳에 나타나서 작전 회의를 소집했다. 그는 프라우엔베르크에 4천의 병력만을 남겨둘 것과 약 2만의 주력 부대를 약스트의 크라우트하임 진영, 즉 트루흐제스의 바로 목전에 집결해, 모든 증원군이 그곳에 모이도록 하자고 제안했다. 이 계획은 훌륭한 것이었다. 오직 대중을 한데 뭉치게 하는 것만이, 그리고 수적 우세만이 이제 약 1만 3천 명에 달하는 제후의 군대를 물리칠 가망이 있었다. 그러나 어떤 에너지 넘치는 행동을 하기에는 농민의 사기 저하와 낙담이 그 한도를 넘어섰다. 얼마 후 공개 석상에 배신자로 출현한 괴츠 폰 베를리힝겐도 이 무리들을 저지하는 데 공헌했을 것이다. 이렇게 되어 히플러의 계획은 결코 실행에 옮겨지지 않았다. 이것들 말고도 이 무리는 여느 때와 마찬가지로 분열되어 있었다. 광명 무리는 프랑켄 농민이 즉시 그들의 뒤를 따라오겠다고 약속한 후인 5월 23일에야 움직이기 시작했다. 5월 26일에는 뷔르츠부르크에 주둔하고 있던 안슈파흐 변경방백의 중대가 본국으로 소환되었는데, 그 이유는 변경방백이 농민과 전투를 개시했다는 소식 때문이었다. 프라우엔베르크 포위군의 잔여 병력은 플로리안 가이어의 암흑 무리와 함께 뷔르츠부르크에서 멀지 않은 하이딩스펠트에서 진지를 구축했다.

|76| 5월 24일 광명 무리는 전투 준비가 잘되지 않은 상태에서 크라우트하임에 도착했다. 여기에서 많은 농민은 그들이 없는 동안 여러 마을이 트루흐제스에게 복종 서약을 했다는 사실을 알게 되었다. 그들은 이것을 구실로 귀향해버렸다. 이 무리는 네카어줄름[199]까지 진격했고 5월 28일 트루흐

제스와 교섭을 시작했다. 이와 동시에 원병을 서둘러 보내달라는 요청 임무를 띤 전령들이 프랑켄, 알자스, 슈바르츠발트-헤가우 등의 농민에게 파견되었다. 괴츠는 네카어줄름[200]에서 외링겐으로 회군했다. 이 무리는 날이 갈수록 줄어들었다. 괴츠도 회군하는 도중에 사라졌다. 괴츠는 미리 옛 전우인 디트리히 슈페트를 통해 자신이 적의 편으로 투항하는 문제를 놓고 트루흐제스와 교섭한 후에 고향으로 돌아갔다. 외링겐에서는 적이 다가오고 있다는 잘못된 소식이 퍼져서 갑자기 가공할 만한 공포가 어찌할 바를 모르고 겁에 질린 대중을 엄습했다. 이 무리는 완전히 혼란에 빠져서 뿔뿔이 흩어졌다. 많은 어려움 속에서 메츨러와 벤델 히플러는 약 2천 명을 집결하는 데 성공하여, 이들을 이끌고 다시 크라우트하임으로 향했다. 그동안 5천 명에 달하는 프랑켄 파견대가 이쪽으로 왔지만 괴츠가 명백히 배반하려는 뜻을 품고 뢰벤슈타인을 거쳐 외링겐을 향해 횡대로 진군하도록 명령했기 때문에, 프랑켄 파견대는 광명 무리를 따라잡지 못하고 네카어줄름[201]으로 향하게 되었다. 광명 무리의 몇몇 중대가 점령한 이 소도시를 트루흐제스가 포위했다. 프랑켄 파견대는 밤에 도착하여 동맹군의 화톳불을 목도했지만, 지도자들은 기습 공격을 감행할 만한 용기가 없었다. 이들은 크라우트하임으로 퇴각하여 그곳에서 마침내 광명 무리의 잔여 병력을 만났다. 원병이 전혀 오

지 않은 네카어줄름[202]은 29일 동맹군에 항복했다. 트루흐제스는 즉각 농민 13명을 처형하도록 명령하고 방화, 약탈, 살육을 자행하면서 이 무리를 향해 행군했다. 네카어, 코허, 약스트 계곡 전체에 토사 더미와 나무마다 매달린 농민의 시체가 트루흐제스의 행군을 돋보이게 해주었다.

크라우트하임에서 동맹군은 트루흐제스의 측면 돌파에 밀려 타우버의 쾨니히스호펜으로 퇴각했던 농민들과 대치했다. 이곳에서 농민은 진지를 구축했는데 병력은 8천이었으며 대포는 32문에 달했다. 트루흐제스는 ||77| 작은 산과 숲 뒤로 숨어 있던 농민에게 접근해 갔다. 그는 농민들을 포위하기 위해 여러 종대를 전진시켰다. 그리하여 6월 2일 트루흐제스는 엄청난 화력의 우세를 바탕으로 농민을 공격했고, 밤까지 여러 농민 부대가 완강히 저항했지만 결국 패퇴했다. 여느 곳에서와 마찬가지로 "농민의 사신"인 동맹군의 기병대는 반란군을 박멸하는 데 주요 수단이었다. 왜냐하면 기병대는 대포, 총포, 창을 통한 공격으로 동요한 농민을 향해 달려가 그들을 완전히 흩트려놓고 하나씩 닥치는 대로 죽이기 때문이었다. 트루흐제스와 그의 기병대가 행한 전투 방식은 농민군과 연합한 쾨니히스호펜의 시민 전사

300명의 운명에서 명백히 드러난다. 이 전투가 진행되는 동안 15명을 제외하고 모두 도륙당했으며 생존자 15명 중 4명도 나중에 참수당했다.

이렇게 하여 오덴발트, 네카어 계곡지대, 프랑켄 남부 지방의 농민에게 완전한 승리를 거둔 트루흐제스는 징벌 원정, 마을 전체 방화, 수많은 처형으로 이 지역 전체를 평정하고, 그다음에 뷔르츠부르크로 갔다. 그곳으로 가는 도중에 그는 플로리안 가이어와 그레고어 폰 부르크-베른하임²⁰³ 휘하의 제2 프랑켄 무리가 줄츠도르프에 주둔하고 있다는 사실을 알게 되었다. 즉시 트루흐제스는 이들을 향해 이동했다.

플로리안 가이어는 프라우엔베르크 기습 공략 시도가 실패로 끝난 후, 특히 로텐부르크²⁰⁴ 및 안슈파흐의 카지미르 변경방백 등의 제후 및 도시와 교섭에 주로 열중하여 이들을 농민 형제단에 가입하도록 종용하고 있었지만, 쾨니히스호펜의 패배 전갈에 따라²⁰⁵ 갑작스럽게 소환되었다. 그의 무리는 그레고어 폰 부르크-베른하임²⁰⁶ 휘하의 안슈파흐 무리와 합류했다. 게오르크 폰 부르크-베른하임의 무리는 조직된 지 얼마 되지 않았다. 카지미르 변경방백은 진정한 호엔촐레른 방식에 따라 자신의 영지에서 농민 반란을 가까스로 억제하고 있었다. 즉 그것은 일부는 약속을 통해서, 또 일부는 군대의 증강 위협을 통해서 이루어졌다. 그는 타 지역 무리가 안슈파흐 신민을 끌어들이지 않는 한, 모든 외부의 무리에 대해 철저한 중립을 유지했다. 그는 농민의 증오가 주로 교회 기부 재산을 향하도록 노력했으며, 결국 교회 기부 재산을 몰수하여 스스로 치부하려고 했다. 그는 계속 무장을 강화했고 사태의 추이를 기다렸다. 그는 ||78| 뵈블링겐²⁰⁷에서의 전투 소식을 접하자마자 안슈파흐의 반란 농민과 전투를 개시하여 농민의 마을을 불태우고 수많은 농민을 교수형에 처하거나 살육했다. 그러나 농민은 즉시 규합하여 5월 29일 빈츠하임에서 그레고어 폰 부르크-베른하임²⁰⁸의 지휘하에 그를 물리쳤다. 그들이 카지미르를 추격하고 있는 동안, 궁지에 몰린 오덴발트 농민의 요청이 이들에게 전달되었고 그리하여 이들은 즉각 하이딩스펠트로 방향을 바꾸었으며, 그곳에서 플로리안 가이어와 함께 다시 뷔르츠부르크로 향했다(6월 2일). 그러나 오덴발트로부터 전갈이 없었기 때문에 이들은 5천 명의 농민을 그곳에 남겨두고, 나머지 4천 명 — 이미 많은 농민이 뿔뿔이 흩어졌다 — 을 이끌고 나머지를 뒤쫓았다. 그러나 이들은 쾨니히스호펜 전투 결과에 대한 잘못된 소식을 믿고 안심했다가 **줄츠도르프**에서 트루흐제스의 공격을 받아 완패했다. 트루흐제스의 기병대와 종복들은 항상 하던 대

로 가공할 대살육을 저질렀다. 플로리안 가이어는 그의 암흑 무리 잔여 병력 600명을 데리고 잉골슈타트 마을을 향해 돌파 작전을 펼쳤다. 200명이 교회와 교회의 공동 묘지를 점령했고, 400명이 성을 점령했다.[209] 팔츠 선제후 군대가 그를 추격했고 1,200명으로 구성된 부대가 마을을 장악하고 교회를 불질렀다. 화염 속에서 생명을 유지한 자들은 도륙당했다. 팔츠 선제후 군대는 성에 불을 지르고 오래된 성벽 사이에 틈을 만들어 성을 기습 공격했다. 두 번의 시도가 성벽 안쪽에 잠복해 있던 농민에 의해 실패로 끝나자 팔츠 선제후 군대는 이 둘째 성벽을 포격으로 파괴하고 세 번째 공격을 시도하여 성공했다. 가이어의 군대 절반이 학살되었다. 살아남은 200명을 데리고 가이어는 겨우 도망쳤다. 그러나 이들이 숨어 있던 장소가 그다음 날(오순절 다음의 월요일)(부활절 후 50일째 되는 날을 오순절 또는 성령강림절이라고 함—옮긴이) 발각되었다. 팔츠 선제후 군대는 가이어가 몸을 숨긴 숲을 포위하고 이 무리 전체를 도살했다. 이틀 사이에 생포된 자는 17명에 불과했다. 플로리안 가이어는 가장 용맹한 전사 몇 명과 함께 포위망을 뚫고 가일도르프 농민을 향해 도망쳤다. 가일도르프 농민은 다시 7천 병력으로 규합해 있었다. 그러나 가이어가 그곳에 도착했을 때 가일도르프 농민은 거의 뿔뿔이 흩어져버린 뒤였다. 이는 사방에서 들려오는 패전 소식의 결과였다. 가이어는 ‖79‖ 숲속의 낙오병들을 규합하려고 시도했지만 6월 9일 할에서 팔츠 선제후 부대의 급습을 받고 전투 중 전사했다.[210]

쾨니히스호펜에서의 승리 직후에 프라우엔베르크에서 포위당한 사람들에게 전갈을 보냈던 트루흐제스는 이제 뷔르츠부르크를 향해 진군했다. 뷔르츠부르크 시 참사회는 트루흐제스와 비밀리에 내통했다. 그래서 동맹군은 6월 7일 밤 농민군 5천 명이 주둔하고 있던 뷔르츠부르크를 포위할 수 있었으며, 그다음 날 아침 참사회가 열어준 성문을 지나 칼 한번 쓰지 않고 입성할 수 있었다. 이와 같이 뷔르츠부르크 "도시귀족"의 배신으로 마지막 남은 프랑켄 농민 무리는 무장 해제당하고 지도자는 모두 체포되었다. 트루흐제스는 즉시 이들 중 81명을 참수하라고 명령했다. 이곳 뷔르츠부르크에 프랑켄의 많은 제후가 잇달아 모여들었는데, 그들 중에는 뷔르츠부르크 주교[211] 자신과 밤베르크 주교,[212] 브란덴부르크-안슈파흐의 변경방백[213]이 포함되어 있었다. 이 자비로운 영주들은 그들 사이에서 역할을 분담했다. 트루흐제스는 밤베르크 주교와 함께 행군했다. 이 밤베르크 주교는 곧바로 농민과 체결한 조약을 깨고, 자신의 영토를 동맹군의 광포한 무리에게 맡겨, 방

G428

500

화와 대량 학살을 자행하게 한 자였다. 카지미르 변경방백은 자신의 땅을 초토화했다. 다이닝겐[214]이 불타고 수많은 마을이 약탈되거나 화염으로 소실되었다. 모든 도시에서 이 변경방백은 피의 재판을 열었다. 아이슈 강 변의 노이슈타트에서 그는 반란자 18명을, 마르크트 베르겔[215]에서는 반란자 43명을 참수하도록 명령했다. 그는 그곳에서 로텐부르크[216]로 갔는데, 여기서는 그사이에 도시귀족이 반혁명을 일으키고 슈테판 폰 멘칭겐을 체포했다. 로텐부르크[217]의 소시민과 평민은 농민에 대해 매우 모호한 태도로 행동하여 바로 마지막 순간까지 농민을 지원하기를 거부했다는 사실과 편협한 지역 이기주의로 도시 춘프트를 위해 농촌 생업을 압박할 것을 고집했으며, 농민의 봉건적 공납들에서 유입되는 도시의 수입을 그저 마지못해 포기했다는 사실에 대한 대가를 이제 톡톡히 치르지 않으면 안 되었다. 변경방백[218]은 소시민과 평민 중 16명을 처형하도록 명령했으며 멘칭겐도 여기에 포함되었다. 이와 같이 뷔르츠부르크 주교[219]도 자신의 영지를 행군하면서 곳곳에서 약탈과 유린과 방화를 서슴지 않았다. 그는 승리의 행군을 하면서 반란자 256명을 처형하도록 명령했고, ||80| 뷔르츠부르크에 돌아와서는 뷔르츠부르크 반란자 가운데 13명을 추가로 참수함으로써 자신의 소행을 마지막으로 장식했다.

마인츠 지역에서는 총독 빌헬름 폰 슈트라스부르크 주교가 아무런 저항도 받지 않고 안정을 회복했다. 그는 단지 4명에게만 처형 명령을 내렸다. 라인가우는 마찬가지로 농민의 동요가 있었던 곳이지만, 그럼에도 불구하고 오래전에 농민이 집으로 돌아가버린 지역으로서 결국 울리히의 사촌 프로빈 폰 후텐의 침략을 받고 주모자 12명이 처형됨으로써 "평정되었다". 프랑크푸르트 역시 상당한 규모의 혁명운동을 겪었던 지역으로 초기에는 시 참사회의 회유 때문에, 나중에는 징집된 군대 때문에 운동이 억제되었다. 라인팔츠에서는 선제후의 조약 파기로 다시 농민 8천 명이 규합했고 새로운 수도원과 성채를 불태웠다. 그러나 트리어 대주교[220]가 하베른을 돕기 위해 출정해서 5월 23일에 페데르스하임에서 그들을 패퇴시켰다. 일련의 잔혹 행위와 (페데르스하임에서만 82명이 처형되었다) 7월 7일의 바이센부르크 함락으로 이곳에서의 봉기는 끝났다.

농민 무리 가운데 이때 정복되지 않은 무리는 헤가우-슈바르츠발트 무리와 알고이 무리뿐이었다. 페르디난트 대공은 두 무리를 상대로 음모를 꾸미려 했다. 카지미르 변경방백과 그 외의 제후들이 봉기를 이용하여 교회 영지와 여러 제후국을 병합하려 한 것과 같은 방식으로 페르디난트도 봉기를 이용하여 오스트리아 왕가의 세력 강화를 꾀했다. 페르디난트는 알고이 무리 지도자 발터 바흐, 그리고 헤가우 무리 지도자인 불겐바흐의 한스 뮐러와 교섭하여 농민을 꾀어 오스트리아 지지 선언을 하도록 도모했다. 비록 이 두 지도자가 매수됐을지라도, 이들은 알고이 무리가 대공[221]과 휴전 협정을 체결하고 오스트리아에 대해 중립을 지키는 것 이상을 이들에게 관철할 수 없었다.

G429

뷔르템베르크 지역에서 퇴각하면서 **헤가우 무리**는 많은 성을 파괴했고 바덴 변경방백 영지에서 온 증원 부대를 받아들였다. 5월 13일 프라이부르크로 진격했으며 18일에는 그곳을 포격하고 프라이부르크 시가 항복한 23일에는 깃발을 나부끼며 입성했다. 이들은 이곳에서 슈토카흐와 라돌프첼을 향해 이동하면서, ||81| 이들 도시의 수비대와 장기간 성과 없는 소규모 전투를 수행했다. 이들 도시 수비대, 귀족, 그리고 인근 도시는 바인가르텐 조약에 따라서 보덴 호 농민에게 도움을 요청했다. 예전에 보덴 호 무리의 반란자들이었던 이들은 병력 5천 명으로 자신의 동맹자들에게 대항했다. 이렇게 이 지역 농민의 지역적 편협함은 극심했다. 600명만이 싸움을 거부하고 헤가우 무리 편에 가담하기를 원했지만, 이 때문에 이들은 학살당했다. 그럼에도 불구하고 헤가우 무리는 매수당한 불겐바흐의 한스 뮐러에게 설득당해 포위를 풀었고,[222] 한스 뮐러가 곧바로 도주했을 때 대부분이 해산해버렸다. 남은 사람들은 힐칭겐 절벽에 참호를 만들어 숨었다가 7월 16일 그동안 다른 전투가 없었던 부대들의 공격을 받고 전멸했다. 스위스 여러 도시가 헤가우 무리를 위해 하나의 조약을 중재했다. 비록 한스 뮐러가 배신을 저질렀음에도 불구하고 말이다. 그러나 이 조약은 그가 라우펜부르크에서 붙잡혀 참수를 당하는 것을 막지는 못했다. 브라이스가우에서는 프라이부르크 시가 역시 농민 동맹과 관계를 끊었으며(7월 17일) 농민 동맹에 맞서 부대를 파견했다. 그러나 여기에서도 제후의 병력이 약했기 때문에 오펜부르크 조약이 9월 18일 체결되었다. 이 조약에는 준트가우도 포함되었다.[223] 슈바르츠발트와 클레트가우의 농민 무리 8개 집단은, 그때까지 무장을 해제하지 않고 있다가 다시 줄츠 백작의 폭정으로 발생한 봉기에 가담하게 되었고 10월에 격퇴당했다. 11월 13일에는 슈바르츠발트 무리도 강제로 조약을 맺게 되었고, 12월 6일에는 라인 강 상류 지역 봉기의 최후 보루였던 발츠후트가 함락되었다.

502

트루흐제스가 떠난 뒤 **알고이 무리**는 수도원과 성을 향한 전투를 새롭게 시작하고 동맹군이 저지른 유린 행위에 철저히 보복했다. 알고이 무리와 맞서 소수 부대가 저항했지만, 이들 부대는 산발적인 소규모 기습전만을 수행할 수 있었을 뿐, 무리를 뒤쫓아 숲속으로 들어갈 능력도 없었다. 6월에 이제까지 다소간 중립을 유지하던 메밍겐에서 도시귀족에 항거하는 운동이 시작되었다. 이 운동은 도시귀족을 도와주러 제때에 올 수 있는 몇몇 동맹군이 우연히 가까이 있어서 진압되고 말았다. 이 평민운동의 설교자이자 지도자인 샤펠러는 장크트갈렌으로 도주했다. 농민이 도시 앞까지 와서 곧바로 돌파구를 ||82| 뚫기 시작했을 때, 이들은 트루흐제스가 뷔르츠부르크에서 이쪽으로 접근하고 있다는 것을 알았다. 6월 27일 농민은 2개 부대로 나뉘어 바벤하우젠과 오버귄츠부르크를 거쳐 트루흐제스를 향해 진격했다. 페르디난트 대공은 오스트리아 왕가를 위해 다시 농민을 확보하려고 시도했다. 그는 농민과 체결한 휴전 협정을 들먹이면서 농민을 향해 더는 진군하지 말 것을 트루흐제스에게 요구했다. 그럼에도 불구하고 슈바벤 동맹은 트루흐제스에게 농민을 공격하되 약탈과 방화는 삼갈 것을 명령했다. 그러나 트루흐제스는 지나치게 교활하여 자신의 가장 중요하고 또 효과적인 전투 수단을 포기하지 못했으며, 그가 보덴 호와 마인 강에 이르기까지 만행에 만행을 저지른 용병들을 제지할 수 있었는데도 그러했다. 농민은 약 23,000명의 병력으로 일러와 로이바스의 배후에 진을 쳤다. 트루흐제스는 11,000명의 병력으로 맞섰다. 양쪽 군대의 진지 모두 만만치 않았다. 그들 앞에 펼쳐진 지역에서는 기병대가 활동할 수 없었으며, 트루흐제스의 용병이 조직이나 군사 물자, 규율 면에서 농민보다 앞서 있다 하더라도, 알고이 무리는 수많은 전직 군인과 경험이 풍부한 지휘관이 포함되어 있었으며, 정교하게 조정되는 대포가 많이 있었다. 7월 19일 슈바벤 동맹군은 양쪽에서 포격을 개시하여 20일까지 온종일 계속했으나 성과는 없었다. 21일 게오르크 폰 프룬츠베르크가 용병 300명을 이끌고 트루흐제스와 합류했다. 게오르크 폰 프룬츠베르크는 이탈리아 원정 시에 휘하에 있던 많은 농민 지휘관을 알고 있었기에 이들과 교섭에 들어갔다. 군사 물자가 불충분한 곳에서는 배신이 성공을 거두었다. 발터 바흐와 그 외 몇몇 지휘관과 포병들이 매수되었다. 이들은 농민의 화약고에 불을 지르고 농민 무리가 우회하도록 유도했다. 그러나 그들이[224] 그들의 막강한 진지를 떠나자마자 트루흐제스가 바흐 및 다른 배신자들과 공모하여 설치해둔 매복에 걸려들고 말았다. 그들은 방어할 능

력이 거의 없었다. 왜냐하면 그들의 지휘관이자 그들을 배신한 자들이 정찰을 구실로 그들을 떠났고 이미 스위스로 가는 길에 있었기 때문이었다. 이렇게 하여 농민 2개 부대가 철저히 파괴되었다. ||83| 로이바스의 크노프 휘하의 셋째 부대는 그때까지 질서 있게 퇴각할 수 있었다. 이 부대는 다시 켐프텐 근처의 콜렌베르크에 진지를 구축했다. 트루흐제스는 이 지역을 포위했다. 그는 이 지역에서도 이 부대에 공격을 감행하지 않았다. 그는 이 부대의 물자 보급로를 차단하고 근처의 200개 마을을 불태움으로써 이들의 사기를 꺾으려고 했다. 배고픔을 겪으며 자기 집이 불타는 것을 본 농민은 결국 항복했다(7월 25일). 20명 이상이 즉시 처형되었다. 자신의 깃발을 배신하지 않은 이 무리의 유일한 지도자인 로이바스의 크노프는 브레겐츠로 도망쳤다. 그러나 그는 그곳에서 체포되어 오랜 투옥 생활 끝에 교수형을 당했다.

G431

이것으로 슈바벤-프랑켄에서의 농민전쟁은 끝이 났다.

VI.

슈바벤에서 최초로 운동이 발생한 직후 **토마스 뮌처**는 다시 서둘러 **튀링겐**으로 가서, 2월 말 혹은 3월 초 이후에 자기 세력이 가장 강력했던 **뮐하우젠** 자유 제국도시에 거처를 정했다. 뮌처는 운동 전체의 맥락을 완전히 파악하고 있었다. 또한 그는 남독일에서 어떤 폭풍이 전면적으로 발생하려 하는지를 알고 있었고, 튀링겐을 북부 독일의 운동 중심으로 만드는 일에 착수했다. 그는 매우 비옥한 토양을 발견했다. 종교개혁 운동의 주요 무대였던 튀링겐 자체는 엄청나게 동요하고 있었다. 혹사당한 농민의 물질적 궁핍과 마찬가지로 만연한 혁명적인 종교적 및 정치적 교의들이 인접한 헤센, 작센, 그리고 하르츠 지역도 전면 봉기를 준비하게 했다. 특히 뮐하우젠은 소시민층 전체가 뮌처의 극단적 사상에 설득되었고, 자신들의 수적 우세로 오만한 도시귀족에 대항할 단 한 순간도 기다릴 수 없었다. 뮌처 자신은 적절한 순간에 선수를 빼앗기지 않기 위해서 유화적으로 행동해야만 했다. 그러나 이곳에서 ||84| 운동을 지휘했던 그의 제자인 파이퍼조차도 봉기가 발발하는 것을 제지할 수 없을 정도로 이미 당혹해하고 있었다. 그리고 남독일에서 봉기가 전면화되기 전인 1525년 3월 17일에 뮐하우젠이 혁명을 일으켰다. 이

전의 귀족 중심의 시 참사회는 전복되었고, 시 정부는 뮌처를 수반으로 하는 새로이 선출된 "영구 시 참사회"로 권한 전체를 인계했다.[225]

과격파 지도자에게 발생할 수 있는 최악의 사태가 있다면 그것은 자신이 대변하는 계급의 지배와 그 계급 지배에 필요한 여러 조치가 시행되기에는 시기가 성숙하지 않은 때에 정부를 어쩔 수 없이 떠맡게 되는 경우일 것이다. 그 지도자가 **할 수 있는** 일은 자신의 의지 여하에 달린 것이 아니라, 다양한 계급이 대립으로 치닫게 되는 수준, 시기마다 계급 대립의 발전 정도에 기초하는 물질적 생존 조건, 생산관계, 교환관계의 발전 정도 등에 달려 있다. 자신이 해야 하는 것, 자기 세력이 그에게 요구하는 것도 마찬가지로 자신에게 달린 것이 아니고, 그렇다고 계급투쟁과 그 투쟁 조건의 발전 정도에 G432 달린 것도 아니다. 그는 자신의 그때까지의 교의와 요구사항에 얽매여 있다. 다시 말하자면 이 교의와 요구사항은 사회적 계급 상호 간의 일시적인 위치에서 나온 것이 아니고, 생산관계와 교환관계의 다소간은 일시적인 우연적 상태에서 나온 것이 아니라, 산업[226] 및 정치 운동의 전반적인 결과에 대한 자신의 크고 작은 통찰력에서 나온 것이었다. 따라서 그는 어쩔 수 없이 해결할 수 없는 딜레마에 빠진 자신을 발견하게 된다. 그가 **할 수 있는** 것은 이제까지의 자신의 모든 행동, 자신의 원칙, 자기 세력의 직접적 이해와 모순된다. 그가 **해야 하는** 것은 성취될 수 없다. 한마디로 그가 어쩔 수 없이 대변해야 하는 것은 자기 세력이나 계급이 아니라 운동이 자신의 지배에 맞게 성숙해 있는 계급이다. 그는 운동 자체를 위해 자기와 무관한 계급의 이해를 관철해야만 하고, 이 무관한 계급의 이해가 자기 계급의 이해라는 빈말, 약속, 확언 등으로 자기 계급을 진정시켜야만 한다. 이런 애매한 위치에 빠진 자는 어찌할 바 모르는 절망 상태에 있게 된다. 최근에 ||85| 우리는 이러한 실례를 목도했다. 프롤레타리아트 대표들 자신이 프롤레타리아트의 매우 낮은 발전 단계를 대변하기는 했지만, 이 대표들이 최근에 프랑스 임시정부를 차지했다는 것을 상기하는 것만으로도 충분하다.[227] 2월 정부——우리가 여기서 고상한 독일 임시정부와 제국 섭정 정부 등을 말할 필요는 없지만——를 경험한 다음에도 여전히 공직에 눈독을 들이는 자는 말할 수 없을 정도로 어리석거나 말로만 급진 혁명 세력에 속해 있는 것이다.

뮐하우젠 영구 시 참사회 수반이라는 뮌처의 지위는 사실 근대의 어떤 혁명적 섭정자보다 상당히 불안한 것이었다. 당시의 운동뿐만 아니라, 그가 살던 세기 전체는 뮌처 자신도 이제 흐릿하게 알기 시작한 사상을 관철하기에는 성숙하지 않았다. 뮌처가 대변하던 계급은 이제야 생성되기 시작했으며, 사회 전체를 정복[228]할 만큼 완전히 발전하지도 않았고 정복할 능력도 없었다. 뮌처의 공상에서 아른거린 사회의 근본적인 변화는 주어진 물질적 관계에 거의 기초하지 않았다. 그리고 심지어 이 물질적 관계는 뮌처가 꿈꾸던 사회질서와는 완전히 정반대인 사회질서를 준비하고 있었다. 그러나 이때에도 그는 기독교적 평등과 복음적 재산 공유제라는 이제까지의 자기 설교에 얽매여 있었다. 적어도 뮌처는 이러한 것을 실행하기 위해 시도하지 않을 수 없었다. 모든 재산의 공유, 누구에게나 동등한 노동의 의무, 모든 권위의 폐지가 선포되었다.[229] 그러나 실제로 뮐하우젠은 어느 정도는 민주적 헌법[230]이 있고, 보통선거로 선출되고 공개적 집회의 통제를 받는 시 참사회 의원이 있는, 그리고 임시 긴급 빈민 부양책이 있는, 공화제 제국도시로 유지되고 있었다. 당시 프로테스탄트 시민층을 그토록 공포에 떨게 한 사회 전복은 실제로 이후 부르주아 사회를 조급히 건설하려는 미약하고 무의식적인 시도 그 이상은 결코 아니었다.

G433

뮌처 자신은 자기 이론과 자기 앞에 놓인 현실 사이의 넓은 간극을 느끼고 있었던 것 같다. 그의 천재적인 견해가 지지자 집단의 우매한 머릿속에 점점 더 왜곡되게 반영될수록, 그는 이 간극을 거의 감추지 못한 채 ||86| 그대로 둘 수밖에 없었을 것이다. 그는 전례 없는 엄청난 열정을 가지고 운동을 확장하고 조직하는 일에 투신했다. 그는 편지를 써서 사방으로 전령과 밀사를 파견했다. 그의 글과 설교는 혁명적 열광에 숨을 불어넣었다. 이 혁명적 열광은 그의 이전 저작과 비교해봐도 놀라운 것이었다. 혁명 전[231] 뮌처의 소책자에서 보이던 소박한 청년의 유머는 완전히 사라져버렸다. 이 사상가의 초기에는 낯설지 않았던 차분한 설명 조의 말도 더는 나타나지 않았다. 지금 뮌처는 완전히 혁명 예언가가 되었다. 그는 끊임없이 지배계급에 대한 증오의 불길을 부채질했다. 그는 광적인 열정을 자극하고, 『구약성서』속 예언자들의 입을 빌려 종교적이고 민족적인 착란 상태를 일으킨 강력한 어법으로만 말한다. 지금 그가 추구하는 문체로 그가 영향을 주고자 한 청중의 교육 수준이 어떠한지를 알 수 있다.

뮐하우젠의 사례와 뮌처의 선동 영향은 급속하게 멀리 퍼졌다. **튀링겐, 아이히스펠트, 하르츠, 작센 공국, 헤센과 풀다, 오버프랑켄과 포크틀란트** 곳곳에서 농민이 봉기했고 무리를 규합해 성채와 수도원을 불살랐다. 뮌처는 어느 정도 운동 전체의 지도자로 인정되었고, 뮐하우젠이 여전히 그 중심지였

506

다. 한편 에르푸르트에서는 순수한 시민층의 운동이 승리를 거두게 되었고, 그곳의 지배 세력은 농민에게 애매한 태도를 계속 견지했다.

튀링겐의 제후들은 처음부터 프랑켄과 슈바벤에서와 마찬가지로 농민에 대해서 어찌할 바를 몰랐고 무력했다. 단지 4월 말이 되어서야 헤센의 방백이 군대를 모으는 데 성공했을 뿐이다. 바로 이 필리프 방백은 그의 신앙심 때문에 종교 개혁사에 관한 프로테스탄트와 부르주아지의 역사 저술에서 대단한 칭송을 받은 자인데, 이제 우리는 그가 농민을 상대로 저지른 비행에 관해 언급하고자 한다. 일련의 신속한 움직임과 결정적인 행동으로 필리프 방백은 자기 ||87| 영지의 대부분을 정복했다. 그는 새로운 파견대를 소집 하여 그때까지 그의 영주였던 풀다 수도원장[232]의 영지로 방향을 바꾸었다. 5월 3일 그는 프라우엔베르크에서 풀다 농민 무리를 격퇴하고 영지 전체를 정복했으며, 이를 기회로 수도원장의 지배에서 벗어났을 뿐 아니라 당연히 나중에 세속 영지로 만든다는 조건으로 풀다의 대수도원령을 헤센의 봉토로 바꾸었다.[233] 그다음에 그는 아이제나흐와 랑겐잘차를 점령하고 작센 공국의 부대와 연합하여 반란의 본거지 뮐하우젠으로 갔다. 뮌처는 프랑켄하우젠에서 8천 명의 병력과 대포 몇 문을 갖춘 부대를 집결했다. 튀링겐 무리는 오버슈바벤 무리와 프랑켄 무리의 일부가 트루흐제스와 접전에서 보여준 전투력을 전혀 갖고 있지 않았다. 이들은 보잘것없이 무장했고 서투른 훈련을 받았을 뿐이었다. 이들 중에는 전직 군인이 거의 없었고 지도자도 부족했다. 뮌처 자신도 분명히 군사 지식이라고는 아예 없었다. 사정이 이러함에도 불구하고 제후는 트루흐제스의 승리에 그토록 도움을 준 바로 그 전술을 이곳에서도 사용하는 것이 적절하다고 생각했다. 그 전술이란 바로 약속 위반이었다. 5월 16일 제후는 교섭에 들어가 휴전 협정을 체결했다. 그러나 그들은 휴전이 끝나기도 전에 농민을 공격했다.

뮌처는 추종자들과 함께 지금도 슐라흐트베르크라고 불리는 구릉에 자리 잡고, 배후에 마차로 원형 바리케이드를 치고 있었다. 이 무리 내부의 사기는 이미 매우 낮게 떨어져 있었다. 제후는 이 무리가 뮌처를 생포해서 넘겨주면 사면을 해주겠다고 약속했다. 뮌처는 원형 회의를 열고 제후의 제안에 대해 논의했다. 기사 1명과 성직자 1명이 항복을 지지하는 발언을 했다. 뮌처는 그들을 원형 한가운데 데려다 놓고 목을 베어버렸다. 결연한 혁명가가 악을 지르며 공포를 불어넣는 이 행위는 다시 이 무리에 약간의 안정감을 가져다주었다. 그러지 않았다면 결국 무리의 대부분은 아무런 저항도 하지 않은 채 뿔뿔이 흩어졌을지도 모른다. 휴전에도 불구하고 제후의 용병들이 산 전체를 에워싼 다음에 밀집 종대로 접근해 오는 것을 알아차리지 못했다는 점을 감안해도 그랬을 것이다.[234] 급히 마차 뒤에 전선을 구축했지만, 이미 포탄과 총탄이 전투 경험이 없고 반은 무장도 ‖88‖ 하지 않은 농민에게 퍼부어졌고, 용병은 마차 바리케이드에 도달했다. 단시간 저항이 있은 후 마차 방어선은 파괴되었고 대포들을 빼앗겼으며 농민은 산산이 흩어졌다. 농민은 엄청난 혼란 속에서 도주하다가 포위 공격을 하던 제후의 군대와 기병대에 잡혀 무시무시한 대량 학살을 당했다. 농민 8천 명 가운데 5천 명 이상이 맞아 죽었다. 생존자들은 프랑켄하우젠에 도착했으며, 동시에 제후의 기병대도 그곳에 도착했다. 이 도시는 함락되었다. 머리에 상처를 입은 뮌처는 어떤 집에 숨었다가 발각되어 체포되었다. 5월 25일 뮐하우젠도 항복했다. 그곳에 남아 있던 파이퍼는 도주했지만 아이제나흐 지역에서 체포되었다.

제후가 지켜보는 가운데 뮌처는 주리를 틀린 다음에 참수되었다. 뮌처는 그가 살았을 때와 같은 용기로 형장에서 죽음을 맞이했다. 처형되었을 때 그의 나이는 겨우 28세였다. 파이퍼도 참수되었다. 이 두 사람 외에 다른 수많은 사람도 참수되었다. 풀다에서는 성직자인 앞에서 말한 헤센의 필리프가 피비린내 나는 법정을 열었다. 그와 작센의 제후는 반란자들을 칼로 베어 죽이도록 명령했다. 아이제나흐에서는 24명, 랑겐잘차에서는 41명이 처형되었다. 프랑켄하우젠 전투 후에는 300명, 뮐하우젠에서는 100여 명 이상, 괴르마어에서는 26명, 튕게다[235]에서는 50명, 장거하우젠에서는 12명, 라이프치히에서는 8명이 처형당했다. 물론 반란자들을 불구로 만들고, 마을과 도시를 약탈하고 불태우는 약간 관대한 조치에 대해서는 말할 필요도 없다.

뮐하우젠은 제국의 자유시 지위를 포기해야 했고 풀다 대수도원령이 헤센 영지로 병합된 것과 같이 작센 영지로 병합되었다.

헤센의 제후들은 이제 튀링거발트를 관통하여 진격했다. 튀링거발트는 빌트하우스 진영의 프랑켄 농민이 튀링겐 농민과 합세하여 수많은 성을 불태운 곳이었다. 마이닝겐 앞에서 전투가 벌어졌다. 농민은 패배하여 마이닝겐 시로 퇴각했지만 시는 갑자기 성문을 굳게 닫고 배후에서 농민을 공격할 것이라고 위협했다. 자기[236] 동맹자들의 배신으로 궁지에 몰린 무리는 제후에게 항복했고 교섭이 이뤄지는 동안에도 뿔뿔이 흩어져버렸다. ‖89‖ 빌트하우스 진영은 오래전에 해체되었고, 이 무리의 해체와 함께 작센, 헤센, 튀링겐, 오버프랑켄의 나머지 봉기 세력은 전멸했다.

508

알자스에서는 라인 강 우안보다 늦게 봉기가 일어났다. 4월 중순쯤에야 농민은 슈트라스부르크 주교구에서 들고일어났다. 곧바로 북부 알자스 농민과 준트가우 농민이 들고일어났다. 4월 18일에는 남부 알자스 농민 무리가 알토르프 수도원을 약탈했다. 다른 무리가 빌러 계곡과 우르비스 계곡 지대뿐 아니라 에베르스하임과 바르 근처에서 조직되었다. 이들은 곧 대규모 남부 알자스 무리로 통합되어 조직적인 방식으로 도시와 마을을 장악하고 수도원을 파괴하기 위해 진격했다. 이 지역에서는 셋 중 하나가 징집되었다. 이 무리의 12개 조항은 슈바벤과 프랑켄 무리의 요구 조항보다 훨씬 더 급진적이었다.[237]

남부 알자스 한 부대가 5월 초에 장크트히폴리트 근처에 집결하여 이 도시를 점령하려 했지만 또 실패로 끝나자 시민과 밀약을 맺었고, 5월 10일에는 베르크하임,[238] 13일에는 라폴츠바일러, 14일에는 라이헨바이어[239]를 수중에 넣는 동안, 에라스무스 게르버 휘하의 제2부대는 슈트라스부르크를 기습 공격하기 위해 진군했다. 그러나 그 시도는 실패했으며 그러자 부대는 포게젠 지방을 향해 방향을 바꾸고, 마우르스뮌스터[240] 수도원을 파괴하고 차베른을 포위하여 5월 13일에는 함락했다. 이곳에서부터[241] 제2부대는 로트링겐 국경 지역을 향해 이동하여 국경과 인접한 공국의 일부 지역을 동요시키고 이와 동시에 협곡에 보루를 설치했다. 자르의 헤르비츠하임[242]과 노이부르크에서는 거대한 야영지가 만들어졌다. 자르게뮌트에서는 4천 명의 도이치-로트링겐 농민이 보루를 설치했다. 마지막으로 두 개의 전진 무리, 즉 슈튀르첼브론[243]의 포게젠 지역의 콜벤 무리와 바이센부르크의 클레부르크 무리가 각각 전방과 우익을 담당한 반면, 좌익은 북부 알자스 무리에 걸쳐져 있었다.

북부 알자스 무리는 4월 20일부터 활동했는데, 5월 10일에는 줄츠, 12일에는 게프바일러, 15일에는 젠하임과 그 주변 지역을 강제로 농민 형제단에 가입시켰다. 오스트리아 정부와 인접한 제국도시들은 즉시 이 무리에 대항하여 단합했다. 그러나 이들은 공격은 고사∥90∥하고 농민에게 심각한 저항조차 할 수 없을 만큼 세력이 약했다. 그래서 5월 중순에는 단지 몇몇 도시를 제외한 알자스 전체가 봉기자들 수중으로 들어갔다.

그러나 알자스 농민의 오만불손함을 꺾겠다는 군대가 다가오고 있었다. 이들은 이곳에서 귀족 지배의 복고를 완수했던 **프랑스인들**이었다. 이미 5월 6일에 로트링겐의 안톤 공은 3만 병력을 이끌고 진군하기 시작했다. 이 군대에는 스페인인, 피에몬테인, 롬바르디아인, 그리스인과 알바니아인의 지원 부대뿐 아니라 프랑스 귀족 가문도 포함되어 있었다. 5월 16일 안톤은 루프슈타인[244]에서 농민 4천 명을 맞닥뜨렸지만 어려움 없이 격퇴했고, 17일에는 농민이 점령했던 차베른을 무력으로 항복시켰다.[245] 그러나 로트링겐군이 시에 진입하고 농민이 무장 해제되는 동안 항복 조건이 파기되었다. 무방비 상태의 농민은 용병의 공격을 받고 대부분 살해되었다. 남아 있던 남부 알자스 부대들은 해산되었으며 안톤 공은 북부 알자스 무리를 향해 진군했다. 차베른에서 남부 알자스 농민과 합류하기를 거부했던 북부 알자스 농민 무리는 셰르바일러에서 로트링겐 전체 군대의 공격을 받게 되었다. 이들은 매우 용맹하게 방어했지만, 로트링겐군의 절대적 우세 — 알자스 무리 7천 명에 비해 로트링겐군은 3만 명 — 와 많은 기사의 배신, 특히 라이헨바이어 행정관[246]의 배신은 이들의 기세를 모두 꺾어버렸다. 이들은 완전히 격퇴되어 뿔뿔이 흩어졌다. 안톤 공은 언제나 그러했듯이 잔혹 행위로 알자스 전체를 평정했다.[247] 오직 준트가우만이 위기를 모면했다. 오스트리아 정부는 안톤 공을 준트가우로 불러들이겠다고 위협하여, 6월 초순 강제로 농민과 엔지스하임 조약을 체결하게 했다. 그러나 오스트리아 정부는 곧 그 조약을 다시 깨고 운동의 설교자와 지도자 다수를 처형하도록 명령했다. 농민은 새로운 봉기를 일으켰지만 이 봉기는 준트가우 농민을 오펜부르크 조약에 끌어들임으로써 끝이 났다(9월 18일).

이제 농민전쟁에 관한 기록은 **오스트리아 알프스 지역**만을 남겨두고 있을 뿐이다. 이 지역은 인접한 **잘츠부르크 대주교구**와 함께 스타라 프라바 운동 이후 정부와 귀족에게 지속적으로 대항해왔다. 그리고 종교개혁의 교의는 이 지역에서 ||91| 풍요로운 토양을 발견했다. 종교적 박해와 자의적인 조세 압박이 이곳에서도[248] 봉기가 발발하게 했다.

잘츠부르크 시는 농민과 광부의 지지를 받아 도시의 특권과 신앙 수련을 놓고 1522년 이래로 대주교[249]와 대립해왔다. 1524년 말에 대주교는 징발한 용병을 이끌고 이 도시를 공격했으며, 성의 대포로 도시를 공포에 몰아넣었고 이단 설교자들을 박해했다. 이와 동시에 대주교는 새로 과중한 조세를 부과하여, 마침내 주민 전체를 극도로 자극했다. 1525년 봄[250] 슈바벤-프랑켄 및 튀링겐의 무장봉기와 같은 시기에 전 지역의 농민과 광부가 갑자기 들고 일어났고 **프라슐러**[251]와 **바이트모저**가 지휘하는 무리로 조직화해 잘츠부르크 시를 해방하고 잘츠부르크 성을 포위했다. 서부 독일의 농민과 마찬가지

로 이들도 기독교 동맹을 조직하고 자신들의 요구사항을 14개 조항으로 요약했다.[252]

또한 새로운 불법적 세금과 관세 그리고 행정 명령이 인민의 가장 중요한 이해관계를 심각하게 침해하던 **슈타이어마르크, 북부 오스트리아, 케른텐, 크라인**에서도 농민이 1525년 초에 봉기를 일으켰다. 농민은 몇 개의 성을 장악하고, 과거 용병대장이자 스타라 프라바의 정복자인 디트리히슈타인을 가이세른[253]에서 공격했다. 비록 봉기자 일부가 정부의 감언이설에 넘어갔지만, 대다수는 함께 남아 잘츠부르크 농민과 하나로 통합했다. 그리하여 잘츠부르크 전체와 북부 오스트리아, 슈타이어마르크, 케른텐, 크라인의 대부분을 농민과 광부가 장악하게 되었다.

티롤에서도 마찬가지로 종교개혁의 교의를 지지하는 세력이 엄청나게 많았다. 이곳은 심지어 뮌처의 밀사들이 오스트리아 알프스 지역보다 더 성공적으로 활동했던 곳이다. 페르디난트 대공은 여기에서도 새로운 교의의 설교자를 박해했으며 자의적으로 재정 규정을 만들어 주민의 특권을 침해했다. 다른 곳과 마찬가지로 같은 해인 1525년 초에 발발한 봉기가 그 결과였다. 이 봉기자들의 최고 지휘관은 뮌처의 제자 ‖92‖ 가이스마이어라는 자로서 농민의 모든 지도자 중에서[254] 유일하게 탁월한 군사적 재능을 지닌 자였다. 봉기자들은 수많은 성을 장악하고 매우 열정적으로 성직자에게 대항했는데, 특히 티롤 남부 지역과 에치 지역에서 그러했다. 포어아를베르크의 농민도 봉기하여 알고이 농민 편에 가담했다. G438

사방에서 압박을 받게 된 대공[255]은 얼마 전까지만 해도 방화, 약탈과 살인으로 절멸하려고 했던 반란자들에게 양보에 양보를 하기 시작했다. 그는 세습 영지의 신분제 의회를 소집하고, 이들이 다 모일 때까지 농민과 휴전 협정을 체결했다. 그러는 동안 그는 가능한 한 빨리 이 사악한 자들에게 다른 말을 할[256] 수 있기 위해서 힘닿는 데까지 무장했다.

당연히 휴전 협정은 오래가지 못했다. 자금이 떨어진 디트리히슈타인은 여러 공국에 기부금을 부과하기 시작했다. 그 외에도 그의 슬라브 및 마자르 군대는 인민에게 몹시 추잡하고 잔혹한 짓을 저질렀다. 이것으로 인해 슈타이어마르크 농민은 다시 봉기를 일으켰다. 농민은 7월 2~3일 밤을 기해 슐라트밍에서 용병대장 디트리히슈타인을 공격하여 독일어를 사용하지 않는 자는 모두 살해했다. 디트리히슈타인 자신도 사로잡혔다.[257] 7월 3일 아침 농민은 배심 재판소를 설치하고 40명의 체코 및 크로아티아 귀족 포로들에게 사형을 선고했다. 이들은 즉시 참수당했다. 이것이 효과를 나타냈다. 대공[258]은 5개 공국(북부와 남부 오스트리아, 슈타이어마르크, 케른텐, 크라인)의 모든 신분의 요구사항을 수락했다.

티롤에서도 신분제 의회의 요구사항이 가결되었고 이를 통해서 북부가 평온해졌다. 그러나 남부는 신분제 의회의 온건한 요구사항에 반대하여 원래의 요구사항을 고집하면서 전투 태세를 갖추고 있었다. 12월이 되어서야 대주교는 무력으로 질서를 복원할 수 있었다. 그는 수중에 들어온 수많은 반란의 주모자와 지도자를 어김없이 처형했다.

8월에 게오르크 폰 프룬츠베르크 휘하의 바이에른인 1만 명이 잘츠부르크를 향해 진군하고 있었다. 농민 사이에서 발생한 분규뿐 아니라 그러한 위협적인 군사력으로 인하여 잘츠부르크 농민은 ||93| 대주교와 조약을 체결하게 되었다. 이 조약은 9월 1일 체결되었고, 대공[259]도 이를 수락했다.[260] 그러는 동안 자신의 부대를 충분히 증원한 제후 두 명이 이 조약을 곧바로 파기했고, 이 때문에 잘츠부르크 농민은 또다시 봉기를 일으켰다. 봉기자들은 겨울 내내 버텼다. 봄이 되자 가이스마이어가 이들 편에 가담하여 사방에서 닥쳐오는 군대에 대항해 탁월한 전투를 개시했다. 1526년 5월과 6월, 일련의 빛나는 전투에서 가이스마이어는 바이에른, 오스트리아, 슈바벤 동맹군을 격퇴하고, 잘츠부르크 대주교의 용병을 차례로 격파하여, 오랫동안 여러 부대가 연합하지 못하도록 했다. 그사이에 가이스마이어는 또한 라트슈타트를 포위 공격할 기회를 포착했다. 그러나 결국 압도적인 병력에 사방에서 포위당해 그는 결국 퇴각할[261] 수밖에 없었다. 그는 전장을 헤치고 나와 잔여 병력을 이끌고 오스트리아 알프스를 넘어 베네치아 영토로 들어갔다. 베네치아 공화국과 스위스는 이 지칠 줄 모르는 농민 지도자에게 새로운 음모를 위한 기반을 제공했다. 1년 내내 가이스마이어는 오스트리아와의 전투에 베네치아 공화국과 스위스를 끌어들이려 했으며, 이것은 새로운 농민 봉기의 기회를 그에게 제공할 수 있는 것이었다. 그러나 이와 같은 교섭과정에서 살인자의 마수가 그에게 뻗쳤다. 페르디난트 대공과 잘츠부르크 대주교는 가이스마이어가 살아 있는 한 평안할 수 없었다. 이들은 어떤 자객에게 대금을 지불했다. 그는 1527년에 이 위험한 반란자를 제거하는 데 성공했다.[262]

G439

VII.

가이스마이어가 베네치아 지역으로 퇴각하자 농민전쟁의 마지막 여파가 막을 내렸다. 농민은 어디서나 다시 교회와 귀족 그리고 도시귀족이라는 그들 주인의 지배 아래 놓이게 되었다. 여기저기서 그들과 체결했던 조약들은 파기되고, 이제까지의 부담은 승자가 패자에게 부과한 엄청난 배상금에 의해 늘어났다. 독일 인민의 가장 위대한 혁명 시도는 굴욕적인 패배와 당분간 가중된 억압으로 끝났다. 그러나 길게 보면 ||94| 농민계급의 상태는 봉기를 억제한다고 해서 악화된 것은 아니었다. 귀족과 제후, 성직자가 농민에게서 해마다 빼앗아 갈 수 있는 것은 이미 전쟁 이전에도 확실히 빼앗기고 있었던 것이다. 당시 독일 농민은 자신의 노동 생산물에 대한 몫이 생계와 종족 번식에 필요한 최소한의 생존수단으로 제한되어 있었다는 점에서 근대 프롤레타리아트와 똑같았다. 따라서 대체로 농민에게서 더는 짜낼 것이 없었다. 다수의 비교적 잘사는 중농이 확실히 몰락했고, 다수의 예농이 농노 신분으로 강제로 편입되었으며, 광대한 공동 경작지가 몰수되었고, 수많은 농민이 주택의 파괴와 경작지의 황폐화 그리고 전반적인 무질서로 인해 떠돌이 신세가 되거나 도시의 평민으로 내던져졌다. 그러나 전쟁과 황폐화는 당시의 일상적인 현상이었고, 전반적으로 농민계급은 너무나 깊은 나락에 빠져 있었기 때문에 세금이 늘어났다고 해서 그들의 상태가 더 악화되는 것도 아니었다. 뒤따른 종교전쟁들과 마침내 끊임없이 되풀이되는 대규모 황폐화와 인구 감소를 가져온 30년 전쟁은 농민전쟁보다 농민에게 훨씬 더 큰 부담을 주었다. 특히 30년 전쟁은 농업에 적용된 생산력의 가장 중요한 부분을 파괴했고, 이러한 농업 생산력의 파괴와 동시에 일어난 많은 도시의 파괴를 통해 농민과 평민 그리고 몰락한 시민을 오랫동안 최악의 형태인 아일랜드와 같은 빈곤으로까지 몰고 갔다. G440

농민전쟁의 결과로 가장 고통받은 사람들은 **성직자 계급**이었다. 이들의 수도원과 많은 시설이 소실되었고, 이들이 소장하던 귀중품은 약탈되어 외국으로 팔려 나가거나 녹아버렸으며, 이들의 창고는 비게 되었다. 어디에서나 이들은 최소한의 저항만 할 수 있었고, 동시에 인민의 증오심이 가장 매섭게 그들을 향해 그들을 엄청나게 압박했다. 다른 신분들, 즉 제후와 귀족 그리고 시민층조차 증오의 대상이었던 고위 성직자의 곤경을 내심 즐거워했다. 농민전쟁은 교회 재산의 몰수를 농민을 위해 인기 있는 조치가 되도록

했는데, 세속 제후와 일부 도시는 ||95| 자신들의 이익에[263] 맞게 이러한 교회 재산의 몰수를 실행했다. 곧 프로테스탄트 지역의 고위 성직자의 주교구들[264]은 제후 혹은 도시귀족의 수중으로 들어갔다. 또한 성직 제후의 지배는 이미 훼손되었고, 세속 제후는 인민의 증오를 이런 측면에서 이용할 방법을 알고 있었다. 그래서 우리가 이미 보았듯이 가령 풀다의 수도원장[265]은 헤센의 필리프가 섬기는 주인의 지위에서 그를 따르는 신하로 격하했다. 그리고 켐프텐 시는 제후 수도원장에게 그가 이 도시에서 소유하고 있던 일련의 귀중한 특권들을 헐값에 팔도록 강요했다.

귀족 역시 상당한 고통을 받았다. 이들의 성은 대부분 파괴되었고, 가장 명망 높던 가문들이 다수 몰락하여 제후를 섬기는 데서 살길을 찾을 수 있었다. 농민에 대한 귀족의 무력함이 확인되었다. 귀족은 도처에서 패배했고 항복을 강요받았다. 오로지 제후의 군대만이 이들을 구해주었다. 귀족은 제국 직속 신분으로서의 의미를 더욱더 잃을 수밖에 없었고, 제후의 지배 아래 예속될 수밖에 없었다.

도시도 전체적으로는 농민전쟁에서 전혀 이익을 보지 못했다. 도시귀족의 지배는 거의 모든 곳에서 다시 강화되었다. 시민층의 반대는 오랫동안 패배한 채 그대로 유지되었다. 옛 도시귀족의 구태는 이어졌고, 프랑스 혁명 때까지 모든 측면에서 상업과 공업의 발전을 억제했다. 게다가 시민 혹은 평민 세력이 투쟁하면서 도시에서 거둔 일시적인 성공에 대하여 제후는 도시에 그 책임을 지웠다. 이미 이전부터 제후의 영지에 속했던 도시는 무거운 배상금이 부과되었고, 여러 특권을 박탈당하고, 제후의 탐욕스러운 전횡에 무방비로 예속되었으며(프랑켄하우젠, 아른슈타트, 슈말칼덴, 뷔르츠부르크 등), 제후의 영지[266]로 합병되거나(뮐하우젠), 아니면 프랑켄의 많은 제국도시처럼 인접 제후에게 도덕적으로 의존하게 되었다.

이러한 상황에서 농민전쟁의 종결로 이익을 본 사람은 오직 **제후**뿐이었다. 독일의 공업 및 상업 그리고 농업의 불충분한 발전이 어떻게 ||96| 독일인이 **국가**의 중앙 집권화를 할 수 없게 했는지, 어떻게 지역 및 지방의 중앙 집권화만을 허용했는지, 따라서 분열 속에서 이러한 중앙 집권화를 대표하는 제후가 어떻게 기존의 사회적 · 정치적 관계들의 모든 변화에서 이익을 볼 수밖에 없는 유일한 신분을 형성했는지, 우리는 이미 이 글의 서두에서 살펴보았다. 당시 독일의 발전 상태는 매우 낮았고, 동시에 각 지방의 발전 상태가 매우 불균등했기 때문에, 세속 제후국과 나란히 주권을 가진 성직

제후, 도시 공화국, 주권을 가진 백작 및 남작이 존속할 수 있었다. 그러나 동시에 이 발전이 매우 느리고 부진했다고 할지라도 이 발전은 항상 **지방의** 중앙 집권화를, 즉 여타 제국 신분들이 제후에게 종속하도록 밀어붙였다. 그러므로 농민전쟁이 끝났을 때 제후만이 이익을 볼 수 있었다. 그리고 실제로도 그랬다. 이들은 경쟁자인 성직자와 귀족, 도시가 쇠약해짐으로써 상대적으로 이익을 보았을 뿐 아니라, 자신들 이외의 모든 신분에게서 전리품[267]을 획득함으로써 절대적으로도 이익을 보았다. 교회 재산은 이들을 위해 몰수되었다. 부분적으로 혹은 완전히 몰락한 귀족의 일부는 이들의 통치를 받을 수밖에 없었다. 도시와 농민층에 부과된 배상금은 제후의 국고로 흘러들어 갔고, 더욱이 많은 도시의 특권들이 없어짐으로써 재원을 제멋대로 운용할 수 있는 여지가 더욱 확대되었다.

독일의 분열, 이 분열의 첨예화와 공고화는 농민전쟁의 주된 결과였고, 동시에 또한 농민전쟁이 실패한 원인이었다.

어떻게 독일이 서로 거의 완전히 떨어진 수많은 독립된 지방으로 분열되어 있었는지, 또한 어떻게 국민(Nation)은 각자의 이런 지방에서 신분 및 신분 내 분파의 잡다한 구조로 나뉘어 있었는지 우리는 이미 보았다. 제후와 성직자 이외에 농촌에서는 귀족과 농민, 도시에서는 도시귀족, 시민과 평민이 있었다. 자신들의 이해관계가 서로 교차하지도 어긋나지도 않을 때도 서로 완전히 모른 척할 뿐인 그런 신분들이었다. 더욱이 이 모든 복잡한 이해관계 위에는 황제와 교황의 이해관계가 있었다. ‖97‖ 이 다양한 이해관계가 비록 답답해 보이고 불완전하고 지역에 따라 불균등하긴 했지만 결국 어떻게 3대 집단으로 형성되었는지, 3대 집단으로의 형성이 이렇게 힘들게 이루어졌지만 어떻게 각 신분이 이해관계를 통해 주어진 국민적 발전의 방향에 역행하여 행동했고, 자신의 운동을 독자적으로 전개해나갔으며, 이를 통해 모든 보수적 신분뿐만 아니라 다른 모든 반대파 신분과도 충돌하여 결국 패배할 수밖에 없었는지 우리는 이미 살펴보았다. 이는 지킹겐 봉기에서 귀족이 그러했고, 농민전쟁에서 농민이 그러했으며, 온건한 종교개혁 전반에서 시민이 그러했다. 그래서 농민과 평민조차도 독일 대부분의 지역에서 공동 행동에 이르지 못했고 서로 방해가 되었다. 우리는 또한 계급투쟁에서의 이러한 분열과 그로 인한 혁명운동의 완전한 패배 그리고 시민운동의 부분적인 패배가 어떤 원인에서 비롯되었는지를 이미 살펴보았다.

지역적 · 지방적 분열과 이로부터 필연적으로 생기는 지역적 · 지방적 편

G442

협함이 어떻게 전체 운동을 파멸시켰는지, 어떻게 시민도 농민도 평민도 국민으로 결집해 행동하지 않았는지, 예를 들어 모든 지방에서 독자적으로 행동한 농민이 어떻게 봉기한 인접 농민의 도움을 항상 거절했는지, 그래서 봉기한 전체 대중의 10분의 1에도 못 미치는 대부분의 군대와의 개별 전투에서 어떻게 차례대로 섬멸되었는지 — 이는 지금까지의 서술로 누구나 충분히 이해했을 것이다. 개별 무리가 그들의 적과 체결한 다양한 종류의 휴전협정과 조약은 공동 목적에 대한 수많은 배신행위였고, 이 무리들의 고유한 행동이 많은 적든 공통점을 갖고 있어서가 아니라 단지 그들을 굴복시킨 특정한 적의 공통점에 따라서만 이 다양한 무리를 하나의 집단으로 묶을 수 있다는 사실은 각 지방의 농민이 얼마나 서로 떨어져 있었는지를 보여주는 결정적인 증거인 것이다.

또한 여기서 1848~50년 운동과의 유사성이 자연스럽게 설명된다. 1848년에도 반대파 계급들의 이해는 서로 충돌했고, 각자 독자적으로 행동했다. 부르주아지는 봉건적-관료적 절대주의를 더는 견딜 수[268] 없을 정도로 많이 발||98|전했지만, 다른 계급들의 요구를 당장 자신들의 요구 아래 종속시킬 수 있을[269] 정도로 강하지는 못했다. 프롤레타리아트는 부르주아 시대를 속히 뛰어넘어 자신의 힘으로 곧바로 지배권을 장악할 수 있기에는 너무나 많이 약했지만, 이미 절대주의하에서 부르주아 체제[270]의 달콤함을 너무 잘 알게 되었고, 프롤레타리아트 자신의 해방이 부르주아지 해방의 한 계기라고 생각할 수 있을[271] 만큼 전반적으로 많이 발전해 있었다. 국민 다수, 즉 소시민과 소시민 동지(수공업자) 그리고 농민은 우선 자신들의 당연한 동맹자였던 부르주아지에게 이미 너무 혁명적이라는 이유로 버림받았고, 때로는 프롤레타리아트에게 아직 충분히 진보적이지 못하다는 이유로 버림받았다. 이들은 자신들끼리도 분열되어 있었기 때문에 아무것도 이루지 못했고, 반대파 동료들이 좌우에서 반대했다. 마지막으로 지방적 편협성은, 1525년 농민의 지방적 편협성이 1848년 운동에 가담한 모든 계급의 지방적 편협성보다 결코 더 컸다고는 말할 수 없다. 백여 개에 달하는 지역적 혁명들, 그리고 이 혁명들과 연관되어 마찬가지로 무제한적으로 이루어진 수많은 지역적 반동과 소국 분할의 유지 등은 이러한 사실을 충분히 증명해줄 것이다. 1525년과 1848년 두 번의 독일 혁명과 그 결과 후에도 아직 연방공화국에 관해 헛소리를 늘어놓는 사람은 정신 병원으로 보낼 수밖에 없을 것이다.[272]

516

그러나 두 번의 혁명, 16세기 혁명과 1848~50년 혁명은 유사점이 많음에도 불구하고 매우 본질적인 차이가 있다. 1848년 혁명은, 비록 독일의 진보를 위해서는 아니지만, 유럽의 진보를 증명한다.

1525년 혁명으로 이익을 본 사람은 누구인가? 제후이다. ─ 1848년 혁명으로 이익을 본 사람은 누구인가? **대**제후, 즉 오스트리아와 프로이센이다. 1525년 소제후의 배후에는 세금으로 결박된 소시민 속물들이 있었지만, 1850년 대제후의 배후에는, 즉 오스트리아와 프로이센의 배후에는 국채로 이들을 급속히 종속시킨 근대 대‖99‖부르주아지가 있다. 그리고 대부르주아지의 배후에는 프롤레타리아트가 있다.

1525년 혁명은 독일의 지방 사건이었다. 독일인들이 농민전쟁을 치르고 있을 때, 영국인과 프랑스인, 보헤미아인과 헝가리인은 이미 자신들의 농민전쟁을 겪은 후였다. 독일도 이미 분열되어 있었지만, 유럽은 더욱 분열되어 있었다. 1848년 혁명은 독일의 지방 사건이 아니라 거대한 유럽적 사건의 개별 부분이었다. 이 혁명의 전체 과정 동안 혁명을 추동한 원인은 어느 한 나라나 어느 한 대륙이라는 좁은 공간으로 한정되지 않는다. 아니, 이 혁명의 무대였던 나라들은 오히려 이 혁명의 산출에 관여하는 바가 가장 적다. 이 나라들은 많건 적건 지금 전 세계가 가담하고 있는 하나의 운동과정에서 새롭게 바뀔 무의식적이고 무의지적인 원료들이다. 다시 말해 이 운동은 기존 사회적 관계 아래에서는 당연히 우리 눈에 하나의 낯선 힘으로만 보일지 모르지만, 그럼에도 결국 우리 자신의 운동일 뿐이다. 따라서 1848년에서 1850년까지의 혁명은 1525년 혁명과 같이 끝날 수 없다.

프리드리히 엥겔스. |

카를 마르크스/프리드리히 엥겔스

런던 노동자교육협회 탈퇴 성명

Erklärung über den Austritt aus dem Londoner Arbeiterbildungsverein

/그레이트 윈드밀 스트리트 소재 협회의 화요일 회장[1] 귀하.

아래 서명자들은 이것으로 귀 협회를 탈퇴할 것을 통지합니다.

런던, 1850년 9월 17일

H. 바우어. Ch. 펜더.

J. G. 에카리우스. S. 자일러. K. 마르크스. C. 슈람.

F. 엥겔스. F. 볼프. W. 리프크네히트. 하인. 하우프트.

G. 클로제.

『공산당 선언』 부분 인쇄물에 대한 각주

Fußnote zum Teilabdruck des "Manifestes der Kommunistischen Partei"

《노이에 라이니셰 차이퉁. 정치-경제 평론》

제5/6호, 1850년 5~10월

|100| 이것은 카를 마르크스와 프리드리히 엥겔스가 저술하여 2월 혁명 **이전에** 출판한 **『공산당 선언』**의 발췌물이다.

편집자 주|

카를 마르크스/프리드리히 엥겔스

요한 게오르크 에카리우스의 기고문
「런던의 재봉업」에 대한 편집자 주해

Anmerkungen der Redaktion zu dem Artikel "Die Schneiderei in London"
von Johann Georg Eccarius

《노이에 라이니셰 차이퉁. 정치–경제 평론》
제5/6호, 1850년 5~10월

|128| 이 글의 저자 자신도 런던의 한 재봉소에서 일하는 **노동자**[1]다. 우리는 이와 비슷한 방식으로 현실의 운동을 파악할 수 있는 작가가 과연 얼마나[2] 된다고 생각하는지 독일의 부르주아지에게 묻고 싶다.

프롤레타리아트가 바리케이트와 전장에서 승리를 쟁취하기 전에 프롤레타리아트의 지배가 도래했음을 예고하는 일련의 지적인 승리가 이루어지고 있다.

독자들은 **바이틀링**이나 그 밖의 작가 노동자들이 기존 상태에 저항해 감상적이고 도덕적인 또는 심리적인 비판을 제기한 것과 달리, 여기에서는 기분[3]에 젖지 않은 채 부르주아 사회와 이 사회의 운동 방식에 대해 순전히 유물론적이고 더 자유로운 분석이 제시되고 있다는 것을 알게 될 것이다. 특히 독일에서는 그리고 또한 많은 부분은[4] 프랑스에서도 기능공이 자신의 반(半)중세적인 지위가 몰락하는 것에 곤두서 있으면서 **수공업자로서**[5] 연합을 모색하는 반면에, 여기서는 기능공이 대공업에 굴복하는 것이 진보로서 이해되고 찬양되는 동시에 역사에 의해 산출되었고 또 매일 새롭게 산출되고 있는 프롤레타리아트 혁명의 현실적 조건들이 대공업의 결과와 생산 속에서 포착되고 또 폭로되고 있다.

편집자 주[6]|

카를 마르크스
「평론. 1850년 5월에서 10월까지」를 위해 기록한 독일에 관한 메모
Notizen über Deutschland für die "Revue. Mai bis Oktober 1850"

| 1) 러시아 통치권의[1] 노골적인[2] 등장. 프로이센과 오스트리아의 패권 분점. 이 두 나라의 경쟁으로 소국들은 형식적으로나마[3] 다시 공고해짐. 그러나 독일 대중에게 (헤센, 바덴 같은) 소국의 제후는 더는 존경의 대상이 아니며 그래서 1848년에만 해도 매우 뚜렷했던 가문 간 차이와 소도시 간 차이가 쇠퇴함. 마찬가지로 1848년 혁명의 결과로 기존의 모든 공권력의 권위[4]가 약화됨.

2) **프로이센**. 비록 **정부**에서 배제되고 자존심에 상처를 입은 허울뿐인 정체(政體)이지만, 부르주아지는 모든 것을 이루었으며 그들이 1847년에 감히 요구했던 것보다 더 많은 것을 이루었음.

3) **오스트리아**는 지금까지 농민계급을 우선시했으며 혁명의 성과를 수확했다. 합법적인 보호관세 제도.[5]

4) **오스트리아와 프로이센의 통상 정책의 차이.** 자유무역(free trade). 프로이센의 귀족은 영국의 산업 부르주아지와도 같음.|

카를 마르크스/프리드리히 엥겔스

평론. 1850년 5월에서 10월까지

Revue. Mai bis Oktober 1850

《노이에 라이니셰 차이퉁. 정치-경제 평론》

제5/6호, 1850년 5~10월

|129| 평론.
5월에서 10월까지.

———

지난 6개월 동안의 정치적 동요는 직전 시기와 본질적으로 다르다. 혁명 세력은 도처마다 무대에서 밀려났고, 승리자들은 승리의 열매를 획득하기 위해 다투었다. 프랑스에서는 부르주아지의 여러 분파가 그러했고, 독일에서는 여러 제후가 그러했다. 이 다툼은 매우 요란하게 진행되고 있으며 마치 노골적인 결렬과 무기를 통한 결정이 불가피해 보이기까지 한다. 그러나 실제로 불가피한 것은 무기를 빼어 들 수 없다는 점, 수없이 반복되는 평화 조약을 통해 결정 유보 상태를 계속 숨기면서 허울뿐인 전쟁 준비를 새로 할 수밖에 없다는 점이다.

이런 표면적인 격동의 근저에 놓인 **현실적** 기초를 먼저 살펴보자.

1843~1845년은 산업과 상업이 번창한 해였으며, 이것은 1837~1842년에 거의 중단 없이 계속된 산업 불황의 필연적 결과였다. 늘 그렇듯이 이런 호황은 매우 빠르게 투기로 이어졌다. 투기는 과잉 생산이 한창 진행 중인

시기에 한결같이 등장한다. 투기는 과잉 생산의 일시적인 배출 통로 구실을 하며 그럼으로써 동시에 위기의 도래를 가속화하고 위기의 위력을 증가시킨다. 위기 자체는 투기 영역에서 처음 발생하여 차차 생산 영역까지 덮치게 된다. 그래서 과잉 생산이 아니라 과잉 생산의 한 증상에 불과한 과잉 투기가 피 ‖130‖ 상적으로 볼 때는 마치 위기의 원인인 것처럼 보인다. 그리고 G449 뒤따르는 생산의 붕괴는 과거에 생산 자체가 과도했기 때문에 생긴 필연적 결과가 아니라 단순히 투기가 붕괴하면서 생긴 부작용인 것처럼 보인다. 하지만 1843~45년 시기[1]의 역사를 지금 전부 서술할 수는 없으므로, 이 자리에서는 과잉 생산의 이런 **증상들** 가운데 가장 중요한 것들을 작성하고자 한다.

1843~1845년 호황기에 투기는 실제 수요를 기반으로 한 철도에 주로 몰렸고, 1845년의 가격 상승과 감자병이 발생한 후에는 곡물에 몰렸으며, 1846년의 흉작 뒤에는 면화에 그리고 영국에 의해 중국 시장이 개방된 뒤에는 동인도와 중국 무역에 투기가 뒤따라 몰렸다.

영국 철도 체계의 확장은 이미 1844년부터 시작되었지만 그것이 완전히 발전한 것은 1845년에 들어와서였다. 이해에만 철도 회사 설립을 위해 등록된 문서(Bill)의 수가 1,035건에 달했다. 1846년 2월에 이렇게 등록된 사업 계획서들 가운데 다수가 이미 다시 포기되었지만, 여전히 진행 중인 사업들을 위해 정부에 예치된 돈의 총액은 자그마치 1400만 파운드스털링에 달했으며, 1847년에 영국에 지불 청구된 금액의 총액은 4200만 파운드스털링을 넘었다. 이 가운데 3600만 파운드스털링 이상은 영국 철도를 위한 것이었고 550만 파운드스털링 이상[2]은 외국 철도를 위한 것이었다. 이런 투기의 절정기는 1845년 여름과 가을이었다. 주식 가격이 계속 올랐고, 그러자 모든 계급의 국민이 투자자의 수익을 좇아 이 소용돌이에 휘말렸다. 여러 노선의 관리자가 되는 이 수지맞는 명예를 획득하기 위해 공작과 백작이 상인이나 제조업자와 다투었다. 또한 수많은 하원 의원, 법률가, 성직자도 이 직책에 참여했다. 1페니히라도 아껴둔 자는, 아주 조금이라도 대출을 할 수 있는 자는 모두 철도 주식에 투자했다. 철도 신문의 수는 3개에서 20개 이상으로 증가했다. 몇몇 거대 일간지는 철도 광고와 팸플릿으로 일주일에 ‖131‖ 14,000파운드스털링을 벌곤 했다. 기술자는 수가 부족했기 때문에 엄청난 임금을 받았다. 팸플릿, 계획서, 카드 등을 제작하기 위해 필요한 인쇄공, 석판공, 제본업자, 지물 상인 등은 물론 무수한 신임 감독, 임시 위원회 등의 사무실이 버섯처럼 생겨나면서 거기에 가구를 공급한 가구 제조업자까지 후한 가격을 받을 수 있었다. 영국과 대륙의 철도 체계가 실제로 확장된 과정을 토대로, 그리고 이것과 연관된 투기를 토대로 이 시기 동안에 로(Law)와 남해회사(Südseegesellschaft) 시절을 상기시키는 사기의 상부구조가 점차 쌓여갔다.[3] 성공할 가능성이 전혀 없는 수백 개의 노선 계획이 수립되었는데, 계획을 수립한 사람 자신도 이 사업이 실제로 시행되리라고는 전혀 생각지 않았으며, 오로지 관리자에게서 예치금을 짜내고 주식 판매를 통해 사기성 수익을 올리는 것만이 중요했다.

G450

1845년 10월에 반응이 일어나기 시작해 이내 완전한 공황 상태(panic)로 발전했다. 그래서 정부에 예치금을 넣어야 했던 1846년 2월이 되기도 전에 허술한 사업 계획들은 이미 파산을 맞이했다. 그리고 1846년 4월에는 타격이 이미 대륙의 주식 시장들까지 미쳤다. 파리, 함부르크, 프랑크푸르트, 암스테르담에서는 강제 공매가 매우 낮은 가격으로 진행되었으며 그 여파로 은행가들과 중개인들의 파산이 연이어 일어났다. 그리고 전반적인 압력이 점점 더 거세지고 예치금 납입일이 다가옴에 따라 약간 허황된 사업 계획들도 잇달아 파산함으로써 철도 위기는 1848년 가을까지 이어졌다. 그리고 이런 위기는 투기의 또 다른 영역인 통상과 산업 분야에서도 위기가 찾아옴으로써 더욱 심각해졌다. 그래서 비교적 견실했던 오래된 주식의 가격도 점차 떨어져서 1848년 10월에는 최저 수준까지 내려갔다.

1845년 8월에 많은 사람의 관심을 먼저 끈 것은 영국과 아일랜드뿐만 아니라 대륙에도 발생한 감자병이었다. 이것은 기존 사회의 뿌리가 썩었음을 보여주는 최초의 증상이었다. 그와 동시에 이미 예상했던 대로 곡물 수확도 크게 감소할 것이라는 점을 ||132| 확신시켜주는 보고가 잇따랐다. 이러한 두 가지 사정이 반영되어 유럽의 모든 시장에서 곡물 가격은 상당히 올랐다. 아일랜드에는 완전히 기근이 들어서 영국 정부는 이 지방에 8백만 파운드스털링을 융자해 주어야만 했는데, 이것은 아일랜드 주민 1인당 정확히 1파운드스털링에 해당하는 금액이었다. 4백만 파운드스털링의 손해를 입힌 홍수로 극심한 재난 상황에 빠진 프랑스에서는 흉작이 극히 심했다. 그리고 네덜란드와 벨기에의 사정도 이에 못지않았다. 1845년의 흉작에 이어 1846년에는 더욱 심한 흉작이 발생했으며 감자병도 규모가 줄어들긴 했지만 또다시 발생했다. 곡물 투기는 이렇게 완전히 현실적인 기초가 되었다. 그리고 1842년부터 1844년까지 풍작이 오랫동안 거의 모든 곡물 투기를 억눌렀

던 그만큼 곡물 투기는 더 폭력적으로 발전해갔다. 1845년부터 1847년까지 영국에서는 유례를 찾아볼 수 없을 만큼 대규모로 곡물 수입이 이루어졌다. 곡물 가격의 상승은 1847년 봄까지 계속되었으며, 그 후로는 여러 나라의 새 수확량에 대한 엇갈린 보도와 (자유로운 곡물 수입을 위한 항구 개방 같은) 각국 정부의 조치 때문에 곡물 가격이 한동안 유동적이었다가 마침내 1847년 5월에 최고점에 이르렀다. 이달에 영국에서 밀의 쿼터당 평균 가격 G451 은 102.5실링까지 올랐으며 어느 날에는 115실링 또는 124실링까지 오르기도 했다. 그러나 얼마 안 있어 날씨와 다가올 수확에 대해 훨씬 양호한 보도가 이어지자 곡물 가격이 하락하여 7월 중순에는 평균 가격이 74실링밖에 되지 않았다. 그러다가 여러 지역의 날씨가 좋지 않아 가격이 다시 상승했으며, 마침내 8월 중순경에는 1847년의 수확이 평년작 이상이라는 사실이 확실해졌다. 그래서 가격 하락은 더 멈출 수가 없었다. 곡물의 영국 수출은 모든 기대를 뛰어넘었으며 9월 18일에 평균 가격은 49.5실링까지 내려갔다. 결국 16주 동안에 평균 가격이 53실링만큼이나 요동친 셈이었다.[4]

이 기간 전체에 철도 위기가 계속되었을 뿐만 아니라 곡물 가격이 최고에 달한 바로 그 순간에, 즉 1847년 4월과 5월에 ||133| 신용 체계가 완전히 붕괴하여 화폐 시장에 대혼란이 일어났다. 그래도 곡물 투기자들은 가격 하락에 맞서 8월 2일까지 버텼으나, 이날 은행은 최저 할인율을 5퍼센트로 올렸고 만기가 2개월 이상 남은 모든 어음에 대해서는 6퍼센트로 올렸다. 그러자 곧바로 곡물 증권거래소에서는 잉글랜드은행 총재인 로빈슨 씨의 부도를 필두로 어마어마한 도산 사태가 잇따랐다. 런던에서만 8개의 거대 곡물 창고가 파산했으며, 그들의 채무는 모두 합해 150만 파운드스털링이 넘었다. 지방의 곡물 시장들은 완전히 마비되었으며 이곳, 즉 리버풀에서도 똑같이 빠른 속도로 파산이 잇따랐다. 그리고 대륙에서도 런던과의 거리에 따라 시간차를 보이면서 도산 사태가 잇따랐다. 그리고 마침내 곡물 가격이 바닥을 친 9월 18일에는 영국의 곡물 위기가 완료되었다고 볼 수 있다.

이제 우리는 본래의 상업 공황, 즉 화폐 공황을 살펴보기로 하자. 1847년의 첫 4개월 동안에 상업과 산업의 전반적인 상황은 아직도 만족스러워 보였다. 다만 철 생산과 면화 산업은 예외였다. 1845년의 철도 열풍으로 풀가동된 철 생산은 철의 공급 과잉으로 판로가 좁아지자 당연히 그만큼 애를 먹었다. 동인도와 중국 시장의 주력 산업 분야인 면화 산업은 이미 1845년에 이들 시장에 대한 생산이 과잉 상태였으며 곧바로 상대적인 불황이 나타나기 시작했다. 1846년의 면화 흉작, 원면과 면제품 모두의 가격 상승 및 그에 따른 소비 감소로 인해 이 산업에 대한 압력이 증가했다. 그래서 1847년 초부터 랭커셔 전역에 걸쳐 생산이 상당히 위축되었으며 면화 노동자들은 이미 위기의 한가운데에 놓여 있었다.

G452 　　1847년 4월 15일에 잉글랜드은행은 단기 어음에 대한 최저 할인율을 5퍼센트로 올리고 ‖134‖ 관련 거래소의 성격과 상관없이 할인 가능한 어음의 총액을 제한했다. 결국 선대금을 지급해준 상인들에게도 만기가 도래하면 평소처럼 만기를 연장하는 대신에 상환을 요구할[5] 것이라고 최종 통보했다. 이틀 후에 발표된 잉글랜드은행의 주간 결산에 따르면 영업부(Banking Departement)의 준비금은 250만 파운드스털링으로 떨어졌다. 결국 잉글랜드은행이 위와 같은 조치를 취한 까닭은 금이 은행 창고에서 빠져나가는 것을 막고 금의 유동성을 다시 늘리기 위한 것이었다.

　　금과 은이 은행에서 빠져나간 데는 여러 가지 원인이 있었다. 우선 거의 모든 상품의 가격이 상당히 오른 상태에서 소비를 유지하기 위해서는 특히 소매상들 사이에 금과 은이 광범위하게 유통될 필요가 있었다. 그리고 철도 건설을 위한 끊임없는 투자 금액은 4월에만 431만 4천 파운드스털링에 달할 정도로 상당했는데, 이 때문에 대량의 공탁금이 다시 은행에서 빠져나갈 수밖에 없었다. 이렇게 청구된 돈 가운데 외국 철도를 위한 부분은 바로 외국으로 빠져나갔다. 투기로 소비 상승과 더욱이 가격[6] 상승이 일어난 설탕과 커피 및 그 밖의 식민지 상품들, 작황 상태가 그리 양호하지 않다는 사실이 확실해지자 투기 구매가 일어난 면화, 그리고 특히 흉작이 거듭된 곡물 등이 상당한 정도로 과잉 수입되었는데, 이것은 대부분 현금이나 금으로 지불되어야 했기 때문에 상당량의 금은이 외국으로 빠져나갈 수밖에 없었다. 그리고 이렇게 귀금속이 영국에서 빠져나가는 일은 위에 언급한 잉글랜드은행의 조치에도 불구하고 8월 말까지 계속되었다.

　　잉글랜드은행의 결정과 이 은행의 준비금이 충분치 않다는 보도는 곧바로 화폐 시장에 압력으로 작용하여 영국의 전체 상업 거래를 공황 상태로 빠뜨렸는데, 이것은 1845년의 혼란만큼이나 강력한 것이었다. 4월 하순과 5월의 첫 4주 동안에 거의 모든 신용 거래가 마비되었다. 하지만 특별한 파산 사태는 벌어지지 않았는데, 왜냐하면 상사(商社)들이 엄청난 이자 지급과 재고품, 국채 등의 헐값 강매로 버텼기 때문이다. 공황에 대한 이런 초기 대응으로 ‖135‖ 공황에서 벗어날 수 있었지만 이것은 견실한 일련의 상사

526

들이 나중에 파멸하는 기초였을 뿐이었다. 초기의 매우 위협적인 위험을 이렇게 극복한 것은 사람들의 자신감을 높이는 데 크게 기여했다. 5월 5일부터 화폐 시장에 대한 압력은 눈에 띄게 줄어들었으며 5월 말쯤에는 경보가 거의 지나간 것처럼 보였다.

그러나 몇 달이 지나지 않아 8월에 접어들자 이미 언급했던 파산 사태가 G453
곡물 거래에서 일어났고 이런 사태는 9월까지 계속되었다. 공황이 더욱 폭력적인 모습으로 통상 전반에 걸쳐, 특히 동인도와 서인도 및 모리셔스[7] 회사에서 발발했으며, 그와 동시에 런던, 리버풀, 맨체스터, 글래스고에서도 공황이 발발했다. 9월에 런던에서만 20개의 회사가 도산했는데, 이들의 전체 채무액은 9백만 파운드스털링에서 1천만 파운드스털링 사이였다. "당시에 우리는 영국에서 상업계의 왕가들이 뿌리째 뽑히는 것을 보았습니다. 이것은 우리가 최근에 자주 접하다시피 대륙에서 정치적 회사들이 몰락하는 것만큼이나 놀라운 일이었지요."[8] 디즈레일리[9]는 1848년 8월 30일 하원에서 이렇게 말했다. 동인도 회사들의 도산은 그해 말까지 끊임없이 이어졌으며 1848년 초기 몇 달 동안에는 캘커타, 봄베이, 마드라스, 모리셔스 지역에 있는 관련 회사들의 도산 소식이 날아들었다.

이렇게 상업의 역사에서 유례를 찾기 힘들 정도로 파산 사태가 이어진 까닭은 전반적인 과잉 투기와 그에 따른 식민지 상품의 과잉 수입 때문이었다. 오랫동안 인위적으로 높은 가격을 유지했던 이런 상품들의 가격은 1847년 4월의 공황 상태 이전에도 일부 떨어지기 시작했으나, 전반적으로 그리고 상당한 규모로 가격 하락이 발생한 것은 전체 신용 체계가 붕괴되고 회사들이 하나둘씩 대량 강매에 내몰린 이 공황 상태 **이후**였다. 특히 6월과 7월부터 11월까지 이런 도산은 엄청난 규모로 진행되어 가장 오래되고 견실한 회사들까지 몰락을 면할 수 없었다.

9월의 파산 사태는 아직 **본래의 상사들**에 한정되어 있었다. 10월 1일에 잉글랜드은행은 단기 ||136| 어음에 대한 최저 할인율을 5.5퍼센트로 올리는 동시에 이후로는 종류를 불문하고 국채에 대해 선대금을 지급하지 않을 것이라고 선언했다. 이제 **주식은행과 사설은행**도 더는 압박을 버틸 수 없었다. 리버풀 왕립은행, 리버풀 은행회사, 노스 앤드 사우스 웨일스 은행, 뉴캐슬 유니언 조인트 스톡 은행 등이 차례로 며칠 안에 문을 닫았다. 그리고 동시에 수많은 소규모 사설은행의 지급 불능 선언이 영국 전역에서 잇달았다.

특히 10월에 두드러졌던 은행들의 이런 전반적인 지불 정지에 뒤이어 리버풀, 맨체스터, 올덤, 핼리팩스, 글래스고 등지에서 상당수의 유가증권 거래업자, 어음·주식·선박·차(茶)·면화 등의 중개업자, 철 생산자와 철 거래상, 면직과 모직 제조업자, 면직물 날염업자 등이 파산했다. 투크 씨에 따르면 이런 파산 사태는 그 수와 자본액의 측면에서 모두 영국 상업 역사상 유례가 없는 것이었으며 1825년 공황 때의 파산 규모를 훨씬 넘어서는 것이었다.[10] 이 공황은 10월 23일부터 25일까지 절정에 달하여 모든 상업 거래가 완전히 중단되었다. 그러자 런던 시티 대표단은 1844년에 제정된 은행법[11]의 보류 조치를 취했는데, 이것은 고인이 된 로버트 필 경이 예리한 통찰력으로 도입했던 법이었다. 이 보류 조치로 말미암아 은행을 별도의 금 준비금을 갖춘 두 개의 완전히 독립된 부서로 나누었던 것이 잠정적으로 해제되었다. 만약 이런 조치를 취하지 않았더라면 잉글랜드은행의 영업부는 발행부(issue department)에 6백만 파운드스털링의 금이 비축되어 있음에도 며칠 안에 도산할 수밖에 없었을 것이다.

이미 10월에 공황의 첫 번째 타격이 **대륙**에서 나타나기 시작했다. 브뤼셀, 함부르크, 브레멘, 엘버펠트, 제노바, 리보르노, 쿠르트레, 상트페테르부르크, 리스본, 베네치아 등지에서 상당한 파산 사태가 동시에 발발했다. 영국에서 공황의 강도가 줄어든 것과 반비례해서 대륙에서는 공황의 강도가 세져서 지금까지는 영향을 받지 않던 곳까지 공황이 확산되었다. 이 최악의 기간에 환율은 영국에 유리했기 때문에 11월부터 계속 ||137| 증가하던 금과 은의 유입이 러시아와 대륙은 물론 아메리카 대륙으로부터도 계속 이어졌다. 그 직접적인 결과로 영국의 화폐 시장이 완화된 만큼 그 밖의 지역에서는 화폐 시장이 축소되었고 공황도 그만큼 더 확산되었다. 그래서 영국 이외의 지역에서 파산한 회사 수는 11월에 더욱 증가했다. 뉴욕, 로테르담, 암스테르담, 아브르, 바욘, 안트베르펜, 몽스, 트리에스테, 마드리드, 스톡홀름 등지에서도 주요 회사들의 파산이 잇따랐다. 그리고 12월에는 마르세유와 알제에서도 공황이 발발했으며 독일에서는 공황이 더욱 강력해졌다.

이제 우리는 프랑스 2월 혁명이 발발한 지점에 이르렀다. D. M. 에번스 씨가 그의 저서 『1847~48년의 상업 공황』(런던, 1848년)에 첨부한 파산 목록을 보면 영국에서는 **주요 상사 가운데 단 하나도** 이 혁명의 여파로 도산하지 않았음을 알 수 있다.[12] 이 혁명과 관련이 있는 유일한 도산 사태는 유가증권 거래 분야에서 일어났는데, 이것은 대륙의 모든 국채가 갑자기 평가 절하되었기 때문에 발생했다. 유가증권 거래소의 유사한 도산 사태가 암스테

528

르담, 함부르크 등지에서도 당연히 일어났다. 영국 국채는 7월 혁명 이후에는 3퍼센트 하락한 데 비해 이번에는 6퍼센트 하락했다. 결국 런던의 주식 투기꾼들에게 2월 공화정은 7월 군주정보다 겨우 두 배 더 위험하게 보인 셈이었다.

파리에서 2월 혁명 이후에 발발했고 동시에 전 대륙에 걸친 혁명과 함께 확산된 공황 상태는 1847년 4월의 런던 공황 상태와 매우 비슷하게 전개되었다. 신용 거래가 갑자기 자취를 감추었고 거의 모든 거래가 중단되었다. 파리, 브뤼셀, 암스테르담에서는 모두가 은행으로 달려가 은행권을 금으로 바꾸려 했다. 그러나 전체적으로 볼 때 유가증권 이외의 분야에서는 파산 사태가 매우 적었으며 이런 파산 상태를 2월 혁명의 필연적 결과로 보기에는 증거가 부족했다. 파리 대다수 은행가의 그저 일시적인 지불 정지는 부분적으로 유가증권 거래와 관련이 있으며, 부분적으로는 단순한 예방 조치였을 뿐 실제적인 지급 불능 때문에 취해진 조치가 아니었고, 또 부분적으로는 ||138| 임시정부를 곤란에 빠뜨려 양보를 얻어내려고 그저 횡포를 부린 결과였다. 대륙의 다른 도시에서 발생한 은행가와 상인의 도산 사태의 경우에는 그것이 얼마나 상업 공황의 지속 및 점진적인 확산 때문에 발생한 것인지, 혹시 이미 썩어빠진 상사들이 그럴듯한 출구를 모색하기 위해 당시 시대 상황을 이용한 것은 아닌지, 또는 그런 도산이 얼마나 실제로 혁명적인 공황 상태 때문에 생긴 손실의 결과인지 등을 판단하기가 불가능하다. 그러나 어쨌든 확실한 점은 1848년 혁명이 상업 공황을 불러일으킨 측면보다는 상업 공황이 혁명을 불러일으킨 측면이 훨씬 크다는 사실이다. 3월부터 5월 사이에 영국은 이미 혁명의 직접적인 혜택을 받고 있었다. 왜냐하면 혁명의 여파로 엄청난 양의 대륙 자본이 영국으로 흘러들어 왔기 때문이다. 이 시점부터 영국의 공황은 종료된 것으로 간주될 수 있다. 모든 사업 분야가 개선되기 시작했으며 호황으로 접어드는 경향이 뚜렷해졌고 새로운 산업 주기가 시작되었다. 영국의 산업 및 상업의 이러한 번창에 대해 대륙의 혁명이 거의 장애가 되지 않았다는 사실은 영국에서 가공된 면화의 양이 4억 7500만 파운드(1847년)에서 7억 1300만 파운드(1848년)로 증가했다는 데서도 잘 알 수 있다.

이 새로운 호황 국면은 **영국**에서 1848년, 1849년, 1850년의 3년 동안에 뚜렷하게 진전되었다. 1월부터 8월까지 8개월 동안에 영국의 수출 총액은 1848년에 31 633 214파운드스털링이었고 1849년에는 39 203 322[13]파운

드스털링, 1850년에는 43 851 568파운드스털링에 달했다.[14] 이렇게 상당한 증가는 철 생산을 제외한 모든 분야에서 나타났으며, 나아가 이 3년 동안에 작황 상태도 전반적으로 양호했다. 그래서 1848~50년에 밀의 평균 가격은 영국에서 쿼터당 36실링으로, 프랑스에서는 쿼터당 32실링으로 떨어졌다. 이 호황기의 특징은 투기의 3대 배출 통로가 막혔다는 데 있었다. 즉 철도 생산은 한 평범한 산업 분야의 느린 발전 상황으로 돌아갔고, 곡물은 풍작이 잇따르면서 투기의 기회를 제공하지 않았다. 그리고 국채는 일련의 혁명을 통해 안전성을 상실했는데, 이런 안전성 없이 유가증권의 투기적인 대규모 거래란 불가능한 것이었다. 호황기에는 언제나 자본의 증식이 ||139| 일어난다. 한편으로 생산의 증가는 새로운 자본을 산출한다. 그리고 다른 한편으로 공황 때 잠자던 기존 자본은 휴면 상태에서 깨어나 시장에 투자된다. 이 **추가** 자본은 1848~50년에 투기 판로가 부족했기 때문에 본래의 산업 분야에 투자될 수밖에 없었으며 그래서 생산을 더욱 급증시켰다. 영국인들이 이것을 설명할 수는 없었지만 얼마나 관심이 있었는지는 1850년 10월 19일 자《디 이코노미스트》의 다음과 같은 순진한 진술이 잘 보여준다.

"주목할 만한 점은 현재의 호황이 과거의 모든 시기와는 근본적으로 다르다는 것이다. 과거의 모든 호황기에는 어떤 식으로든 근거 없는 투기가 실현될 수 없는 희망을 불러일으키곤 했다. 한 번은 외국 광산이, 다른 한 번은 반세기 동안에 가능한 것보다도 더 많은 철도를 건설할 수 있다는 희망이 사람들을 들뜨게 만들었다. 설령 이런 투기가 상당한 근거를 가지고 있었을 때에도 투기는 언제나 금속의 생산을 통해서든 새로운 유통과 시장의 창출을 통해서든 상당한 시기가 지난 뒤에나 실현될 수 있는 수익을 내다보면서 이루어졌다. 이렇게 투기는 곧바로 수입을 가져다주지 않았다.[15] 그러나 오늘날 우리의 호황기는 직접 쓸모 있는 물건의 생산에 기초한다. 이런 물건은 거의 시장에 나오자마자 소비로 이어지기 때문에 생산자는 적절한 수입을 올릴 수 있고 그래서 더 많은 생산에 박차를 가하게 된다."[16]

1848년과 49년에 산업 생산이 얼마나 증가했는지를 한눈에 보여주는 증거는 중심 산업 분야인 면화 가공업에서 찾아볼 수 있다. 미합중국에서 1849년의 면화 수확량은 과거 어느 때보다도 많았으며 275만 꾸러미 또는 대략 12억 파운드에 달했다. 이런 공급의 증가와 보조를 맞추어 면화 산업의 확장이 이루어져서 1849년 말에 면화 비축량은 심지어 과거 흉작기 때보다도 적었다. 그래서 1849년에는 7억 7500만 파운드 이상의 면화가 가공되

었는데, 이에 비해 지금까지 최고 호황기였던 1845년에는 겨우 7억 2100만 파운드가 가공되었다. 면화 산업의 확장을 보여주는 또 다른 증거는 ||140| 1850년의 수확이 비교적 경미하게 줄어들자 면화 가격이 크게 (55퍼센트) 상승했다는 사실이다. 그리고 최소한 동일한 정도의 발전이 비단, 모직, 혼합 직물, 리넨 같은 방적[17]과 방직의 다른 모든 분야에서도 나타났다. 이런 산업 분야의 생산물 수출은 특히 1850년에 상당히 증가하여 그해의 수출 총액은 (1848년의 첫 8개월 동안에 1200만 파운드스털링, 1849년의 첫 8개월 동안에 400만 파운드스털링이었던 데 비해) 크게 증가했는데, 이것은 1850년에 면화 흉작으로 면제품의 수출이 눈에 띄게 감소한 점을 감안하면 더욱 놀라운 것이다. 모직 가격은 이미 1849년에 투기 때문에 상승한 것처럼 보였으며 현재까지 상당히 높은 수준을 유지하고 있는데, 그럼에도 모직 산업은 계속 확장되어 매일 새로운 직기가 가동되고 있다. 리넨 제품의 수출 G457 은 지금까지 최고 수출액을 기록한 1844년에는 9100만 야드에 가격으로는 280만 파운드스털링에 달한 데 비해 1849년에는 자그마치 1억 700만 야드에 가격으로는 300만 파운드스털링 이상에 달했다.

영국 산업의 성장을 보여주는 또 다른 증거는 주요 식민지 상품, 특히 커피, 설탕, 차 등의 소비가 계속 증가했다는 사실에 있다. 적어도 커피와 설탕의 경우에는 가격이 계속 상승했다. 이렇게 소비가 증가한 것은 비정상적인 철도 건설의 여파로 1845년 이래 예외적으로 형성되었던 시장이 이미 평범한 수준으로 축소되었고 지난 몇 년간 낮은 곡물 가격 때문에 농업 분야의 소비가 증가하지 않았다는 사실을 고려할 때 산업 확장의 직접적인 결과라고 봐야 한다.

1849년 면화 산업의 엄청난 확장은 그해 마지막 몇 달 동안에는 동인도와 중국 시장에 면화를 넘기려고 하는 시도로 다시 이어졌다. 그러나 아직 가공되지 않은 오래된 비축물이 이 지역에 많이 존재했기 때문에 이런 시도는 이내 다시 중단되고 말았다. 동시에 원료품과 식민지 상품의 소비가 증가함에 따라 이런 품목들에 대한 투기 시도도 있었지만, 이것도 현재 ||141| 증가된 공급과 아직도 생생한 1847년의 상처에 대한 기억 때문에 이내 중단되고 말았다.

산업 호황은 앞으로도 계속될 것인데, 왜냐하면 네덜란드 식민지들이 새롭게 개방되고 우리가 다시 언급하겠지만 태평양에 새 연결 노선이 조만간 들어설 것이며 1851년에는 대규모 산업 박람회가 열릴 예정이기 때문이다.

이 박람회는 대륙 전체가 아직도 혁명을 꿈꾸던 1849년에 이미 영국의 냉철한 부르주아지에 의해 공표되었다. 박람회에서 영국 부르주아지는 프랑스부터 중국까지 그들의 모든 가신을 커다란 시험장으로 불러 모아 그들이 그동안 시간을 어떻게 활용했는지 증명해 보이도록 할 것이다. 그리고 러시아의 전능한 차르[18]도 신하들에게 이 커다란 시험장에 다수 참석하도록 명령하지 않을 수 없을 것이다. 생산물과 생산자의 이 대규모 세계 대회는 대륙의 민주적인 속물 부르주아지가 많은 땀을 흘려 짜냈던 브레겐츠나 바르샤바의 절대주의 대회[19]나 또는 이름뿐인(in partibus: 주교가 비기독교 국가의 교구를 실제로 통치하는 것이 아니라 그 교구의 통치자로 이름만 올린다는 뜻 — 옮긴이) 여러 임시정부가 세계의 구원을 위해 항상 새롭게 기획하는 유럽 민주주의 대회와는 전혀 다른 의미를 지닌다. 이 박람회는 도처에서 국가적 장벽을 허물고 생산, 사회관계, 각 민족의 성격 측면에서 지역적 특수성들을 점점 더 지워버리고 있는 근대 대공업의 집중된 권력을 여실히 보여주는 증거이다. 이 박람회는 근대의 부르주아적 관계가 이미 모든 측면에서 파괴된 바로 이 시점에 근대 산업의 생산력을 모두 작은 공간에 모아 전시하면서 동시에 이렇게 움푹 파인 상태 한가운데서 새로운 사회의 건설을 위한 재료가 산출되었고 또 여전히 매일 산출되고 있음을 보여준다. 세계의 부르주아지는 이 박람회를 통해 근대판 로마에 그들의 만신전을 짓고 그들 스스로가 만든 신들을 교만한 자기만족감에 젖어서 그곳에 전시하고 있다. 그럼으로써 그들은 독일 이데올로그들이 해마다 거르지 않고 설파하는 "부르주아지의 무력함과 불쾌함"이란 다름 아니라 근대의 운동과정을 파악하는 이 신사들 자신의 무력함과 ||142| 이런 무력함에 대해 스스로 느끼는 불쾌함일 뿐이라는 점을 사실상 증명하고 있다. 부르주아지는 그들의 영광 전체가 붕괴되기 직전의 순간에 그들의 가장 큰 축제를 벌이고 있다. 이 붕괴는 그들이 창조해낸 힘들이 어떻게 그들의 통제를 벗어나게 되는지 어느 때보다도 분명하게 보여줄 것이다. 아마도 장래의 박람회에서 부르주아지는 이런 생산력의 소유자가 아니라 그것의 안내원 역할밖에 하지 못할 것이다.

1845년과 1846년에 감자병이 그랬던 것처럼 올해 초부터 면화 수확의 감소는 부르주아지 사이에 전반적인 공포 분위기를 확산시키고 있다. 1851년의 면화 수확량이 1850년의 수확량을 크게 웃돌 가능성은 전혀 없다는 점이 확실해진 이후로는 이런 공포가 더욱 커졌다. 이런 수확량 감소가 이전에는 대단치 않은 것이었겠지만 면화 산업이 크게 확장된 현 시점에는 큰 의미를 지니며 그래서 이미 면화 산업의 활동을 크게 위축시키고 있다. 부르주아지는 그들의 전체 사회질서를 지탱하는 하나의 초석인 감자가 위험에 직면했다는 충격적인 발견에서 거의 회복되지도 않은 상태에서 또 다른 초석인 면화까지도 위험하다는 것을 목격해야 했다. 면화 수확량이 한 번 평균적으로 감소하고 한창 호황을 구가하는 중에 다음 면화 수확량의 전망에 심각한 경종을 울리고 면화 흉작이 실제로 몇 년간 계속 이어졌다면, 문명사회 전체는 순식간에 야만 상태로 되돌아갔을 것이다. 황금시대와 철기시대는 오래전에 지나갔다. **면화의 시대**를 소생시킬 몫은 19세기의 지성, 세계 시장, 엄청난 생산력이었다. 그리고 이와 동시에 영국의 부르주아지는 지금까지 줄곧 면화 생산을 독점한 미합중국이 자신들에게 어떤 지배력을 행사할 수 있는지를 어느 때보다 뼈저리게 느꼈다. 그래서 그들은 이 독점을 깨뜨리기 위해 곧바로 행동에 나섰다. 그들은 동인도는 물론 나탈[20]과 오스트레일리아의 ‍G459

북부 지역까지, 나아가 기후와 제반 여건이 면화 경작에 알맞은 곳이라면 세계 어디라도 면화 경작을 어떤 식으로든 촉진하려고 애썼다. 동시에 ‖143‖ 흑인에게 우호적인 영국의 부르주아지는 "맨체스터의 호황이 텍사스, 앨라배마, 루이지애나 등지의 노예 처우에 따라 좌우된다는 점, 그리고 이것은 기묘하고도 걱정스러운 사실이라는 점"(《디 이코노미스트》, 1850년 9월 21일)[21]을 깨달았다. 그러나 몇 년 전에 자신들의 식민지에서 흑인 해방을 위해 2천만 파운드스털링을 지불한 사람들에게 영국 산업의 결정적인 분야가 미합중국의 남부 주들에 존재하는 노예제도에 기초한다는 사실은, 그래서 그곳에서 흑인 반란이라도 일어나면 지금까지의 생산 체계 전체가 붕괴될 수도 있다는 사실은 매우 큰 좌절감을 안기는 것이다.[22] 그러나 이런 사실은 동시에 오늘날 아메리카 의회에서 다시 길고도 격렬한 논쟁거리가 되고 있는 노예 문제에 대해 실제로[23] 가능한 유일한 해결책이 무엇인지를 보여준다. 아메리카의 면화 생산은 노예제도에 기초한다. 영국의 면화 산업이 미합중국의 면화 독점을 더 인내할 수 없는 지점까지 발전하게 되면, 면화는 다른 여러 나라에서 성공적으로 대량 생산될 것이며, 게다가 이런 대량 생산은 거의 모든 곳에서 **자유노동자들**에 의해 가능할 것이다. 그러나 다른 산업 국가들의 자유노동을 통해 면화 공급이 충분히 그리고 아메리카의 노예노동보다도 값싸게 이루어지면, 아메리카의 면화 독점과 함께 아메리카의 노예제도도 붕괴될 것이고 노예들은 해방될 것이다. 왜냐하면 그들은 이제 노예로서 쓸모없어질 것이기 때문이다. 그리고 이것과 마찬가지로 유럽의 임노동도 그것이 생산의 필연적인 형태가 아닐 뿐만 아니라 오히려 생산의 족쇄가 되는 시점이 되면 사라질 것이다.

만약 1848년에 시작된 산업 발전의 새 주기가 1843~47년의 주기와 똑같이 진행된다면 공황은 1852년에 터질 것이다. 과잉 생산으로 생기는 과잉 투기는 모든 공황에 선행하는데, 이런 과잉 투기의 조짐이 이미 나타나고 있음을 보여주는 한 증상으로서 우리는 잉글랜드은행의 할인율이 지난 2년 동안 3퍼센트[24]를 넘지 않고 있다는 사실을 언급하고자 한다. 그러나 잉글랜드은행이 호황기에 금리를 낮게 유지하면 나머지 화폐 거래상들은 금리를 스스로 더 낮게 ||144| 조정할 수밖에 없는데, 이것은 공황의 시기에 잉글랜드은행이 금리를 상당히 올리면 나머지 화폐 거래상들이 이것보다 더 높게 금리를 올리는 것과 같은 이치이다. 추가 자본은 우리가 위에서 본 것처럼 호황기가 되면 어김없이 대부 시장에 투입되는데, 이런 추가 자본은 경쟁의 법칙 때문에라도 금리를 상당히 낮추는 압력으로 작용한다. 그러나 훨씬 큰 규모로 금리를 낮추게 만드는 압력은 전반적인 호황을 통해 엄청나게 커진 신용 체계이다. 왜냐하면 이것은 자본에 대한 수요를 감소시키기 때문이다. 이 시기에 정부는 부채 금리를 낮출 수 있는 기회를 얻게 되며 토지 소유자는 저당을 더 유리한 조건으로 갱신할 수 있는 기회를 얻게 된다. 그래서 대부 시장의 자본가들은 다른 모든 계급의 소득이 상승하는 시기에 자신의 소득이 3분의 1이나 또는 그 이상 줄어드는 것을 목격하게 된다. 이런 상태가 오래 지속될수록 이 자본가들은 필연적으로 더 유리한 투자처를 찾을 수밖에 없다. 과잉 생산이 수많은 새로운 사업을 촉발하고 이들 가운데 몇 개만 성공해도 많은 양의 자본이 이쪽으로 쏠리게 되며 사기가 점점 더 일반화된다. 그러나 우리가 보듯이 이 순간에 투기가 빠져나갈 수 있는 주요 배출 통로는 두 가지밖에 없는데, 하나는 면화 경작이고 다른 하나는 캘리포니아와 오스트레일리아의 발전을 통해 새롭게 연결된 세계 시장이다. 그리고 이번에 투기의 장이 과거 어느 호황기 때보다도 커다란 규모를 띠게 될 것이라는 점은 자명한 사실이다.

우리는 영국 농업 분야의 상황을 좀 더 살펴보고자 한다. 이 분야에서는 곡물세 폐지[25]와 같은 시기의 풍작 때문에 전반적인 압박이 만성화되었으나, 호황의 여파로 소비가 상당히 증가함으로써 압박이 어느 정도 약화되었다. 게다가 적어도 농업노동자들은 곡물 가격이 떨어져도 상대적으로 유리한 처지에 놓여 있다. 물론 영국에서 이런 유리함이란 토지의 분할 소유가

일반적인 국가들에 비해서는 소규모로 전개되었기 때문이다. 이런 상황에서 곡물세의 부활을 외치는 보호무역주의자들의 선동은 비록 예전보다 덜 예리하고 더 은밀한 방식이긴 하지만 농업 분야에서 호응을 얻고 있다. 산업 호황과 농업노동자들[26]의 비교적 괜찮은 처지가 지속되는 한 이런 선동은 큰 의미를 지니지 못할 것이 분명 ||145| 하다. 그러나 공황이 발발하여 농업 분야에 반향을 일으킨 순간, 농촌 지역에서 농업 불황은 굉장한 동요를 불러 일으킬 것이다. 이번에는 처음으로 상업 공황과 산업 공황이 농업 공황과 동시에 일어날[27] 것이며, 그렇게 되면 도시와 농촌, 공장주와 토지 소유자가 대립하게 되는 모든 문제에서 양쪽 진영은 양대 군의 지원을 받을 것이다. 즉 공장주는 대규모 산업노동자의 지원을, 토지 소유자는 대규모 농업노동자의 지원을 받을 것이다.

이제 우리는 **북아메리카 합중국**에 대해 언급하고자 한다. 이곳에서 처음 발발하여 가장 격심하게 전개된 1836년의 공황은 거의 중단 없이 1842년까지 계속되었고 그 여파로 아메리카의 신용 체계는 완전히 바뀌었다. 그리고 이렇게 더 견실해진 토대 위에서 합중국의 통상은 회복될 수 있었다. 물론 처음에는 매우 천천히 회복되었지만 1844년과 45년부터는 호황이 이곳에서도 상당히 뚜렷해졌다. 유럽의 가격 상승과 혁명은 모두 아메리카에 수익의 원천으로 작용했다. 1845년부터 47년까지 아메리카는 엄청난 곡물 수출과 1846년의 면화 가격 상승으로 큰 수익을 거두었다. 그리고 1847년의 공황은 아메리카에 거의 영향을 미치지 않았다. 1849년에 아메리카는 유례가 없는 최대의 면화 수확을 거두었고 1850년에는 면화 수확의 감소가 유럽 면화 산업의 새로운 확장과 맞물려 대략 2천만 달러의 수익을 거두었다. 1848년의 여러 혁명의 여파로 유럽 자본이 대규모로 합중국으로 이동했다. 이 자본은 일부는 이주자들과 함께 도착했고 또 다른 일부는 유럽이 합중국 국채에 투자하는 형식으로 이루어졌다. 이렇게 아메리카 국채 수요가 증가하자 국채 가격이 크게 올랐으며 최근에는 뉴욕의 투기 자금이 여기로 몰려들었다. 따라서 반동적인 부르주아 언론이 보증한 것과 달리 우리의 유럽 자본가들이 신뢰하는 유일한 국가 형태가 ||146| **부르주아 공화국**이라는 점에는 의문의 여지가 없다. 어떤 국가 형태에 대한 부르주아지의 신뢰는 오직 한 가지 방식으로 표현되는데, 그것은 바로 **증권 시장에서의 시가**이다.

그러나 합중국의 호황을 더욱 뚜렷이 특징짓는 다른 원인들이 있다. 북아메리카 연합의 거주 지역은, 다시 말해 **시장**은 두 방향으로 매우 신속하게

G461

확장되었다. 자연 증가 및 지속적인 이주 증가로 인구가 증가함에 따라 북아메리카의 전체 주와 지역이 개척[28]되었다. 위스콘신과 아이오와는 몇 년 사이에 인구 밀도가 비교적 높은 지역이 되었으며 미시시피 상류 지역의 모든 주에서는 이주민의 수가 상당히 증가했다. 슈피리어 호 주변의 탄광 개발과 오대호 주변 전체의 곡물 생산 증가는 이 대규모 내륙 수로 체계에 기초한 상업과 선박 운항에 새로운 도약의 계기가 되었으며, 이런 도약은 최근에 의회에서 캐나다 및 노이쇼틀란트(캐나다 남동부 대서양 연안에 있는 노바스코샤를 가리킴 — 옮긴이)와의 통상에 커다란 편의를 제공하는 법률을 통과시킴으로써 더욱 강력해질 것이다. 이렇게 북서부 주들이 완전히 새로운 의미를 지니게 된 반면에, 오리건은 몇 년 사이에 식민화되었고 텍사스와 뉴멕시코는 합병되었으며 캘리포니아는 정복되었다. 캘리포니아 금광의 발견은 아메리카의 호황에 왕관을 씌우는 격이었다. 우리는 이미 유럽의 어느 잡지보다도 일찍 본지 제2호에서 이 발견의 중요성과 이것이 세계의 통상 전체에 필연적으로 미칠 영향에 대해 언급했다.[29] 이 중요성은 금광이 새로 발견되어[30] 금이 증가할 것이라는 데 있지 않다. 물론 이런 교환수단의 증가가 상업 전반에 긍정적인 영향을 미칠 것이라는 점에는 의문의 여지가 없다. 그러나 이 발견의 중요성은 캘리포니아의 풍부한 광물이 세계 시장 전체에서 자본의 활동에 박차를 가했다는 점, 미국 서해안 전체와 아시아 동해안을 움직이게 만들었다는 점, 캘리포니아와 캘리포니아의 영향을 받은 모든 국가에서 새로운 판매 시장이 열렸다는 점에 있다. 캘리포니아 시장만 해도 이미 상당한 규모를 이루고 있다. 1년 전에는 10만 명이, 지금은 적어도 30만 명이 그곳에서 ||147| 거의 전적으로 금만 생산하고 있으며 이 금을 교환하여 외래 시장에서 들어온 온갖 생활필수품을 구입하고 있다. 그러나 캘리포니아의 시장보다 더욱 중요한 것은 태평양 주변에 있는 모든 시장의 지속적 확장, 칠레와 페루, 멕시코 서부, 샌드위치 제도 등지에서 눈에 띄게 활발해진 상업 활동, 아시아와 오스트레일리아가 갑자기 캘리포니아와 거래를 하게 된 점 등이다. 캘리포니아 때문에 완전히 새로운 세계의 항로들이 필요하게 되었다. 그리고 이것들은 조만간 다른 모든 항로보다 더 중요해질 것이다. 사실상 이제야 열렸고 세계에서 가장 중요한 대양이 된 태평양으로 향하는 주요 통상로는 이제부터 파나마 지협을 지나간다. 이 지협에 항로, 철도, 운하 같은 통로를 건설하는 것은 세계 통상을 위해 현재 가장 시급한 과제이며 일부 지역에서는 이미 건설이 착수되었다. 차그레스에서 파나마로 이

어지는 철도는 이미 건설되고 있다. 한 미국 회사에서는 산 후안 데 니카라 과의 하천 지역을 측정하여 이곳에서 두 대양을 우선은 육지 경로로 그리고 나중에는 운하로 연결하려고 한다. 그리고 다리엔 지협을 통한 경로, 누에바-그라나다의 아트라토 경로, 테우안테펙 지협을 통한 경로 같은 다른 경로들은 현재 영국과 아메리카의 신문들에서 거론되고 있다. 전체 문명 세계가 중앙아메리카의 지형에 무지하다는 사실이 갑자기 분명해진 오늘날 어떤 경로가 대운하에 가장 유리할지를 판단하기란 결코 쉬운 일이 아니다. 우리가 알고 있는 몇 안 되는 자료에 따르면 아트라토 경로와 파나마를 통하는 길이 가장 큰 기회를 제공한다. 이 지협을 통한 왕래와 함께 대양 증기선 운항을 신속히 확장하는 일도 마찬가지로 시급해졌다. 이미 증기선들은 사우샘프턴과 차그레스 사이를 또는 뉴욕과 차그레스 사이를 또는 발파라이소, 리마, 파나마, 아카풀코와 샌프란시스코 사이를 운항하고 있다. 그러나 이 소수의 노선과 소수의 증기선으로는 매우 부족하다. 유럽과 차그레스 사이의 증기선 운항의 증가는 점점 더 시급해지고 있으며 아시아, 오스트레일리아, 아메리카 사이의 교역 증가는 파나마나 샌프란시스코에서 ||148| 광둥, 싱가포르, 시드니, 뉴질랜드, 그리고 태평양의 가장 중요한 정거장인 샌드위치 제도로 가는 대규모 증기선 노선의 신설을 요구하고 있다. 특히 오스트레일리아와 뉴질랜드는 식민지 건설의 빠른 진척과 캘리포니아의 영향 때문에 태평양의 모든 지역 가운데 가장 빨리 발전했으며 범선을 타고 4개월 내지 6개월을 가야만 문명 세계에 도달할 수 있는 상태를 인내할 수 없게 되었다. (뉴질랜드를 제외한) 오스트레일리아 식민지들의 전체 인구는 (1839년) 170,676명에서 1848년 333,764명으로 증가했는데, 이것은 9년 동안에 95.5퍼센트 증가한 셈이다. 영국도 이 식민지들을 증기선 연결 없이 그대로 놓아둘 수는 없다. 영국 정부는 현재 동인도 육로 우편과 연결된 노선에 대해 과연 이것을 건설할지 말지 교섭을 진행하고 있지만, 아메리카와의, 특히 작년에 3,500명이 오스트레일리아에서 이주해 간 캘리포니아와의 증기선 연결의 필요성 때문에 조만간 결정이 내려질 것이다. 우리는 이 전반적인 대양 증기선 운항의 필요성이 대두한 이래로 비로소 세계가 둥글어지기 시작했다고 말할 수 있을 것이다.

이렇게 조만간 실현될 증기선 운항의 확장은 이미 언급한 네덜란드 식민지들의 개방을 통해, 그리고 점점 더 분명해지듯이 범선보다 더 빠르고 비교적 더 값싸며 더 유리하게 이주민을 수송할 수 있는 스크루 추진 증기선

G463

의 증가를 통해 더욱 가속화될 것이다. 이미 글래스고나 리버풀에서 뉴욕으로 가는 스크루 추진 증기선들 외에도 새로운 증기선들이 노선에 투입되어야 하며 로테르담과 뉴욕 사이에 새로운 노선이 건설되어야 한다. 대양 증기선 운항에 자본을 투입하는 경향이 오늘날 얼마나 강력한지는 리버풀과 뉴욕 사이를 오가는 경쟁 증기선들의 지속적인 증가, 영국에서 혼 곳으로 가는 또는 뉴욕에서 아브르로 가는 새 노선의 건설, 그리고 현재 뉴욕에서 소문이 자자한 여러 비슷한 사업들 등이 증명하고 있다.

자본이 대양 증기선 운항과 아메리카 지협의 운하 건설에 투자하는 와중에 우리는 이미 이 분야에서 과잉 투기의 ‖149‖ 기초가 놓였음을 확인할 수 있다. 이 투기의 중심지는 뉴욕일 수밖에 없다. 뉴욕은 캘리포니아 금의 최대 분량을 공급받고 있고 캘리포니아와의 주요 거래를 이미 담당하고 있으며 런던이 유럽에 대해 하는 역할과 똑같은 역할을 아메리카 전체에 대해 하고 있다. 뉴욕은 이미 전체 대서양 횡단 증기선 운항의 중심지다. 태평양을 오가는 모든 증기선은 뉴욕 회사들의 소유이며 이 분야의 거의 모든 새 사업이 뉴욕에서 나오고 있다. 대양 증기선 노선의 투기는 뉴욕에서 이미 시작되었다. 뉴욕에서 설립된 니카라과 회사는 지협 운하에 대한 투기의 시작이다. 과잉 투기는 조만간 일어날 것이다. 영국 자본도 이런 온갖 사업에 뛰어들겠지만,[31] 그리고 런던 증시도 이런 온갖 비슷한 사업으로 들끓게 되겠지만, 그래도 이번에는 뉴욕이 전체 사기의 중심지가 될 것이며 1836년에 그랬던 것처럼 가장 먼저 붕괴를 맞게 될 것이다.[32] 무수한 사업이 파산하겠지만, 1845년에 영국 철도 체계가 그랬던 것처럼 이번에는 적어도 전체적인 증기선 운항의 **윤곽**이 과잉 투기를 거치면서 분명해질 것이다. 그 와중에 아무리 많은 회사가 도산한다 하더라도 대서양 왕래를 두 배로 증가시키고 태평양을 개척하며 오스트레일리아, 뉴질랜드, 싱가포르, 중국 등을 아메리카와 연결하고 세계 일주를 4개월로 단축하는 증기선들은 그대로 남을 것이다.

영국과 아메리카의 호황은 이내 유럽 대륙에 반향을 일으켰다. 이미 1849년 여름에 **독일**에서는 공장들이, 특히 라인 지방의 공장들이 다시 꽤 활발하게 돌아가기 시작했으며 1849년 말부터는 거래가 전반적으로 다시 살아났다. 우리의 독일 부르주아지는 새롭게 맞이한 이 호황이 순진하게도 평온과 질서의 회복 덕분이라고 생각하지만 실제로 이 호황의 유일한 원인은 영국의 새 호황과 아메리카 및 적도 시장들에서 산업 제품에 대한 수요

G464

가 증가했기 때문이다. 1850년에 산업과 상업은 더욱 활발해졌다. 영국에서와 마찬가지로 자본의 일시적인 과잉과 화폐 ||150| 시장의 현저한 완화가 일어났으며, 프랑크푸르트와 라이프치히의 가을 박람회에 대한 보도들은 참석한 부르주아지에게 최고의 만족을 안겨주었다. 슐레스비히-홀슈타인 지방의 소동,[33] 쿠어헤센의 소동,[34] 통합에 대한 분쟁과 오스트리아와 프로이센의 협박장도 호황의 이런 모든 증상이 발전하는 것을 한시도 멈출 수 없었는데, 이 점에 대해서는 《디 이코노미스트》에서도 런던 토박이의 조롱 섞인 우월감과 함께 언급한 바 있다.[35]

똑같은 증상들이 **프랑스**에서는 1849년부터 그리고 특히 1850년 초부터 나타나기 시작했다. 파리의 공장들은 풀가동 중이며 루앙과 뮐하우젠[36]의 면화 공장들도 비록 영국에서처럼 원료의 높은 가격이 장애가 되긴 하지만 상당히 잘 돌아가고 있다. 나아가 프랑스에서 호황 국면의 발전은 스페인의 포괄적인 관세 개혁과 멕시코에서 여러 사치품의 관세를 인하함으로써 특히 촉진되었다. 이 두 시장에 대한 프랑스 상품의 수출은 상당히 증가했다. 자본의 증식은 프랑스에서 일련의 투기로 이어졌는데, 이 투기의 호사스러운 핑곗거리는 캘리포니아 금광 개발이었다. 낮은 주식 가액과 사회주의 색채를 띤 전망을 내세우면서 소부르주아지와 노동자의 지갑을 노리는 회사들이 많이 설립되었지만 실상은 하나같이 프랑스인과 중국인 특유의 속임수에 지나지 않는다. 심지어 이 회사들 중 하나는 정부의 후원을 직접 받고 있기까지 하다. 프랑스의 수입 관세는 첫 9개월 동안 1848년에는 6300만 프랑, 1849년에는 9500만 프랑, 1850년에는 9300만 프랑에 달했다. 그리고 1850년 9월에는 1849년 9월에 비해 다시 100만 프랑 이상 증가했다. 마찬가지로 수출도 1849년과 특히 1850년에 증가했다.

G465

다시 호황이 찾아왔음을 보여주는 가장 분명한 증거는 1850년 8월[37] 6일의 법률[38]에 의해 은행의 금 태환이 다시 도입된 일이다. 1848년 3월 15일에 은행은 금 태환을 중단할 수 있는 전권을 위임받았다. 지방 은행을 포함해 유통 중이던 은행권은 당시에 3억 7300만 프랑(1492만 파운드스털링)에 달했다. 1849년 11월 2일에 유통 중이던 은행권은 4억 8200만 프랑 ||151| 또는 1928만 파운드스털링에 달했는데, 이것은 436만 파운드스털링이 증가한 셈이었다. 그리고 1850년 9월 2일에는 4억 9600만 프랑 또는 1984만 파운드스털링에 달해 약 500만 파운드스털링의 증가를 보였다. 하지만 은행권의 화폐 가치의 평가 절하는 발생하지 않았다. 오히려 은행권의 유통

량 증가와 더불어 은행 지하실에 금은의 꾸준한 축적이 이루어졌는데, 그래서 1850년 여름에 금 비축량은 약 1400만 파운드스털링에 달했으며 이것은 프랑스에서 유례를 찾아볼 수 없는 액수였다. 은행이 유통 자금을, 따라서 활동 자본을 1억 2300만 프랑 또는 500만 파운드스털링만큼 상승시킬 수 있었다는 사실은 우리가 지난 호에서 주장한 것처럼 금융귀족이 혁명으로 붕괴되지 않았을 뿐만 아니라 오히려 더욱 강화되었다는 사실을 분명하게 보여준다.[39] 지난 몇 년 동안 프랑스의 은행 입법들을 훑어보면 이런 결과는 더욱 분명해진다. 1847년 6월 10일에 은행은 200프랑짜리 은행권을 발행할 수 있는 전권을 위임받았다. 지금까지 가장 작은 은행권은 500프랑이었다. 1848년 3월 15일의 법령은 프랑스은행의 은행권이 법정 화폐이며 은행은 이것을 금으로 태환할 의무가 없다고 선언했다.[40] 프랑스은행의 은행권 발행은 3억 5000만 프랑으로 제한되었으며 동시에 이 은행은 100프랑짜리 은행권을 발행할 수 있는 권한을 부여받았다. 4월 27일의 법령에서는 여러 부문의 은행들과 프랑스은행의 합병을 결정했다.[41] 1848년 5월 2일의 또 다른 법령에서는 이 은행의 은행권 발행을 4억 5200만 프랑[42]으로 올렸으며 1849년 12월 22일의 법령에서는 다시 은행권 발행의 최대 액수를 5억 2500만 프랑으로 올렸다.[43] 마침내 1850년 8월[44] 6일의 법률에서는 다시 은행권을 현금과 태환할 수 있도록 조치했다. 이런 사실들을 근거로, 즉 유통량의 지속적인 증가, 프랑스 신용 체계 전체가 프랑스은행의 수중에 집중된 점, 프랑스의 모든 금과 은이 이 은행의 지하실에 쌓인 점 등을 근거로 프루동 씨는 프랑스은행이 이제 오랜 뱀 허물을 벗어버리고 프루동 식의 인민은행(Volksbank)으로 탈바꿈할 것이라고 결론 내렸다. 그에게는 부르주아 사회의 역사에서 유례를 찾기 어려운 이 사실이 실제로는 ||152| 부르주아 사회의 지극히 정상적인 사태이며 그것이 이제 프랑스에서 처음으로 일어났을 뿐이라는 점을 그가 깨닫기 위해서는 1797년에서 1819년까지 영국에서 진행된 은행 규제의 역사[45]까지 알 필요도 없으며 그저 운하에 주목하는 것만으로도 충분할 것이다. 우리는 파리에 임시정부가 들어선 후로 요란하게 떠들어댔던 이른바 혁명이론가들이 임시정부의 인사들과 마찬가지로 그들이 취한 조치들의 본질과 결과에 대해 얼마나 무지했는지를 알 수 있다.[46]

프랑스는 현재 산업과 상업의 호황을 누리고 있지만 인구의 대다수는, 즉 2500만 명의 농민은 큰 불황에 시달리고 있다. 지난 몇 년 동안 풍작이 들어서 프랑스에서 곡물 가격은 영국보다 훨씬 더 내려갔으며 빚이 있고 고리대

금융업자의 착취와 세금의 압박에 시달리는 농민의 처지는 결코 좋다고 말할 수 없다. 또한 지난 3년의 역사는 이 계급이 혁명을 주도할 능력이 없다는 점을 충분히 보여주었다.

공황의 시기가 영국보다 대륙에서 더 늦게 찾아오는 것처럼 호황의 시기도 마찬가지다.[47] 최초의 과정은 언제나 영국에서 일어난다. 영국은 부르주아 세계의 조물주이다. 대륙에서는 부르주아 사회가 거듭 반복하는 주기의 여러 국면이 이차적인 형태 또는 삼차적인 형태로 나타난다. 우선 대륙은 어느 다른 국가보다도 영국으로 지나치게 많이 수출했다. 그러나 영국에 대한 이런 수출은 다시 영국의 지위, 특히 해외 시장에 대한 영국의 지위에 좌우된다. 그래서 영국은 대륙 전체보다도 대양 저편의 국가들에 지나치게 더 많이 수출하고 있으며 이런 국가들에 대한 대륙의 수출량은 언제나 그때그때 영국의 해외 수출에 좌우된다. 그렇기 때문에 공황이 대륙에서 먼저 혁명을 불러일으키더라도 그 원인은 언제나 영국 안에 존재한다. 폭력적인 사태들은 부르주아 조직의 중심부보다 말단에서 일어나기 마련이다. 왜냐하면 중심부에서는 조정의 가능성이 말단에서보다 더 크기 때문이다. 다른 한편으로 대륙 혁명들이 영국에 반향을 불러일으키는 정도는, 이 혁명들이 실제로 부르주아적 삶||153|의 관계에 어느 정도로 의문을 제기하는지를 보여주는 혹은 어느 정도로 정치적 구성체만을 겨냥하는지를 보여주는 온도계와 마찬가지다.

이 전반적인 호황기를 맞이하여 부르주아 사회의 생산력은 부르주아적 관계 안에서 가능한 최대치까지 왕성하게 발전하고 있는데, 이런 상황에서 현실적 혁명의 가능성은 없다. 이런 혁명은 오직 이 **두 요인**이, 즉 **근대의 생산력**과 **부르주아 생산형태**가 서로 **모순**에 빠지는 시기에만 가능하다. 대륙의 질서당 소속의 여러 분파 의원들이 서로 절충하면서 벌이고 있는 다양한 말다툼은 새로운 혁명의 계기가 되기는커녕 오히려 정반대로 기존 질서의 토대가 현재 매우 안정적이기 때문에 그리고 반동주의자들의 견해와 달리 매우 **부르주아적**이기 때문에 가능한 것이다. 기존 질서의 토대와 충돌하는 것이라면 그것이 부르주아적 발전을 멈추려는 반동적 시도이든 아니면 민주주의자들의 도덕적 분개와 열광적 선언이든 가릴 것 없이 모두 바로 튕겨나갈[48] 것이다. **새로운 혁명은 새로운 공황의 결과로서만 가능하다. 그러나 이런 혁명은 이런 공황만큼이나 확실한 것이기도 하다.**

이제 지난 6개월 동안의 정치적 사건들을 살펴보기로 하자.

G467

영국의 경우에 호황기는 언제나 왕국에서 가장 작은 남성인 존 러셀 경이 구현하고 있는 휘그 정신(Whigthum)의 전성기다. 내각은 자잘한 개혁안들을 의회로 보내지만, 이것들이 상원에서 기각되리라는 것은 내각 스스로도 잘 알고 있다. 또는 내각은 회기가 끝날 무렵에 시간 부족을 핑계로 개혁안들을 철회하곤 하는데, 이런 시간 부족은 의회에서 언제나 지루함과 공허한 연설이 넘쳐나는 것과 연관이 있다. 이에 대해 연사들은 이것이[49] 의회에서는 전혀 문제 되지 않는다며 연설을 최대한 오래 끌곤 한다. 이런 시기에 자유무역주의자와 보호무역주의자의 싸움은 순전히 사기에 지나지 않는다. 다수의 자유무역주의자는 자유무역의 정치적 귀결들을 더 많이[50] 얻어낼 시간과 관심을 확보하기 위해 자유무역을 물질적으로 이용한다. 반면에 보호무역주의자들은 도시 산업의 약진을 목격하면서 해학적인 한탄과 ||154| 위협을 일삼는다. 이때 정당들은 서로를 잊지 않기 위해 그저 예의상 전투를 벌이고 있을 뿐이다. 지난 회기 전에 산업 부르주아지는 재정 개혁을 위해 큰 소란을 피웠다. 그러나 의회에서 그들은 이론적 반박 이외에 어떤 노력도 하지 않았다. 이번 회기 전에 코브던 씨는 러시아에 대한 차관 공여를 계기로 차르[51]에게 다시 전쟁을 선포했는데, 그는 페테르부르크의 이 거대한 빈자에게 이미 충분히 빈정거림이 쌓이고 있다는 사실을 깨닫지 못했다. 그래서 그는 수치스럽게도 6개월 후에 자세를 낮추고 평화 대회[52]라는 광대극을 펼쳐야만 했다. 하지만 이 대회의 결과는 고작 한 오지브와족 인디언[53]이 야우프 씨에게 평화의 파이프를 선물해 연단에 있던 하이나우 씨를 깜짝 놀라게 만들었으며, 양키의 온건한 사기꾼 엘리후 버릿[54]이 슐레스비히-홀슈타인과 코펜하겐으로 가서 해당 정부들에 그의 선의를 확실히 표시한 것이 전 G468 부였다. 그것은 마치 폰 가게른 씨가 여기에 참석하고 베네데이가 참석하지 않으면 슐레스비히-홀슈타인 전쟁 전체가 진지한 전환을 맞기라도 할 것처럼 보였다!

원래 지난 회기의 커다란 정치적 문제는 **그리스 논쟁**이었다. 대륙의 절대주의 반동 전체는 파머스턴의 타도를 위해 영국 토리당과 제휴했다. 심지어 루이 나폴레옹은 프랑스 공사[55]를 런던에서 소환하여 프랑스의 민족적 자만심뿐만 아니라 차르 니콜라우스의 비위까지 맞추려 했다. 그리고 전체 국민의회는 이렇게 영국과의 전통적인 동맹을 과감히 깬 것에 열광적으로 찬성을 표시했다. 그리고 이 사태는 파머스턴 씨에게 하원에서 자신을 전체 유럽의 부르주아적 자유를 위해 싸우는 투사로 내세울 수 있는 기회를 제공했다.

542

그는 46표의 과반수를 받았으며 그래서 이 무력하고 어리석은 제휴의 결과로 외국인 거류자 법[56]은 갱신되지 않았다.

파머스턴이 그리스에 반대한다고 선언하고 의회 연설로 유럽의 반동에 맞서 부르주아적이고 자유주의적인 대척점을 세우자, 영국 인민은 **하이나우** 씨가 런던에 있다는 사실을 **자신들의** 대외 정책을 명백하게 선언하는 데 이용했다.[57]

오스트리아의 군사 대표[58]가 ||155| 런던 거리에서 영국 인민에게 크게 시달린 것처럼[59] 프로이센의 외교 대표[60]도 그 지위에 걸맞은 불행한 사태를 겪어야만 했다. 사람들은 영국에서 가장 웃긴 인물인 수다쟁이 문인 브루엄이 모든 숙녀가 웃고 있는 가운데 무작정 들이대던 문인 **분젠**을 어떻게 상원 회랑에서 쫓아냈는지 기억하고 있다. 분젠 씨는 그가 대표하던 강대국[61]의 정신을 따라 이런 모욕을 침착하게 받아들였다. 그는 무슨 일이 있어도 영국을 떠나지 않을 것이다. 왜냐하면 그는 아주 사적인 관심을 통해 영국과 결부되어 있기 때문이다. 즉 그는 자신의 외교적 직책을 계속 활용해 영국 종교에 대한 투기를 계속할 것이며 자신의 아들들을 영국 교회에 보내고 딸들을 영국 신사계급의 한 등급에 편입시키기 위해 노력할 것이다.

로버트 **필** 경의 죽음은 오래된 정당들의 해체를 가속화하는 데 결정적으로 기여했다. 1845년 이래로 그의 중심 지지 기반이었던 이른바 필당은 그의 사망 이후로 완전히 붕괴되었다. 그리고 필 자신은 그의 사망 이후로 거의 모든 정당에 의해서 아주 과장되게 영국의 가장 위대한 정치가로 신격화되었다. 물론 그는 자리에만 집착하는 인물은 아니었다는 점에서 대륙의 "정치가들"보다는 낫다. 토지귀족의 지도자로 올라선 이 부르주아지 아들의 정치적 활동은 오늘날 진짜 귀족계급은 부르주아지뿐[62]이라는 통찰에 기초하고 있었다. 이런 의미에서 그는 토지귀족에 대한 그의 지도력을 계속 활용해 그들에게서 부르주아지에 대한 양보를 끌어내려 했다. 예컨대 가톨릭의 해방[63]과 경찰의 개혁[64]을 통해 그는 부르주아지의 정치권력을 증대했다. 그리고 금융귀족을 강화한 1818년의 은행법[65]과 1844년의 은행법,[66] 산업 부르주아지를 위해 토지귀족을 희생한 1842년의 관세 개혁[67]과 1846년의 자유무역법[68] 등이 그러했다. 그리고 귀족계급의 둘째 기둥인 "철의 공작"[69]이자 워털루의 영웅은 실망한 돈키호테처럼 충직하게 면화의 기사 필을 옹호했다. 1845년부터 필은 토리당에서 배신자 취급을 받았다. 필이 하원에서[70] 발휘한 힘은 그의 **뛰어난** ||156| **언변**의 **설득력**에 근거한 것

G469

이었다. 그러나 그의 가장 유명한 연설들을 한번 읽어보면 그것들이 대량의 진부한 문구들 사이에 수많은 통계 자료를 능숙하게 배열해놓은 것에 지나지 않는다는 점을 알게 될 것이다. 영국의 거의 모든 도시는 곡물 관세를 폐지한 그의 기념비를 세우고 싶어 한다. 어떤 차티스트 신문에서는 필에 의해 1829년에 결성된 경찰 조직을 빗대어 이 모든 필 기념비로 무엇을 할 것이냐고 묻기도 했다. 왜냐하면 영국과 아일랜드의 경찰관은 모두 필의 살아 있는 기념비라고 볼 수 있기 때문이다.[71]

영국에서 크게 화제가 된 최근의 사건은 교황이 **와이즈먼 씨를 웨스트민스터의 추기경 대주교**로 임명하고 영국을 13개의 가톨릭 주교 관구로 나눈 일이었다. 영국 교회로서는 깜짝 놀랄 일인 그리스도의 대리인[72]의 이런 조치는 부르주아지가 최근에 쟁취한 승리들과 함께 봉건적이고 절대주의적인 사회질서 전체와 그것의 종교적인 부속품 전체가 마치 스스로 산출되는 것 같은 착각에 대륙의 반동 전체가 빠져 있음을 새삼 보여준다. 영국에서 가톨릭교의 유일한 지지 기반은 사회의 양극단인 귀족계급과 룸펜 프롤레타리아트이다. 아일랜드인 또는 아일랜드 계통의 폭도인 룸펜 프롤레타리아트는 조상 대대로 가톨릭 신자였다. 귀족계급에서는 퓨지주의[73]로 장난치는 것이 유행하다가 마침내는 가톨릭교로 개종하는 것 자체가[74] 유행이 되기 시작했다. 영국 귀족이 전진하는 부르주아지와 맞서 투쟁하면서 자신들의 봉건적 성격을 점점 더 노골적으로 드러낼 수밖에 없는 시대에 귀족계급의 종교적 이데올로그인 고교회파[75]의 정통 신학자들도 부르주아 비국교도-종교[76]의 신학자들과 투쟁하면서 당연히 자신들의 반(半)가톨릭적 교리와 제식에 함축된 귀결들을 점점 더 인정할 수밖에 없었으며, 심지어 몇몇 반동적인 국교도들이 원래의, 단 하나의 참된 교회(alleinseligmachende Kirche)로 개종하는 일도 점점 더 빈번해질 수밖에 없었다. 이런 사소한 현상들은 영국 가톨릭 성직자들의 머릿속에 영국 전체가 곧 개종할 것이라는 지극히 낙관적인 희망을 불러일으켰다. 그러나 교황의 새로운 교서[77]는 영국이 이미 다시 로||157|마의 교구가 된 것처럼 말하면서 이 개종 경향에 새바람을 불어넣고자 함으로써 오히려 역효과를 낳고 말았다. 교서의 중세적 언행에 담긴 심각한 귀결에 직면한 것을 갑자기 깨달은 퓨지주의자들은 깜짝 놀라 뒤로 물러섰고, 런던의 퓨지주의 주교[78]는 즉각 성명을 발표하여 자신의 모든 실수를 번복하면서 교황에게 생사를 건 전쟁을 선포했다. ─ 부르주아지에게는 이 모든 희극적인 사건들이 고교회파와 이 파 소속 대학들에 대해 새로

544

운 공격의 기회를 주었다는 점에서 관심거리가 되었다. 이런 대학들의 상황에 대해 보고서를 제출하기로 한 조사위원회는 의회의 다음 회기 때 격렬한 논쟁을 불러일으킬 것이다. 대다수 인민은 이 문제에 대해 당연히 관심이 없었으며 와이즈먼 추기경을 지지하지도 반대하지도 않았다. 그러나 언론의 입장에서 볼 때 그는 새로운 것들이 없는 현재 상황에서 장문의 기삿거리를 제공하고[79] 피오 노노[80]를 통렬히 비난할 기회를 제공하는 반가운 인물이었다. 심지어 《더 타임스》는 정부가 그의 지나친 개입을 처벌하기 위해 교황령에서 폭동을 촉발해 그에 반대하는 마치니 씨와 이탈리아 이주민을 풀어놓아야 한다고 주장하기[81]까지 했다.[82] 그런가 하면 파머스턴의 기관지 《더 글로브》는 교황의 교서와 마치니의 최근 선언[83] 사이에 아주 재미있는 유사점이 있다고 지적했다. 이에 따르면 교황은 영국에 대한 정신적[84] 우위를 주장하면서 이교국 주교(Bischof in partibus infidelium)들을 임명했다. 여기 런던에 이교국 이탈리아 정부가 들어선 셈이며, 그 정상에는 교황을 반대하는 마치니 씨가 앉아 있다. 마치니 씨가 교황령에서 권리로서 주장할 뿐만 아니라 실제로[85] 행사하고 있는 최고의 지위는 오늘날 순전히 정신적인[86] 성격의 것이다. 교황의 교서는 순전히 종교적인 내용의 것이며 마치니의 선언도 마찬가지다.[87] 그것들은 하나의 종교를 설파하고 신앙에 호소하며 "Dio ed il popolo", 하느님과 백성을 모토로 내세우고 있다. 우리는 마치니 씨에게 적어도 그가 상대하는 대다수 인민의 종교를 대변하고 있다는 점 외에 이 두 사람의 주장에 과연 또 다른 차이가 있을까 묻지 않을 수 없다. 왜냐하면 이탈리아에서 하느님과 백성(Dio ed il popolo)의 종교 외에 또 다른 종교는 거의 존재하지 않기 때문이다. 반면에 교황은 그렇지 않다.[88] 게다가[89] 마치니는 이런 기회를 이용해 한발 더 나아갔다. 즉 그는 런던에 있으면서 이탈리아 국민위원회의 나머지 ||158| 위원들과 함께 로마 제헌의회[90]에서 승인한 1천만 프랑의 공채를 100프랑짜리 주식으로 발행했으며, 게다가 그것으로 무기와 군수품[91]을 구입하고자 했다. 이 공채 발행 시도가 롬바르디아에서 오스트리아 정부가 자발적으로 시도했다가 실패한 공채 발행보다 성공할 가능성이 더 크다는 점은 부인할 수 없는 사실이다.[92] —

　영국이 최근에 로마와 오스트리아를 상대로 감행한 정말로 심각한 타격은 영국이 사르데냐와 통상 조약을 맺은 일이다. 이 조약으로 인해 이탈리아 관세 동맹을 구축하려던 오스트리아의 계획은 수포로 돌아갔으며 영국 상업과 영국 부르주아 정책은 북부 이탈리아의 중요한 지역을 확보할 수 있게 되었다.

　마찬가지로 차티스트당의 기존 조직은 해체되는 중이다. 아직도 이 당에 남아 있는 소부르주아지들은 노동자들의 귀족계급과 연합하여 순수 민주적인 분파를 구성했으며, 이들의 강령은 인민헌장[93]과 그 밖의 몇 가지 소부르주아적 개혁에 한정되어 있다. 반면에 정말로 프롤레타리아트의 처지에서 살고 있는 노동자들 대부분은 혁명적 차티스트 분파에 속해 있다. 첫째 분파의 정점에는 퍼거스 **오코너**가 있으며 둘째 분파의 정점에는 줄리언 **하니**와 어니스트 **존스**가 있다. 아일랜드 대지주이자 자칭 먼스터[94]의 옛 왕조 후예라는 늙은 오코너는 그의 출신이나 정치적 성향에도 불구하고 구 잉글랜드의 진정한 대변인이다. 그는 천성적으로 보수적이며 산업의 진보와 혁명에 대해 지극히 단호한 혐오감을 가지고 있다. 그의 모든 이상은 철두철미하게 가부장적이고 소부르주아적이다. 그는 말 못 할 만큼 수많은 모순점을 자신 안에 끌어안고 있으면서, 적당히 평이한 상식 속에서 이런 모순들의 조화와 해결을 꾀하고 있다. 그리고 바로 그렇게 하여 그는 해마다 《더 노던 스타》에 최근 편지가 이전 편지와 분명하게 충돌하는 매우 긴 주간(週刊) 편지들을 쓸 수 있었다.[95] 또한 바로 이 때문에 오코너는 자신이 세 왕국에서 가장 일관된 사람이며 지난 20년 동안 일어난 모든 사건을 예언했다고 주장한다. 그의 어깨, 포효하는 목소리, ||159| 한번은 그가 노팅엄 시장에서 2만 명 이상을 상대할 수 있다고 했던 권투 선수로서 그의 엄청난 솜씨, 이 모든 것이 그로 하여금 구 잉글랜드의 대변인이 되기에 손색이 없도록 해준다. 그러나 오코너 같은 사람이 혁명운동에 커다란 장애가 될 수밖에 없다는 점은 분명하다. 그러나 이런 사람들과 함께하고 이런 사람들에게 뿌리 깊게 박힌 수많은 편견을 잘라내고, 혁명운동이 마침내 이런 사람들을 극복했을 때의 운동은 이들이 대변한 선입견을 모두 영원히 벗어던지는 데 이들을 이용할 수 있을 것이다. 오코너는 혁명운동 속에서 몰락할 것이다. 그러나 바로 그렇기 때문에 그는 라마르틴이나 마라스트 씨처럼 "선의의 순교자"라는 칭호를 요구할 것이다.

　두 차티스트 분파[96]가 충돌하는 핵심 지점은 토지 문제다. 오코너와 그의 당은 인민헌장을 활용해 일부 노동자들을 작게 분할된 토지에 귀속시키고 나아가 이런 분할지를 영국에서 보편적인 것으로 만들려고 했다. 그러나 우리는 주식회사를 통해 이런 분할지를 잘게 정리하려는 그의 시도가 어떻게 실패했는지 잘 알고 있다. 대규모 토지 소유를 분쇄하려는 것은 모든[97] 부르

G472

546

주아 혁명의 경향인데, 이 때문에 토지의 분할이 영국 노동자들에게 한동안 뭔가 혁명적인 것처럼 보일 수 있었다. 비록 이 경향이 대규모 영농 앞에서는 몰락할 수밖에 없는 소규모 토지 소유로 집중되는 경향을 통해 규칙적으로 보완된다고 할지라도 말이다. 차티스트 운동의 혁명적 분파는 토지 분할 요구에 대해 모든 토지 소유를 몰수하라는 요구로 맞서고 있다. 그리고 그들은 토지가 분배되는 대신에 국가 소유로 남아야 한다고 주장한다.

이런 분열과 더 극단적인[98] 요구사항들을 제기했음에도 불구하고 차티스트는 곡물법 폐지[99] 과정에 대한 기억을 바탕으로, 다음 위기가 찾아오면 다시 산업 부르주아지 및 금융 개혁가와 연대하여, 그들이 적을 무찌르도록 돕고 그 대가로 그들의 양보를 얻어낼 수밖에 없다는 것을 막연하게나마 인식하고 있다. 이것이 다가오는 위기 때 차티스트의 입장이 될 것이다. 영국에서 본래의[100] 혁명운동은 인민헌장이 ||160| 관철될 때 비로소 시작될 수 있다. 이것은 프랑스에서 공화국이 정복되었을 때 비로소 6월 전투가 가능했던 것과 마찬가지다.

이제 **프랑스**로 넘어가보자.

인민이 소부르주아지와 연대하여 3월 10일 선거에서 획득한 승리는 인민이 4월 28일의 새 선거를 유발함으로써 인민 자신에 의해 무효가 되었다. 비달은 파리 외에 라인 강 하류 지역에서도 당선되었다. 산악당과 소시민층이 우세했던 파리 위원회(Pariser Comité)는 그가 라인 강 하류 지역을 수락하도록 설득했다.[101] 3월 10일의 승리는 결정적인 승리가 되지 못했다. 결정의 날은 또다시 연기되었으며 인민은 지쳐서 활기를 잃었고 혁명적 승리 대신에 법적 승리에 익숙해졌다. 3월 10일의 혁명적 의미는, 즉 6월 무장봉기의 복권은 감성적이고 소부르주아적인 사회 공상가 외젠 쉬가 입후보함으로써 마침내 완전히 수포로 돌아갔다. 프롤레타리아트는 그의 출마를 기껏해야 학생들의 정부(情婦)가 좋아할 만한 그런 농담으로 받아들일 수 있었다. 이 선량한 입후보자에게 맞서 상대의 일관성 없는 정책을 통해 더 대담해진 질서당에서는 6월의 **승리**를 대변한다는 후보를 내세웠다. 이 가소로운 후보는 스파르타식의 가장(家長) **르클레르**였는데, 그의 영웅적인 갑옷은 언론에 의해 하나하나 해체되었으며[102] 결국 그는 선거에서 참담한 패배를 겪었다. 4월 28일 선거에서 새롭게 승리한 산악당과 소부르주아지는 거만해졌다. 그들은 이미 순전히 합법적인 방법으로 그리고 새로운 혁명을 통해 프롤레타리아트를 다시 전면에 내세우지 않고 자신들이 원하는 목표에 다가갈 수   G473

있으리라는 생각에 쾌재를 불렀다. 그들은 1852년의 새 선거에서 보통선거권을 통해 르드뤼-롤랭 씨를 대통령직에 앉히고 산악당이 의회에서 과반수를 차지할 수 있을 것이라고 믿어 의심치 않았다. 그러나 선거의 재실시, 쉬의 입후보, 산악당과 소시민층의 분위기 등을 통해 이들이 어떤 상황에서도 소요를 일으키지 않기로 작정했다는 것을 확신하게 된 질서당은 이 두 선거의 승리에 대해 보통선거권을 폐지하는 **선거법**[103]으로 응수했다.|

|161| 정부는 당연히 이 법안이 자신들의 책임으로 돌아오지 않도록 조심했다. 정부는 다수당의 고위 인사인 성주 17명[104]에게 이 법안의 기안을 맡김으로써 다수당에 양보를 하는 것처럼 행동했다. 그래서 정부가 아니라 의회 다수당이 의회에 보통선거권의 폐지를 발의한 것이 되었다.

5월 8일에 이 법안은 의회에 상정되었다. 그러자 사회민주주의 언론 전체가 한결같이[105] 들고일어나 인민에게 품위 있는 태도와 위엄 있는 평온(calme majestueux)을, 자기들의 대표자에게 수용적인 태도와 신뢰를 보일 것을 설파했다. 이런 언론의 모든 기사는 혁명이 무엇보다도 이른바 혁명적 언론을 파멸시킬 것이라는, 다시 말해 지금 중요한 것은 자신들의 자기 보존이라는 고백에 지나지 않았다. 이른바 혁명적 언론은 자신들의 비밀 전체를 드러냈다. 그들은 자신들의 사형 선고에 서명했다.

5월 21일에 산악당은 이 현안을 예비 심의에 올렸고 이 법안이 헌법에 위배된다는 이유로 법안 전체의 기각을 신청했다. 이에 대해 질서당은 필요시에는 헌법을 어길 수도 있겠지만 지금은 그럴 필요가 없다고 응답했다. 질서당은 헌법에 대해 온갖 해석이 가능하며 오직 다수당만이 올바른 해석 여부를 결정할 수 있는 능력을 지니고 있다고 주장했다. 티에르와 몽탈랑베르의 고삐 풀린 사나운 공격에 대해 산악당은 공손하고 교양 있는 인본주의로 응수했다. 그들이 법적 근거에 호소하자 질서당은 법이 자라나는 토대를, 즉 부르주아지의 소유권을 가리켰다. 산악당은 정말로 모든 폭력을 동원해 혁명을 불러일으키길 원하는 것이냐고 훌쩍거렸다. 이에 대해 질서당은 해볼 테면 해보라고 응수했다.

5월 22일에 이 현안은 찬성 462표, 반대 227표로 처리되었다. 국민의회와 모든[106] 대의원은 만약 그들이 그들에게 권한을 위임한 인민을 저버리면 곧바로 사퇴할 것임을 엄숙하게 맹세했지만 자신의 자리를 지킨 채 꿈쩍도 하지 않았고 이런 상황에서 자신의 자리를 걸지 않고 갑자기 그러니까 청원서를 내 토지를 매각할 방법을 모색했으며, 5월 31일에 법안이 위풍당당하게

통과될 때에도 꿈쩍||162|하지 않았다.[107 108] 그들은 이에 맞서 항의함으로써 자신들이 헌법을 강간한 것이 무죄라는 기록을 남기려 했으나, 그들은 이 항의서조차 단 한 번도 공개하지 않았으며 그 대신에 의장 뒤에서 은근슬쩍 의장 가방에 넣었을 뿐이다.

파리에 주둔하는 15만 명의 병력, 결정을 오랫동안 질질 끈 점, 언론의 유화 정책, 산악당과 새로 선출된 대의원들의 소심함, 소부르주아지의 위엄 있는 평온, 그러나 무엇보다도 상업과 공업의 호황[109] 등이 프롤레타리아트 측의 혁명 시도를 모두 저지했다.

보통선거권은 그것의 사명을 다했다.[110] 인민 대다수는 혁명의 시기에만 보통선거권을 사용할 수 있는 교습소(Entwicklungsschule)를 수료했다.[111] 보통선거권은 혁명 아니면 반동을 통해 제거될 수밖에 없었다.

산악당은 곧이어 벌어진 사태에서 더욱 큰 에너지를 낭비했다. 도풀 전쟁장관은 의회 연단에서 2월 혁명이 끔찍한 재앙이었다고 말했다.[112] 이에 대해 늘 그렇듯이 예의 바르고 무해한 고함만 지르던 산악당의 연사들은 국민의회 의장 뒤팽에게서 발언권을 얻지 못했다. 그러자 지라르댕은 즉시 집단으로 퇴장하자고 산악당원들에게 제안했다. 결과는 다음과 같았다. 산악당원들은 그대로 자리에 앉아 있었으며 오히려 지라르댕은 품위 없는 행동을 했다는 이유로 회의장에서 쫓겨나고 말았다.

선거법을 완성하기 위해서는 새로운 **언론법**이 필요했으며, 이것도 오래 걸리지 않았다. 정부의 법안은 질서당의 수정을 거치면서 여러모로 더욱 강화되었는데, 이 새 법안에서는 공탁금을 올렸고 (외젠 쉬의 당선에 대한 응답으로) 신문 문예란을 별도로 검인했으며, 일정 부수 이상을 매주 또는 매달 발행하는 모든 간행물에 대해 세금을 부과했고, 결국 잡지의 모든 기사에 저자의 서명이 반드시 들어가도록 조치했다. 특히 공탁금에 대한 규정으로 이른바 혁명적 언론이 몰락했다. 인민은 이런 언론의 몰락이 보통선거권 ||163| 폐지의 대가라고 생각했다. 하지만 이 새 법률의 의도나 작용이 이른바 혁명적 언론에만 영향을 미친 것은 아니었다. 신문이 익명으로 나왔을 때 그것은 이름 없는 무수한 공중의 의견을 대변하는 기관지 노릇을 했다. 신문은 프랑스에서 제3의 권력이었다. 그러나 모든 기사에 서명을 달게 함으로써 이제 신문은 어느 정도 유명한 개인들의 문학적 기고문들을 모아놓은 것에 지나지 않게 되었다. 이제 모든 기사는 광고로 전락했다. 이제까지 신문은 공중 의견의 지폐처럼 유통되었다. 그러나 이제 신문은 발행인의 신

용뿐만 아니라 배서인의 신용에 따라서도 품질과 유통이 좌우되는 그리 좋지 않은 약속 어음처럼 되어버렸다. 질서당의 신문은 보통선거권 폐지 때도 그랬던 것처럼 불량 언론에 극단적인 조치가 필요하다고 선동했다. 그러나 이 선량한 언론 자체는[113] 자신의 익명성을 지독하게 고집함으로써 질서당과 더 심하게는 질서당의 지역 대의원들 개개인에게 불편한 존재였다. 이 방침과 다르게 이 언론이 바랐던 사람들은 오직 이름, 주소, 기타 인적 사항을 적은 유급 작가들이었다. 이 선량한 언론은 사람들이 자기들의 공헌에 감사할 줄 모른다고 투덜거렸지만 소용없었다. 결국 언론법은 통과되었고 저자의 이름을 명기해야 한다는 규정은 모든 언론에 적용되었다.[114] 공화주의 진영의 기고자들은 꽤 유명한 사람들이었다. 그러나 《주르날 데 데바》, 《라상블레 나시오날》, 《르 콩스티튀시오넬》 등 명망 있는 언론사들은 그들이 국가의 현인으로 한껏 추켜세웠던 신비의 저자들이 실제로는 그라니에 드 카사냐크처럼 현금만 주면 무엇이든 옹호하는 글을 오랫동안 써온 매수된 싸구려 글쟁이, 카프피그처럼 스스로 정치인이라고 일컫는 늙은 겁쟁이, 또는 《주르날 데 데바》의 르무안[115] 씨처럼 아양을 떠는 고약한 늙은이에 지나지 않는다는 사실이 한꺼번에 밝혀짐에 따라 체면을 크게 구겼다.

언론법을 둘러싼 논쟁에서 이미 도덕적으로 매우 타락한 산악당은 루이 필리프 시대의 늙은 저명인사 빅토르 위고 씨의 장황한 연설에 박수를 보낼 뿐 아무것도 하지 않았다.

|164| 선거법과 언론법이 통과됨으로써 혁명적이고 민주적인 정당은 공식 무대에서 퇴장했다. 산악당의 두 분파인 사회민주주의자들과 민주사회주의자들은 회기가 끝난 직후 집으로 돌아가기 전에 두 개의 성명서[116]를, 다시 말해 두 개의 빈곤 증명서[117]를 발표했는데, 이 성명서에서 그들은 비록 권력과 성공이 그들 편에 있지 않더라도 그들 자신은 언제나 영원한 정의와 그 밖의 모든 영원한 진리의 편에 있을 것임을 선언했다.

그렇다면 이제 질서당을 고찰해보자. 《노이에 라이니셰 차이퉁》(《노이에 라이니셰 차이퉁. 정치-경제 평론》을 의미함 — 옮긴이)은 제3호 16쪽에서 이렇게 말했다. "오를레앙파와 정통 왕조파 연합의 왕정복고에 대한 갈망에 반대하여 보나파르트는 그의 실제 권력의 칭호로서 공화정을 표방한다. 보나파르트의 왕정복고에 대한 갈망에 반대하여 질서당은 공동 지배권의 칭호로써 공화정을 표방한다. 정통 왕조파는 오를레앙파에 반대하여, 그리고 오를레앙파는 정통 왕조파에 반대하여[118] 현재 상태(status quo), 즉 공화정을

표방한다. 질서당의 이 모든 분파는 각기 자신의 왕과 자신의 왕정복고 형태를 가슴에 품고서, 자기 경쟁자들의 찬탈 욕망과 봉기 욕망에 서로 대항해서 특수한 주장들이 중성화되고 유보되는 부르주아지의 공동 지배 형태인 공화정을 서로 주장한다. … 그리하여 티에르가 우리 왕당파는 입헌공화정의 진정한 기둥이라고 말했을 때 그는 공화정에 대해 자신이 생각한 것 이상의 진실을 표현한 것이었다."[119]

공화정의 뜻에 반하는(républicanis malgré eux) 이와 같은 희극, 현재 상태 G476 (status quo)에 대한 반감과 이런 상태의 지속적인 공고화, 보나파르트와 국민의회의 끊임없는 마찰, 질서당이 개별 구성 요소들로 쪼개질지 모른다는 지속적인 위협과 개별 분파들의 반복적인 재결합, 공동의 적에 대한 승리를 일시적 동맹 세력의 패배로 전환하려는 각 분파의 시도, 상호 질투와 원한과 도발, 늘 라무레트의 입맞춤(입법국민의회 의원 라무레트는 당쟁의 종식을 위해 화해의 입맞춤을 제안했다. ― 옮긴이)으로 끝나는 지칠 줄 모르는 결투, 지난 6개월은 바로 이 모든 변칙의 불쾌한 희극이 가장 고전적으로 전개된 시기였다.

질서당은 선거법을 또한 보나파르트에 대한 승리로 간주했다. 정부는 ||165| 자신의 법안에 대한 편집과 책임을 17인 위원회[120]에 떠넘김으로써 스스로 직무를 유기하지 않았는가? 그리고 국민의회에 비해서 보나파르트가 지닌 주요 장점은 600만 명이 선출한 사람이라는 것이 아닌가? ― 반면에 보나파르트는 선거법을 입법 권력과 행정 권력의 조화를 위해 국민의회에 희생한 양보라고 간주했다. 그 대가로 이 비열한 모험가는[121] 왕실비를 300만 프랑 올려줄 것을 요구했다. 국민의회는 절대다수의 프랑스인을 축출한 바로 이 시점에 과연 행정부와 갈등을 일으킬까? 처음에 국민의회는 격분하여 극단적으로 대응할 것처럼 보였다. 국민의회 위원회는 이 신청안을 기각했고, 그러자 보나파르트 진영의 언론은 권리를 박탈당한, 즉 투표권[122]을 빼앗긴 국민을 언급하면서 위협을 가했다. 타협점을 찾으려는 수많은 노력이 요란하게 전개되었고, 마침내 국민의회는 이 문제에 대해 한발 물러섰지만 그것은 동시에 원칙적으로는 복수였다. 의회는 왕실비를 원칙대로 매년 300만 프랑 인상하는 대신에 216만 프랑의 임시 보조금만을 승인했다. 이 양보안조차 불만이 많았던 의회는 질서당의 장군이자 부득이하게 보나파르트의 경호를 맡고 있던 샹가르니에가 지지 의사를 표시한 뒤에야 비로소 이 양보안을 승인했다. 국민의회는 결국 보나파르트가 아니라 샹가

르니에에게 200만 프랑을 승인한 셈이었다.

마지못해(mauvaise grâce) 던져준 이 선물을 보나파르트는 완전히 시혜자의 입장에서 받아들였다. 보나파르트 진영의 언론은 다시 국민의회를 비난하면서 소란을 피웠다. 언론법을 둘러싼 초기 논쟁에서 기고자 명기 때문에 이루어진 법안의 수정이 유독 보나파르트의 사적 이해를 대변하는 종속적인 신문들에 다시 불리하게 작용하자, 보나파르트 진영의 대표 신문인 《르 푸부아르》는 국민의회에 노골적이고 강력한 공격을 퍼부었다.[123] 결국 각료들은 국민의회 앞에서 이 신문을 인정하지 않는다는 발언을 해야만 했고, 《르 푸부아르》의 발행인[124]은 국민의회에 소환되어 5천 프랑의 최고 벌금을 물었다. 그러나 다음 날 《르 푸부아르》는 국민의회를 훨씬 더 노골적으로 비난하는 기사[125]를 실었고, 정부의 복수를 떠맡은 검찰은 ||166| 헌법을 위반했다는 명목으로 여러 정통 왕조파 언론을 박해했다.

결국에는 의회 휴회 문제가 대두되었다. 보나파르트는 국민의회의 방해 없이 활동하기 위해 의회 휴회를 원했다. 질서당은 한편으로는 분파의 계략을 관철하기 위해, 또 한편으로는 개별 대의원들의 사적 이익을 추구하기 위해 의회 휴회를 원했다. 이 두 진영은 지방에서 반동의 승리를 공고히 하고 더 진척하기 위해 의회 휴회가 필요했다. 그래서 의회는 8월 11일부터 11월 11일까지 휴회하게 되었다. 그러나 보나파르트는 국민의회의 성가신 감시에서 벗어나는 것이 자신의 주요 관심사임을 결코 숨기지 않았기 때문에, 국민의회는 신임 투표에서 대통령 불신임 도장을 찍었다. 의회가 휴회된 동안에 공화정의 도덕 파수꾼으로 버티고 있던 상임위원 28명 가운데 보나파르트 지지자들은 전적으로 배제되었다.[126] 그 대신에 심지어 《르 시에클》과 《르 나시오날》의 몇몇 공화주의자들도 상임위원으로 선출되었는데, 이것은 다수가 입헌공화정을 지지한다는 사실을 대통령에게 과시하기 위한 것이었다.

의회 휴회 직전에 그리고 특히 휴회 직후에 질서당의 양대 분파인 오를레앙파와 정통 왕조파는 그들이 지지하는 두 왕가의 결합을 통해 서로 화해하고자 하는 것처럼 보였다. 신문들에는 세인트레너즈에 머물던 루이 필리프의 병상에서 논의되었다고 하는 화해 방안들에 대한 이야기로 가득 찼다. 이때는 루이 필리프의 사망으로 갑자기 상황이 단순해졌을 때였다. 루이 필리프는 찬탈자였으며 앙리 5세는 찬탈당한 자였다. 반면에 파리 백작[127]은 자식이 없는 앙리 5세의 적법한 왕위 계승자였다. 이런 상황에서 이 두 왕가의 이해를 결합하기 위해 온갖 구실을 갖다 붙였다. 그러나 바로 이때 부르주아

지의 두 분파는 특정 왕가에 대한 도취 때문에 그들이 갈라진 것이 아니라 오히려 그들의 상이한 계급 이해 때문에 두 왕가가 갈라졌다는 사실을 처음으로 깨달았다. 앙리 5세의 임시 거처가 있는 비스바덴으로 순례를 떠났던 정통 왕조파는, 세인트레너즈로 순례를 떠난 경쟁자들과 마찬가지로,[128] 여기에서 ||167| 루이 필리프의 사망 소식을 접했다. 그 즉시 그들은 이교국 내각(Ministerium in partibus infidelium)을 결성했는데, 이 내각은 대부분 공화정의 도덕 파수꾼 위원회 위원들로 구성되었으며, 당 내부에서 불화가 생길 때는 신의 은총에 대한 권리를 노골적으로 선언하면서 전면에 나섰다. 오를레앙파는 이 선언[129]이 언론에서 불명예스러운 추문을 야기하자 환호 성을 지르면서 단 한 순간도 정통 왕조파에 대한 노골적인 적대감을 숨기지 않았다.

G478

국민의회 휴회 기간에 지방의회가 한자리에 모였는데, 그들 중 다수는 제한 조항을 다소 삽입하는 헌법 개정 작업에 지지를 표시했다. 다시 말해 그들은 구체적으로 규정되지 않은 군주제의 부활, 즉 하나의 **"해결책"**[130]에 지지를 표시했는데, 동시에 이것은 자신들이 이 해결책을 찾기에는 너무 무능력하고 너무 비겁하다는 사실을 인정한 셈이었다. 그러자 보나파르트파는 이 개정 의사를 즉각 보나파르트의 대통령직 연장의 의미로 해석했다.

헌법에 입각한 해결책, 즉 1852년 5월에 보나파르트가 퇴임하고, 동시에 프랑스의 전체 유권자가 새 대통령을 선출하고, 새 대통령의 처음 몇 달 동안 의회에서 헌법을 개정한다는 일정은 지배계급의 입장에서 결코 받아들일 수 없는 것이었다. 새 대통령을 선출하는 날은 정통 왕조파, 오를레앙파, 부르주아 공화주의자, 혁명파 같은 적대적 정당들이 모두 한자리에 모이는 날이 될 것이다. 그러면 여러 분파 사이에 폭력적인 의사 결정이 이루어질 수밖에 없을 것이다. 설령 질서당이 왕족에 속하지 않은 중립적 인물을 후보로 내세워 분열을 극복한다고 하더라도, 보나파르트는 이 인물과[131] 다시 대립하게 될 것이다. 질서당은 국민과의 싸움에서 행정 권력을 지속적으로 확장할 수밖에 없다. 그리고 행정부의[132] 권력을 확장하는 것은 행정부를 떠맡고 있는 보나파르트의 권력을 확장하는 것이다. 따라서 질서당이 그들의 공동 권력을 강화하는 만큼 질서당은 보나파르트의 왕위 계승 요구를 위한 투쟁 수단을 강화하고 있으며, 보나파르트가 결전의 날에 폭력적으로 입헌적 해결책을 좌절시킬 수 있는 기회를 강화하고 있다. 그렇다면 보나파르트는 ||168| 질서당에 맞서 헌법의 한 기둥에 대해 불만을 제기하지도 않을 것이

며 인민과 맞서 선거법[133]과 관련된 헌법의 또 다른 기둥에 대해 불만을 제기하지도 않을 것이다. 오히려 그는 분명히 국민의회에 맞서 보통선거권을 주장하기까지 할 것이다. 한마디로 말해 입헌적 해결책은 정치적 현재 상태(status quo) 전체에 의문을 제기하고, 부르주아지는 이런 위기 이면에 혼돈, 무정부 상태, 내전이 도사리고 있다고 생각한다. 부르주아지는 그들의 구매와 판매, 어음, 결혼, 공증서, 저당, 지대, 임대료, 이윤, 모든 계약과 수입원이 1852년 5월 첫째 일요일에 문제가 될 것이라고 생각하며, 그들은 이런 위험을 그대로 방치할 수 없다. 정치적 현재 상태 이면에는 부르주아 사회 전체를 붕괴시킬 위험이 도사리고 있다. 부르주아지 입장에서 유일하게 가능한

G479 해결책은 해결을 미루는 것이다. 이런 해결책은 헌법을 위반함으로써만, 대통령의 권력을 연장함으로써만 입헌공화정을 구출할 수 있다. 또한 이것은 총회(Generalräthe) 회기 후에 여러 "해결책"에 대한 장기간의 심도 있는 논쟁이 끝난 뒤에 질서당의 신문에 실린 마지막 말이기도 하다. 거대한 질서당은 가소롭고 저속하며 그들이 증오해 마지않는 인물인 사이비 보나파르트를 진지하게 받아들여야만 하는 치욕을 감수해야 한다.[134]

이 더러운 인물은 마치 자신이[135] 꼭 필요한 사람인 것 같은 외양을 점점 더 띠게 된 이유에 대해서도 착각하고 있었다.[136] 그의 당은 보나파르트의 중요성이 점점 더 커지는 까닭이 당시의 상황 때문이라는 통찰력이 있었던 반면, 그는 이것이 오로지 그의 이름과 그가 끊임없이 나폴레옹을 희화화함으로써 생긴[137] 마력 덕분이라고 믿었다. 그는 하루가 다르게 점점 더 과감하게 행동했다. 그는 세인트레너즈나 비스바덴으로 가는 순례 행렬에 맞서 자신의 프랑스 순회 여행[138]을 내세웠다. 보나파르트 지지자들은 보나파르트라는 인물이 발휘하는 마술적 효과를 거의 믿지 않았기[139] 때문에 파리 룸펜 프롤레타리아트의 조직인 12월 10일회[140] 사람들을 박수 부대로 고용해 대규모로 기차나 역마차에 실어 보나파르트와 함께 보냈다. 이 꼭두각시 지지자들은 ‖169‖ 여러 도시에서 환영식이 열린 뒤에 공화정의 종식 또는 현체제의 고수를 대통령 정책의 표어로서 외쳐댔다.[141] 그러나 이런 온갖 조작에도 불구하고 이 여행은 결코 개선 행진처럼 보이지 않았다.

이렇게 인민에게 감동을 주었다고 확신한 보나파르트는 이어서 군대를 자기편으로 만들기 위해 움직였다. 그는 베르사유의 사토리[142]에서 열병식을 개최하여 군인들에게 마늘소시지, 샴페인, 시가 등을 나누어 줌으로써 그들을 매수하려 했다. 진짜 나폴레옹은 정복 전쟁의 고초를 겪으며 일시적인

가부장적 친밀함으로 지친 병사들의 기운을 북돋울 줄 알았던 반면에, 이 사이비 나폴레옹은 군인들이 진짜 감사의 마음으로 "나폴레옹 만세, 소시지 만세!"(Vive Napoléon, vive le saucisson!)를 외쳤다고 믿었는데, 그 의미는 "소시지 만세, 멍청이 만세!"였다.[143]

이 일련의 열병식은 한편으론 보나파르트와 그의 전쟁장관 도풀 사이에, 다른 한편으론 보나파르트와 샹가르니에 사이에 오랫동안 억눌린 갈등을 폭발시켰다. 질서당은 샹가르니에야말로 왕가의 권리 따위를 내세울 것이 없는 정말로 중립적인 인물이라고 생각했다. 질서당은 그를 보나파르트의 후계자로 정했다. 나아가 그는 1849년 1월 29일과 6월 13일의 등장을 통해 질서당의 위대한 지휘관이 되었다. 소심한 부르주아지의 눈에는 그가 가차 없는 개입으로 혁명이라는 고르디우스의 매듭을 단칼에 해결한 현대판 알렉산더[144]처럼 보였다. 원래 보나파르트만큼이나 가소로운[145] 인물인 그는 이렇게 힘 안 들이고 권력자가 되었고,[146] 국민의회에 의해 대통령의 감시자가 되었다. 그는 대통령의 연봉 문제와 그가 보나파르트에게 제공하는 보호 역할을 가지고 장난을 치기도 했으며 보나파르트나 장관들에게 점점 더 강압적으로 행동했다. 선거법과 관련해 무장봉기가 우려되는 상황에서 그는 부하 장교들에게 전쟁장관이나 대통령에게서 어떤 명령도 받지 말라고 명령했다. 샹가르니에의 위용을 과장하는 데는 언론도 한몫했다. 위대한 인물이 전무한 상태에서 당연히 질서당은 그들 계급 전체에 결핍된 힘을 한 개인에게 집중하여 ||170 그를 거물처럼 부풀릴 수밖에 없었다. 이렇게 해서 샹가르니에가 **"사회의 보루"**라는 신화가 탄생했다. 세상을 자신의 어깨에 짊어진 것처럼 행세하는 샹가르니에의 주제넘은 허풍과 신비한 척하는 거만함은 사토리[147] 열병식 동안에 그리고 그 후에 일어난 사건들과 지극히 가소로운[148] 대조를 이루었다. 왜냐하면 이 사건들은 부르주아지의 불안이 빚어낸 이 기형적인 환상의 산물을, 즉 샹가르니에라는 거인을 평범함의 차원으로 끌어내리고 사회를 구원하는 영웅인 그를 일개 퇴역 장군으로 변모시키는 데는 보나파르트의 서명 하나만으로도, 즉 지극히 작은 행위만으로도[149] 충분하다는 사실을 여지없이 증명했기 때문이다.

보나파르트는 이미 오래전부터 이 성가신 보호자에게 복수하기 위해 전쟁장관으로 하여금 군대 통솔 문제를 놓고 샹가르니에와 다툼을 벌이도록 자극했다. 그리고 사토리[150]에서의 최근 열병식을 통해 이 오래된 원한은 마침내 대형 사건으로 터졌다. 기병 연대가 "황제 만세!"(vive L'Empereur!)라는 반헌법적 구호를 외치면서 행진하는 것을 본 샹가르니에의 헌법적 분노는 극에 달했다. 보나파르트는 다가오는 의회 회기 때 이 구호에 대해 불편한 논쟁이 일어날 것에 대비하여 도풀 전쟁장관을 알제 총독으로 임명함으로써 그를 제거했다. 그리고 그의 자리에는 황제 시대의 충성스러운 노장군을 앉혔는데, 그는 샹가르니에만큼이나 잔인한 인물이었다. 그러나 도풀의 해임이 샹가르니에에 대한 양보로 비치지 않도록 하기 위해 보나파르트는 동시에 이 위대한 사회 구원자의 오른팔인 뇌마예 장군을 파리에서 낭트로 전출시켰다. 뇌마예는 최근 열병식에서 보병대 전체가 나폴레옹의 후계자 앞을 행진하면서 얼음 같은 침묵을 지키도록 명령한 인물이었다. 뇌마예의 사태를 접한 샹가르니에는 보나파르트에게 저항하며 위협했지만 아무 소용이 없었다. 이틀에 걸친 협상 끝에 뇌마예의 전출 명령[151]은 《르 모니퇴르 위니베르셀》에 실렸으며, 질서당의 영웅에게 남은 선택은 명령을 따르거나 아니면 사퇴하는 길밖에 없었다.

G481 보나파르트와 샹가르니에의 싸움은 보나파르트와 질서당의 싸움의 연장이다. 그 때문에 11월 11일 국민의회는 ||171| 위협적인 분위기 속에서 재개된다. 그러나 이것은 찻잔 속의 태풍으로 그칠 것이다. 본질적으로는 예전의 게임이 계속될 수밖에 없을 것이다. 질서당의 다수는 여러 분파 소속의 원칙 수호자들이 시끄럽게 반대해도 대통령의 권력을 더 확장할 수밖에 없을 것이다. 마찬가지로 보나파르트는 당분간 온갖 저항을 할지 모르지만 자금이 부족해서 꺾일 것이고, 권력의 연장을 국민의회의 수중에서 단순히 위임받은 것으로 받아들일 것이다. 이렇게 해결책은 지연되고 현재 상태(status quo)는 계속 유지될 것이며, 질서당의 한 분파는 다른 분파에 의해 방해받고 약화되며 무기력하게 될 것이다. 그래서 경제적 관계 자체가 다시 어느 발전 지점에 도달해 서로 다투는 모든 정당과 그들의 입헌공화정이 새로운 폭발적 과정을 통해 폭파될 때까지 공동의 적인 국민 대중에 대한 억압은 확장되고 남김없이 사용될 것이다.

그 밖에도 부르주아지가 안도할 만한 일은 보나파르트와 질서당 사이의 추문을 통해 결과적으로 주식 시장에서 수많은 소자본가가 몰락하고 그들의 재산이 주식 시장에서 활동하는 커다란 늑대들의 주머니로 들어갔다는 점이다.

최근 6개월 동안 **독일**에서 일어난 정치적 사건들은 프로이센이 자유주의자들을, 그리고 오스트리아가 프로이센을 속이는 연극으로 요약할 수

있다.[152]

1849년에는 독일에서 프로이센이 주도권을 쥔 것처럼 보였다. 그러나 1850년에는 오스트리아와 프로이센 사이의 권력 분할이 중요한 문제로 대두했다.[153] 그리고 1851년에는 프로이센이 오스트리아에 어떻게 복종할 것인지 그리고 참회하는 죄인의 처지에서 완전히 복원된 **연방의회**(*Bundestag*)의 품 안으로 어떻게 돌아갈 것인지 하는 문제만이 남아 있었다. 프로이센 왕이 1848년 3월 22일에 황제로서 베를린을 행진하면서 사고가 난 황제 마차[154]에 대한 보상으로 얻어내고자 했던 소독일[155]은 소프로이센으로 변모하고 말았다. 왜냐하면 프로이센은 온갖 수모를 인내심 있게 받아들일 수밖에 없었으며 강대국의 대열에서 밀려났기 때문이다. 그리고 연방(Union)의 소박한[156] 꿈조차 프로이센의 언제나 그랬듯이 비열하고 고집불통인 정책 때문에 다시 수포로 돌아가고 말았다. 프로이센은 연방에 자유주의적 성격을 부여할 것처럼 말하면서 ||172| 입헌주의의 환상으로 고타당[157]의 원로들을 현혹했지만, 프로이센은 이것을 진지하게 생각한 적이 한 번도 없었다. 그러나 프로이센은 산업 발전과 지속적인 적자 및 국가 부채를 통해 이미 부르주아적으로 변했기 때문에 온갖 왜곡과 저항에도 불구하고 점점 더 돌이킬 수 없게 입헌주의로 빠져들고 있었다. 프로이센이 얼마나 치욕스럽게 자신들의 명예와 신중함을 깔보고 있는지 고타 원로들이 마침내 깨달았을 때, 그리고 급기야는 가게른이나 브뤼게만 같은 사람들조차 조국의 통일과 자유를 가지고 무례하게 장난친 이 정부에 비분강개하며 등을 돌리자, 프로이센은 자기 보호 날개 아래 모여 있던 병아리들, 즉 소국의 공작들로는 크게 기쁨을 느끼지 못했다. 아주 작은 공국의 공작들은 아주 위태롭고 보호가 절실한 순간에만 종속국의 확장에 열을 올리는 프로이센 독수리의 발톱에 의지했다. 그들은 프로이센의 간섭과 위협과 실력 과시에 못 이겨 과거의 복속 관계의 신하로 돌아갔지만, 그 대가로 예속적인 군사 협정, 값비싼 군대 주둔 비용, 연방 헌법을 통해 조만간 병합될 것이라는 암울한 전망을 혹독하게 받아들여야만 했다. 그러나 프로이센 자신도 이들이 이런 새로운 고난에서 탈주할[158]까 봐 걱정했다. 프로이센은 도처에서 반동 세력의 재집권을 도왔다. 그러나 이런 반동 세력이 확산됨에 따라 아주 작은 공국의 공작들은 프로이센에서 떨어져 나와 **오스트리아**의 품 안으로 들어갔다. 그들이 다시 3월 혁명 이전의 방식으로 지배했을 때, 그들은 자유주의를 원하지 않는 것만큼이나 절대주의도 할 수 없는 그런 권력보다는 오스트리아의 절대주

의가 자신들에게 더 친숙하다는 것을 알았다. 오스트리아의 정책은 소국들을 오스트리아에 합병하는 대신 소국들이 다시 복구될 연방의회의 필수 성원으로서 지위를 유지하도록 했다. 그래서 불과 몇 달 전에 프로이센 군대가 구출한 작센이 프로이센에서 떨어져 나갔으며 하노버와 쿠어헤센도 떨어져 나갔고 최근에는 프로이센 군대가 주둔하고 있던 바덴까지도 그 뒤를 이었다.[159] 프로이센은 함부르크, 메클렌부르크, 데사우 등의 반동 세력을 지원했지만, 그것은 프로이센 대신에 오스트리아에 이로운 결과를 초래했다. 그리고 프로이센은 헤센의 이 두 지역[160]에서 일어난 사건들을 통해 이 점을 분명히 깨닫게 되었다. ||173| 이렇게 실패한 독일 황제[161]는 자신이 불충의 시대를 살고 있다는 사실을 절감했다. 그는 이제 "그의 오른팔인 연방"이 떨어져 나가는 것을 감내할 수밖에 없는 처지에 놓여 있지만, 이 팔은 이미 오래전부터 병들어 있었다.[162] 그리고 이제 오스트리아는 이미 남독일 전체의 패권을 쥐고 있었으며 북독일에서도 가장 중요한 주들은 프로이센의 적으로 돌아섰다.

마침내 오스트리아는 러시아의 지원을 받으며 프로이센에 공공연히 맞설 수 있게 되었다. 오스트리아는 두 가지 문제에서 프로이센에 맞섰는데, 하나는 슐레스비히-홀슈타인 문제였고 다른 하나는 쿠어헤센 문제였다.[163]

슐레스비히-홀슈타인에서 "독일의 칼"[164]은 정말로 프로이센다운 단독 강화를 맺었으며 그래서 동맹 세력을 적국의 지배 아래로 넘기고 말았다. 영국, 러시아, 프랑스는 공국들의 독립성을 폐기하기로 결의했고 이런 의도를 명문화한 의정서에 오스트리아도 동참했다. 오스트리아 및 오스트리아 G483 와 동맹을 맺은 독일 정부들은 런던 의정서에 따라 복구된 연방의회에서 홀슈타인에 대한 연방 개입을 덴마크에 유리한 쪽으로 주장한 반면에, 프로이센은 당사자들은 아직 존재하지도 않고 정의되기도 어려우며 대다수 주요 정부들이 거부한 연방 중재 재판소의 판결을 수락하라는 기회주의적 정책을 계속 추진했다. 그러나 프로이센의 온갖 책략은 강대국들로 하여금 프로이센이 혁명적 음모를 꾸미고 있다는 의심을 품게 만들었으며, 프로이센은 "독자적인" 외교 정책에 대한 욕망을 곧 빼앗길 것이라는 일련의 위협적인 문서들을 받았다. 슐레스비히-홀슈타인 사람들에게는 조만간 자신들의 영주가 다시 생길 것이다. 그리고 베젤러와 레벤틀로프 씨의 통치를 받는 국민은 전체 군대가 자기편인데도 불구하고 자신들의 양육을 위해 덴마크의 군도(軍刀)가 여전히 필요할 것이다.

558

쿠어헤센의 운동은 독일의 소국에서 일어난 "반란"이 무엇을 성취할 수 있는지를 보여주는 둘도 없는 예이다. 날조자 하센플루크를 반대하는 고결한 부르주아지의 저항[165]은 이런 종류의 연극에서 기대할 수 있는 모든 것을 이루었다. 즉 의회가 한목소리를 냈고 온 나라가 한목소리를 냈으며, ||174| 관료와 군대는 부르주아지 편에 섰다. 그리고 저항하는 분자는 모두 제거되었다. "제후를 나라 밖으로"(Fürsten zum Land hinaus)라는 노래는 저절로 실현되었다. 날조자 하센플루크[166]는 그의 내각 전체와 함께 사라졌다. 모든 것은 원하던 대로 흘러갔다. 모든 당은 법적 울타리를 엄격히 지켰으며 어떤 월권행위도 일어나지 않았다. 그리고 야당은 손가락 하나 까딱하지 않고 합헌적 저항의 연대기에 기록될 수 있는 아름다운 승리를 거두었다. 부르주아지가 모든 권력을 손에 넣은 지금, 그들의 신분 위원회가 어떤 사소한 저항에도 부닥치지 않은 지금, 지금이야말로 부르주아지가 정말로 필요했다.[167] 지금 부르주아지는 선제후의 군대 대신에 외국 군대가 국경을 넘어와 부르주아지의 영광 전체를 24시간 안에 끝내버릴 준비를 갖춘 채 국경에 주둔해 있는 것을 보게 되었다. 난감하고 치욕적인 시간은 이제 비로소 시작되었다. 예전에는 부르주아지가 뒤로 물러설 줄을 몰랐지만, 이제는 앞으로 나아갈 줄을 몰랐다. 쿠어헤센의 납세 거부가 과거의 어느 사건보다도 인상적으로 증명하는 것처럼, 소국에서 벌어지는 모든 충돌은 결국 외국의 개입을 초래할 뿐이며 제후의 제거뿐 아니라 헌법을 제거함으로써만 갈등을 제거할 수 있는 완전한 어릿광대극에 지나지 않는다. 이 납세 거부는 소국의 소부르주아지가 3월 혁명의 작은 위업 하나라도 그것의 불가피한 몰락으로부터 건져내기 위해 투철한 우국의 신념을 가지고 싸웠던 그 모든 중차대한 투쟁이 얼마나 가소로운 것인지를 증명한다.

연방(Union)의 한 국가였던 쿠어헤센에서 오스트리아는 프로이센의 품 G484 에서 쿠어헤센을 빼앗기 위해 자신의 경쟁자와 직접 맞섰다. 선제후로 하여금 헌법을 공격하도록 선동한 것도 오스트리아였으며, 곧이어 선제후를 연방의회의 보호 아래 둔 것도 오스트리아였다. 이 보호를 강조하기 위해, 쿠어헤센 문제에서 오스트리아의 지배에 대한 프로이센의 저항을 분쇄하기 위해, 그리고 프로이센을 강압적으로 다시 연방의회로 끌어들이기 위해 지금 오스트리아와 남부 독일의 군대는 프랑켄과 보헤미아에 집결해 있다. 그리고 프로이센도 마찬가지로 무장을 하고 있다. 신문에는 이런저런 부대들의 행군과 대응 행군에 대한 보도들이 넘쳐난다. 그러나 이 모든 소란은 프

랑스 질서당과 보나파르트 사이의 ||175| 말다툼이 그런 것처럼 어떤 결과도 초래하지 않을 것이다. 프로이센 왕도 오스트리아 황제도 지배자가 아니고 오직 러시아 차르만이 지배자이다. 차르의 명령 앞에서는 반항적인 프로이센도 결국 고개를 숙일 것이며, 피 한 방울 흘리지 않고도 당사자들은 평화롭게 연방의회의 의자로 모여들 것이다. 물론 그렇다고 해서 그들의 상호 질투나 자기 신하와의 반목이나 러시아의 패권에 대한 그들의 불쾌함이 줄어드는 것은 결코 아니지만 말이다.

이제 우리는 인민 자체, 즉 유럽 인민, **망명** 중인 인민에 대해 살펴보기로 하자. 우리는 독일, 프랑스, 헝가리 등 어느 나라 출신이든 망명 중인 개별 분파에 대해서는 언급하지 않을 것이다. 이들의 상류 정치(haute politique)는 순전히 잡담과 추문(chronique scandaleuse)에 지나지 않는다. 그러나 이교국의 유럽 전체 인민은 최근에 **유럽 중앙위원회**(*europäische Centralcomité*)라는 임시정부를 얻었는데, 이 위원회의 위원은 요제프 **마치니**, **르드뤼−롤랭**, 알베르트 **다라츠**(폴란드인), 그리고 자신의 존재를 정당화하기 위해 겸손하게 이름 뒤에 프랑크푸르트 국민의회 의원이라고 적은 아르놀트 **루게**였다. 어떤 민주주의 공의회(Konzil)가 이 네 명의 복음 전도사들에게 그 직책을 임명했는지는 말할 수 없다고 할지라도, 이들의 선언문은 대다수 망명 대중의 신앙 고백을 담고 있으며, 이 대중이 최근 혁명 덕분에 얻은 지적 성과를 적절한 형태로 요약했다는 점은 부인할 수 없다.

이 선언문은 민주주의의 힘에 대한 인상적인 열거로 시작된다. "승리를 위해 민주주의에 부족한 것은 무엇인가? … 조직 … 우리에게 종파는 있어도 교회는 없다. 우리에게 불완전하고 모순적인 철학들은 있어도 종교는 없다. 신자들을 하나의 징표 아래 모이게 만들고 그들의 노동을 조화롭게 만드는 신념은 없다. … 우리 모두가 단합하여 우리 중 최고의 사람들이 지켜보는 가운데 함께 행진하게 될 날은 … 투쟁의 전야가 될 것이다. 이날 우리는 중시될 것이고 우리가 누구인지를 알게 될 것이며 우리의 힘을 인식하게 될 것이다."|

|176| 왜 혁명은 지금까지 승리하지 못했는가? 혁명 세력의 조직이 더 약했기[168] 때문이었다. 이것이 망명자들의 임시정부에서 발표한 첫 번째 법령이다.

이런 악조건을 극복하기 위해 이제 믿음의 군대[169]를 조직하고 종교를 창설[170]할 필요성이 제기된다.

"그러나 그러기 위해서는 두 가지 커다란 장애의 극복, 두 가지 커다란 오류의 제거가 필요하다. 개인 권리의 과장, 이론의 옹졸한 배타성 … 우리는 '나'를 말하지 말아야 한다. 우리는 '우리'를 말하는 법을 배워야만 한다. … 자신의 과민함을 좇아 조직과 규율이 요구하는 작은 희생을 거부하는 사람들은 과거의 습관에 따라서 그들이 설파하는 전체 신조를 부정하고 있다. … 이론의 배타성은 우리의 근본 교리를 부정하는 것이다. '내가 정치적 진리를 발견했다'고 말하는 사람은, 그리고 자신의 체계가 받아들여져야만 형제적 연합을 받아들이겠다고 하는 사람은 오직 자기 자신의 자아를 주장하기 위해 세계법의 유일하게 진보적인 통역사인 인민을 부정하고 있다. 자신의 지성이 얼마나 강력하든 상관없이 자기 지성의 고립된 작업을 통해 오늘날 무엇이 대중을 선동하는지와 관련된 문제의 결정적 해결책을 발견했다고 주장하는 사람은 진리의 영원한 원천 중의 하나인 행동하는 인민의 집단적 직관을 포기함으로써 불완전한 오류에 빠질 수밖에 없다. 결정적인 해결책이 승리의 비결이다. … 우리의 체제들은 대부분 시체들의 해부, 해악의 발견, 죽음의 분석, 생명의 무기력한 지각 또는 파악 이상의 것이 될 수 없다. 생명, 그것은 운동 속의 인민이다. 그것은 상호 접촉을 통해, 완수해야 할 위대한 것들에 대한 예언자적인 느낌을 통해, 거리에서 비자의적으로 갑자기 전기처럼 형성되는 연합을 통해 비상한 능력을 발휘하는 대중의 본능[171]이다. 이것은 지금 잠들어 있던 희망과 헌신, 사랑과 열정의 모든 능력을 최고점까지 자극하고 인간의 ||177| 통일적 본성과 인간의 활기 넘치는 산출력을 분명히 드러내는[172] 행위이다. 지난 2천 년 동안 (낡은 사회의) 저명한 망자들의 이성 또는 인식의 차갑고 감동 없는 노동을 통해 오늘날 우리가 배울 수 있는 것보다 한 시대를 시작하는 이 역사적 순간들 속에서 내민 어느 노동자의 악수가 미래의 조직에 대해 우리에게 더 많은 것을 가르쳐줄 것이다."[173]

이렇게 아주 대담하게 선포된 터무니없는 주장은 결국 개별 지도자들의 야심 찬 경쟁심 때문에 그리고 여러 인민 지도자들의 상호 적대적인 견해들 때문에 혁명이 실패하고 말았다는 극히 평범하고 소심한 견해로 귀결된다.

여러 발달 단계를 거치며 전개된 혁명의 과정 속에서 여러 계급과 계급 분파 사이의 투쟁은 우리의 복음 전도사들이 보기엔 분화된 체계들의 존재가 빚어낸 불행한 결과일 뿐이지만, 실제로는 오히려 여러 체계들의 존재가 계급투쟁의 존재 때문에 생겨난 결과이다. 이미 여기서도 드러나는 것처럼 이 선언서의 작성자들은 계급투쟁의 존재를 부정한다. 그들은 교조주의자들에

G486

게 대항해 싸운다는 핑계로 특정한 내용, 특정한 당파적 견해를 모두 제거하고 있으며 각 계급이 다른 계급과 맞서 자신의 이익과 요구를 내세우는 것을 금지한다. 그들은 모든 당파의 이익을 화해시킨다는 명분 아래 오로지 부르주아 정당의 지배적 이익만을 은밀히 인정하는 피상적이고 파렴치한 추상성의 깃발 아래 여러 계급에게 상호 대립적인 이해관계를 잊고 화해하라고 요구한다. 이 신사들이 지난 2년 동안 프랑스, 독일, 이탈리아에서 경험한 바에 따르면 이런 위선이 부르주아지의 이익을 라마르틴 방식의 형제애로 포장하는 무의식적 위선이라고 말하기도 어렵다. 그 밖에도 이 신사들이 이 "체제들"을 어떻게 인식하고 있는지는 이들이 이런 식의 모든 체제는 선언서에[174] 통합된 지혜의 한 단편일 뿐이고, 여기에 모아놓은 자유, 평등 따위의 문구들 각각을 일||178|면적으로만 토대로 두고 있다고 망상하는 데서도 알 수 있다. 사회 조직에 대한 그들의 생각은 매우 놀랍게도 다음과 같이 표현되어 있다. 거리 행진, 소요, 악수, 그것으로 끝이다. 그들에게 혁명은 단순히 기존 정부의 전복일 뿐이다. 그래서 이 목표가 달성되면 "그 승리"도 달성된다. 그러면 운동, 발전, 투쟁은 중단되고 이제 지배자가 된 유럽 중앙위원회의 보호 아래 유럽 공화국과 영원한 것으로 선포된 멍청이들의 황금기가 시작된다. 이 신사들은 발전과 투쟁을 혐오하는 것처럼 사고, 즉 냉정한 사고도 혐오한다. ― 헤겔과 리카도도 예외로 두지 않고, 어떤 사상가가 이런 재갈 물리기 쉬운 구정물을 독자들의 머리에 끼웠을 수 있을 냉정함을 획득한 것처럼[175] 말한다! 인민은 다음 날을 걱정할 필요도 없고 머리에서 모든 사상을 떨쳐내야 한다고 말한다. 결전의 날이 오면 인민은 단순한 접촉을 통해 전기 충격을 받을 것이고 미래의 수수께끼는 기적처럼 해결될 것이라고 말한다. 생각하지 말라는 이런 호소는 인민 중에서 가장 억압받는 계급을 노골적으로 기만하려는 시도이다.

"그렇다면 이제 우리는 (유럽 중앙위원회의 한 위원이 다른 위원에게 물었듯이) 깃발 없이 행진해야 한다는 말인가? 우리는 우리의 깃발에 그저 부정한다고 쓰고자 한다는 말인가? 우리가 이런 의심을 받을 수는 없다. 우리는 오래전부터 인민의 투쟁에 참여하고 있는 인민의 병사들을 **공허함**으로 이끌 수 있다고는 생각지 않는다."[176]

G487

이제 반대로 자신들의 **충만함**을 증명하기 위해 이 신사들은 이제까지의 전체 역사[177]에 나타난 영원한 진리들[178]과 업적들에 대한 진짜 레포렐로의 명부[179]를 오늘날 "민주주의"의 공동 토대로 제시한다. 이 명부는 다음의 감동적인 주기도문에 잘 나타나 있다.

"우리는 우리에게 부과된 도덕률에 대한 인간의 능력과 힘의 진보적 발전을 믿는다. 우리는 연합이야말로 이 목적을 달성할 수 있는 단 하나의 항상적 수단임을 믿는다. 우리는 도덕률이나 진보 규칙의 해석을 어떤 배타적인 사회 계층이나 ||179| 한 개인에게 맡길 수 없으며, 국민 교육을 통해 계몽된 인민에게, 그중에서 최고의 덕성과 재능을 보이는 자의 인도를 받는 인민에게 맡겨야 한다고 믿는다. 우리는 개인과 사회의 신성함을 믿는다. 이것은 배제되어도 안 되고 타파되어도 안 되며 만인에 의해 만인을 개선하는 쪽으로 함께 조화를 이루어야 한다. 우리는 자유를 믿는다. 자유가 없으면 각자의 책임도 없다. 우리는 평등을 믿는다. 평등이 없으면 자유는 기만일 뿐이다. 우리는 형제애를 믿는다. 형제애가 없으면 자유와 평등은 목적 없는 수단이 되어버릴 것이다. 우리는 연합을 믿는다. 연합이 없으면 형제애는 실현 불가능한 강령이 되어버릴 것이다. 우리는 **가족, 공동체, 국가, 조국**이 자유, 평등, 형제애, 연합을 인식하고 확증하면서 인간을 지속적으로 성장시키는 진보적인 영역임을 믿는다. 우리는 노동의 신성함을 믿는다. 우리는 노동에서 유래하고 노동의 표시이자 결실인 **소유권**을 믿는다. 우리는 신용을 통해 물질적 노동의 요소를 공급하고 교육을 통해 지적, 도덕적 노동의 요소를 공급하는 것이 사회의 의무임을 믿는다. … **요컨대 우리는 신과 그분의 법을 정점에 두고 인민을 바탕에 두는 사회 상태를 믿는다.** …"[180]

다시 말해, 진보 ― 연합 ― 도덕률 ― 자유 ― 평등 ― 형제애 ― 연합 ― 가족, 공동체, 국가 ― 소유권의 신성함 ― 신용 ― 교육 ― 신과 인민 ― Dio e Popolo. 이런 문구들은 프랑스 혁명에서부터 왈라키아 혁명에 이르기까지, 1848년 혁명들의 모든 선언문에 나타나고, 바로 그 때문에 **새로운 혁명**의 공통된 토대로서 또한[181] 이곳에 나타나 있다. 여기서 노동의 결과로서 성스러운 것이라고 한 소유권의 신성함은 이들 혁명의 어디에도 빠져 있지 않았다. 애덤 스미스는 모든 부르주아지의 소유권이 "노동의 결실이자 표시"임을 그보다 80년 후의 우리 혁명의 주창자보다 더 잘 알고 있었다. 백 G488 번 양보해서 사회주의적이라고 할 수 있는 것이 사회가 신용을 통해 모두에게 노동하기 위한 물질을 제공해야 하는 것이라면, 모든 공장주는 노동자가 ||180| 일주일에 소화할 수 있는 만큼의 물질을 노동자에게 신용 대출을 해주는 것이 예삿일일 것이고, 오늘날의 신용제도는 소유권의 신성불가침과 조화를 이루는 만큼 널리 퍼질 것이다. 그러나 신용 자체는 부르주아적 소유

권의 한 형태에 지나지 않는다.

이 복음의 요지는 신을 정점에 두고 인민, 나중에 말하는 것처럼, 즉 **인류**를 바탕에 두는 사회 상태이다. 다시 말해서 이들은, 주지하는 바와 같이, 신을 정점에 두고 군중(Mob)을 바탕에 두는 현존 사회를 믿고 있다. 마치니의 신조인 신과 인민, Dio e Popolo가 신을 교황에, 인민을 제후에 대립시켰을 때 이탈리아에서 어떤 의미가 있었을지라도, 독일식 거짓 계몽의 매우 천박한 구정물인 요하네스 롱게의 이런 식의 표절을 수백 년 된 수수께끼를 푼 격언으로 내세우는 것은 너무 지나친 것이다. 그런데 조직과 규율을 필요로 하는 이 학파 사람들이 작은 제물에 얼마나 쉽게 익숙해지는지, 이론의 옹졸한 배타성을 얼마나 흔쾌히 단념하는지는 우리의 아르놀트 빙켈리트 루게가 입증한다. 그는 레오가 크게 기뻐하듯이 이번에는 신성과 인간성의 차이를 존중할 줄 안다.[182]

이 선언문은 다음과 같이 끝난다. "중요한 것은 유럽 민주주의를 구성하는 것이고, 인민의 보고(寶庫)인 예산을 확립하는 것이다. 중요한 것은 주창자의 군대를 조직하는 것이다."[183]

인민 예산의 최초 주창자인 루게는 "암스테르담의 민주주의 선원들"(de demokratische jantjes van Amsterdam)에게 이들의 특별한 소명이 예산을 자신들에게 지원하는 것이라고 설명했다. 곤경에 빠진 네덜란드!

런던, 1850년 11월 1일.

런던 노동자교육협회의 자금에 관한 바우어와 펜더의 성명 초안

Entwurf einer Erklärung Bauers und Pfänders über Gelder

des Arbeiterbildungsvereins in London

|1) 정치적 상황의 결과로 야기되었지만, 샤퍼 씨와 빌리히 씨가 재정적 이유로 기꺼이 받아들인 이민 때문에, 공로가 전혀 없는 명예 회원이되 투표로 받아들여진 회원들 때문에 협회는 그 성격이 크게 변했다. 협회에 자금을 내봤자 원래 목적과는 크게 다르게 사용될 게 뻔했다.

2) 우리는 협회 관리인으로서 자금을 인수했다. 관리인의 지위는 영국 법에 따라 정해진다. 관리인은 종래의 관례적 통지에 따라 지불할 수 있을 때에만 자금을 재량껏 사용할 수 있다.|

|3¹) 현재의 자금 운용에 대해 말하자면, 막상 개인적 이유에서 자금 지급을 주장하는 시민 샤[퍼]와 빌[리히]는, 대부분의 회원은 / ㅣ 모르지만, 협회 기금을 마음대로 주무르는 비밀 위원회가 옛날부터 협회 배후에 있었다는 것을 잘 알고 있다. 샤[퍼] 씨는 협회에서 받은 이 위원회 자금을 개인적 목적으로 한 번 이상 사용한 만큼² 이런 사실을 잘 알고 있다.

아래의 서명자는 노동자들이다. 이 노동자들은 ─ 샤퍼 씨처럼 ─ 협회를 이용해먹거나, 혹은³ ─ 빌리히 씨처럼 ─ 망명자 기금을 이용해 생계를 꾸리는 것을 용인할 수 없다.⁴/

/4⁵) 그럼에도 불구하고⁶ 우리는⁷ 협회 자금의 관리를 맡기로 했다. 우리 제안에 응한 것 같던 협회가 느닷없이 우리를 법정에 소환했기 때문에 ─ 성과는 없었다 ─ ⁸우리는 그 자금을 어떤 런던 시민⁹에게¹⁰ 기탁했다. 그 자금은 협회가 원래 목적에 따라 충분한 담보를 제공할 때까지 그 사람이 보관할 것이다.|

/5) 서면의 거절[11]과 관련해서 보면, 서면은 법적 타당성이 없다. ||심지어 서면상의 성명은 서명자들을 도덕적 인격에 반한다고 법적으로 구속할 수 없을 것이다. 서면상의 성명은 계약과 달리 자금을 사용했다는 점을 밝히는 목적 이외에 다른 의미는 없을 것이기 때문이다.[12]

G490

———————

파리의 바우어[13] (8)
펜더 (7)|

아르놀트 루게에 대한 성명
Erklärung gegen Arnold Ruge

|성명

올해 1월 17일 자《브레머 타게스크로니크》는 올해 1월 13일 자 런던 통신을 통해서《노이에 라이니셰 차이퉁》(이 글에서《노이에 라이니셰 차이퉁》은《노이에 라이니셰 차이퉁. 정치-경제 평론》을 의미함 — 옮긴이)과 서명자에 대해[1] 악의적으로 쓴 횡설수설, 날조되고 곡해된[2] 험담, 서투른 무고와 도덕적인 거드름의[3] 상당한 양[4]을 통째로 수입했다.[5]

앞에 말한 런던 통신원이 보기에 "걸출하고" "단호한 인물들"[6]은 예전부터 탁월한 비판에 원숭이와 같은 방식으로 대답한다. 그들은 자기 배설물을 적에게 내던진다. 각자 능력껏 말이다(Chacun selon ses facultés).[7]

우리는 "단호하고 걸출한" 사람[8]에게 그가《노이에 라이니셰 차이퉁》에 대해 한 귀여운 거짓 이야기[9]를 선사한다.[10] 우리가[11] 그레이트 윈드밀-협회[12]를 탈퇴한 것에 대한 그의 선의의 무고에 대해 우리는 다음과 같이 해명한다.[13]

엥겔스와 마르크스는 자신들이[14] 협회를[15] 탈퇴하기 전[16]후에 그 기금을[17] 관리하면서 조금도 득을 보지 않았다. 엥겔스와 마르크스는[18] ||망명자 기금 관리에 관여하기는 했지만 이제까지 우리의[19] 운영 실태를 확인하고 이를 추인한 후 우리는[20] 탈퇴했다. 월 9펜스의 기부금을 내지 않으려고 우리가 탈퇴했다는 것 — 유통 밖으로 내던져진 제국 화폐 슈튀버[21]의 추락![22] 이 목적을 달성하기 위해 그들 중 한 사람은 맨체스터로 이사했다고 하고,

다른 한 사람은 바다 건너로 가려고 했단다. 도덕적으로 격분한 영혼의 깊은 곳에 순수한 진주가 있지 않겠는가! —[23]

독일의 우리 당원들에게는 우리가 연합을 탈퇴하고 그 연합의 지도부와 결별한 **실제 동기**를 알려주었다.[24] 우리는 지도부의 동의를 얻어 탈퇴했고,[25] 우리는[26] 이제 청중[27] 앞에 있지 않다. 현존하는 독일의 상황[28]에서 노련한 끄나풀은 우리에게 다른 해명[29]을 할 필요가[30] 없을 것이고,《브레머 타게스크로니크》의 곰같이 미련한[31] 자는 더군다나 그럴 필요가 없을 것이다.

G492   결국 런던에서 ||《브레머 타게스크로니크》에 자기의 해조분(海鳥糞)을 거름으로 준 사람은[32] 《노이에 라이니셰 차이퉁》에서 항상 아름답게 글을 써서 실었지만, 우리가[33] 그의 저서의 다른 구절에 대해 "독일 민주주의의 쓰레기 같은 모든 상투어와 모순이 합류하는 시궁창"이라고 특징지었던[34] 그 유명한 포메른 사상가[35]이고,[36] 한마디로 말하면 브레멘의 사촌은 다름 아닌 유럽 중앙-민주주의[37]라는 국가 수레의 다섯째 바퀴인 그 유명한 "**아르놀트 빙켈리트 루게**"[38]이다. 이제 사람들은《노이에 라이니셰 차이퉁》에서 그를 배척한 것[39]을 이해할 것이다.[40]

런던, 1851년 1월 27일.

카를 마르크스.
프리드리히 엥겔스.|

카를 마르크스

논문 모음집

Gesammelte Aufsätze

카를 마르크스의
논문 모음집

헤르만 베커 발행.

제1분책에 포함:

1~30쪽 「최근 프로이센의 검열 지침에 대한 논평. 어떤 라인란트인」
(*Bemerkungen über die neueste preußische Censur-Instruction*). (1841년 12월.)
『최근 독일 철학과 저널리즘에 대한 일화집』(Anekdota zur neuesten deutschen Philosophie und Publicistik)에서 재인쇄, 1권, 취리히와 빈터투어, 1843년 간행, 「최근 프로이센의 검열 지침에 대한 논평. 어떤 라인란트인」(Bemerkungen über die neueste preußische Censurinstruction. Von einem Rheinländer).
MEGA[2] I/1, 97~118, 986쪽에 수록. (뒤에 쓴 숫자는 마르크스의 변경사항과 교정사항이 있는 MEGA[2] I/1 부속자료의 쪽수를 나타낸다.)

31~80쪽 「언론 자유와 주의회의 토의 공표에 대한 **제6차 라인 주의회의 논쟁**」(*Die Debatten des 6. Rheinischen Landtags* über *Preßfreiheit und Publikation der landständischen Verhandlungen*). (1842년 5월.)

쾰른 《라이니셰 차이퉁》에 1842년 5월 5일에서 19일까지 6회 연속 게재된 기고문들의 재인쇄. 「제6차 라인 주의회의 토의. 어떤 라인란트인. 첫 번째 기고문. 언론 자유와 주의회의 토의 공표에 대한 논쟁」(Die Verhandlungen des 6. rheinischen Landtags. Von eimem Rheinländer. Erster Artikel. Debatten über Preßfreiheit und Publication der Landständischen Verhandlungen).

인쇄본은 전지 5의 끝, 문장 가운데 마지막 연재분의 시작 부분에서 중단된다.

MEGA② I/1, 121~159쪽 9행 "ebenfalls"까지. 993~995쪽에 수록.

『논문 모음집』 제1권의 다른 분책으로 계획된 인쇄용 원고로 마르크스는 《라이니셰 차이퉁》의 다음 기고문을 수정하고 정리했다.

- 「《쾰니셰 차이퉁》, 제179호의 사설」(Der leitende Artikel in Nr. 179 der "Kölnischen Zeitung").

  MEGA② I/1, 172~190, 1010쪽에 수록.
- 「제6차 라인 주의회의 토의. 세 번째 기고문. 산림 절도법에 대한 토론」(Verhandlungen des 6. rheinischen Landtags. Dritter Artikel. Debatten über das Holzdiebstahlsgesetz).

  MEGA② I/1, 199~236, 1023쪽에 수록.
- 「공산주의와 아우크스부르크 《알게마이네 차이퉁》」(Der Kommunismus und die Augsburger "Allgemeine Zeitung").

  MEGA② I/1, 237~240, 1033쪽에 수록.
- 「지방 조직 개혁과 《쾰니셰 차이퉁》」(Die Kommunalreform und die "Kölnische Zeitung").

  MEGA② I/1, 251~259, 1046쪽에 수록.
- 「이혼법 초안. 비판에 대한 비판. 《라이니셰 차이퉁》의 편집자 주석」(Der Ehescheidungsgesetzentwurf. Kritik der Kritik. Fußnote der Redaktion der "Rheinischen Zeitung").

  MEGA② I/1, 260~263, 1052쪽에 수록.

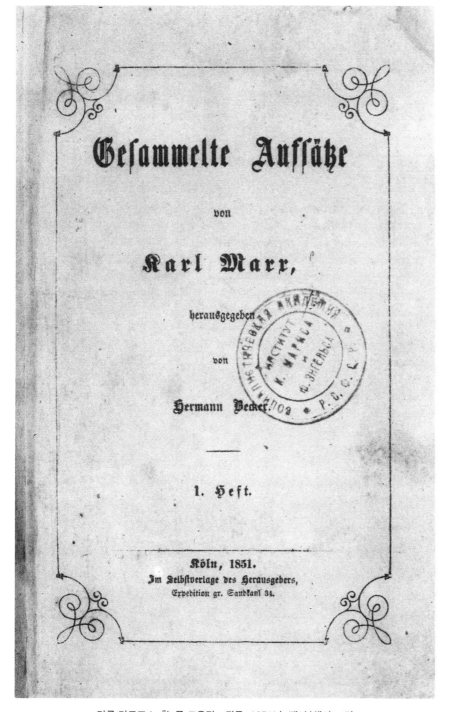

Gesammelte Aufsätze

von

Karl Marx,

herausgegeben

von

Hermann Becker.

1. Heft.

Köln, 1851.
Im Selbstverlage des Herausgebers,
Expedition gr. Sandkaul 34.

카를 마르크스, 『논문 모음집』, 쾰른, 1851년, 제1분책의 표지

Unter der Presse befinden sich:

Karl Marx's
gesammelte Aufsätze,

herausgegeben

von

Hermann Becker.

Marx's Arbeiten sind theils in besondern Flugschriften, theils in periodischen Schriften erschienen, jetzt aber meistens gar nicht mehr zu bekommen, wenigstens im Buchhandel ganz vergriffen. Der Herausgeber glaubt deßhalb, dem Publikum einen Dienst zu erweisen, wenn er mit Bewilligung des Verfassers diese Arbeiten, welche gerade ein Decennium umfassen, zusammenstellt und wieder zugänglich macht.

Der Plan ist auf 2 Bände berechnet; der Band wird 25 Bogen umfassen. Dem zweiten Bande wird Marx's Portrait beigegeben. Die, welche bis zum 15. März 1851 auf diese Bände subscribiren, erhalten solche in 10 Heften à 8 Sgr. Nach diesem Termine tritt der Ladenpreis, 1 Thlr. 15 Sgr. per Band, ein.

Der erste Band wird Marx's Beiträge zu den „Anekdota" von Ruge, der (alten) „Rheinischen Zeitung" (namentlich über Preßfreiheit, Holzdiebstahlsgesetz, Lage der Moselbauern u. s. w.), den deutsch-französischen Jahrbüchern, dem Westf. Dampfboote, dem Gesellschaftsspiegel u. s. w. und eine Reihe von Monographien enthalten, die vor der Märzrevolution erschienen, aber, wie Marx an Becker schreibt, „leider" noch heute passen.

Bestellungen nimmt an:

헤르만 베커, 전하지 않는 마르크스의 편지를 인용한
카를 마르크스의 『논문 모음집』 안내서

- 「《쾰니셰 차이퉁》과《라이니셰 차이퉁》의 통신원」(Ein Korrespondent der "Kölnischen Zeitung' und die "Rheinischen Zeitung").

  MEGA^{②} I/1, 266~267, 1056쪽에 수록.

- 「아우크스부르크 신문의 논박 술수」(Die polemische Taktik der Augsburger Zeitung).

  MEGA^{②} I/1, 268~271, 1058쪽에 수록.

- 「프로이센 신분제 위원회에 대한 아우크스부르크《알게마이네 차이퉁》제335호와 제336호의 기고문」(Der Artikel in Nr. 335 und 336 der Augsburger "Allgemeinen Zeitung" über die ständischen Ausschüsse in Preußen).

  MEGA^{②} I/1, 272~285, 1062쪽에 수록.

- 「무명의 모젤 통신원의 변호. A절과 B절」(Rechtferigung des †† -Korrespondenten von der Mosel. Abschnitt A und B). G497

  MEGA^{②} I/1, 296~323, 1079~1080쪽에 수록.

- 「"온건한" 신문의 공격에 대한 답변」(Replik auf den Angriff eines "gemäßigten" Blattes).

  MEGA^{②} I/1, 331~333, 1094~1095쪽에 수록.

- 「"이웃" 신문의 밀고에 대한 답변」(Replik auf den Denunziation eines "benachbarten" Blattes).

  MEGA^{②} I/1, 334~337, 1097쪽에 수록.

- 「《쾰니셰 차이퉁》의 밀고와《라인- 운트 모젤-차이퉁》의 논박」(Die Denunziation der "Kölnischen" und die Polemik der "Rhein- und Mosel-Zeitung")

  MEGA^{②} I/1, 340~346, 1102~1103쪽에 수록.

- 「《라인- 운트 모젤-차이퉁》」(Die "Rhein- und Mosel-Zeitung")

  MEGA^{②} I/1, 347~348, 1106쪽에 수록.

"1~30쪽「최근 프로이센의 검열 지침에 대한 논평. 어떤 라인란트인」. (1841년 12월.)"과 "31~80쪽「언론 자유와 주의회의 토의 공표에 대한 제6차 라인 주의회의 논쟁」. (1842년 5월.)"을 제외한 나머지 부분은 MEGA 편집자가 쓴 것이다. ─ 옮긴이

카를 마르크스/프리드리히 엥겔스
블랑키 축사 머리말과 축사 번역
Vorbemerkung zum Toast von Blanqui und Übersetzung des Toastes

|축사

시민 L. A. 블랑키 보냄

1851년 2월 24일의 연례행사를 기념하여
런던 망명자위원회 귀중.
평등의 친구들이 출판함.[1]

————|

|머리말.

인민을 등친 몇몇 가련한 자들, 즉 사실상 유럽 폭도 중앙위원회인 이른바 유럽 사회민주주의자 중앙위원회는, 빌리히 씨와 샤퍼 씨 등의 지도하에, 런던에서 2월 혁명 기념일 연례행사를 열었다. 감상적이고 공론적인 사회주의의 대표자 루이 블랑은 인민의 또 다른 배신자 르드뤼-롤랭에 대한 음모 차원에서 이류 왕위 계승 요구자들의 패거리에 합류했다.[2] 그들은 연회장에서 자신들이 받았다고 하는 수많은 축사를 낭독했다. 그들은 온갖 노력을 기울였음에도 독일로부터 단 한 통의 헌사도 입수하지 못했다. 이것은 독일 프롤레타리아트의 발전을 위해서는 좋은 조짐이었다!

그들은 혁명적 공산주의의 고귀한 순교자 **블랑키**에게도 축사를 써달라고 요청했다.[3] 그는 다음과 같은 축사를 그들에게 보냈다.

인민에게 보내는 경고.

어떤 장애물이 내일의 혁명을 위협하는가? 이 장애물은 어제의 혁명을 좌절시켰고, 인민 지도자로 위장해서 역할을 수행하고 있는 부르주아지의 개탄스러운 인기이다.

르드뤼-롤랭, **루이 블랑**, 크레미외,[4] 마리, 라마르틴, 가르니에-파제스,[5] 뒤퐁 (드 뢰르), 플로콩, 알베르, 아라고, 마라스트!

패덕자 명단! 민주주의 유럽의 모든 길 위에 피로 쓰인 불길한 이름들!

임시정부가 혁명을 죽였다! 온갖 불행에 대한 책임이 그들 머리 위에 떨어지기를! 수천 명의 희생자들 피가 그들 머리 위에 떨어지기를!

반동은 민주주의를 목 졸라 죽임으로써 자기의 일을 수행했을 뿐이다. 이 범죄는 신뢰할 수 있는 인민이 지도자로 받아들였지만 이 인민을 반동에게 넘겨준 반역자에게 부담이 될 것이다.

비열한 정부! 정부는 농민의 비명, 탄원에도 불구하고 이들에게 45상팀 세금[6]을 투척했고 이들을 절망, 봉기로 내몬다.

이 정부를 유지하는 것은 왕당파 참모부들, 왕당파 법관들, 왕당파 법률들이다. 반역!

정부는 4월 16일에 파리 노동자들을 습격하고, 리모주 노동자들을 투옥하고, 27일에는 루앙의 모든 노동자에게 산탄(散彈)을 사격한다.[7] 정부는 사냥개들을 모두 풀어 진짜 공화주의자들을 몰이사냥 한다. 반역, 반역!

1848년 혁명을 수포로 만들어버린 재앙의 끔찍한 짐이 이 정부에, 이 정부에만 떨어지기를!

아, 대단한 범죄자들, 그러나 이들 가운데 가장 큰 범죄자들은 인민이 인민 자신의 미래에 대한 중재 심판관이라고 감격에 차서 선언한 연단의 미사여구로 인민을 속이면서 인민의 칼과 방패를 알아본 그들이다.

인민의 승리가 다가오는 날에 건망증이 있는 대중이 관용을 베풀어 자신들의 권한을 박탈당했던 사람 중 한 명이 다시 권력을 획득한다면 저주를 내릴 것이다! 이런 일이 한 번만 더 일어나도 혁명은 끝장날 것이다.

노동자들은 이 저주받은 명단을 부단히 명심하기를. 그중 한 명이라도 정말로 한 명이라도 혁명 정부에 다시 나타나기만 하면 모두 한목소리로[8] 반역! 이라고 외치기를.

강연, 설교, 강령은 또 사기가 될 것이다. 이 요술쟁이들은 케케묵은 요술을 또 보여주려고 돌아올 것이다. 이들은 || 더욱 격렬해진 반동의 새 사슬의 첫째 고리가 될 것이다. 이들이 감히 다시 나타난다면 저주를 퍼붓고 복수하라! 이들의 그물에 다시 걸려든 순진한 무리를 모욕하고 경멸하라!

그러나 2월의 요술쟁이를 시청[9]에서 영원히 추방하는 것으로는 충분하지 않다. 새로운 배신에 대비하는 것이 중요하다.

배신자는 다음 사항을 실행에 옮기지 않으면서 프롤레타리아트의 어깨 위에서 지배하는 사람들일 것이다.

1. 부르주아 방위군의 완전 무장 해제.

2. 모든 노동자의 무장과 군대 조직화.

그 밖에도 불가결한 조치가 많이 있음은 말할 것도 없지만, 이런 조치들은 인민의 안전을 위한 미래의 보증이자 유일한 담보물인 첫 번째 행동으로부터 저절로 나올 것이다.

단 한 자루의 총도 부르주아지[10] 수중에 있어서는 안 된다. 그것 없이는 안전은 없다!

오늘날 대중의 공감을 얻기 위해 경쟁하는 다양한 교리는 개선과 복지의 약속을 적시에 실현할 수 있을 것이다. 단 헛것을 잡으려다 진짜를 놓치지 않는다는 조건하에서만 가능할 것이다.

인민이 오로지 이론에만 몰두하고 유일한 실천적 수단이자 유일한 안전 수단인 폭력을 과소평가하면 그것들은 비참한 유산(流産) 외에 아무것도 초래하지 않을 것이다!

무기와 군대 조직 — 이것은 진보의 결정적 요소이고, 비참함을 종식할 단 하나의 중대한 수단이다.

철을 가진 자가 빵을 가진다. 총검 앞에서는 무릎을 꿇게 마련이다. 무기 없는 무리는 북데기처럼 쓸어내지기 마련이다. 무장한 노동자들로 가득 찬 프랑스 — 이것은 사회주의의 도래다.

무장한 프롤레타리아트 앞에서는 장애물, 반항, 불가능 등 모든 것이 사라질 것이다.

그러나 흥겨운 거리 산책, 자유의 나무, 그럴싸한 변호의 말로 시간을 보내는 프롤레타리아트에게는 먼저 성수(聖水)가 있고, 그다음에는 모욕이 있

G500

576

고, 마지막에는 산탄통과 영원한 비참이 있다!

인민은 선택할 수 있다!

벨-일-앙-메르 감옥에서, 1851년 2월 10일.[11]

프리드리히 엥겔스

《더 타임스》편집자에게

1851년 3월 5일

To the Editor of the "Times"

March 5, 1851

|《더 타임스》편집자에게

편집자님,

루이 블랑 씨가 2월 24일 런던에서 보낸, "평등의 연회"(Banquet des Egaux)에 관한 편지와 블랑키 씨가 벨-일 앙 메르 감옥에서 보낸 축사에 관한 편지를 오늘 자 귀지[1]에서 보았습니다. 이 편지에 대한 몇 가지 소견[2]을 말씀드리고자 합니다.

연회장에는 블랑키의 이름이 그 밖의 민주주의 영웅과[3] 순교자 이름과 함께 벽에 커다랗게 쓰여 있었습니다. 바로 이 연회장에서 축사는 "비방의 순교자들", 즉 마라, 로베스피에르 … 그리고 블랑키에게 바쳐졌습니다! 이 연회에서 행한 축사와 연설은 모두 이미 2월 15일에 "멋지고 당당한 정견 발표의 주최자들"이라는 위원회에 제출되어야 했습니다. 블랑 씨는 이 위원회 위원이었습니다. 따라서 그는 블랑키 씨의 축사를 사전에[4] 동의했음이 틀림없습니다. 이제 와서 블랑 씨가 블랑키 씨를 "격분한 나머지 명성에 먹칠을 할 폭력을 기도하고 최고의 명분을 잃어버려도 좋다면 그것을 잃어버릴 불행한 사람"이라고 하면서 어떻게 "비방의 순교자"로 만들 수 있습니까?[5]

블랑 씨는 축사가 벨일의 죄수들이 보낸 것이 아니라 블랑키 씨의 단독 작품이라고 주장합니다.[6] 물론 블랑키 씨가 축사와 문서를 작성하여 자기 이름으로 제출했다고 할 수도 있습니다. 그러나 문제의 축사는, 프랑스에서는 다들 알고 있는 바와 같이, "평등의 친구들"(Société des amis de l'Egalité)이

578

채택하고 출판했습니다. 이 단체는 블랑키 씨 지지자들인 벨일의 죄수들로 이루어져 있습니다. 왜냐하면 이 신사는 루이 블랑의 보호자인 바르베스 씨뿐만 아니라 죄수 중에도 친구들이 있기 때문입니다.

"당당하고 멋진 정견 발표"와 || "국적이 다른 천 명 이상의 동맹(union)"에 대해 말씀드리자면,[7] 이 감동적인 장면이, 블랑 씨에 관한 한, 블랑[8] 씨G502가 공개적으로 천명한 바와 같이 르드뤼-롤랭, 마치니, 그 밖의 인사들이 속해 있는 "유럽 민주주의 중앙위원회"[9]에서 배제된 것에 보복하기 위해 르드뤼-롤랭 씨를 반대하는 **"형제들의"**(fraternal) 데모에 지나지 않음을 잊어서는 안 됩니다.

루이 블랑 씨의 "명성"에 대해 말씀드리자면, [10]얼마 전에 프루동 씨가 가한 끔찍한 타격에서 "명성"이 회복될 때까지 그 미묘한 주제를 언급하지 않는 것이 더 사려 깊은 행동이었을 것입니다.[11]

블랑 씨는 망명 및 추방을 수용한다고 떠들어댐으로써 블랑키 씨의 공격으로부터 자신을 보호할 수 있었을 것입니다.[12] 루이 필리프의 아들들도 망명 중이지 않습니까?[13] 블랑 씨는 오비디우스의 『트리스티아』에 묘사된 것과는 확실히 거리가 먼 거주지[14] 피커딜리 87번지에서 편안히 망명 생활을 하고 있는 사람이 아니라, 법의 올가미에 걸려 죄수가 되어 있는 사람인 프루동 씨에 대한 폭력적 공격을 삼갔습니까?[15]

블랑 씨는 축사가 "반혁명적 신문"[16]에 공개되었다는 이유로 블랑키를 비난하는 것처럼 보입니다. 블랑 씨는 1850년 5월 이후로 프랑스에는 이제 "혁명적" 신문이 존재하지 않음을 잘 알고 있습니다. 《더 타임스》 편집자에게 "매우 정중하게"[17] 편지를 보낸 루이 블랑 씨, 당신이 보기에는 언제부터 《더 타임스》가 민주적이고 사회주의적이며 혁명적인[18] 신문입니까?

그러나[19] 블랑 씨의 분노[20]를 살 만하고 이제 프랑스 신문의 일반 주제가 되어버린 이 특이한 문서에 대해 대중이 판단할 수 있도록 하기 위해 저는 전문 번역을 보내며 이것이 영국 대중의 관심을 끌게 되기를 희망합니다.

귀하의 충실한 독자

진리(Veritas)|

엥겔스는 이 글을 영어로 썼다. — 옮긴이

카를 마르크스

성찰
Reflection

|48| 성찰

　상인[1]과 상인 간의 거래와 상인과 소비자 간의 거래는 구별해야 한다. 전자는 자본을 자본으로 이동시키고, 후자는 소득을 자본과 교환한다. 전자는 자신의 돈으로, 후자는 자신의 화폐로 교환한다. 일찍이 지금(地金)위원회(Bullion Committee) 보고서에서 강조된 바와 같이 A. 스미스와 투크[2]의 이 구별은 중요하다. 한 가지 빠진 것은 이 두 종류와 화폐의 관계와 마찬가지로 거래와의 관계이다. 1) 실제로 모든 위기는 상인과 상인 간의 거래가[3] 상인과 소비자 간의 거래가 정한 경계를 부단히 넘어선다는 사실을 보여준다. 경제학자들이 잉여 생산이 불[4]가능함을 보여준 모든 명제는, 이것은 적어도 하나의 보편적인 명제인데, 시스몽디가 매컬럭의 주장에 맞서 올바르게 입증한 것처럼, 상인과 상인 간의 거래에 국한된다.[5][6] 이것은 상인과 소비자 사이의 교환이 적어도 노동자와 소매[7]상인[8] 및 직공 간 교환의 3/4이라는 사실과 이 교환이 노동자와 산업자본가 간의 교환 — 이 교환은 다시 상인과 상인 간의 교환에 의해 제약된다. 악순환(cercle vicieux) — 에 달려 있다는 사실을 생각해보면 그만큼 더 분명해질 것이다. 2) 물론 상인과 상인 간의 교환은, A. 스미스가 말한 것처럼, 상인과 소비자 간의 교환에 의해 필연적으로 제한된다. 왜냐하면 소비자의 구매 가격은 최종 가격(이전 거래에 들어가 있는 생산비와 이윤을 소급해서 산정한 것)이기 때문이다. 그럼에도 프루동[9]을 비롯한 전체[10] 경제학은 A. 스미스의 명제를 미련하게도 단순화

해버렸다. 사정은 그렇게 단순하지 않다. 첫째(D'abord), 가령 영국의 상인과 상인 간 거래는 영국의 상인과 소비자 간 거래에 의해 결코 제한되지 않고 세계 시장에서의 상인과 소비자 간[11] 거래에 의해 다소(plus ou moins) G504 제한된다. 예를 들면 인도 회사,[12] 즉 동인도 회사의 상인은 런던의 시장에 인도 나염을 보낸다.[13] 런던에서는 이를 경매에 부친다. 이것이 상인과 상인 간의 거래이다. 인도 나염 구매자는 그 일부를 프랑스와 독일 등지에 팔고, 이들 나라의 상인과 공장주가 이를 구매한다. 그들이 최종적으로 [14]인도 나염 가격을 공개하느냐 마느냐는 이오니아 섬이나 아프가니스탄 또는 [15]애들레이드에 앉아 있을 소비자에게 최종 제품이 판매되느냐 마느냐에 달려 있다. 몇몇 국가 내의 상인과 상인 간 거래는 한 국가 내의 상인과 소비자 간 거래에 의해 제한된다고 하면 이것도 틀린 말일 것이다. 이 거래가 ||49| 보편적이라고 하면 이 거래는 세계 시장에서의 상인과 소비자 간 거래에 의해 제한될 것이다. 이 제한은 상인과 상인 간 거래 자체가 대규모로 행해지고 한 국가가 세계 시장에서 지도적 위치에 있을수록 그만큼 더 커진다. **둘째**. 노동자계급이 소비자의 대부분을 차지하기 때문에, 노동자계급의 소득은 [16]전체적으로 보면, 프루동이 말한 것처럼, 한 국가 내에서 감소하는 것이 아니라 세계 시장에서 감소한다고 말할 수 있다. 그래서 생산과 소비 간의 불균형, 즉 잉여 생산이 야기된다. 이 말은 대체로 옳지만 유산계급의 사치 증가 때문에 수정되어야 한다. 이 명제를 고집하는 것은 농장주의 거래가 그의 노예인 흑인의 소비에 의해 결정된다고 하는 것만큼 터무니없을 것이다. **셋째**. 상인과 상인 간의 거래는 상인과 소비자 간의 거래를 상당 부분 만들어 낸다. 예를 들면 공장주가 투기꾼의 엄청난 주문을 받아 노동자가 바빠지면 임금도 상승하고 소비도 증가한다. 철도 건설 투기 때는[17] 결정적인[18] 소비가 엄청나게 유발되는데 결국 이 소비는 완전히 "비생산적"이라는 것이 드러난다. 실제로 우리는 상인과 소비자 간 거래가 결국에는 대개 상인과 상인 간의 거래 때문에 파탄난다는 것을 발견한다. 위기는 무엇보다도 항상 첫째 사정 때문에 일어나는데 이것은 소비의 제한된 힘이 이미 고려된 후, 특히 공급이 이른바 견적을 초과할 때(이를테면 곡물 투기의 경우)에는 일어날 수밖에 없는 것이다. **넷째**. 잉여 생산을 생산 불균형 탓으로만 돌리지 않고 자본가계급과 노동자계급 간의 관계 탓으로 돌린다.

　3) 거래의 두 가지 [19]명확한 형태, 즉 [20]원래 거래상의 통화(currency)와 소득을 자본의 일부인 상품과 교환할 때의 통화, 즉 **화폐**에 대해 말하자면,[21]

이 두 가지를 [22]분리하는 것으로는 충분하지 않다. 중요한 것은 둘 사이의 관계와 상호작용이다. 사인(私人), 즉 소비자의 화폐는 첫째로 정치적·이데올로기적 상황의 총체이고, 둘째로 토지연금 생활자의 상황의 총체이고, 셋째로 이른바[23] 자본가(산업자본가는 아님), 국가 채권자(Staatsgläubiger) 등의 상황의 총체이고, 심지어 노동자(저축은행에 가입한)의 상황의 총체이기도하다. 요컨대 인구 중에서 상업에 종사하지 않는 계급의 일상 지출과 언제든지 처분할 수도 있고 비축(축장)해둘 수도 있다고 [24]믿는 일부 화폐 소득에 대한 **잉여**, 이 잉여가 **예금**의 주요 원천을 이루고, 예금은 다시 **거래화폐**[25]의 주요 토대를 이룬다. 이전, 즉 신용의 작용(Kreditoperation), 요컨대 상업 영역 내의 모든 화폐 이동은 상당 부분[26] 상업에 종사하지 않는 인구의 예금에 달려 있다. 신용이 없는 xxxxx에서 그들은 거래에서 떨어져 나간다. 자본 처분 수단이 생산을 지배하는 계급의 수중에서 사라지게 되고 [27]자본은 비생산적인 것이 된다.[28] 다른 한편으로, 이 계급은 거래를 위해 수중에 돈이 필요한데 은행가는 이제 식료품상과 공장주에게 돈을 빌려주지 않고, 소비자 자신의 수중에도 소득과 함께 돈이 줄어든다. 그래서 화폐가 부족하다는 아우성이 상업 영역에서 소비자 영역으로 들이닥친다. 4) 위기 때에는 신용의 결함이 큰 문제이고 통화는 아무것도 아니라고 하는 것은 틀린 말이다. 위에서 진술한 근거로 볼 때[29] 매우 분명한 것은 이런 시기에 통화량은 최대라는 점이다. 왜냐하면 바로 한편으로는 통화량의 속도가 줄어들었기 때문이고 둘째, 이전에는 필요하지 않았던[30] 현금이 거래량만큼 필요하기 때문이다. 이 때문에 통화량과 거래 가치 사이에 커다란 차이가 생기고, 거래는 상당히 적은 통화량으로 이루어진다. 따라서 실제로 부족한 것은 통화이지 자본이 아니다. 자본은 평가 절하되어 사용할 수 없다. 그런데 여기에서 사용할 수 없다는 것은 무슨 뜻인가? 자본은 통화로 전환될 수 없다. 자본의 가치는 바로 교환 가능성에 있다. 그러나 이 모든 것에도 불구하고 자본은 현존한다. 문제는 주로 어음을 할인해주지 않는 데 있고, 또한 어음은 선의의 (bona fide) 거래에 기초한다. 그리고 어음은 거래화폐이고, 그 [31]가치는 상업 자본을 대표한다. **은행권의 금** 태환 가능성은 매우 낮아지고, 은행권의 실패는 상업 위기만을 가중한다. 현실적 어려움은 **상품의**, 즉 **현실 자본의**, 금과 은행권의 **태환 불능**이다. 바로 이 때문에 1793년, 1825년, 1847년의 사태들[32]이 벌어졌다. 이때 현실 자본은 재무부 증권과 은행권 발행을 통해서 구제받을 수 있었다. 그러나 이 재무부 증권과 은행권이 자본이었다고도 주

장할 수는 없다. 이것들은 그저 통화였을 뿐이다.[33] 공황은 멈추지 않았지만, 화폐 공황은 멈췄다. 그러므로 [34]은행권의 태환성은 [35]은행업에서뿐만 아니라 거래에서도 그 배후로서 유가증권의 태환성을 가진다. 본질상 태환 가능G506 한 것으로 여겨지는 유가증권,[36] 즉 정부 유가증권과 단기 어음조차도 태환 가능성이 중단된다. 여기서 상품은 전혀 중요한 것처럼 보이[37]지 않는다. 중요한 것은 액면가치[38](Wertzeichen)의 태환성이다. 상품이 이 태환성을 대표한다. 상품은 화폐이기를 멈추고, 화폐로 태환되지 않는다. 이 결함은 당연히 화폐제도로, 즉 화폐제도의 어떤 **특수한** 형태로 전가된다. 이것은 화폐제도의 존재에 근거하는데, 마치 화폐제도가 오늘날의 생산방식에 근거하는 것과 같다. 그러나 결국 ||50| 은행권의 금 태환성은 필요한데, 왜냐하면 상품의 화폐로의 태환성이 필요하기 때문이고, 즉 상품은 필연적으로 특수한 존재 형태를 가지면서 상품과 구별되는 교환가치를 갖기 때문이고, 즉 사적 교환의 체계가 일반적으로 생기기 때문이다. 화폐의 평가 절하와 상품의 평가 절하는 실제로는 심지어 반비례 관계에 있다. 그러나 은행권은 금에 대해서만 평가 절하할 수 있다. 왜냐하면 상품이 은행권에 대해서 평가 절하할 수 있기 때문이다. 도대체 은행권의 평가 절하란 무엇인가? 상품, 즉 상품의 가치는 언제든지 금과 은으로 전환될 수 있어야 한다는 것이고, 상품과 금의 연결 고리 혹은[39] 대체물은 대체물일 뿐이며, 바로 이 때문에 값이 없다(gratis)는 것이다. 따라서 주요 문제는 항상 **상품, 자본**의 **불태환성** 자체이다. 부족한 것은 화폐가 아니라 자본이고, 통화는 아무런 상관이 없다고 말하는 사람의 말은 난센스이다. 왜냐하면 여기서 중요한 것은 자본, 즉 상품과 화폐의 구별이기 때문이다. 중요한 것은 전자가 후자를 자신의 대리인으로, 즉 자신의 **가격**으로 삼아 반드시 상업 영역으로 진입하지 않는다는 점이고, 화폐가 되기를, 유통될 수 있기를, 가치이기를 중단한다는 점이다. 자본이 **부차적인 것**으로 현상할 때 화폐를 부차적인 것으로 서술하는 것은 우스꽝스럽다. 다른 한편 이 난센스는 다른 면에서 보면 훨씬 더 크다. 그들은 자본의 불태환성(inconvertibility)을 인정하고, 은행권의 태환성을 비웃는다(se moquent de la convertibilité). 또한 **화폐제도**의 변경이나 이런저런 조치를 통해 이것을 폐지하려고 한다. 마치 모든 임의적인 화폐제도의 현존재에 자본의 불태환성이 아직 포함되지 않은 것처럼, 자본의 불태환성이 자본 형태의 생산물의 현존재에 포함되지 않은 것처럼 말이다. 이것을 기초로 만약 사람들이 이것을 바꾸려고 한다면, 사람들은 언제든지 교환할 수 있고 더군

다나 공정한 가격을 유지하려는 속성을 자본에 부여하지 않은 채 화폐일 수 있는 속성을 화폐로부터 빼앗을 것이다. **화폐제도의 현존재** 속에는 분리의 가능성뿐만 아니라 이미 분리의 현실성이 주어져 있다. 이것이 여기에 존재한다는 것은 자본이 화폐에 적합하다는 바로 그 점 때문에 자본의 사용 불가능성이 이미 자본과 함께, 따라서 전 생산 조직과 함께 주어진다는 것을 증명한다. 신용 사기만이 화폐 시장에서 이 압력을 만들어낸다는 것은 마찬가지로 틀린 말이다. 화폐 자체가 자기편에서 다시 화폐제도를 제약한다. 혹은 똑같은 원인이 이 양자를 만들어낸다. 버밍엄 사람들[40]은 말할 것도 없이 명청이다. 그들은 돈을 많이 벌려고 하거나 돈의 기준을 평가 절하함으로써 돈의 불편함을 없애려고 한다. 프루동, 그레이 등도 명청이다. 이들은 화폐를 유지하려고 한다. 단 화폐가 그 속성을 잃을 만큼만 유지하려고 한다. 화폐 시장에서 총체적 위기가 고조되기 때문에, 징후(물론 공교롭게도 다시 원인이 되지만)로서의 부르주아적 생산이 전반적으로 되풀이됨으로써 부르주아적 토대 위에 남아 있는 고루한 개혁가들이 화폐를 개혁하려고 하는 것보다 더 간단한 것은 없다. 그들은 가치와 사적 교환을 유지하면서 생산물과 그 생산물의 교환 가능성을 분리한다. **그러나 이들은 이러한 분리의 기호를 정리하려고 했는데, 이 기호는 똑같은 것을 표현하고 있다.**

5) 매우 단순한, 다시 말해서 고루하고 무식한 민주주의자들은 상인과 소비자 사이의 거래 속의 **화폐**만을 안다. 따라서 그들은 충돌이 [41]일어나는 영역, 소동, 화폐 공황, 엄청난 화폐 거래에 대해서 모른다. 그러므로 이 단순한 사람들은, 다른 것들을 볼 때도 마찬가지지만, 사태를 그들 자신만큼 단순하고 순진하게 파악한다. 그들은 상인과 소비자 사이의 이 거래에서 우직한 사내들의 가치 대 가치의 교환을 본다. 여기서 각 개인의 자유는 그 최고의 실천적 증명을 얻는다. 이 교환에서 계급 대립에 관해서는 말하지 않는다. 한 상인이 다른 상인에게 대항하고, 돈 많은 개인이 다른 개인에게 대항한다. 소비 거래를 하기 위해서는, 다시 말해서 살기 위해서는 각 개인에게 돈이 있어야만 한다는 것은 각 개인이 일해야 하고, ||51| 슈티르너[42]의 말대로, 능력을 발휘해야 하는 것이 당연한 전제조건이다. 무엇보다도 카스트, 혈통, 신분, 계급 등의 차별과 대립에 기인하는 이제까지의 모든 사회질서에서 화폐가 이런 유기 조직의 본질적 요소라는 것과 화폐제도가 항상 이 유기 조직의 번영과 몰락이었다는 것은 누구도 부인할 수 없는 역사적 사실이다. 따라서 그들은 화폐제도가 계급 대립에 근거한다는 점을 우리에게 증명

G507

하지 못할 것이고, 이제까지의 모든 역사적 경험을 무시한 채 화폐제도는 계급 대립이 없어도 의미가 있었다는 점, 화폐제도가 이제까지의 모든 사회질서를 부정하는 상태에서도 이제까지의 모든 사회질서의 한 축으로 살아남을 수 있었다는 점을 단순한 사람들에게는 증명할 수 있을 것이다. 매우 단순한 사람들에게 이런 과제를 제기하는 것은 완전히 간단할 것이다. 이들은 모든 것을 간단한 말로 제거해버린다. 이들의 특별한 위대함은 이런 점에 있다. 화폐제도와 이제까지의 모든 제도는 그들 눈에는 그들 자신만큼 정직한 것이었고 또 우둔한 것이었다.

우리는 그들이 좋아하는 소비자와 상인 사이의 거래를 다시 생각해보고 G508자 한다. 더 나아가 그들은 옆에서도, 앞에서도,[43] 뒤에서도 그것을 못 본다.

자유로운 개인들은 무엇으로[44] 식료품점에서 쇼핑을 하는가? 소득을 가치로 표시한 것 또는 이것의 등가물로. 노동자는 임금을, 공장주는 이윤을, 자본가는 이자를, 지주는 지대를 식료품점, 제화점, 정육점, 제과점 등에서 금, 은, 은행권과 교환한다.[45] 제화공, 식료품상 등은 화폐화된(vergeldet) 임금, 지대, 이윤, 이자를 무엇으로 교환하는가? 그의 자본으로. 그는 이 행위로 자본을 대체하고 재생산하며 확대한다.

이 단순해 보이는 행위에는 **우선**[46] 모든 계급관계가 드러난다. 임노동자, 지주, 산업자본가 및 비산업자본가라는 계급이 이 계급관계에 전제되어 있다. 다른 한편으로는 그리고[47] 특히 부에 자본의 성격을 부여하고 자본을 소득과 구별 짓는 특정한 사회관계의 존재가 전제되어 있다. 이 단순함은 화폐화(Vergeldung)와 함께 사라진다.

지주가 지대를, 공장주가 이윤을 현물 지급이나 현물 급부 대신 현금으로 받는 것처럼, 노동자가 임금을 화폐로 받는 것은 화폐제도가 있는 사회가 그렇지 않은 사회보다 더 발전되고 계급 분화와 분리가 더 진척된 사회 단계임을 보여준다. 화폐가 없으면 [48]임노동이 없다. 따라서 이것의 다른 형태인 이윤과 이자도 없다. 그러므로 이윤의 일부에 지나지 않는 지대도 없다.

물론 사람들은 화폐, 금, 은 혹은 은행권의 형태를 띤 소득에서 더는 그 소득이 단지[49] 특정한 계급의 개인에게, 즉 계급적 개인으로서[50] 개인에게 귀속하는 것이라고 생각하지 않는다. 이 개인이 이 소득을 구걸하거나 훔친 것은 아니지만 이런 방식으로 소득을 빼앗겼을 때, 이 개인은 매우[51] 폭력적으로 계급적 개인으로 등장한다. 금박 혹은 은박은 계급적 특성을 지우고 그 특성을 호도한다. 그 결과는 부르주아 사회의 — 돈을 제외한 — 외관상 평

등이다. 다른 한편에서 화폐제도가 완전히 발전한 사회에서 소득의 원천이기도 한 화폐를 개인이 소유하고 있는 한, 그 개인에게 부르주아적 평등은 현실적으로 존재한다. 특권을 누리는 자들이 이것 또는 저것을 교환할 수 있었던 고대 사회와는 이제 사정이 다르다. 지금은 누구나 무엇이든 소유할 수 있다. 모든 신진대사(Stoffwechsel)는 각자의 소득을 변형한 화폐의 양에 따라서 모든 것과 교환할 수 있는데, 매춘부, 학문, 보호, 결사, 사환, 추종자 등은 커피, 설탕, 청어와 마찬가지로 모두 교환물[52]이 될 수 있다. 신분 사회에서 개인의 향유, 즉 개인의 신진대사는 개인을 포섭하는 특정한 분업에 달려 있다. 계급 사회에서는 일반적인 교환수단에 달려 있을 뿐이다. 이때 개인은 이 교환수단을 자기 것으로 삼아야 하는 것을 알고 있다. 첫째 경우에 개인은 사회적 지위에 의해 제한된 교환에서 사회적으로 제한된 주체[53]로 나타난다. 둘째 경우에 개인은 사회가 이 대표자에게 준 모든 것에 대한 일반적인 교환수단의 소유자로 나타난다. 돈으로 상품을 교환할 때, 즉 상인과 소비자 간 거래에서는 공장주도 식료품점에서 쇼핑을 할 때는 소비자이고, 공장의 노동자와 사환도 같은 가치의 돈을 지불하고 공장주와 마찬가지로 이 상품을 소유한다. 따라서 이런 교환 행위에서 화폐로 전환된 소득의 ||52| 특수한 특성은 사라지고 모든 계급적 개인은 여기에서 판매자와 반대되는 구매자의 범주에서 사라지고 소멸한다. 따라서 [54]구매와 판매라는 이런 행위의 환상에서 계급적 개인이 아니라 계급적 성격이 없는 구매하는 개인만이 보인다.

매음굴에서 징수하는 오줌세에 냄새가 안 나듯이, 로마 황제 하드리아누스가 돈은 냄새가 나지 않는다![55]고 말한 적이 있다. 금과 은에는 거의 나타나지 않는 소득의 특성[56]은 이제 제외하기로 하자. 이 특성은 마음대로 처분할 수 있는 돈의 양에서 다시 나타난다. 일반적으로[57] 구매 범위는 소득 자체의 특성에 의해 정해진다. 최대 소비자 계급인 [58]노동자가 구입하는 대상의 범위와 종류는 소득 자체의 본성에 의해 설명된다. 물론 노동자는 자식들에게 고기와 빵을 사 주기는커녕 슈납스로 봉급을 탕진할 수도 있다. 이것은 노동자가 현물로 지급한다면 엄두도 못 내는 일이다. 이로써 노동자의 개인적 자유가 확대된다. 다시 말해서[59] 더 큰 여유가 슈납스 마시는 것을 보증한다. 다른 한편으로 노동자계급은 생계에 꼭 필요한 지출 외의 남은 돈으로 고기나 빵 대신 책, 강연, 모임을 구매할 수도 있다. 노동자계급은 지식인들처럼 사회의 보편적인 힘을 자기 것으로 삼을 수 있는 엄청난 수단을 갖고 있는 셈이다. 소득 방식이 오늘날처럼 단순히 보편적인 교환 매개체의 양을 통해서가 아니라, 자기의 벌이 자체의 질을 통해서, 즉 벌이 방식 자체에 따라서 규정될 때, 노동자계급[60]이 사회에 등장할 수 있고 사회를 자기 것으로 삼게 되는 그런 관계는 굉장히[61] 좁고, 사회의 물질적 생산 및 정신적 생산과 결부된 신진대사를 위한 사회적 기관은 처음부터 특정한 방식과 특수한 내용으로 제한되어 있다. 따라서 계급 대립의 최고 표현인 돈은 종교적, 신분적, 지적, 개인적 차이를 한꺼번에 없애버린다. 예를 들면 봉건 귀족은 부르주아지와 맞서 돈의 이런 보편적이고 평균화하는 힘을 사치법 (Luxusgesetz)을 통해 정치적으로 제한하거나 부수려는 헛된 시도를 했다. 질적 계급 차이는 소비자와 상인 간의 거래 행위에서 **양적** 차이, 즉 돈의 많고 적음으로 바뀐다. 구매자는 이것을 요구하고, 같은 계급 내에서는 양적 차이가 **질적** 차이로 xxxxx.[62] 그래서 대부르주아지, 중부르주아지, 소부르주아지가 생긴다.

G510

프리드리히 엥겔스

1852년의 혁명 프랑스에 반대하는 신성동맹 전쟁의 조건과 전망

Bedingungen und Aussichten eines Krieges
der Heiligen Allianz gegen ein revolutionäres Frankreich im Jahre 1852

|[1]| 나는 1852년의 그 모든 성공적인 파리 혁명의 결과로 프랑스에 반대하는 신성동맹 전쟁이 곧 일어날 것이 분명하다고 생각한다.

이 전쟁은 1792/94년의 전쟁과는 판이할 것이다. 당시 사건들은 어떤 식으로든 이 전쟁에 견줄 정도도 안 될 것이다.

I. 동맹군에 군사적 승리를 거둔 국민공회의 기적을 더 자세히 살펴보면 그 기적의 가치는 상당히 퇴색한다. 사람들은 나폴레옹이 국민공회 14군을 멸시했음을 깨달았고 여러 면에서 심지어 타당하다고 생각했다. N(나폴레옹 ― 옮긴이)은 동맹군의 지휘관 놈들(Böcke)이 주요한 역할을 했을 것이라고 말하곤 했는데 이 말은 전적으로 옳다. 그는 세인트헬레나에서도 카르노를 평범한 사람으로 간주했다.[1]

1792년 8월에 프로이센군과 오스트리아군 9만 명이 프랑스에 침입했다. 프로이센 왕[2]은 곧장 파리로 진군하려고 했으나 브라운슈바이크와 오스트리아 장군들[3]은 진군하려고 하지 않았다. 사령부에 의견 통일이 없었다. 망설이는가 하면 성급히 전진하자고 하는 등 계획이 수시로 바뀌었다. 아르곤 협곡 통과 후, 뒤무리에가 발미와 생트므누에서 그들에게 맞섰다. 동맹군은 우회하여 그를 그곳에 가만히 있게 만들 수 있었다. 그는 파리로 향하는 동맹군을 추격해야 했었다. 그는 미적지근한 태도를 취하여 후방에서 그들에게 한 번도 위협을 가하지 못했다. 그들은 더욱 안전하게 진군하며 그를 격파할 수 있었다. 그것은 식은 죽 먹기였다. 군대가 더 우수하고 수도 더 많기 때문인데 이 점은 프랑스군 스스로도 인정하는 바였다. 그 대신 그들은 미련하게도 발미를 포격했다.[4] 이 전투 중에, 이 공격 종대(Colonnenattake) 중에 장군들은 갑자기 생각을 한 번 이상 바꾸었는데 대담무쌍한 것도 있고 소심한 것도 있었다. 두 차례 공격은 수나 힘이나 사기 면에서 보잘것없는 것이었다. 책임은 병사들에게 있지 않고 사령부의 동요에 있었다. 그것은 공격이랄 것도 없었다. 기껏해야 시위에 지나지 않았다. 모든 전선에서 과감히 전진했더라면 프랑스군 의용병과 사기가 떨어진 연대를 물리쳤을 것이다. 동맹군은 전투 후에 또 우왕좌왕했고, 병사들은 병들어갔다.

뒤무리에는 제마프에 출정하여[5] 오스트리아의 저지선 체계와 (오스텐드에서부터 마스까지 이어지는) 끝없이 긴 전선에 맞서 반은 본능적으로 병력을 집중 투입함으로써 승리를 거두었다. 그러나 이듬해 봄에 그는 네덜란드를 점령하려고 변덕을 부린 탓에 똑같은 실수를 저질렀다. 이와 달리 오스트리아군은 집결하여 전진했다. 그 결과는 네르빈덴 전투[6]와 벨기에의 상실이었다. 소규모 전투에 참여하는 것이 으레 그렇듯이, 네르빈덴 전투는 칭찬이 자자한 영웅인 프랑스군 의용병들이 뒤무리에가 ||[2]|| 줄곧 지켜보지 않으면 1849년 남독일의 "국민방위군"보다 잘 싸우지 못함을 보여주었다. 이제 뒤무리에는 적에게 넘어갔다.[7] 방데에서 반란이 일어났다.[8] 군대는 뿔뿔이 흩어져 사기가 땅에 떨어졌다. 오스트리아군과 영국군 13만 명이 결연히 파리로 진군해 들어갔더라면 혁명은 수포로 돌아가고 파리는 점령되었을 것이다. 지난해와 꼭 마찬가지였을 것이다. 이런 어리석은 일은 일어나지 않았다. 그 대신 지휘관들이 요새 앞에 드러누워 최대의 소모로 최소의 이득을 얻는 졸렬한 전략으로 하나씩 점령하는 데 몰두하며 꼬박 여섯 달을 허비했다.

라파예트[9]의 망명 후에도 여전히 결속해 있던 프랑스군은 12만 명 정도로 어림잡을 수 있다. 1792년의 의용병은 6만 명이었다. 1793년 3월에 30만 명이 징집되었다. 총동원령[10]이 내려진 8월에는 프랑스군이 최소한 30만 ~35만 명이었음이 틀림없다. 총동원령으로 약 70만 명이 충원되었다. 이것저것 빼고도 프랑스군 약 75만 명이 1794년 초에 동맹군에 대항하는 전장으로 이동했다. 프랑스에 대항하는 동맹군보다 더 많은 수였다.

1793년 4월부터 10월까지 프랑스군은 도처에서 공격을 받았다. 그러나 동맹군이 늑장을 부리는 바람에 그 공격은 결정적 성과를 거두지 못했다. 10월부터는 결과가 뒤바뀌었다. 12월에는 출정이 보류되었다. 94년 봄에는 총동원령이 전선에서 효력을 크게 발휘했다. 그 결과로 5월에는 모든 전선

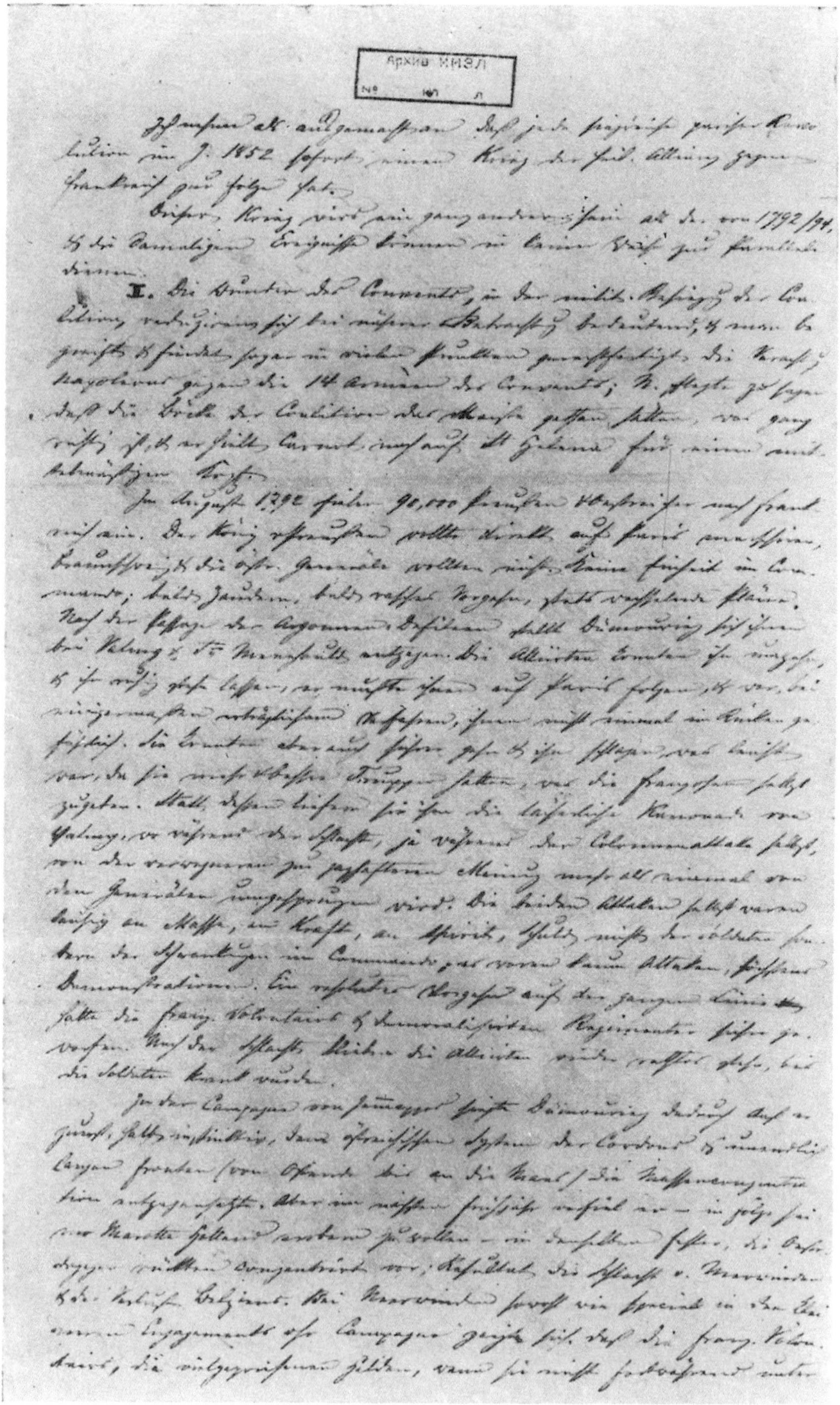

프리드리히 엥겔스, 「1852년의 혁명 프랑스에 반대하는 신성동맹 전쟁의 조건과 전망」.

자필 원고 첫 쪽

에서 승리를 거두고 마침내 6월에는 플뢰뤼스에서 승리를 거두어 혁명의 운명이 결정되었다.

8월 10일에 국민공회와 내각[11]은 무장할 시간이 충분히 있었다. 8월 10일부터 93년 3월까지는 아무 일도 일어나지 않았다. 의용병들은 별로 의미가 없었다. 93년 3월에는 30만 명이 징집되었다. 3월부터 이듬해 3월까지 꼬박 1년간 국민공회는 무장할 시간과 여유가 충분히 있었다. 그중 10개월은 지롱드당의 몰락으로 혁명 세력은 모든 장애로부터 자유로웠다. 일반적으로 인구 2500만의 나라에서 무기를 들 수 있는 인구, 즉 징집 가능 병사는 100만 명이다. 이런 나라는 외적과 맞서는 현역 전투원 75만[12] 명(인구의 3%)을 한꺼번에 징집할 수 있다. 따라서 1년이면 그만한 전투원을 충분히 확보할 수 있었다. G515

방데를 예외로 하면 나는 위에서 말한 내부의 군사 반란을 실패작이라고 생각한다. 리옹과 툴롱에서조차도 반란은 무력 충돌 없이 6주 만에 진정되었다. 리옹은 총동원령에 의해 접수되고, 툴롱은 나폴레옹의 전격적인 침입, 즉 결연한 돌격과 방어군의 실수로 접수되었다.

1794년[13] 동맹군에 대항하여 출정한 75만[14] 명 중에는 적어도 왕정기의 노병 10만 명과 그 밖의 병사 15만[15] 명이 있었는데, 일부는 의용병이고 또 다른 일부는 총동원령으로 징집된 30만 명 중에서 ||[3]| 18개월에서 12개월간 지속된 전투로 전쟁에 익숙해진 병사들이었다. 게다가 신병 50만 명 중에서 최소한 절반은 1793년 9월부터 석 달간 이미 전투에 참여했다. 아무리 신병일지라도 출정할 때는 적어도 석 달간 이미 대대에서 복무하고 있었음이 틀림없다. 스페인 출정 때 나폴레옹은 전투 부대 학교(école de bataillon)의 훈련 기간을 3주에서 4주로 잡았다.[16] 당시 평균적으로 동맹군보다 더 뛰어났던 말단 사병과 영관급 장교를 제외하면, 1794년의 프랑스군은 군대를 조직할 시간적 여유 덕분에, 그리고 성과 없이 곧잘 전투를 벌이기만 하는 동맹군의 체계 — 특히 공격적이라고 검증된 군대의 사기를 떨어뜨리고, 적군이 신생이면서 방어적이면 응징을 해서 전쟁에 익숙하게 만드는 체계 — 덕분에, 1794년의 프랑스군은 "공화국을 위해 죽자"[17]라고 거칠게 포효하며 고무된 의용군이 아니라 적에 필적할 만한 매우 훌륭한 군대(a very fair army)였다. 아무튼 1794년의 프랑스 장군들[18]은 과오를 저질렀음에도 매우 훌륭했다. 단두대가 사령부의 통일과 조화로운 작전을 보증했다. 그저 예외적으로만 적용했던 단두대가 없었을 때 대표자들[19]은 제 손으로 어리석은 짓

을 저질렀다. 고귀한 생쥐스트는 어리석은 짓을 여러 번 저질렀다(Le noble Saint Just en fit plusieurs).

인해 전술에 대한 평주: 1) 인해 전술에 대한 최초의 조야한 아이디어는 제마프에서의 운 좋은 계략에서 나왔다. 이 계략은 군사적 판단이라기보다는 오히려 본능에 가까웠다. 웬만큼 군사적 자신감을 가지기 위해 수적 우위가 필요한 프랑스군의 어수선한 상황에서 생긴 것이었다. 다수가 군율을 대신한 셈이었다. 카르노가 이 계략에 기여했는지는 분명하지 않다. 2) 이 인해 전술은 그야말로 조야한 상태에 그쳤다. 예를 들면 이 전술은 1794년의 투르쿠앵 전투와 플뢰뤼스 전투에서는 사용되지 않고(프랑스인과 카르노 자신이 중대한 과오를 범했다), 1796년에 나폴레옹이 엿새 동안의 피에몬테 출정으로 사실상 더 우세한 군대를 섬멸한 것을 국민에게 잘 보여주었을 때 사용되었다. 이들은 그때까지 이 전술을 잘 알지 못한 채 앞으로 어떻게 될지도 몰랐다. 3) 카르노 본인에 대해 말하자면, 내가 보기에 그는 갈수록 미심쩍은 사내로 변했다. 물론 나는 명확히 판단할 수 없다. 나는 그가 장군들에게 보낸 전보를 가지고 있지 않다. 그러나 현존 자료에 따르면 그의 주된 공적은 전임자 파슈와 부쇼트의 끝없는 무지와 무능에도 불구하고 남은 공안위원회[20] 위원들 모르게 군무(軍務)를 처리한 데 있는 듯하다. 장님들의 왕국에서는 애꾸눈이 왕이다(Dans le royaume des aveugles le borgne est roi). 늙은 공병 장교이자 심지어 북군(Nordarmee)의 대표자였던 카르노는 어떤 요새, 어떤 군대가 물자 등이 필요한지, 특히 프랑스군에 부족한 것이 무엇인지 알고 있었다. 그는 당연히 프랑스 같은 나라가 어떻게 군사 자원을 동원하는지도 어느 정도는 알고 있었다. 혁명기의 총동원령 때는 어쨌든 많은 소모가 생기기는 하는데, 일단 자원의 신속한 ||[4]|| 동원이라는 주된 목적이 달성되면 약간의 자원 낭비는 중요하지 않은 법이다. 따라서 그의 성과를 설명하기 위해 곧바로 그가 대단한 독창성이 있었다고 운운할 필요는 없다. 카르노가 고안한 대중전(Massenkrieg)에 대해 내 딴에는(pour sa part) 회의를 품게 만든 것은 무엇보다도 그의 특출해 보이는 1793/94년 계획이 모순된 전쟁 방식에 근거한다는 점이다. 카르노는 프랑스군을 결집시키기는커녕 **분열시키고** 적의 편에서 작전을 수행했다. 그 결과 적은 **저절로 결집했다.** 그 후 카르노의 이력, 영사 밑에서 마치 덕이 있는 기사처럼 행동한 것 등, 용감히 안트베르펜을 방어한 것, ─ 일반적으로 요새 방어는 조금 집요하면서도 합리적인 성격의 중급 장교에게는 자신을 부각하기에 더

할 나위 없이 좋은 임무이다 ― 1814년의 안트베르펜 포위 공격은 석 달도 지속되지 않았다 ― 전쟁 체계가 완전히 달라졌음에도 집결한 동맹군 병사 120만 명과 맞서 1793년의 방식을 1815년에 나폴레옹에게 강요하려고 한 것, 그리고 그의 속물적인 언행들. 이 모든 것은 카르노의 독창성과 거리가 멀다. 그처럼 규율을 중시하는 사람이 테르미도르, 프뤽티도르, [21]브뤼메르 (thermidor, 열월熱月은 프랑스 혁명력의 제11월. fructidor, 실월實月은 제12월. brumaire, 무월霧月은 제2월 ― 옮긴이) 등의 기간에 아무것도 하지 않았다고 하다니![22][23]

요컨대 국민공회는 오로지 동맹군이 **일원화되지 않았기** 때문에 구제되고 그 덕분에 무장 기간 1년을 벌었다. 늙은 프리츠(프리드리히 2세의 별칭 ― 옮긴이)가 7년 전쟁에서 구제된 것과 같이 국민공회는 구제되었다. 프랑스군이 적들보다 질적으로나 양적으로 최소한 세 배 더 강했음에도 1809년에 웰링턴이 스페인에서 구제된 것과 같았다. 그리고 나폴레옹이 진군했을 때 궁내대신들이 서로[24] 온갖 장난을 침으로써 그 거대한 힘이 마비되었다.

II. 오늘날의 동맹군은 93년의 어리석음을 오래전에 넘어섰다. 동맹군은 근사하게 일원화되어 있다. 이미 1813년에 일원화되었다. 러시아는 1812년에 출정함으로써 대륙 전쟁을 위한 신성동맹의 중심이 되었다. 러시아군은 주력군이 되었고, 나중에 프로이센과 오스트리아 등이 가세했는데, 파리에 입성할 때도 여전히 주력군이었다. 알렉산드르가 사실상(요컨대 알렉산드르 밑의 참모 본부가) 전군 총사령관이었다. 1848년 이후 신성동맹은 여전히 견고한 토대 위에 구축되어 있었다. 49/51년의 반혁명으로 프랑스를 제외한 대륙은 러시아에 대항했다. 라인 동맹과 이탈리아는 나폴레옹에게, 즉 순전한 예속에 대항했다. 평시에(en temps de paix) 네셀로데가 그랬던 것처럼, 전시에(en cas de guerre) 니콜라스,[25] 즉 파스케비치는 신성동맹의 불가피한 독재자이다.

더 나아가 근대식 전술에 대해 말하자면, 이것은 나폴레옹에 의해 다 완성되었다. 이에 대해서는 아래에 언급하겠지만 상황이 확실해질 때까지는 가능한 한 나폴레옹을 모방하는 것 외에는 별도리가 없었다. 그러나 이 근대식 전술은 천하가 다 아는 것이다. 프로이센의 준위라면 누구나 이 전술 중에 ||5| 암기할 수 있는 것을 포르테피펜드리히(Portepeefähndrich) 시험 전에 이미 외우고 있었다.[26] 오스트리아군에 대해 말하자면, 그들은 헝가리 출정 때 장군들 특히 오스트리아 장군들이 형편없음을 알고 빈디슈그레츠, 벨

덴, 괴츠 등 늙은 졸장부들을 배제했다. 이와 달리 라데츠키는 이탈리아에 두 번 출정했는데[27] —《노이에 라이니셰 차이퉁》에서 이에 대해 이미 써서 더는 환상을 가질 필요가 없다 — 첫 번째는 훌륭했고, 두 번째는 노련했다. 이때 누가 라데츠키를 도와주었는지는 논할 것도 없다. 아무튼 이 늙은이는 다른 사람의[28] 독창적 생각을 읽어내는 식견(bon sens)이 뛰어났다. 1848년에 네 요새, 즉 페스키에라, 만투아, 레냐고, 베로나 사이의 방어 진지는 사각지대의 사면이 모두 잘 은폐되어 있었다. 폭동이 일어난 곳 가운데서 원군이 오기까지 그가 이 진지를 방어한 것은 매우 노련했다고 할 수 있을 것이다. 형편없는 지휘, 의견 분열, 이탈리아 장군들의 끊임없는 동요, 카를 알베르트의 음모, 보수파 귀족의 원조, 적 진영의 세속적인 성직자 때문에 그가 버티기는 정말 쉽지 않았을 것이다. 그가 세계에서 가장 비옥한 땅에 있었다는 사실과 자기 군대를 근심 없이 유지했다는 사실도 잊어서는 안 된다 — 그러나 49년의 출정은 **오스트리아군에게 전례가 없는** 것이었다. 피에몬테인들은 결집된 무리를 이용하여 투린(이탈리아 서북부의 도시 토리노 — 옮긴이)으로 가는 길을 노바라와 모르타라(3마일의 전선)에서 봉쇄하거나, 이것이 최선책이었는데, 거기서부터 2~3종대를 지어 마일란트(밀라노 — 옮긴이)로 전진하기는커녕 세스토에서 피아첸차까지 죽치고 있었다 — 20마일 전선, 병사 7만 명, 독일마일당 병사 3,500명, 한 진영에서 다음 진영으로 하루 서너 차례 강행군. 마일란트에 대한[29] 비참한 집중 공격 작전이었다. 그들은 도처에서 너무 약했다. 이탈리아군이 92년의 케케묵은 오스트리아 작전을 이용하고 있다는 것을 알아챈 라데츠키는 나폴레옹이 써먹었던 바로 그 작전을 그들에게 구사했다. 피에몬테 전선은 포 강에서 두 구간 떨어져 있었는데 이것은 치명적 결함이었다. 라데츠키는 포 강에 가까운 전선을 돌파하여 남쪽의 2개 사단을 북쪽의 3개 사단과 분리한 후 병사 6만 명을 투입하여 북쪽 3개 사단(겨우 3만 5천 명이 결집해 있었다)을 전력을 다해 신속히 공격하여 알프스산맥으로 몰아냈다. 그러고는 피에몬테 군대의 2개 군단을 서로 분리하고 또 투린으로부터 분리했다. 출정을 사흘 만에 끝낸 이 작전은 나폴레옹의 작전 중에서 가장 독창적인 작전, 즉 나폴레옹이 1809년에 아벤스베르크와 에크뮐에서 구사한 작전을 그대로 모방한 것이었다.[30] 어쨌든 이 작전은 오스트리아군이 케케묵은 "항상 느린 진격"[31]을 뽐내는 것과는 거리가 멀다는 것을 보여준다. 이 작전에서 모든 것을 결정지은 것은 바로 신속함이었다. 귀족과 라모리노의[32] 배신은 특히 이탈리아군의 위치와 계획에

G518

594

관한 정확한 정보를 흘림으로써 사태를 크게 흔들어버렸다. 노바라에 주둔한 사보이 여단의 비열한 짓도 마찬가지였다. 그들은 싸우지는 않고 약탈만 했다. 그러나 군사적 입장에서 말하자면, 피에몬테의 형편없는 진영 배치와 라데츠키의 계략은 그 승리를 설명하기에 충분하다. 모든 상황 가운데서 이 두 가지 사실이 승리를 가져다준 것이 분명하다. ── 끝으로 러시아군은 그들 군대 자체의 특성 때문에 일종의 근대식 전쟁 체계와 매우 유사한 전쟁 체계에 의존한다. 러시아군의 주요 병력은 반(半)야만적이고 둔중한 대규모 보병과 반야만적이고 무질서하며 경무장한 대규모 기병(카자크)으로 이루어져 있다. 러시아군은 결정적인 전투나 대규모 전투에서는 반드시 한 덩어리로 움직인다. 수보로프는 이즈마일 돌격과 오차코프 돌격 때[33] ||[6]| 이미 이 점을 알고 있었다. 러시아군에 부족한 기동성은 사방에서 떼 지어 몰려들어 군대의 모든 움직임을 차폐하는 변칙적인 기병에 의해 일부 대체되었다. 그러나 러시아군의 이 엄청난 규모는 동맹군의 핵심, 원군, 주축을 이루기에 매우 적합하다. 동맹군의 작전은 한 국가의 군대 작전보다 항상 약간 더 느릴 수밖에 없다. 러시아군은 1813년과 14년에 이 역할을 훌륭히 수행했다. 그리고 당시 밀집 대형을 이룬 대규모 러시아군의 종대는 다른 모든 군대와 다르게 돋보이는 전투 계획을 거의 구사하지 못했다.

1812년 이후 프랑스군은 나폴레옹 전통의 특별한 담지자라고 볼 수도 없다. 이 전통은 유럽의 모든 대군에 웬만큼 흘러들어가 있었다. 이 전통은, 제국의 마지막 해에 이미, 모든 군대에 혁명을 불러일으켰다. 나폴레옹 체계가 자기 군대의 특성에 부합하는 한, 모든 군대는 전략과 전술에 이 체계를 채택했다. 부르주아 시대의 평준화 영향이 여기서도 느껴진다. 예전의 민족적 특수성은 군대에서도 사라지고 있었다. 프랑스 군대, 오스트리아 군대, 프로 이센 군대, 크게 보면 영국 군대까지도 나폴레옹 전술을 써먹기에 적합한 잘 조직된 기계들이다. 이 전술은 이들 군대가 전투 등에서 매우 다른 특성을 보이는 것을 막지는 못한다. 그러나 유럽의 모든 군대(대군) 중에서 반(半) 야만적인 러시아 군대만이 자기 특유의 전술과 전략을 쓸 수 있다. 러시아 군대만이 완전히 발달한 근대식 전쟁 체계[34]와 거리가 멀기 때문이다. G519

프랑스군에 대해 말하자면, 프랑스군은 알제에서의 소규모 전쟁[35]으로 나폴레옹의 대규모 전쟁이라는 전통의 끈을 끊어버렸다. 이 약탈 전쟁이 전쟁에 대한 노련함이라는 장점으로 규율이라는 단점으로 나타난 그 전쟁의[36] 결과를 상쇄하는지, 사람들을 고난에 익숙해지게 하는지, 혹사에 굴복하게 하는지, 그리고 마지막으로 대규모 전쟁을 위한 장군들의 혜안(coup d'œil)을 버려놓지나 않는지는 두고 봐야 한다. 어쨌든 알제의 프랑스 기병들은 많든 적든 못쓰게 되었다. 이들은 그 힘과 봉쇄 공격(Choc)을 망각하고, 언제나 그들보다 뛰어난 카자크인, 헝가리인, 폴란드인의 대군 체계에 익숙해지고 있다. 장군들 중에서 우디노는 로마 앞에서 웃음거리가 되었고, 카베냐크만이 6월에 두각을 나타냈다 — 그러나 이 모든 것은 아직 크나큰 시련(épreuves)이 아니었다.

따라서 전반적으로 보면 전략과 전술의 우위 가능성은 적어도 혁명군 측만큼이나 동맹군 측에도 유리하다.

III. 그러나 새 계급을 지배층으로 올려놓은 새 혁명은 첫 번째 혁명처럼 새로운 전쟁 수단과 새로운 전쟁 방식을 야기하지 않는가? 이에 비하면 현재의 나폴레옹 전쟁 방식은 첫 번째 혁명 이전 7년 전쟁 때의 전쟁 방식만큼 케케묵고 무기력한 것처럼 보이지 않는가?|

│[7]│ 근대의 전쟁 방식은 프랑스 혁명의 필연적인 산물이다. 그 전제조건은 **부르주아지와 영세농민**의 사회적 해방과 정치적 해방이다. 부르주아지는 돈을 만들어내고, 영세농민은 병사를 공급한다. 현재의 엄청난 군대를 공급하기 위해서는 이 두 계급을 봉건제의 사슬과 동업조합의 사슬에서 해방해야 한다. 무기, 탄약, 식량 등의 물자를 근대식 군대에 공급하기 위해서, 교육받은 장교를 필요한 만큼 공급하기 위해서, 병사들이 필요한 지성을 갖추기 위해서는 이러한 사회 발전 단계에 걸맞은 부와 교육이 또한 꼭 필요하다.

나는 나폴레옹이 다 만들어놓은 근대의 전쟁 체계를 다룰 것이다. 나폴레옹이 특히 중시한 두 가지는 사람, 말, 대포 등 공격 수단의 대량화와 기동성이다. 기동성은 대량화의 필연적인 결과이다. 근대식 군대는 7년 전쟁 때의 소규모 군대처럼 20마일 지역을 몇 달에 걸쳐 이리저리 행군할 수 없다. 또한 필요한 식량을 전부 창고에 쌓아두고 조달할 수 없다. 어떤 지역을 메뚜기 떼처럼 습격해야 하고, 현지에서 말을 조달해야 하고, 병사들이 식사를 다 끝내면 전진해야 한다. 창고는 뜻밖의 사태에 대비할 수만 있으면 그것으로 충분하다. 창고는 매 순간 비워지고 다시 채워진다. 군대의 신속한 행군에 보조를 맞추려면 군수품을 창고에 한 달간 보관하기도 어렵다. 따라서 인구가 적은 반야만적 빈국에서 근대의 전쟁 체계는 오랫동안 유지될 수 없다. 프랑스군은 스페인에서는 천천히, 러시아에서는 급속히 패망했다. 그러

G520

596

나 그 대신 스페인군도 프랑스군에게 패망했고, 영토는 거의 대부분 메말랐다. 러시아군은 철도를 가지지 못하는 한 그 특유의 둔중한 대규모 전쟁 체계 자체를 원래 러시아 땅인 폴란드에서 계속 유지할 수 없고, 전혀 적용할[37] 수도 없다. 드네프르 강과 드비나 강을 방어하다가는 러시아가 결딴날 것이다.

기동성은 이런 상황, 저런 상황에서 스스로 헤쳐 나갈 수 있는 병사의 교육 정도에 어느 정도 달려 있다. 초계, 군수품 조달, 전초대 임무 등, 개별 병사에게 요구되는 넓은 활동 폭, 병사가 개별적으로 행동하고 자신의 지적 능력에 의존하는 사건들이 번번이 반복되는 것, 끝으로 개별 병사의 지성, 혜안, 열정에 그 성과가 달린 산개전이 크게 중시되는 것, 이 모든 것은 늙은 프리츠의 경우보다는 하급 장교와 병사의 더 높은 교육 수준을 전제로 한다. 그러나 야만 국가나 반(半)야만 국가는 병사들에게 그런 교육을 제공하지 못한다. 그래서 처음 징집된 50만~60만의 최고 수준 병사들이 기계처럼 훈련을 받으면서 소규모 전투를 위한 혜안을 ‖[8]‖ 가지게 된다. 카자크인 같은 야만인은 이 약탈자의 혜안을 본디부터 가지고 있다. 그 대신 카자크인은 토지에 매인 러시아 보병들이 산개 활동에 무능력한 것처럼 정규전 임무에 무능력하다.

근대의 전쟁 체계가 개별 병사에게 전제로 하는 이 보편적 평균 교육 수준은 선진국에만 존재한다. 영국에서는 병사들이 시골 농부와 마찬가지로 도시의 문명화된 학교를 졸업했다. 프랑스에서는[38] 해방된 영세농민과 도시의 영악한 대리 복무자들(Remplaçants)이 군대를 이루고 있다.[39] 북독일은 봉건주의가 사라지거나 시민계급이 웬만큼 형성되어 도시가 군대의 출병 분담 병력을 상당히 공급했다. 마침내 북독일은, 최근의 전쟁들 후에, 봉건주의 잔재가 가장 적은 지역에서 징집된 오스트리아 군대의 일부를 이룬 것처럼 보인다. 영국을 제외하고는 어디서나 영세 경작지가 군대의 근간을 이루었고, 군대는 영세농민의 지위가 자유로운 소유자의 지위에 가까워질수록 근대식 전쟁 체계에 더 적합해졌다.

그러나 개별 병사의 기동성뿐만 아니라 집단 자체의 기동성도 부르주아 시대의 문명 수준을 전제로 한다. 혁명 전 군대의 느림[40]은 정확히 봉건주의와 관련이 있다. 대량의 장교 마차는 이동을 방해할 뿐이었다. 군대는 전체 이동 속도에 맞추어 천천히 이동했다. 절대 왕정과 더불어 출현한 관료제는 물자를 더욱 체계적으로 관리했다. 그러나 관료제는 부호층과 결탁하여 엄

G521

청나게 착복했다. 관료제를 도입한 군대는 관료제가 군대에 가져다준 획일주의와 격식주의 때문에 이중으로 피해를 입었다. 늙은 프리츠가 이것을 잘 보여준다. 러시아는 아직도 이 총체적 악 때문에 허덕인다. 도처에서 사취당하고 착취당하는 러시아군은 굶주려 지치고, 병사들은 행군 도중에 파리처럼 쓰러진다. 부르주아 국가라야 병사들을 어지간히 먹여 살리고, 군대의 기동성을 기대할 수 있다.

어느 모로 보나 기동성은 부르주아 군대의 한 속성이다. 기동성은 대규모 병력의 필수 보완책만은 아니다. 때로는 대규모 병력을 대체하기도 한다 (1796년에 나폴레옹은 피에몬테에서 이것을 잘 보여주었다).

그러나 대규모 병력은, 기동성과 마찬가지로, 문명화된 근대식 군대의 특별한 속성이다.

징집 방법이 아무리 다를지라도 ─ 징병(Conscription), 프로이센의 예비군, 스위스의 민병, 총동원령 ─ 지난 60년간의 경험은 부르주아지와 자유 영세농민 체제에서는 어떤 민족 전쟁도 ‖9‖ 인구의 7% 이상이 징집되[41]지 않았고 그중 약 5%가 현역으로 이용될 수 있음을 보여주었다. 1793년 9월에 프랑스 인구는 2500만이었다. 따라서 병사[42] 175만 명을 공급할 수 있었을 것이다. 그중에서 실제[43] 전투병[44]은 125만 명이었을 것이다. 당시[45] 125만 명은 국경에, 즉 툴롱 앞과 방데에 ─ 여기서는 양측을 고려해 ─ 주둔했다. 이제 인구가 1600만인 프로이센에서 7%에서 5%라면 병사가 112만 명에서 80만 명이었을 것이다. 그러나 전체 프로이센군은 전선의 병사와 예비군을 포함해 기껏 60만 명이다. 이 예는 5%가 한 국가에서 어느 만큼인지를 보여준다.

글쎄(Eh bien) ─ 프랑스와 프로이센이 인구의 5%를 쉽게 징집할 수 있고 비상시에는 7%까지 징집할 수 있다면 오스트리아는 최악의 경우에 기껏 5%, 러시아는 겨우 3%를 징집할 수 있을 것이다. 오스트리아 인구가 3500만이니 5%는 175만[46]이다. 1849년에 오스트리아는 전 병력을 동원했는데 약 55만 명이었다. 코슈트 은행권[47]으로 병력이 배가된 헝가리는 35만 명이었을 것이다. 나는 징집을 면하거나 피에몬테의 군대에서 복무한 롬바르디아인[48] 5만 명도 계산에 넣고 있다. 총 95만 명인데도 인구의 2 2/3%가 안 된다. 이때 예외적인 상황에서 살고 있던 크로아티아는 최소한 그[49] 인구의 15%를 공급했다. 러시아는 줄잡아도 인구가 7200만이니 5%인 360만은 분명히 공급할 수 있었을 것이다. 그러나 정규군, 비정규군을 포함해서

598

150만 이상을 공급하지 못했고, 그중에서 러시아 본토에서 적과 싸울 수 있는 병력은 기껏 100만 명밖에 안 되었다. 다시 말해서 러시아의 총병력은 인구의 $2^1/_{12}$을 결코 넘지 않고 현역병은 인구의 $1^7/_{18}$ 또는 $1^{39}/_{100}$%를 넘지 않는다. 광대한 공간에 희박한 인구, 통신 수단의 부족, 적은 국민 생산이 이것을 매우 잘 설명해준다.

기동성과 마찬가지로 대량의 공격 수단은 고등 문명의 필연적인 결과이다. 특히 [50]오늘날 총인구에서 무장한 대중이 차지하는 비율은 해방된 부르주아지가 지배하는 모든 사회 상황과 일치하지 않는다.

근대의 전쟁 방식은 부르주아지와 농민의 해방을 전제로 한다. 즉 이 방식은 이런 해방의 **군사적 표현**이다.

프롤레타리아트의 해방도 특별한 군사적 표현을 가지고, 매력적인 새 전쟁 방법을 낳을 것이다. 이것은 분명하다(Cela est clair). 게다가 어떤 것이 이 새 전쟁 방식의 물질적 토대가 될지는 이미 결정되었다.

그러나 부분적으로는 다른 계급의 꼬리를 이루는 현재의 혼란스러운 프랑스와 독일의 프롤레타리아트에 의한 정치적 지배의 단순한 획득이 모든 계급 대립의 폐지에 입각한 프롤레타리아트의 실제적 해방과 다르듯이,[51] 또한 기대되는 혁명의 초기 전쟁 방식도 실제로 해방된 프롤레타리아트의 전쟁 방식과는 거리가 멀 것이다.

사실상의 프롤레타리아트 해방, 모든 계급 차별의 완전 철폐, 독일과 프랑스에서의 모든 생산수단의 완전한 집중화는 영국의 협력과 최소한 현재 독일과 프랑스의 생산수단의 증대를 전제한다. 이것은 또한 새로운 전쟁 방식을 전제한다.[52]

나폴레옹의 위대한 군사학||[10]|적 발견은 기적으로도 없앨 수 없다. 혁명과 나폴레옹이 만들어낸 군사학이 혁명으로 주어진 새로운 관계의 필연적 산물인 것처럼, 새로운 군사학은 새로운 사회관계의 필연적 산물임이 틀림없다. 프롤레타리아트 혁명으로 산업 부문에서 증기 기관이 없어지기는커녕 증가했듯이, 전쟁 방식에서 대규모 병력과 기동성의 중요성은 감소하기는커녕 증가한다.

나폴레옹의 전쟁 방식의 전제조건은 생산력의 증가였다. 또한 전쟁 방식에서 모든 새로운 개선의 전제조건이 새로운 생산력임은 분명하다. 철도와 전기를 이용한 전신은 유럽 전쟁에서 유능한 장군이나 전쟁장관에게 새로운 조합의 기회를 이미 제공했다. 생산력의 점진적인 증가와 이에 따른 인구

G523

증가도 대량 축적의 기회를 더 많이 제공했다. 인구가 2500만에서 3600만으로 증가한 프랑스는 이제 인구의 5%가 125만이 아니라 180만이다. 두 경우에 문명국의 힘은 야만국의 힘에 비해 상당히 증가했다. 문명국만이 엄청난 철도망을 가지고 있고, 그 인구는 러시아의 인구보다 두 배 빨리 증가했다. 말이 나온 김에 예를 들면 이 모든 수치는 러시아가 서유럽을 **계속** 억압한다는 것이 얼마나 터무니없는지, 그 억압이 날이 갈수록 얼마나 더 불가능해지는지를 증명한다.

그러나 계급 폐지로 생겨날 수 있는 새로운 전쟁 방식의 힘이 인구 증가와 함께 징집 가능한 5%가 점점 더 중요한 병력이라는 것을 의미하지 않을 수도 있다. 그것은 인구의 5~7%가 아니라 12~16%, 즉 성인 남자의 반에서 3분의 2 — 건강한[53] 18~30세 또는 40세의 남자 — 가 징집된다는 것을 의미한다. 그러나 러시아가 국내의 사회 조직 및 정치 조직과 모든 재화의 생산에 혁명적 변화 없이는 징집 가능 병력을 2~3%[54]에서 5%로 증가시킬 수 없듯이, 독일과 프랑스도 생산을 혁명적으로 변화시키거나 배가하지 않고는 징집 가능 병력을 5%에서 12%로 증가시킬 수 없다.[55] 각 개인의 평균 노동이 기계 등에 의해 그 가치가 현재의 두 배가 될 때에야 비록 단기간일지라도 노동을 벗어날 수 있는 수가 두 배가 될 수 있다. 왜냐하면 5%는 어떤 나라도 오래 지탱할 수 없기 때문이다.

이런 조건들이 충족되면, 국민 생산이 충분히 증가하고 집중되면, 계급이 폐지되면, — 이것들은 불가결한 것이다 — 프로이센의 1년짜리 지원병[56]은, 하급 장교나 예비군 장교가 아닌 한, 귀족이라는 사회적 신분을 이유로 농민과 상놈과 같이 결코 가용 병사가 되지는 못할 것이다. 그래서 무장 가능한 인구의 허용치는 실제 징병의 허용치일 뿐이다. 다시 말해서 최악의 경우에는 일시적으로 인구의 15~20%가 무장할 수 있고, 12~15%를 전선에 보낼 수 있을 것이다. 그러나 이 엄청난 수는 오늘날의 군대와는 완전히 다른 기동성을 전제로 한다. 완벽한 ||[11]|| 철도망이 없으면 오늘날의 군대는 결집할 수도 없고, 식량을 조달할 수도 없고, 탄약을 공급할 수도 없고, 이동할 수도 없다. 전신이 없으면 오늘날의 군대는 지휘조차 할 수 없다. 그런 큰 무리를 이끄는 전략가와 전술가(전투 지휘관)가 같은 한 사람일 수 없기 때문이다. 여기서 임무가 분리된다. 전략적 작전과 다른 군단의 협력은 전신망의 중심지에서 지휘하고, 전술 작전은 단 한 명의 장군이 지휘한다. 이런 상황에서 전쟁은 심지어 나폴레옹 전쟁보다 훨씬 더 빠르게 결판날 수

있고 결판날 수밖에 없다는 것은 분명하다. 필요한 것은 비용이고, 불가피한 것은 각 전투에 투입된 병력의 필연적인 결정적 활동이다.

따라서 엄청난 수와 전략적 기동성을 갖춘 이런 군대는 전례 없이 무시무시할 것이 분명하다. 전술적 기동성(전장에서의 척후 활동, 산개 활동)도 그런 병사들에게 훨씬 더 중요한 의미를 가질 것이 분명하다. 병사들은 오늘날의 사회가 제공할 수 있는 것 이상으로 건장하고 민첩하며 지적이다.

유감스럽게도 이 모든 것은 오랜 세월 후에, 그런 대규모 전쟁이 적당한 적이 없어서 더는 일어날 수 없는 때에 실행될 수 있다. 게다가 프롤레타리아트 혁명의 첫 시기에는 이 첫째 전제조건들이 존재하지 않는다. 적어도 1852년에는 존재하지 않는다.

지금 프랑스의 프롤레타리아트 인구 백분율은 1789년에 비해 두 배가 거의 되지 않는다. 당시의 — 적어도 1792년과 1794년의 — 프롤레타리아트는 머지않아 그러했던 것처럼 흥분하고 긴장해 있었다. 내부의 격렬한 경련을 수반한 혁명전쟁에서 **내부의 프롤레타리아트 다수를 이용하는 것이 불가피했음은** 당시에 이미 밝혀졌다. 같은 상황이 바야흐로 다시 일어나려고 한다. 아마도 그때보다 프롤레타리아트 수는 더 많을 것이다. 내전이 즉각 발발할 가능성이 [57]동맹군의 전진과 함께 증가하기 때문이다.[58] 따라서 프롤레타리아트는 더 적어진 출병 분담 병력 수만큼만 현역병으로 징집될 것이다. 징집의 주된 원천은 하층민(Mob)과 농민이다. 다시 말해서 혁명은 일반화된 근대식 전쟁 방식에 따라 그리고 근대식 전쟁 수단으로 전쟁을 수행해야 할 것이다.

이런 수단으로, 즉 인구의 4~5%인 현역병으로 새로운 조합을 만들 수 없는지, 깜짝 놀랄 만한 새로운 이용 방법을 발명할 수 없는지는 공상가만이 물어볼 수 있는 것이었다. 동력과 수작업을 증기로 대체하지 않은 채, 구식 손베틀과는 공통점이 거의 없는 새로운 생산수단을 발명하지 않은 채, 베틀에 앉아서 생산을 몇 배로 늘릴 수 없는 것과 마찬가지로 전술에서도 구식 수단으로는 새로운 결과를 거의 낳을 수 없다. 새롭고 더욱 강력한 수단의 생산이야말로 [59]더욱 훌륭한 결과를 달성할 수 있게 만든다. ||[12]|| 전쟁사에서 새로운 조합을 통해 신기원을 연 위대한 야전사령관은[60] 모두 하나같이 새로운 물질적 수단을 스스로 고안하거나 이미 고안된 새로운 물질적 수단을 제대로 이용하는 법을 고안했다. 튀렌과 그 늙은 프리츠 사이에는 보병의 혁명이 있다. 즉 총검과 부싯돌총[61]으로 창과 화승총을 구축한 것이다. 늙

은 프리츠의 군사학에서 획기적인 것은 프리츠가 당시 전쟁 방식의 한계 내에서 대체로 새 도구를 이용해 낡은 전술을 변형하고 교육했다는 데 있다. 마찬가지로 나폴레옹의 획기적 공적은 혁명으로 생긴 엄청난 군 병력에 적합한 단 하나의 올바른 전술적, 전략적 이용법을 발견한 데 있다. 게다가 나폴레옹이 이 이용법을 완벽하게 교육한 덕분에 한참 후 세대의 오늘날 장군들은 대체로 나폴레옹을 뛰어넘는 것과는 거리가 멀고, 그들의 가장 빛나고 노련한 작전에서 나폴레옹만 모방하려고 한다.

요컨대 혁명은 근대식 전쟁 수단 및 근대식 전술을 이용하여 근대식 전쟁 수단 및 근대식 전술에 맞서 싸워야 할 것이다. 동맹군 측을 위해[62] 군사적 재능을 발휘할 기회는 적어도 프랑스를 위한 기회만큼 많다. 그 기회는 반드시 승리할 큰 전투를 말한다(ce seront alors les gros bataillons qui l'emporteront).

IV. 이제 어떤 대대를 전선에 동원할 수 있고 이를 어떻게 이용할 수 있는지 살펴보기로 하자.

1) **러시아.** 러시아군은 평시 병력이 명목상으로는 110만이지만 실제로는 75만이다. 1848년 이후 러시아 정부는 150만 명으로 전시 체제의 효율을 달성하려고 줄곧 노력했다. 니콜라우스와 파스케비치는 틈만 나면 전국 각지를 순시했다. 적게 잡아도, 이제 러시아는 평시 병력이 실제로 110만에 도달했다. 수치를 높게 잡아 이것을 빼보자.

G526

코카서스	10만 명	
러시아 자체	15만 〃	
폴란드 속령	15만 〃	
환자, 파견자 등	15만 〃	55만 명.

외적과 맞설 현역병으로 징집 가능한 병력이 **55만**이다. 러시아가 1813년에 실제로 국경 너머로 보낸 병력이 이보다 결코 많지는 않았다.

2) **프로이센.** 예비군 제1과 제2의 병력 전부와 그 밖의 동원 가능 인원을 다 징집하면 훌륭한 군대는 적어도 65만 명은 될 것이다. 그러나 프로이센 정부는 지금 기껏해야 55만 명을 동원할 수 있다. 나는 50만 명으로만 계산

한다. 프로이센 정부는 점령 등을 위해 예비군 제2병력(15만)[63]을 파견하기만 하면 된다.[64] 도처에서 동원 가능 인원이 차츰 징집될 것이고, 이듬해 ||[13]|에는 또 새 징집자가 생길 것이고, ─ 니콜라우스는 이미 이 점을 고려하고 있을 것이다 ─ 끊임없이 행군해 지나가는 러시아군이 모든 국내 봉기 시도에 대항할 예비군을 충분히 만들어줄 것이기 때문이다. 프로이센군은 환자도 더 적다. 자국에서 결집하는 만큼 러시아군보다 라인 강까지 행군하는 일이 더 적기 때문이다. 그럼에도 나는, 러시아의 경우처럼, 반을 뺀다. 그러면 동원 가능한 나머지 반은 **25만 명**이다.

3) **오스트리아**. 프로이센의 예비군처럼 즉각 동원할 수 있는 병력이 적게 잡아도 60만 명이다. 여기서도 나는 반을 뺀다. 이 군주국 병력의 최소한 2/3에 해당하는 전진하는 러시아군이 새로운 예비군이 형성될 때까지 국내의 예비군으로 복무하고, 반란의 무리들을 통제하기 때문이다. 적과 맞서 동원 가능한 병력은 ─ **30만 명**이다.

4) **독일 연방**. 제후들이 라인 강 근처에 살고 동맹군 전체가 이 근처를 행군해 나아가기 때문에 독일 연방은 국내 폭동 진압군이 거의 필요 없다. 동맹군이 프랑스에 맞서 첫 성공이라도 거두게 되면 독일 전역에서, 북쪽에서 남쪽까지, 예비군을 그만큼 적게 편성해도 될 것이다. 독일 연방은 최소한 **12만 명**을 동원한다.

5) 나는 이탈리아군, 덴마크군, 벨기에군, 네덜란드군, 스웨덴군 등을 일단 **8만 명**으로 잡는다.

따라서 동맹군 총병력은 130만이다. 이들은 이미 무장하고 있거나 즉시 징집될 수 있다. 총병력 추정치는, 의도적으로 그렇게 잡은 것이지만, 너무 적다. 환자를 너무 많이 뺐기 때문에, 작전 개시 두 달 후에는 회복한 환자 등[65]으로만 구성된 35만 명의 2군[66]이 프랑스 국경에 집결할 수 있을 것이다. 그러나 오늘날 어떤 정부도[67] 현역병의 행군 출발과 함께 곧바로 최대한 신규 징집을 많이 하여 곧바로 1군을 뒤따르게 하지 않으면서 전쟁을 시작할 만큼 비합리적이지는 않다. 따라서 2군은 더 많아질 것이 틀림없다.

1군 병력(약 130만 명)은 약 두 달 후에 모두 결집할 수 있다. 그것도 다음과 같은 방식으로. 프로이센과 오스트리아는 두 달 후 위에서 말한 분담 병력 수를 징집할 수 있다. 지난해 11월 무장 채비 이후로 이것은 의심할 수 없다. 러시아에 대해 말하자면, 우선 러시아의 세 최종 집결지는[68] 베를린, 브레슬라우, 크라카우 혹은 빈이다 ||[14]| (아래 참조). 페테르부르크에서 베

G527

를린까지 행군하는 데는 약 45일 걸리고, 베를린에서[69] 라인 강까지는 16일 걸린다. 하루에 5독일마일 행군하는 것으로 잡아도 총 61일 걸린다. 모스크바에서 브레슬라우까지는 48일 걸리고, 브레슬라우에서 마인츠까지는 20일 걸린다. 총 68일이다. 키예프에서 빈까지는 40일, 빈에서 바젤까지는 22일 걸린다. 총 62일이다. 여기에 러시아군과 위에서 말한 강행군에서 절대로 빠뜨릴 수 없는 쉬는 날을 감안하면 모스크바, 페테르부르크, 키예프에 주둔하고 있는 군대조차 석 달 후에 라인 강에 도달할 수 있다는 것은 분명하다. 병사들이 철도나 마차를 이용하지 않고 도보로만 행군한다고 쳐도 그렇다. 그러나 철도나 마차는 독일에서는 거의 어디서나 이용 가능하고, 러시아와 폴란드에서는 적어도 부분적으로 이용 가능하다. 따라서 일반적으로 병력 운송은 분명히 15~20일 단축될 것이다. 그러나 러시아의 주력 부대는 이미 폴란드 속령에 집결해 있다. 또한 정치적 상황이 정말로 위기를 만들 것이며,[70] 거기서도 군대를 지휘할 수 있으므로 행군 행렬의 출발지는 페테르부르크, 모스크바, 키예프가 아니라 리가, 빌나, 민스크, 두브노, 카미에니에츠가 될 것이다. 다시 말해서 행군은 약 60마일 — 행군 12일, 휴식 4일 — 로 단축될 것이다. 게다가 보병의 대부분, 특히 더 먼 주둔지에서 온 보병들은 적어도 사흘마다 또는 쉬는 날에 5마일 더 갈 수 있을 것이다. 따라서 쉬는 날도 행군 일수에 넣는다. 포병대의 물자, 탄약, 예비품은 나중에 철도로 운송하겠지만 포병대의 우마와 포병은 행군 대열과 함께할 것이다. 따라서 기존 방법을 이용할 때보다 더 일찍 도착할 것이다.

G528 이런 점들을 모두 감안하면 혁명 발발 두 달 후에 동맹군[71]이 다음 방법으로 라인 강에 집결하는 것을 방해할 만한 것은 없어 보인다.

1군: 1) 라인 강과 피에몬테 앞의[72] 제1전선

프로이센, 오스트리아 병력 등	75만
러시아 병력	30만
	105만 명

제2전선, 예비군	
10일 후 행군, 러시아 병력	25만 명
	총 130만 명
	위와 마찬가지로

604

2군: 1) 소동맹군의 예비군, 프로이센,

　　　　오스트리아 등 집결지 병력 포함　　　　20만 명

　　 2) 러시아 예비군,

　　　　20일 후 행군　　　　　　　　　　　　　15만 명

　　　　　　　　　　　　　　　　　　　　　　35만 명

　　　　　　　　　　양군 총계　　　　　　　165만 명

원칙적으로 현 상황에서 약 30만 러시아군이 라인 강에 도달하는 데는 5~6주가 채 걸리지 않고[73] 프로이센, 오스트리아, 소동맹군이 상기 분담 병력 수를 라인 강에 도달하게 하는 데는 ‖[15]‖ 같은 시간이 걸린다. 그러나 동맹군이 부닥칠 뜻밖의 장애물을 감안하여 나는 꼬박 2개월로 잡는다. 나폴레옹이 엘바 섬에서 돌아왔을 때 동맹군의 배치는 프랑스로의 행군과 관련해서 보면 지금처럼 결코 유리하지 않았다. 그리고 나폴레옹이 워털루에서 영국과 프로이센에 맞서 싸웠을 때 러시아군은 라인 강에 있었다.

프랑스는 무슨 자원으로 동맹군에 대항할 수 있는가?

1) 전선의 병력은 약 45만[74]인데 여기에는 알제의 5만 병력도 포함된다. 나머지 40만 명 중에 환자는 뺀다. 요새 점령에 필요한 최소 병력, 위태로운 국내 지역에 파견할 소규모 동원 병력은 기껏해야 25만 명이다.

2) 현재의 적색당(Rote)에 인기 있는 수단: 제대병을 깃발 아래 다시 불러들이는 것은 기껏 여섯 연령 등급, 즉 27~32세의 남자에게 강제로 적용해야 성공할 수 있다. 연령별 징집 수는 8만 명이다. 알제 전쟁의 참화와 기후, 12년간의 평균 사망률, 쓸모없어진 사람의 탈락, 이주한 사람들 등. 이들은 아무튼 행정이 무질서해진 틈을 타 이런저런 방법으로 재징집을 모면한 사람들이다. 이전 여섯 연령 등급의 신병 48만 명은 기껏해야 재징집된 30만 명으로 감소한다. 이 중 15만 명은 요새 점령을 위해 남겨둔다. 요새 점령은 이 연령 등급의 사람들 중에서 나이가 비교적 많고 대개 결혼한 사람들이 주로 맡았다. 남은 병력은 15만이다. 이들은 꽤 노련한 간부들 덕분에 별 어려움 없이 두 달 내에 동원될 수 있다.

3) 국민방위군, 자원병, 의용병, 총동원 또는 흔히 개죽음 당한 병사라고 불리는 자들. 아직 동원할 수 있는 기동국민군(gardes mobiles) 약 1만 명을 제외하고, 그들 중에서 어떤 사람도 독일 시민군보다 무기에 대해 더 잘 알

G529

지 못한다. 프랑스인은 손재주가 꽤 있다. 그러나 2개월은 매우 짧은 기간이다. 신병을 4주 만에 대대 학교에서 졸업시키려고 한 나폴레옹은 출중한 간부들과 함께 그 일을 해치웠다. 다음번 혁명의 첫째 결과가 전선 간부들의 해체이다. 게다가 우리의 프랑스인 혁명가들은 인습에 사로잡힌 사람으로 알려져 있다. 그들의 첫 외침은 국민 총동원!일 것이다. 200만 명을 전선으로!(Deux millions d'hommes aux frontières!) 동맹군이 92년과 93년 때처럼 어리석은 짓을 또 저지르고 [75]200만 명을 점진적으로 훈련시킬 시간이 있다면 200만 명은 대단한 병력일 것이다. 그러나 이 점에 대해서는 아무 말도 할 수 없다. 적의에 찬 현역병 100만 명을 두 달 내에 국경에 집결하는 것에 우리는 ‖[16]‖ 대비해야 한다. 중요한 것은 이 100만 명에게 대항하여 승리할 가능성이다.

프랑스인이 지난 93년과 같이 다시 똑같은 일을 반복한다면 그들은 이 200만 명으로 어리석은 짓(Geschichte)을 감행할 것이다. 다시 말해서 그들은 단기간에 너무 많은 것을 감행해서 결과는 제로가 될 것이다. 150만 명을 8주 만에 간부 없이 훈련하고 조직하는 것은 사실상 자원을 무의미하게 낭비하는 것이 될 것이다. 쓸 만한 1개 대대로 군대 강화는 결코 이루어지지 않는다.

이와 달리 군대를 급조하는 방법과 혁명전쟁에 대해 웬만큼 아는 적당한 전쟁장관이 있다면, 그리고[76] 이 장관이 무지와 인기 영합에서 기인하는 어리석은 장애물에 초연하다면 그는 가능한 범위 내에서 많은 일을 해낼 것이다. 그러면 다음의 계획이 어느 정도 나올 것이다.

G530 무장 병력은 우선 두 가지 요소로 이루어진다. 1) 도시의 프롤레타리아트 정예 부대와 시골의 농민 정예 부대가, 국가가 신뢰할 수 있는 한, 국내에서 복무하는 것. 2) 정규군이 침공에 대항하는 것. 요새 복무는 프롤레타리아트 정예 부대와 농민 정예 부대가 수행한다. 군대는 필요한 파견대만 공급한다. 중요한 요새이자 대도시인 파리, 슈트라스부르크, 리옹, 메츠, 릴, 발랑시엔은 자체 정예 부대와 인근의 소규모 농민 파견대 외에 방어를 위한 작은 전선만 필요로 할 것이다. 국내에서 징집 가능한 프롤레타리아트 정예 부대는, 실직 노동자로 구성되어 있는 한, 훈련장에서 똘똘 뭉칠 것이고, 야전 근무에는 쓸모없는 늙은 장교와 하급 장교한테서 훈련을 받고 일련의 현역병의 빈 곳을[77] 채울 것이다. 숙영지는 오를레앙에 설치할 수 있다. 그러면 정통 왕조파가 지배하는 지역에 위협을 줄 수 있을 것이다.

606

전선은, 프랑스에 있는 한, 세 배로 되어야 하고 110만 병력 중에서 40만 이 투입될 것이다. 이것은 다음과 같이 일어난다. ─ 각 대대가 연대로 변경된다. 불가피한 일제 진급은 장교와 하급 장교에게 단두대와 군사법원 못지 않게 혁명에 대한 존경심을 불러일으킬 것이다. 간부의 불가피한 확대는 가능한 한 점진적으로 이루어진다. 그러면 장교한테서 얻을 수 있는 것을 얻을 것이다. 두 달 만에 장교들에게 요술을 부리는 것이 불가능하기 때문에 이것은 매우 중요하다. 게다가 프랑스군의 중급 ||[17]| 장교와 하급 장교는 대단한 민족 감정에 사로잡혀 있다. 특히 모반자와 탈영병에게 몇 번 본때를 보이기만 하면, 이 장교들은 처음부터 하급 부대를 열정적으로 지휘하여 몇 번의 성공 기회를 잡고 그때마다 진급할 것이다. 군사학교 생도와 토목학교 (Ponts-et-Chaussées) 출신 관료는 뛰어난 포병 장교 및 공병 장교가 되고, 얼마간 활동한 후에는 곧잘 프랑스군에서 하급 군사 재능, 즉 포화 속에 뛰어들어 중대를 지휘하는 능력을 발휘하기 시작한다.

병사들에 대해 말하자면, 다음과 같이

전선 ·································· 40만 명
재징집병 ···························· 30만 명
징집 대기자 및 훈련 대기자 ·········· 50만 명

총 120만 명이다. 환자 10만을 빼면 110만 명이 남는다. 이 중에서 실제 가용 병력은

전선 ──────────── 25만
재징집병 15만
신병 ──────────── 40만 즉 80만 명이다.

이것으로 시작할 수 있는 것은 뻔하다. 신병 40만~50만 명을 훈련시켜 전선에 투입하는 것, 지금까지 재징집 병사를 두 달 만에 연대와 대대에 융합하는 것은 혁명 다음 날(le lendemain de la révolution) 바로 착수하면 그다지 어렵지 않다. 이런 모든 병력 강화는 보병과 포병에 해당할 것이다. 두 달이면 보병과 적어도[78] 단순히 포를 쏠 수 있는 포병을 양성할 수 있지만 기병은 양성할 수 없다. 기병의 증가는 미미할 것이다.

G531

모든 무장 계획은 훌륭한 전쟁장관, 즉 정치 상황을 평가할 줄 아는 자, 전략과 전술이 풍부하고 모든 무기에 대해 해박한 자, 상당한 열정과 민첩함과 단호함(decisiveness)을 가진 자, 함께 지배하는 멍청이들에게서 손을 뗀 자가 있음을 전제로 한다. 프랑스의 "적색"당에는 이런 자가 있는가! 반대로, 훌륭한 민주주의자(bon démocrate)입네 하면서 요직을 두루 거쳤다고 생각하는 무식한 자가 총동원을 명령하고 모든 것을 완벽하게 해결한 카르노 노릇을 하려 들다가는 금세 바닥을 드러낼 것이다. 그러면 만사가 늙은 하급 관리에게 넘어가고 적군이 파리 코앞에 이를 것이다. 오늘날 유럽 동맹군에 저항하려면 파슈나 부슈오트나 카르노 같은 사람으로는 안 되고 나폴레옹 같은 사람이 있어야 할 것이다. 아니면 적이 매우 둔하거나 운이 아주 좋아야 할 것이다.

　　‖[18]‖ 동맹군의 병력을 계산할 때 최대 병력과 최소 제외 병력을 가정했다는 점을 간과해서는 안 된다. 그러면 어느 정도 견딜 만한 간부가 있는 곳에서, 징집 가능한 병력은 여기서 말한 것보다 더 많아지고 집결에 필요한 시간은 더 줄어들 것이다. 이와 달리 프랑스는 그 가정이 반대이다. 다시 말해서 징집 가능한 시간은 가능한 한 길어지고, 조직할 수 있는 총병력은 아마도 매우 많아지고, 제외 병력은 적어지고, 징집 가능한 병력도 가능한 한 많아질 것이다. 요컨대 이런 계산은 — 뜻밖의 사건이나 동맹군의 난폭한 지휘관 놈들(Böcke)을 제외하면 — 혁명에 **가능한 한 유리한 경우**를 보여 준다.

　　게다가 혁명과 침공이 곧바로 국내의 내전을 야기하지[79] 않는다는 점도 전제로 한다. 프랑스에서 마지막 내전이 일어난 지 60년이 지난 지금 정통 왕조파의 광신이 일과성 폭동에 그칠지 결정하기는 불가능하다. 그럼에도 같은 기준에서 동맹군이 전진하리라는 것은 분명하다. 또한 리옹, 툴롱 등지에서 1793년과 같은[80] 봉기가 일어날 가능성과 정치적으로 실각한 계급과 분파로 이루어진 현재의 동맹군이[81] 들고일어날 가능성은 분명히 커진다. 여기서 혁명에 유리한 경우, 즉 혁명적 프롤레타리아트 정예 부대와 농민 정예 부대가 다행히 반란을 일으킨 지역과 계급을 무장 해제할 수 있다는 것도 가정한다.

　　독일, 이탈리아 등지의 봉기를 통해 혁명이 일어날 가능성에 대해서는 곧이어 다룰 것이다.

　　V. 이제 실제 전쟁 방식에 대해 말할 차례이다.

G532

컴퍼스의 한 발을 파리 지도에 올려놓고 파리에서 슈트라스부르크까지의 거리를 반경으로 파리 주위에 원을 그리면, 그 원주는 남쪽으로는 그르노블과 샹베리 사이의 프랑스 국경을 지난다. 그 원주는 퐁 드 보부아쟁에서 북쪽으로 제네바, 쥐라, 바젤, 슈트라스부르크와 하게나우를 지나 라인 강을 따라 그 입구까지 이른다. 원주가 몇몇 지점에서 멀어지면 이틀 행군으로는 어림도 없는 거리가 된다. 라인 강이 프랑스의 경계라면 파리는 알프스산맥이 경계 구실을 중단하는 지점이 될 것이고, 그 경계는 곧장 북해까지 멀어진다. 파리를 중심으로 하는 프랑스의 군사 체계는 지리적 조건을 모두 충족할 것이다. 샹베리에서 로테르담에 이르는 이 단순한 원호(圓弧),[82]즉 프랑스의 몇몇 ||[19]| 열린 경계의 모든 점(게다가 이 경계는 수도의 경계 가까이 있다)은 파리에서 똑같은 거리인 약 70독일마일 — 행군 여정 14일 — 로 줄어든다.[83]똑같은 시간에 그 경계들은 넓은 강을 포함한다. 이것은 라인 강이 프랑스의 자연적 경계라는 주장의 실제적인 군사적 토대이다.

그러나 이러한 고유한 방향의 위치[84]로 인해 라인 강은 파리에 대한 모든 집중 작전의 기점이 된다. 여러 군대가 동시에 파리 코앞에 도착하여 사방에서 동시에 위협하기 위해서는 똑같이 멀리 떨어진 지점에서 동시에 출발해야 하기 때문이다. 프랑스에 대항하는 모든 반혁명적[85] 동맹군의 작전은 틀림없이 한곳으로 집중하게 된다. 모든 집중 작전은 위험하다. 이때 중심지는 적의 영역에 놓여 있거나 작전의 토대 역할을 전혀 하지 못한다. 1) 파리와 함께 프랑스가 점령당하기 때문이고, 2) 프랑스군 작전 지역에 있는 어떤 경계군도 몸을 내던지지 않기 때문[86]이다. 그런다면 동맹군 영역에 있는 프랑스군이 동맹군 배후에 군대를 보내 폭동을 선동할 수도 있으니까 말이다. 3) 프랑스에 대항하는 모든 동맹군이 공격하여 흩어질 수밖에 없는[87] 병력이 식량을 확보하기 위해서는 중복되는 작전선이 필요하기 때문이다.

양군이 방어할 수 있는 경계는 샹베리에서 로테르담까지[88]이다. 스페인 경계는 당분간 고려하지 않는다. 바르 강에서 이제르 강까지의 이탈리아 경계는 알프스산맥으로 덮여 있고, 파리에서 멀리 떨어져 있다. 이탈리아 경계가 위의 원에서 접선을 이루기 때문이다. 이탈리아 경계는 다음 세 경우에만 고려될 수 있다. 1) 사부아 알프스, 특히 몽스니 고개 쪽의 군게 방어된 협로가 프랑스군의 수중에 있을 때. 2) 특별한 이유가 있는 게 틀림없는 방해 공작을 해안에서 하고자 할 때. 3) 프랑스군이 다른 모든 곳의 경계를 안전하게 한 후 1796년의 나폴레옹처럼 공격하고자 할 때. 다른 모든 경우에 이탈

G533

리아 경계는 너무 멀리 떨어져 있다.

동맹군뿐만 아니라 프랑스군의 실제 작전은 샹베리 또는 이제르 강에서 북해까지의 전선에 국한되고, 이 전선과 파리 사이의 지역에 놓여 있다. 프랑스의 이 지역은 자연 자체가 보루이다. 이곳의 산계와 하계망은 군사적으로 더할 나위 없이 유리하다.

론 강[89]에서 모젤 강까지는 그 경계가 특정 지점에서만 통과할 수 있는 ||[20]|| 길고 험한 산맥, 즉 쥐라 산맥으로 덮여 있다. 쥐라 산맥은 포게젠과 이어지고, 포게젠은 호흐발트와 이다르발트와 이어진다.[90] 두 산맥은 경계와 평행으로 달리고, 게다가 포게젠은 라인 강이 감싸고 있다. 모젤 강과 마스 강 사이에는 아르덴이 있고, 마스 강 너머에는 파리로 가는 길인 아르곤이 있다. 상브르에서 바다까지 이르는 지역만이 열려 있다. 그러나 여기서 전진하는 모든 군대는 한 걸음 내디딜 때마다 더 위험해진다. 전진하는 군대는 벨기에에 주둔하는 강한 프랑스군의 어느 정도 상당히 능숙한 작전에 말려 차단되고, 바다로 내몰릴 위험에 직면한다. 게다가 론 강에서 북해[91]에 이르는 전선은 전부 요새로 채워져 있다. 그중에서도 예를 들면 슈트라스부르크 같은 몇몇 요새는 그 지역 전체를 감싸고 있다.

쥐라와 포게젠의 합일 지점에서 남서 방향으로 오베르뉴를 향해 산맥 하나가 가로지른다. 이 산맥은 한편으로 북해와 대양 사이의 분수령을 이루고, 다른 한편으로는 북해와 지중해 사이의 분수령을 이룬다. 이 산맥에서부터 남으로는 손 강이 흐르고, 북으로는 모젤 강과 나란히[92] 마스 강, 마른 강, 센 강, 욘 강이 흐른다. 욘 강과 루아르 강 사이처럼, 긴 산맥이 이 두 강[93] 사이를 가르고 있다. 이 산맥은 가로지르는 길이 거의 없고, 몇몇 하곡(河谷)에 의해 서로 분리되어 있다. 이 산지 전체는[94] 모든 병과에 대부분 실용적이지만, 불모지여서 어떤 대군도 오래 머무르지 못한다.

이 산맥이 마스 강 지역을 센 강 지역과 분리하는, 마찬가지로 불모지인 샹파뉴의 연산(連山, Höhenstriche)을 능가한다면, 적군은 센 강 지역으로 G534 나아갈 것이다. 이제야 비로소 파리의[95] 위치가 가진 뚜렷한 군사적 장점이 확연히 드러난다.

센 강 지역은 아래로 우아즈 강 입구까지 거의 평행 호(弧)를 이루며 북서쪽으로 흐르는[96] 몇 개의 강, 즉 욘 강, 센 강, 마른 강, 우아즈 강, 엔 강으로 이루어지고, 각각의 강에는 같은 방향으로 흐르는 지류들이 있다. 이 아치 모양의 골짜기들은 서로 꽤 가까이 붙어 있고, 이 합일점의 중심에 파리가

610

있다. 지중해[97]와 스헬더 강 사이의 모든 국경[98]으로부터 하곡을 따라 달리는, 파리행 간선도로들은 하곡들과 함께 중심인 파리로 달린다. 파리 방어군은 언제나 [99]비교적 단기간에 집결할 수 있고, 위협받는 한 지점에서 졸지에 공격군으로 돌아설 수 있다. 왜냐하면 두 개의 ||[21]| 동심원 중에서 안쪽 원이 원주가 더 작기 때문이다. 이 장점을 절묘하게 이용함으로써, 즉 안쪽 원주를 지칠 줄 모르고[100] 이동한 덕분에 나폴레옹은 한 줌의 병사로 동맹군 전체를 센 강 지역에 두 달간 묶어둠으로써 1814년 전쟁에서 빛나는 승리를 거둘 수 있었다.|

카를 마르크스

1848년 11월 4일 채택된 프랑스 공화국 헌법

The Constitution of the French Republic adopted November 4, 1848

《노츠 투 더 피플》

제7호, 1851년 6월 14일

||[125]|| No. I. 1848년 11월 4일 채택된 프랑스 공화국 헌법.[1]

헌법 전문(前文)은 미사여구로 가득하다. 전문에서 주목할 만한 구절은 다음과 같다.

1. 프랑스는 공화국이다. 2. 프랑스 공화국은 **민주** 공화국이고 하나이며 불가분이다. 4. 프랑스 공화국의 원리는 자유, 평등, 형제애이고 그 토대는 가족, 노동, 재산, 공공질서이다. 5. 프랑스 공화국은 다른 나라의 독립을 존중한다. 다른 나라도 프랑스 공화국의 독립을 존중해야 할 것이다. 프랑스 공화국은 침략 전쟁을 일으키지 않으며 힘으로 어떠한 국민의 자유도 결코 침해하지 않는다.[2] (로마!)[3]

6월 무장봉기 전에 국민의회는 헌법을 기초했다. 헌법의 여러 조항 중에서 국민의 권리와 의무를 규정한 조항은 다음과 같다.

6조. 모든 시민은 신체적, 도덕적, 지적 능력을 완전히 계발하기 위해 교육의 권리가 있다. 국가는 **무상** 교육을 시행한다.[4]

7조. 사회 구성원은 누구나 노동으로 살아가기 위해 노동의 권리를 가진다. 따라서 국가는 달리 일자리를 구할 수 없는 신체 건강한 자에게 일자리를 제공할 의무가 있다.

9조. 국가는 고아, 심신 쇠약자, 노령자를 **부양할 의무**가 있다.[5]

1848년 6월의 승리로 고무된 중간계급은 헌법에서 이 세 조항을 삭제했다.

현재의 **헌법**

은 다음과 같다. ―

"1장. 주권은 프랑스 시민 전체에게 있다. 주권은 양도할 수 없으며 영원 G536
하다. 어떤 개인, 어떤 당파도 주권을 행사할 권리를 가지지 않는다."

"2장. 헌법이 보장하는 권리:―

법에 규정된 경우 외에는 아무도 체포되거나 구금되지 않는다."

"3조. 프랑스 영토에 있는 모든 사람의 주거지는 침해할 수 없다. 법에 규
정된 경우 외에 주거지에 들어가는 것은 허용되지 않는다."

프랑스 헌법이 자유를 보장하지만 **법에 의한 예외**라는 단서가 항상 붙고
이 단서는 **지금도 만들어지고 있다**는 것에 여기서 분명히 주목해야 한다. 모
든 예외는 나폴레옹 황제에 의해, 왕정복고에 의해, 루이 필리프에 의해 만
들어지고 유지될 뿐만 아니라 6월 혁명 후에는 엄청나게 증가하고 있다.
1849년 8월 9일의 계엄 관련 법을 예로 들어보자. 이 법에 따르면 의회가,
의회가 정회 중인 때는 대통령이, 계엄을 선포할 수 있다. 이 법은 모든 정치
범을 군법회의에 회부할 권리를 군 당국에 부여한다. 더 나아가 이 법은 밤
이든 낮이든 아무 가택이나 들어가서 수색하고 모든 무기를 압수하고 계엄
지역에 거주지를 가지지 않은 모든 사람을 퇴거시킬 권한을 군 당국에 부여
한다.[6]

외국인에 대해 말하자면, 외국인이 프랑스 땅에서 누릴 수 있는 유일한
"권리"는 체포되어 추방되는 것뿐이다. 경찰 당국은 으레 이것을 타당하다
고 여긴다.

프랑스인에 대해 말하자면, **단 한 명의 관리**가 체포 명령을 내리면 어떤 프
랑스 시민이라도 체포될 수 있다!

"4조. 자신의 양심에 따른 심판 외에는 타인에게 심판을 받지 않는다. 어
떤 명칭이나 구실로도 예외적 법정을 구성할 수 없다."

THE CONSTITUTIONS OF EUROPE,

COMPILED FROM ORIGINAL SOURCES; WITH THE ASSISTANCE OF LEADING CONTINENTAL DEMOCRATS.

No. I. THE CONSTITUTION OF THE FRENCH REPUBLIC ADOPTED NOVEMBER, 4, 1848.

A rhetorical preamble introduces the Constitution, in which the following passages deserve notice:

1, France declares itself a republic. 2. The French republic is *democratic*, one and indivisible. 3. Its principles are Liberty, Equality, Fraternity, and its foundations are Family, Labour, Property, and Public Order. 5. It respects the independence of other nations, and will make its own respected also. It will undertake no aggressive war, and will never employ its force against the liberty of any people. [*Rome !*]

Before the Insurrection of June, the National Assembly had drawn up a constitution, which contained among many other recognitions of the rights and duties of man, the following articles.

Art. 6. The right to education is the right possessed by all citizens to the means for the full development of their physical, moral, and intellectual faculties, by a *gratuitous* education at the hands of the state.

Art. 7. The right of labour is the right of every member of society to live by labour. Therefore it is the duty of society to supply with work all able bodied persons who cannot otherwise obtain it.

Art. 9. *The Right to support* is the right of the orphan, the infirm and the aged to be maintained by the state.

After the victories of June 1848 had given courage to the middle-class, they erased these three articles from

THE CONSTITUTION,

which now stands as follows:—

"Cap. I. Sovereign power rests in the entirety of French citizens. It is inalienable and eternal. No individual, no fraction of the people has the right to its exercise."

"Cap. II. Rights guaranteed by the constitution:—No one can be arrested or imprisoned, except as prescribed by the laws.

"§ 3. The residence of every one on French territory is inviolable—and it is not allowed to enter it otherwise than in the forms prescribed by law."

Observe here and throughout that the French constitution guarantees liberty, but always with the proviso *of exceptions made by law*, or which may STILL BE MADE! and all the exceptions made by the Emperor Napoleon, by the restoration, and by Louis Philippe, have not only been retained, but, after the June-Revolution, immeasurably multiplied. Thus, for instance, the law of the 9th August 1849, relative to the State of Siege, which the Assembly, and during its prorogation, the President can enact, and which gives to the military authorities the right of bringing all political offenders before a court-martial. It further grants them the power to enter and search any house by day or night, to seize all arms, and to remove all persons not having a domicile in the place declared under a state of siege.

As to *strangers*, the only "right" they enjoy on French soil, is to be arrested and driven out of it, as often as the police authorities think proper.

As to *Frenchmen*, any French citizen can be arrested, if a *single functionary* issues his mandate to that effect!

"§ 4. No one can be judged by others than his natural judges. Exceptional tribunals can be formed under no denomination or pretext."

We have already seen that, under "the state of siege," a military tribunal supersedes all others. Besides this, the Assembly established an "exceptional tribunal," called the "High Court," in 1848 for a portion of the political offenders; and, after the insurrection in June, transported 15,000 insurgents without any trial at all!

"§ 5. Capital punishment for political offences is annulled."

But they transport to fever-stricken settlements, where they are executed, only a little more slowly, and far more painfully.

"§ 8. Citizens have a right to associate, to meet peacefully and unarmed, to petition, and express their opinions through the press and elsewhere. The enjoyment of these rights has no other limit, than the equal rights of others, and the public safety."

That the limitation made by the "public safety," takes away the enjoyment of the right altogether, is clearly shewn by the following facts:—

1. *The liberty of the Press*.—By the laws of August 11, 1848, and of July 27, 1849, not only securities for newspapers were redemanded, but all the restrictions made by the Emperor Napoleon, and since, were renewed and made more stringent.

The law of July 23, 1850, *raises* the security-

마르크스의 기고문 「… 프랑스 공화국 헌법」의 첫 쪽.
《노츠 투 더 피플》, 런던, 제7호, 1851년 6월 14일

"계엄 상태"하에서는 군사법원이 다른 모든 것을 대신한다는 것을 우리는 이미 보았다. 그 밖에도 의회는 "예외적 법정"을 설치했다. 일부 정치범을 겨냥한 1848년의 "고등법원"(High Court)이 바로 그것이다. 6월 무장봉기 후에는 봉기자 1만 5천 명이 재판 없이 추방되었다!

"5조. 정치범에 대한 사형 선고는 무효이다."

그러나 정치범은 열병에 시달리는 곳으로 추방되어 처형된다. 그것도 더 천천히, 훨씬 더 고통스럽게 처형된다.

"8조. 시민은 결사의 권리, 비무장 평화 집회의 권리, 청원권, 언론이나 그 밖의 다른 곳에서 자신의 의견을 표현할 권리가 있다. 타인의 평등한 권리와 공공 안전을 해치는 때 외에는 이러한 권리를 누리는 데 제한이 없다."

"공공 안전"으로 인한 제한이 이 권리의 향유를 송두리째 빼앗아 간다는 것은 다음 사실들이 잘 보여준다. ―

1. **언론의 자유.** ― 1848년 8월 11일과 1849년 7월 27일에 제정된 법률들로 신문의 공탁금이 재도입되었을 뿐만 아니라 나폴레옹 황제가 가한 제한이 모두 되살아나고 더욱 엄격해졌다. G539

1850년 7월 23일에 제정된 법률은 ||126| 공탁금을 **인상한다**! 또한 모든 주간지, 잡지, 정기 간행물 등에 대한 입법을 확대한다. 그 외에도 그 법률은 모든 기사에 작성자 이름을 서명하게 하고 신문에 **인지**를 다시 도입한다. 이것으로는 성이 차지 않는지 그 법률은 순수문학 작품인 신문소설에도 인지를 부과하고, 엄청난 벌금형으로 이를 강제한다! 이 법령 제정 후 혁명 계열의 신문은 깡그리 사라졌다. 이들 신문은 박해에 맞서 끈질기게 싸웠다. 주간지, 신문, 팸플릿이 잇달아 고발되어 벌금을 물고 폐간되었다. 중간계급이 배심원석에 앉아서 노동자 신문을 말살했다.[7]

1850년 7월 30일에 제정된 법률은 언론 탄압의 정점이었다. 이 법률은 연극 검열을 재도입했다. 따라서 언론의 자유는 그 마지막 문학적 도피처에서도 사라졌다.[8]

2. **결사권과 집회권.** ― 1848년 7월 28일에서 8월 2일에 제정된 법률들 때문에 클럽들은 자신들의 거의 모든 자유를 부정하는 경찰의 단속을 수없이 받았다. 예를 들면 클럽은 입법 형태 등으로 결의를 통과시키는 것이 금지되었다. 바로 이 법률 때문에 모든 **비정치적** 서클과 **민간** 친목회가 죄다 경찰의 감시와 변덕 밑에 놓였다.[9]

1849년 6월 19~22일에 제정된 법률[10]로 정부는 인가해주기 어려운 모든 클럽과 집회를 1년간 금지할 수 있는 권한을 얻었다. 1850년 6월 6일~12일에 제정된 법률로 정부는 이 권한을 1년간 더 부여받았다. 사실상 정부는 비위를 거스를지도 모르는 하원 의원 선거와 관련된 친목회와 집회까지도 금지할 수 있게 되었다![11] 그 결과 1848년 7월 이후에는 왕당파와 보나파르트주의자 **단체**(*cercles*) 외에는 모든 클럽과 공개 집회가 사실상 없어졌다.

1849년 11월 29일의 법률은 임금 인상을 요구하며 결속할지도 모르는 모든 노동자를 3개월 이하의 구금과 3천 프랑 이하의 벌금에 처할 수 있게 했다. 또한 이 법률로 노동자들은 형기를 마친 후에도 5년간 경찰의 **감시**를 받아야 했다(이것은 구걸, 파멸, 박해를 의미한다).[12]

결사권과 공개 집회 권리의 실상은 이러했다.

———————

"9조. 교육권은 자유롭다. 교육의 자유는 법률이 정한 조건에서 향유되고, 국가의 감독 아래에 있다."[13]

G540   여기서도 진부한 말장난이 되풀이된다. "교육은 자유롭다." 그러나 "법률이 정한 조건하에서" 자유롭다. 이것은 정확히 교육의 자유를 송두리째 앗아 가는 조건들이다.

1850년 3월 15일의 법률[14]로 전체 교육 체계는 성직자의 감독하에 놓인다. 정부의 교육 부서 꼭대기에는 프랑스인 대주교 4명이 주재하는 **공교육 최고위원회**(*conseil superieur de l'instruction publique*)가 있다. 이 위원회는 대주교 관구의 모든 교장을, 시 의회나 교구 협의회에서 선출되었다 할지라도, **주임 사제**(*recteurs*, or rectors)의 뜻에 종속시킨다. 교사들은 주임 사제, 시장, 교구 사제 밑에서 군대식 복종 및 규율과 비슷한 상태에 놓인다. 상기 법률에 따라 교육의 자유는 아무도 시 당국과 교회의 허락 없이는 가르칠 권리를 갖지 못하는 것이 되었다.

"11조. 재산권은 불가침이다."

"14조. 국채는 보증된다."

"15조. 세금은 공공 서비스를 위해서만 부과된다. 모든 시민은 재산과 능력에 따라 세금을 납부한다."

616

3장.―관청의 권한에 대하여.

본 장은 다음과 같이 주장한다. ―

"1. 모든 공권력은 국민에게서 나오고 세습되지 않는다."

"2. 권력 분립은 자유로운 정부의 첫째 조건이다."

여기에도 케케묵은 헌법의 몽매함이 보인다. "자유로운 정부"의 조건은 권력의 **분립**이 아니라 **통합**이다. 정부 조직은 복잡하기 짝이 없다. 정부 조직을 복잡하고 불가사의하게 만드는 것은 바로 무뢰한들의 술수이다.

4장.―입법권에 대하여.

입법권은 알제리와 식민지의 대표를 포함하는 750명의 대표로 구성되는 단일 의회에 있다. 헌법 개정을 위해 소집된 의회는 900명으로 구성되어야 한다. 선거제도는 인구에 바탕을 둔다. 이를 완전히 충족하는 데 불가결한 조항 4개는 다음과 같다.

"24조. 선거는 직접선거이자 보통선거이고, 투표 형태는 비밀 투표이다."

"25조. 참정권과 시민권을 가지고 21세에 달한 모든 프랑스인은 재산에 G541 의한 법적 선거 자격 제도(electoral census)와 관계없이 유권자이다."[15]

"26조. 25세에 달한 유권자는 거주지에 관계없이 피선거권을 가진다."[16]

"27조. 선거법은 프랑스 시민에게서 선거권과 피선거권을 박탈할 수 있는 근거를 명확히 규정해야 한다."

위의 조항들은 헌법의 다른 모든 조항과 똑같은 정신을 보여주는 것으로 생각된다. "참정권을 가진 모든 프랑스인은 유권자이다." 그러나 "선거법" 은 어떤 프랑스인이 참정권을 누리지 **못하는지** 결정할 수 있다!

1849년 3월 15일의 선거법은 모든 범죄자를 유권자에 포함했으나 정치 범은 제외했다. 1850년 5월 31일의 선거법은 정치범만이 아니라 "기존의 낡은 의견에 반대"하거나 언론 규제법을 위반한 자들도 모두 추가로 제외 했다. ||127| 사실상 이 법은 거주 제한을 규정했고, 이로써 프랑스 국민의 **3분의 2**가 투표할 수 없게 되었다![17]

프랑스에서 "선거는 직접선거이자 보통선거"라는 말은 바로 이것을 의미 한다.

"28조. 봉급을 받는 공무원은 동시에 국민의 의원이 될 수 없다. 의원은 입법의회의 회기 동안 헌법에 의거하여 봉급을 받을 수 없다."[18]

이 두 조항은 이후 결정에 의해 제한되었고, 결국 거의 무효가 되었다.

"30조. 선거는 관할 선거구 선거관리위원회가 주관하고, 투표용지를 이용한다."

"31조. 국민의회는 3년마다 새 선거로 다시 구성한다."

"32조. 국민의회의 회기는 상설이다. 그러나 중단할 수도 있다. 이때는 의원 25명과 의회 **사무처** 직원들로 구성된 위원회를 대표로 지명해야 한다. 이 위원회는 비상시에 의회를 소집할 권한이 있다."[19]

33조~38조. 의원은 재선될 수 있다. 의원의 활동은 어떤 명령으로도 제한할 수 없다. 그 활동은 불가침이다. 의원은 의회에서 표명한 의견 때문에 기소되거나 유죄 선고를 받아서는 안 된다. 의원은 세비를 받는다. 세비는 **거부할 수 없다.**

"의원 활동의 불가침"과 "의견 표명의 자유"에 대해 말하자면, 다수당은 6월 13일 이후에 새 **규칙**을 통과시켰다. 이로써 국민의회 의장은 의원에게 **검열**을 명하고 벌금을 부과하며 세비를 박탈하고 일시적으로 **의원을 추방**할 수 있게 되었다. 따라서 "의견의 자유"는 완전히 말살되었다. 1850년에 의회는 기한 내에 변제하지 못하면 회기 중에도 부채를 이유로 의원을 체포할 수 있고 의원 권한을 박탈할 수 있게 하는 법률을 통과시켰다.

그러므로 프랑스에는 논쟁의 자유도, 의원의 불가침도 존재하지 않는다. 채권자의 불가침만 존재할 뿐이다.

39조~42조. 의회의 회의는 공개해야 한다. 그럼에도 의회는 꼭 필요한 의원들의 요청에 따라 비공개 위원회(private committee)에서 의결할 수 있다. 법률이 유효하기 위해서는 의원 과반수가 투표해야 한다.[20] 긴급한 경우가 아니면 어떤 법안도 각 독회마다 닷새 간격을 두고 3회독을 하지 않으면 통과될 수 없다.

영국 "헌법"에서 차용한 이 규정은 프랑스에서는 어떤 중요한 경우, 실제로 꼭 필요하다고 생각되는 경우에도 준수되지 않는다. 예를 들면 5월 31일의 선거법은 1회독 후에 통과되었다.

5장.―행정권에 대하여.

43조~44조. 행정권은 대통령에게 위임한다. 대통령은 프랑스 국적을 가지고 있어야 하며 30세 이상이어야 하고 프랑스 시민 자격을 잃은 적이 없어야 한다.

프랑스 공화국의 초대 대통령 L. N. 보나파르트는 프랑스 시민 자격을 잃은 적도 있을 뿐 아니라 영국의 특별 경찰[21]이었던 적도 있다. 또한 그는 귀화한 스위스인이었다.

45조~70조. 프랑스 공화국 대통령의 임기는 4년이고, 임기 만료 후 4년 동안은 재선될 수 없다. 이 제한은 대통령의 6촌 친척까지 적용된다. 선거는 5월 둘째 일요일에 치른다. 대통령이 다른 시기에 선출되었으면 선거 후 4년째 되는 5월 둘째 일요일에 그 권한이 만료된다. 대통령은 비밀 투표로, **절대다수**로 선출된다. 어느 후보도 유효 투표의 과반수를 얻지 못하고, 최소 200만 표를 얻지 못하면, 국민의회는 가장 많은 표를 얻은 5명의 후보 중에서 대통령을 선출할 수 있다.

대통령은 헌법에 충성을 맹세해야 하고, 각료들을 통해 의회에 헌법 개정을 발의할 수 있다. 또한 군대를 배치할 수 있지만 직접 지휘할 수는 없다. 대통령은 프랑스 영토의 어떤 부분도 양도할 수 없고, 의회를 해산하거나 휴회할 수 없으며, 헌법의 권위를 일시 유예할 수도 없다. 또한 조약을 협상하고 비준할 수 있지만 의회의 동의를 받을 때까지는 이를 확정할 수 없다. 대통령은 의회의 동의 없이는 어떤 전쟁도 수행하지 못한다. 대통령은 사면권을 행사할 수 있지만 특사(特赦)는 허용하지 않는다. **고등법원**(*haute cour*)에서 유죄 판결을 받은 자는 의회만이 사면할 수 있다. 대통령은 법률 공포를 연기할 수 있고, 의회에 재심을 요구할 수 있다. 그러나 의회에서 다시 심의한 것은 법률로 확정된다. 대통령은 대사와 장관을 지명한다. 또한 시민이 선출한 시장, 교구 협의회(departmental council), 국민방위군 등의 임명을 석 달간 보류할 수 있다. 대통령의 모든 명령은 장관이 부서(副書)해야 한다. 단 장관 해임 명령의 경우 해당 장관은 부서하지 못한다. 대통령, 장관, 관리는 해당 부서의 모든 정부 행위에 개별적으로 책임을 진다. 의회의 적법한 권한 행사에 대통령이 영향을 미치거나 지연하거나 방해하는 모든 행위는 반역죄다. 이 경우 ||128|| 대통령은 즉시 권한을 박탈당하고, 대통령의 명령을 거부하는 것이 모든 시민의 의무가 되며, 대통령의 권한은 즉시 의회로 이양된다. 고등법원(Haute Cour de Justice) 판사들은 지체 없이 모여 배심원들을 일정한 장소로 소집하고, 대통령과 그 연루자들을 재판해야 한다.

대통령은 공관을 사용하고, 연봉은 60만 프랑 또는 24,000파운드스털링이다(지금은 216만 프랑 또는 86,400파운드스털링이다). 장관은 직무상(ex officio) 의회에 의석을 가지고 필요시 발언할 수 있다. 국민의회는 대통령이 당선 후 한 달 내에 지명한 후보자 3명 중에서 공화국 부통령을 선출한다. 부통령은 대통령이 한 것과 똑같은 선서를 하고, 대통령의 친척이어서는 안 되며, 대통령 유고 시에 직무를 대행하고 국무회의 의장으로서 직무를 수행한다. 사망이나 그 밖의 다른 이유로 대통령직이 공석일 때는 한 달 이내에 새 선거를 실시한다.

6장.—국무회의.

71조~75조. 국무회의는 단순한 심의 기구이다. 국무회의는 내각이 제출하거나 의회가 송부한 안건을 심의한다.

7장.—내정.

본 장은 성직자,[22] 치안판사(principal magistrate), 시의회, 관구 공의회를 다룬다. 우리에게 큰 영향을 주는 중요한 조항은 바로 다음 조항이다.

G544   80조. 교무 총회, 주의회, 시의회는 국무회의의 승인을 거쳐 대통령이 해산할 수 있다.

8장.—사법권에 대하여.

일반적으로 본 장은 나폴레옹 황제의 법령들을 복사한 것에 불과하다. 그럼에도 다음 조항들은 주목할 만하다.

"81조. 재판은 프랑스 국민의 이름으로, 무료로 한다."

이 조항은 현실과 거리가 멀고, 무료를 지향하지도 않는다!

91조~100조. **고등법원**의 지위. 고등법원만이 대통령 심판 권한을 가지고 있다. 고등법원은 대통령 심판 전에 장관들을 소환할 수 있다. 국민의회는 정치범들을 고등법원에서 재판받게 할 수 있다.

"고등법원"은 (프랑스의 최고 재판소인) 파기원(破棄院, court of Cassation)이 그 구성원 중에서 선출한 법관 5명, 지방 교구 교무 총회에서 뽑은 귀족 출신 배심원 36명으로 구성된다. 지금까지 고등법원에서 재판을 받은 사람은 1848년 5월 15일에 기소된 사람들(이곳에서 **바르베스**와 **블랑키**, 그 밖의 사람들은 재판에 불복해 들고일어났다)과 1849년 6월 13일에 재판 결과에 승복한 하원 의원들(deputy)뿐이다.

1848년 8월 7일의 법률[23]로 모든 문맹자는 배심원 명부에서 삭제되었다. 따라서 성인 인구의 3분의 2라는 조항은 효력을 상실했다!

9장.—군대에 대하여.

구 군법 전체가 그대로 존재한다. 군인 범죄는 민간 재판소 관할이 아니다. 다음 조항들은 본 헌법의 정신을 잘 보여준다.

"102조. 모든 프랑스인은 법률이 정한 경우를 제외하고는 군 복무 의무를 지고, 국민방위군에 복무해야 한다."

돈 있는 사람은 누구나 군 복무 의무에서 빠져나갈 수 있다.[24]

이미 2회독을 끝내고 현재 계류 중인 법률에 의하면 노동자계급은 국민방위군 신분에서 완전히 배제되었다! 게다가 대통령은 모든 교구의 국민방위군을 1년간 유예할 권한을 가지고 있다.[25] —사실상 프랑스 전역의 반에서 국민방위군이 해산된 셈이다!

10장.—특별 법령.

G545

"110조. 국민의회는 이 헌법을 모든 프랑스인의 보호와 애국심에 맡긴다."[26] —그리고 국민의회는 "보호"와 "애국심"을 고등법원의 애정 어린 자비심에 맡긴다! —**6월 13일!**[27]

11장.—헌법 개정에 대하여.

"111조. 의회가 회기 말에 헌법의 전면 개정이나 부분 개정을 요구하면 개정은 다음의 방법으로 이루어져야 한다. 의회의 요구는 세 차례의 연속 토론을 거쳐야만 법률이 된다. 각 토론은 한 달 이상의 간격을 두고 이루어져야 하고, 투표의 4분의 3을 얻어야만 한다. 이 투표는 적어도 500명 이상이 참가해야 한다. 개정 목적으로 소집된 의회의 회기는 딱 3개월이고, 매우 긴급한 경우를 제외하고는 다른 문제를 처리해서는 안 된다."

이런 것이 "프랑스 공‖129‖화국 헌법"이다. 프랑스 공화국 헌법은 이렇게 적용되고 있다. 독자들은 프랑스 공화국 헌법이 위험하기 짝이 없는 의도는 숨긴 채 처음부터 끝까지 미사여구로 가득 차 있음을 금세 알아챌 것이다. 헌법의 자구대로라면 프랑스 공화국 헌법은 위반하기가 **불가능하다**. 왜냐하면 모든 조항 하나하나가 그 자체로 반대 성질을 포함하고 있기 때문이다. 이것은 헌법 자체를 완전히 무효로 만들어버린다. 예를 들면 "선거는 직접선거이자 보통선거"인데 **"법률**이 정하는 경우는 **제외한다**".

따라서 1850년 5월 31일의 법(국민 3분의 2의 참정권을 박탈하는)은 헌법을 위반한다고 할 수 없다.

헌법은 이 수법을 끊임없이 되풀이한다. 국민의 권리와 자유에 대한 규제와 제한은(예를 들어 결사권, 참정권, 언론의 자유, 교육의 자유 등) 후속 **기본법**에 의해 결정된다. 이 "기본법"은 약속된 자유를 파괴함으로써 약속된 자유를 "결정한다." 이런 기만으로 완전한 자유를 허용하고, 가장 훌륭한 원칙들을 제정한다. 그 적용과 **세부 사항**은 후속 법률의 결정에 맡긴다. 오스트리아와 프로이센의 중간계급은 프랑스의 모델을 차용했다. 1830년의 프랑스 헌법과 그 이전에 제정된 헌법에도 같은 것이 적용되었다.

G546 국민이여! 정권을 장악하기 전에 원칙에 대해서뿐만 아니라 **세부 사항**에 대해서도 결심하라. 영국은 바로 이 점에서 싸운 전통이 있다![28]

헌법 전체에서 확실하고 명확한 조항은 대통령 선거 조항(45조)과 헌법 개정 조항(111조)뿐이다. 이 두 조항은 위반**할 수 있는** 유일한 조항이다. 왜냐하면 그 자체로 모순되지 않는 조항은 이것뿐이기 때문이다.

보나파르트에 대놓고 반대한 1848년 제헌의회의 목표가 바로 이것이었다. 의원들은 대통령직을 노리는 그의 계략에 경악했다.

엉터리 헌법의 영원한 모순은 중간계급이 **말로는** 민주적일 수 있지만 행동으로는 민주적일 수 없음을 분명하게 보여준다. ─중간계급은 원칙의 진리를 인정하겠지만 이를 결코 실행에 옮기지는 못한다─ 프랑스의 진짜 "헌법"은 우리가 기록한 헌장에서 발견되는 것이 아니라 이 헌장을 토대로 한 **기본법**에서 발견된다. 그 골자는 우리가 독자들에게 보여주었다. **원칙들**은 기본법에 들어 있지만 **세부 사항**은 미래를 위해 남겨놓았다. 후안무치한 폭정은 이 세부 사항에서 재현되었다!

622

프랑스에 지나친 전제정치가 실현되었다는 것은 아래에서 말한 노동자에 대한 규제를 보면 분명해질 것이다.

경찰은 모든 노동자에게 수첩 한 권을 제공한다. 첫 페이지에는 노동자의 이름, 나이, 출생지, 직업, 인적 사항이 포함되어 있다. 노동자는 여기에 고용주 이름과 해고 사유를 기입해야 한다. 이것은 약과다. 이 수첩은 고용주가 관리하는데 그는 노동자의 인적 사항이 적힌 이 수첩을 경찰서 **책상**에 보관한다. 노동자가 직장을 그만두면 그는 경찰서에 가서 이 수첩을 가지고 온다. 노동자는 이 수첩을 제시하지 않으면 다른 일자리를 구할 수 없다. 따라서 노동자의 빵은 전적으로 경찰에게 달려 있다. 이것으로 그치지 않는다. 이 수첩은 통행증으로도 쓰인다. 노동자가 불온한 놈이라고 생각하면 경찰은 이 수첩에 "집으로 돌려보내는 것이 좋다"(bon pour retourner chez lui)라고 적는다. 그러면 노동자는 소속 교구로 돌아가야 한다! 이 끔찍한 폭로에 대해서는 더 말할 것도 없다! 나머지는 독자들 상상에 맡기니 그 실제 결과를 끝까지 추적해보기 바란다. 봉건 시대의 농노나 인도의 파리아는 비교가 안 된다. 프랑스인들이 무장봉기의 그날을 손꼽아 기다리는 것이 전혀 이상하지 않다. 그들의 분노가 폭풍 같아지는 것도 전혀 이상하지 않다. 프랑스인들은 1830년에도, 1848년에도 관대했다. 그러나 그 후로 그들의 자유는 말살되었다. 그들은 억수같이 피를 뿌렸다. 프랑스의 감옥마다 무기수로 넘쳤다. 15,000명이 무더기로 투옥되었고, 지금까지 설명한 공포의 전제정치는 이들에게 의존하고 있다. 중간계급이 이들을 두려워하는 것은, 그리고 이들이 일시 접어둔 보복의 그날을 위해 전력투구하는 것은 전혀 이상하지 않다. 그러나 이들은 사분오열되었다. 이들은 매우 상반된 야망을 갖고 있는데, 중요한 것은 G547

나폴레옹의 술수 앞에 놓여 있다는 것이다.

현재 문제는 대통령 권력 연장과 헌법 개정이다. 나폴레옹은 첫째로 헌법을 공공연히 위반하지 않고는 재선될 수 없다. 임기 만료 후 4년이 지나야 재선될 수 있다. 둘째로, 헌법은 3분의 2 다수의 찬성이 있어야 개정할 수 있다. 이 문제에 찬성하는 3분의 2 다수는 존재하지 않는다. 따라서 헌법에 따른 재선은 불가능하다.

그러므로 보나파르트의 유일한 대안은 헌법을 거역해 군대를 일으켜 끝까지 싸우는 것 아니면 정해진 시기에 대통령직에서 적법하게 물러나는 것뿐이다. 후자의 경우에는 카베냐크가 대통령이 될 것이고, **중간계급**의 **공화국**이 완성될 것이다. 전자의 경우에는 문제가 더욱 복잡해진다.

그러므로 지금 나폴레옹이 쓸 수 있는 술수는 국민의 불만을 부채질하는 것이다. 중간계급은 나폴레옹의 적이다. 국민은 이 사실을 잘 알고 있다. 중간계급과 국민은 하나의 공감대를 이루고 있다. 그러나 나폴레옹은 압제라는 오명을 중간계급과 공유하고 있다. 나폴레옹이 자기 어깨에 걸린 이 오명을 송두리째 ||130| 중간계급의 어깨에 전가하면 큰 장애물 하나가 제거될 것이다.

나폴레옹이 노리는 것이 바로 이것이다. 이것은 최근에 디종에서 나폴레옹이 한 연설에 여실히 드러난다. 이곳에서 그는 이렇게 말했다. "모든 악법은 의회가 제정했다. 내가 발의한 좋은 법은 모두 의회가 거부하거나 훼손했다. 의회는 국민의 상태를 개선하려는 나의 온갖 시도를 좌절시켰고, 존재하지도 않는 개선에 반대하여 장애물을 높였다."[29]

이렇게 나폴레옹은 번갯불을 자신의 머리에서 의회의 머리로 옮기려고 안간힘을 쓰고 있다. 한편 군대는 의회 편이라기보다는 나폴레옹 편이다. 그리고 대다수 국민은 바뀌기만 하면 어떤 것이든 그것이 더 낫다고 판단할 정도로 암담하다. 그러나 계몽된 사람은 소수이다.

따라서 중간계급이 보나파르트가 결심한 것을 알아차려서 카베냐크의 주도로 투쟁의 위험을 감수하기로 한다면, 국민은 분명히 중간계급에 대항해 싸울 것이다 — 그리고 보나파르트도 국민과 함께 싸울 것이다. 두 세력이 합치면 의회가 감당하기 어려울 만큼 강해질 것이다. 그러면 결정적 시기가 올 것이다. 국민이 정복하려고 한다는 것을 알아챈 의회는 두 개의 악 중에서 덜한 악을 택할 것이다. 의회는 민주 공화국이나 사회주의 공화국보다는 제국이나 나폴레옹 독재를 택할 것이다. 따라서 의회는 대통령과 타협하려고 할 것이다. 의회만큼 민주 세력을 두려워하는 대통령은 그들의 도움을 받아들일 것이다. 군대는, 최소한 그 일부는 흥분, 위험, 투쟁의 "영광" 때문에 더욱더 나폴레옹에게 달라붙을 것이고, 투쟁은 새 국면, 즉 군대와 **부르주아지**가 국민에게 대항하는 상황을 맞을 것이다. 문제는 용기, 센스, 후자의 연합에 달려 있다. 나폴레옹의 술수는 먼저 국민이 중간계급에게 대항하게 하는 것이다. 그다음은 중간계급이 국민에게 대항하게 하는 것이고, 군대를 국민과 중간계급에게 대항하도록 이용하는 것이다.

G548

624

미래는 대사건들을 잉태하고 있다. 현재의 프랑스는 역사가 제공하는 가장 흥미로운 연구 주제 가운데 하나다.

이 글은 마르크스가 집필하고 엥겔스가 영어로 번역했다. ―옮긴이

부록

《베스트도이체 차이퉁》

제106호, 1849년 9월 25일

독일 망명자 지원을 위한 호소문.

독일에서 광포한 전쟁 소동이 있은 이후 "질서와 안정"이 다시 도입되었다. 연기로 가득한 도시의 퇴적 더미와 대포의 살인적인 천둥 이후 "소유권과 인격의 안전"이 다시 복구되었다. 이후 한 "폭도"를 다른 박살난 머리들과 함께 무덤으로 보내기에는 군사 재판이 충분치 않았다. 이후 "대역 죄인들"을 모두 처넣기에는 감옥이 충분치 않았다. 이후 유일하게 남아 있는 법은 즉결 재판뿐이었다. 이후 혼란에 빠진 수천의 갈 곳 없는 사람들은 이곳저곳의 외국으로 흩어졌다.

날마다 망명자의 수는 증가했고 그들의 불행도 증가했다. 이곳저곳에서 퇴짜 맞고, 그들은 아침에는 그날 저녁 어디에 머리를 눕혀야 할지, 또 저녁에는 내일 어디서 빵을 얻어야 할지 알 수 없었다.

스위스와 프랑스 그리고 영국의 지방을 가득 채우는 이주가 무수히 이루어지고 있다. 독일의 모든 지역에서 불행한 사람들이 이쪽으로 오고 있다. 빈에서 흑황색 연합에 반대하여 바리케이드 위에 서서 옐라치치(Jellachich)의 세레잔스(세레잔스는 오스트리아-터키 국경 지역에 주둔하는 군사 조직을 의미함—옮긴이)와 싸우고 있는 사람들, 프로이센에서 브랑겔과 브란덴부르크의 포악한 군대 앞으로 뛰어드는 사람들, 드레스덴에서 제국헌법을 총으로 수호하려는 사람들과 바덴에서 공화파 병사로서 제후들의 연합 십자군과 맞서 출정한 사람들 — 이들이 자유주의자건 민주주의자건 공화주의자건 사회주의자건, 이들은 정치적 교의와 이해는 다양하지만 모두 동일한 망명과 동일한 비참 속에서 하나가 된다.

찢어진 옷을 입고 낯선 문 앞에서 절반의 국민이 구걸한다…

또한 찬란한 세계도시 런던의 냉담한 위로로 인해 우리 망명 촌놈들은 방황한다. 해협을 통과하는 모든 배는 바다 저편에서 새로운 망명자 무리를 싣고 온다. 이 도시의 모든 거리에는 우리 말을 하는 추방된 자들의 탄식이 울려 퍼진다.

런던의 수많은 독일인 자유의 친구들은 이러한 곤경에 심하게 사로잡혀 있었다. 그래서 올해 9월 18일 곤궁한 민주주의자들을 지원하는 위원회를 설립하기 위해 독일 노동자 및 이주 망명자 교육협회의 전체 회의가 개최되었다. 위원회는 다음과 같이 선출되었다.

G554

카를 마르크스,《노이에 라이니셰 차이퉁》전 편집자

카를 블린트, 바덴-팔츠 정부의 전 파리 대사

안톤 퓌스터, 오스트리아 빈 제국의회 전 의원

하인리히 바우어, 런던의 제화공 장인

카를 펜더, 이곳의 화가.

위원회는 매달 전체 회의 및 회의 요약문을 독일 신문에 공개적으로 보고하기로 했다. 모든 오해를 불식하기 위해 **위원회 위원은 아무도 기금 지원을 받을 수 없다**는 규정을 두었다. 위원회 위원 중 누군가 지원을 받게 된다면 그 사람은 위원 자격을 잃게 된다.

우리는 모든 능력을 발휘하기를 친구와 형제에게 호소한다. 억압받고 속박된 자유를 다시 부활시키고자 한다면, 최고의 선구자의 고통에 동감한다면, 우리의 권고는 그다지 필요하지 않을 것이다.

모든 기부금은 다음 주소로 보내면 될 것이다.

"하인리히 바우어, 제화공 장인,

런던 소호 딘 스트리트 64."

동봉하는 편지에는 겉봉에 다음과 같이 표시하면 될 것이다.

"망명자위원회 앞."

독일 정치 망명자 후원회

(서명) 안톤 퓌스터. 카를 마르크스. 카를 블린트.

하인리히 바우어. 카를 펜더.

런던, 1849년 9월 20일.

1849년 10월 16일
독일 정치 망명자 후원회 수령증

Empfangsbescheinigung des Ausschusses zur Unterstützung
deutscher politischer Flüchtlinge vom 16. Oktober 1849

《데어 프라이쉬츠》

제86호, 1849년 10월 26일

영수증:

우리는 슈테틴에 사는 **E. 티센** 씨가 송부한 런던 및 웨스트민스터 은행의 7파운드스털링 어음을 수령했음을 증명하며, 이에 대해 독일인 망명자의 이름으로 감사를 표한다.

런던, 1849년 10월 16일.

독일 정치 망명자 후원회:
카를 마르크스, 카를 블린트, 헨리 바우어, C. 펜더.

1849년 11월 13일
독일 정치 망명자 후원회 수령증

Empfangsbescheinigung des Ausschusses zur Unterstützung

deutscher politischer Flüchtlinge vom 13. November 1849

《노르트도이체 프라이에 프레세》

제208호, 1849년 11월 23일

우리는 슈테틴에 사는 G. 티헨 씨에게서 11파운드스털링 14실링을 수령했음을 증명하며, 이에 대해 어려움을 겪는 독일 정치 망명자의 이름으로 감사의 말씀을 드린다.

런던, 1849년 11월 13일.

독일 정치 망명자 후원회.

서명. 카를 마르크스 박사, 헨리 바우어, 카를 펜더.

독일 정치 망명자 후원회 결산서와
사회−민주주의 후원회 설립에 관한 결정

Rechnungsablage des Ausschusses zur Unterstützung deutscher politischer Flüchtlinge

und Beschluß über die Gründung des Sozial-demokratischen Unterstützungskomitees

《도이체 런더너 차이퉁》

제245호, 1849년 12월 7일

런던의 독일 망명자 후원회 결산서.

올해 11월 18일 런던의 독일 노동자협회는 여기에 살고 있는 많은 독일 정치 망명자들과 함께 총회를 개최했다. 여기서 이전 회의에서 임명된 후원회의 결산서를 심의했다. 여기에는 9월 22일 이후 모금된 전체 내역이 들어 있다.

	파운드스털링	실링	페니
1) 런던 노동자협회	2	8	$7^1/_2$
2) 런던 독일 독서회	2	15	
3) 런던 《더 노던 스타》 편집국	–	5	–
4) 런던 시민 에도이스	–	1	–
5) 런던 시민 지페르트를 통해	–	9	6
6) 런던 시민 괴링거	1	5	9
7) 런던 시민 J. 바우어를 통해	7	1	6^1
8) 시민 하이데커를 통해, 파리의 독일 노동자	–	12	1
9) 시민 크렙을 통해. 허더즈필드에서	3	–	–
10) 프로이센의 슈테틴에서	18	14	–
합계	36	12	$5^1/_2$

9월 22일부터 11월 18일까지 망명자에게 지출된 내역은 다음과 같다.

	파운드스털링	실링	펜스
1) 클라이너	3	17	2
2) 친스키	3	17	4
3) 프륄리히	2	2	1
4) 헨저	3	7	6
5) 에게너	1	19	–
6) W. 퇴퍼	1	11	7
7) J. 퇴퍼	1	4	4
8) 망명자 블라이, 베르크만, 오조바, 베셀리, 브라울리히, 클라인 등 합처	2	8	10
9) 망명자 카우프만 쇼프와 가족, 약속어음으로	4	–	–
10) 인쇄비와 가입 명부	1	15	$2^{1}/_{2}$
합계	26	3	$^{1}/_{2}$
수입 합계	36	12	$5^{1}/_{2}$
지출 합계	26	3	$^{1}/_{2}$
기금 잔액	10	9	5

G558

또한 망명자들에게 나누어 줄 옷가지도 들어왔다.

위의 결산서는 회의에서 **만장일치로**[2] 통과되었다. 총지출액에 대한 영수증은 제출되어 있다. 이 회의에 참석하지 않은 허더즈필드와 슈테턴의 기부자들은 이 영수증을 열람할 수 있도록 런던에서 위임자를 지명해달라고 요청했다.

위원회의 두 위원 **A. 퓌스터**와 **C. 블린트**의 여행으로 정족수가 미달되었고, 또한 반대위원회[3]는 노동자협회와 사회-민주주의 성향의 망명자들과는 별도로 조직을 여기에 만들려고 하기 때문에, 위원회는 자신의 위임권을 협회 측에 반려했다. 협회는 다음과 같이 결정했다.

1) 독일 노동자협회는 기존 위원회의 활동 승인하에 "독일인 망명자를 위한 사회-민주주의 후원회"라는 이름으로 중앙에서 선출된 다섯 명의 위원으로 구성되는 새로운 위원회를 지명한다. 이 위원회는 기존 위원회의 잔고를 승계한다. 2) 위원회는 사회-민주주의 정당의 성원들에게 우선권을 주지만, 수단이 허락하는 한 다른 성향의 망명자들 또한 지원에서 배제하지 않

을 것이다. 3) 위원회는 노동자협회에 매달 결산을 제출하고 갱신한다. 결산서는 《도이체 런더너 차이퉁》과 《더 노던 스타》, 프랑크푸르트의 《노이에 도이체 차이퉁》, 쾰른의[4] 《베스트도이체 차이퉁》, 함부르크의 《노르트도이체 프라이에 프레세》, 베를린의 《데모크라티셰 차이퉁》, 《슈바이처리셰 나치오날-차이퉁》, 《슈넬포스트》[5]와 뉴욕의 《슈타츠차이퉁》[6] 등에 공개한다. 4) 기부자는 매달 결산서를 개인적으로 점검할 수 있고, 런던에 없으면 위원회를 통해 보여달라고 할 수 있다. 동시에 장부와 영수증, 기금 상태를 점검할 수 있다. 5) 노동자협회는 위원회 위원으로 카를 마르크스, 아우구스트 빌리히, 프리드리히 엥겔스, 하인리히 바우어, 카를 펜더를 지명한다.

G559

서명자위원회는 노동자협회의 결정과 함께 위의 결산서를 공개하면서, 런던 소호 딘 스트리트 64, **하인리히 바우어** 앞으로 기부금을 보내주실 것을 부탁드린다.

런던, 1849년 12월 3일.

위원:

카를 마르크스. 아우구스트 빌리히. 프리드리히 엥겔스.
하인리히 바우어. 카를 펜더.

《노이에 라이니셰 차이퉁. 정치-경제 평론》주식 응모 안내

Einleitung zur Aktienzeichnung auf
die "Neue Rheinische Zeitung. Politisch-ökonomische Revue"

|《노이에 라이니셰 차이퉁. 정치-경제 평론》
주식 응모 안내

카를 마르크스 편집.

《노이에 라이니셰 차이퉁》은 잘 알려진 대로 1848년 6월 1일부터 1849년 5월 19일[1]까지 **라인 강 인근 쾰른**에서 **카를 마르크스**의 주도로 일간지로 발행되었다. 이 신문은 독일에서 민주주의의 가장 강력한 방향을 대변했으며, 모든 정간 조치와 계엄 상태에도 불구하고, 모든 언론 출판법 위반 소송과 박해에도 불구하고, 모든 종류의 어려움과 적대와 방해에도 불구하고, 다행히도 열한 달 동안에만 5,600명의 정기구독자가 있었다. 편집인이 법정의 배심원단에 의해 두 번 무죄 방면된 이후에도,[2] 프로이센 정부는 이 무시무시한 신문을 탄압하기 위해 강력한 폭력을 행사했다. 지난해 5월 라인프로이센의 부분적인 봉기가 진압되었을 때, 일시적인 무단 통치는 편집인을 프로이센에서 강제로 추방하고 《노이에 라이니셰 차이퉁》을 계속 간행할 수 없게 만들었다.

남독일에서든 파리에서든 지난여름의 혁명운동에 참여한 후, 《노이에 라이니셰 차이퉁》의 편집진은 대부분 런던으로 다시 모여들었고 이 신문을 여기서 속간하기로 결정했다.[3] 신문은 우선 단지 월간 평론으로서 전지 5장 정도 분량으로 간행할 것이다. 그러나 편집이 개별 호를 더욱 빨리 연속으로

낼 수 있을 정도의 상황이 될 때 비로소, 이 계획은 여론에 제한 없이 지속적으로 영향을 미치고 재정 면에서도 전혀 다른 기회를 제공한다는 자신의 목적을 완전히 달성하게 될 것이다. 《노이에 라이니셰 차이퉁》(《노이에 라이니셰 차이퉁. 정치-경제 평론》을 의미함 ─ 옮긴이)의 편집을 기획할 때,《노이에 라이니셰 차이퉁》(《노이에 라이니셰 차이퉁. 정치-경제 평론》을 의미함 ─ 옮긴이)을 전지 5장의 격주간 신문으로 발행할 수 있는 수단이 허락되거나, 가능하면 아메리카나 영국의 주말판 신문을 따라 대형 주간지로 발행할 수 있는 수단이 허용된다면, 또한 신문이 독일로 복귀할 수 있는 상황이 허락된다면, ‖ 주간지는 바로 다시 일간지로 전환할 계획이다.

잠정적으로 계산해보면 《평론》을 격주간으로 3천 부 발행한다면 연간 1,900탈러의 순이익이 산출될 것이다.

사업을 안정화하고 《평론》의 격주간 혹은 주간 발행을 가능하게 하려면 500파운드스털링의 자본이 필요하다. 이 금액을 위한 주식 응모를 다음과 같은 조건으로 개시하려고 한다.

1) 각 주식은 50프랑이며 동시에 임시 영수증으로 지급한다. 임시 영수증은 후에 주식 원본으로 교환된다.

2) 주주는 각자 자신의 주식 가액만큼의 책임이 있다.

3) 주주는 업무 집행의 열람을 위해 런던의 위임자들을 임명할 수 있는 권리를 갖는다.

4) 사업 경과 및 결산에 대한 보고를 받고 향후 사업 수행의 통제를 결정하기 위한 총회를 분기마다 소집한다. 개별 주주에게는 석판으로 인쇄된 사업 보고서를 발송한다.

5) 사업에서 벌어들인 이익은 《노이에 라이니셰 차이퉁》(《노이에 라이니셰 차이퉁. 정치-경제 평론》을 의미함 ─ 옮긴이)이 주간으로 발행될 수 있을 때까지 사업 자본으로 모아둔다. 사업이 계속 성공한다면 이익을 삼등분하여 일부는 예비 기금으로 남겨두고, 일부는 주주에게 분배하고, 나머지 일부는 편집진에게 돌아가게 된다.

런던, 1850년 1월 1일

C. 슈람.
《노이에 라이니셰 차이퉁》(《노이에 라이니셰 차이퉁. 정치-경제 평론》을 의미함 ─ 옮긴이) 발행인‖

프랑스 2월 혁명 2주년 기념 프리드리히 엥겔스의 연설
1850년 2월 25일
사회민주주의 망명자 협회의 연회에 관한 보고서 발췌

Rede von Friedrich Engels zum 2. Jahrestag der Französischen Februarrevolution

Auszug aus einem Bericht über das Bankett der Société des proscrits démocrates socialistes

vom 25. Februar 1850

《베스트도이체 차이퉁》

제51호, 1850년 3월 1일

[…] 《노이에 라이니셰 차이퉁》(《노이에 라이니셰 차이퉁. 정치-경제 평론》을 의미함 — 옮긴이)의 편집자인 시민 엥겔스는 프랑스어로 연설을 했는데, 이 것으로 그는 우레와 같은 박수를 받으며, 6월 봉기자들에게 축사를 보냈다. […]

1850년 3월 초
사회-민주주의 망명자위원회 결산서
Rechnungsablage des Sozial-demokratischen Flüchtlingskomitees
von Anfang März 1850

《베스트도이체 차이퉁》

제68호, 1850년 3월 21일, 부록

결산서
런던 사회-민주주의 망명자위원회.

1) 지출.

		실링	파운드스털링	실링	펜스
1849년 11월	16명 지원	7	5	12	-
12월	29명 지원	7	10	3	-
	3명 지원	4	-	12	-
	1명 지원	6	-	6	-
	1명 지원	3	-	3	-
	2명 지원	5	-	10	-
	1명 지원	$5^{1}/_{2}$	-	5	6
	1명 지원	8	-	8	-
	1명 지원	12	-	12	-
	4명 지원	10	2	-	-
1850년 1월	20명 지원	7	7	-	-
	1명 지원	$^{2}/_{6}$	-	2	6
	3명 지원	4	-	12	-

2월 1~23일	18명 지원	7	6	6	–
	2명 지원	5	–	10	–
	1명 지원	2	–	2	–
	5명 지원	10	2	10	–
	1명 지원	3	–	3	–
	1명 지원	13	–	13	–
	2명 지원	$^1/_3$	–	2	6
	1명 지원	1	–	1	–
	합계 114명 지원	38	13	6	

G564

	파운드스털링	실링	펜스
우편요금, 인지, 은행 수수료, 필기구	1	5	1
합계	39	18	7

지출에는 그동안 수공업 생산과 재봉 작업 등에서 다양하게 일한 망명자에게 준 선금 26파운드스털링도 포함되는데, 이것은 나중에 돌려받기로 약속되어 있다.

2) 수입.[1]

		파운드스털링	실링	펜스
11월 19일	잔금	10	9	5
12월 1일	노동자협회	–	3	6
12월 10일	쾰른《베스트도이체 차이퉁》의 30탈러를 공제한 비용	4	1	–
12월 15일	파리의 독일 노동자	2	5	10
12월 17일	로스토크의 튀르크 교수	16	12	6
2월 11일	신시내티의 구호위원회	20	18	–
2월 20일	슈베린의 노동자들	3	–	–
	합계	57	10	3
	위의 지출	39	18	7
	남은 기금	17	11	8

위의 계산은 3월 4일 이곳의 독일 노동자협회의 회의에서 결산되었고 정확히 산정되었다. 위원회의 영수증과 장부는 기부자와 그 위임자들이 열람할 수 있도록 출납계에 비치되어 있다.

이 결산을 마친 후에 쾰른과 뉴욕에서 두 통의 우편이 도착했는데, 이것은 다음 회계에서 결산될 것이다. 반면 스위스와 프랑스로부터 끊임없는 추방 때문에 이곳에서 지원이 필요한 망명자의 수는 엄청나게 증가했다. 거의 매일 새로운 망명자가 이곳에 도착하는데, 이들은 대부분 통상적으로 긴급 지원이 필요할 뿐 아니라 의복을 급히 구해야 하는 상황에 있다. 이러한 상황에서 다른 측면에서 이곳의 망명자를 지원하기 위한 수단을 조달하는 시도가 성공적이지 못한 것으로 보일수록, 서명자위원회를 점점 더 많이 찾게 될 것이다. 그럴수록 여기에 도착하는 모든 망명자는 서명자위원회에 즉각 할당될 것이다. 많은 망명자가 일자리를 찾는데 성공한 것은 이곳에 거주하는 독일 노동자와 망명자 자신들의 노력 때문이었다. 다른 곳의 망명자들에게도 열려 있는 수많은 일자리는 다양한 이유로, 무엇보다 다민족적인 런던에서 경쟁의 몰이사냥으로 그들에게 닫혀 있다. 그럼에도 새로운 이주민들이 너무 급속히 쇄도하기 때문에 지원해야 할 명단은 매주 늘어나고 있다.

G565

위원회에 송금된 돈을 사용하는 경우 비록 극도로 절약하고 있고 긴급 구호자에 대한 정기적인 지원에 한정하고 있지만, 생필품 가격이 높은 탓에 위원회의 기금은 아주 빨리 고갈될 수밖에 없다. 심지어 우리는 거리로 나앉거나 극심한 궁핍에 시달리는 실업 망명자들을 보호할 수 없는 상황에 직면하게 될지도 모른다는 걱정을 해야만 한다.

그러므로 우리는 독일 자체 내 정당의 수단에 호소한다. 우리는 스위스와 프랑스에서 망명자의 수와 궁핍이 감소하는 만큼 런던에서는 그 수가 증가한다는 사실을 알리는 바이며, 독일 민족의 자유와 명예를 위해 무기를 들었던 사람들이 런던의 골목 구석에서 빵을 구걸하지 않기를 희망한다.

모든 기부금은 아래 주소로 보내주길 간청한다.

헨리 바우어 씨
런던 소호 딘 스트리트 64

런던, 1850년 3월 1일.

사회-민주주의 망명자-위원회
카를 마르크스, Fr. 엥겔스, H. 바우어, A. 빌리히, 카를 펜더.

막시밀리앙 로베스피에르 탄신 92주년 기념 프리드리히 엥겔스의 연설

1850년 4월 5일

차티스트의 연회에 대한 보고서 발췌

Rede von Friedrich Engels anläßlich des 92. Geburtstags von Maximilien Robespierre

Auszug aus einem Bericht über das Bankett der Chartisten vom 5. April 1850

《디 호르니세》(Die Hornisse)

제89호, 1850년 4월 17일

[…] 프리드리히 엥겔스는 영국인의 혁명 정신을 공정하게 평가했다. 엥겔스는 영국 혁명 시기에 이미 수평파 세력(평등의 친구들)이 존재했다고 강조했고, 영국 노동자들에게 축배를 권하며 끝을 맺었다. […]

사회-민주주의 망명자위원회
1850년 4월 8일 회의 의사록
Protokoll der Sitzung des Sozial-demokratischen Flüchtlingskomitees
vom 8. April 1850

|망명자위원회 회의
1850년 4월 8일.

시민 클라이너는 시민 R. 슈람이 어떤 망명자위원회에도 소속되지 않았고, 제네바로 돈을 보내라는 지시[1]와 함께 몇 장의[2] 추첨권만을 제네바의 갈러에게 받아야 한다고 설명한다. 그는 다른 위원회가 힐만 집에서 열렸고 그저 형태만 유지하고 있으며 이 위원회에는 돈이 없을 것으로 본다고 했다. 회의록을 읽고 승인한 뒤 서명함.

W. 클라이너   바이얼레

시민 그남: 시민 슈트루베는 망명자를 지원하기 위한 돈이 없다고 설명한다. 그는 갈러에게 추첨권 100장을 받았지만 아직 처분하지 않았다고 한다. 그가 이 대신에 돈을 받는다면,[3] 어느 정도 조직된 어떤 위원회에 이 자금을 지급하든지 아니면 재량껏 영수증을 받고[4] 망명자에게 분배할 것이라고 했다. 그는 독일 이주자 가운데 분열이 있다고 하소연하면서, 만약 분열이 없었더라면 수천 굴덴이 들어왔을 것이라고 했다. 그 때문에 그는 이주자들끼리 위원회를 구성하는 것이 좋겠다는 충고를 했다. 회의록을 읽고 승인한 뒤 서명함.

그남   요제프 레오니   야코프 클라인

시민 슈트루베는 그남[5] 위원회로 넘기자고 제안했던 1파운드스털링을 주었다 ─ 바로 그 즉시 시민 슈트루베는 아니, 어떤 위원회가 아니라, 내가 여기에 있는 사람들에게[6] 이 돈을 주는 것이라고 말했는데, 이 사람들은 이 돈을 나눠 가지려고 했다.

그남   요제프 레오니   루카스|

혁명적 공산주의자 세계 협회 규약
Règlement de la société universelle des communistes révolutionnaires

|혁명적 공산주의자 세계 협회.

제1조. 협회의 목표는 모든 특권 계급을 폐지하고 이들을 프롤레타리아트 독재에 복종하게 만드는 데 있다. 이를 위해 인류 가족의 최종 조직 형태일 것이 틀림없는 공산주의를 실현할 때까지 영구 혁명을 견지한다.

제2조. 이러한 목표를 달성하기 위해 협회는 혁명적 공산당의 모든 분파 사이에 연대 관계를 확립한다. 이를 위해 공화주의적 박애의 원칙에 따라 일체의 국적 제한을 없앨 것이다.

제3조. 협회의 창립위원회는 중앙위원회를 구성한다. 창립위원회는 그 과업을 완수하는 데 필요한 모든 곳에 설치되어 중앙위원회와 통신할 것이다.

제4조. 협회의 회원 수에는 제한이 없지만, 누구든 만장일치로 찬성을 얻어야만 가입할 수 있다. 또한 어떤 경우든 비밀 투표는 있을 수 없다.

제5조. 협회의 모든 회원은 현행 규약의 제1조를 절대적인 조건으로 준수할 것을 맹세한다. 결과적으로 제1조의 완화를 가져올 수 있는 어떤 수정도 회원들은 준수할 의무가 없다.

제6조. 협회의 모든 결정은 재적 3분의 2의 투표와 다수결로 채택된다.

아당   J. 비딜   Ch. 마르크스   아우구스트 빌리히   F. 엥겔스
G. 줄리언 하니|

이 글은 프랑스어로 쓰였다. ─ 옮긴이

사회-민주주의 망명자위원회
1850년 4월 23일 결산서
Rechnungsablage des Sozial-demokratischen Flüchtlingskomitees
vom 23. April 1850

《베스트도이체 차이퉁》

제104호, 1850년 5월 2일, 부록

런던 사회-민주주의 망명자위원회 결산서.

수입.

2월 25일	기금 잔고	파운드스털링	17	11	8
	뉴욕의 사회-개혁-협회		30	18	5
3월 13일	쾰른의 망명자위원회		36	–	–
3월 23일	노동자-협회의 성원 A. F.		–	5	–
3월 18일	함부르크에서[1]		6	–	–
4월 16일	빌레펠트에서[2]		13	–	–
	엥겔스를 통해[3] E. B.[4]		1	–	–
4월 20일	다수의 영국 노동자		–	7	–
			95	2	1

지출.

3월	53명 지원	× 7	파운드스털링	18	11	–
	7명 지원	× 10		3	10	–
	1명 지원	× 9/6		–	9	6
	1명 지원	× 2/8 $^{1}/_{2}$		–	2	8$^{1}/_{2}$
	6명 지원	× 5		1	10	–

	2명 지원	× 1	–	2	–
	2명 지원	× 4	–	8	–
	1명 지원	× 2	–	2	–
	가불금		2	3	–
	우편료와 소액 지출		–	8	8[56]
4월	56명 지원	× 6	16	16	–	G570
	18명 지원	× 5	4	10	–
	2명 지원	× 2/6	–	5	–
	14명 지원	× 1/6	1	1	–
	52명 지원	× 7	18	4	–
	1명 지원	× 8	–	8	–
	54명 지원	× 3	8	2	–
	49명 지원	× 3/6	8	11	6
	1명 지원	× 6/4	–	6	4
	소액 지출		–	6	5[7]
			85	17	$1^1/_2$
	기금 잔액		9	4	$11^1/_2$

1849년 9월 18일[8] 창립된 위원회는 창립 때부터 대략 100여 명의 망명자들을 장단기적으로 지원했는데, 위원회의 손을 거쳐 나간 전체 액수는 161.7$^1/_2$파운드스털링에 달한다. 그리고 노동자협회는 개별 망명자의 긴급한 생필품을 기부금을 모아 충당해 주었으며, 다른 일거리를 만들어 주었고 모든 망명자에게 신문[9]과 더불어 공간을 제공했다.

독일 노동자협회에 제출되고 승인된[10] 위의 결산서에 관해서는 기부자나 그 위임자가 열람할 수 있도록 위원회의 출납계 옆에 장부와 영수증을 비치해두었다.

슈트루베, 봅친, (슈톨페의) 바우어 그리고 또 다른 사람들은 독일로부터 망명자들을 위한 지원금을 많이 끌어오기 위해 새롭게 자신의 이름을 유지할 필요가 있었다. 그러므로 그들은 일군의 망명자들을 조직하여, 어제는 한 회합에서 자신들의 위원회를 구성했다.[11] 분명한 것은 어떤 유사 위원회를 구성하려는 또 한 번의 기획이 지난번에 실패한 기획보다 더 많이 망명자들을 지원하는 우리의 활동을 혼란스럽게 할 수 없다는 점이다.

결산서가 보여주듯이 위원회의 기금은 거의 다 소진되어 거의 일주일 정도의 생필품도 충당할 수 없을 정도이다. 게다가 매일 새로운 망명자가 지원을 신청하고 있다. 따라서 우리는 다시 한번 독일 사회-민주주의 세력이 우리의 망명자들을 상처 속에 내버려두지 말기를 요청하며, 가능한 한 빨리 기부금을 회계 관리인 C. 펜더[12]의 주소, 런던 소호 킹 스트리트 21로 보내주기를 요청한다.

런던, 1850년 4월 23일.[13]

사회-민주주의 망명자위원회.[14]

의장 K. 마르크스.

아우구스트 빌리히. F. 엥겔스. C. 펜더. H. 바우어.

런던의 독일 망명자
사회−민주주의 망명자위원회 성명
Die deutschen Flüchtlinge in London.
Erklärung des Sozial-demokratischen Flüchtlingskomitees

《베스트도이체 차이퉁》
제149호, 1850년 6월 25일

런던의 독일 망명자.

얼마 전부터 이곳에 사는 독일 망명자들을 위한 기금이 거의 바닥이 나[1] 이들은 상당한 궁핍을 겪고 있다. 일자리를 아직까지 얻지 못한 일군의 **망명자들은 거의 일주일 전부터 거리와 공원에서 자며 굶주림과 싸우고 있다.** 위원회 사이의 차이들과 돈을 당파적으로 분배하고 있다는 추정 등의 다양한 이유가 망명자들을 지원하기 위한 돈을[2] 부치지 않은 구실이 되었다. **슈트루베, 봅친**, 그리고 다른 위원은 서명자위원회가 "공산주의자들"만 지원한다고 설명함으로써 이런 상황에 일조했다.

우리는 다시 한번 지원이 필요한 독일 망명자[3]로 신분이 증명된 사람은 어떤 차별도 없이 **모두** 지원했다는 점을 밝히는 바이다.[4] 우리 장부와 영수증은 이 점을 증명하기 위해 여기에 있고,[5] 기부자 혹은 그의 위임자가 언제든지 열람할 수 있도록 준비되어 있다. 공동 서명인 빌리히는 슈트루베, 봅친, 그리고 다른 사람들이 만든 위원회[6] 전체 회의에서 그 위원회에서 지원받은 망명자들에게 "공산주의자"라는 질문을 받은 사람이 누구인지 물어보았다. **단 한 명도 대답하지 않았다!**

우리는 슈트루베, 봅친 그리고 다른 사람들의 위와 같은 주장이 **거짓과 비**

방이라는 점을 밝히는 바이다.

이로써 지금까지 다양한 측면에서 망명자의 지원을 꺼렸던 구실이 떨어져 나갈 것이다.

런던, 1850년 6월 14일.[7]

사회-민주주의 망명자위원회

K. 마르크스. F. 엥겔스. C. 펜더. A. 빌리히. H. 바우어

우편과 기부금은 다음 주소로 부탁드린다.[8] 런던 소호 킹 스트리트 21, C. 펜더.

사회−민주주의 망명자위원회
1850년 5월, 6월, 7월 결산서

Rechnungsablage des Sozial-demokratischen Flüchtlingskomitees

für Mai, Juni und Juli 1850

《노르트도이체 프라이에 프레세》

제425호, 1850년 8월 8일

런던 사회−민주주의 망명자−위원회
1850년 5월, 6월, 7월 결산서.

수입.

4월 24일	이월 기금 잔고	파운드스털링	9.	4.	$11^1/_2$
5월	하나우에서 시민				
	셰르트너:　13파운드스털링 - -				
	소득세 빼고　- 7.9파운드스털링		12.	12.	3^1
	어느 영국인		-	2.	-
	프랑크푸르트 5와 20파운드스털링		25.	-	-
			46.	19.	$2^1/_2$
6월	트리어		2.	2.	6
	파리(독일 노동자)		1.	18.	6
	시민 페츨러		-	5.	-
			4.	6.	-
7월	프랑크푸르트		30.	-	-

		파운드스털링		
	쾰른	–	11.	4
	비스바덴(노동자-협회)	4.	10.	–
	함부르크(《노르트도이체 프라이에 프레세》)	11.	11.	10
	런던 노동자-협회	7.	9.	6
G573	프랑크푸르트	20.	–	–
	하르트의 노이슈타트	4.	–	–
	함부르크(《데어 프라이쉬츠》 발행소)[2]	20.	10.	10
	라쇼드퐁	5.	–	–
	함부르크(장크트게오르크 노동자-협회)	–	17.	6
	파운드스털링	104.	11.	–

지출.

4월 24일부터	128명 지원×3실링 6펜스	파운드스털링	22.	8.	–
5월 30일까지	27명 지원×3실링		4.	1.	–
	26명 지원×2실링		2.	12.	–
	31명 지원×1실링		1.	11.	–
	25명 지원×5실링		6.	5.	–
	임시 지원		1.	5.	–
	망명자의 구두장이 노동		–	14.	–
	소액 지출		–	6.	11
		파운드스털링	39.	2.	11
6월	58명 지원×2실링	파운드스털링	5.	6.	–
	59명 지원×1실링		2.	19.	–
	25명 지원×1실링 6펜스		1.	17.	6
	임시 지원		–	10.	–
	소액 지출		–	11.	6
			11.	14.	–
7월	28명 지원×2실링	파운드스털링	2.	16.	–
	24명 지원×1실링		1.	4.	–
	93명 지원×6펜스		2.	6.	6
	임시 지원		1.	6.	–
	망명자 숙식 비용				

파운드스털링 7. 9. 6

5. - -

5. 10. -

5. 10. -

6.	-	-	
6.	-	-	
	35.	9.	6
노동 설비	6.	-	-	G574
망명자에 대한 선불	7.	12.	6
가족이 있는 망명자에 대한 선불	1.	-	-
소액 지출	-	19.	$3^{1}/_{2}$
파운드스털링	58.	13.	$9^{1}/_{2}$
전체 지출 파운드스털링	109.	10.	$8^{1}/_{2}$
전체 수입	155.	16.	$2^{1}/_{2}$
지출을 빼면	109.	10.	$8^{1}/_{2}$
기금 잔고 파운드스털링	46.	5.	6

위의 결산서는 올해 7월 30일 노동자협회의 회의에 제출되고 승인되었다. 회계 장부와 영수증은 기부자와 그 위임자가 열람할 수 있도록 이미 준비되어 있다. 기금은 6월 한 달 동안 매우 적게 들어왔고 망명자들이 궁핍을 참을 수 없는 경우가 많았기 때문에, 망명자들을 위한 공동 숙식소를 설치하기로 결정했다. 이곳의 노동자협회와 이미 일자리를 가진 일부 망명자들은 이 기금을 가지고 이 계획의 실행에 착수할 수 있었다. 나중에 받은 자금으로 이 숙식소에 필요한 집기와 가구를 제공할 수 있었다. 지금까지 이 집에 18명의 망명자가 찾아왔고 40명이 식사를 제공받았다. 우선 망명자들 가운데 실직한 구두장이들이 자기 동료들이 필요한 구두를 만드는 데 투입되었다. 나중에 위원회는 지정된 지역에서 망명자들이 공동으로 일할 수 있는 작업장을 설립하고 생계비 일부라도 직접 벌 수 있게 하려고 기금을 내놓고 필요한 조치를 취했다.

이 첫 번째 실험이 잘 유지된다면, 이 일의 규모는 더 커질 것이고 적당한 시기에 대중에게 이에 관한 더 많은 정보를 알릴 것이다. 위원회는 망명자의 지원과 망명자가 일할 수 있는 작업장 설치라는 두 가지 계획이 망명자들 스스로 자신을 부양할 수 있는 상태가 될 때까지 독일의 많은 기부금을 통해서 장기적으로 유지될 수 있기를 기대한다.

런던, 1850년 7월 30일.

사회-민주주의 망명자-위원회:

카를 마르크스. Friedr. 엥겔스. Aug. 빌리히.

카를 펜더. Heinr. 바우어.

1850년 9월 9일
사회-민주주의 망명자위원회 영수증

Quittungen für das Sozial-demokratische Flüchtlingskomitee vom 9. September 1850

| 사회-민주주의 위원회가 자일러에게 3^1/$_2$실링을 수령함

런던 1850년 9월 9일.

자일러에게

베르톨트.

사회-민주주의 망명자위원회가 3실링 스털링을 수령함. 런던 1850년 9월 9일

£—. 3. —.   Ferd. 볼프|

하이나우 장군의 징벌에 대한 엥겔스의 연설
1850년 9월 10일 우애 민주주의자의 회합에 관한 보고서 발췌

Rede von Friedrich Engels über die Züchtigung des Generals Haynau
Auszug aus einem Bericht über das Meeting der Fraternal Democrats
vom 10. September 1850

《더 노던 스타》

제673호, 1850년 9월 14일

[…] 프로이센인 **엥겔스**[1] 씨는 하이나우 장군과 같은 매우 잔혹한 독재자가 언젠가 이 나라를 방문하지 못하도록 효과적으로 저지한 하나의 모범으로서 양조 노동자들에게 감사를 표하면서 회합[2]에서 연설을 했다. 엥겔스 씨는 하이나우가 지나가는 모든 철도 정거장이나 증기선 부두에서 같은 대접을 받기를 희망했다. (박수) […]

이 글은 영어로 쓰였다. ── 옮긴이

1850년 9월 15일
공산주의자동맹 중앙본부 회의 의사록
Protokoll der Sitzung der Zentralbehörde des Bundes
der Kommunisten vom 15. September 1850

G577

||[1]|| 1850년 9월 15일 중앙본부 회의.

참석자는 마르크스, 엥겔스, 슈람, 펜더, 바우어, 에카리우스, 샤퍼, 빌리히, 레만.

프렝켈은 양해를 구했다.

지난 회의 의사록은 없다. 이번 회의가 특별 회의이기 때문이고 따라서 지난 회의록은 낭독되지 않는다.

마르크스: 금요일 회의는 협회의 위원회 회의와 충돌했기 때문에 개회될 수 없었다. 빌리히는[1] 지부 회합을 소집했는데, 내가 조사한 바에 따르면 그 회합은 정당성이 없어서, 회의가 오늘 열리게 되었다.[2]

나는 다음의 세 조항을 제안하는 바이다.

1) 중앙본부는 오늘 중앙본부의 회의가 끝나면 바로 런던에서 쾰른으로 이전하고 그곳의 지역본부로 이양한다. 이러한 결정은 파리, 벨기에, 스위스의 동맹원들에게 고지할 것이다. 독일에는 새로운 중앙본부가 이 결정을[3] 직접 알릴 것이다.[4]

동기: 나는 중앙 권력의 통일성을 방해하지 않기 위해 쾰른에 전체 독일 지역본부를 하나 설치하자는 샤퍼의[5] 제안에 반대했다. 우리는 이 제안을 배제한다.[6] 그렇게 한 여러 새로운 이유가 있다. 중앙본부의 소수파는 지난 회의의 징계 투표에서, 지금 지역에서 소집된 총회에서, 협회에서,[7] 망명자들 사이에서 다수파에 대해 공공연하게 반란을 꾀한다. 그러므로 중앙본부는 여기서 불가능하다. 중앙본부의 통일성은 ||[2]|| 더는 유지할 수 없고 분

열될 수밖에 없어서 두 개의 동맹이 생길 것이다.[8] 그러나 당의 이해가 선행되어야 하기 때문에, 나는 다음과 같은 해결책을 제시하는 바이다.

2) 지금까지의 동맹 규약은 폐지한다. 새로운 규약을 만드는 일은 새로운 중앙본부에 부과한다.

동기: 1847년 대회 규약은 런던 중앙본부가 1848년에 변경했다. 지금 시대 상황이 다시 변화되었다. 지난 런던 규약은 규약의 원리적인 조항을 약화시켰다. 두 규약이 여기저기서 적용되었고 어떤 곳에서는 전혀 적용되지 않거나 아니면 완전히 제멋대로 적용되었다.[9] 그래서 동맹은 완전히 무정부상태가 되었다.[10] 게다가 지난 규약은 공개되어 더는 쓸모가 없다. 이런 형편에 따라서 내가 제안하는 것은 이런 아무 쓸모 없는 규약 대신에 현실적인 규약을 만들자는 것이다.

G578 3) 런던에 서로 관계를 전혀 맺지 않지만 동맹에 속해 있으며 같은[11] 중앙본부와 연락을 취하는 두 개의 지부를 건설한다.

동기: 바로 동맹의 통일성 때문에 여기에 두 지부를 창설하는 것이 필요하다. 개인적 대립 이외에 원칙상의 대립도 단체 안에서 나타났다. 바로 "다음 혁명에서 독일 프롤레타리아트의 입장"에 관한 지난 토론 당시 중앙본부의 소수파 성원이 직접 지지난번 회람에 반하는, 나아가[12] 『선언』(『공산당 선언』을 의미함 ― 옮긴이)에 반대하는 의견을 개진했다.[13] 『선언』의 보편적 관점 대신에 독일의 민족적 관점이 등장했고 독일 수공업자의 민족 감정에 아부했다. 『선언』의 유물론적 관점 대신에 관념론적 관점[14]이 강조되었다.[15] 현실 관계 대신에 **의지**가 혁명에서 주된 문제[16]로 부각되었다.[17] 우리가 노동자들에게 당신들이 관||[3]||계를 바꾸기 위해, 당신들이[18] 직접 지배할 수 있기 위해 15[19]년, 20년, 50년 동안 내전을 겪어야[20] 한다고 말하는 동안, 이것과는 반대로 우리가 **즉시**[21] 지배하든지 아니면 잠자리에 들어야 할[22] 것이라고 말해져왔다.[23][24] [25]민주주의자들이 "인민"이라는 단어를 한낱 관용구로 사용하는 것처럼 지금[26] "프롤레타리아트"라는 단어도 그렇게 사용되고 있다. 이러한 관용구[27]를 철폐하기 위해 우리는 모든 소부르주아지가 프롤레타리아트라고[28] 설명할 수밖에 없었고, 실제로[29] 프롤레타리아트가 아니라 소부르주아지를 대변할 수밖에 없었다. 현실적인 혁명적 발전의 자리에 우리는 혁명의 관용구를 놓을 수밖에 없었다.[30] 이러한 논쟁은 마침내 어떤 원칙적인 차이가 개인적 다툼의 배후를 만들고 있는지를 증명했다.[31] 그리고 지금이 이 원칙을 정리해야 할 시간이다. 바로 이러한 대립이

두 분파의 투쟁 표어가[32] 되었고, 『선언』의 옹호자는 다양한 동맹원들에 의해 반동[33]으로 불렸다. 그리고 사람들은 이 때문에 『선언』의 옹호자들을 대중적이지 않은 것으로 만들려고 했다. 이것은 그러나 『선언』의 옹호자들에게는 전혀 상관이 없다.[34] 왜냐하면 이들은 대중성을 추구하지 않기 때문이다. 이런 측면에 따라서 다수파는 런던 지부를 해체할 것이며, 소수파[35] 성원들이 동맹의 원칙들[36]과 모순되기 때문에 이들을 제명할 것이다. 아무 소용 없는 소용돌이를 일으키기 위해, 지금 그들이 표명한 견해가 반공산주의적이고 기껏해야 사회민주주의적이라고 지적할 수 있기는 하지만, 그들이 확신한 바에 따르면 자신들이 아직도 공산주의자[37]라고 말하기 때문에[38] 이런 제안을 하는 것은 아니다. 그러나 분명한 것은 우리가 함께한다면 이것은 순전히[39] 해로운 시간 낭비일 것이라는 점이다. 샤퍼[40]는 분리에 관해 자주 얘기했고, 나도 분리하는 게 좋다고 진지하게 생각한다. 나는 당을 파괴하지 않고 우리가 분리하는[41] 길을[42] 찾을 것이라 믿는다.

내가 말하고자 하는 것은 내[43] 생각에 따르면 많아봤자 12명,[44] 아니면 더 적은 수가 우리 지부에 남기를 원한다는 것이다. 그리고 이 소수가 이 집단 전체를 기꺼이 이끌도록 하는 것이다.[45] 이러한 제안이 받아들여진다면 ||[4]| 우리는 명백히 협회에[46] 남을 수가 없을 것이다. 나와 다수파는 그[레이트 윈드밀 스트리트 협회에서 탈퇴할 것이다.[47] 결국 중요한 것은 두[48] 분파의 적대적[49] 관계가 아니라, 정반대로 이런 긴장 상태의 해소 및 모든 관계들[50]의 폐지이다. 동맹과 당 내에서 우리는 함께하겠지만, 오직 해로운 관계만 맺지는 않을 것이다.

샤퍼:[51] 프랑스에서 프롤레타리아트가 산악당 및 언론과 결별했듯이,[52] 여기서도 당을 원칙적으로[53] 대표하는 사람들은 프롤레타리아트로 조직되는 사람들과 결별해야 한다.[54] 나는 중앙본부[55] 이전을 찬성하며 또한 규약의 변경[56]을 찬성한다. 퀼른인들은 독일의 상황을 알고 있다. 나도 새로운 혁명이 자기 자신을 주도할 사람들을 만들 것으로 생각한다. 이 사람들이 1848년 명성을 얻었던 사람보다 더 나을 것이다. 원칙적인 분열과 관련하여[57] 에카리우스는 이 논쟁의 **빌미**[58]가 된 문제를 제기했다. 나는 이 문제에 매우 열중했기 때문에 논쟁적인 다른 의견을 여기에서 개진했다. 중요한 것은 우리가 처음부터 스스로 목을 내놓을 것이냐 아니면 목이 베일 것이냐이다. [59]프랑스에서는 노동자가 이렇게 할 것이다. 따라서 **우리는**[60] 독일에서 이렇게 해야 할 것이다. 만약 이런 일이 일어나지 않는다면[61] 나는 물론 잠

자리에 들 것이다. 그러면 나는 다른 물리적(materiell) 입장을 취할 것이다. 우리 차례가 오면 우리는 프롤레타리아트의 지배를[62] 보장할 대책을 마련해야 할 것이다. 나는 이런 견해에 광적으로 찬성한다. 그러나 중앙본부는 완전히 정반대의 것을 원했다. 너희가 우리와 더는 같이하기를 원치 않는다면 우리는 지금 기꺼이 분리할 것이다. 나는 다음 혁명에서 교수대에 서게 되겠지만 독일로 들어갈 것이다. 그러나 너희가 두 개의 지부를 창설하기를 원한다면 동맹은 끝장날 것이고, 그러면 우리는 독일에서 다시 만나 아마 다시 함께 갈 수 있을 것이다.[63] 나는 ||[5]| 개인적으로 마르크스[64]의 친구이지만 너희가 분리를 원한다면 우리는 기꺼이 따로 갈 것이며 너희도 따로 가게 될 것이다. 두 개의 지부가 창설된다면 하나는 펜으로 활동하는 지부이고 다른 하나는 다른 수단으로 활동하는 다른 지부가 될 것이다. 나는 독일에서 부르주아지가 지배권을 갖게 될 것이라고 생각하지 않고[65] 이러한 관점[66]에서 나는 광적인 열광주의자이다. 내가 이런 사람이 아니었다면, 나는 역사 전체에 한 푼어치의 가치도 부여하지 않았을 것이다. 그러나 여기 런던에서 두 지부, 두 협회, 두 망명자위원회가 존속한다면, 차라리 두 동맹을 두고 완전히 분리하는 게 나을 것이다.

마르크스.[67] 샤퍼는 내 제안을 오해했다. 이 제안이 받아들여지면, 우리는 두 지부로 나뉘고 사람들은[68] 아무런 관계도 서로[69] 갖지 않게 될 것이라고 오해했다. 그러나 두 지부는 같은 동맹 안에 있으며 같은 본부[70] 아래에 있을 것이다. 심지어 너희가 동맹원의 대다수를 가지게 될 것이다. 개인적 희생에 관해서는, 누구나 그렇듯이 나 역시 수없이 많은 고생을 했지만,[71] 계급을 위해서지 개인을 위해서가[72] 아니다. 열광이라는 것은 정부를 장악하게 될[73] 것이라고 믿는 당에 속하기 위한 열광이 아니다. 나는 언제나 프롤레타리아트의 순간적인 의견에 맞섰다. 우리는[74] 솔직하게 말해 다행스럽게도[75] 아직은 지배할 수 없는 그런 당에 헌신하고 있다. 프롤레타리아트가 지배하게 되더라도 곧바로 프롤레타리아트적인 것이 아니라 소부르주아적 대책을 마련해야 할 것이다. 우리 당은 **당**의 견해를 관철할 수 있는 상황이 될 때에야 집권[76]할 것이다. 루이 블랑은 우리가 너무 일찍 지배하게 되었을 때 무엇을 해야 하는지에 대한 가장 좋은 사례를 제공한다.[77] 더욱이 프랑스에서는 프롤레타리아트 단독으로가 아니라 그와 함께 농민과 소부르주아지가[78] 지배하게 되었기 때문에, 그래서 프롤레타리아트의 조치가 아니라 **이들 모두의**[79] 조치가 시행되어야 할 것이다. 파리 코뮌[80]은 ||[6]| 어떤 것을

시행하기 위해 정부에 있을 필요가 없음을 증명했다. 하지만 왜 그 당시 회람문에 모두 한목소리로 찬성했던 소수파의 다른 성원 중 누구도, 특히 시민 빌리히는 진술하지 않는가? 우리는 동맹을 분리**할 수**[81] 없으며, 분리하고 싶지도 않다. 다만 런던 지부를 두 지부로 분리하고 싶을 뿐이다.[82]

에카리우스.[83] 내가 문제를 제기했고 이것과 관련해서 물론 발언할 마음 G580이 있었다.[84] 샤퍼의 견해에 대해서 나는 협회에서 다음과 같이 설명했다. 즉 왜 샤퍼의 견해가 일종의 환상이라고 생각하고 또 우리 당이 다음 혁명에서 곧바로 지배할 수 있다고 생각하지 않는지 설명했다. 그런 다음에 우리 당이 정부보다는 클럽들에서 더 중요해질 것이라고 설명했다.

시민 레만[85]은 한마디도 하지 않고 떠났다.

시민 빌리히[86]도 마찬가지다.[87]

첫 번째 제안은 모두 승인했다.[88] 샤퍼는 기권했다.

두 번째 제안은 모두 승인했다.[89] 샤퍼는 마찬가지로 기권했다.

세 번째 제안은 마찬가지로 승인했다. 샤퍼는 마찬가지로 기권했다.

샤퍼는 우리 모두에게 항의했다.[90] 우리는 지금 완전히 분리될 것이다. 쾰른에는 너희[91]보다 나를 더 많이 따르는 지인과 친구 들이 있다.

마르크스.[92] 우리는 우리의 일을 규약에 맞게 처리했고 중앙본부의 결정은 타당하다.

회의록을 읽은 후 마르크스와 샤퍼는 그들이 이번 일과 관련하여 쾰른으로 편지를 쓰지 않았다고 말했다.[93]

샤퍼는 회의록에 이의가 있느냐고 질문을 받았다. 그는 어떤 이의도 소용없기 때문에 이의가 전혀 없다고 말했다.[94]

에카리우스는 회의록에 모두 서명할 것을[95] 제안한다.[96] 이 제안은 받아들여졌다. 샤퍼[97]는 서명하지 않을 것이라고 말했다.

1850년 9월 15일, 런던에서 일어남.

낭독하고 승인하고 서명함

서명 K. 마르크스, 중앙본부 의장   서명 C. 슈람

서명 F. 엥겔스, 서기   서명 J. G. 에카리우스

서명 헨리 바우어   서명 C. 펜더

1850년 8월 1일부터 9월 10일까지
사회−민주주의 망명자위원회 결산서

Rechnungsablage des Sozial-demokratischen Flüchtlingskomitees
für die Zeit vom 1. August bis 10. September 1850

《도이체 런더너 차이퉁》

제287호, 1850년 9월 27일

8월 1일부터 9월 10일까지
런던 사회−민주주의 망명자−위원회 결산서.

수입.

		파운드스털링	실링	펜스
8월	기금 잔고	46	5	6
	베르크 양을 통한 모금	12	–	–
	함부르크 장크트게오르크 노동자협회	2	10	–
	위와 동일함[1]	1	10	–
	하르트의 노이슈타트	8	–	–
	《도이체 런더너 차이퉁》의 편집부를 통해			
	C. 플로리 씨	–	8	–
9월	파리의 독일 노동자협회	2	–	–
	존 버그 씨를 통한 모금[2]	17	10	–
	합계:	90	3	6

지출.

		파운드스털링	실링	펜스
8월	망명자 급식	28	9	3

	솔 제작	7	10	–
	가죽 등	–	13	6
	56명 지원×6펜스	1	8	–
	23명 지원×1실링	1	3	–
	6명 지원×2실링 6펜스	–	15	–
	다양한 지원	–	5	6
	4명 지원×10실링	2	–	–
	망명자 선불	8	4	–
	망명자 4명의 미국 여행 경비	5	–	–
	슐레스비히-홀스타인 여행 경비	7	3	–
	소액 지출. 우편요금. 대금 회수	–	11	3
9월	급식	14	4	8
	39명 지원×6펜스	–	19	6
	2명 지원×1실링	–	2	–
	1명 지원×10실링+1명 지원×5실링	–	15	–
	기부자 버그 씨의 지시에 따른 분배[3]	8	15	–
	망명자 선불	1	18	–
	소액 잡비	–	6	10
	합계:	90	3	6

G582

기존 사회-민주주의 위원회의 서명위원 4명이 이 결산서를 제출하면서 위원회를 탈퇴한다고 설명했기 때문에, 그레이트 윈드밀 스트리트 협회는 이 장부와 영수증을 검증하기 위한 위원회를 지명했다. 그리고 이 위원회는 9월 15일 모든 것이 정확하다고 보고했다.

서명위원들은 전체 장부와 영수증을 기존 회계 담당자 C. 펜더의 사무실, 소호 킹 스트리트 21번지에 그대로 두는 것이 합당하다고 보았다. 왜냐하면 서명위원들은 위원회뿐 아니라 협회에서도 물러났기 때문이며, 또한 이 서류들은 혹시라도 일반인이 반환 청구를 할 경우를 대비하여 없어서는 안 되기 때문이다.

기부자들은 따라서 장부와 영수증을 위에서 언급한 기존 담당자에게서 열람하도록 런던에 있는 위임자를 지명하게 될 것이다.

런던, 1850년 9월 18일.

카를 마르크스. H. 바우어. C. 펜더. Fr. 엥겔스.

1850년 9월 20일
사회-민주주의 망명자위원회 영수증

Quittungen für das Sozial-demokratische Flüchtlingskomitee vom 20. September 1850

⎮마르크스 박사에게서 지원 비용으로 10실링 스털링을 수령했음을 서류로 증명함

런던 1850년 9월 20일

클로제.[1]

마르크스 박사에게서 모두[2] 10[3]실링을 수령했음을 1850년 9월 20일 서류로 증명함

Ferd. 볼프

W. 리프크네히트.⎮

분리파 성원 탈퇴에 관하여
런던 지부가 공산주의자동맹 쾰른 중앙본부에 보낸 제안
1850년 12월 1일 쾰른 중앙본부의 연설 발췌

Antrag des Kreises London an die Zentralbehörde des Bundes der Kommunisten in Köln
über den Ausschluß der Mitglieder des Sonderbundes
Auszug aus der Ansprache der Kölner Zentralbehörde vom 1. Dezember 1850

/결정이 이뤄진 다음에 에카리우스가 런[던]에 만든 지부는 공식적으로 다음과 같은 제안을 해 왔다.[1]

"분리파의 전체 성원, 특히 샤퍼, 빌리히, 셰르트너,[2] 레만, 디츠, 게베르트, 프렝켈 등 일곱 명은 명부에서 제명하고 동맹의 모든 지부와 기초 조직에, 그리고 런[던]의 분리파와 그 지도부에 이 결정을 알릴 것."[3]

이 제안은 우리가 잘 아는 사람들과 전체 동맹에 전달한 다음과 같은 매우 적절한 이유에 기초한다.

"1. 그들은 동맹 밖에 존재하는 비밀 협회의 기관들에, 모든 국적의 망명자들에게 런[던]에서의 분열에 관해 보고했는데 이것은 잘못된 보고이다.[4] 2. 그들은 쾰른의 합법적 중[앙-]본[부]에 반하여 공공연히 반란을 일으켰고, 결정을 무시했으며 분리파를 만들기 위해 독일로 밀사[5]를 여기저기 보냈다. 3. 그들은 런[던] 지[부] 성원들에 반하는 해를 끼쳤고 지금도 계속 해를 끼치고 있는데, 그 모든 책임은 비밀 협회의 성원[들]이 져야 한다. 4. 그들은 분리 이후 비밀 협회의 모든 법률을 위반했고, 그들이 동맹에 오래 머문 것은 단지 동맹의 해체를 방조하기 위함이었다."/

사회-민주주의 망명자위원회 영수증

혁명이 패배한 원인에 대한 프리드리히 엥겔스의 연설
1850년 12월 30일 우애 민주주의자의 회합에 관한 보고서에서
Rede von Friedrich Engels über die Ursachen der Niederlage der Revolution
Aus einem Bericht über die Versammlung der Fraternal Democrats
vom 30. Dezember 1850

《더 노던 스타》

제689호, 1851년 1월 4일

[…] **엥겔스**[1](그는 카를 샤퍼[2]와 함께 독일 협회 대표로 참석했다)[3] 씨 또한 이러한 감정에 응답했고, 그들의 공감에 형제의 이름으로 그들에게 감사했으며, 영국 인민의 번영을 기원했다.[4] 그런 다음 그는 해외에서 혁명이 실패한 원인과 그 결과에 따른 반향에 관해 길고 상세한 논평에 들어갔다. 그가 여기서 지적한 실패 원인은 인민의 무지와 지도자의 배신이었다. […]

이 글은 영어로 쓰였다. ─ 옮긴이

카를 마르크스의 메모가 들어간 공산주의자동맹 규약

Statuten des Bundes der Kommunisten mit Bemerkungen von Karl Marx

|공산주의자동맹 규약.

1) 공산주의자동맹의 **목적**은 선전과 정치투쟁의 모든 수단을 통해 구사회를 무너뜨리고, ── **부르주아지의 전복** ── 프롤레타리아트의 정신적, 정치적, 경제적 해방과 공산주의 혁명을 관철하는 것이다. 동맹은 프롤레타리아트 투쟁이 경과하는 다양한 발전 단계를 대표하며, 언제나 프롤레타리아트의 모든 혁명 세력을 통일하고 조직하려고 하듯이 전체 운동의 이해를 대표한다. 동맹은 프롤레타리아트 혁명이 최종 목표에 도달하지 않는 한 비밀 결사이며 해체하지 않는다.

2) **동맹원**은 다음 조건에 동의하는 사람이라면 누구나 될 수 있다.

　　a) 모든 종교에서 해방되고, 모든 교회 조직을 실제로 포기하고 부르주아 법률이 요구하지 않은 모든 의식(儀式)을 실제로 포기할 것.

　　b) 프롤레타리아트 운동의 조건, 발전과정, 최종 목표를 이해할 것.

　　c) 동맹의 목적에 적대적이거나 방해되는 모든 조합과 분파적 노력을 멀리할 것.

　　d) 선전을 위한 능력과 열정, 확고한 신념, 혁명적 추진력.

　　e) 동맹의 모든 문제에서 엄격한 비밀 엄수.

3) **입회 자격**은 기초 조직의 만장일치에 따라 결정된다. 입회는 보통 기초 조직의 회의에서 의장에 의해 통과된다. 동맹원은 동맹의 결의에 무조건 따를 것을 서약한다.

|4) 동맹원의 자격 조건을 위반하는 자는 제명한다. 개인의 탈퇴는 기초 조직의 과반수 투표로 결정한다. 중앙 권력은 지부 조직이 제안하면 기초 조직 전체를 제명할 수 있다. 제명된 자는 동맹 전체에 공지되고 혐의를 받는 사람 모두 동맹의 감시를 받는다.

5) 동맹은 기초 조직, 지부, 중앙본부, 대회로 구분된다.

6) **기초 조직**은 동일한 지역에 최소 3명으로 구성된다. 각 기초 조직은 회의를 주재하는 의장과 회계를 담당하는 대리자를 선출한다.

7) 한 지방 혹은 지역의 기초 조직은 중앙본부가 임명하는 **지부**, 즉 주요 기초 조직 아래에 위치한다. 기초 조직은 직접 자기 지부와만 관계를 맺고, 지부는 중앙본부와 관계를 맺는다. G589

8) 기초 조직은 정기적으로 최소 14일마다 모인다. 기초 조직은 최소한 매달 자기 지부에 연락한다. 지부 조직은 최소한 두 달마다 중앙본부에 연락한다. 중앙본부는 석 달마다 동맹의 상황에 관해 보고한다.

9) 기초 조직과 지부의 의장과 대리자는 1년마다 선출되며 언제라도 자기들의 투표자에 의해 파면될 수 있다. 중앙본부의 위원은 대회를 통해서만 파면될 수 있다.

10) 모든 동맹원은 대회에서 || 결정한 최소한의 기부금을 매달 내야 한다. 이 기부금은 반은 지부로, 반은 중앙본부로 가며, 관리 비용의 보전과 선전문의 보급과 밀사의 파견을 위해 사용된다. 지부는 자기 기초 조직과 연락하는 비용을 부담한다. 기부금은 석 달마다 지부로 보내고, 거기서 전체 수입의 반을 중앙본부로 보내며, 동시에 수입과 지출에 관한 결산서를 그 기초 조직에 보낸다. 중앙본부는 오간 돈의 결산을 대회에 보고한다. 특별 비용은 특별 기부금을 통해 지출한다.

11) **중앙본부**는 전체 동맹의 집행 기관이다. 중앙본부는 지부에서 선출되거나 보충되는 최소 3명의 위원으로 구성된다. 중앙본부의 위원은 대회에 동일한 자리를 가지며 대회에만 보고할 책임이 있다.

12) **대회**는 전체 동맹의 입법 기관이다. 대회는 지부 모임의 의원들로 구성된다. 지부 모임에서는 5개 기초 조직마다 **1명**의 대의원을 선출한다.

13) **지부 모임**은 지부를 대표한다. 지부 모임은 지부 상황을 논의하기 위해 주요 기초 조직 간부들의 지도 아래 지부가 위치한 곳에서 4분기마다 정기적으로 모인다. 각 기초 조직은 1명의 대의원을 참석시킨다. 동맹의원 선출을 위한 지부 모임은 매년 7월 중순에 반드시 열린다.

|14) 지부 선거 모임이 끝난 14일 후 대회는 다른 장소가 규정되지 않는 한 중앙본부 소재지에서 법률에 따라 열린다.

15) 대회는 자리는 있지만 투표권은 없는 중앙본부로 하여금 전체 활동과 동맹의 상황에 관한 결산 보고를 하도록 한다. 대회는 동맹이 준수한 정책의 원칙을 설명하고, 규약의 변경을 결정하며, 내년도 중앙본부의 소재지를 결정한다.

16) 중앙본부는 긴급한 경우 지부에서 마지막으로 선출된 대의원으로 구성되는 특별 대회를 소집할 수 있다.

17) 기초 조직 내 개별 성원들 사이의 분쟁은 궁극적으로 기초 조직이 결정한다. 지부 내 분쟁은 지부 조직이 결정하고, 다양한 지부의 분쟁은 중앙본부가 결정한다. 중앙본부 위원에 대한 개인적 고소는 대회에서 한다. 지부 내 기초 조직 간 분쟁은 지부 조직이 결정한다. 기초 조직과 지부 간, 또는 다양한 지부 간 분쟁은 중앙본부가 결정한다. 그러나 기초 조직과 지부 간 분쟁의 경우 지부 모임에, 지부 간 분쟁의 경우 대회에 항소할 수 있다. 대회는 중앙본부의 갈등을 동맹의 하위 본부와 함께 결정한다.|

G590

요한 게오르크 에카리우스

런던의 재봉업
혹은 대자본과 소자본의 투쟁

Die Schneiderei in London
oder der Kampf des großen und des kleinen Kapitals

《노이에 라이니셰 차이퉁. 정치-경제 평론》

제5/6호, 1850년 5~10월

|111| 런던의 재봉업
혹은 대자본과 소자본의 투쟁

———

증기기관과 기계, 모든 안정의 죽음의 천사와 그 호위병인 대자본은 지금까지 성공적으로 기계를 적용하지 못했던 사업에 파괴적인 영향력을 행사하기 시작했다. 그러나 대공업의 영향은 사업 일반에 대해 결코 파괴적으로 작용하지 않았다. 이 영향은 대공업이 공략한 사업이 중세적이고 속물적이면서 가부장적인 특성을 가질 때만 작용했다.

대공업이 처음 등장할 때 모든 소부르주아적 사업 영역을 그 즉시 공략할 만큼의 자본을 충분히 사용할 수 없었다. 기존 자본은 세계 시장에 대량 판매했던 생산물에는 충분하지 않았고, 그 생산물을 가공하는 데 필요한 기계를 조달하는 데도 충분하지 않았다. 무엇보다도 생산물을 인접한 시장에 소규모로 내다팔고, 이런 생산물을 생산하는 것이 소비자들의 직접 주문에 의존했던 영업은 따라서 당연히 중세의 춘프트적 특성을 대체로 유지할 수밖에 없었다. 이런 영업은 소부르주아지 손에 있었다.

기존의 모든 대자본이 대공업에 투자해서 이익을 얻는 동안에, ||112| 대자본가는 소상인들에게 투자할 생각을 전혀 하지 않았다. 대공업이 다양한 소부르주아적 영업에 이전에는 결코 알지 못했던 호황을 일으킨 순간이 있었는데도 불구하고, 이 순간은 이 소부르주아적 영업을 나중에는 더 확실하게 파괴하는 데 한몫했을 따름이다. 세계 시장의 수요는 시간이 흘러가는 동안 생산력의 증대와 똑같은 행보를 유지할 수 없었다. 비록 수요가 매우 빠르게 늘어났을지라도, 자본가가 산출한 이익을 통해서 생산자본은 증대했고, 이를 통해서 생산수단은 더 빨리 늘어났다. 불가피한 결과는 자본가들 사이의 극심한 경쟁, 가격 하락, 이윤 감소, 자본의 회수 등이었다. 지금에야 비로소 대자본가들 자신이 소부르주아적 영업에 신경 쓰기 시작했다. 가장 이익이 많았던 것 중의 하나인 재봉업이 곧바로 대자본가들의 주의를 끌게 되었다. 우리는 아래에서 대공업의 시도가 어느 정도로 성공의 관을 씌우게 될지 살펴볼 것이다.

G594

중세 시대에 재봉사는 허리에 찬 칼에도 불구하고 사회에서 매우 불안정한 위치를 차지했다. 오늘날에도 촌에서는 그렇듯이, 그 당시 사람들은 자신의 옷 재료를 직접 사는 것이 일반적이었다. 재봉사는 본을 제공했을 뿐이고, 따라서 그는 자신의 고유한 생산수단으로 작업하지 않았다. 그리고 그의 원재료는 다른 사람의 소유였고, 그의 수입은 따라서 임금에 한정되었다. 그의 임금은 가족과 직인이 있는 경우에 그들을 부양할 정도였다. 만일 그가 이 임금 이외에 더 벌고자 한다면, 그는 고객에게는 하인으로, 직물 소매상인에게는 공범자로 필요한 일을 해야만 했다. 어떤 옷을 장만하려는 사람은 구매할 상품의 진위를 검사하기 위해 직물 소매상인에게 함께 가자고 재봉사에게 명령할 수 있었다. 거래가 성사되면 이 상품을 받아서 집으로 가지고 갔다. 이런 경우 재봉사는 자신의 시간 손실에 대해서 돈을 받기는 하지만, 그의 직접적인 수익은 성실한 재봉 장인의 고객에게 저지른 ||13| 사기 규모에 따라서 소매상인이 자신에게 베풀어준 비율에 있었다. 그러나 항상 재봉사가 이렇게 어떤 제안을 받는 것은 아니었다. 최고의 고객은 종종 자신의 재료를 외상 혹은 신용으로 사기 때문에, 거래는 대부분 재봉사 없이 이루어졌다. 직물 소매상인은 언제나 주범이었다. 재봉사가 이들에게 협조를 잘하면서 살지 않으면 그는 매 순간 자기 고객층을 잃을 위험에 놓이게 된다. 지난 세기 후반기에야 사람들은 재봉사에게 재료 구매를 위임하기 시작했다. 이 우아한 세계가 이것을 매우 편리하다고 생각해서 어떤 신사가 직

678

접 직물 소매상인에게 가면 그것을 곧바로 인색한 행동으로 간주할 정도였다. 그때부터 재봉사는 돈지갑에 단추를 채웠고, 직물 소매상인은 자신의 편에서 재봉사의 호감을 사려 애쓰고 외상 판매를 하지 않을 수 없게 되었다. 이러한 교체는 재봉사의 수입에 엄청난 변화를 가져왔다. 재봉사가 가공하던 원재료는 다른 사람의 소유물이기를 그쳤다. 재봉사는 더는 얼마 되지도 않는 임금에 만족할 필요가 없었다. 재봉사는 이윤을 산출하기 시작했고, 지금까지 재단과 본만 만들어 주었던 재봉 장인은 갑자기 **치마 전체**를 판매할 수 있는 인물로 변모했다. 초창기에는 이와 같은 이윤의 새로운 원천을 열어 준 귀족층의 종신 재봉사(몸이 매인 어용 재봉사 — 옮긴이)였을 뿐이었다. 이것은 장인들 사이의 다툼을 불러왔다. 이 다툼이 너무 계속 이어져서 정부는 1768년에 개입할 수밖에 없었다. 귀족층의 총애를 받는 장인들은 자신의 이윤을 매개로 해서 다른 노동자들보다 자신의 노동자들에게 더 나은 임금을 줄 수 있었다. 총애를 덜 받는 재봉사, 즉 부르주아 계급의 재봉사는 자신들의 수입으로 더 높은 임금을 줄 수 없었기 때문에 최고의 노동자를 잃어버릴 위험에 놓이게 되었다. 그래서 정부는 런던과 런던 주변 5마일 내의 장인들에게 하루 2실링 6펜스 이상을 주는 것을 금지하고, 직인을 더 많이 받는 G595
것도 금지하는 법을 공포했다.

재봉사가 반(牛)상인으로 변신함으로써 나중에는 거의 세계적으로 유명한 재봉사의 번영을 위한 기초가 놓이게 되었다. 이러한 변신 외에도 ||114| 지난 세기말경 두 가지 중요한 사건이 이런 번영을 최고 정점으로 밀어 올리는 데 한몫했다. 하나는 **양모 방적기**[1]의 발명과 도입이며, 다른 하나는 **프랑스 혁명**이다.

방적기를 양모 매뉴팩처에 도입한 것은 재봉업에 절대적으로 유리한 결과를 산출할 수밖에 없었다. 한편으로 이런 도입은 손노동을 절약함으로써 생산 비용을 절감했고 이를 통해서 상품가격 자체를 낮췄다. 다른 한편으로 이런 도입은 그 자체로 생산적으로 작용했다. 왜냐하면 기계로 짜는 것이 손으로 짜는 것보다 훨씬 더 섬세했으며 똑같은 양의 양모에서 더 많은 양의 상품을 공급했고 가격을 대폭으로 낮추는 것이 가능했기 때문이었다.

이제 모직물이 재봉사의 주요 원재료가 되었기 때문에 이 주요 원재료의 생산자본의 가치는 주요 원재료의 원재료 가격이 내려가는 만큼 올라갔다. 예전에 재봉사가 일정한 액수의 돈으로 10야드의 직물을 받았다면, 이제 재봉사는 같은 액수로 15야드 혹은 20야드를 받아서 같은 자본으로 예전에 비교해 거의 두 배 정도 되는 사업을 할 수 있었다. 이때 그는 **투하 자본**이 아니라 치마, 바지 등의 **수**에 따라서 자신의 이윤을 계산한다. 기계의 초과 수익이 일으킨 또 다른 결과는 옷감이 엄청나게 다양해졌고, 엄청나게 많은 색을 선택할 수 있다는 것이었다. 그러는 동안 유행의 변천은 매우 빨라졌고 이 우아한 세계는 엄청난 낭비에 현혹되었다.

영국 귀족층이 오늘날에도 여전히 극악무도한 행동으로 여기고 있는 1789년 프랑스 혁명과 이 혁명을 보완한 1793년의 결과들이 영국 귀족층 및 부르주아지에게 이득이 되는 원천을 직접 열어주었다. 첫 번째 프랑스 혁명의 신을 부인하는 행동에 머리부터 발끝까지 격분한 매우 경건한 장군이자 착취자(Exploituer)인 존 불은 이 혐오스러운 혁명이 자신에게 가지고 온 것을 조금도 인정하지 않으면서도 자신의 이익을 언제나 조용히 쓸어 넣고 있다.|

|115| 영국은 1793년에 파리의 천민 지배를 타도하고 합법적인 제후들을 세우기 위해 프랑스 공화국과 공식 전쟁을 개시했다. 혁명 인민의 권력은 영국의 잘못을 일깨워주었다. 그러나 전쟁이 장기화함으로써 전쟁은 영국 **귀족층**에게 명예, 급료, 연금을 획득할 수 있는 발판을 열어주었다. 전쟁은 **금융 부르주아지**에게 새로운 투기의 발판을 열어주었다.[2]

군대 확장을 위해서는 귀족의 자식들이 언제나 우선권이 있었던 장교의 엄청난 증가가 필요했다. 군대 비용은 첫 3년 동안 세 배나 증가했고, 군대를 위한 연간 지출액은 전쟁 동안 대포와 탄약을 제하고도 거의 200만 파운드스털링에서 14,883,264파운드스털링으로 증가했다. 그러나 채굴이 다소 불편해지고 위험해진 이러한 금광 외에도, **영국 귀족층**은 돈푼깨나 챙기기 위해서는 다른 금광을 직접 채굴할 수밖에 없었지만, 자신들의 게으른 생활을 절대 방해하지 않는 범위에서 수고할 수밖에 없었다.

G596

1776년 이래로 이미 영국의 곡물 수확은 자국의 수요를 더는 충족하지 못했다. 나폴레옹의 대륙 봉쇄[3]는 일시에 모든 유럽의 곡물 공급을 막았고 영국에 곡물 가격 급등과 기아를 가져왔다. 결과적으로 땅값이 이례적으로 상승했고 새로운 토지가 개간되어야 했다. 귀족층의 수입인 **지대**는 엄청나게 올랐고 전쟁이 끝난 후에도 곡물법을 도입함으로써 이런 초과 수입을 영구화하려는 것처럼 보였다.

금융 부르주아지도 이에 못지않게 수완 좋게 사업을 했다. 1793년에서 1815년까지 상당히 안 좋은 조건으로 정부와 체결한 대부 총액은 6억

3100만 파운드스털링에 버금갈 정도였다.

생필품 가격의 상승과 국가 재정 지출의 증가를 감당하기 위해 그 무엇보다 필요한 것은 생산력, 즉 거래를 증대하고 확장하는 것이었다. 어떤 국가도 생산을 동일한 규모로 증가시키지 않고는 지출을 계속 ||116| 확대할 수 없다. 그러나 영국의 재정 지출은 단순히 증가한 것이 아니라, 전쟁이 끝날 때까지 두 배, 세 배, 네 배나 증가했다. 추가 지출의 원인이 된 이와 같은 전쟁은 또한 동시에 치료법을 제공했다. 영국은 영국 함대의 승리를 통해서 수많은 식민지 외에도 해상 지배권과 세계 시장의 패권을 장악했다. **산업 부르주아지**가 이러한 승리를 얼마나 잘 활용했는지는 영국의 공장 제품 수출이 1793년 19,676,685파운드에서 1815년 60,683,894파운드스털링으로 증가한 사실이 증명한다.

쉽게 얻은 부는 언제나 사치와 탐닉으로 귀결된다. 무엇보다 **토지귀족**은 벌어들이는 것보다 언제나 빨리 자신의 수입을 탕진하는 것으로 유명하다. 옷가지가 주요 사치품이고 수도 혹은 군주가 거주하는 도시가 사치와 탐닉의 중심지라고 생각하는 자들에게 그 밖에도 잘 알려진 것은 대도시의 소상인들이 낭비벽이 심한 고객을 어떻게 교묘하게 속이는지를 알고 있다는 것이다. 이런 자는 사태의 이런 변화가 어떻게 진짜 캘리포니아[4]가 런던 재봉사를 위하게 될 수 있었는지, 어떻게 **스툴츠**가 **백만장자**가 될 수 있었는지를 쉽게 터득할 것이다.

예로부터 런던에는 재봉노동자가 공식적인 국상 때에는 임금을 두 배로 받는다는 관습이 있고 법적으로 보장되었다.[*] 전쟁 동안 재봉사는 동맹파업을 통해 임금을 하루에 6실링으로 올려 받았다.[5] 공식적인 국상 때에는 주급으로 3파운드스털링 12실링 혹은 프로이센식으로는 24탈러를 받았다. 장인들은 그때에도 고객에게서 다시 추가 비용을 받았기 때문에 아무것도 잃지 않았다. 1830년 조지 4세가 죽었을 때, 장인은 두 배의 임금을 거절하고 창문에 다음과 같이 쓴 쪽지를 붙였다. **상복에 대해서는 추가 비용이 없음.** 단지 소수의 장인만이 예전부터 내려오던 관습을 따랐고, 노동자는 동맹파업을 시작했다. 그러나 이 소수의 장인은 ||117| 한편으로 돈이 부족했고, 다른 한편으로 지방에 물자를 공급해야 해서 몇 주 만에 굴복할 수밖에 없었다. 그래서 오래된 이 관습은 영구히 폐지되었다. 이쯤에 노동자 공급이 수

G597

---

[*] 재단소는 관습적으로 일정 기간 다른 일을 멈추고 바로 상복을 만들어야 하기 때문이었다.

요보다 훨씬 더 커지기 시작했다. 다양한 직종의 노동자들은 실업 때나 동맹 파업 때 서로 지원해주기 위한 목적으로 서로 일종의 연합을 조직하기 시작했다. 1834년 재봉사 2만 명이 노동을 내려놓고 우선 하루 2시간의 노동시간 단축을 요구했다. 이것을 통해 실업자가 다시 고용될 수 있도록 하기 위해서였다. 이제까지 노동시간은 하루 12시간으로 확정되어 있었는데, 이러한 단축으로 4천 명을 더 고용할 수 있다는 것이었다. 두 번째 요구는 예나 지금이나 관습적으로 통용된 하루 6실링의 임금은 그대로 고수하되, 조건은 장인이 결정한 하루 노동량을 노동자가 완수하지 못하면 임금 총액에서 얼마간을 공제할 수 있는 장인의 권리를 인정하지 않는다는 것이었다. 쫓아낼 수 있는 권리는 장인에게 그대로 남겨둔다고 했다.

이런 요구들은 실제로 새로운 것이었다. 이제까지 동맹파업이 비용 인상만을 그 목적으로 했고 이러한 요구들도 비용 인상을 포함하긴 했지만, 이 동맹파업의 주된 목적은 개인의 수입을 줄어들게 하지 않으면서 노동자의 수요와 공급을 일치시키는 것이었다. 재봉사들은 자신들의 동맹자가 누구인지 알지 못한 채 동맹파업을 했다. 그러나 부르주아지에게 약점을 전혀 보이지 않기 위해 나머지 노동자들은 이 동맹파업을 인정하고 지원했다. 대부분 노동자는 재봉사의 일을 자기 일로 생각했고, 투쟁이 공개적이고 격렬해지는 만큼 결속도 더 긴밀해졌다. 재봉사 조직은 형태적으로는 비밀 결사의 성격을 띠었다. 이 조직은 중대와 분대로 나뉘어 공개적으로 시위를 벌였다. 집회에서 서로 이질적인 분자들을 상대로 자신들을 보호하기 위해 여타의 식별 기호 외에도 암호를 부여하고 상황에 따라 그 암호를 바꿨다.

|118| 장인은 양보를 일절 거부했다. 재봉사의 완전히 새로운 요구와 마찬가지로 노동자의 전반적인 참여에 놀란 귀족층과 부르주아지는 재봉사가 자신의 목적을 성취하면 다른 사업들도 재봉사의 선례를 따를까 봐 두려워했다. 그들은 프롤레타리아트가 **재봉 장인의 이해**를 넘어서 **유산자의 전체 이해**를 반대한다고 생각했다. 그래서 이 투쟁은 실제로 **부르주아지와 프롤레타리아트 사이의 투쟁**이 되었다. 기회가 있을 때마다 산업가를 모든 노동자 빈곤의 창시자라고 고발하고 자신을 프롤레타리아트의 보호자로 자처하는 이 반동들은 당시에 노동자를 제거할 온갖 수단을 제공했다. 재봉 장인들은 거듭 주문을 받았는데, 자신들이[6] 이런 주문들만이 아니라 고객 전체를 빼앗길지도 모를 조건에서도 그렇게 했다. 그렇지 않았다면 재봉 장인들은 노동자에게 굴복할 수밖에 없었을 것이다. 그 밖에도 의회와 정부 측의 원조

도 약속받게 되었다. 헨리 하딩[7] 경은 한번 의회에서 재봉 직인들에게 어떤 식으로 양보를 하느니 차라리 의회에 셔츠 바람으로 오는 것이 낫겠다고 소리쳤다.[8] 노동자 편에서는 자신들의 요구사항들이 정당하다는 것을 부유한 적들에게 설득하기 위해서 공개 집회 및 언론에서 장인들의 기만을 노출했다. 그러나 모든 것은 헛되었다. 그들의 기금은 녹아 없어졌고 석 달도 안 돼 무조건 항복해야 했다.[9] 그래서 역사 전체는 노동자 공급이 수요보다 훨씬 더 크고, 노동자가 굶어 죽거나 혹은 굽혀야 하는 조건들을 장인이 제시할 수 있었던 시대가 다시 도래했다는 공표로 축소되었다. G598

1834년 이전에 **대자본가들**은 자본을 옷가게 같은 곳에 자질구레하게 맡기기보다는 다른 곳에서 자본을 증식할 기회가 충분히 많이 있었을 것이다. 다른 한편 대자본가들은 굶주림 때문에 **최악의** 조건으로 일자리를 ||119| 받아들여야 하는 노동자가 많지 않은 한 **소부르주아지**와 경쟁할 수 없었다. 새로운 기계의 발명과 낡은 기계의 개선으로 손노동이 지속적으로 감소하면서 재봉업에 수많은 젊은 피를 공급했지만, 이 젊은 피는 곧바로 몰락하게 되었다. 그리고 필요한 조건이 갖춰지자마자 대자본가들 자신도 재봉업을 점령하기 시작하는 일이 벌어졌다. 예전에는 아주 적은 종류의 옷가지만 팔았던 이른바 **헌옷 가게** 외에는 옷가게가 없었다. 이런 곳의 노동자들은 너무 늙었거나 아니면 이른바 존경받는 장인의 집에서 일하는 데 필요한 손재주를 갖고 있지 않았다. 이에 반해 **대자본가**는 지불 능력이 있는 노동자들과 소부르주아지가 걸칠 수 있는 품목을 가지고 우선 자신들의 점포를 열었다. 이때 그들은 끊임없이 늘어나는 공급과 점점 더 커지는 부족한 고용에서도 최고의 노동자를 선발할 수 있는 이점이 있었다. 시간이 지나면서 그들은 자신의 사업을 확장해 실제 공장주가 되었다. 그리고 소량에서 고급까지 가능한 모든 옷을 공장에서 만들 수 있게 되었고 더욱이 어떤 소부르주아지도 그들과 경쟁할 수 없는 가격으로 만들 수 있었다. 얼마 지나지 않아 사람들은 아마도 주문을 해서 양복 한 벌을 만드는 것이 웃기는 일이라고 생각할 것이다. 오늘날 모자나 목도리 공장주가 물건을 만들기 전에 소비자의 주문을 기다려야 한다고 생각하는 것을 보면 말이다. 근대 의류 공장주들은 이미 런던 재봉업의 **3분의 1** 이상을 차지했고 자신의 사업을 날로 확장하고 있다. 주요 회사 세 곳은 **E. 모제스 앤드 선, 하이엄, 니콜스**인데, 이들은 런던만이 아니라 왕국 전체와 식민지의 주요 공장주들이다. 이들 회사 모두 런던에 대형 본점 두 곳 이외에 지방의 모든 대도시에 분점이 있다. 완성된 옷을 식

민지로 수출하는 것도 마찬가지로 중요하다. 이런 사태 전체에서 가장 독특한 것은 대자본가가 직접 멸망시킨 소시민층이 곧바로 의류 공장주의 주요 고객층이 되었다는 사실이다. 대자본가가 소부르주아지의 사업을 장악하는 것만큼만 소부르주아지는 직접 ||120| 자신의 상품을 구매할 수밖에 없었다. 20년 전 치마 한 벌에 4~5파운드스털링을 계산했던 이와 똑같은 소부르주아지는 오늘날 줄어든 수입으로 인해 가게에서 치마를 아마도 2파운드스털링에 구매해야 하고 이 때문에 **자기 계급의 가게 영업을 망하게** 할 수밖에 없다. 몇 년 전만 해도 자기도취에 젖어 수염을 매만지던 속물 재봉사가 다른 가게가 망했다는 소식을 들었을 때 자기 기술은 손댈 수 없다는 행복한 망상에 젖어 **"재봉업은 해를 입지 않을 것이다"**라고 말했다. 그러나 이 재봉사는 오늘날 자신의 소부르주아적인 기술이 이미 재갈이 물려서 이 기술로는 아무것도 건드릴 수 없다는 사실에 두려움을 느끼게 되었다. 그는 대자본가가 다른 영업 방식을 도입하고 매우 값싸게 생산할 수 있다는 사실도, 기계 개량, 공장에서 남성 대신 여성과 아동으로 대체 및 상업 공황이 기계에 아직 예속되지 않은 사업에 어떤 상황에서도 해로운 영향을 끼치게 되는 대량의 노동력을 공급한다는 사실도 헤아리지 않았다. 남성의 노동이 공장에서 필요 없게 될수록, 부모는 어쩔 수 없이 자식으로 하여금 재봉업이나 제화업과 같은 일을 계속 배우도록 할 수밖에 없다. 상업 공황 때 많은 아동과 젊은이가 공장에서 공식 **구빈원**으로 규칙적으로 옮겨져 재봉이나 제화 일을 배우게 된다. 근대 대농업도 계속 손노동이 덜 필요해져서 상당한 병력을 만들어낸다. 재봉사나 제화공은 자본 없이도 독립적인 장인으로 출세할 수 있으며 이 때문에 이런 직업이 계속 선호될 것이라는 생각이 지배적이었다. 젊은 후예들은 수련 기간을 마치자마자 일부는 일자리 부족 때문에 또 일부는 성공을 위해 대도시로 간다. 이런 방식으로 런던 재봉노동자의 수는 35,000명까지 증가했는데, 1848년 이들 중 $1/3$은 계속 고용되어 일하고, $1/3$은 임시적으로 일하고, $1/3$은 완전한 실업 상태에 있었다. 남성의 벌이가 감소하는 만큼 ||121| 노동자와 소부르주아지의 아내와 딸은 재봉사에게서 일을 찾을 수밖에 없었고, 노동자의 조끼를 만들거나 노동자의 조수로 현재 구걸 상태로 연명하는 이들의 수도 적지 않았다.

이로써 알 수 있는 것은 소시민계급이 대공업의 일정한 단계에서 성공할 수 있었음에도 대공업이 파고들 때마다 이 소시민계급은 패배했다는 사실이다.

684

생산방식이 완전히 다른 재봉업의 두 분야를 좀 더 자세하게 살펴보자. 존경받는 재봉 장인의 생산방식은 구매자가 원료를 더는 직접 구매하지 않는다는 사실만이 중세적 생산방식과 차이가 있다. 소부르주아적 재봉사는 예전처럼 오늘날에도 여전히 양복을 생산하기 전에 고객의 주문을 기다려야 한다. 따라서 그의 생산물 시장은 점포 가까운 주변으로 한정된다. 공장주는 구매자를 찾기도 전에 양복을 생산한다. 다른 모든 공장주와 같이 그는 일정한 양의 상품을 완성하여 그가 팔 수 있다고 믿는 시장에 대량으로 보낸다. 그의 시장은 따라서 상품이 생산되는 도시나 지방, 국가에 한정되지 않는다. 그의 시장은 세계 시장이다. 재봉 장인의 시장은 매우 제한되어 있기 때문에, 그는 구입도 소규모로 해야 한다. 그는 기껏해야 검은 직물이나 몇몇 다른 유통되는 재료를 약간 살 수 있을 뿐이다. 다양한 직물 중에서 결국 하나를 선택하게 된다. 자기 고객 전부 혹은 다수가 하나의 똑같은 재료를 마음에 들어 한다고 가정할 수 없어서 대량으로 사지도 못한다. 따라서 그는 소상인과 거래하고, 게다가 고객에게 외상을 줄 수밖에 없다. 그래서 그는 대부분의 경우 상품을 외상으로 구입하며, 어떤 조건에서도 소상인들에게서 벗어날 수 없다. 공장주는 자기 시장이 확장됨으로써 모든 상품을 조금씩 구매할 수 있을 뿐만 아니라, ||122| 심지어는 상품의 일부를 상당한 양으로 살 수도 있다. 따라서 공장주는 더군다나 자신의 생산물을 현찰로만 팔 수 있었기 때문에 공장에서 자신의 원재료를 직접 받을 수 있다.

원재료의 구매는 다양한 상황에서 일어나기 때문에 생산 비용 역시 다양할 수밖에 없다. 대상인의 사업은 상품을 대량으로 직접 구매하고 이 상품을 소량으로 소상인에게 다시 판매하는 것이다. 소상인은 이 상품을 조금 더 소량으로 재봉사에게 판매한다. 이 과정에서 상품을 비싸게 만들고 생산과 유통을 지체하는 것 말고는 아무런 쓸모가 없는 일정한 규모의 지출과 노동이 일어난다. 대상인은 상품 창고와 함께 상품을 한 장소에서 다른 장소로 옮겨 놓는 일 말고는 정말로 아무것도 하지 않는 운반자와 행상인을 고용한다. 상품은 상품 창고에서 소상인에게 운송된다. 이때 같은 게임이 다시 새롭게 시작하는데, 대상인이 소량으로 운송하는 것과 달리, 소상인은 엘레(독일의 옛 길이 단위로, 약 2자 1치＝66cm —옮긴이) 치수 방식으로 운송한다는 점만 차이가 있을 뿐이다. 그리고 이것도 훨씬 비용이 많이 들어가는 일이다. 왜냐하면 1엘레를 판매하고 대상인이 하는 것처럼 남은 조각 전체를 장부에 기재하는 데도 똑같은 정도로 일이 들어가기 때문이다. 재봉 장인은 이러한 노

동과 임대료, 별도의 이자, 이윤 등을 그의 원재료 가격에 지불해야 한다. 공장주는 이러한 불필요한 비용을 모두 피한다. 그러나 영세 재봉 장인은 경쟁 법칙에 따른 자기 노동의 가치보다 더 많이 자기 노동에 지불해야 한다. 주문은 매우 불규칙하게 들어오기 때문에 그는 언제나 평균적으로 고용할 수 있는 것보다 많은 사람을 집에 데리고 있을 수밖에 없다. 이것은 다시 자신의 사업 규모에 필요한 작업장보다 더 큰 공간을 유지할 것을 요구한다. 더 많은 석탄과 가스가 소비될 것이다. 왜냐하면 사업 전체는 봄에 대략 두 달만 고용하더라도 될 수 있는 한 많은 사람으로 꾸려져 있어야 하기 때문이다. 늘 그렇듯 임금이 아무리 형편없을지라도 노동자는 작업장에서 버는 것으로 살아야 하기 때문에, 임금은 노동자가 한가롭게 ||123| 앉아 있는 시간도 일부 메워주는 것으로 항상 책정되어야 한다. 재단사와 심부름꾼의 비용은 1년 전체를 통틀어 가장 바쁜 봄의 두 달 비용과 같다. 재봉 장인은 좋은 시절이 지나가도 고용인을 쫓아낼 수 없다. 고용인이 필요한 날이 가끔 있기 때문이다. 그리고 만약 재봉 장인이 이들을 사업의 유동성에 따라서 바꾸려고 한다면 그의 고객들은 매우 불만족스러울 것이다. 왜냐하면 고객들은 투덜대면서 자신의 추한 모습을 매번 다른 사람에게 보여주는 것을 매우 불쾌해할 것이기 때문이다. 공장주는 1년을 통틀어 얼마나 파는지를 대략 알고 있다. 따라서 그는 모든 것을 매우 정확하게 정돈할 수 있다. 그의 재단사는 어떤 순간에도 한가하면 안 된다. 그는 항상 해야 할 일이 있기 때문에 일이 하루 일찍 혹은 늦게 끝나는 것은 거의 중요하지 않다. 그래서 그는 여전히 최저 임금을 밑돌고 있다. 이런 이유로 재봉 장인은 자기 이득을 전혀 얻지 못한다. 양측의 이런 사업 운영의 동기는 그 밖의 다른 상황과 같이 매우 다양하다. 소부르주아적 재봉사는 언제나 스스로 일을 배우는 사람이다. 따라서 그는 노동자에서 장인으로 출세할 수 있다. 대개 그는 약간의 자본으로 혹은 거의 자본이 없이 시작한다. 자기 뜻대로 할 수 있는 것은 모두 여기저기서 고객을 추천해주고 약간의 대출을 주선해주는 몇몇 후원자에게 달려 있다. 따라서 그는 무엇보다도 자기와 자기 가족을 먹여 살리기 위해서 자기 사업을 한다. 게다가 그는 자기 자식들을 돌봐야, 즉 자본을 벌어야 한다. 공장주는 이자만 받고 자본을 빌려주었을 때 그 자본이 증식하는 것보다 더 많이 자기 자본을 증식하기 위해서만 사업을 한다. 공장주의 가계 지출은 순전히 부차적인 것이다. 그래서 영세 장인은 우선 자본을 축적하려고 한다. 그 때문에 그는 이자를 높게 받아서 이윤을 얻는다. 공장주는 축적된 자본만

686

을 증식하려 하고 경쟁을 통해 결정된 이자와 이윤에 만족한다.

　일정량의 상품의 공장가격을 100파운드스털링이라고 가정하면, 옷의 판매가격은 대략 다음과 같이 형성된다.

|124| 소부르주아적 재봉업.

	파운드스털링	실링	펜스
대상인의 구매가격	100	–	–
운송과 기타 비용	5	–	–
이자와 이윤 10퍼센트	10	10	–
소상인의 구매가격	115	10	–
운송과 기타 비용 이자와 이윤 15퍼센트	19	1	$1^4/_5$
재봉사의 구매가격	146	2	$1^4/_5$
노임과 기타 생산에 속한 비용 60퍼센트	87	13	$3^{12}/_{25}$
이자와 이윤 30퍼센트	70	2	$7^{73}/_{125}$
판매가격	303	18	$-^{108}/_{125}$

공장식 재봉업.

	파운드스털링	실링	펜스
구매가격	100	–	–
운송과 기타 비용	5	–	–
노임과 기타 생산에 속한 비용	58	8	$10^4/_{25}$
이자와 이윤 20퍼센트	32	13	$9^{81}/_{375}$
판매가격	196	2	$7^{141}/_{375}$

　따라서 우리는 공장주가 동일한 양과 질로 소부르주아지보다 3분의 1 이 G602
상이나 더 저렴하게 공급할 수 있고, 따라서 두 배 이상의 이자 및 이윤을 창출할 수 있음을 알 수 있다. 그러나 비싸다는 것이 소부르주아적 산업의 유일한 단점은 아니다. 이것은 전반적인 판매 부진에 영향을 끼치는 결과를 낳기도 한다. 소비자와 생산자의 다양한 거래가 부르주아 사회에 있을 수 있는 가장 좋은 상황에서, 즉 가능한 짧은 시간에 그리고 현찰로 이루어졌다고 가정하면, 다음과 같이 제시할 수 있을 것이다.

	파운드스털링	실링	펜스
대상인에게 지출	105	–	–
소상인에게	138	11	–
재봉사에게	233	15	$5^7/_{25}$
소비자에게	303	18	$-108/_{125}$
	[781]	[4]	$[6\,^{18}/_{25}]$

근대적 재봉업.

	파운드스털링	실링	펜스
공장주에게 지출	163	8	10
소비자에게	196	2	7
	359	11	5

소부르주아적 산업은 같은 생산물을 소비자에게 보내는 데 두 배 이상의 자본을 유통해야 한다.

슈트루베와 그 일당의 민주 공화국은 얼마나 **생산성을 발전**시킬 것인가.[10]

우리는 **근대 대공업**이 곳곳에서 어떻게 **소시민계급**에게 파괴적인 영향을 끼치는지를 살펴보았다. 소시민계급은 실제로 **봉건 사회의 잔재**에 지나지 않고 그 사회적 위치에 따라서 보면 **철저하게 반동적**이다. 이 계급의 이해는 모든 산업 진보에 반항하는 데 있다. 이 계급이 정치적 진보에 열광했을 때, 이들 자신은 무엇을 하는지 알지 못한다.

다시 노동자에게 돌아가자. 34년의 패배 이후로 노동자들은 전면 동맹파업을 더는 감행하지 못했다. 장인들은 두려워할 어떤 공격(Attaque)도 없었기 때문에 그들도 더는 결합할 필요가 없었다. 따라서 임금 하락은 조금씩 진행되었고 작업장의 노동자들이 일을 그만두는 일이 한때 일어났다. 그러나 이것은 지금까지 그랬던 것처럼 악조건 속에서 똑같은 장인을 위해 일하지 않기 위해서만 일어난 것이다. 명목가치로 따져보면 임금은 존경받는 장인에게도 기껏해야 10~15퍼센트 하락했다. 실제로는 최소한 45~50퍼센트 하락했다. 1년 내내 일하거나 ||126| 아니면 한 명의 장인만 있는 사람들은 평균적으로 일주일에 기껏해야 $3^1/_2$일에서 4일 정도 일하는 것으로 볼 수 있다. 임시로 고용된 사람들도 합산해보면 이전 벌이의 50퍼센트에도 전

G603

688

혀 미치지 못할 것이다. 그래서 노동자들은 최소한으로 줄어들었다. 노동자들이 마음대로 할 수 있는 유일한 이점은 바로 작업장에서 책과 잡지를 읽고 자신들의 계급 이해를 스스로 깨우치면서 있을지 모를 일을 대비하는 뮤즈(그리스 신화에 나오는 예술과 학문의 여신 ─ 옮긴이)를 충분히 누리는 것이었다. 이런 기회를 사용하지 않은 채 지나가게 하면 안 될 것이다.

공장주를 위해 일하는 동일한 노동자의 입장은 다르다. 옷 만드는 공장의 노동자는 사실상 근대적 임노동자다. 그에게는 힘든 노동과 빈곤만이 있으며, 부르주아 사회 내에서는 휴일, 자유 혹은 편의에 대한 어떤 전망도 없다. 다른 모든 공장노동자와 마찬가지로 그는 자신의 자리에 묶여 있다. 그의 임금은 그가 한 시간도 여유를 부리게 하지 않았고 가장 일반적인 생필품을 살 수준을 절대로 넘어서지 않았다. 공장주가 최고의 노동에 지불하는 가격은 존경받는 장인과 비교해 2 대 3에 불과했다. 최고의 노동을 수행하는 공장노동자는 따라서 다른 사람이 나흘에 버는 만큼을 벌기 위해서 엿새 동안 모두 일해야 했다. 그럼에도 불구하고 그는 아주 적은 노동만 할당받은 자기 동료보다 훨씬 더 나은 위치에 있다. 아주 적은 노동의 가격은 성인 남성 1명이 먹고살기에는 거의 불가능할 정도로 매겨져 있었다. 따라서 노동자는 처음부터 직접 다른 사람을 착취할 수밖에 없었다. 노동자는 많은 일을 받아야 해서 자신과 같이 어떤 조건에서도 일을 받아야만 하는 몇몇 여성들과 함께 일할 수 있었다. 그러면 분업이 이루어져서 그는 치마의 4분의 1 혹은 5분의 1을 만들고 자기 조수들에게 단지 임금의 절반이나 기껏해야 $^2/_3$를 주었다. 남녀 노동자라는 이 범주는 포식에서 아사로, 프롤레타리아트에서 사회적 빈곤으로 넘어가는 독특한 이행기를 형성한다. 언제나 최저 임금 이하로 짓눌려 사는 이 노동자들은 사업이 최악의 부진에 빠지면 구빈원으로 가느냐 아니면 죽느냐 하는 선택만이 있을 뿐이었다. 우리의 부르주아-경제학자는 임금은 ‖127‖ 머지않아 최저 임금 이하로 유지될 것이라고 주장한다. 그 이유는 노동으로 사람들이 먹고살 수 없을 때, 한편으로 노동자는 다른 일자리를 찾을 것이고 다른 한편으로 공급이 지체될 것이기 때문이다. 그리고 최악의 상황, 즉 특정 직업의 교육을 받은 노동자들이 굶어 죽을 때까지는 시간이 오래 걸릴 것이기 때문이다. 그러나 이런 이론들은 텍사스나 캘리포니아에서 진실일 수도 있다. 모든 사업 영역에서 수요보다 공급이 넘치는 영국은 이 이론들을 거짓이라고 증명한다. 왜냐하면 수천 명의 재봉사가 티푸스와 결핵으로 죽고, 죽지 않은 재봉사는 가게를 떠났음에도 불구하고 공급은 늘어나고 임금은 줄었기 때문이다. 나는 이미 위에서 재봉사가 일반적으로 어떻게 모집되는지 언급했다. 어떤 식으로 런던 사람들과 특히 이 굶주리는 사람들이 모집됐는지 아직 서술할 필요가 있다. 외국인들과 지방의 젊은 이들 가운데 일부는 거대한 세계도시를 구경하기 위해, 일부는 다른 곳보다 더 많은 돈을 벌기 위해 런던으로 가고 있다. 이들 모두 존경받는 장인과 일할 생각으로 오고 있다. 두 달 혹은 석 달 좋은 시절이 지나자마자 새로 도착한 자들의 100명 중 90명은 완전히 실업자가 된다. 그들에게 남은 것이라곤 길거리로 나가 구걸하거나 최악의 조건으로 공장주를 위해 일하는 것밖에 없다. 그들은 언젠가 좋은 시절에 행복해질 수 있다는 희망으로 후자를 결정할 수밖에 없지만, 그것도 아무 의미가 없다. 언젠가 좋은 시절은 이와 똑같은 방식으로 지나갈 것이고, 그렇게 하는 한 2년 후에 이들은 더 나은 일을 살펴보는 것조차 불가능해지는 상태로 전락하게 된다. 그들은 아마도 결혼이라는 멍청한 짓을 할지도 모른다. 그러면 그의 경력은 끝장난다. 존경받는 사업 분야의 오래된 단체는 사업의 지속적인 동요와 계속되는 축소로 또한 다수의 사람을 공급한다. 이들은 노동자들 사이의 경쟁을 점점 촉진한다.

지금까지 서술한 모든 것에서 알 수 있는 것은 한편으로 **소부르주아적 생산방식이 너무 많은 노동력, 너무 많은 자본을 집어삼키고, 교류와 소비를 억제하고 날이 갈수록 어려워진다**는 점이다. 다른 한편으로 산업 진보를 대변하는 **근대적** ‖128‖ **생산방식은 자신에게 맞서는 모든 것을 무너뜨리고, 자신이 전진하는 그만큼 노동과 노동의 고유한 생산자들의 빈곤을 증가시킨다.** 따라서 근대 공업은 소비자가 지불할 능력이 없게 되고, 현존하는 소유관계에서 지속적인 생산이 전적으로 가능하지 않을 지점에 반드시 이를 수밖에 없을 것이다. 이 지점은 **부르주아 사회의 완전한 해체와 함께 그 사회의 소유관계를 종식할 수 있는 공황**이다.

J. G. 에카리우스.‖

G604

690

카를 마르크스/프리드리히 엥겔스

독일 공산당 선언

헬렌 맥팔레인의 독일어 번역과 조지 줄리언 하니의 머리말

Manifesto of the German Communist Party

Übersetzung aus dem Deutschen von Helen Macfarlane

mit Vorbemerkung von George Julian Harney

《더 레드 리퍼블리컨》

제21호, 1850년 11월 9일

|161| 독일 공산당 선언.

(1848년 2월 출판.)

다음 선언은 이후 독일 공산주의자들의 모든 분파가 채택한 것으로 1848년 1월 **카를 마르크스**와 **프리드리히 엥겔스**가 독일어로 작성했다. 이 글은 런던에서 곧바로 독일어로 인쇄되어 2월 혁명(프랑스의 1848년 2월 혁명을 가리킴 — 옮긴이)이 발발하기 며칠 전에 출판되었다. 그러나 2월 혁명이 몰고 온 소요 사태로 당시 유럽의 모든 문명국가의 언어로 이것을 번역하려던 의도는 무산되고 말았다. 프랑스어로는 두 개의 서로 다른 초고 상태의 원고가 존재하는데 현재와 같은 프랑스의 억압적인 법제도하에서는 어느 것도 출판하기 어려워졌다. 영국의 독자들은 이 중요한 문서의 아래와 같은 탁월한 번역을 통해 가장 앞선 독일 혁명가들의 정당 강령과 원칙에 대해 알 수 있게 되었다.

이 선언 전체가 2월 혁명 전에 쓰이고 인쇄되었다는 사실을 잊어서는 안 된다.

무시무시한 유령이 유럽을 배회하고 있다. 우리를 쫓아다니는 이 유령은 공산주의라는 유령이다. 과거를 대표하는 낡은 세력은 모두 이 유령을 매장하기 위한 성전에 참여했다. ─ 교황과 차르, 메테르니히와 기조, 프랑스의 급진주의자와 독일의 경찰이 바로 그들이다. 정권을 잡은 적들에게 공산주의라는 비난을 받아보지 않은 야당이 있는가? 공식적인 적들의 우두머리는 물론 자신보다 더 진보적인 야당의 우두머리에게도 이 파괴적인 비난을 퍼부은 적이 없는 야당이 어디 있는가? 이 사실들을 고려할 때 두 가지 결론이 나온다. Ⅰ. 유럽의 모든 지배 세력은 이미 공산주의도 하나의 세력임을 인정하고 있다. Ⅱ. 지금은 공산주의자들이 공산당의 선언을 통해 전 세계를 향하여 공개적으로 자신들의 목표와 지향성을 설명하고, 공산주의 유령에 대한 이들 유치한 동화에 반대할 가장 좋은 시점이다.

제1장 부르주아지와 프롤레타리아트.

G606

지금까지 모든 사회의 역사는 계급투쟁의 역사이다. 자유민과 노예, 귀족과 평민, 영주와 농노, 길드 장인과 직인, 요컨대 억압자와 피억압자는 항상 서로 직접적으로 대립해왔다. 이들 사이의 투쟁은 때로는 공공연하게 때로는 은밀하게, 끊임없이 이어져왔다. 결코 멈추지 않은 이 투쟁은 언제나 똑같이 사회 체제의 혁명적 변혁을 가져오거나 적대적 계급이 함께 몰락하는 결과를 가져오기도 했다.

이전의 역사적 시기에서 우리는 거의 어디에서나 사회가 계급이나 신분 등 갖가지 등급의 사회적 지위로 세분화된 것을 볼 수 있다. 고대 로마에서는 귀족, 기사, 평민, 노예가 있었고 중세 유럽에서는 봉건영주, 봉신(封臣), 장인, 직인, 농노가 있었으며, 이들 각각의 계급 내부에 다시 등급과 차별이 있었다. 봉건 사회의 폐허에서 싹튼 근대 부르주아 사회, 즉 부르주아 체제(régime)는 계급 적대를 폐지하지 않았다.

그것은 단지 계급과 억압 조건, 그리고 투쟁을 수행하는 형태와 방식을 낡은 것에서 새로운 것으로 바꾸어놓았을 뿐이다. 우리 시대, 즉 중간계급 혹은 부르주아 시대의 특징은 다양한 사회계급들 사이의 투쟁을 극히 단순한 형태로 환원했다는 것이다. 사회 전체는 점점 더 거대한 두 개의 적대적 진영, 즉 부르주아지와 프롤레타리아트로 나뉘는 경향을 보이고 있다.

중세의 농노에서 초기 코뮌(Commune: 중세의 상인과 수공업자가 봉건영주

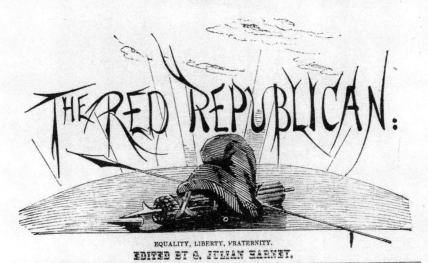

THE RED REPUBLICAN.

EQUALITY, LIBERTY, FRATERNITY.

EDITED BY G. JULIAN HARNEY.

No. 21.—Vol. I.]   SATURDAY, NOVEMBER 9, 1850.   [Price One Penny.

German Communism.

MANIFESTO OF THE GERMAN COMMUNIST PARTY.

(Published in February, 1848.)

THE following Manifesto, which has since been adopted by all fractions of German Communists, was drawn up in the German language, in January 1848, by Citizens *Charles Marx* and *Frederic Engels*. It was immediately printed in London, in the German language, and published a few days before the outbreak of the Revolution of February. The turmoil consequent upon that great event made it impossible to carry out, at that time, the intention of translating it into all the languages of civilized Europe. There exist two different French versions of it in manuscript, but under the present oppressive laws of France, the publication of either of them has been found impracticable. The English reader will be enabled, by the following excellent translation of this important document, to judge of the plans and principles of the most advanced party of the German Revolutionists.

It must not be forgotten, that the whole of this Manifesto was written and printed before the Revolution of February.

A frightful hobgoblin stalks throughout Europe. We are haunted by a ghost, the ghost of Communism. All the Powers of the Past have joined in a holy crusade to lay this ghost to rest,—the Pope and the Czar, Metternich and Guizot, French Radicals and German police agents. Where is the opposition which has not been accused of Communism by its enemies in Power? And where the opposition that has not hurled this blighting accusation at the heads of the more advanced oppositionists, as well as at those of its official enemies?

Two things appear on considering these facts. I. The ruling Powers of Europe acknowledge Communism to be also a Power. II. It is time for the Communists to lay before the world an account of their aims and tendencies, and to oppose these silly fables about the bugbear of Communism, by a manifesto of the Communist Party.

CHAPTER I.

BOURGEOIS AND PROLETARIANS.

HITHERTO the history of Society has been the history of the battles between the classes composing it. Freemen and Slaves, Patricians and Plebeians, Nobles and Serfs, Members of Guilds and journeymen,—in a word, the oppressors and the oppressed, have always stood in direct opposition to each other. The battle between them has sometimes been open, sometimes concealed, but always continuous. A never-ceasing battle, which has invariably ended, either in a revolutionary alteration of the social system, or in the common destruction of the hostile classes.

In the earlier historical epochs we find almost everywhere a minute division of Society into classes or ranks, a variety of grades in social position. In ancient Rome we find Patricians, Knights, Plebeians, Slaves; in mediæval Europe, Feudal Lords, Vassals, Burghers, Journeymen, Serfs; and in each of these classes there were again grades and distinctions. Modern Bourgeois Society, proceeded from the ruins of the feudal system, but the Bourgeois régime has not abolished the antagonism of classes.

New classes, new conditions of oppression, new forms and modes of carrying on the struggle, have been substituted for the old ones. The characteristic of our Epoch, the Era of the Middle-class, or Bourgwoisie, is that the struggle between the various Social Classes, has been reduced to its simplest form. Society incessantly tends to be divided into two great camps, into two great hostile armies, the Bourgeoisie and the Proletariat.

The burgesses of the early Communes sprang from the Serfs of the Middle Ages, and from this Municipal class were developed the primitive elements of the modern Bourgeoisie. The discovery of the New World, the circumnavigation of Africa, gave the Middleclass—then coming into being— new fields of action. The colonization of America, the opening up of the East Indian and Chinese Markets, the Colonial Trade, the increase of commodities generally and of the means of exchange, gave an impetus, hitherto unknown, to Commerce, Shipping, and Manufactures; and aided the rapid evolution of the revolutionary element in the old decaying, feudal form of Society. The old feudal way of managing the industrial interest by means of guilds and monopolies was not found sufficient for the increased demand caused by the opening up of these new markets. It was replaced by the manufacturing system. Guilds vanished before the industrial Middle-class, and the division of labour between the different corporations was succeeded by the division of labour between the workmen of one and the same great workshop.

But the demand always increased, new markets came into play. The manufacturing system, in its turn, was found to be inadequate. At this point industrial Production was revolutionised by machinery and steam. The modern industrial system was developed in all its gigantic proportions; instead of the industrial Middle-class we find industrial millionaires, chiefs of whole industrial armies, the modern Bourgeois, or Middle-class Capitalists. The discovery of America was the first step towards the formation of a colossal market, embracing the whole world; whereby an immense developement was given to Commerce, and to the means of communication by sea and land. This again reacted upon the industrial system, and the developement of the Bourgeoisie, the increase of their Capital, the superseding of all classes handed down to modern times from the Middle Ages, kept pace with the developement of Production, Trade, and Steam communication.

We find, therefore, that the modern Bourgeoisie are themselves the result of a long process of developement, of a series of revolutions in the modes of Production and Exchange. Each of the degrees of industrial evolution, passed through by the modern Middle-class, was accompanied by a corresponding

---

카를 마르크스/프리드리히 엥겔스: 독일 공산당 선언.

헬렌 맥팔레인의 독일어 번역과 조지 줄리언 하니의 머리말.

《더 레드 리퍼블리컨》, 런던, 제21호, 1850년 11월 9일에게서 자치권을 넘겨받은 지역으로 오늘날 근대 도시의 기원이 되었다. ― 옮긴이)의 시민이 생겨났으며 이 도시계급으로부터 근대 부르주아지의 초기 요소들이 발전해갔다. 신대륙의 발견, 아프리카의 일주는 신흥 중간계급에게 새로운 활동 무대를 만들어 주었다. 아메리카의 식민지화, 동인도와 중국 시장의 개방, 식민지 교역, 상품과 교환수단의 전반적인 증가 등은 상업과 해운, 공업 등에 지금까지 한 번도 겪어보지 못한 충격을 주었고, 몰락하고 있던 낡은 봉건적 사회 형태 속에서 혁명적 요소가 급속히 자라나도록 도와주었다. 길드와 독점이라는 수단을 통해 산업적 이해를 추구하던 낡은 봉건적 방식으로는 이들 새롭게 발견된 시장에서 촉발된 시장의 수요 증가를 감당해낼 수 없다는 것이 드러났다. 매뉴팩처 체계(각자 자신의 집에서 작업하던 수공업자들이 상인이 지정하는 작업장에 모여서 함께 작업하는 수공업 체계. 공장제 수공업이라고도 한다. ― 옮긴이)가 그것을 대신하게 되었다. 길드는 공업 부문의 중간계급에 의해 밀려났고 각 작업장들 사이의 분업은 하나의 보다 큰 작업장 내부에서 작업자들 사이의 분업으로 대체되었다.

그러나 수요는 계속 증가했고 새로운 시장들이 움직이기 시작했다. 결국 매뉴팩처로도 감당하지 못할 지경에 이르렀다. 이 지점에서 기계와 증기가 산업 생산을 혁명적으로 변화시켰다. 근대 산업 체계가 엄청난 비율로 발전해나갔고 공업 부문의 중간계급은 산업 백만장자들, 즉 전체 산업 군단의 두목들인 산업 부르주아지로 대체되었다. 이들이 바로 근대 부르주아지 혹은 중간계급 자본가들이다. 아메리카의 발견은 세계 전체를 포괄하는 거대한 시장의 형성을 향한 첫걸음이었다. 그에 따라 상업 부문과 해상과 육상의 통신수단 부문에서 비약적인 발전이 이루어졌다. 이것은 다시 산업 체계에 반향을 일으켰고, 부르주아지의 발전과 자본 증대, 중세부터 내려온 모든 계급의 근대식으로 대체 등은 생산, 무역, 증기, 통신 등의 발전과 함께 보조를 맞추며 진행되었다.

G609

따라서 우리는 근대 부르주아지 자체가 오랜 발전과정의 결과물, 생산방식과 교환방식의 잇따른 혁명의 결과물이라는 것을 알 수 있다. 근대 중간계급에 의해 수행된 산업적 진보의 각 단계는 모두가 그에 상응하는 ||162| 정치적 발전 정도를 수반했다. 이 계급은 봉건 체제(régime)하에서는 억압을 받았고 그런 다음 중세 자치도시들에서는 무장한 자치 연합의 형태를 띠었다. 이들 자치도시는 어떤 나라에서는 상업 공화국 혹은 자유도시의 형태로 존재했고 어떤 나라에서는 군주정에서 납세할 수 있는 제3신분으로 존

694

재했다. 그러다가 매뉴팩처가 지배하던 시기에(증기기관이 도입되기 전) 중간계급은 절대군주 체제에서 귀족의 평형추였고 일반적으로 강력한 군주국가의 토대였다. 최종적으로 근대 산업 체계와 세계적 규모의 시장이 함께 자리를 잡은 이후부터 이 계급은 근대 대의제 국가들에서 독점적인 정치권력을 획득했다. 근대 정부는 한갓 부르주아지 전체의 공동 업무를 관리해주는 위원회에 불과하다.

이 부르주아지는 역사에서 극히 혁명적인 지위를 차지했다. 부르주아지는 주도권을 장악하고 나서 곧바로 사람들 사이의 모든 봉건적, 가부장적, 목가적 관계를 파괴했다. 이들은 "태생적인 상전들"에게 사람들을 묶어두고 있던 갖가지 봉건적 족쇄를 가차 없이 산산조각 내버렸고 노골적인 이기심과 냉정한 현금 지불을 제외하고는 사람과 사람을 연결해주던 모든 끈을 하나도 남김없이 끊어버렸다. 그들은 인간의 존엄성을 시장가치로 바꾸어버렸으며 중세에 어렵게 얻어낸, 문서로 명시된 숱한 자유들을 파렴치한 단 하나의 교환의 자유로 대체해버렸다. 기사적인 열정, 경건한 신앙심은 부르주아지의 이기적 타산이라는 차가운 숨결 앞에서 사라졌다. 요컨대 부르주아지는 종교적, 정치적 환상으로 은폐되어 있던 지난 봉건 시대의 착취제도를 뻔뻔하고 직접적이고 노골적인 착취제도로 바꾸어놓은 것이다. 그들은 인간 활동의 다양한 방식을 에워싸고 있으며 인간들이 존경할 만하고 존경의 대상으로 생각하던 신성한 후광을 벗겨버렸다. 그들은 의사, 법률가, 성직자, 시인, 철학자를 자신들이 고용한 하인으로 만들어버렸다. 그들은 가족 간 유대로부터 섬세한 감상의 장막을 찢어버리고 가족관계를 냉정한 금전관계로 격하해버렸다. 중간계급은 반동주의자들이 그렇게 존경해 마지않던 중세 시대의 무자비한 물리적 위력이 극히 나태한 그들의 생활과 얼마나 딱 들어맞는지를 잘 보여주었다. 그들은 또한 인간의 활동이 무엇을 이룩할 수 있는지도 보여주었다. 그들은 이집트의 피라미드, 로마의 수도교(水道橋), 고딕 성당 등과는 전혀 다른 종류의 기적 같은 일을 성취했고, 이전의 십자군 원정과 민족 대이동(로마의 멸망과 중세 봉건 사회의 기원을 이루는 게르만족의 대이동을 가리킴 ―옮긴이)을 훨씬 능가하는 원정을 수행했다.

부르주아지는 기계와 생산도구를 끊임없이 혁신하는 조건하에서만 존립할 수 있다. 그것은 생산 체계를 끊임없이 변화시키며 이런 변화는 다시 사회제도 전반을 변화시킨다. 반면 낡은 생산방식을 유지하는 것이 이전의 모든 산업계급에게는 생존의 첫째 조건이었다. 끊임없는 생산방식의 변화, 영

G610

속적인 동요 상태와 사회적 불안정은 부르주아 시대를 과거의 모든 시대와 구별 짓는 특징이다. 사람들을 이어주던 오랜 유대와 오랜 견해 그리고 믿음 — 고색창연한 색채로 물든 — 은 급속히 소멸하고 있으며 새롭게 형성된 관계도 단단히 뿌리를 채 내리기도 전에 낡아서 해져버린다. 고정되고 안정된 것들은 모두 사라지고 신성하고 존경받던 것들도 모두 모독당하며 사람들은 자신들의 상호 관계와 삶의 문제를 철저하게 냉엄하고 현실적인 방식으로 바라보지 않을 수 없게 되었다.

자신의 생산물을 판매하기 위한 시장을 끊임없이 확대하려는 욕구 때문에 부르주아지는 전 세계로 내몰리고 있다. 그들은 세계의 모든 곳에 정착지를 만들고, 연결망을 형성하고, 통신수단을 설치하지 않으면 안 된다. 세계 시장에 대한 지배권을 통해 그들은 모든 나라의 생산과 소비에 대해서 범세계적 성격을 부여하려는 경향을 보여왔다. 반동주의자들에게는 매우 유감스럽게도 부르주아지는 근대 산업 체계에서 국민적 토대를 제거해버렸다. 국민적 단위의 낡은 매뉴팩처들은 이미 파괴되었거나 지금도 파괴되고 있다. 이것들은 모두 새로운 방식의 산업들로 대체되었는데 이들 산업의 도입이 모든 문명국가에서 지금 사활이 걸린 문제가 되고 있다. 이들 산업의 원료는 국내가 아니라 멀리 떨어진 다른 나라에서 조달되며 이들의 생산물도 단지 국내 시장에서만 소비되는 것이 아니라 세계 전체에 걸쳐 소비된다. 국내 생산물을 통해 공급하던 국민적 단위의 오래된 수요 대신에 우리는 도처에서 완전히 새로운 수요를 만나고 있는데, 이들 수요는 아주 멀리 떨어진 토양이나 기후 조건에서 생산된 것들에 의해서만 공급될 수 있다. 지방 단위나 국민 단위에 갇힌 낡은 자급자족적이고 고립적인 감정 대신에 우리는 모든 나라 사이의 보편적인 교류와 상호 의존성의 감정을 느끼고 있다. 지적 세계에서도 이것은 마찬가지이다. 개별 국가의 지적 생산물은 세계 전체의 공동 자산이 되는 경향을 보이고 있다. 국민적 편파성과 정신적 한계는 빠르게 지속 불가능한 것이 되어가고, 수많은 국민 단위나 지방 단위의 문학으로부터 하나의 세계 문학이 형성되고 있다. 기계와 교통수단의 끊임없는 개선을 통해 부르주아지는 극히 미개한 야만족들을 문명이라는 마법의 소용돌이 속으로 끌어들인다. 값싼 상품은 만리장성을 무너뜨리는 부르주아지의 대포이며 문명화가 덜 된 나라가 외국인에게 갖는 완고한 반감을 누그러뜨리는 수단이다. 부르주아지는, 그들 사이의 경쟁을 통해, 망하고 싶지 않으면 자신들의 생산 체계를 받아들이라고 강요한다. 그들은 모든 나라에 이른바 문명이라고 하는 것을 받아들이라고, 즉 부르주아지가 되라고 강요한다. 이렇게 이 중간계급은 자기 자신의 모습에 맞게 세계를 새롭게 빚고 있다.

부르주아지는 **농촌**을 **도시**의 지배 아래 종속시켰다. 그들은 거대한 도시들을 만들어냈고, 농업 지역에 비해 공업 부문의 인구를 급속히 증가시킴으로써 인구의 상당 부분을 농촌 생활의 백치 상태에서 구출했다. 부르주아지는 농촌을 도시에 예속시켰을 뿐 아니라 야만 상태이거나 문명화가 덜된 종족을 문명화된 나라에, 농업국가를 공업국가에, 즉 동방 세계를 서방 세계에 의존하게 만들었다. 재산 분할, 생산수단 분배, 인구 분산은 부르주아 체제(régime)하에서 사라진다. 부르주아 체제는 인구를 한군데로 모으고 생산수단을 집중하며 재산을 소수의 개인에게 집중한다. 정치권력의 중앙 집권화는 이것이 만들어내는 필연적인 결과이다. 제각기 다른 이해관계와 별개의 관습적 전통을 가지고 각기 분리된 지방정부에 의해 통치되던 독립된 지방들이 동일한 정부와 법령, 관습적 전통, 관세, 동일한 국민 단위의 계급 이해 등에 의해 통치되는 하나의 국가로 묶이고 있다. 부르주아 체제는 100년도 채 되지 않은 지배 기간에 과거의 모든 세대가 이룩한 것을 전부 합한 것보다 더 큰 거대한 생산력을 창출했다. 자연적 요소들의 정복, 기계의 발전, 농업과 공업 부문에 대한 화학의 응용, 철도, 전신, 증기선, 유럽 대륙 전체의 개발과 개간, 숱한 하천의 운하화, 인구의 증가, 모든 인구의 산업 상비군화, 이 모든 것이 마치 마술처럼 생겨나고 있다! 과거의 어느 세대가 사회 내부에 이런 엄청난 생산력이 잠들어 있다는 것을 상상이나 했겠는가?

중간계급 발전의 토대로 기능한 이들 생산수단과 운송수단이 봉건 시대에서 기원했다는 것을 우리는 살펴보았다. 이들 생산수단이 진화해나가던 어느 지점에서 봉건 사회의 생산제도와 교환제도, 농업 생산과 공업 생산의 봉건적 조직 — 요컨대 봉건적 소유의 조건 — 은 증가한 생산력과 더는 맞지 않게 되었다. 이들 조건은 이제 이 생산력의 장애물로 변했다. 그것들은 분쇄해야 할 족쇄가 되었고 실제로 분쇄되었다. 그것들은 무한 경쟁에 의해 적절한 사회적·정치적 구조, 중간계급의 경제적·정치적 패권으로 대체되었다. 지금 이 순간 우리 눈앞에서 바로 이와 비슷한 운동이 진행되고 있다. 소유의 조건을 완전히 변혁하고 그 어마어마한 생산수단과 운송수단을 만들어낸 근대 중간계급 사회는 마치 어둠의 세력을 일깨워 불러낸 마법사를 닮았지만, 이 마법사는 이 어둠의 세력을 통제할 수도 없고 자신이 필요할 때 그것들을 제거할 수도 없다. 지난 수십 년 동안 공업과 상업의 역사는 근대 산업 체계에 대항하는 근대 생산력의 반란의 역사였다. 그 근대 산업 체계는 바로 근대 소유의 조건이며 중간계급의 지배는 물론 중간계급 자신의 존재를 위해 필수적인 것이다. 이 점을 알리는 데는 주기적으로 발생하면서 중간계급 사회의 존립을 매번 점점 더 위협하고 있는 상업 공황을 언급하는 것만으로도 충분할 것이다. 이런 공황에서는 많은 양의 산업 생산물은 물론 생산력 자체의 대부분이 함께 파괴된다. 사회 전체를 뒤덮는 과잉 생산이라는 전염병이 발생하는데 이 전염병은 이전의 모든 세대에게는 하나의 모순처럼 보였을 것이다. 사회는 갑자기 일시적인 야만 상태로 되돌아가버린다. 기근과 참혹한 전쟁이 생활수단을 깡그리 빼앗아 간 것처럼 보인다. 공업과 상업은 완전히 끝장난 것처럼 보인다. 왜 그럴까? 그것은 사회가 너무 많은 문명, 너무 많은 생활필수품, 너무 많은 산업, 너무 많은 상업을 소유하고 있기 때문이다. 사회가 소유하고 있는 생산력은 이제 더는 중간계급의 소유조건을 위한 수단으로 기능하지 않는다. 오히려 반대로 이 생산력은 이 중간계급의 체제가 감당하기에는 지나치게 강력해져서 이 중간계급의 체제는 이 생산력을 제한하지 않을 수 없게 되었고, 생산력이 이 인위적인 제한을 능가할 때마다 생산력은 부르주아 사회 체제를 위협하고 부르주아적 소유의 존립을 위협한다. 중간계급의 사회 체제는 자신이 창조해낸 부를 품기에는 지나치게 협소해져버렸다. 중간계급은 이들 상업 공황을 극복하기 위해 어떻게 노력하는가? 그들은 한편으로는 대량의 생산력을 파괴하고 다른 한편으로는 새로운 시장을 개척하고 기존의 시장을 더욱 철저히 고갈시켜 이를 극복하고자 노력한다. 이렇게 함으로써 그들은 훨씬 더 넓은 범위에서 훨씬 더 위협적인 공황을 준비하고 그 공황을 극복할 수단을 감소시켜버린다. 중간계급이 봉건제를 타파할 때 사용한 무기가 이제는 중간계급 자신을 향한 무기로 변했다. 그리고 부르주아지는 자신을 파괴할 무기를 준비하고 있을 뿐 아니라 이 무기를 사용할 운명인 사람들도 낳았다. 바로 근대 노동자, **프롤레타리아트**가 바로 그들이다.

《더 레드 리퍼블리컨》
제22호, 1850년 11월 16일

|170| 프롤레타리아트의 발전은 중간계급의 발전, 즉 자본의 발전과 보

조를 같이한다. 근대 노동자는 일자리를 찾아야만 살 수 있고 자신의 노동이 자본을 증식해야만 일자리를 찾을 수 있다. 그때그때 가장 높은 임금을 제시하는 사람에게 자신을 판매해야만 하는 이들 노동자는 다른 상품과 마찬가지로 상품이며 따라서 시장의 온갖 변동에 똑같이 예속되어 있고 경쟁의 영향을 그대로 받는다. 분업과 기계의 확산을 통해 그의 노동은 자신의 개별적 성격을 상실하고 따라서 수행할 흥미도 상실하고 말았다. 그는 기껏해야 기계의 부속품이거나 그 일부분에 지나지 않게 되었으며 그에게 요구되는 것이라곤 피곤하고 따분하며 기계적인 동작뿐이다. 자본가가 이 임금노예에게 지출하는 것은 그를 유지하고 그의 종족을 번식하는 데 드는 비용과 동일하다. 노동의 가격은 다른 상품의 가격과 마찬가지로 그것의 생산에 들어가는 비용과 같다. 그러므로 임금은 노동자가 수행하는 노동이 기계적이고 단조롭고 피곤||171|하며 혐오스러운 것으로 될수록 함께 하락한다. 게다가 기계의 사용과 분업이 증가하는 데 비례하여 노동의 양도 함께 증가하는데 이 노동량의 증가는 노동시간의 증가를 통해서, 혹은 주어진 시간 안에 요구되는 노동량의 증가를 통해서, 혹은 사용하는 기계의 속도가 증가함에 따라서 이루어진다.

근대 산업 체계는 원시적인 가부장제의 장인이 운영하던 조그만 작업장을 부르주아적 자본가가 운영하는 거대한 공장으로 바꾸어놓았다. 많은 작업자가 하나의 작업장에 집결하여 마치 하나의 군대처럼 조직된다. 작업자들은 장교와 하사관의 위계로 이루어진 감독 체계하에 놓인다. 그들은 전체 중간계급(하나의 조직체), 즉 부르주아 정치 체제(régime)의 노예일 뿐 아니라 매일 그리고 매시간 기계의 노예이고 감독자의 노예이며 개별 공장주 부르주아지의 노예이기도 하다. 이 전제주의 체제는 그것이 목적하는 바가 **수익**이라고 공공연히 선언한다는 점에서 더더욱 가증스럽고 야비하고 악랄하다. 작업에 요구되는 물리적 힘과 숙련이 감소해감에 따라, 즉 근대 산업 체계가 발전해감에 따라, 남성의 노동이 여성과 아동의 노동으로 대체된다. 성별과 연령의 차이는 프롤레타리아트 계급에게 아무런 **사회적** 의미를 갖지 못한다. 프롤레타리아트는 그들의 성별과 연령에 따라 비용의 차이가 있을 뿐인 단순한 노동도구에 불과하다. 공장 소유자에 의해 작업자가 충분히 사용되고 나서 작업자가 임금을 받으면 나머지 부르주아지, 즉 집주인, 소매상, 전당포업자 등이 하피(그리스 신화에 나오는 괴물로 여자의 머리에 새의 날개와 날카로운 발톱이 있다. ― 옮긴이)처럼 그에게 달려든다.

소부르주아지, 즉 중간계급의 하위 등급에 속하는 사람들인 영세한 규모의 공장주, 상인, 장사치, 농민 등은 프롤레타리아트로 전락하는 경우가 많은데 이는 이들 영세 자본이 대자본과의 경쟁에서 패퇴하기 때문이거나, 생산방식이 끊임없이 변화하면서 이들이 가지고 있던 특수한 숙련이 쓸모없어지기 때문이다. 이처럼 프롤레타리아트는 인구의 각계각층에서 충원된다.

이들 프롤레타리아트 계급은 여러 발전 단계를 거치지만 중간계급과의 투쟁은 처음 탄생할 때부터 시작되었다. 노동자들을 고용한 중간계급 개개인과 대항하여 처음에는 개별 노동자들이, 다음에는 하나의 작업장에 소속된 사람들 모두가, 그다음에는 같은 지역의 동일한 업종에 속한 사람들이 투쟁했다. 그들은 중간계급의 생산 체계를 공격했을 뿐 아니라 생산도구까지도 공격했다. 그들은 기계는 물론 자신들의 생산물과 경쟁관계에 있는 해외 상품도 파괴했다. 그들은 공장을 불태우고 중세 시대에 생산자들이 차지하고 있던 지위를 되찾으려고 노력했다. 이 발전 단계에서 프롤레타리아트는 조직되지 못한 대중 형태로 전국 곳곳에 분산되어 있고 경쟁관계로 서로 분열되어 있다. 보다 단단한 프롤레타리아트의 단결은 그들 자신의 발전에 따른 결과이기보다는 중간계급의 단결이 만들어낸 결과이다. 왜냐하면 이 단계에서 부르주아지는 자신들의 정치적 목표를 달성하기 위해 전체 프롤레타리아트를 움직여야 하고 또 한동안 이들을 동원할 수 있었기 때문인데, 그 결과 프롤레타리아트는 자신들의 적과 투쟁한 것이 아니라 적의 적, 즉 절대군주제의 잔재, 토지 소유자, 비공업 부문의 부르주아지, 소상인 등과 투쟁했다. 따라서 역사적 운동 전체는 아직 부르주아지의 수중에 집중되어 있고 모든 승리는 그들의 것이다. 그러나 프롤레타리아트의 증가는 생산의 진화와 보조를 같이한다. 노동자계급은 대중을 형성하고 자신의 힘을 알게 된다. 서로 다른 직종 사이의 이해관계와 지위는 비슷해지는데 왜냐하면 기계는 임금을 비슷한 수준으로 만들고 다양한 노동 사이의 차이를 점점 더 감소시키는 경향이 있기 때문이다. 중간계급 사이에 경쟁이 증가하고 그로 인해 빈발하는 상업 공황은 언제나 임금을 더욱 불안정하게 변동시키는 한편 끊임없는 기계의 개선은 프롤레타리아트의 지위를 점점 더 불확실하게 만들고 개별 노동자와 개별 자본가의 충돌은 점점 더 두 계급의 충돌 성격을 띠게 된다. 노동자들은 자본가에게 대항하여 노동조합을 결성하기 시작하고 임금을 인하하려는 위협에 대항하기 시작한다. 그들은 결사체를 만들어 서로를 돕고 그때그때의 봉기를 지원하려고 한다. 여기저기에서 투쟁은 폭동 형태를 띠기 시작한다.

때때로 프롤레타리아트는 일시적으로 승리하기도 하지만 그들의 투쟁 성과는 즉각적인 이익보다는 그들 계급 사이의 단결을 끊임없이 증가시키는 것이다. 이런 단결을 촉진하는 것은 가장 멀리 떨어져 있는 프롤레타리아트들을 서로 연결해주는 근대 산업 체계 내의 교통의 편의성이다. 그러나 이런 연결이야말로 동일한 성격을 가진 숱한 지방 단위의 투쟁들을 하나의 전국적 투쟁으로, 즉 계급적 투쟁으로 바꿀 수 있다. 서로 다른 계급들 사이의 모든 투쟁은 정치적 투쟁이다. 그리고 중세에 몇백 년에 걸쳐 시민이 몇 안 되는 불편한 도로를 통해서 이루어낸 단결을 근대 프롤레타리아트는 철도와 증기선을 이용하여 단 몇 년 만에 이루어낼 수 있게 되었다. 프롤레타리아트를 하나의 계급으로 이와 더불어 하나의 정당으로 조직하는 작업은 경쟁 원리에 의해 끊임없이 파괴된다. 그러나 이 조직화 작업은 항상 다시 출현하고 그때마다 더욱 강력하고 더욱 확대된다. 이 조직화 작업은 **부르주아지** 진영 내부의 분열을 이용하여[1] 가로막혀 있던 프롤레타리아트의 권리들에 대한 법적 승인을 강제한다. 예를 들어 영국의 10시간 법이 바로 그러하다. 지배계급들 내부의 투쟁은 프롤레타리아트의 발전에 도움이 된다. 중간계급은 언제나 끊임없는 전쟁 상태를 겪어왔다. 처음에는 봉건귀족에 대항하는 투쟁, 그다음에는 부르주아지 가운데 산업 체계의 계속적인 발전에 반대하는 이해관계를 가진 분파들에 대항하는 투쟁, 그리고 셋째는 다른 나라들의 **부르주아지**와 대항하는 투쟁이 바로 그것이다. 이 모든 투쟁을 치르는 동안 중간계급은 프롤레타리아트에게 도움을 요청할 수밖에 없었고 그래서 프롤레타리아트를 정치운동 속으로 끌어들일 수밖에 없었다. 따라서 이 중간계급은 자신들의 무기인 교육 훈련이라는 수단을 프롤레타리아트에게 나누어줌으로써 프롤레타리아트가 자신에게 대항할 무기를 제공했다. 게다가 우리가 이미 보았듯이 산업 체계의 발전은 지배계급 가운데 많은 사람들을 프롤레타리아트 계급 속으로 내던지거나 적어도 생계를 유지하기 어렵게 만들었다. 이들은 프롤레타리아트의 발전을 위한 새로운 요소를 이룬다. 마지막으로 계급투쟁의 결전이 임박하면서 지배계급 내에서 — 낡은 정치 체제 내에서 — 매우 급속한 분열과정이 진행되어 이 계급 가운데 작은 분파들이 거기에서 떨어져 나와 미래를 거머쥔 혁명 계급에 합류한다. 앞서의 혁명들에서는 **귀족** 가운데 일부가 **부르주아지**에 합류했고 지금은 **부르주아지** 가운

G614

데 일부가 프롤레타리아트에 합류하고 있는데 특히 부르주아 이념가 혹은 중간계급 사상가들 — 이들은 역사적인 운동 전체에 대한 이론적 지식을 갖춘 사람들이다 — 가운데 일부가 그러하다.

오늘날 부르주아지의 적들 가운데 오직 프롤레타리아트만이 진정으로 혁명적인 계급이다.[2] 사회의 다른 계급들은 모두 근대 산업 체계에 의해 파괴되고 있는데 프롤레타리아트는 바로 이 근대 산업의 독특한 산물이다. 소규모 제조업자, 소매상, 자산가, 농민 등은 모두 소자본가로서의 지위를 지키기 위해 부르주아지에게 대항하여 투쟁한다. 그러므로 그들은 혁명적이지 않고 보수적이다. 심지어 그들은 반동적이기도 하다. 왜냐하면 그들은 역사의 수레바퀴를 거꾸로 돌리려 하기 때문이다. 이러한 하위 계급들이 혁명적으로 되는 경우는 그들이 필연적으로 프롤레타리아트로 흡수된다는 것을 알게 되었을 때이다. 그럴 때 그들은 현재의 이해가 아니라 미래의 이해를 지키게 된다. 즉 그들은 자신들의 계급적 관점을 버리고 프롤레타리아트의 관점을 취하게 되는 것이다.

부랑배(Mob) — 낡은 사회 체제의 최하위 계층을 이루는 부패의 산물 — 는 부분적으로 어쩔 수 없이 혁명적 프롤레타리아트 운동에 합류한다. 그러나 이 계층 사람들의 사회적 지위는 일반적으로 반동주의자들의 음모를 위한 도구로서 언제든지 쉽게 매수될 수 있는 성격을 띤다.

현재 사회를 구성하는 가장 필수적인 조건들은 더는 프롤레타리아트를 위해서 존재하지 않는다. 프롤레타리아트의 존재 자체가 이 필수적인 조건들과 명백하게 모순을 이루고 있다. 프롤레타리아트는 아무 재산도 가지고 있지 않다. 그의 가족관계는 중간계급의 가족관계와 아무런 공통점이 없다. 영국, 프랑스, 아메리카, 독일에 모두 똑같이 존재하는 근대 산업 노동제도, 즉 노동이 자본에 예속된 근대 노예제도는 프롤레타리아트에게서 국민적 성격을 빼앗아버렸다. 법률, 도덕, 종교는 프롤레타리아트에게는 전부 그 속에 중간계급의 이해관계를 은폐하고 있는 수많은 중간계급의 편견들이다. 지금까지의 모든 지배계급은 자신들이 소유하고 그 소유를 증가시키는 조건들을 사회의 나머지 계급들에게 부과함으로써 자신들이 이미 획득한 지위를 유지하려고 노력해왔다. 그러나 프롤레타리아트는 지금까지 승인된 그들 자신의 취득 방식(appropriation), 그리고 그와 함께 과거의 모든 취득 방식을 철폐함으로써만 사회의 생산력 — 노동의 수단 — 을 소유할 수 있다. 프롤레타리아트는 지켜야 할 자기 것을 아무것도 가지고 있지 않다. 그들의 과제는 과거에 존재하던 모든 사적 안전장치와 사적 소유를 파괴하는 것이다. 지금까지 기록된 모든 역사적 운동은 소수파들의 운동이거나 소수파의 이해를 대변하는 운동이었다. 프롤레타리아트의 운동은 엄청난 다수의 이해를 대변하는 엄청난 다수의 독자적인 운동이다. 현재 사회의 최하위 계층인 프롤레타리아트는 자기 위에 자리 잡은 모든 상위 계층을 완전히 걷어치우고 뒤집어엎지 않고는 허리를 펼 수도 일어날 수도 없다.

부르주아지와 대항하는 프롤레타리아트의 투쟁은 내용 ─ 혹은 실질적 ─ 으로는 국민적 투쟁이 아니지만 형식으로는 국민적이다. 모든 나라의 프롤레타리아트는 자기 나라의 부르주아지와 결판을 보아야 한다.

지금까지 우리는 프롤레타리아트의 발전과정을 통해 드러나는 일반적 측면을 묘사하면서 기존 사회의 내부에 거의 은폐된 채로 만연한 내전을 그것이 공개적인 혁명으로 터져 나올 수밖에 없는, 그리고 프롤레타리아트가 부르주아지를 폭력적으로 무너뜨림으로써 자신의 계급적 지배에 도달하게 되는 지점까지 추적했다. 지금까지의 모든 사회 형태는, 우리가 이미 보았듯이, 억압하는 계급과 억압받는 계급 사이의 적대관계에 기초해 있다. 그러나 어떤 계급을 억압하기 위해서는 그 억압받는 계급이 적어도 노예적 생존이나마 계속 이어갈 수 있는 조건이 보장되어야 한다. 중세 농노는 비록 농노제하에서도 자신의 조건을 개선해나갈 수 있었고 코뮌(중세의 자치도시 ─ 옮긴이)의 구성원이 될 수도 있었으며 중세 시민은 봉건적 절대군주제의 멍에 아래 중간계급이 될 수 있었다. 그러나 근대 프롤레타리아트는 근대 산업의 발전과 함께 자신의 조건을 개선해나가기는커녕 나날이 영락하고 있으며 심지어 자신의 계급적 존립 조건보다 더 아래로 영락하고 있다. 프롤레타리아트는 빈민이 되어가는 경향이 있고 빈민은 인구나 부의 증가보다 더 급속히 증가하고 있다. 이런 사실에 비추어 볼 때 중간계급은 이제 더는 사회의 지배계급으로 남아 있을 능력이 없으며 사회에 대해 중간계급의 존립 조건을 사회의 필수적인 조건으로 강요할 수 없다는 것이 드러난다. 이 계급이 사회의 지배계급이 될 수 없는 까닭은, 그 계급이 자신들의 노예제도의 범위 내에서조차도 노예들의 최소한의 생존 조건을 보장할 능력이 없기 때문이며, 또한 노예들이 중간계급을 부양하는 것이 아니라 그들이 노예들을 부양하지 않으면 안 되기 때문이다. 사회는 이제 더는 이 중간계급의 지배하에 존립할 수 없다. 즉 이 중간계급의 존립은 더는 사회의 존립과 양립할 수 없다. 부르주아지의 존립과 지배를 위한 가장 필수적인 조건은 사적 개인의 수

중에 부가 축적되고 자본이 형성되고 증식되는 것이다. 자본이 의존하고 있는 조건은 임금제도이고 이 제도는 다시 프롤레타리아트 서로 간의 경쟁에 기초한다. 그러나 부르주아지가 무의식적으로 그리고 비자발적으로 ||172| 지향하는 근대 산업 체계의 발전은, 프롤레타리아트가 혁명적인 계급적 단결을 통해 자신의 고립적 지위에서 벗어나 경쟁 대신에 연합하도록 만드는 경향이 있다. 그러므로 근대 산업 체계의 발전은 중간계급의 발아래에서부터 그들이 노동의 생산물을 생산하고 자신의 것으로 취득하던 바로 그 토대를 허물어버린다. 따라서 부르주아지는 무엇보다도 그들 자신의 무덤을 파는 사람들을 생산하고 있는 것이다. 부르주아지의 몰락과 프롤레타리아트의 승리는 똑같이 불가피한 일이다.|

G616

《더 레드 리퍼블리컨》

제23호, 1850년 11월 23일

|181| 제2장 프롤레타리아트와 공산주의자.

공산주의자와 프롤레타리아트는 어떤 관계에 있는가? ― 공산주의자는 기존의 다른 노동자계급 정당에 반대하는 별도의 정당을 형성하지 않는다. 공산주의자는 전체 프롤레타리아트의 이해(interest)와 다른 별도의 이해를 갖지 않는다. 그들은 프롤레타리아트 운동을 지도하고 형성해나가고자 하는 별개의 원리를 정하지 않는다. 공산주의자가 다양한 프롤레타리아트 분파들과 구별되는 점은 두 가지이다. 첫째, 서로 다른 **나라들의** 프롤레타리아트 투쟁에서 공산주의자는 프롤레타리아트 전체의 공통된 이해, 즉 모든 국민적 단위의 이해와는 상관없는 별도의 이해를 인식하고 거기에 주의를 기울인다. 둘째, 부르주아지와 프롤레타리아트 사이의 투쟁에서 드러나는 다양한 발전 단계들 전체에 걸쳐서 공산주의자는 언제나 운동 전체의 이해를 대변한다. 요컨대 공산주의자는 모든 나라의 프롤레타리아트 정당들 가운데 가장 앞서 있고 가장 진보적인 분파이다. 그리고 이 분파는 대다수 프롤레타리아트에 비해 이론적인 장점을 가지고 있다. 공산주의자는 프롤레타리아트 운동의 역사적 조건, 그것의 진행, 그리고 전반적인 결과들에 대한 통찰력을 가지고 있다. 공산주의자의 당면 목표는 다른 모든 프롤레타리아트 분파들의 목표와 동일하다. **프롤레타리아트를 하나의 계급으로 조직하는 것, 중간계급의 지배를 와해하는 것, 프롤레타리아트에 의한 정치권력의 장악**이 바로 그것이다.

공산주의자의 이론적 명제는 이런저런 보편적 개량주의자들이 발견한 이념이나 원리에 기초하지 않는다. 그들의 명제는 단지 현실의 조건과 원인, 계급들 사이의 기존의 투쟁, 바로 우리 눈앞에서 진행되고 있는 역사적 운동의 조건을 일반적인 형태로 표현한 것에 지나지 않는다.

기존의 소유조건을 폐지하는 것은 공산주의만의 특징적 성격이 아니다. 그런 모든 소유조건은 많은 역사적 운동의 변화와 활동에 따라 달라져왔다. 예를 들어 프랑스 혁명은 봉건적 소유조건을 타파하고 그것을 부르주아적 소유조건으로 대체했다. 따라서 공산주의를 구별 짓는 것은 **소유 일반의 폐지**가 아니다. 그것을 구별 짓는 것은 **부르주아적 소유의 폐지**이다. 근대 중간계급의 사적 소유는 계급들 간의 적대관계와 소수에 의한 다수의 착취에 기초한 생산과 분배 방식에 대한 최종적이고 가장 완벽한 표현이다. 결국 바로 이런 의미에서 공산주의자는 자신의 이론 전체를 단 하나의 표현으로 집약할 수 있다. **사적 소유의 폐지**가 바로 그것이다.

우리 공산주의자들은 자신의 노동으로 만들어낸 소유 —즉 스스로 획득한 소유이자 모든 개인의 자유와 활동과 자립의 토대—를 철폐하려 한다는 비난을 받아왔다. 스스로 획득한 소유라니! 당신들이 말하는 소유는 현재의 중간계급 소유제도 이전에 있던 소규모 소매상, 도매상, 소농의 소유를 말하는 것인가? 그런 소유는 우리가 타파할 필요가 없다. 근대 산업 체계의 발전이 ||182| 나날이 그것들을 파괴해나가고 있기 때문이다. 그게 아니라면 당신들이 말하는 소유는 중간계급의 소유인가? 임금제도하에서 수행하는 노동은 임금노예, 즉 프롤레타리아트에게 소유를 만들어 주는가? 아니다. 그 노동은 자본, 즉 임노동을 수탈하는 특수한 종류의 소유를 만들어낸다. 왜냐하면 자본은 임노동을 새로 수탈하기 위해서는 새로운 임노동을 만들어내야 하는 조건에서만 증식될 수 있기 때문이다.

현재의 형태에서 소유는 자본과 임노동의 적대관계에 기초한다. 이 대립의 양쪽 측면을 살펴보기로 하자. 자본가가 된다는 것은 생산 체계 내에서 개인적 지위뿐 아니라 사회적 지위도 차지한다는 것을 의미한다. 자본은 집단적 생산물이며 많은 사람의 공동 행동, 더 정확하게 말해서 사회의 모든 구성원의 단결된 노력에 의해서만 사용될 수 있고 움직일 수 있다. 그러므로

G617

자본이 사회 모든 구성원의 공동 소유로 바뀌게 되더라도 그것 때문에 개인적 소유가 사회적 소유로 바뀌지는 않는다. 자본은 이전에는 사회적 소유였다. 그럴 경우 바뀌는 것은 소유의 사회적 성격뿐이다. 소유가 **계급적** 성격을 잃게 되는 것이다. ― 이제는 임노동을 살펴보자. 최저 임금률은 프롤레타리아트 노동의 평균가격이다. 그런데 최저 임금률이란 무엇인가? 그것은 노동자의 노동능력을 유지하는 데 필요한 생산물의 양이다. 임금노예가 자신의 활동을 통해 벌어들일 수 있는 것은 자신의 기본적인 생존을 재생산하는 데 꼭 필요한 정도뿐이다. 우리가 원하는 것은 노동 생산물에 대한 이런 개인적 소유, 즉 다른 사람의 노동에 대해 명령할 수 있는 이윤이나 잉여를 전혀 남기지 않는 소유의 철폐가 결코 아니다. 우리가 원하는 것은 이런 소유의 비참한 곤궁의 성격 ― 생산자가 오로지 자본을 증식하기 위해서만 살아가도록 만들어놓은 소유의 성격, 즉 생산자가 지배계급의 이해에 부합하는 한에서만 생존하도록 만드는 소유의 성격 ― 을 변화시키는 것이다. 중간계급의 사회에서 현실의 살아 있는 노동은 축적된 노동(자본을 가리키는 말 ― 옮긴이)을 증식하기 위한 수단 외에 아무것도 아니다. 공산주의 사회에서는 축적된 노동이 생산자들의 필수적인 생활 조건을 확대하고 증가시키고 다양화하는 수단에 지나지 않는다. 중간계급 사회에서는 과거가 현재를 지배하지만 공산주의 사회에서는 현재가 과거를 지배한다. 중간계급 사회에서 자본은 자립적이며 인격체이지만 노동하는(active) 개인은 예속적이며 인격을 박탈당한다. 중간계급의 옹호자들은 이런 제도를 폐지하자는 것을 인격과 자유를 폐지하는 것이라고 주장한다. 논의의 초점을 **중간계급**의 인격과 자립성, 그리고 그들의 자유의 폐지에 맞춘다면 이들의 주장은 올바르다. 오늘날 중간계급의 생산조건 안에서 자유란 자유로운 거래, 즉 사고파는 자유를 의미한다. 그러나 만일 거래가 모두 없어진다면 자유로운 거래도 함께 없어질 것이다. 자유로운 거래에 대한 주장은 자유 일반을 대상으로 하는 다른 모든 부르주아지의 나머지 주장과 마찬가지로, 중세에 거래를 제한하고 상인을 속박하는 것에 대항할 때에만 의미 있는 것이었다. 이윤에만 몰두하는 중간계급의 생산조건과 중간계급 자체를 공산주의적으로 타파하는 문제와 관련해서는 이들의 주장은 전혀 아무런 의미가 없다. 당신들은 우리가 사적 소유를 폐지하려 한다고 경악한다. 그러나 현재 당신들의 사회 체제하에서는 사회 전체 구성원 가운데 10분의 9에게 사적 소유가 전혀 존재하지 않는다. 사적 소유의 존재는 사회 전체 인구의 10분의 9에게 그것이 존재하지 않는다는 사실을 기반으로 한다. 그래서 당신들은 사회의 압도적 다수에게 아무런 소유도 존재하지 않는다는 사실과 (필요조건으로) 관련된 한 가지 종류의 소유를 폐지하는 것이 우리의 목표라고 우리를 비난한다. 요컨대 당신들은 우리가 **당신들의** 소유를 폐지하려 한다고 우리를 비난한다. 그렇다, 바로 그것이 정확하게 우리가 목표로 하는 것이다.

노동이 이제 더는 자본으로 — 화폐로 혹은 지대로 — 즉 **독점**할 수 있는 G618 사회적 권력으로 전화할 수 없게 되는 순간부터, 다시 말해 개인적 소유가 중간계급의 소유를 이루지 못하게 되는 순간부터 당신들은 개인적 인격이 폐지된다고 주장한다. 따라서 당신들은 당신들에게 인격 일반이라고 하는 것은 바로 부르주아지, 즉 중간계급 소유자의 인격을 의미한다고 인정하는 것이다. 타파되어야 할 것은 정확히 바로 이런 종류의 인격이다. 공산주의는 사회적 생산물을 소유할 권리를 아무에게서도 빼앗지 않는다. 그것은 오로지 다른 사람의 노동에 대한 지배권을 소유할 수 있는 힘을 사람들에게서 빼앗을 뿐이다. 사적 소유가 폐지되고 나면 모든 노동이 중단되고 전반적인 게으름이 사회에 만연하게 될 것이라고 주장하는 사람들이 있다. 만일 이 견해가 그대로 사실이라면 중간계급 사회는 오래전에 게으름으로 인해 결딴이 나버렸어야만 한다. 왜냐하면 그 사회의 구성원들 가운데 노동하는 사람은 아무것도 취득하지 못하고, 무언가를 취득하는 사람은 전혀 노동하는 사람이 아니기 때문이다. 이 주장은 자본이 존재하지 않으면 곧바로 임노동도 존재하지 않게 될 것이라는 동어반복의 전제에 기초한다.

물적 생산물을 생산하고 분배하는 공산주의 방식에 제기되는 반론들은 지적 생산물의 생산과 분배에 대해서도 똑같이 제기되어왔다. 부르주아지가 보기에는 계급적 소유의 타파가 곧 소유의 폐지이듯이 계급 문명의 폐지도 이들이 보기에는 똑같은 방식으로 문명 일반의 폐지와 동일하다. 그가 그 소멸을 애석해하는 문명이란 단지 인간을 기계로 교화하기 위한 것일 뿐이다.

중간계급의 소유를 폐지하자는 우리의 주장을 자유, 문명, 법제 따위의 당신들 중간계급의 개념으로 평가하려면 우리와 논쟁을 하지 말라. 당신들의 법제라는 것이 법령의 존엄성을 내세우려는 당신들의 의지 — 그 의지의 주체가 당신들 계급의 경제적 조건을 통해서 주어지는 — 에 불과한 것과 마찬가지로, 당신들이 내세운 개념들은 소유와 생산에 대한 중간계급의 조건이 만들어낸 필연적인 결과물이다. 문제를 바라보는 이기적인 사고방식 —

당신들의 경우 생산과 소유에 대한 당신들의 일시적인 조건을 영원한 이성과 자연의 법칙으로 혼동하는 사고방식 — 은 모든 지배계급에 공통된 것이다. 당신들이 고대의 소유와 봉건적 소유에 대해서 이해하고 있는 것으로는 근대 중간계급의 소유에 대해서는 이해할 수 없을 것이다. 가족관계의 타파! 대다수의 급진주의자들조차도 공산주의자들의 이 부도덕해 보이는 주장에 충격을 받는다. 가족관계에 대한 현재의 부르주아 제도는 어디에 토대를 두고 있는가? 그것은 자본에, 사적 이득에, 이윤의 탐닉에 기초하고 있다. 그것의 가장 완벽한 형태는 부르주아지에게만 존재하고, 그것은 또한 프롤레타리아트에게 강요된 독신 생활과 공창(公娼)제도를 자신과 잘 어울리는 보완물[3]로 거느리고 있다. 부르주아 가족제도는 당연히 이 보완물과 함께 소멸하며 이들 둘 모두의 폐지는 자본의 폐지와 관련되어 있다. 당신들은 우리가 부모의 아동 착취를 폐지하려는 것을 비난하는가? 우리는 이 죄를 인정한다. 당신들은 또한 우리가 현재의 사적인 가정 교육제도를 공적인 사회적 교육제도로 대체함으로써 가장 깊은 정으로 맺어진 관계를 폐지하려 한다고 비난하는가? 그런데 당신들의 교육제도도 사회적으로 결정되는 것이 아닌가? 즉 사회적 조건에 의해서, 당신들이 교육하는 범위 내에서, 당신들의 학교 따위의 수단을 통해서 어느 정도 사회의 직접적인 영향을 받아서 결정되는 것이 아닌가? 공산주의자들은 교육에 대한 사회의 영향을 새롭게 G619 발명하려는 것이 아니다. 그들은 단지 그 영향의 성격을 바꾸려고 할 뿐이며 교육을 지배계급의 영향에서 구출하려는 것뿐이다. 가족관계, 교육, 부모와 자식 간의 애틋한 정에 대한 중간계급의 시답잖은 소리들은 근대 산업 체계의 확대와 함께 프롤레타리아트의 가족관계가 산산조각 나고 그들의 아이들이 기계로, 상품으로 변모할수록 점점 더 역겨운 것이 되어간다. 그런데 너희는 부인 공유제를 도입하려는 것이 아니냐고 중간계급 전체는 비극적인 합창을 하듯 외친다. 부르주아지는 자신의 아내를 단순한 생산도구로 간주한다. 그는 생산도구가 공동으로 이용되어야 한다고 듣고 있는데 그렇다면 당연히 여성도 다른 기계와 마찬가지의 운명에 놓일 것이라고 생각할 것이다. 그러나 그는 진짜 중요한 문제가, 바로 단순한 생산도구로만 여겨지는 여성의 지위를 폐지하는 것임을 꿈에도 생각하지 못한 것이다. 게다가 공산주의자들 사이에서 부인 공유제가 마치 공식적인 견해인 것처럼 얘기하며 그것에 대해 부르주아지들이 도덕적, 종교적으로 극도의 경악을 금치 못하는 것보다 더 웃기는 일은 없을 것이다. 우리는 부인 공유제의 도입을 요구한 적이 없다. 부인 공유제는 언제나 존재해왔다. 당신들 중간계급 신사분들께서는 자신의 임금노예의 부인과 딸을 마음대로 희롱하는 것으로도 모자라─숱한 공창들은 말할 것도 없고─서로(부르주아지들을 가리킴─옮긴이)의 아내들까지 즐겨 유혹하는 유별난 행태를 보이고 있다. 중간계급의 결혼제도는 사실상의 부인 공유제이다. 우리는 기껏해야 지금과 같이 비열하고 위선적이며 은밀한 종류의 부인 공유제를 공개적이고 투명한 부인 공유제로 대체하기를 원한다고 비난을 받을 수 있을 뿐이다. 그러나 만일 지금의 생산조건이 사라진다면 그와 함께 이 생산조건에서 생겨난 부인 공유제, 즉 공식적·비공식적 성매매도 사라진다는 것은 자명한 일이다.

다음으로 공산주의자들은 국민감정인 애국심을 없애려 한다는 비난을 받고 있다. 프롤레타리아트에게는 조국이 없다. 가지고 있지도 않은 것을 빼앗을 수는 없는 법이다. 프롤레타리아트가 정치권력을 장악하는 날에는 이 계급은 국민적 계급이 되며 스스로 바로 그런 점에서, 비록 중간계급이 말하는 바의 의미는 아닐지라도, 궁극적으로 국민적 성격을 띠게 될 것이다. 유럽 국가들 사이에서 드러난 국민적 분열과 적대관계는 부르주아지의 발전을 통해, 자유무역의 영향과 세계적 단위로 형성된 시장, 그리고 근대적 생산방식과 현재의 산업 체계에서 만들어진 근대적 생활 조건의 획일성과 함께 이미 소멸의 길을 향하고 있다.

프롤레타리아트의 지배는 이런 국민적 특수성의 소멸을 촉진할 것이다. 왜냐하면 적어도 문명화된 모든 나라 프롤레타리아트의 단결된 행동은 프롤레타리아트 해방을 위한 첫째 조건이기 때문이다. 한 사람에 의한 다른 사람의 착취가 소멸해가는 것과 같은 속도로 한 국민의 다른 국민에 대한 착취도 소멸해갈 것이다. 국가 상호 간의 적대적인 태도는 각 국가 내부에서 분열된 계급 적대관계와 함께 폐지될 것이다.

신학적, 철학적, 이데올로기적 관점에서 제기되는 공산주의에 대한 비난은 별로 자세히 논의할 만한 가치가 없다. 우리의 이념, 개념, 견해 등 요컨대 인간의 **의식**에서 일어나는 변화가 그 사람의 육체적 실존의 조건, 그 사람의 사회적 관계와 지위에서 일어나는 모든 변화에 따라 함께 변한다는 사실을 인식하는 데 무슨 특별한 지적 수준이 필요하겠는가? 이념의 역사는 지적 생산이 언제나 물질적 생산의 변화와 함께 변화한다는 사실을 그대로 보여주지 않는가? 어떤 시대이든 그 시대를 지배하는 이념은 지배계급의 이념이다. 당신들은 사회를 변혁한 이념들에 대해서 말하고 있다. 그러나 당신들이

G620

말하고 있는 것은 단지 낡은 사회 형태 내부에서 새로운 사회 형태의 요소들이 형성되고 있었으며 낡은 이념의 폐기는 낡은 사회생활의 조건의 해체와 보조를 같이해왔다는 사실뿐이다. 고대 세계가 생명이 다했을 때 기독교는 고대 종교를 물리치고 승리를 거두었다. 기독교 교의가 18세기 계몽주의에 무릎을 꿇었을 때 봉건 사회는 혁명적 부르주아지와 대항하여 마지막 안간힘을 쓰고 있었다. 종교의 자유와 사상의 자유를 내세우는 이념은 지적 영역과 종교적 영역의 온갖 사안들과 자유무역에서의 무한 경쟁을 표현한 것이었다. 그런데 당신들은 이렇게 말하고 있다. 즉 신학적, 도덕적, 철학적, 정치적, 법적 이념은 ||183| 역사 발전 과정에서 계속 변화되어왔다. 하지만 종교, 도덕, 철학, 정치학, 법학은 어느 시대에나 늘 존재했다. 그뿐 아니라 우리는 자유, 정의 같은 어떤 영원한 이념들이 존재한다는 것을 알고 있다. 이런 것들은 온갖 다양한 시대와 사회 상태에서 모두 공통된 것이다. 그런데 공산주의는 이들 영원한 진리를 폐지하려 한다. 그것은 종교와 윤리에 대해 단지 그것의 형태만 새롭게 부여하는 것이 아니라 그것들 자체를 아예 폐지해버리려 한다. 따라서 공산주의는 과거의 모든 역사 발전 방식과 모순된다고 당신들은 말한다. 그런데 이런 비난은 결국 무엇으로 귀착되는가? 지금까지 모든 사회 상태의 역사는 단지 계급적 적대관계의 역사에 지나지 않으며, 이런 적대관계는 각기 다른 조건하에서의 투쟁으로 나타나고 각 역사적 시기마다 제각기 다른 형태를 취해왔다. 이들 적대관계가 어떤 형태를 취하든 사회의 일부가 다른 일부를 수탈해왔다는 것은 모든 과거 역사에서 공통된 하나의 사실이다. 그렇기 때문에 사회제도가 아무리 복합적이고 다양하다 할지라도, 지나간 시대의 모든 사회적 의식은 하나의 공통된 기반을 가지고 있으며, 계급 적대관계의 소멸과 함께 완전히 소멸할 운명을 가진 어떤 공통의 사상 형태 속에서 움직이고 있다는 사실은 전혀 놀라운 일이 아니다. 공산주의 혁명은 전통적인 소유관계와의 가장 철저한 결별이며 따라서 그 혁명의 진행이 전통적 이념과의 완전한 결별로 이어지리라는 것은 전혀 놀라운 일이 아니다.

이제 공산주의에 대한 중간계급의 비난에 대해서는 여기에서 끝을 맺어야겠다. 우리는 앞서 프롤레타리아트 혁명의 첫걸음이 민주주의의 쟁취와 **프롤레타리아트를 지배계급으로 끌어올리는 것**이라는 점을 살펴보았다. 프롤레타리아트는 자신의 정치권력을 이용하여 중간계급에게서 자본에 대한 지배권을 빼앗고 모든 생산수단을 국가의 수중으로, 즉 지배계급으로 조직된 프롤레타리아트 전체의 수중으로 집중하며, 생산력의 규모를 가장 빠른 속도로 증대할 것이다. 물론 이런 것이 실현될 수 있으려면 처음에는 소유권과 중간계급의 생산조건에 대해 강제적인 방식으로 개입해야 한다는 것은 당연한 일이다. 즉 사실상 경제적으로 볼 때 불충분하고 불안정한 것처럼 보이는 규제 조치들, 따라서 혁명 과정에서 보다 급진적인 조치들이 뒤따를 필요가 있는 정책 수단이면서 동시에 생산방식의 철저한 변화를 지향하는 수단으로서 반드시 필요한 정책 수단에 의해 개입해야 한다. 물론 이들 규제 조치는 각 나라마다 서로 다를 것이다. 하지만 가장 선진적인 나라들에서는 다음과 같은 조치들이 가장 일반적으로 적용될 수 있을 것이다.

1. 토지 소유권의 몰수와 지대를 국고로 편입.

2. 고율의 누진적 소득세.

3. 상속권 폐지.

4. 모든 국외 이민자와 반역자의 재산 몰수.

5. 배타적 독점권과 국가 자본을 가진 국립 은행을 통하여 모든 신용을 국가 수중으로 집중.

6. 모든 교통 및 운송 수단을 국가 수중으로 집중.

7. 공장과 생산수단의 국가 소유 확대, 공공 계획에 따른 황무지 개간과 토지 개량.

8. 모든 사람에게 동등한 노동의 의무. 산업 군대, 특히 농업 부문의 산업 군대 창설.

9. 공업과 농업의 결합. 도시와 농촌의 대립을 점진적으로 폐지하기 위해.

10. 모든 아동의 무상 공교육, 현재와 같은 형태의 아동의 공장 노동 폐지, 유사한 성격의 다른 조치로 교육과 물질적 생산의 결합.

계급 차별이 최종적으로 소멸한다면 생산은 나라 전체를 아우르는 이 연합의 수중에 집중될 것이고 공권력은 그 정치적 성격을 잃게 될 것이다. 말 그대로 엄밀한 의미에서 정치권력이란 그것이 하나의 계급에 의해 조직된 권력일 경우 다른 계급을 억압하는 데 사용될 수 있다. 프롤레타리아트가 부르주아지와 투쟁하는 과정에서 필연적으로 하나의 계급으로 단결한다면, 그리하여 그것이 혁명을 통해 지배계급이 된다면, 그리고 바로 그런 지배계급으로서 강제력을 동원하여 낡은 생산조건을 폐지한다면, 그것은 필연적으로 이들 생산조건, 즉 모든 계급 적대의 존재 조건, 계급 일반의 존재 조건을 폐지하는 것이며, 따라서 그것은 하나의 계급으로서 자신의 지배적 상태

를 폐지하는 것이 된다. 계급과 계급 적대관계로 이루어진 낡은 부르주아 사회는 하나의 **연합체**로 대체될 것인데 **이 연합체에서는 各 個人의 자유로운 발전이 모든 사람의 자유로운 발전의 조건이 될 것이다.**|

《더 레드 리퍼블리컨》

제24호, 1850년 11월 30일

|189| 제3장 사회주의와 공산주의 문헌.

I. 반동적 사회주의.

a. 봉건적 사회주의

프랑스와 영국의 귀족은 자신들의 역사적 지위 때문에 일정 시점에 근대 부르주아 사회 체제에 대항하는 팸플릿을 써야 할 시대적 과제를 가지고 있었다. 이들 귀족은 (프랑스의 ― 옮긴이) 1830년 7월 혁명에서, 그리고 영국의 선거법 개정 운동(1832년 부르주아지 상층부가 선거권을 얻게 된 운동을 가리킴 ― 옮긴이)에서 가증스러운 벼락부자 나부랭이들에게 또다시 패배했다. 진지한 정치투쟁에 대해서는 더 말할 필요도 없었다. 그들에게 이제 남은 것은 글로 싸우는 투쟁뿐이었다. 그러나 글의 영역에서도 왕정복고 시절에 유행했던 낡은 방식의 글은 이제 더는 통용되지 않았다. 공감을 불러일으키기 위해 귀족은 자신들의 이해와는 아무런 관련이 없는 척하면서 오로지 착취당하는 프롤레타리아트의 옹호자로서 부르주아지에 대한 고발장을 쓰는 척했다. 그리하여 귀족은 다가올 비극에 대한 풍자와 불길한 예언을 통해 자신들의 새로운 주인에게 복수를 했던 것이다. 봉건적 사회주의는 이런 식으로 생겨났다. 그것은 반쯤은 비가로, 반쯤은 비방으로, 반쯤은 과거의 메아리로, 반쯤은 미래에 대한 위협적인 예언으로, 때로는 부르주아지의 간담을 서늘하게 만드는 신랄한 풍자나 매서운 독설로 무장하고 있었지만 언제나 변함없이 근대 역사의 진행 방향을 전혀 이해하지 못하는 우스꽝스러운 모습을 동반하고 있었다. 봉건적 사회주의는 지지 세력을 모으기 위해 프롤레타리아트의 동냥 주머니를 허공에 흔들어댔다. 그러나 어쩌다 그들에게 모여든 사람들은 언제나 그들의 등 뒤에서 낡은 봉건적 무기와 장식들을 보고는 큰 소리로 무례하게 깔깔거리고는 금방 그들에게서 등을 돌리고 말았다. 프랑스의 정통 왕조파 일부와 청년 영국파가 이러한 희극을 보여주었다.

봉건주의자들은 자신들의 착취방식(**한 계급에 의한 다른 계급의 착취**)이 부르주아지의 방식과 다르다고 주장할 때 자신들의 방식이 이제는 시대에 뒤떨어진, 따라서 결코 다시 돌아올 수 없는 환경과 조건에서만 사용될 수 있는 것이라는 사실을 까맣게 잊고 있다. 그들은 자신들이 지배계급이었을 때에는 근대 프롤레타리아트가 존재하지 않았다고 주장하면서 근대 부르주아지가 바로 자신들의 사회질서에서 필연적으로 탄생한 존재라는 사실을 잊고 있다. 게다가 그들은 자신들의 비판의 반동적 성격을 거의 감추지 않아서, 부르주아 체제(régime)가 낡은 사회 형태와 제도를 한꺼번에 폐기해버릴 운명을 가진 한 계급을 창출해내고 있다고 비난을 퍼붓기도 한다. 게다가 문제는 부르주아지가 프롤레타리아트를 창출해냈다는[4] 것이 아니라 그 프롤레타리아트가 혁명적이라는 것이다. 그래서 그들은 정치적 실천에서 노동자계급에 반대하는 온갖 반동적 조치들에 참여한다. 그리고 일상생활에서는 호언장담을 일삼으면서 막상 돈이 되는 과실은 모두 챙기려 하고 양모, 정육업자의 고기, 곡물 등의 밀거래를 위해 기사도, 진실한 사랑, 명예 따위를 쉽게 내던져버린다. 성직자가 언제나 봉건영주와 손을 잡았듯이 성직자 사회주의는 봉건적 사회주의와 손을 잡는다. 기독교 금욕주의에 사회주의의 색깔을 입히는 것보다 더 쉬운 일은 없다. 바로 기독교 자체가 원래 사적 소유, 결혼, 권력에 반대하지 않았던가? 이것들 대신에 기독교는 자선, 탁발, 독신, 육신의 고행, 수도원 생활, 교회의 지배 등을 떠받들지 않았던가? 신성한 사회주의는 귀족의 무능한 분노에 성직자가 뿌려주는 성수(聖水)에 불과하다.

b. 소부르주아(Shopocrat)* 사회주의.

봉건귀족이 부르주아지에 의해 타파된, 그리고 앞으로 타파될 운명인 유일한 계급은 아니다. 즉 근대 중간계급의 제도하에서 그 존재 조건이 고갈되

---

* 이 말의 어원은 *Kleinbürger*(소부르주아지)로서 소시민(small burghers) 혹은 시민(citizens)이라는 뜻이다. 일반적으로 영세한 규모의 자본가들, 즉 소농, 소규모 매뉴팩처, 소매상을 모두 아우르는 하나의 계급을 가리킨다. 영국에서는 소매상이 이 계급의 지배적인 요소를 이룬다. 나는 독일어 용어를 표현하기 위해 *Shopocrat*(소부르주아지)라는 용어를 선택했다. ─ **번역자 맥팔레인의 주**.

고 소멸하게 될 유일한 계급이 아니다. 중세의 자치도시 시민(burgess)과 요면(yeoman: 중세 말기 영국에서 등장한 자영농. 상당수가 나중에 부르주아 계급으로 발전했음 ─ 옮긴이)은 근대 중간계급의 선구자였다. 산업과 상업의 발전 수준이 낮은 나라들에서 이들 중간계급은 한창 자라나고 있는 부르주아지와 함께 여전히 근근이 연명하고 있다. 근대 문명이 발달한 나라들에서는 새로운 중간계급이 형성되고 있었는데 이들은 부르주아지와 프롤레타리아트 사이를 떠돌며 부르주아 사회의 한 구성 요소로서 끊임없이 새롭게 거듭나고 있었다. 하지만 이 계급에 속한 사람들은 계속해서 프롤레타리아트로 전락할 수 있는 경쟁에 내몰려 있고, 근대 산업 체계의 발달과 함께 결국은 완전히 소멸하고 이들 소자본가의 자리는 상업, 공업, 농업 부문의 관리자나 집사로 대체될 것이다. 소규모 자유토지소유농이 인구의 절반을 훨씬 넘게 차지하는 프랑스 같은 나라에서는 프롤레타리아트를 편들면서 부르주아지에게 대항하는 저술가들이 소자본가의 기준에서 부르주아 체제(régime)를 평가하고 소자본가의 관점에서 프롤레타리아트 문제를 생각하는 것이 당연한 일이었다. 소부르주아 사회주의는 이런 식으로 생겨났다. 프랑스는 물론 영국에서도 이 학파의 우두머리는 시스몽디이다. 이 사회주의 학파는 근대 생산 체계를 매우 정확하게 해부했으며 그 체계에 포함된 오류들을 폭로했다. 이 학파는 경제학자들의 위선에 찬 변명들을 모두 까발렸다. 그들은 기계와 분업의 파괴적인 작용, 자본과 토지의 소수 수중으로의 집중, 과잉 생산, 상업 공황, 소자본가들의 필연적인 몰락, 프롤레타리아트의 빈곤, 생산의 무정부 상태, 부의 분배의 터무니없는 불균형, 나라들 사이의 파괴적인 산업 전쟁, 낡은 관습과 가부장적 가족제도와 국민성의 해체 등을 속속들이 반박할 여지 없이 보여주었다. 그러나 실천적 측면에서 소부르주아, 소자본가 사회주의는 낡은 생산과 교류 방식은 물론 이들과 함께 낡은 소유조건과 낡은 사회 전체를 복원하려 하거나, 근대적인 생산과 교류 수단을 이런 낡은 소유조건 ─ 이 소유조건은 현실에서 바로 이들 수단에 의해 폐지되었고 또한 필연적으로 폐지될 운명이었다 ─ 의 틀에 강제로 가두어두려고 한다.[5] 이 두 경우 모두를 통해서 소부르주아 사회주의는 반동적이면서 동시에 유토피아적인 성격을 보여준다. 공업 부문의 조합과 길드제도, 농업 부문의 가부장적이고 목가적인 제도들, 그것이 이 사회주의의 아름다운 이상이다. 이 사회주의는 어리석게도 과거를 한탄하면서 시들어 스스로 말라 죽고 말았다.

c. 독일 사회주의 혹은 "진정한" 사회주의.*

부르주아 체제(régime)하에서 비롯된 프랑스 사회주의와 공산주의 문헌들은 중간계급의 지배에 대항하는 투쟁의 문헌적 표현이었다. 이들 문헌이 독일에 소개된 것은 부르주아지가 봉건 전제주의에 대항하여 자신들의 투쟁을 막 시작했을 시기였다. 독일의 철학자들 — 반쯤은 철학자이고 반쯤은 문학자인 — 은 이들 문헌에 열광적으로 심취했지만, 이들은 이 프랑스 문헌들이 독일에 소개될 때 프랑스 사회와 프랑스 계급투쟁의 선진적인 상태는 당연히 함께 수입된 것이 아니라는 사실을 까맣게 잊고 있었다. 이들 프랑스 문헌은 독일의 사회적 발전 국면과 만나는 순간 그것의 즉각적인 실천적 의미를 모두 잃고 순수하게 문학적 의미만 띠게 되었다. 그것들은 가능한 최선의 사회 상태, 진정한 인간 본성의 실현에 대한 한가로운 사변 이외에 다른 것이 될 수 없었다. 18세기 독일 철학자들도 이와 비슷한 방식으로 첫 번째 프랑스 혁명(1789년 혁명을 가리킴 — 옮긴이)의 요구를 일반적 의미에서 "실천이성"의 요구로 간주했고, 프랑스의 혁명적 부르주아지의 의지는 그들이 보기에 순수 의지 — 마땅히 그렇게 되어야만 할 자유 의지, 인간 내면의 본성 — 의 법칙에 따른 것이었다. 독일 문학자들에게 가장 중요한 문제는 새로운 프랑스의 이념을 자신들의 낡은 철학적 양심과 일치시키거나 아니면 아예 자신들의 철학적 관점을 그대로 유지한 채 프랑스의 이념을 습득하는 것이었다. 이런 습득은 외국어를 배워나가는 것과 동일한 방식으로, 즉 번역을 통해서 이루어졌다. 중세 수도사들이 그리스와 로마의 고전 초고들을 어떻게 다루었는지는 잘 알려져 있다. 그들은 어이없게도 이들 원본에 가톨릭 전설들을 덧씌웠다. 독일 문학자들은 세속적인 프랑스 문헌을 이와 정반대 방식으로 다루었다. 그들은 프랑스의 원본 뒤에 자신들의 철학적 헛소리를 써넣었다. 예를 들어 근대 화폐제도에 대한 프랑스의 비판 뒤에 이들은 "인간 본성의 소외"라고 썼으며, 부르주아 체제(régime)에 대한 프랑스의 비판 뒤에 "절대자의 지배의 파괴"라고 썼다. 이들은 프랑스의 이념에 이처럼 자신들의 철학적 표현 양식을 끼워 넣는 세례를 베풀면서 다양한 이름을 갖다 붙였다. "행동의 철학", "진정한 사회주의", "독일 사회주의 철학",

G624

---

* 이 장에서 다루게 될 이 저술가들은 스스로 자신들의 이론을 **진정한 사회주의**라고 부르는 사람들이다. 따라서 이 장을 읽고 나면 독자들은 이들의 명칭에 동의할 수 없게 되겠지만 그것은 『공산당 선언』 저자의 잘못은 아니다. — **번역자 맥팔레인의 주**.

"사회주의의 철학적 정초" 따위가 바로 그것이다. 프랑스 사회주의와 공산주의 문헌들은 이런 식으로 완전히 내용이 제거되고 껍질만 남았다. 그리고 이들 프랑스 문헌이 독일 사람들의 손에서 한 계급이 다른 계급에 대항하는 투쟁을 더는 표현하지 않게 되면서 독일 사람들은 자신들이 프랑스의 일면성을 극복했다고 생각했다. 즉 그들은 자신들이 진정한 이해(利害)와 욕구 대신 추상적 진리의 이해와 욕구를, 프롤레타리아트의 이해 대신 인간 본성[6]의 이해를, 즉 어떤 계급에도 속하지 않고 지상의 어떤 나라에도 속하지 않는 —철학적 상상의 모호하고 먼 영역에 속하는— 인간의 이해를 대변한다고 생각했다. 이처럼 가식적인 엄격함으로 꾸며진 유치한 주제들로 구성된 독일 사회주의는 거리를 휘저으며 목청껏 떠들어대다가 점차 본래의 현학적이고 본원적인 순진성을 잃어나갔다. 봉건제와 절대 왕정에 대항하는 독일 사람들의 투쟁, 특히 프로이센 부르주아지의 투쟁, 한마디로 말해 자유주의 운동은 점점 ||190| 진지해져갔다. 진정한 사회주의는 이제 그토록 간절히 원하던 기회, 즉 현실의 정치운동에 대항하여 사회주의적 요구를 내세울 절호의 기회를 잡았다. 즉 자유주의, 입헌 정부, 부르주아적 경쟁과 자유무역, 부르주아적 언론의 자유, 부르주아적 법률, 부르주아적 자유와 평등 따위에 대하여 전통적인 방식으로 종교적 이단이라는 낙인을 찍고 이 중간계급의 운동으로는 아무것도 얻지 못하고 모든 것을 잃게 된다고 대중에게 설교할 수 있는 기회를 잡았던 것이다. 그러나 바로 이 결정적 시점에서 독일 사회주의가 잊고 있었던 것은, 그들이 그대로 베낀 프랑스 문헌들의 주장이 근대의 중간계급 사회 체제와 함께 거기에 상응하는 물질적 사회생활 조건과 적절한 정치제도를 전제로 했고 바로 이런 전제들이 독일에는 전혀 존재하지 않으며 중간계급 운동이 스스로 쟁취한 것이라는 사실이었다. 독일 사회주의는 독일의 전제군주와 그들의 추종자들 —성직자, 교사, 관료, 시골의 배불뚝이 대지주— 에 의해 혁명적 중간계급을 겁주기 위한 허수아비로 이용되었다. 그것은 이 독일 정부가 독일 최초의 프롤레타리아트 무장봉기에 총알과 채찍으로 대응한 다음 뒷일을 마무리하는 데 사용하기 좋은 수단이었다. 이처럼 "진정한 사회주의"는 독일 부르주아지와 대항하는 정부를 도와주는 데 사용되기도 했지만 동시에 독일의 소자본가와 소상인의 반동적 이해를 곧바로 대변하기도 했다. 독일에서는 기존의 사회 상태를 받쳐주는 실제적인 사회적 토대가 16세기부터 살짝살짝 형태만 바꾸어가면서 계속 존속해오던 바로 이 계급이었다. 이 계급이 유지된다는 것은 독일에서

기존 질서가 유지된다는 것을 의미했다. 부르주아지의 산업적·정치적 지배는 한편으로는 자본의 집중에 의해, 그리고 또 다른 한편으로는 혁명적 프롤레타리아트의 창출을 통해 이 중간계급의 소멸로 이어지는 것이었다. 독일 사회주의 혹은 "진정한" 사회주의는 이들 소상인에게는 일석이조의 효과를 노릴 수 있는 수단으로 보였다. 그것은 전염병처럼 퍼졌다. 독일 사회주의자들은 과장된 수식어와 역겨운 감상주의로 군데군데 장식을 달고 사변적인 거미줄로 만들어진 권위를 가지고 앙상하게 뼈만 남은 그들의 영원한 절대적 진리를 포장하여 독일 대중 사이에서 자신들의 상품에 대한 수요를 늘렸다. 그리고 독일 사회주의자들은 독일 소부르주아지의 자랑스러운 대변자가 되는 것이 자신의 적절한 사명이라는 것을 충분히 인식하고 있었다. 그들은 독일 민족이 민족의 전형이며 독일 사람이 인간의 전형이라고 주장했다. 그들은 이 독일 사람들의 온갖 비열한 속성이 정반대의 의미로 해석되도록 거기에 은밀한 사회주의적 의미를 부여했다. 이들은 공산주의의 파괴적 경향에 정면으로 반대하면서 모든 계급 적대관계에 대한 자신들의 숭고한 중립성을 내세움으로써 자신의 한계에 도달했다. 독일에서 유통되고 있는 이른바 사회주의와 공산주의 출판물들은 극소수의 예외를 제외하고 모두 이 학파에서 유래된 것들로 아무런 쓸모도 없는 쓰레기들이다.

II. 보수적 혹은 부르주아 사회주의.

부르주아지 가운데 일부는 중간계급 사회의 존립을 보장하기 위해 사회적 갈등을 완화하고자 한다. 이 분파에 속하는 사람들은 경제학자, 박애주의자, 인도주의자, 노동자계급의 조건을 개선하려는 사람들, 자선기관의 후원자, 동물 학대 방지법 주장자, 금주운동 지지자 등 요컨대 온갖 다양한 측면의 하찮은 사회개혁주의자들이다. 이 중간계급 사회주의는 완전한 체계로까지 발전해 있다. 우리는 프루동의 『빈곤의 철학』을 하나의 예로 들 수 있다. 사회주의 부르주아지는 투쟁과 위험을 수반하지 않는 근대 사회의 필수 조건들을 희망한다. 그들은 기존의 사회질서에서 혁명적이고 파괴적인 요소들을 **제거한** 상태를 원한다. 그들은 프롤레타리아트가 없는 부르주아지를 원한다. 물론 부르주아지는 자신들이 지배하는 세계를 최고의 세상으로 간주한다. 부르주아 사회주의는 이런 편안한 가정을 하나의 완전한 체계로 발전시킨다. 이 사회주의가 자신들의 체계를 실현하도록, 즉 뉴 예루살렘(New Jerusalem: 『구약성서』「에스겔서」또는 「에제키엘서」에 나오는 하늘나라의 수도로서 지상낙원을 가리키는 말로 흔히 쓰인다. —옮긴이)으로 나아가도록 프롤레타리아트에게 재촉한다면 그들은 실제로는 프롤레타리아트가 기존 사회의 경계선 안에 그대로 남아 있으면서 그 사회에 대한 온갖 비판적이고 불만에 찬 의견들을 모두 내버리라고 요구하는 셈이다. 그다음으로 그보다
G626 덜 체계적이지만 더 실천적인 중간계급 사회주의 학파는 생산자들의 조건은 이런저런 정치적 변화가 아니라 오로지 생활의 물질적 조건의 변화를 통해서만, 즉 사회 경제제도의 변화를 통해서만 개선될 수 있다고 그들을 가르침으로써 그들 내부의 모든 혁명운동을 방해하려 한다. 그러나 이 사회주의가 말하는 근대 생활 조건의 변화는 오직 혁명적 방법에 의해서만 가능한 중간계급의 생산방식과 분배방식의 폐지가 아니다. 그들이 말하는 것은 낡은 제도의 범위 내에서 이루어지는 관리방식의 개선으로, 따라서 그것은 자본과 임노동의 관계를 전혀 건드리지 않은 채 그대로 내버려두는 것을 의미하고, 기껏해야 부르주아 정부의 세부 내용들을 조금 단순화하고 재정 비용을 감소시키는 것에 불과하다. 이런 종류의 사회주의는 공허한 수식어 속에서만 자신에게 가장 적합한 표현을 찾을 수 있을 뿐이다. 자유무역! 노동자계급을 위해서. 보호관세! 노동자계급의 이익을 위해서. 독거 감방과 침묵제도!(감옥에서 죄수들에게 침묵을 강요하는 규칙 —옮긴이) 노동자계급의 이익을 위해서. 이 마지막 문장이야말로 중간계급 사회주의의 창고 전체에서 가장 진지하고 진심에서 우러난 말일 것이다. 그들의 사회주의는 부르주아지는 부르주아지라는 것을 … 노동자계급을 위해서라고 단언하는 데 있다.

III. 비판적-유토피아적 사회주의와 공산주의.

여기에서 우리는 근대의 모든 위대한 혁명에서 프롤레타리아트의 요구를 표현한 문헌들, 즉 수평주의자들의 소책자나 바뵈프의 저작 등에 대해서는 언급하지 않는다. 프롤레타리아트가 자신의 계급적 이해를 곧장 내걸고자 한 최초의 시도는 봉건 사회를 무너뜨리려는 운동이 전반적으로 확산되던 때였다. 이 시도는 프롤레타리아트 자신이 아직 미숙하고 덜 발달된 형태를 띠었고 프롤레타리아트 해방을 위한 물질적 조건 — 이것은 부르주아 시대의 산물이다 — 도 아직 미흡했기 때문에 실패할 수밖에 없었다. 이 최초의 프롤레타리아트 운동과 함께했던 혁명적 문헌은 필연적으로 반동적인 내용

을 가지고 있었다. 그것은 무조건적인 금욕주의와 조악한 평등주의를 가르쳤다.

진정한 의미에서 사회주의와 공산주의 체계, 즉 생시몽, 오언, 푸리에 등의 체계는 우리가 이미 제1장에서 다룬 프롤레타리아트와 부르주아지 사이의 초기 투쟁 시기에 생겨났다. 이 체계의 창시자들은 계급 적대관계와 지배적인 사회 체제 내부의 해체적인 요소들의 작용에 대한 사실을 인지하고 있었다. 그러나 그들은 프롤레타리아트 측에서 비롯된 어떤 자발적인 역사적 행동도, 어떤 독자적인 정치운동도 보지 못했다. 그리고 계급 적대관계의 발전은 산업 체계의 발전과 보조를 같이하기 때문에 그들은 프롤레타리아트 해방을 위한 물질적 조건도 발견할 수 없었다. 그들은 어쩔 수 없이 그런 조건들을 만들어내기 위한 사회과학과 사회법칙을 찾아 나설 수밖에 없었다. 그들의 창의적인 개인적 활동이 사회적 활동을 대신했고, 프롤레타리아트 해방을 위한 상상적 조건이 역사적 조건을 대신했으며, 주관적이고 환상적인 사회조직이 하나의 계급으로서 점진적이고 진보적인 프롤레타리아트 조직을 대신했다. 그들은 다가오는 세계사 국면을 자신들의 특수한 사회 개혁을 선전하고 실천적으로 실현하는 것으로 이해했다. 물론 그들은 사회에서 가장 고통받는 계급인 생산자들의 이해를 자신들이 옹호한다는 의식을 가지고 있었다. 그들에게서 프롤레타리아트는 가장 억압받는 계급이라는 관점에서만 존재했다. 계급투쟁의 상태와 계급 자체의 사회적 지위가 아직 발달하지 않았기 때문에 이 사회주의자들은 자신들이 계급 적대관계와 G627 멀리 떨어져 있다고 생각하게 되었다. 그들은 모든 사회 구성원 — 심지어 가장 좋은 조건을 누리고 있는 사람들도 포함하여 — 의 지위를 향상하고자 했다. 그래서 그들은 계속해서 사회 전체, 심지어 지배계급에 호소했다. 즉 사람들이 자신들의 체계를 이해하기만 하면 자신들의 계획이 사회를 최선의 상태로 만들기 위한 최선의 것임을 알게 된다는 것이었다. 그래서 그들은 또한 모든 정치적 행동, 특히 모든 혁명적 행동을 거부하고 자신들의 목표를 평화적인 수단으로 달성하고자 하며 당연히 **실패**할 수밖에 없는 본보기나 자잘한 실험들의 힘을 빌려 새로운 사회적 복음을 전파하려 노력한다. 미래 사회를 이처럼 환상적으로 대변하는 것은 프롤레타리아트가 아직 꽤 발달해 있지 못하고 자신의 지위도 완전히 상상 속의 개념으로만 존재하던 시기의 느낌을 표현한 것이었다. 그것은 전반적인 사회 혁명에 대한 본능적인 갈망의 표현이었던 것이다. 그러나 이 모든 사회주의와 공산주의 저술에는 비판적 요소들이 포함되어 있다. 그것들은 현존 사회의 토대를 공격한다. 따라서 그것들은 생산자들의 계몽에 도움이 되는 소중한 자료들을 포함하고 있다. 미래 사회의 상태에 대한 긍정적인 제안들, 즉 도시와 농촌의 적대 관계, 가족제도, 개인의 축적, 임노동 등의 폐지, 사회적 조화의 선언, 정치권력을 단순한 생산 감독으로 바꾸기 등이 그런 것인데, 이 모든 제안은 이제 막 계급 적대관계가 자라나기 시작했을 때 바로 그 적대관계의 폐지를 표현한 것이었다. 따라서 이들 저술은 그 저자와 함께 순수하게 유토피아적 성격을 띤다. 비판적-유토피아적 사회주의와 공산주의의 중요성은 역사적 운동의 발전과정에 반비례한다. 계급투쟁이 진화하고 결정적인 형태를 취하게 될수록 계급투쟁에 대한 상상을 불러일으키고 거기에 대한 저항의 환상을 만들어내는 일은 모든 실천적 가치와 이론적 정당성을 상실한다. 그리하여 이 체계의 창시자들은 다양한 측면에서 혁명적이었지만 그들의 추종자들은 언제나 반동적 분파를 형성했다. 그들은 스승의[7] 낡은 교의를 고수하면서 프롤레타리아트의 진보적인 역사적 진화에 반대한다. 그리하여 그들은, 충분히 논리적으로나마, 계급 대립을 완화하고 양극단의 두 계급을 중재하려고 노력한다. 이들은 여전히 따로 노력하여 사회적 유토피아 — 팔랑스테르(phalanstere: 프랑스의 샤를 푸리에가 구상한 이상촌으로, 세 부분으로 이루어진 특이한 형태의 공동 건물에서 500~2,000명이 자급자족 방식으로 생활하도록 설계되었다. — 옮긴이), 홈 콜로니(home colony: 영국의 로버트 오언이 구상한 이상촌으로 500~1,000명이 공동 건물에 거주하면서 공동 경작지에서 공동으로 노동하며 살아가도록 설계되었다. — 옮긴이), 소(小)이카리아(Icaria: 프랑스의 에티엔 카베가 그의 책에서 이상향으로 제시한 섬 이름 — 옮긴이) 등의 건설 — 를 실험에 옮겨서 뉴 예루살렘의 복사판을 실현하는 것을 꿈꾼다. 이들은 이런 공상적인 꿈을 실현할 비용을 마련하기 위해 부르주아지의 박애주의와 돈지갑에 호소한다. 이들은 점차 위에서 말한 반동적이고 보수적인 사회주의자들의 범주로 전락하는데, 그들과 구별되는 점이라곤 오로지 그들이 좀 더 체계적으로 현학적이라는 점과 자신들의 사회적 구상이 갖는 기적적인 힘을 광적으로 신봉한다는 점뿐이다. 그리하여 그들은 프롤레타리아트의 모든 정치운동에 극력 반대하는데, 궁극적으로 이런 운동이 자신들의 새로운 복음을 맹목적으로 불신해서 생겨난 것일 뿐이라는 이유에서이다. 프랑스에서 푸리에주의자는 개혁주의자를 반대하고 영국에서 오언주의자는 차티스트를 반대한다.*

공산주의자들은 언제나 기존의 사회적·정치적 질서에 대항하는 모든 혁명운동을 지지한다. 그러나 이 모든 운동에서 공산주의자들은 운동의 발전 정도가 어떻든, 운동이 쟁취하고자 하는 사안이 어떤 것이든 상관없이 소유 문제가 가장 핵심 문제라는 것을 지적하려고 노력한다. 공산주의자들은 모든 나라의 혁명 정당들의 단결과 연합을 위해 노력한다. 공산주의자들은 자신의 의견과 목표를 감추는 것을 경멸한다. 그들은 자신들의 목표가 오로지 지금까지의 모든 사회제도를 뒤엎어야만 달성될 수 있다는 점을 공개적으로 천명한다. 지배계급이 공산주의 혁명 앞에서 벌벌 떨게 만들라. 프롤레타리아트는 자신들에게 채워진 족쇄 외에는 아무것도 잃을 것이 없다. 그 대신 그들은 온 세상을 얻을 것이다. 만국의 프롤레타리아트여 단결하라!

G628

이 글은 영어로 쓰였다. — 옮긴이

---

* 이 글이 2월 혁명이 발발하기 전에 쓰였고 따라서 여기에서 드는 사례는 그 당시 각 정파들의 상태와 관련이 있다는 점을 잊어서는 안 된다. — 번역자 맥팔레인의 주.

요한 게오르크 에카리우스

부르주아 사회의 마지막 단계

The last stage of bourgeois society

《더 프렌드 오브 더 피플》

제4호, 1851년 1월 4일

|27| 부르주아 사회의 마지막 단계.

J. G. 에카리우스.

인류의 정치적·사회적 발전은 인류가 특정한 목표에 도달하기 위해 가야 하고 영원히 가고 있는 일련의 단계이자 국면이며 피할 수 없는 과정이다.

민족들은 오래전에 나타나 강력해지고 융성하다가 쇠퇴하고 파멸했다. 특정 시기에는 전쟁과 무정부 상태가 오래 지속되어 인류의 존재 자체가 위태로워지기도 했다. 강력한 제국이 지구를 휩쓸기도 했다. 그 제국을 정복하고 파괴한 야만인들이 그 유적과 전리품을 먼 곳까지 가져가 새로운 제국을 건설했다. 그러나 민족들이 멸망해도, 몰살하는 전쟁과 혁명은 일어났고, 인류는 모든 것을 극복하고 점차 진보와 완벽을 향해 끊임없이 나아갔다. 무너진 사회 상태는 모두 더 진보적인 성격의 사회 상태를 성공적으로 세우기 위한 재료를 제공했다. 그리고 새롭게 수립된 사회 상태는 모두 선행한 것의 필연적 결과가 되었다. 각 사회 상태는 그것이 성립된 문명의 정도에 따라 그 나름의 사회적·정치적 조직과 종교 및 법률 그리고 정의의 관념을 가졌다. 그리고 수립된 각 체제는 특정 시기에는 사회의 필요를 만족시켰고 사람들이 만든 삶의 요구에 대응했다.

거대한 소요와 무정부 상태, 혁명의 시기는 언제나 기존 질서가 사람들의 욕구와 필요에 대응하지 못하는 시기였다. 기존 상태가 사회의 요구를 충족하지 못하게 되면 언제나 피지배자는 지배자의 권한과 권위에 의문을 제기했다. 사람들은 그들 종교의 타당성에 의문을 제기했다. 사회에는 반란이 일어나기 시작했다. 싸움과 투쟁, 전투가 압제자와 피압제자 사이에 지속되었다. 궁극적인 결과는 낡은 사회 상태의 해체와 새로운 사회 상태를 수립하는 것이었다.

새로운 사회 상태는 모두 그 나름의 특별한 노동 정신을 도입하는데, 이것은 언제나 생산방식에, 다양한 시기의 다양한 부족이나 민족이 생활수단을 획득해온 방식에 조응했다. 그래서 고대에는 땅의 과실이든 전쟁과 약탈의 전리품이든 그들의 획득물을 바치는 신 혹은 여신이 있었다. 봉건제는 (봉건제의 사명은 야만인을 몰아내고 유목 민족을 고정된 경작지에 정착시켜 무역과 농업에서 평화로운 생활을 추구하거나, 이웃 야만족의 약탈이나 침략으로부터 이미 정착한 사람들을 보호하는 것이었다) "왕권신수설"과 보편적인 가톨릭교회를 가지고 맹목적이고 무조건적인 믿음과 복종을 강요했다. 예술과 과학 그리고 무역 및 산업에서 자유롭게 경쟁하는 근대 사회는 양심의 자유와 사상 및 토론의 자유, 간단히 말해 종교 문제와 사상에서 자유롭게 경쟁한다.

이제까지 일어난 모든 변화의 주요한 특질 중 하나는 모든 사회적 및 정치적 조직이 생겨난 소유관계에서의 변화였다.

사회에 혁명이 일어나는 모든 시기에 다른 사람들에 대해 특권이나 우위를 가진 낡은 체제의 지지자들은 만일 새로운 체제가 도입된다면 세계는 파괴될 것이라고 예언했다. 다른 한편 진보의 승리를 추구하는 쪽에서는 자신의 특정한 체제가 유일하고 진정한 것이라고, 자신의 원리는 싸울 만한 가치가 있는 유일한 원리이고, 이것은 인간 본성에 내재한 것이며, 만일 이것이 실제로 수립되고 지배한다면 모든 미래의 변화와 혁명을 불필요하게 만들 행복의 영원한 원천이 될 것이라고 믿었다.

동일한 것이 지속되어왔고 여전히 계속 반복되고 있다. 중세 사람들은 고대의 우상 숭배를 고발했고 노예제도를 비난했다. 그들은 노예 해방을 주장했고 로마 제국의 노예를 농노와 예속인으로 만들었다. 그들은 동시에 봉건제가 수립될 수 있는 땅을 준비하기 위해 고대 세계가 몇백 년을 노력해왔다는 사실을 잊고 있었다. 인간의 자연적 권리의 발견자인 근대 부르주아지는 봉건제와 농노제 그리고 예속에 광분했고 끊임없이 광분하고 있다. 그들은 그것을 무정부와 압제의 시대라고 불렀다. 그러나 그들은 봉건제의 날개 아래 축적한 재고품을 가지고 사업을 시작했다. 그들은 봉건제의 보호 아래 획득한 지식과 산업을 확대했다. 그들은 자신들의 고유한 권력을 강화하기 위해 농노제와 예속을 폐지했고, 임노동에 의해 겨우 살아갈 수 있는 수많은 **프롤레타리아트** ── 근대적 노예 ── 를 창출했다.

그들은 실수를 했다. 그들이 인간의 자연권이라고 생각한 것은 특정한 사회 상태에서 살고 있는 사람들의 권리일 뿐이었다.

그들은 오히려 봉건영주나 왕과 같은 거대한 전제자가 되었다. 그리고 전임자들처럼 그들도 자신의 안전을 위해서 새로운 진보적 사회 상태가 가능할 뿐 아니라 그럴 수밖에 없는 조건을 창출하게 되었다.

그러니까 부르주아지는 자신의 역사적 사명을 다했을 뿐이다.

부르주아 **체제**(*régime*)하에서 만들어진 성취가 모든 이전 시대의 성취를 뛰어넘는 것은 사실이다. 그러나 그들은 이전의 모든 성과물을 그들을 위한 토대로 삼지 않고는 그런 성취를 이룰 수 없었을 것이다. 우리의 부르주아 정치가와 경제학자는 현재 사회 상태의 본질은 영원하며 따라서 그것으로부터의 이탈은 파괴와 야만으로 이어질 것이고, 혁명의 화산이 끊임없이 체계 전체를 집어삼키려고 위협하고 이것을 끄려고 해도 불에 기름을 붓는 효과만을 낳기 때문에 불합리한 것이라고 선언했다.

최근에 일어난 사건과 소요는 기존 부르주아 사회 상태가 마지막 단계에 있고 파괴와 해체로 기울고 있다는 가장 확실한 신호이다. 우리의 정치가가 사회주의와 공산주의가 파괴를 이끌 것이라고 말한다면, 그들은 지극히 옳다. 왜냐하면 사회주의와 공산주의는 부르주아 사회와 그 소유관계, 그 취득과 분배와 **착취**의 방식을 절멸할 것이라고 명시하기 때문이다. 그러나 인류는 파괴되지 않는다. 생산과 분배는 그들에게 지워진 속박에서 자유로워질 것이다. 생산과 분배는 "소규모 제조업자" "상인" "소매상" 등의 이름으로 현재 불리는 개인들의 이득을 위한 탐욕에 의존하지 않게 될 것이다. 왜냐하면 현재 이득을 위한 욕망은 생산과 분배 그리고 교환을 유일하게 추동하기 때문이다. 농민은 사회가 농업 생산물이 부족한 상태여서가 아니라, 시장 가격이 생산 비용보다 더 높아서 땅을 경작한다. 만일 사회가 그 가격을 지불할 수 없다면, 대다수가 식량 부족으로 죽어갈지라도 농민은 땅을 버릴 것이다. 우리는 실제로 과잉 생산 혹은 풍작으로 인해 가격이 낮다는 불만들을 매우 자주 읽는다. 그러나 같은 신문에서 우리는 생활필수품이 극도로 부족한 사람들에 관한 보도를 읽는다. 혼돈과 해체의 시대는 대체로 상대적으로 심한 궁핍과 결핍을 동반한다. 대중을 봉기와 반역으로 몰아가는 것은 바로 궁핍과 결핍이기 때문이다. 내가 상대적이라고 말하는 것은 인류의 욕구와 필요가 문명의 수준에 따라 다르기 때문이다. 러시아 농노에게 안락한 것이 영국의 프롤레타리아트에게는 궁핍한 것일 수 있다.

지난 몇 년간 계속 늘어나고 있는 궁핍이 현재도 엄청나다. "맨체스터 학파"[1]의 정치가와 경제학자는 최근 우리에게 "노동자계급의 상대적인 복지"에 관해 자주 말했다. 그들이 복지라고 말하는 이것을 그들은 어떤 기준으로 비교하는가? 1848년을 기준으로 하는데, 왜 그러한가? — 그해는 무역이 침체했고 기근까지 겹쳤다. 실제로 노동자계급이 기근과 상업이 침체한 해보다 그 유례가 없는 번영을 이룬 해에 노동자계급이 훨씬 더 형편이 좋아졌다고 기존 질서를 옹호하는 아주 강력한 주장도 있다. 몇 주 전에 《디 이코노미스트》는 지난 분기에 인구와 결혼의 증가로 나타난 노동자계급의 상대적인 복지에 매우 만족해했다.[2] 나는 인구 및 결혼의 증가가 항상 복지의 결과인지 아주 많이 의심하고 있다. 많은 젊은 커플들이 혼자 벌어서는 살 수 없어서 신성한 결혼으로 결합한다. 그러므로 그들의 "사안"은 복지의 결과가 아니라 궁핍의 결과이다. 무역이 증가하고 번영이 이루어졌다는 온갖 화려한 자랑에도 불구하고, 우리의 이윤만을 탐닉하는 자는 1848년 7월 1일부터 1850년 같은 기간까지 166,828명 중 38,770명이 넘는 신체 강건한 극빈자를 교화할 수 없었다. 지난 7월 1일 사회는 "번영"에도 불구하고 여전히 128,058명의 신체 강건한 극빈자를 구빈원에 두고 있다. 이것 말고도 반쯤 죽어가는, 구빈원에 가느니 차라리 집에서 굶어 죽는 수십만의 사람들이 있다.

상호부조회[3]의 증가는 또한 노동자계급 사이에 번영이 늘어나고 있다는 증거로 간주된다. 우리의 맨체스터 정치가들은 대단히 오해하고 있다. 상호부조회의 증가는 필요할 때 누군가를 돕기 위해 수많은 사람의 푼돈을 절약해서 모으고, 노동자는 교구의 구호를 역겨워한다는 것을 입증할 뿐이다. 새로운 빈민법[4]과 "가축"에 대한 잔인한 학대 금지법(동물권 운동가인 리처드 마틴Richard Martin이 주도해서 1822년에 통과된 최초의 동물 복지 관련 법인 마틴 법을 가리킨다. — 옮긴이)은 상호부조회를 크게 증가시키는 쪽으로 작용

G632

하고 있다. 그들은 또한 우리의 구빈원, 우리의 빈민법 제도, 그리고 우리의 형무소가 노동자계급 복지의 상징이라고 말할지도 모른다. 극빈자나 범죄가 없으면 구빈원이나 빈민법, 형무소도 필요 없을 것이다. 그리고 노동자계급의 참담함이 만연하지 않으면 구호나 지원을 위한 상호부조회도 필요 없을 것이다.

포터 씨는 저축은행의 예금 증가로 노동자계급의 부를 증명하려고 한다. 그는 1821년 예금 총액이 1인당 평균 12실링 8펜스에 불과한 반면, 1846년은 영국과 웨일스, 아일랜드에서 29,669,384파운드스털링 ― 1인당 24실링에 해당한다 ― 에 달한다고 진술한다. 나는 이 가운데 노동자계급의 예금은 얼마나 되는지 조사할 생각이 없다(방금 보여준 빈곤의 그림도 그렇게 잘 그린 것이 아니다). 그러나 노동자의 예금이 얼마가 되든지, 그것은 그들의 벌이가 다른 것에 투자할 만큼 충분치 않음을 보여줄 뿐이다. 그들의 상황은 너무나 열악해서 그들의 최소 생존을 넘어서는 수입의 작은 일부라도 사치품이나 기호품에 지출하기를 두려워한다. 게다가 저축은행은 기본적으로 정부와 부르주아지를 위한 기관이다.

포터 씨는 또한 부자는 더 부유하게 되고, 가난한 자는 더 가난하게 된다고 흔히 추정하는 태도를 반박하려고 한다. 그는 소득세에 의존하는 국가 세입이 1812년 이래 같은 기간의 인구 증가율보다 거의 세 배나 증가했음을 보여||28|주면서 그렇게 한다. 그러나 포터 씨는 가난한 사람의 소득이 같은 비율로 증가했는지에 관해서는 아무 말도 하지 않는다. 그의 진술에 따르면 부르주아지의 소득은 다섯 배나 증가했다. 인구가 1812년보다 현재 거의 두 배나 증가했다는 사실을 감안하면, 그래서 만일 프롤레타리아트의 소득이 같은 비율로 증가했다면, 모든 노동자는 1812년 일주일에 1파운드스털링을 벌었다면 지금은 2파운드스털링 10실링을 벌어야 한다. 나는 프롤레타리아트의 소득이 오히려 1파운드스털링 아래로 떨어지는 경향을 보인다고 주장하는 것을 포터 씨가 양해해주기 바란다. 그러므로 포터 씨의 수치는 부자는 더 **부유하게** 되고, 가난한 자는 더 **가난하게** 된다는 것만을 증명할 뿐이다. 그 격차는 더욱 확대되고 있다. 그리고 건물은 곧 땅으로 무너질 것이다.[5]

|34| 모든 사회 상태는 개혁이라고 불리는 어떤 개선을 받아들인다. 이러한 개혁은 전체 지배계급의 이익에 의해 요구되기도 하고 또한 단지 특정 분파의 이익을 위해 요구되기도 한다. 전자의 경우 개혁은 많은 선동 없이 수행된다. 후자의 경우 수행될 개혁이 가져올 이익을 얻는 분파가 스스로를 개혁가로 부른다. 이들은 특정한 정당을 구성하고 자신의 노력에 동참하라고 피압박자들에게 호소한다(그들은 국가에 그것을 요구한다).

만일 성취하려는 목적이 개혁 법안과 같이 정치적인 것이면, 선거권이나 G633 다른 좋은 것들이 약속되고 빈자들도 선동에 내몰린다. 목적이 달성되면 동맹은 일반적으로 위에서부터 파기되고, 동맹의 아래에서부터 제시된 양보 사항들은 줄어들어서 아무것도 아닌 것이 되고 만다. 만일 개혁이 단순히 경제적인 성격이면 "큰 빵 덩어리"와 같은 다른 미끼가 피압박자들에게도 제시되지만, 반곡물법 동맹 때 물고기는 배가 고팠지만 미끼를 물려고 하지 않았다.

그러나 이와 같은 개혁은 일반적으로 정부 기구 전체가 아무것도 하지 않을 때, 그리고 피압박자가 국가를 공격하겠다고 위협할 때 수행된다.

그러한 때 개혁가들은 더 강한 저항으로부터 발생할 수 있는 긴박한 위험을 지적한다. 그렇게 그들은 보수파에게 항복하라고 위협한다. 만일 피압박자들이 자신의 고유한 특정 계급 이익을 요구하고 그것을 위해 선동할 만큼 충분히 조직되었다면, 야금야금 추진되는 이런 개혁들은 실제로 보수적인 정책들이 된다. 그런 정책들을 실행하는 것은 모든 형태의 개혁을 지지하면서 자신들이 갉아먹을 빵 껍질을 획득하는 한 대체로 정치적 문제에 무관심한 정치 집단의 일부에 활기를 불어넣어줄 기회를 급진적인 정당에게서 빼앗기 때문이다. 그런 개혁이 수행되고 평화가 회복될 때면 언제든지 국가 기구는 다시 운용될 것이고 모든 것이 잘 돌아가는 듯이 보일 것이다. 그러나 이러한 평화의 회복은 오래가지 못한다. 적대는 사라진 것이 아니라 연기된 것이고, 곧 다시 시작된다. 지배계급의 가장 진보적인 분파는 해체의 시기가 더 가까이 다가올 때 더욱 광범위하고 정력적인 개혁을 제안하지 않을 수 없다. 이러한 개혁가는 일반적으로 실제 급진적 개혁이 모든 것을 바로잡을 것이고 그 이상의 혼란과 선동을 막을 수 있을 것처럼 행동한다. 물론 이러한 개혁은 모두 "합법적이고 헌법적인 수단"에 의해서 수행된다! 그러나 이러한 개혁이 아무리 광범위하고 급진적일지라도, 그들은 기존 상태의 근본적인 체제를 아무것도 바꿀 수 없다. 그들은 개혁을 수행하면서 사회의 현상유지에 장애가 되는 불만을 제거할 뿐이다. 따라서 일련의 개혁 가운데 마지막 개혁은 기존 상태를 전적으로 바꾸지 않고는 어떤 개혁의 가능성도 없다는 것을 배수진으로 하는 개혁이 되어야 한다.

우리의 현재 사회 상태는 더욱 진보적인 "개혁"을 허용하지 않을 사회 상태이다. 현재 대중의 마음을 사로잡고 있고 다음 위기에 영국인을 일깨울 개혁의 계획은 부르주아 사회를 근본적으로 파괴하지 않고 수행될 수 있는 마지막 계획이다. 영국의 기존 사회 상태 내에서 수행될 모든 개선책은 의회와 재정 개혁에 포함되어 있다. 이것을 능가하는 대안은 없다.

이러한 계획을 수행하는 것을 자신의 특별한 사명으로 삼아온 부르주아지 분파는 전체 국민의 이해를 구성하여 그것을 대표하는 데 실패하지 않았다. 그들은 그들의 투쟁에서 도움을 얻기 위해 일반적으로는 국민에게, 특히 프롤레타리아트에게 호소한다. 선거권과 교육, 많은 일자리와 좋은 임금을 약속한다. 그러나 모든 곳에서 사악한 본성이 삐져나오고, 그로 인해 프롤레타리아트는 그들의 협업에서 뒤로 밀려난다. 물론 맨체스터 정치가는 식량이 싸지면 노동의 화폐가격도 내려갈 것이라고 우리에게 설명할 만큼은 솔직하다. 그러나 그들은 "실질적인 보상은 줄기는커녕 오히려 증가할 것"이라고 덧붙인다. 그들은 우리가 술을 삼가거나 기타 "감각적인 만족"의 탐닉을 삼간다면 우리가 얼마나 편안해질 것인지 보여준다. 그들은 우리의 현재 수입으로 검소하고 실질적인 생활을 할 수 있고, 우리가 일주일에 6펜스를 지출하면 공장제도의 진정한(?) 지식과 ||35| 10시간 법의 유해한 결과(?)를 얻을 수 있는 "존 카셀 문고"를 통해서 방직왕이 제공하기로 한 "좋고 유용하고 값싼 책"을 살 수 있으니 얼마나 은혜로운가(!!!)라고 말하고 있다. 교육은 가장 필요한 생활수단으로서 제안되었지만(나도 정말 그렇다고 확신한다), 그러나 그것이 노동자계급을 고려하여 맨체스터 학파에 의해 추진되는 한, 그것은 단지 우리가 맨체스터의 진정한 원칙에 따라 좋은 교육을 받는다면 우리의 운명에 불평할 이유가 없다고 믿게 되는 것을 의미할 뿐이다. 노동자계급의 동일한 은인은 우리가 알뜰하기만 하면 많은 돈을 모을 수 있다고 우리에게 말한다. 우리의 저금을 투자하기 가장 좋은 수단으로서 그들은 자유토지보유협회에 가입하여 다음 선거에서 재정 개혁 후보에게 투

표하도록 투표권을 사라고 우리에게 조언한다. 코브던 씨는 임금노예들이 자유토지 보유권과 투표권을 살 기회를 이용하지 않는 것을 상당히 비통해하는 듯하다. "(그가 런던 태번에서 말했듯이) 술에 지출한 돈의 절반으로도 모든 주에서 이겼을 것이기 때문이다." 노동자가 이런 충고에 귀를 기울이려고 하지 않는 것이 얼마나 애처로운가.

　이제 의회 개혁과 전국 개혁 연합의 강령에 제시된 거짓 양보들을 살펴보자. 이 양보들이 우리를 위해 만들어졌다고 믿기 전에 그것을 반드시 조사해야 하고 의회 개혁가들이 정말로 우리의 협력을 원하는지 아닌지를 물어야 한다.[6] 작은 헌장[7]은 노동자계급에 대한 어떤 양보도 포함하지 않는다. 그 조항들은 얼핏 보면 맨체스터 학파에게 매우 필요하고 유익한 것이어서 그들은 이런 조항들이 없으면 아무것도 할 수 없을 것이다. 첫째 조항에 제시된 투표 자격은 납세 자격과 같다. 이 때문에 사람이 아니라 돈이 투표자가 될 것이다. 무기명 투표인 둘째 조항은 귀족의 지배에서 농민과 소상인을 구제하는 데 필요하다. 의회의 짧은 회기는 공장 소유자의 이해와 공존한다. 인구에 따른 선거구의 균등화는 공장주가 다수의 재정 개혁가를 하원에 보낼 수 있는 유일한 수단이다. 이것은 산업 부르주아지의 지배를 법적으로 확립하고, 입법부에서 귀족의 영향력을 무력화하는 매개체이다. "의회 의원들에게는 소유의 자격 제한이 없다"라는 마지막 조항은 프롤레타리아트에 대한 일종의 양보로서 특별히 선언되었지만, 의원들에 대한 보수가 없는 한 그것은 노동자계급에게는 한 푼의 가치도 없는 것이다. 반면 이윤만 탐닉하자는 자에게 이 양보는 극히 유리하다. 이 조항들을 이용하여 공장주들은 하원에서 그들의 도움이 필요할 때면 언제나 불러 일을 시킬 수 있는 다수의 저술가, 강연자, **차티스트 변절자**, 그리고 기타 미천한 하인을 거느릴 수 있었다. 이것이 전국 개혁 연합의 양보들이다!

　노동자계급에게 강령의 가장 본질적인 조항은 선거 자격이다. 이 조항이 "개혁가"의 강령[8]에 있는 것처럼, 이 조항은 마치 많은 노동자 가운데서 표결에 부쳐질 것처럼 보인다. 그러나 이 조항이 나라의 법률이 되기 전에 의회를 통과해야 할 것이다. 의회에서 이 조항은 자본의 지배에 적대적인 원칙을 견지할 소수의 대표자조차 노동자계급으로 뽑힐 기회를 박탈하는 방식으로 변형될 것이다. 그러면 일부 차티스트들은 다섯 가지 조항이 원안 그대로 관철되지 못했다고 공공 연단에서 개탄할 것이다. 그러나 법제화를 위해서 그들은 우리에게 새로운 "개혁법"을 감수하자고 제안할 것이고 우리가

G635

어떤 점에서는 귀족의 적을 물리쳤다는 점에 만족하자고 할 것이다. 차티스트인 체하는 사람들이 동의할 일종의 개혁법 훼손은 결국 귀족의 반감과 오만으로 전가될 것이다!

영국에서 우리의 진보적 부르주아지는 경제학에 너무나 조예가 깊다. 그들은 자신의 계급 이해 그리고 노동과 자본 사이의 적대를 너무나 잘 이해하기에, 보통선거권은 자본의 지배와 공존할 수 있다고 믿는 해협 건너 공화파 이데올로그들의 바보 같은 관념을 충분히 받아들인다. 그들은 강력한 프롤레타리아트 반대파조차 의회에서 치명적이지는 않더라도 그들의 이해에 해가 될 것임을 충분히 의식하고 있다. 따라서 그들이 가진 이해의 보전을 위해서 그들은 노동자에게 되도록 선거권을 많이 주지 않으려 할 것이다.

의회 개혁의 목표는 공장주 이해의 우위를 나라의 법으로 만드는 것이다. 비록 지난 20년 동안 모든 중대한 문제가 그러한 이해를 위해 결정되었고 공장주는 사실상 제국의 운명을 지배했지만, 그럼에도 아직 그들의 우위를 보장하는 법률은 없다. 하원의 기존 헌법에 따르면 귀족은 경쟁자에게 저항하는 강력한 수단을 가지고 있을 뿐 아니라, 그들 모두를 거부할 합법적 권력을 갖고 있다. 따라서 사회의 유일한 후원자임을 자처하는 공장주는 몹시 귀찮지만 귀족에게 그들의 수단에 동의하도록 청원하거나 선동을 통해 위협하면서 그들이 동의하도록 한다. 이런 굴욕과 어려움을 피하려고 공장주는 자신의 우위를 법률로 확립해야만 한다. 즉 그들은 귀족의 정치권력을 마비시켜야 하고, 스스로를 입법부의 수장으로 만들어야 한다. 그들은 헌법을 정복해야 한다.

이러한 정복을 성취하기 위해 오직 한 가지 강령이 실행되어야 하는데, 그것은 바로 선거구의 균등화이다. 현재의 선거구 상태에 따르면, 353명 정도의 보수적 의원이 227,000명의 투표자 선거구에서, 나머지 297명의 의원이 823,000명의 투표자가 넘는 선거구에서 선출된다. 다시 9,153명의 투표자를 가진 가장 작은 25개 선거구에서 50명의 의원을 선출하고, 반면 229,365명의 투표자를 가진 가장 큰 25개 선거구에서 또한 50명의 의원을 선출한다. 선거구의 균등화는 다음과 같은 결과를 낳을 것이다. 현재 확실한 다수보다 23명이 많은 의원을 선출하는 297,000명의 투표자는 141명 정도의 의원을 선출할 것이다. 그리고 823,000명의 투표자는 509명의 의원을 선출할 것이다. 가장 작은 25개의 선거구는 5명의 의원을 선출할 것이며, 반면 가장 큰 25개의 선거구는 142명의 의원을 뽑을 것이다. 따라서 선거구의 균등화는 보호무역주의자들을 완전히 궁지로 몰아넣을 것이고, 현재의 명부에 단 한 명의 투표자도 더할 수 없는 보수적 선거구도 궁지로 몰아넣을 것이다. 그러면 귀족은 하원에서 모든 권력과 영향력을 완전히 잃게 될 것이다. 참정권과 무기명 투표, 의원의 재산 자격 폐지 등의 확대와 관련하여, 선거구의 균등화는 물론 앞에서 말한 계획의 성공을 도와줄 편리한 조치일 뿐이다. 그러나 투표자의 수가 50퍼센트 이상 증가하여 투표자가 525,000명 이상 늘어날지라도, "좋은 녀석"이나 자신의 정치적 의견이 없는 사람을 제외한다면 노동자의 극소수만이 투표하게 될 것이다.

《더 프렌드 오브 더 피플》   G636
제6호, 1851년 1월 18일

|42| 부르주아 개혁가들이 자기들의 "개혁"을 성취하기 위해, 헌법의 광범위한 개정이나 하나의 계급으로서 프롤레타리아트의 협력을 원하지 않음은 분명하다. 실로 사회적 위치가 부르주아지의 위치와 완전히 적대적인 프롤레타리아트와 같은 동맹자는 매우 위험할 수밖에 없다. 그러나 일부 차티스트들은 현금으로 바뀔 수 없는 사안에 대해서 많은 문제를 일으키지 않는 실용적인 사람들로 알려져 있듯이, 그들이 노동자 등에게 선거권을 확대해주려는 넓은 아량을 갖게 된 데는 반드시 이유가 있을 것이다. 이유는 명백하다. 그들은 프롤레타리아트의 우세를 두려워하고, 노동자계급에 대한 그들의 거짓 양보는 단지 이윤만을 탐닉하는 자들의 명분에 악영향을 주지 않도록 프롤레타리아트 사자를 함정에 빠뜨리려는 미끼에 불과하다. 부르주아지가 습관대로 자신의 작업을 마치고 프롤레타리아트에 의해 재산을 축적할 때, 부르주아지가 기대하는 것은, 그의 귀족 불한당(come-rogue)과 정치적으로 불화할 때면 언제나 임금노예가 이 귀족 불한당과 끝까지 싸워 승리의 전리품을 그의 주인에게 넘겨줄 것이라는 점이다. 대다수의 노동자가 다가오는 투쟁에서 이러한 기대에 응답할지는 아무도 모른다.

재정 개혁이 가져오는 노동자계급의 금전적 이득이나 편안함과 안락함에 대한 약속은 모두 잘못된 것이다. 왜 우리의 공장주는 재정 개혁과 직접세를 위해 선동하는가? 왜냐하면 그들은 가장 저렴하게 자기 사업을 운영하는 데 관심이 있고 가능한 한 적은 인원을 고용하기 때문이다. 정부는 부르주아지

의 집단적 업무를 관리하는 위원회에 불과하다.

　장관 및 정부의 하급 관리와 부르주아지의 관계는 철도회사의 지배인 및 하급 고용인들과 주주의 관계와 같다. 그러므로 정부의 업무를 되도록 단순하게 만들고, 사람들을 되도록 적게 고용하고 적게 지출하는 것이 부르주아지에게 이익이다. 간접세는 국가 총세입의 상당 부분을 지출하는 수많은 사람이 필요한 복잡한 업무 중 하나다. 이것 외에 직접세 체계하에서 국가 지출 비용의 상당 부분을 감당하는 데 기여하지 않으면 안 될 많은 사람이 상대적으로 낮은 세금을 내고, 결국 국가 지출을 매우 불확실하게 만들어 식량 가격을 올린다. 거대한 예산은 한 나라의 자본을 상당 부분 비생산적으로 만든다. 자본의 상당 부분은 무엇을 생산하지 않고 단지 한 주머니에서 다른 주머니로 이동할 뿐 주식 투기꾼의 손에 남아 있다. 이것은 공장주가 돈을 빌리기 어렵게 만든다. 그것은 또한 자본에 대한 이자율을 높인다. 노동자들이 식량 가격에 지불해야 하는 세금은 임금 형태로 고용주가 지불해야 한다. 이것은 모두 공장주의 이익에 반하는 것이다. 공장주의 이익을 위해 필요한 것은 국가 예산이 최소화되는 것이다. 왜냐하면 과도하게 대출할 기회가 줄어들 것이고, 주식 투기꾼도 그들의 돈을 공장주에게 낮은 이자율로 빌려줄 수밖에 없기 때문이다. 식품에 어떤 종류의 세금도 붙지 않게 되면 노동자는 더 싸게 일할 수 있다. 그리고 공장주는 자국 시장에서는 싸게 팔 수밖에 없는 외국 경쟁자들과 더 좋은 조건으로 경쟁할 수 있다.

G637　생산력, 특히 기계의 개량과 증가가 외국에서 상당한 진보를 이루었기 때문에, 영국 공장주는 그들의 상품을 훨씬 낮은 가격으로 생산하고 판매할 수밖에 없게 된다. 이것을 달성하려면 모든 상업적 장애나 재정적 불만 등이 제거되어야 한다. 생산적으로 쓰일 수 있으면 한 푼이라도 이용해야만 한다. 부르주아지 집단 중에는 그 이해가 계급의 일반 이해와 다른 단 하나의 분파가 있는데, 바로 재정 개혁에 의해 투기가 상당히 줄어들 국채 투자자와 주식 투기꾼이 바로 그들이다. 농민이든 상인이든 공장주든 그 밖의 다른 계급은 아무것도 하지 않고 연금과 한직을 즐기는 방탕한 귀족제를 더는 용납하지 않는다. 그들은 사치스러운 성직자가 아무런 목적 없이 매년 1200만(파운드스털링 ― 옮긴이)을 낭비하도록 더는 허용하지 않는다. 그들은 현재와 같이 복잡한 세금 체계를 가진 정부의 낭비 체계를 참지 못한다. 지금의 정부에는 다수의 게으르고 유해한 가신 그룹을 이루는 자신들의 벗과 총애하는 사람들이 일거리와 지위를 찾아낼 기회가 널려 있기 때문이다.

영국 산업의 성장은 정부의 업무가 순수하고 단순해질 것을 요구한다. 왕실은 국고에 엄청난 부담을 주고 있는 모든 야만의 잔재를 벗어야 한다.

다음번 상업 불황은 틀림없이 휘그당과 토리당, 런던탑의 경비병, 주식 투기꾼, 국채 투자자에게 항복하라고 위협할 것이며, 급진적인 개혁가들은 동요하기 시작할 것이다. 그러나 그들의 "급진적 개혁"이 부르주아 사회의 근본 체제를 변화시킬 수 있는가? 어림도 없다. 부르주아 사회의 근본 체제는 자본의 지배이며, 노동과 자본, 임금노예와 자본가, 노동 빈민과 게으른 부자 사이의 필연적인 적대이다. 의회 개혁, 재정 개혁, 그리고 모든 부르주아적 개혁은 이러한 적대관계를 조금도 개선하지 못한다. 반대로 이 개혁들은 오히려 그러한 관계를 악화시킬 것이다.

개혁은, 아무리 무차별적이고 급진적일지라도, 실제로는 중세로부터 물려받은 봉건적이고 야만적인 장식품을 부르주아 사회에서 몰아낼 뿐이다. 따라서 개혁은 지배계급의 이익과 보존을 위한 것이다.

유료 집회나 대중 집회에서의 모든 과장된 연설은 노동자계급에 관해서는 한낱 헛소리일 뿐이다. 자본가의 이해, 그가 부를 축적하는 방식, 한마디로 사회 전체 상태는 산업이 노동자계급에게 그들의 노예적 생존을 지속하기 위해 충분한 것을 제공하지 못하는 모든 순간에 위태로워진다. 기존 사회 상태의 해체가 수백만 노동자의 해방과 같은 것이기에, 노동자계급은 그것을 가능한 한 빨리 촉진하는 데 흥미가 있다. 그러므로 만일 재정 개혁이 노동자계급에게 실제로 일정한 편안함과 안락함을 제공한다면, 노동자계급은 그것을 부르주아 개혁가에게서 호의로 받지 않을 것이며, 단지 부르주아 개혁가가 노동자계급에게 침묵을 강요하려는 수단으로만 받아들일 것이다. 그러나 재정 개혁과 직접세의 전반적인 결과는 어떻게 될 것인가? 만일 다소간 제한적인 경쟁이 이제까지 혁명적 프롤레타리아트를 창출했다면, 상업과 산업이 모든 족쇄에서 해방될 때 경쟁은 동일한 방향에서 덜 효과적이게 될 것이라고 상상할 수 있는가? 결코 아닐 것이다. 현재 왕실과 정부의 주요 지지자는 누구인가? 런던탑의 경비병, 연금생활자, 한직 종사자, 주식 투기꾼, 국채 투자자, 수많은 정부와 교회 관리, 하급 관리(place-men) 등이며, 무엇보다 상비군이다. 이들은 다시 그들이 거래하는 모든 소상인과 점주에게 지지를 요구한다. 연금생활자와 한직 종사자를 없애라, 국채 투자자와 정부 관리를 줄이게 하라, 국가와 교회를 분리하게 하라, 그러면 이 모든 세력은 그들에게 의존하는 상인들과 함께 정부를 지지하는 데 흥미를 갖지 않을

것이다. 상비군을 줄이거나 폐지하게 하라, 그러면 그들은 그들의 법률을 사회에 강제할 때 그 수단으로 이용했던 무기를 버릴 것이다. 그러나 이러한 불만이 사라질 때 불평의 원인도 없어진다고 할 수 있을 것이다. 일단 의회 및 재정 개혁이 수행되면 왕실과 정부는 모든 그들의 귀족적·봉건적 영예와 가신을 박탈당할 것이다. 그리고 우리의 부르주아지 불평가는 사회적 비참과 타락의 모든 원인을 사악하고 방탕한 귀족제에 전가할 기회를 잃을 것이다. 그리고 자본가의 폭정이 일부 숨어 있는 장막이 치워질 것이다. 자본의 지배는 날이 밝기 전에 명백히 드러날 것이고, 그것의 압제적 성격은 무관심하고 무지한 사람들에게도 분명히 인식될 것이다. 그러므로 부르주아지가 자신의 이해관계에 따라 자신의 정부는 가장 단순한 형태로 축소되어야 한다고 요구하는 동안, 부르주아지는 자신의 정부로부터 그 정부의 안정성을 떠받쳐주는 주요 기둥을 빼앗을 수밖에 없고, 그래서 프롤레타리아트가 정부를 정복할 수 있는 수준까지 정부를 축소한다.|

《더 프렌드 오브 더 피플》
제7호, 1851년 1월 25일

|50| 상인과 공장주의 권력은 그들이 다룰 수 있는 자본의 총량으로, 그들이 구입하거나 처분할 수 있는 상품의 총량으로 이루어진다.

그러므로 그들의 자본이 증가하거나 상품의 가격이 내려간다면, 그들의 권력은 증가하고 경쟁은 촉진된다. 간접세가 폐지되면 상인과 공장주의 거래자본은 같은 돈으로 구입할 수 있는 상품의 총량만큼 증가할 것이다. 예를 들어 지금 시장에 1헌드레드웨이트(cwt.: 무게 단위로 50킬로그램과 같음 — 옮긴이)의 차나 담배를 가져갈 수 있는 같은 양의 돈은, 세금이 없어지면, 이 상품을 취급하는 사람의 권력에 4헌드레드웨이트를 제공할 것이며, 그가 사회적 생산물을 처분하는 능력은 네 배로 증가할 것이다. 이 상품의 소비가 비례적으로 증가하지 않으면 현재 차와 담배에 투자된 자본의 일부는 다른 영역으로 옮아가야 하고, 경쟁과 투기는 증가한다. 잉여자본을 투기할 다른 기회가 오지 않는다면 도매상은 그 자본을 소매업에 사용할 것이고, 모제스와 니콜이 명예로운 재봉사에게 그러했듯이 도매상 또한 영세 차 상인에게 그의 파멸을 이끄는 존재가 될 것이다.

공장주의 권력은 노동과 원재료가 싸지는 만큼 증가할 것이다. 국가 예산의 실질적 감소는 공장주의 생산자본을 증가시킬 것이고 그들의 신용 거래를 촉진할 것이다. 이것의 필연적 결과는 과잉 생산과 광적 투기, 산업과 상업의 공황일 것이며, 이것은 과거 같은 종류의 모든 격변을 훨씬 뛰어넘을 것이다.

노동자의 임금은 이제까지와 동일한 경로를 따를 것이다. "개혁" 조치들이 상업 침체기가 아닌 어떤 다른 시기에 시행될 가능성이 낮으므로, 임금은 이런 유리한 조치들이 효력을 발생하기도 전에 직접세의 수준에 근접할 것이다. 그다음은 육체노동의 감소로 이어질 것이다.

G639

그러나 런던에는 영국에서 누구보다도 "재정 개혁"의 축복을 실감하게 될 일군의 특별한 직공과 상인이 있다. 이들은 귀족과 연금생활자, 한직 종사자와 육군과 해군의 장교에 의해 살아가는 웨스트엔드의 직공과 영세 상인이다. 웨스트엔드에서 사업을 하는 사람은 상인과 점주의 주 고객이 귀족과 장교 그리고 정부의 귀족 가신임을 알고 있다. 이 사람들은 높은 가격을 지불하고 고액권을 뿌린다. 이들은 일주일에 번 돈을 토요일이 오기 전에 다 써버리고 그래서 언제나 빚에 허덕이는 헤픈 노동자처럼 산다. 이들이 연금 등을 박탈당하면 이들은 신용을 잃을 것이고, 상인은 고객을 잃을 것이다.

만일 이미 많은 빚을 진 귀족이 젊은 아들을 군대나 혹은 다른 유리한 일자리에 집어넣을 기회를 잃고, 세금을 흥정해서 낸다면, 그들의 지출은 더욱 인색해질 수밖에 없고, 웨스트엔드 소상인의 번영은 끝날 것이며, 1848년에 설치된 왕실 "특별 경찰"이 매우 불안정한 지위로 떨어질 것이다.[9] 그러므로 이제까지 성취될 수 없었던 것, 다시 말해 런던을, 특별히 웨스트엔드(영국에서 가장 반동적인 지역)를, 정치 선동과 혁명운동의 중심으로 만들기 위한 작업은 아마도 맨체스터 학파 행정부 아래에서 성공할 것이다.

우리는 의회 및 재정 개혁이 자유무역주의자들이 거창하게 예언한 유리한 효과를 전혀 가져오지 못했음을 보았다.

그것은 노동과 자본의 적대관계를 변화시키지도 않고, 고통받는 수백만 명의 삶의 조건을 영구적으로 개선하지도 않을 것이다. 노동자계급에게 약속된 물질적 이득은 허구이다. 물질적 이득은 노동 인구가 가질 수 있기도 전에 사라질 것이기 때문이다. 이 운동의 진짜 중요성은 그것이 특정 민주주의 지역으로 옮아간 사기와 환상에 있다. 노동자계급에 관한 한, 이런 정복의 기쁨은 노동자계급이 환상과 열광으로는 자신들의 배를 채울 수 없다는 것을 깨달을 때까지 지속할 것이다. 그다음에 노동자계급은 환상과 열광에서 깨어나 사물을 있는 그대로 보게 될 것이다. 그러나 내가 이미 언급했듯이, 이러한 재정적 불만이 해소되면 길을 잃은 피억압자를 이끌 기회도, 과장된 연설과 거짓된 약속 배후의 진짜 적을 폭로할 기회도 없어질 것이다.

개혁 계획이 노동 이익에 반하는 어떤 이익을 은폐해주던 쓰레기 같은 전장을 치워주는 한에서, 개혁가들이 집권하도록 도와주는 것이 우리에게 이롭다. **그러나 동맹이나 친구로서가 아니라 단지 적으로서.** 만일 우리가 그들과 협력한다면 우리는 추구하는 모든 과정의 관리권을 그들의 손에 넘기고 그들의 독재에 복종하게 되고, 그들이 멈추자고 선택한다면 우리도 역시 멈춰야 한다. 친구나 동맹이라면 우리는 기만적이고 배반적인 머리의 꼬리 구실을 할 뿐이고, 이 머리가 개혁을 멈추자고 선택할 때면 언제나 꼬리는 혼란에 빠질 것이며, 전장이 우리를 위해 준비되더라도 우리는 조직이 없음을 발견하게 될 것이다. 이것은 정확히 차티스트인 체하는 사람이 보여주려는 것이다. 반대로 만일 우리가 적으로서 도와준다면, 그리고 우리 자신의 계급 이해를 위한 훌륭한 조직을 갖고 있다면, 우리는 그들이 가고자 하는 것보다 더 멀리 그들을 추동할 수 있다. 우리가 관심을 두는 것은 그들이 집권하는 것이다. 그것은 우리가 그들을 정복할 수 있는 유일한 우호적 토대가 되기 때문이다. 집권한 부르주아지의 가장 진보적인 분파를 물리치면 우리는 모든 주인을 물리치는 것이다. 그러므로 중요한 것은 노동자계급이 자신들의 당의 목적을 위해 잘 조직되는 것이다. 즉 그들의 법안이 통과되는 순간 노동자계급은 자신들의 적대자를 공격할 준비를 하는 것이 중요하다. 그런 다음에 우리는 그들에게 몇 가지 양보를 강요할 것이다. 게다가 훌륭한 프롤레타리아트의 선동은 보수주의자들을 더 빨리 항복하게 할 것이다. 왜냐하면 그들은 제출된 의회 및 재정 개혁이 부르주아 "개혁"의 승리에 이어 곧바로 제출될 **헌장 및 그 이상의 것**과 비교하면 보수적인 조치라고 간주할 것이기 때문이다.

에카리우스는 이 글을 영어로 썼다. — 옮긴이

협동조합 원칙의 옹호자와 협동조합 조합원에게 보내는 편지

A letter to the advocates of the co-operative principle,
and to the members of co-operative societies

《노츠 투 더 피플》

제2호, 1851년 5월 10일

|27| 협동조합 원칙의 옹호자와 협동조합 조합원에게 보내는 편지.

협동조합 원칙!

현재 운동의 오류.

협동조합의 진정한 기초.

우리의 것과 동일하지 않은 전망을 가진 개인들을 비난하는 데 우리는 너무나 익숙하다 ─ 우리 자신이 옹호하는 동일한 방식으로 원칙을 옹호하지 않은 사람은, 바로 그 원칙 자체의 증진을 위해 더 나은 수단이 채택될 수 있다고 생각하는 친구로서 인정되는 대신에 적으로서 너무나 자주 비난받고 있다.

의견의 자유는 모든 자유 중에서도 가장 신성한 것이다. 이것은 모든 것의 기초이기 때문이다. 나는 인민의 이해에 매우 중요하다고 생각하는 주제에 관해 내 견해를 자유롭게 표현할 권리가 있음을 주장하고, 이 기회를 이용해 협동조합 운동의 성격과 성과에 대해 몇 가지 논평을 하려고 한다.

위의 편견이 암시하듯이 누군가는 내가 협동조합에 반대한다고 말할지 모르고 실제로 그렇게 말해온 사람도 있다. 그와는 반대로 나는 비록 변변치는 않으나 진실한 협동조합 옹호자이다. 그리고 바로 이런 이유에서 나는 현재 행해지고 있는 우리 연합 활동의 매우 위험한 경향이라고 내가 인식하는 것에 대해 사람들에게 경고해야 한다는 것을 절감하고 있다.

동시에 나는 현재 협동조합 운동의 지도자들이 정직하고 진실하며 선의를 갖고 있지만, 대의명분을 증진하고자 하는 열망에서 그들이 행동 계획의 몇몇 세부 사항이 지닌 치명적 경향을 간과하고 있다고 확신하며 이를 밝히고자 한다.

내가 주장하는 것은 지금처럼 발전한 협동조합은 다수의 그 관련자들에게 실패로 귀결될 수밖에 없으며, 협동조합이 제거하겠다고 공언한 해악을 단지 영속시킬 뿐이라는 것이다.

내 의견을 세 가지로 나누려고 한다. 첫째, 현재 협동조합 운동이 독점과 임금노예 체제를 타도하기 위해 가지고 있는 수단은 무엇인가? 둘째, 만일 성공한다면 그것이 사회에 미치는 효과는 무엇인가? 셋째, 협동조합 사업에 유일하게 이로운 기초는 무엇인가?

그러나 이러한 몇 가지 논점을 상세하게 검토하기 전에 이렇게 물어보자. 협동조합이 천명하는 목적은 무엇인가?

노동자계급을 자신의 주인으로 만듦으로써 이윤 탐닉을 끝장내고 그들이 임금노예를 벗어나게 하는 것, 부의 균등하고 일반적인 확산을 통해 독점을 파괴하고 부의 집중을 막는 것이다. 이제 논의로 들어가자 —

I. 수단은 그러한 결과를 가져오기 위해 적용된다. 위의 목적을 위해 노동자계급은, 자신의 마지막 푼돈까지 출자할 것을 권고받았는데, 그렇게 함으로써 곧 독점가를 전장 밖으로 쫓아낼 수 있고 혼자 힘으로 노동자와 점주가 될 것이라는 신념으로 말이다.

그들은 노동자계급의 푼돈이 통틀어 부자의 금화보다 더 강력하다는 말을 들었다 — 그들은 화폐귀족의 시장에서 화폐귀족의 구매력을 능가할 수 있다는 말을 들었다 — 그들은 지주의 토지에서 지주의 구매력을 능가할 수 있다는 말을 들었다. 이러한 주장의 오류는, 제국의 연간 수입 중 훨씬 **더 큰** 부분이 노동자계급보다 부자에게 돌아갔다는 사실로 증명된다(이 사실은 너무나 잘 알려져서 통계가 필요하지 않다). 이것은 지난 50년 동안 노동자계급의 저금(이 중에 대부분이 중간계급의 것이지만)이 43,000,000파운드스털링인 반면, 부자계급은 그들의 자본을 2,414,827,575파운드스털링으로

738

증가시켰다는 사실을 생각해보면 우리에게 너무나 확실하게 다가온다. 그러므로 자본에 반대하는 자본 — 파운드스털링에 반대하는 펜스 — , 즉 노동자계급의 ||28| 협동조합이 부자들의 연합을 쳐부술 수 있다고 말하는 것은 오류이다. 즉 **노동자계급이 그렇게 할 힘의 근거가 자신들이 통틀어 더 많은 돈을 가지고 있다는 점에 있다고 주장한다면**, 그것은 오류이다.

그러나 다음과 같은 반대 의견도 있다. "당신들이 제시하는 사실은 이윤을 탐닉하는 것이 상당히 진척되었고 그런 만큼이나 더 강력하게 협동조합의 필요성이 나타나고 있음을 증명한다." — **그렇다.** — 그들은 "게다가" 다음과 같이 말한다. "우리의 자본이 우리 주인의 자본보다 적음을 인정하지만, 우리는 현재 상태에서 단지 자본 대 자본의 균형을 맞추려고 거기서 멈추는 것이 아니라, 재생산하기 위해서 우리가 가진 자본을 모두 이용하려고 하는 것이며, 그러면서 우리가 성공해서 그 결과가 대고용주를 빈약하게 만들어서 상대적으로 적은 우리의 자원과의 격차를 매일 줄여나가게 하려는 것이다."

그러나 다음을 기억해야 한다. 노동자계급이 작은 자본으로 이것을 추구하는 반면, 부유한 계급은 같은 것을 엄청난 부를 가지고 추구할 것이다. 나아가 부유한 계급은 경주에서 이미 훨씬 앞서 있어 유리하다 — 그들은 모든 국가 권력을 행사하고 있다 — 그들은 상당한 정도로 국내 무역에 독립적이다 — 그들의 포탄은 배타적 점유를 잘 유지할 수 있는 새로운 시장을 열었다 — 그들은 화폐 체계와 상업 체계 전체를 통제하며, 따라서 화폐 유통을 확대하거나 줄이고, 다양하게 이자를 올리거나 내리고, 시장을 확장하거나 제한하며, 자신들의 조치가 자신의 이해에 부합한다면 언제든지 공황에 공황을 만들어낸다. 이렇게 말할 수도 있다. 그들은 노동자계급의 협동조합을 무력화하기 위해 이런 수단들 가운데 몇 가지에 의존해 자신의 손해를 자초할 것이다. 당연하다. 그러나 기억하라! 그들은 **잃을 여유**가 있다 — 당신들은 아니다! 그들은 새끼손가락을 살짝 꼬집히겠지만 당신들은 팔이 통째로 잘릴 것이다. 이렇게 그들은 재생산 수단을 통해서 당신들의 자본이 확대되는 것에 대응할 것이다. 게다가 — 이것을 결코 놓치지 말라. 그들은 모든 정치권력을 여전히 휘두르고 있다! 만일 그들이 다른 방식으로 실패한다면 그들은 새로운 법으로 당신들을 파괴할 수 있다 — 그들은 협동조합을 방해하기 위해 극복할 수 없는 합법적 장애물을 설치할 것이다. 여기서 중간계급은 그들을 지지하고, 크고 작은 모든 점주, 모든 이윤 탐닉자 등은 아무

G643

리 영세할지라도 당신들을 반대하고 나설 것이다 — 왜냐하면 당신들이 이윤 탐닉을 끝장내겠다고 **공언**하기 때문이다 — 왜냐하면 당신들이 소부르주아지 계급을 몰아내겠다고 **공언**하기 때문이다.

중간계급과의 연합을 조언하는 많은 사람이 현재의 협동조합 체계에 강력한 지지자라고 언급하는 것은 재미있다. 그들은 중간계급의 지지를 추구하며 그것을 기대하라고 우리에게 말한다 — 동시에 "협동조합"이 점주들을 파괴할 것이라고 세상에 외치면서! 그러나 그러한 파괴는 단지 아주 천천히 진행될 것이고, 이제껏 오랫동안 시도했던 그들이 계획한 협동조합은 — 폭넓게 발전했다. 그리고 그들은 우리에게 협동조합은 지역에서 성공하고 있다고 말할 것이다 — 같은 기간에 독점가는 그처럼 많은 이윤을 거두지도, 그처럼 거대한 발걸음으로 자신의 사업을 확대하지도 못했다고 말할 것이다. 우리는 모제스나 하이엄이 재봉사 앞에서 위축되고 — 그리셀이나 피토가 건설 노동자 앞에서 움츠러들고 — 클로스나 오델이 인쇄공 앞에서 풀이 죽은 모습을 보고 있다는 것인가? 모든 곳에서 그들은 이전보다 더 성공적이다! — 왜! 왜냐하면 협동조합원들을 먹고살게 해주는 호황이 훨씬 더 강력한 힘을 지닌 독점가들을 똑같이 호사스럽게 해주기 때문이다.

이렇듯 경쟁에서의 불평등은 이만저만이 아니다 — 이 불평등은 처음부터 시도를 거의 못 하게 한다. 그러나 우리가 실제로 가지고 **있는** 그러한 힘이 정확한 방향을 취한다면, 그 시도는 승리할지도 모른다.

이것이 나로 하여금 당신들이 사회를 쇄신하려고 열성을 쏟는 협동조합 계획에 관해 생각하게 한다.

당신들이 불러일으킨 협동조합의 힘은 세 가지 목표에만 적용될 수 있다.

1. 토지 구입,
2. 공장을 위한 기계 구입,
3. 분배를 위한 상회 설립.

1. **토지**. 첫째, 경쟁이 과열된 노동시장을 완화하기에 충분한 양의 토지를 구매하기 위해 출자해야 하는 막대한 금액을 생각해보라. 둘째, 어떤 상품의 수요가 증가하면 그 상품의 가격이 더 오른다는 점을 기억하라. 당신들이 토지를 원할수록 토지 가격은 비싸질 것이고, 당신들이 가진 수단으로는 더욱 구매하기 어려울 것이다. 셋째, 당신들의 임금이 수년 동안 떨어졌고 앞으로도 계속 떨어질 것이라는 점을 상기하라. 따라서 한편으로 토지 가격은 상승하고, 다른 한편으로 당신들의 구매 수단은 줄어들 것이다. 넷째, 흥정의 매

순간 양쪽 당사자가 필요하다 ─ 구매자와 판매자. 만일 가난한 계급이 토지를 사려는 것을 알게 된다면 부유한 계급은 토지를 그들에게 팔지 않으려고 할 것이다 ─ 이것에 관해서는 이미 충분한 사례가 있다. 그들은 이것을 자신의 손에서 빠져나가지 않게 할 만큼 충분히 영민하며, 심지어 이러한 수단들에 의해서 충분히 할 수 있다. 다섯째, 다음 사실을 놓치지 말라. 토지의 제한된 일부만이 **정말로** 시장에 나온다는 것 ─**장자 상속법, 정주법, 상속인 한정법**[1]이 남은 토지에 빗장을 건다. **정치적** 법률이 개입하는데, **정치권력**만이 그것을 폐기할 수 있다.

그러나 첫째 목표에 대한 응답으로서 토지 구매에 투자된 자본이 자본 자체를 재생산할 것이라고 주장할지도 모른다. 나는 어떻게 우리 조상들이 토지를 빼앗겼는지를 되돌아보면서 다음과 같이 대답할 것이다. 그것은 불공평한 법률 때문이었다. 그들은 무력이 아니라 법의 힘으로 땅을 빼앗겼다 ─ 직접적인 합법적 몰수가 아니라, 토지에 대한 **과세**로 땅을 빼앗겼다. 동일한 원인은 동일한 결과를 낳을 것이다. 만일 당신들이 토지의 일부를 재구매한다면, 당신들은 예전 조상이 싸웠던 것과 정확히 똑같은 투쟁을 다시 시작할 것이다 ─ 당신들은 보유하고 있는 토지가 ||29| 다 팔리고 과거 상태로 되돌아갈 때까지, 매년 더욱 가난하게 만드는 역경과 당분간 싸워야 한다. 이것은 오로지 세금 재조정 ─ 정치권력만이 강제할 수 있는 조치 ─ 에 의해서만 제거할 수 있다.

2. **기계와 공장**. 협동조합이 지향하는 둘째 목표는 공장을 위한 기계의 구매에 있다. 주장인즉슨, "우리는 공장을 폐쇄할 것이고, 고용주와 경쟁하면서 그에게서 노동자들을 빼앗을 것이다. 노동자들은 자신의 근면의 결실을 보기 위해 우리에게 몰려올 것이다." 공장을 폐쇄하는 것은 당신들에게는 불가능하다. 왜냐하면 대공장주는 국내 시장에 의존하지 않기 때문이다 ─ 그는 외국 시장으로 먹고살 수 있다. 그리고 국내든 외국이든 모든 시장에서 그는 당신들보다 싸게 팔 수 있다. 그의 자본과 자원, 기계에 대한 지배 덕분에 그는 그렇게 할 수 있다. 노동자협회 ─ 재봉사 협동조합, 화공 협동조합 등 ─ 이 **독점적 경쟁자보다 더 비싼** 것은 부정할 수 없는 사실이 아닌가? 그리고 만일 그들의 노동자가 공정한 보수를 받는다면 그들은 그렇게 남아야 하지 않겠는가? 고용주를 파괴할 만큼 그에게서 노동자를 빼앗는 것은 불가능하다 ─ 노동 과잉은 너무 막대하다. 그리고 만약 노동 과잉이 심지어 줄어들고, 고용주가 항상 가장 빨리 명령을 내릴 수 있는 기계의 힘이 끊임없

이 발전하더라도, 당신들이 초래한 공장의 부족보다는 더 균형을 유지할 것이다.

그런데 만약 우리가 공장을 폐쇄하지 않는다면, 시장의 공급 과잉 상태를 증폭함으로써 해악을 증가시킬 뿐이다. 상품을 생산**하는** 이 시장은 우리가 일하는 변변치 않은 공장보다 훨씬 더 크다. 만일 우리가 공장을 추가한다면 우리는 가격을 내려가게 하는 것이다. 우리가 가격을 내려가게 하면 우리는 임금을 떨어뜨리는 것이다(임금은 대개 비례적으로 떨어지지 않는다) ─ 따라서 노동하는 인구의 비참과 빈곤이 더해지는 것이다. 당신들은 다음과 같이 주장할지도 모른다. "그러나 우리는 시장을 **만들** 것이다 ─ 노동자계급을 번영하게 하여 국내 시장을 창출할 것이다." 당신들은 목적을 이루기 위한 수단에서 잘못되었다. 노동자계급의 번영은 당신들의 협동조합을 성공시키기 위해 필요하다. 그리고 당신들의 주장에 따르면 협동조합의 성공은 노동자계급을 번영시키는 데 필요하다! 그것이 순환논법이라는 것을 모르는가? 당신들은 헛수고를 하고 있다. 당신들은 성공을 보증하기 위해 제삼의 권력을 원한다. 결국 당신들은 사회의 기초를 재건하는 정치권력을 바라는 것이다. **당신들의 계획으로는,** 현 체제하에서 당신들의 모든 노력은 **국가 차원의** 결과를 낳는 데 헛될 수밖에 없다 ─ 헛되다는 것이 증명되었다.

3. **협동조합 상회.** ─ 이것으로 당신들은 노동자계급을 점주로 만들려고 하며, 점주가 이전에 고객에서 뽑아낸 이윤을 노동자계급의 호주머니에 넣을 수 있게 하려는 것이다.

이런 상회들이 지향하는 것은 상품 혹은 식품의 분배이다. 전자라면 당신들은 상품을 직접 만들거나 부유한 공장주의 상품을 사야 한다. 상품을 직접 만든다면 위에서 말한 해악을 처음부터 만날 것이다. 상품을 산다면 공장주는 당신에게 싸게 팔 것이다. 왜냐하면 직거래는 중개 거래보다 더 싸게 팔 수 있기 때문이다 ─ 그리고 도매상인이 매년 점점 더 많이 소매업 유통 경로를 집어삼키고 있다는 점을 잊지 말라.

그래서 우리는 당신의 상회들이 식료품의 소매를 위해 존재하게 될 것이라고 본다. 이런 측면에서 보면 국가적 차원의 대책으로서 이 상회들의 힘은 너무나 한정적이다. 식품은 부(wealth)다 ─ 돈은 다만 그 대표자일 뿐이다. 한 나라의 실질적 번영을 진작하기 위해서 당신들은 그 부를 증가시켜야 한다. 그러나 이런 상회들은 식품을 추가로 생산하지 않으며, 이미 생산된 것을 분배할 뿐이다.

742

그러나 여기서 다음과 같은 문제가 제기된다. "만일 노동자가 자신이 원하는 물품에 아주 적은 가격을 지불한다면, 그의 임금이 더 많이 남아 토지를 구매하거나 임금노예를 벗어날 것이다. 그러므로 협동조합 상회는 반대 의견 중에 하나를 제거하는 수단이다. 협동조합 상회는 임금 하락의 위협과 그에 따른 출자의 감소에 대항하기 위한 수단이다."

이러한 의견은, 대답이 그 안에 있기에, 나를 주제의 둘째 부분으로 인도한다. 그리고 여기서 다시 나는 기반이 확고한 협동조합은 유익하고 또한 사회적·정치적 해방을 향한 효과적인 보조 수단일 것이라고 인정한다. 그러나 이 문제의 해결은 쓸 수 있는 수단에 의존할 뿐 아니라 그러한 수단이 사용되는 방식에도 의존한다 ─ 그리고 나는 다음과 같이 주장한다.

II. 체계는 그 속에 해체의 싹을 품고 있고, 인민대중에게 새로운 해악을 가할 것이다. 그리고 이 협동조합 체계는 근본적으로 협동의 실제 원칙에 대해서도 파괴적이다. 이윤 탐닉을 근절하는 것이 아니라 재창조한다. 집중을 막는 것이 아니라 새롭게 한다 ─ 그 역할을 일군의 행위자에서 다른 행위자로 옮길 뿐이다.

1. **협동조합 체계는 이윤 탐닉을 말살할 것이다.** 여기서 나는 당신들에게 최근 협동조합 대표들의 회의에서 나온 고백들을 언급하려고 한다. 그것은 모든 보고 연설에 포함된 자랑거리였는데, 즉 발표자들이 속한 협회가 매우 짧은 시간에 2천 혹은 3천 파운드스털링이나 되는 큰 자본을 축적한 경우도 있고, 겨우 25파운드스털링의 자본으로 시작한 경우도 있고, 부유한 자본가에게 큰 액수의 자금(어느 경우에는 9천 파운드스털링이나 된다)을 빌린 경우도 있다 ─ 이 조치는 부자의 속박에서 협동조합을 해방한다는 점을 전혀 고려하지 않은 것이다 ─ 는 자랑거리였다.

그러나 축적된 자본으로 돌아가서, 이러한 액수의 자금은 어떻게 모은 것인가? 구매와 판매를 통해서. 원가로 팔아서? 그럴 리가 있나! 싸게 구매하고 더 비싸게 판매함으로써 ─ 이것은 **이윤**으로 축적되었다. 한번은 조합원 250명이 아주 ||30| 짧은 기간에 3천 파운드스털링의 자본을 축적했을 정도의 이윤이다! "이윤 탐닉을 반대한다!"[2]

이것은 비난받는 소상인이 했던 바로 그 일과 똑같지 않은가? 단지 아직 굉장한 단계에 이르지 못했을 뿐이다. 그들은 이윤을 탐닉하는 자들의 전철을 답습하고 있고, 단지 다른 사람들이 몇 세기 전에 시작했던 것을 이제 시작했을 뿐이다.

2. 협동조합 체계는 경쟁을 끝장낼 것이다. 그러나 불행히도 그것은 경쟁을 재창조한다. 각 상회나 클럽은 개별적 이해를 가진 고립된 조직으로서 세워진다. 첫째, 그들은 점주와 경쟁해야 한다 ― 그러나 둘째, 그들은 서로 경쟁하기 시작한다. 이해가 일치하지 않는 두 개 이상의 상회나 협동조합이 현재 같은 도시에서 흔하게 설립되어 있다. 만일 실패하면 그것으로 끝나지만, 성공한다면 그들은 접촉할 때까지, 경쟁이 시합이 될 때까지 확장한다 ― 그러면 그들은 서로 침해하게 되고, 서로 파멸하거나 아니면 이웃의 잿더미 위에 어느 하나가 올라서게 된다. 나는 모든 솔직한 독자에게 묻는다 ― 이것은 이미 우리의 북쪽 도시의 몇 가지 사례가 아닌가?

G646 **3. 협동조합 체계는 부의 집중을 막을 것이다.** 그러나 이것은 부의 집중을 새롭게 한다. 우리는 한 걸음 더 나아간다 ― 한 도시에서 골육상잔의 전투가 벌어졌다 ― 한 조합이 다른 조합을 이기고, 그 이웃의 고객을 흡수한다 ― 협동조합의 힘은 많은 사람의 손에서 소수로 떨어진다 ― **부가 집중된다.** 다음 도시에서도 똑같은 일이 일어난다 ― 마침내 승리한 두 조합 사이에 가격 경쟁이 일어난다 ― 그들은 서로 싸게 판다 ― 그들은 노동을 싸게 한다 ― 똑같은 결과가 똑같은 원인에 수반되고, 노동자계급은 강하고 새로운 괴물로 사육되고, 그들이 전에 고개 숙였던 낡아빠진 우상을 대체한다.

거대한 운하회사나 주식회사, 은행 및 철도회사, 상사란 무엇인지 숙고해보자 ― 그것들은 부자의 손안에 있는 협동조합이 아니고 무엇인가? 그것들이 인민에게 끼친 영향은 무엇인가? 부를 집중하고 노동을 빈곤하게 한 것이다. 그것들과 현재의 협동조합 계획의 본질적 차이는 무엇인가? 소수의 사람으로 구성된 클럽이 자신들의 수단을 모은다. **그들도** 그렇게 했다. 수단이 크든 작든 계획의 운영에는 차이가 없으며, 그것의 발전이 빠른지 느린지가 문제일 것이다. 그러나 우리의 가장 부유한 회사 다수는 가장 작은 수단으로 시작했다. 몇 사람은 장사로 시작하여 이윤을 축적한다. 그들도 그렇게 했다. 이윤이 이윤 위에 자라고, 자본이 자본 위에 축적된다 ― 이윤과 자본은 언제나 소수의 호주머니로 흘러들어 간다. 그들의 부유함의 원형도 마찬가지다. 당신들은 이것을 어떤 종류의 협동조합이라고 부를 것인가? 그것은 단지 조금 덜 간악한 모제스 회사(Moses and Co.)의 협동조합이다 ― 그러나 그것이 동일한 원칙에 기초하는 한 이 회사가 같은 운명으로 흘러가지 않을 것이라고 누가 보장하겠는가! 사람들은 이 협동조합으로부터 무슨 이익을 얻을 수 있는가? 만일 당신이 내일의 모제스와 로스차일드를 거지로 만들고 그것들 대신 또 다른 모제스와 로스차일드를 만들어낸다면, 그게 우리에게 무슨 의미가 있는가? 내가 생각하는 개혁은 다른 사람을 부유하게 만들기 위해 한 사람을 파괴하는 것이 아니다 — 그것은 단지 피터에게서 빼앗아 폴에게 주는 것이다. 세상이 금융 및 토지 독점가들의 것이 되는 한, 그 이름이 라셀스이건 스미스이건 중요하지 않다. 이것이 현재의 협동조합 체계 — 그 자체로 불안정하고, 성공적일지라도 공동체에 해가 되는 체계이다. 과거의 것들을 대신해서 몇몇 새로운 점주와 자본가를 만들고, 노동자계급의 엄청난 저주를 증가시키는 노동귀족 체계이다.

III. 그러면 협동조합 사업을 위해 유일하게 도움이 되는 기초는 무엇인가? **전국적 규모**의 기초이다. 모든 협동조합은, 비록 성공적일지라도 광범한 부를 스스로 흡수하는 고립된 노력이 아니라, 국부를 분배해야 하는 전국적 연합에 기초해야 한다. 이러한 연합을 확보하고 유익하게 하기 위해서, 당신들은 그들의 이해를 서로 **경쟁하게** 하는 것이 아니라 서로 **돕게** 만들어야 한다 — 당신들은 그들에게 **행동의 통일과 이해의 일치**를 부여해야만 한다.

이것을 이루기 위해 모든 지역적 연합은 전국적 연합의 지부가 되어야 하며, 일정한 양을 넘는 모든 이윤은 국고금으로 입금되어야 한다. 이것은 새로운 지부를 열고, **가장 가난한** 사람들이 토지를 살 수 있게 하고, 상회를 열게 하려는 것이다. 혹은 그들의 노동력을 자신의 이득뿐 아니라 조직 전반의 이득에 이용하기 위해서이다.

요점은 이것이다. **이윤을 고립된 클럽의 손안에 축적할 것인가 아니면 전체 인민의 향상을 위해 쓸 것인가? 부를 지역의 중심부 주변에 모을 것인가 아니면 분배 기관을 통해 보급할 것인가?**

이러한 선택은 미래의 운명을 아우를 것이다. 전자에서 이윤 탐닉, 경쟁, 독점, 파멸이 흘러나온다. 후자에서 사회의 재건이 흘러나올 것이다. G647

또한 — 구매된 토지는 전체 연합의 신탁으로 구매되어야 한다 — 그러면 그것은 그들이 경작하는 농장의 배타적 소유물이 아니라 차지(借地)가 될 것이다. 그러나 자유토지보유협회나 회사 등은 현재의 체제를 영구화한다 — 그들은 토지귀족의 권력을 강화한다. 지금 토지귀족은 3만 명이다 — 토지귀족이 30만 명이 된다면 더 좋아질 것인가? 더 나빠질 것이다 — 이미 너무 많지 않은가? 토지는 30만 명보다 3만 명이 소유할 때 더욱 쉽고 빠르게 국유화될 수 있다. 그리고 다른 한편으로 지대는 국고금을 증가시킬 것이다—반면에 자유토지 보유자의 기‖31│부금은 그저 허황된 보물이 될 것이다.

그러한 행동 계획에 기초한 연합은 성공을 기대해도 좋을 것이다. 반복해서 말하건대 현재의 협동조합 운동은 그와 유사한 것이 이전에도 그랬듯이 멸망해야 한다—그러지 않으면 이 운동의 성공은 공동체에 새로운 저주가 될 것이다. 왜 부자들은 이 연합에 호의적인가? 왜냐하면 이 연합이 결국 그들에게 해가 되지 않을 것을 알기 때문이다—왜냐하면 이 연합이 지금까지와 마찬가지로 권력을 전복하는 데 언제나 실패할 것임을 알기 때문이다. 이런 시도들이 초창기에 종종 성공한 것은 사실이다—어째서일까? 새로운 생각은 많은 동조자에게 매력적이기 때문이다—반면 이 연합은 너무나 약하기에 화폐귀족의 반대를 무너뜨릴 수 없다. 그렇기 때문에 협동조합원은 부자의 식탁에서 떨어지는 부스러기를 주울 수 있다. 그러나 그 공장귀족의 자랑스러운 보물 한가운데에서 로치데일(1844년에 설립된 초기의 협동조합—옮긴이)의 3천 파운드스털링은 무엇인가?[3] 막강한 무역 거상들에게 충격을 가해보라, 그러면 난쟁이들은 그들 가운데서 부서질 것이다.

앞에서 제안한 계획에 따른 전국적 연합은 이러한 위험을 겪지 않는다. 이렇게 설립된 국고금은 거대한 규모가 될 가능성이 크다—그리고 연합에 큰 힘을 줄 것이다. 박해는 훨씬 어려워질 것이다. 지금 각 조합은 고립되어 있고, 독점의 연합군에 낱낱이 공격받고 있다—하나를 건드리면 모두를 건드리게 되는 셈이다. 성공의 비결은 인민의 권력과 부를 전국적으로 집중하는 것이다(**지역적** 집중이 아니다). 그러면 정치적 법률은 체계적이지 않은 조직 대신에 거대한 연합을 상대해야 하기 때문에 훨씬 더 구속력이 없어질 것이다. 그러면 부자의 연합은 덜 위협적이 될 것이다—왜냐하면 부에서는 우위에 있지만 수에서는 훨씬 떨어지기 때문이다. 그래서 그들은 지금 대부분은 연결된 끈 없이 존재한다. 아니, 너무 많은 경우에 근본적으로 적대적이다.

나는 독자들이 앞의 논의들을 조용히 그리고 냉정하게 따져보기를 부탁한다. 그것들은 현재의 협동조합 운동에 관련된 누구에게도 적대적으로 쓰이지 않았다—그것들은 여기서 표현된 의견이 진리에 근거한다는 성실하고 정직한 확신에서 나온 것이다. 나는 협동조합 운동 방식의 어려움을 지적했다—실망시키기 위해서가 아니라—위험을 알아야 어떻게 피할 수 있는지를 배울 수 있다. 현재 상황에서 우리는 스킬라 바위(카리브디스와 마주해 있는 이탈리아 해안의 큰 바위 ― 옮긴이)에서 카리브디스(가이아와 포세이돈의 딸로서 바다의 소용돌이를 의미함 ― 옮긴이)로 굴러떨어지고 있다.

　그러므로 당신들이 사회를 재창조하려면, 이윤 탐닉을 타파하려면, 경쟁을 형제애의 따뜻한 영향력으로 대체하려면, 그리고 부의 집중과 그것에 수반되는 모든 악에 대항하려면,

협동조합을 전국화하라.

어니스트 존스.

존스는 이 글을 영어로 썼다. ― 옮긴이

어니스트 존스

차티스트 강령에 대한 편지들
편지 III

Letters on the Chartist Programme
Letter III

《노츠 투 더 피플》
제5호, 1851년 5월 31일

|83| 차티스트 강령에 대한 편지들.
편지 III.

위에서 이야기한 시기 중에서 특별히 어렵지 않았던 해를 선택할 수가 없다. 1845년 이전 임금은 거의 끊임없이 하락했다— 1845년 이후에도 임금은 거의 계속 같은 경향을 보여왔다. 이상은 공정하고 편견이 없으며 평균적인 진술이다. 그리고 필요하다면 나도 매년 임금을 감소시켜야 할 처지에 있기는 하다. 50년과 51년을 비교하기 위해 45년을 선택한 이유는 자유무역이 임금을 인상하지 않은 경향이 있었음을 보여주기 위해서이다. 그리고 자유무역이 식료품 가격을 약간 싸게 했을지라도, **임금은 식료품보다 더 많이 떨어졌다**— 이것은 (자유무역과 같은) 좋은 수단이라도 잘 쓰지 못하면 축복이 아니라 저주로 나타난다는 증거이다.

다시 반복하지만 그것이 임금노예의 측면이고, 그것이 자본과의 관계에서 노동의 처지이다. 독자들은 ||84| 이 편지의 서두에 제시된 원칙과 나중에 보이듯이 임노동자의 조건을 대조해보라. 즉 노동이란 그래야 하는 것이다—노동이 무엇인지 보라! 이 대조에 대해 심사숙고하라. 구제책을 잘 생각하라. 그것은 노동자의 일반적인 외침이다. "정당한 하루 노동에 정당한

하루 임금을!" 이것은 철의 노예 대신 황금의 노예를 의미한다. 그러나 황금 사슬은 곧 다시 쇠사슬로 바뀐다. 임금노예 체제가 여전히 존재하기를 허락한다면, 노동은 여전히 자본에 종속되어야 하고, 만일 그렇다면 자본은 노동의 **주인**이 되고 권력을 가지며, 노예를 기름진 음식에서 금식일 식사로 돌려 놓으려는 의지를 결코 포기하지 않을 것이다.

노동자는 외친다—"우리 스스로를 위해서 일하게 하라! 노동은 세계의 주인이어야 하며, 우리는 우리 노동의 주인이어야 한다!"

유일하게 **정당한** 하루 임금은 당신이 스스로에게 지불하는 임금이다—유일하게 **정당한** 하루 노동은 **자유로운** 노동이며, 자유로운 인간의 행복을 위한 노동이다.

그러면 노동을 해방하기 위한 수단은 무엇인가? 그것은 노동 자체의 본성에서 바로 발견된다. 협동은 노동의 정신이다. 어떤 노고도 혼자만의 손으로 이루어지는 것은 없다. 토지 경작자도 다른 힘이 완전히 조잡하지 않고 느리지 않으며 결함이 없다면 그 힘의 도움을 요구한다. 아무도 그가 원하는 모든 것을 혼자서 생산하거나 만들 수 없다. 여기에 노동의 아름다움이 있다. 이것은 형제애적인 것이고, 사람을 사람에게 이끌고, 상호 의존을 가르치며, 거부할 수 없이 협동으로 이끈다. 그러나 그 협동이란 어떠해야 하는가? 우리가 보는 모든 것은 협동의 영향을 받는다. 그것은 단순히 **손**의 협동이 아니라 마음의 협동이 되어야 하며—단순히 힘의 협동이 아니라 **이해**(利害)의 협동이 되어야 한다. G649

그러므로 대회[1]는 협동조합 원칙의 실제적인 인정을 촉구했다—그들은 노동자협회를 조직할 때 나타난 모든 제한적 법률의 폐지를 권고했다—불필요한 가입과 등록—현재의 협동조합 운동의 오류를 찾는 일이* 만장일치로 결정되었다—"협동조합 원칙은 인민의 복지에 필수적이기 때문에, 부의 집중은 분배 경향에 반할 수밖에 없기 때문에, 고립된 클럽의 수중으로 부가 축적되는 것은 개인들의 부의 독점에 버금가는 악이기 때문에, 향후 협동조합의 시도는 노동 문제가 완전히 재편될 때까지 전국적 기초 위에서 계획되어야 하고 지역 혹은 지부의 다양한 조합과 협회를 갖춘 전국적 연합으

---

* 이러한 오류, 그리고 이 조항이 채택된 이유는 대부분 이 작업의 **"협동조합**에 대한 **편지"** II, 27쪽에 나와 있다. 독자들은 이를 참고하면 된다. 따라서 여기서 그것을 반복할 필요는 없을 것이다. (어니스트 존스의 주—옮긴이)

로 연결되어야 한다. 그리고 일정한 양을 넘는 각 지역 협회의 이윤은 노동자협회를 추가로 만들기 위해, 그리고 연합되고 독립된 노동의 발전을 가속화하기 위해 일반 기금으로 적립해야 한다."[2]

그러나 만일 협동조합 체계가 개인적 노력에 맡겨진다면, 비록 그 개인들이 우호적으로 함께 행동하더라도, 그 진보는 매우 느릴 것이고 또한 불가능하지는 않더라도 극복하기 어려운 반작용에 부딪힐 것임은 분명하다. 협동조합은 국가-공리가 되어야 하며, 국가 권력에 의해 실현되어야 한다. 협동조합 조직의 기금은 비록 다 모아도 많은 사람의 필요를 만족시키기에는 훨씬 부족하거나 부족할 수밖에 없을 것이다 ― 일정 부분의 사람들은 다른 사람이 누리는 이러한 이득을 누릴 수 없을 것이다, 아니! 종종 불가피한 상황으로 인해 심각한 불이익을 당할 것이다. 모두의 부모로서 국가는 허약한 아이들의 결핍을 채워야 하고 그들을 나머지 사람들과 똑같은 수준으로 만들어야 한다. 그러므로 강령의 용어로 표현하면 다음과 같은 것이 필수 불가결하다. "일정한 조건으로 노동자 조직들에 돈을 빌려주기 위해 국가가 개설한 신용 기금은 산업적 목적을 위해 함께 연합할 것을 원한다."[3]

아마 《더 타임스》는 여기서 다시 물을 것이다.[4] "돈은 어디서 나오는가?" 대답은 아주 간단하다. 앞의 조항에서 일의 구체적인 상태와 돈과 노동에서 개인들의 협력에 관해 언급했고 ― 그래서 여기서 민주 정부하의 사회 상태가 상정된다 ― 그리고 이렇게 투자된 기금이 재생산될 것이기 때문에, 국가의 막대한 자원을 현명하게 관리한다는 조건으로 필요한 융자금은 분명히 충분하게 공급될 것이다. 이제껏 개발되지 않은 부의 이런 원천들이 ― 개발이 이뤄진 부는 지금 악용되고 있다 ― 공동체 전체를 더 쉽게 더 확실하게 재편할 수 있게 한다. 게다가 기억해야 할 것은 정부의 지원으로 아주 미미하게 시작하더라도 재편으로 인해 나라의 모든 자본과 노동력이 확실히 흡수될 것이라는 점이다 ― 반면 그 시작이 미미하더라도, 이 과제를 수행하는 것은 **대부분** 자본과 노동력이 될 것이라는 점이다.

G650 　이상이 대회에서 채택된 견해들이다 ― 그것은 노동 해방을 위한 기초다. 나는 해방이 정치권력의 소유자들에 의해서만 충분히 실현된다고 믿는다. 그러나 언제 어떤 식으로 권력을 장악하게 되든지 노동자!는 다음의 진리를 계속 고수할 것이다. 즉 노동은 ||85| 자본의 주인이어야 하고, 노동은 독립적이고 자립해야 한다는 것이다.

많은 타협안이 제안되었고, 그것들은 모두 악에 손대는 것일 뿐이다 ― 모두 그 안에 파괴의 싹이 들어 있다. 가장 그럴듯한 제안은, 비용을 공제한 후 사업의 이윤을 자본가와 노동자 사이에 균등하게 분배해야 한다는 제안이다. 이것은 이론적으로는 부당하고 실천적으로는 위험하다. **나는 자본을 창조한 노동에 대해 자본이 어떤 권리가 있다는 것에 반대한다.** 나는 자본이 **어떤** 조건을 지시하거나 **어떤** 타협을 요구할 권리가 있다는 데 반대한다. 대리석 덩어리가 그것의 가치, 아름다움, 중요성을 부여하는 조각가에게 지시하는 편이 좋다고 보는 것이다. 이것은 실천적으로도 위험하다. 이러한 이윤의 반분은 무엇을 의미하는가? 1천 명의 노동자를 가지고 이윤을 반분하는 자본가를 상정해보라. 그는 **한 사람**으로서 1천 명만큼의 이윤을 받는다. 이것은 그가 1천 명 중의 어느 개인보다 1천 배나 강력함을 의미한다. 그와 균형을 유지하려면 1천 명의 결속이 계속 필요하다. 그러나 "분할과 정복"은 압제자의 공리다. 전리품의 일부를 우호적인 소수와 나눔으로써 그는 그들을 그들의 형제들과 분리한다. 점차, 의심의 여지 없이, 노예제도는 작동하게 되고, 미래 세대는 그들 부모의 잘못을 슬퍼하면서 살게 될 것이다. 그들의 부모가 일시적으로 만든 행복을 전복해야 하는 지렛대를 그들 적의 손에 남겨두었기 때문이다.

그러므로 자본에 대한 노동의 완전한 지배권은 자유를 줄 수 있는 자유무역뿐이고, 자유를 보호해줄 수 있는 보호무역뿐이다.

토지와 노동의 조항을 살펴보았다면, 다음에는 통화와 세금, 부채에 관한 조항이 중요하다.

통화 문제에 관해 나는 이 문제에 관한 생각의 개요를 지난번 제시했기* 때문에 여기서는 더 논의하지 않겠다. 거기서 화폐는 부가 아니라 부의 대표자일 뿐이라고 논증했다. 금에는 내재적인 가치가 없다는 것(제조나 기계학에서 쓰이는 금속으로서 금이 갖는 유용성을 제외하면)은 다음 사실로 충분히 증명된다. 즉 금은 무인도에 던져진 사람에게 음식도 쉴 곳도 주지 못하고 어떤 유용함도 없기 때문에 가치가 없다. 그러나 음식과 옷가지는 그에게 무한한 가치를 가진다. 음식은 유일하게 현실적이고 필수 불가결한 부다. 금은 어떤 상황에서 다른 것을 획득하는 한, 일정한 시간과 장소에서만 가치를 가진다. 금의 고유한 가치(일반적 유용성에서 철보다 낮지만, 위에서 말한

---

* 「화폐 노트」(Money Notes)라는 제목의 기사 제1호, 17쪽을 보라. (어니스트 존스의 주─옮긴이)

약간의 조건을 제외한다면)는 없다. 금은 없어도 살지만 음식은 없으면 살 수 없다. 근대 사회에서 음식물을 획득하는 금은 인위적인 관리에 의존한다. 기근이 심한 나라에서나 포위된 도시에서 금은 그렇게 할 수도 없다. 따라서 음식이나 자연의 생산력(토지와 노동)이 유일한 현실적 부다. 금은 인위적 생활의 조건에 의해서 주어진 상상의 가치를 가질 뿐이다. 만일 이것이 가장 귀중한 금속으로 여겨지는 금으로 효력을 가진다면, 이것은 물론 지폐로도 효력을 가진다. 지폐는 금속이 주장하는 작은 고유한 가치조차 가지고 있지 않은데도 말이다.

G651 　그러나 이것, 즉 화폐는 노동에 대한 지배권을 획득했고, 모든 사회 조건에 엄청난 영향력을 행사해왔다. 문제는 어떻게 화폐를 권좌에서 몰아내는가 ─ 어떻게 화폐를 주인이 아니라 하인으로 만들 것인가이다.

통화가 그것을 대표하는 것과 상응해야 하고, 통화가 종이 또는 쉽게 접근할 수 있는 물질이 되어야 하고, 또한 무엇보다 금이 화폐가치의 기준이 될 수 없다는 사실은, 앞서 말한 글에서 논의했다. 그러나 여기서 문제가 발생한다 ─ 어떻게 통화를 규제할 것인가? 만일 통화량이 한 나라의 실제 부의 양만큼 커지고 줄어든다면, 이것은 어떤 영향을 미칠 것인가?

한 나라의 부를 평가할 때 ─ 그 부를 통화로 표현한다면 ─ 부의 양이 증가하고, 그 결과로 화폐의 가치도 증가한다고, 즉 상품이 더욱 많아지게 되고, 상품은 더 싸지고, 혹은 다른 말로 하면 이전보다 "화폐의 가치가 높아진다"라고 평가해보자. 앞서 이미 제시되었듯이, 이것은 모든 계약과 고정 수입, 그리고 거의 모든 기존 사회질서를 혼란스럽게 만든다. 따라서 통화를 ─ 지폐 발행을 더욱 증가시킬 필요가 있다. 그러나 이것은 어떤 효과를 미칠 것인가? 당신이 지폐를 발행한다면, 누군가는 수령인이 되어야 한다. 그리고 당신은 공짜로 개인들에게 화폐를 발행할 수 없다. 그러므로 정부는 기존 계약(공무원 임금이나 정부 지출 등) 안에 들어 있는 약속을 새로운 화폐의 발행을 통해, 물론 그에 상응하는 세금의 감면과 함께, 청산해야 한다.

이제 이것은 누구에게 영향을 받는가? 인민의 대표자로서 계산을 공식적으로 하는 정부가, 헌법의 근본적인 일부로 채택된 규정 등이 확정한 불변의 법률이 영향을 끼치는 것이 틀림없다.

사람들은 다음을 추천한다. 노동 생산물의 ‖86‖ 상호 교환을 위해 쌓아 놓은 정부 저장고를 개방하고, 이러한 교환을 쉽게 하도록 국가는 예치된 상품 및 식료품의 양과 똑같은 수준의 노동-전표를 발행해야 한다는 것이다.

만일 전 인민이 예탁자라면 이것은 더욱 효과가 있을 것이다. 그러나 그것이 고려되지 않는다면, 최소한 그것이 공산주의 체제나 아니면 공산주의와 가장 비슷한 어떤 것 아래서가 아니면 실현되지 않는다면, 그리고 공산주의가 아직 한참 멀리 있는 사회 상태라면, 제안된 계획은 실현 불가능해 보인다. 통화량은 부와 균등하게 되어야 하기 때문이다. 이제 이러한 계획에 따르면, 통화량은 **단지 예치된 부와** 균등하게 될 것이다. 무엇이 정부 저장고의 범위를 넘는 부를 대표할 것인가? 당신도 지금과 같은 악, 즉 그 희소성을 통해 과도한 중요성을 획득한 불균등한 가치의 통화, 가치, 그리고 권력 등을 가질 것이다! 예탁자에게 주어진 노동-전표는 물론 사업 과정에서 비예탁자에게 지출될 것이다. 이 노동-전표가 비예탁된 부를 대표하는 것으로 성장할 것이다. 그러므로 당신은 제한되지 않는 생산을 대표하는 제한된 통화를 갖게 될 것이다. 아니! 설상가상으로 전체 국가의 생산물과 관련하여 통화량은 지속적으로 변동하면서, 그것을 예탁한 수많은 인민에게 의존하게 되거나, 정부 저장고에서 빠져나갈 것이다. 게다가 투기꾼들이 화폐가치를 떨어뜨리는 것을 생각해보라. 그들은 단지 저장고가 넘쳐나게 할 뿐이고, 그리하여 지금과 같이 불법적으로 화폐 시장에서 장난칠 수 있을 것이다.

그러므로 이러한 계획은 불안정해 보인다. 나는 이 계획의 옹호자가 말할 수 있는 것을 기꺼이 들을 것이고, 반론을 기꺼이 제거할 것이다. 단 하나의 적절한 계획은 포괄적인 것이다 ── 즉 국가를 대표하는 정부는 어떤 확실한 자료에 근거하여 행동하면서 나라의 전체 부의 증가에 상응하여 통화량을 늘리는 것이며, 이것을 예탁자와 비예탁자에게 균등하게 적용하는 것이다. G652

통화량의 축소는 여전히 아주 어려운 문제이다. 등가물을 주지 않고 어떻게 통화를 회수할 것인가? 만일 당신이 실제적 가치에 등가물을 준다면, 물론 그 부가 거기에 존재하기 때문에, 축소할 어떤 이유도 없을 것이다. 만일 그 부가 거기에 **없다면**, 당신은 어떻게 보유자에게 보상할 것인가?

현재의 화폐 체계하에서 통화량 축소는 충분히 쉽다. 할인(대부)의 형태로 은행권을 개인들에게 제공한 잉글랜드은행과 다른 은행들이 갱신을 거부하면, 결과적으로 그들이 투자한 모든 돈은 그들에게 다시 떨어져, 은행과의 약속을 이행할 수 있는 차용인에게 종종 심각한 손실이 된다. 그들은 할 수 없이 그들이 가진 상품과 자산을 심각한 손해를 보면서 팔 수밖에 없다. 은행으로 하여금 할인의 갱신을 거절하게 만드는 상황이 일어나게 되면, 은행은 또한 새로운 가입자의 허가도 거절한다. 결과적으로 두세 달이 지나면 수백만의 화폐가 유통에서 분리된다. 그러므로 현 체계하에서 통화량을 축소하는 것보다 쉬운 일은 없다.

그러나 건전한 화폐 체계하에서 통화량을 축소하는 것은 어렵다 — 여전히 나는 이 해결책을 이해할 수 없다. 더군다나 질서가 잘 구축된 국가에서, 즉 생산의 증가가 올바로 지도된 사회 체제의 결과인 국가에서 이러한 어려움이 발생한다고 생각하기는 어렵다. 영구적인 축소는 생각조차 할 수 없다. 그리고 계절의 차이로 약간의 변동은 발생하지만, 고려할 필요는 없을 것이다. 연평균으로 보면 이런 변동은 언제나 그 수준을 유지할 것이기 때문이다.

차티스트 강령에는 한 조항이 있다 — 즉 이러한 만일의 사태에 대처하기 위한 것으로 **보이는** 신용 기금의 설립이다. 노동자협회에 자본을 투자한 국가는 그 자본을 상환할 때는 유통에서 그만큼의 통화량을 줄일 수 있을 것이기 때문이다. 그러나 만일 그렇게 투자된 자본이 내가 가정한 대로 이미 존재하는 국가적 부 또는 노동자의 노동으로 생겨나는 일정한 양의 국가적 부를 대표한다면, 부와 그 대표자인 화폐 사이의 균형을 파괴하지 않고 유통에서 통화량을 빼내기는 불가능할 것이다.

강령의 6항은 세금을 다루는데, 여기서는 다음과 같이 다루어진다. "산업에 대한 세금은 부의 생산을 억제하고 — 사치품에 대한 세금은 정부로 하여금 사치를 장려하게 하고 — 생필품에 대한 세금은 인민의 건강과 안락을 해친다.

그러므로 모든 세금은 토지와 축적된 재산에 부과되어야 한다."[5]

그 자체로 아주 분명하고 단순한 이러한 진술은 논평이 필요 없지만, 다음 항에 적용할 때는 아주 중요하다. 다음 항에서는 다음과 같이 주장한다. "계급 목적을 위해 계급 정부가 갚아야 할 국가 부채는 인민이 법적으로 계약한 부채로 간주할 수 없다.

더욱이 미래 세대가 그들 조상의 어리석음이나 불운 때문에 영구히 저당 잡히게 되는 것은 불합리하다. 게다가 이 부채가 여러 번 변제되어야 하는 것도 불합리하다.

그러므로 국가 부채는, 상환이 끝날 때까지 자본의 상환에 적용되는 이자로서 지금 매년 지불되는 화폐로 탕감되어야 한다."|

|87| 이 조항과 관련하여 강령에 대한 일부 반대 의견이 관찰된다. 즉 그것은 결국 횡령이며, 횡령 중에서도 가장 비겁한 방식이라는 것이다. 그러므

로 《디스패치》는 **채무**를 한 번에 탕감하는 것은 더욱더 공정하게 다루어야 한다고 말한다.

입법화의 모든 결실은 최대 다수에게 최대 이익이 되도록 해야 한다. 이것이 어렵다면 일부 사람들에게 해를 입힐 수밖에 없을 것이다. 차선책은 최소소수에게 최소 손해가 되도록 하는 것이다.

이제 우리의 조상(즉 우리의 부유한 감독자의 조상)은 우리에게 딜레마를 남겼다. 그들은 자신의 이기적인 계급 목적을 위해 우리에게 국가 부채를 짊어지웠다. 만일 우리가 계속 이자를 지불한다면, 우리는 빈곤과 질병, 범죄를 영구화하고, 정치 조직에 치명적 암을 유지하면서 계급 정부의 체제를 승인하는 셈이다 — 만일 우리가 이자 지불을 거부한다면, 일부 사람들에게 손실을 일부 입혀야 하는 셈이다. 둘 중에서 최소한의 악을 선택하고 가능한 그 악을 완화하는 것이 우리의 의무이다.

비겁하다는 비난은 당치 않다. 대회는 모든 도덕적 골칫거리를 대담하고 강하게 거부하고, 정치가의 조직으로서 어려움을 해결할 최선의 수단을 강구한다. "인민은 부채를 계약하지 않았다."[6] 사실이다. 그러나 채무를 탕감하는 것은 계약하지 **않은** 측에 있는 사람들에게 고통을 줄 것이다. 일반적으로 말해 현재 부채의 보유자(채권자 — 옮긴이)는 원래 계약자나 그들의 후손이 아니라 전적으로 새로운 계급이라는 사실은 잘 알려져 있다. 전자는 그들의 이득을 토지나 집 등에 투자했다. 현재 보유자는 상대적으로 가난한 계급이고, 그들 대부분은 은퇴한 상인이나 전문가, 장교의 미망인 등으로 구성되어 있다. 채무를 탕감함으로써 당신은 이 모두를 한 번에 파산시키겠지만, 부채를 계약한 배부른 독점가들은 아무런 해도 없이 그대로 남을 것이다.

그러나 강령으로 제출된 계획은 어떠한가? 지금 이자로 상환되는 돈은, 전부 상환될 때까지 자본의 변제 형태로 매년 상환되어야 한다고 제안되었다.

일부는 외친다. "뭐라고! 전체 세대에게 세금으로 해마다 2700만(파운드스털링 — 옮긴이)을 부담시키겠다고? 이렇게 변제하면 30년이 걸릴 것이다."

인정한다. 그러나 많은 미래 세대에게 파멸의 유산을 계속 물려주는 것보다, 세금으로 한 세대에게 부담을 주는 것이 더 낫지 않겠는가? 그리고 모든 것이 파괴되고 대부분의 공동체가 빈곤에 빠져 전망을 잃고 어떤 새로운 삶의 수단도 발전시키지 못하게 되는 것보다, 쉽게 짊어질 수 있는 부담을 한 세대에게 지우는 것이 더 낫지 않겠는가?

그들은 말한다. "그러나 만일 이러한 부채를 부자가 계약했다면, 당신이 주장하는 것처럼 왜 그것을 부자가 상환하게 하지 않는가? 왜 원래 계약자에게 부과하지 않는가?"

이것이 바로 강령이 제안하는 것이다. 모든 세금은 토지와 축적된 재산에서 징수되어야 하지 않는가? 이러한 부를 보유한 사람은 누구인가? ── 부자들, 부채의 원래 계약자의 후손들이다. 그러면 누가 매년 2700만의 상환금을 30년 동안 부담해야 하는가? ── **원래 계약자들**이다. 이렇게 응징이 이루어진다. 그리고 변제는 점차적으로 약 30년에 걸쳐 이루어지기 때문에 갑작스럽게 타격을 받지 않을 것이고, 갑작스럽게 거지 신세로 돌변하지도 않을 것이다. 그러나 독점가의 몰락은 시작될 것이고, 그는 자신의 황금 가옥에서 서서히 내려오게 될 것이지만, 절대로 거지 신세 혹은 파산을 맛보지 않을 것이다.

그러므로 이 제안은 "비겁한" 것도 "바보 같은" 것도 아니고, 오히려 용감하고 현명하다. 용감한 것은, 국가 부채를 탕감하기 위해 대중적 편견에 맞서 싸우는 것을 두려워하지 않기 때문이다. 현명한 것은, 부채를 탕감함으로써 죄 있는 사람은 도망가고 상대적으로 순진한 사람들이 고통을 당하기 때문이다. 그러나 제안된 수단으로 인해, 모자는 그 모자를 써야 하는 머리에 맞춰지게 된다.

기계를 한층 더 효율적으로 작동할 수 있게 하는 세부 항목들이 있는데, 즉 상환의 차등 규모가 그 수령인이 보유한 금액과 일치하게 하는 세부 항목들은, 그러나 너무나 명백하고 어렵지 않기 때문에, 지금은 더 설명할 필요가 없을 것이다.

다음에 나는 강령의 남은 항을 검토할 것이다.

어니스트 존스.

존스는 이 글을 영어로 썼다. ── 옮긴이

756

옮긴이의 말

2021년 5월 국내 최초로 마르크스와 엥겔스의 유일한 학술 정본인『마르크스 엥겔스 전집』(Marx/Engels Gesamtausgabe, 이하 MEGA)이 두 권 출판되었다. 그 하나는 MEGA 제2부 제3권 제1분책『경제학 비판을 위하여 1861~63년 초고 제1분책. 경제학 비판을 위하여 2』(김호균 옮김)이고, 다른 하나는 MEGA 제2부 제3권 제2분책『경제학 비판을 위하여 1861~63년 초고 제2분책. 잉여가치론 1』(강신준 옮김)이다. 이 두 권이 출판된 2021년은 국내 마르크스 · 엥겔스 연구사의 '역사적 전환점'으로 기록될 만하다. 그 이유는 마르크스 엥겔스 전집의 학술 정본인 MEGA가 최초로 번역된 사실 그 자체에 있다. MEGA는 마르크스 · 엥겔스의 텍스트에 대한 편집자들의 주관적, 정치적, 이데올로기적 개입과 해석을 배제해 이들의 텍스트를 정확하고 완벽하게 재현한 학술 정본이다. 그러니까 MEGA 번역은 다음의 두 가지 층위에서 '역사적 전환점'이라고 볼 수 있다. 첫째, 마르크스 엥겔스 전집을 번역하려는 국내 최초의 시도로서 MEGA 번역은 마르크스 · 엥겔스 사상의 발전과정을 전체적으로 조망할 문헌학적 기초 자료를 제공한다. 둘째, MEGA 번역은 그동안 국내에서 소홀히 다루어온 마르크스 · 엥겔스의 문헌학적 연구 분야를 새롭게 개척할 소재를 제공한다.

이 책은 MEGA 제1부의 한국어판 가운데 처음으로 출판되는 것이다.

MEGA 제2부가 『자본』 및 『자본』의 사전 작업을 단행본 형태로 수록한 데 반해, MEGA 제1부는 마르크스와 엥겔스의 다양한 저작과 글이 함께 뒤섞여 수록되어 있다. MEGA 제1부 제10권을 번역한 이 책은 마르크스와 엥겔스가 1849년 7월부터 1851년 6월까지 작성한 서신을 제외한 모든 글을 담고 있다. 이 책의 다양한 글을 이해하는 데는 옮긴이의 해제보다는 MEGA 편집자의 "서문"과 해당 텍스트들의 "문헌별 부속자료"를 참고하는 게 도움이 될 것이다. 특히 "문헌별 부속자료"는 엄밀한 문헌학적 고증 작업을 거친 마르크스·엥겔스 '원본 복원'의 의미와 이 양자의 사상 발전의 장(場)이었던 '로도스'(이솝 우화에 나오는 격언 "여기가 로도스다. 여기서 뛰어라!"에서 '로도스'는 '지금 여기'를 의미한다)를 입체적으로 이해하는 데 좋은 길라잡이가 될 것이다. 그럼에도 이 자리를 빌려 이 책의 얼개를 간략하게나마 드러내고자 한다. 이는 시대의 비판적 산물로서 사상이 형성되는 과정의 밑그림을 그려내기 위함이다.

마르크스·엥겔스의 문헌사적 발전과정에서 보면, 이 책은 『공산당 선언』(『공산당 선언』이 수록될 MEGA 제1부 제6권은 아직 출판되지 않았다)에서 「루이 보나파르트의 브뤼메르 18일」 사이에 위치한다. 시기적으로 보면 프랑스에서 발발한 1848년 2월과 6월 혁명, 거의 내전에 가까웠던 1849년 5월에서 7월까지의 독일 제국헌법투쟁, 끝으로 1850년 프랑스의 보통선거권 폐지에 이르는 사건에 걸쳐 있다. 한마디로 말하면, 이 시기는 비록 좌절되기는 했지만 '혁명의 시대'를 관통하고 있는 셈이다. 공간적으로는 마르크스와 엥겔스가 유럽 대륙에서 영국으로 이주해 런던 노동자교육협회, 사회-민주주의 망명자위원회, 사회-민주주의 후원회, 공산주의자동맹 등에서 활동하던 망명 초기 상황을 생생하게 보여주고 있다.

혁명의 시대에 이들은 조직가로서 빌헬름 바이틀링이 이끌던 파리의 의인동맹이 브뤼셀의 공산주의 통신위원회와 합병한 공산주의자동맹에서 활동한다. 특히 마르크스는 공산주의자동맹의 의장으로, 엥겔스는 서기로 활동한다. 이 과정에서 이들은 신문과 잡지의 편집자로서 《노이에 라이니셰 차이퉁》의 후속 잡지인 《노이에 라이니셰 차이퉁. 정치-경제 평론》을 발행한다. 여기서 이들은 당면 문제뿐만 아니라 당대의 이데올로그들에 대한 직접적이고 공개적인 비판을 수행한다. 무엇보다도 《노이에 라이니셰 차이퉁. 정치-경제 평론》에 실린 기고문들은 다음 두 가지 측면에서 중요하다. 첫째, 이들은 기고문들에서 사회경제적 현실에 대한 분석을 바탕으로 역사를 계급적 짜임 관계로 해석할 뿐만 아니라, 이를 기반으로 혁명의 주체와 혁명의 객관적 필연성을 역사적으로 입증한다. 둘째, 이들은《독일 이데올로기》(《독일 이데올로기》는 MEGA 제1부 제5권으로 2017년에 출판되었는데, MEGA 편집자들은《독일 이데올로기》를 책이 아니라 계간지로 판정해 "독일 이데올로기 초고와 인쇄본"이라는 부제를 붙였다) 이후 철학자, 특히 독일 철학자의 철학에 대한 비판을 넘어서, 당대 이론가·문인·비평가·조직가들의 이른바 이론의 공론(空論)을 여러 방면에서 비판하고 폭로한다. 이들은《노이에 라이니셰 차이퉁. 정치-경제 평론》에서 당대 인물들이 현존하는 것을 옹호하고 탈현실적이고 탈맥락적으로 역사를 이해하는 점을 비판할 뿐 아니라, 혁명이 임박했음을 과학적으로 증명하려고 한다. 비록 이들이 혁명이 임박했음을 성급하게 드러냈을지라도, 이것은 다음과 같은 시대사적 배경을 고려하면 불가피한 측면이 있다.

1848년에서 1850년 사이에 발발한 유럽의 다양한 혁명이 실패로 돌아가자 온갖 반동 세력이 역공을 시작한다. 반동 세력의 역공에 반발해 온갖 세력 및 조직은 혁명이 다시 일어나기를 고대하면서 조직 및 선전 활동을 전개한다. 그야말로 "온갖 이데올로기가 난무"할 때, 혁명이 임박했음을 드러낸 것은 시대가 낳은 불가피한 희망이었을 것이다. 또한 정치적으로 보면, 루이 나폴레옹 보나파르트의 왕정복고 시도와 이에 반발하는 세력들의 정치적 야합과 이전투구가 일상화되면서 보통선거권이 폐지되고, 신성동맹의 재결성을 통해 유럽 대륙 국가가 전운에 휩싸였다는 배경 또한 간과할 수 없다. 경제적 관점에서 보면, 영국에서 발생한 공황이 주기화되는 현상을 보면서, 영국의 농업·상업·산업 공황이 다시 유럽 대륙의 혁명으로 이어질 수밖에 없다는 분석도 그 배경의 일부를 차지한다. 이 와중에 마르크스와 엥겔스는 프리드리히 빌헬름 4세 시해 기도에 연루되었다는 혐의를 받고 외국인 거류자 법에 따라 영국에서 추방될 위기에 처하면서 경찰에게 감시와 박해를 당한다.

그러니까 마르크스와 엥겔스에게 '로도스'는 과거와 미래가 아니라 당대라는 현재, 즉 '지금 여기'의 다양한 사건과 혁명이 전개된 전장(戰場)을 의미한다. 이 책의 핵심 부분이자 이 책의 부제로 채택한 「독일 제국헌법투쟁」, 「1848년에서 1850년까지 프랑스 계급투쟁」, 「독일 농민전쟁」이 바로 로도스 위에서 뛰어다닌 이들의 결과물이다. 로도스의 찬란한 과거를 복원하려는 일련의 복고 세력, 실제 로도스가 아닌 그리움의 대상으로 전락한 로도스를 '민주주의'라는 가면으로 포장한 감상주의, 급진주의, 음모 및 모반 세력, 현재의 로도스가 아닌 미래의 로도스를 설파하는 각종 예언자 및 이데올로그들에 대한 비판이 세 글의 핵심을 이룬다. 이 외에 문헌학적으로 중요한 글은 마르크스와 엥겔스가 1848년 2월에 작성한『공산당 선언』의 저자임을 공개적으로 밝힌「『공산당 선언』 부분 인쇄물에 대한 각주」, 헬렌 맥팔레인의『공산당 선언』영역본인「독일 공산당 선언」이다. 혁명의 침체기에 해당하는 이 시기 이들이 공산주의자동맹을 재결속하고 조직을 재편성할 때, 공산주의자동맹의 이론적 관점과 실천적 방향성을『공산당 선언』을 중심으로 논의한「1850년 3월 공산주의자동맹 중앙본부의 연설」과「1850년 6월 공산주의자동맹 중앙본부의 연설」은 로도스에서 패배한 이들에게 주는 새로운 희망을, 로도스를 왜곡한 이들에 대한 폭로와 비판을 담고 있다.

요컨대 이 시기 마르크스와 엥겔스는 왕정복고 세력과 그 적대 세력, 민주주의를 구호로 내건 각종 부르주아지 및 아나키스트 세력의 사상 혹은 혁명적 방법의 이중성에 대한 비판을 공론장에서 끊임없이 제시하면서 자신들의 혁명적 입장을 선전하고 혁명이론을 형성해나갔다. 무엇보다도 이 책에 수록된 글 전체는 부정적인 현재의 '로도스'를 지양하려는 이론가이자 조직가로서 이들이 고심한 흔적을 담고 있다. 따라서 혁명가, 조직가, 신문 · 잡지의 편집자, 망명가이자 이론가로서 이들의 활동과 업적은 '복원된 원본'을 바탕으로 '로도스'의 역사적 형성과정을 분석하고 이해할 때 비로소 그 면모가 입체적으로 드러날 것이다.

MEGA 제1부 제10권이 출판되기까지 번역과정을 간략하게 정리할 필요가 있다. 이것은 번역자들의 개인적인 노고와 희생을 기리기 위해서가 아니라, MEGA 한국어판의 번역 및 편집 작업과정의 역사를 기록함으로써 후속 세대가 선행 세대 작업의 성과를 계승하고 한계를 극복해나가기를 희망하기 때문이다.

MEGA 제1부 제10권은 먼저 개별 번역자에게 일정 분량을 할당했고, 이 책의 특성상 개별 번역자는 본문만 번역했다. 그다음에 이렇게 완성된 본문의 번역 원고를 책임편집자 한 사람이 최종 취합해서 교열 · 교정 · 감수 작업을 진행했다. 또한 책임편집자는 개별 번역자가 작업하지 않은 부속자료를 번역하면서 본문의 내용 및 용어를 통일했다. MEGA 제1부 제10권의 본문은 강신준 · 서익진 · 최호영이 일차로 번역하고, 이회진이 책임편집자로서 본문과 부속자료를 다시 전체적으로 번역했다. 이런 이중 작업은 MEGA 구성과 MEGA 편집 원칙상 불가피했음을 밝힌다.

　MEGA의 각 권은 본문과 부속자료로 이루어진다. 본문은 주로 서문, 편집자 일러두기, 저작, 기고문, 초안으로 구성되며, MEGA 편집자들의 철저한 문헌학적 연구 결과에 따라 연대순으로 편집되었다. 반면 부속자료는 본문과 본문에 인용된 문헌들에 대한 MEGA 편집자들의 연구 결과물인 집필과정과 전승과정, 해당 문헌의 텍스트 변경사항 목록, 교정사항 목록, 해설로 구성된다. 이런 구성은 MEGA의 편집 4대 원칙, 즉 ① 완전성(Vollständigkeit), ② 원본 충실성(Orginaltreu), ③ 텍스트 전개과정(Textentwicklung), ④ 주해(Kommentierung)에 따른 것이다.

　완전성은 마르크스와 엥겔스가 작성한 글의 진짜 작성자가 누구인지 명확하게 밝히는 것을 목표로 한다. 원본 충실성은 마르크스와 엥겔스가 작성한 원문의 언어를 있는 그대로 수록하는 것을 원칙으로 한다. 텍스트 전개과정은 마르크스와 엥겔스가 텍스트를 작성하는 과정에서 변경·교정·교열·감수한 부분과 이들이 작성한 원고에 제삼자가 개입한 부분을 전부 규명한다. 주해는 마르크스와 엥겔스가 텍스트를 작성할 때 참조했던 문헌들의 당대 원본을 수록해 원문 언어와 인용한 문헌의 언어를 비교하고, 텍스트를 이해하는 데 도움이 될 만한 부분들을 추가한다.

　무엇보다도 이 책을 번역할 때 불가피하게 분업과 협업의 이중 체계로 작업한 것은 원본 충실성의 원칙 때문이었다. 원본 충실성의 원칙에 따라 이 책을 포함한 MEGA 전체 본문은 마르크스와 엥겔스가 작성한 원고를 원문 언어 그대로 수록하고 있다. 이 때문에 특히 이 책의 본문은 독일어는 물론 영어, 프랑스어(MEGA의 다른 권에는 희랍어, 라틴어, 이탈리아어, 스페인어, 러시아어 등이 있다)가 원문 언어로 편집되어 있다. 그리고 MEGA의 문헌사적 의의를 분명하게 보여주는 부속자료는 집필과정과 전승과정을 제외한 나머지 구성 요소인 변경사항 목록, 교정사항 목록, 해설이 원문 언어에 따라 다양한 언어로 구성되어 있다. 예를 들면 이 책의 「1848년에서 1850년까지 프랑스 계급투쟁」의 원문 언어는 독일어이지만, MEGA 편집자는 마르크스가 이 원고를 작성하면서 참조한 프랑스어 문헌을 부속자료에 그대로 수록했다. 그러니까 본문은 독일어이고, 해당 본문의 부속자료 가운데 집필과정과 변천과정은 독일어이면서 해설의 일부는 프랑스어로 되어 있는 것이다.

이렇게 복합적인 언어 구성으로 인해 MEGA 번역은 불가피하게 개별 번역자의 분업과 책임편집자의 협업으로 진행할 수밖에 없었다. 이것은 한편으로 국내 마르크스와 엥겔스의 연구자와 번역자 가운데 최소한 세 가지 언어, 예를 들어 독일어 · 영어 · 프랑스어를 모두 구사할 수 있는 사람이 드물기 때문이다. 다른 한편으로 마르크스와 엥겔스가 '로도스'라고 간주한 19세기 유럽 역사와 그 역사 한가운데 전개된 각종 단체와 조직의 지면상 논쟁을 이해하기 위한 양질의 국내 연구가 상대적으로 미미하기 때문이다. 결국 본문 언어의 번역과 부속자료 언어의 번역을 통일하는 작업, 내용 및 용어의 일치, 부속자료의 변경사항 목록, 교정사항 목록, 해설의 표기 방법 등의 모든 작업은 책임편집자가 무한 책임을 질 수밖에 없다.

이런 복합적인 문제점과 어려움에도 불구하고, 이 책이 세상의 빛을 보게 된 것은 우공이산(愚公移山)이라는 말이 지닌 힘을 믿은 덕분이었다. 어리석은 자가 옮겨야 할 산이 그 산인지 끊임없이 회의하며, 얄팍한 술수를 부리는 지름길과 우회로의 유혹을 견뎌낼 수 있었던 것도 이 자리를 빌려 감사드릴 분들이 있었기 때문이다.

우선 MEGA 한국어판 번역을 총괄하는 동아대학교 맑스엥겔스연구소 소장 강신준 교수와의 인연을 만들어 주신 전남대학교 철학과 김상봉 교수에게 감사드린다. 이 인연으로 2015년 9월부터 현재까지 MEGA 번역이 삶과 연구의 중심에 오롯이 놓이도록 무한한 신뢰를 보내주신 강신준 교수에게 깊은 감사의 말씀을 드린다. 특히 이 책과 관련해 강신준 교수는 번역의 기본, 번역어 선택, 학문하는 자세 등을 새삼 일깨워주셨을 뿐만 아니라, 「독일 제국헌법투쟁」, 「1848년에서 1850년까지 프랑스 계급투쟁」, 「독일 농민전쟁」을 검수하고 더 나은 번역을 위한 제안과 조언을 해주셨다. MEGA 한국어판의 편집 작업을 처음부터 현재까지 책임지고 있으며, 이 책의 완성도를 높이기 위해 끊임없이 질문하고 때로는 대안적인 제안까지 제시해준 이현숙 편집자의 엄청난 노고와 희생은 감사의 말로는 다 갚을 수 없다. 출판사의 어려운 사정에도 불구하고 기꺼이 MEGA 한국어판의 출판을 맡았고, 이 책 전체를 윤독한 후 껄끄럽지 못한 번역을 고쳐주신 도서출판 길 박우정 대표 또한 잊을 수 없다. 이 책뿐만 아니라 다른 MEGA 한국어판 작업과정에서 여러 난관에 봉착할 때마다 무한한 지지를 보내준 이승우 실장과 갖가지 복잡하고 번거로운 조판 작업을 감당한 최원석 실장에게도 감사드린다. 여전히 MEGA 한국어판 번역에 매진하고 있는 동료 번역자이자 연구자들은 존재 자체만으로 힘이 되어주었다. 앞으로 수십 년을 이어갈 대장정에 함께할 모든 분께 미리 감사의 말씀을 드린다. 끝으로 MEGA 번역과정에서 용어, 문장, 문맥, 내용에 대한 의심을 깔끔하게 해소해주고, 항상 내 곁에 있지만 독립적으로 존재하는 아내 안야 쉐르핀스키(Anja Scherpinski)에게 온 마음을 다해 고마움을 전한다.

2024년 4월
MEGA 제1부 제10권의 옮긴이들을 대표하여
책임편집자 이회진

카를 마르크스 프리드리히 엥겔스 전집(MEGA) 한국어판이 출간될 수 있도록
후원한 분들의 이름을 여기에 남깁니다.

김석언
강수돌
퇴경 조용범 교수 문하생
전국금속노동조합 대우버스 사무지회
전국금속노동조합 S&T 모티브 지회

강광선	강남욱	강대복	강대선	강대준	강명숙	강선양	강주용	강진아
강현숙	강현영	고도란	고소혜	고영라	공철호	곽삼영	구영지	구자행
권경희	권대성	권수정	권우정	권은혜	권자현	김경해	김남영	김남정
김 달	김명선	김명선	김명숙	김명종	김미선	김미숙	김미숙	김미자
김미정	김민수	김민신	김병립	김병조	김보현	김복중	김상봉	김선영
김성수	김성연	김세록	김수현	김 영	김영숙	김영환	김용준	김은정
김종현	김지숙	김지연	김차름	김현정	김혜숙	김호룡	김효근	김희경
김희경	김희찬	남귀연	남막례	노부영	노옥희	도영화	류명주	류은주
류주미	문성권	문원준	문윤희	문준섭	박경숙	박기헌	박미자	박산천
박소영	박숙자	박순영	박영미	박유경	박유순	박유영	박이현숙	박종선
박주상	박준석	박지아	박태진	박태환	박해진	박형민	반일효	배영미
배우나	백영기	백점단	변영철	서재유	서창호	석경숙	선동초	선정애
설남종	성고은	손용호	손정순	손정옥	송민정	신남정	신미경	신옥진
신용우	신정혁	신현희	신홍철	아이쿱김해생협		안분훈	안신정	안영숙
안정옥	안정화	안진숙	양원정	양윤복	양재권	양정임	오귀선	오수진
오유진	오인숙	오향녕	왕승민	윤미라	윤영석	윤인식	윤정호	윤 희
이강욱	이대명	이도환	이둘선	이문정	이미선	이미홍	이범수	이선화
이성진	이승주	이승현	이애경	이영숙	이영훈	이윤주	이은임	이의섭
이재환	이정규	이정아	이정형	이종진	이종학	이주현	이지운	이지현
이진희	이창주	이평세	이현주	임창민	임현석	임회록	장명재	장문재
장용성	장은희	장일화	장정표	전복순	전순덕	전정순	전혜림	정경희
정고운	정소현	정수희	정순계	정연봉	정원태	정현우	지봉화	정옥엽
정유리	정재인	정진영	정현성	정현주	조명숙	조정임	조형희	조혜정
주서호	주영선	주인숙	진민숙	채교순	천영화	최경옥	최동진	최미경
최병일	최연주	최영섭	최영옥	최은미	최인숙	최일규	최지수	최찬호
최현옥	최현혜	커피로스터스수다		프레시안협동조합		하경아	하영주	한은영
한지영	함학림	허 정	허정애	홍갑복	홍지원	황 국	황규희	황부상
황혜선	황희정							

알라딘 북펀드 후원자 명단